INITIATION
au droit des affaires

2e édition

Jean-Pierre Archambault

Marc-André Roy

Éditions Études Vivantes

Groupe Éducalivres inc.
955, rue Bergar, Laval (Québec) H7L 4Z6
Téléphone : (514) 334-8466 ■ Télécopieur : (514) 334-8387
Internet : http://www.educalivres.com

INITIATION
au droit des affaires
2e édition

Jean-Pierre Archambault
Marc-André Roy

Code produit : 2249
ISBN 2-7607-0593-5

Dépôt légal : 2e trimestre 1995
Bibliothèque nationale du Québec, 1995
Bibliothèque nationale du Canada, 1995

Imprimé au Canada

3 4 5 6 7 8 9 0   GCC   5 4 3 2 1 0 9 8

AVANT-PROPOS

Trois éléments importants m'ont amené à réviser et à réécrire complètement le volume *Initiation au droit des affaires*. Ce sont l'entrée en vigueur du *Code civil du Québec*, le 1er janvier 1994, les problèmes occasionnés par la **réduction des plages horaires** des divers cours de droit à 45 heures et, finalement, la **réforme des programmes**.

LE CODE CIVIL DU QUÉBEC

Le 1er janvier 1994, le *Code civil du Québec* est entré en vigueur et a remplacé le *Code civil du Bas-Canada*, qui régissait les relations des citoyens du Québec entre eux depuis 1866.

L'entrée en vigueur du *Code civil du Québec* a à ce point chambardé et remodelé le droit civil et le droit des affaires en usage depuis plus de 125 ans que le Barreau du Québec et la Chambre des notaires ont obligé les 20 000 avocats et notaires du Québec à suivre des cours de formation pour pouvoir conserver leur droit de pratique.

Ainsi, le législateur québécois a introduit de nouveaux concepts et surtout un nouveau vocabulaire.

Des expressions et des mots sont nouveaux et, dans certains cas, correspondent à des concepts élaborés par la jurisprudence au cours des 20 dernières années alors que dans de nombreux autres cas, ils font carrément référence à du droit nouveau. En voici quelques exemples :

- droit de la personnalité ;
- atteinte à la vie privée ;
- action en inopposabilité ;
- régime de protection du majeur ;
- liquidation de la succession ;
- contrat de consommation ;
- garantie de la qualité ;
- clause abusive ;
- garantie du droit de propriété ;
- exploitation d'une entreprise ;
- vente d'immeuble à usage d'habitation ;
- créance prioritaire ;
- hypothèque mobilière sans dépossession ;
- hypothèque mobilière avec dépossession ;
- hypothèque légale ;
- publicité des droits ;
- bureau de publicité des droits.

LE MANUEL Afin de permettre aux professeurs et aux étudiants de repérer rapidement et facilement les notions importantes, celles-ci ont été mises en marge pour faciliter l'acquisition et la révision du vocabulaire et de ces notions importantes. Un **glossaire complet** à la fin du volume reprend l'ensemble de ces concepts.

De plus, de nombreux **exemples de contrats types**, conformes aux dispositions du *Code civil du Québec*, viennent compléter et illustrer la théorie.

LA RÉDUCTION DES PLAGES HORAIRES

La question de la réduction des plages horaires de la majorité des cours de droit à 45 heures a soulevé beaucoup de discussions entre les professeurs qui donnent ces cours. Certains prétendaient qu'on devait couper dans la matière mais ne s'entendaient pas dans bien des cas sur les chapitres ou les parties de chapitres à supprimer. D'autres soutenaient qu'on devait continuer à voir la même matière mais d'une façon différente, par exemple en faisant travailler les étudiants par eux-mêmes sur certaines parties de la matière.

Par ailleurs, tous les professeurs consultés étaient d'accord sur un point : on devait conserver l'essentiel de la matière en y ajoutant des moyens facilitant l'apprentissage.

LE MANUEL   Afin d'atteindre ces objectifs, le manuel *Initiation au droit des affaires* a subi une cure d'amaigrissement tout en conservant l'essentiel de la matière.

Dans un premier temps, la présentation de la matière a été restructurée et le volume a été divisé en quatre parties comprenant 17 chapitres :

Partie 1   Les fondements juridiques des affaires au Québec
Partie 2   L'aspect juridique des principales activités commerciales
Partie 3   Les formes juridiques de l'entreprise
Partie 4   L'entreprise face à ses créanciers et à ses employés

La division même des chapitres est faite de façon à permettre au professeur d'insister sur la partie de la matière qu'il désire. Par exemple, au chapitre 13 sur l'exploitation d'une entreprise incorporée, le professeur peut insister sur la compagnie et laisser le soin à ses étudiants de lire par eux-mêmes la deuxième partie du chapitre sur la coopérative.

Dans un deuxième temps, l'introduction de nombreux **tableaux**, d'**exemples** et du **glossaire** permet de mieux synthétiser la matière et de la présenter de façon plus visuelle et schématique.

Finalement, chaque chapitre comprend deux formes de **résumés** en fin de chapitre, sous forme de texte et sous forme de **réseau de concepts** qui aident les étudiants et le professeur à visualiser rapidement le contenu du chapitre.

LA RÉFORME DES PROGRAMMES

La réforme des programmes introduit graduellement la notion d'**approche par compétences**. Quoique ni les standards ni les compétences attendues des étudiants ne soient pas encore complètement établies pour les cours de droit, un consensus est ressorti de mes discussions avec les professeurs de droit, à savoir que les compétences visées chez l'étudiant consistent à :

- acquérir et comprendre les notions et concepts de base ;
- maîtriser le vocabulaire propre au droit ;
- connaître les droits, les obligations et les recours des parties liés à une situation ou à un contrat ;
- appliquer ces notions à des situations pratiques précises.

LE MANUEL   Afin de cibler les connaissances, habiletés et compétences que l'étudiant aura à développer, chaque chapitre désigne clairement les **objectifs** et les **éléments de compétences** visés qui permettront à l'étudiant de mettre en pratique les connaissances acquises.

De plus, à la fin de chaque chapitre, des **exercices et cas pratiques variés** permettent aux professeurs et aux étudiants de vérifier les apprentissages et l'acquisition des compétences visées. Plusieurs exercices demandent à l'étudiant de remplir les nombreux formulaires déjà étudiés dans le chapitre.

Finalement, un **test récapitulatif d'autoévaluation** est prévu à la fin de chacune des quatre parties du volume dans le but de vérifier l'intégration des connaissances, compétences et habiletés acquises tout au long des chapitres étudiés dans la partie visée.

En conclusion, je pense que le présent manuel d'initiation au droit des affaires atteint l'objectif que je m'étais fixé au départ : réaliser un juste équilibre entre la matière enseignée et l'approche pédagogique par compétences et les contraintes pédagogiques d'un cours de 45 heures.

REMERCIEMENTS

Je tiens à remercier tous les intervenants des milieux de l'éducation, du droit et des affaires qui ont collaboré de près ou de loin à la réalisation du présent manuel. Sans leurs suggestions, leurs conseils et leurs encouragements, le présent ouvrage n'aurait pu être aussi complet.

M. Réjean Bouchard, syndic de faillite chez Raymond Chabot inc. ;

Me Jean-Paul Gaudreau, avocat spécialiste en faillite ;

Me Pierre Hébert, avocat spécialiste en relations du travail ;

M. Roméo Houle, président de CorpoServices inc. ;

M. Paul Jalbert, courtier d'assurances ;

Me Michel Towner, avocat chez Byers-Casgrain, avocats ;

Me François L'Heureux, avocat et professeur au Cégep de Bois-de-Boulogne ;

Me Robert Nadeau, avocat et directeur des affaires juridiques de l'Association des courtiers et agents immobiliers du Québec ;

Me James Smith, avocat et président de Marque d'Or ;

Me Daniel Péloquin, avocat pour la Commission des normes du travail du Québec ;

Le Bureau de l'Inspecteur général des institutions financières ;

La Caisse populaire Sainte-Rose de Laval : Fernand Vallée, directeur du financement des entreprises, Jacques Bergeron, directeur général ;

Me Marc André Roy, coauteur maintenant décédé.

Les consultants :

Mme Ginette Bélanger, Cégep de Sainte-Foy ;

M. Alain Dallaire, Cégep de Baie-Comeau ;

Mme France Dionne, Cégep de Matane ;

Me Alain A. Faucher, avocat et professeur au Collège de Granby – Haute-Yamaska ;

M. Jean Gagné, Cégep de la Gaspésie et des Îles ;

M. Jacques Gendron, Cégep de Rivière-du-Loup ;

M. Laurent Landry, Cégep de la région de l'Amiante ;

M. Pierre Laporte, département de droit à l'Université de Montréal ;

Me Louis-Philippe Lépine, Collège Ahuntsic ;

Mme Sylvie Milette, Collège de Maisonneuve ;

M. Raymond Morand, Cégep de l'Outaouais ;

Me. Jacques Ostiguy, avocat, ADM. A. Cégep de Valleyfield;

Mme Nathalie Roy, Cégep de Jonquière ;

Me François Therrien, avocat et professeur à l'Université du Québec à Trois-Rivières ;

Mme Line Tremblay, Cégep de Chicoutimi.

J'adresse enfin un sincère remerciement à mon épouse Monique et à mes enfants Sylvie, Jean-François et Nicolas pour leur patience, leur amour et leur compréhension.

Jean-Pierre Archambault

LES AUTEURS

JEAN-PIERRE ARCHAMBAULT

Né à Montréal, Me Jean-Pierre Archambault a obtenu son baccalauréat ès arts à l'Université de Montréal, où il a également obtenu sa licence en droit en 1971. Il est actuellement membre du Barreau du Québec et du Barreau canadien. Il exerce sa profession à Laval et à Montréal. Il est aussi membre de l'Institut d'arbitrage du Québec.

Spécialisé en droit commercial et corporatif, Me Archambault a d'abord été membre puis partenaire de différents cabinets montréalais : Riel, Vermette & Ryan, O'Reilly, Hutchins & Archambault, Canuel, Quidoz & Associés et Allain, Fournier & Archambault.

Parallèlement à sa carrière d'avocat, Me Archambault enseigne à l'École de formation professionnelle du Barreau du Québec et dans plusieurs autres établissements d'enseignement. Actuellement, il enseigne au Collège Bois-de-Boulogne où il a été successivement coordonnateur du Département de techniques administratives et professeur de droit.

En 1977, il a publié un premier ouvrage intitulé *Exercices et cas pratiques en droit des affaires*, puis un nouveau cahier d'exercices en droit des affaires, en 1994.

La même année, à l'occasion d'un voyage d'études en France, Me Archambault a publié le document *Exercer une entreprise au Québec* qu'il a écrit en collaboration avec M. Jean-Pierre Saulnier, directeur de l'Institut universitaire de technologie de Bourges.

En 1981, il a publié, conjointement avec Me Marc-André Roy, un deuxième ouvrage intitulé *Le Droit des affaires* qui leur a valu le *Prix d'encouragement du ministre de l'Éducation* dans le domaine de l'administration et des techniques administratives.

En 1985, il a réalisé un document audiovisuel pour le compte du ministère de l'Enseignement supérieur et de la Science et de la Direction générale de l'enseignement collégial (DGEC), dans lequel il explique les quatre formes juridiques de l'entreprise au Québec ; ce document s'intitule *L'implantation d'une entreprise au Québec*.

Au cours des années 1987 et 1988, il a réalisé une seconde série audiovisuelle cette fois pour le compte du ministère de l'Enseignement supérieur et de la Science, intitulée *L'entreprise et les tribunaux*, comprenant deux études de cas : *La procédure civile* et *la procédure criminelle et pénale.* Ce dernier document lui a valu le prestigieux *Prix du ministre* décerné au meilleur document audiovisuel réalisé dans le domaine de l'éducation au Québec pour l'année 1988.

Au cours des dernières années, Me Archambault a participé activement aux diverses activités de la *Coordination provinciale des disciplines Administration et Techniques administratives* pour l'élaboration des nouveaux programmes des techniques administratives et des sciences humaines auxquels les sciences administratives ont été intégrées.

Me Archambault a notamment été membre du sous-comité pédagogique de la discipline Administration chargé de l'élaboration des cours d'administration, dont les cours *Les affaires et le droit* et *Initiation au droit des affaires*.

Il est également membre du Comité de la formation permanente du Barreau de Laval et a été l'un des professeurs choisis par le Barreau du Québec pour donner certains des cours obligatoires sur le nouveau *Code civil du Québec* qui devaient être suivis par tous les membres du Barreau du Québec. Il a de plus présenté plusieurs séances de perfectionnement aux professeurs de Droit des affaires du réseau collégial à la demande de la Coordination provinciale d'Administration 401.

En 1994, Me Archambault a réalisé un nouveau document audio-visuel intitulé *La Faillite,* qui lui a valu encore une fois le Prix du ministre de l'Éducation décerné au meilleur document audiovisuel réalisé dans le domaine de l'éducation au Québec.

MARC-ANDRÉ ROY

Originaire de Montréal, Me Marc-André Roy a obtenu son baccalauréat ès arts à l'Université de Montréal, où il a également poursuivi des études en éducation. Licencié en droit de l'Université d'Ottawa et membre du Barreau du Québec et du Barreau canadien, il a exercé sa profession à Montréal et à Laval.

Il a été successivement adjoint d'administration et de recherche auprès du juge en chef de la Cour supérieure du Québec, secrétaire-trésorier adjoint de la Commission des droits de la personne, responsable du Service de la traduction juridique et de la recherche terminologique chez Ogilvy, Renault et Associés, et directeur adjoint de l'École de formation professionnelle du Barreau du Québec.

Tout en poursuivant sa carrière dans le milieu juridique, Me Roy a enseigné le droit et l'administration des affaires dans différents établissements d'enseignement de la région montréalaise. Il a également été rédacteur et responsable de l'adaptation québécoise d'un ouvrage intitulé *L'Entreprise d'aujourd'hui, structure et dynamique* publié, en 1983, par Les Éditions HRW ltée de Montréal et pour lequel il a été récipiendaire d'un prix d'excellence décerné par le ministère de l'Éducation du Québec.

Il a également été professeur au Département des sciences et techniques administratives du Collège Montmorency, chargé de cours au Département des sciences administratives de l'Université du Québec à Montréal et conseiller juridique auprès de nombreuses PME québécoises.

Me Roy est décédé le 14 mai 1990 des suites d'une longue maladie.

TABLE DES MATIÈRES

CHAPITRE 2
L'ENVIRONNEMENT JUDICIAIRE : LES TRIBUNAUX

CHAPITRE 3
LES PERSONNES ET LEUR PATRIMOINE

PARTIE 2

L'ASPECT JURIDIQUE DES PRINCIPALES ACTIVITÉS COMMERCIALES

CHAPITRE 6
LES OBLIGATIONS ET LES CONTRATS

CHAPITRE 7
LA RESPONSABILITÉ

CHAPITRE 8
LA VENTE ET SES MODALITÉS

CHAPITRE 9
LE LOUAGE

CHAPITRE 10
LES CONTRATS NOMMÉS

CHAPITRE 11
LES CONTRATS VISÉS PAR LA LOI SUR LA PROTECTION DU CONSOMMATEUR

PARTIE 3
LES FORMES JURIDIQUES DE L'ENTREPRISE

CHAPITRE 12
L'EXPLOITATION D'UNE ENTREPRISE NON INCORPORÉE

CHAPITRE 13
L'EXPLOITATION D'UNE ENTREPRISE INCORPORÉE : LA COMPAGNIE ET LA COOPÉRATIVE

CHAPITRE 14
LE FONCTIONNEMENT DE LA COMPAGNIE

PARTIE 4

L'ENTREPRISE FACE À SES CRÉANCIERS ET À SES EMPLOYÉS

CHAPITRE 15
FINANCEMENT DES ENTREPRISES : LE PRÊT, LE PAIEMENT ET LES EFFETS DE COMMERCE

CHAPITRE 16
LES GARANTIES DE PAIEMENT ET L'INSOLVABILITÉ

CHAPITRE 17
LES RELATIONS DE TRAVAIL

INTRODUCTION

QU'EST-CE QUE LE DROIT ?

Qu'est-ce que le droit ? C'est souvent la première question que pose un professeur de droit au premier cours. Qu'est-ce que la loi ? Faites-vous une distinction entre la loi et le droit ? Pourquoi les lois sont-elles différentes d'un pays à un autre ? Pourquoi a-t-on besoin de lois dans une société ? Ne serions-nous pas mieux sans lois ? Pourquoi certains pays considèrent-ils l'avortement comme un crime alors que d'autres le permettent ? Pourquoi la peine de mort dans un pays, et son abolition dans un autre ? Pourquoi, dans certains pays, punit-on le vol en coupant la main du voleur ?

Les réponses ne sont pas nécessairement faciles ni évidentes, car selon les pays et les individus, le droit et la loi n'ont pas toujours la même signification. Pour un dictateur ou pour un roi, la loi, le droit, c'est lui. Dans un régime démocratique, c'est l'État, le Parlement élu par les citoyens, qui détermine les lois et qui voit à leur application. Dans d'autres pays, les liens entre la religion et la loi sont très étroits.

Au sens objectif, le mot « droit » désigne l'ensemble des règles et des normes établies par l'autorité en place pour régir les relations des individus dans la société. Au sens subjectif, il désigne la faculté que possède tout individu ou citoyen de faire ou de ne pas faire tel ou tel acte.

Ainsi dans le langage courant on dira : « J'ai le droit de sous-louer mon appartement », « J'ai le droit de vendre ma maison », « J'ai le droit de poursuivre le débiteur qui ne paie pas ce qu'il me doit ». Certains gouvernements vont même jusqu'à adopter des chartes des droits et libertés fondamentales pour leurs citoyens.

Dans un État démocratique, le droit s'exprime par les lois, les normes et les règlements promulgués par le gouvernement, et ce, aux niveaux civil, constitutionnel, criminel social et pénal.

Ainsi le *Code criminel* établit les règles de conduite des citoyens en cette matière (défense de tuer son voisin, de le voler, etc.), alors que le *Code civil* établit les règles des relations des citoyens entre eux, dans leur vie de tous les jours et sur le plan commercial, par exemple.

C'est là la partie du droit qui fera l'objet du présent ouvrage et que les juristes appellent le droit positif, et que nous nommerons ci-après **le droit**.

À QUOI SERT LE DROIT ?

D'une façon générale, le droit vise à assurer l'équilibre essentiel à un déroulement harmonieux des relations entre les individus d'une collectivité donnée et empêche que la loi du plus fort ne prévale. C'est ce qui distingue les sociétés civilisées des autres.

Dans le domaine des affaires, le droit joue un rôle important. En établissant les normes de sécurité, de bonne foi et d'honnêteté dans les rapports entre commerçants et consommateurs, le droit des affaires rejoint l'ensemble des citoyens. On n'a qu'à penser à la *Loi sur la protection du consommateur,* qui a révolutionné les relations entre commerçants et consommateurs.

De la même manière, les lois commerciales viennent réglementer la production et la distribution des produits et services. Par les lois, le gouvernement protège non seulement les citoyens, mais aussi l'environnement. C'est donc l'ensemble de la société qui bénéficie des lois.

D'ailleurs, si l'on examine de près l'évolution des lois dans une société, on perçoit l'évolution même de cette société.

Il y a 20 ans, le Québec en était aux premiers balbutiements de la *Loi sur la protection de l'environnement*; aujourd'hui, nous évoluons de plus en plus vers le concept du pollueur-payeur.

Il a fallu attendre 1971 avant d'avoir une *Loi sur la protection du consommateur* au Québec. Est-ce à dire qu'il n'y avait pas lieu de protéger les consommateurs au Québec avant cette date ?

Au début des années 60, la peine de mort s'appliquait encore au Canada et, jusqu'à tout récemment, l'avortement était un crime en vertu du *Code criminel*. Ce n'est plus le cas aujourd'hui.

La Loi 101, connue sous le nom de *Charte de la langue française*, a été adoptée en 1977 afin de consacrer le français langue officielle au Québec. Est-ce à dire qu'on ne parlait pas français au Québec avant 1977 ?

On n'a qu'à regarder l'évolution des lois québécoises au cours des 20 dernières années pour se convaincre de cette réalité : le droit, les lois reflètent les valeurs d'une société et son évolution sociale, politique et économique.

LES AFFAIRES ET LE DROIT

Le système économique dans lequel nous vivons est basé sur la libre entreprise. Les personnes qui dirigent une entreprise sont appelées « gens d'affaires », « entrepreneurs » ou « commerçants ». La vie de notre société gravite autour de l'entreprise qui fabrique des produits, qui fournit des services aux consommateurs et des emplois aux citoyens.

Le but de l'entreprise est d'abord de faire des profits. Les gens d'affaires se retrouvent dans tous les secteurs de notre économie : propriétaires d'usine, distributeurs, importateurs ou exportateurs de produits manufacturés, détaillants, transporteurs, courtiers, fournisseurs de biens ou de services, représentants, locateurs, banquiers. Toutes leurs activités sont encadrées par des lois et des règlements afin de régir les échanges commerciaux. Nous appelons cette partie du droit le **droit des affaires**.

On emploie indifféremment les termes **droit commercial**, **droit de l'entreprise**, et même **droit corporatif** lorsqu'on parle de ces lois et règlements.

Le domaine des affaires fait l'objet de lois et de règlements particuliers, comme la *Loi sur les compagnies du Québec*, la *Loi sur la protection du consommateur* ou la *Loi sur la faillite*, et il est aussi soumis aux règles de base énoncées dans le *Code civil du Québec*.

On y retrouve les règles de base en matière d'obligations et de contrats ainsi que les règles propres à certains contrats précis comme la vente, le louage, le mandat, le prêt et les assurances.

La personne qui aspire à une bonne connaissance du monde des affaires et qui espère réussir en ce domaine se doit tout d'abord de connaître les règles du droit civil et du droit des affaires.

CHAPITRE 1

Partie 1
*Les fondements
juridiques
des affaires
au Québec*

LES SOURCES DU DROIT AU QUÉBEC

OBJECTIFS ET ÉLÉMENTS DE COMPÉTENCES

1 Connaître les sources historiques et constitutionnelles du droit au Québec.

2 Distinguer les domaines de compétence exclusive du fédéral et des provinces en vertu de l'A.A.N.B. de 1867.

3 Reconnaître les critères déterminant l'inconstitutionnalité d'une loi et les appliquer à des situations précises.

4 Indiquer les caractéristiques de la *Loi constitutionnelle de 1982*.

5 Pouvoir suivre les étapes nécessaires à l'élaboration d'une loi.

6 Connaître les dispositions de la *Charte canadienne des droits et libertés* et pouvoir les appliquer à des cas précis.

7 Distinguer et appliquer à des situations précises les principales branches du droit.

Droit : Ensemble des règles et des normes établies par les autorités compétentes pour régir les relations des individus à l'intérieur de la société. Au sens subjectif, il désigne la faculté que possède tout citoyen de faire ou de ne pas faire tel ou tel acte.

Dans un cadre démocratique, le *droit* s'exprime par les lois, les normes et les règlements promulgués par le gouvernement. Nous examinerons maintenant les principales sources du droit au Québec.

LES SOURCES HISTORIQUES ET CONSTITUTIONNELLES

Il nous paraît important de relater quelques dates et faits historiques qui ont jalonné l'histoire du Canada et du Québec et qui ont précédé l'élaboration du *Code civil du Québec* et de la *Constitution canadienne*.

AVANT 1760, LA NOUVELLE-FRANCE : LE RÉGIME FRANÇAIS

En 1534, Jacques Cartier prit possession du Canada au nom du roi de France, et, sur le plan juridique, la Nouvelle-France fut régie jusqu'en 1760 par le droit français, plus particulièrement par la **Coutume de Paris**, de même que par les ordonnances royales rendues à cette époque. Mais ce n'est véritablement qu'au moment de l'établissement du Conseil souverain, en 1664, que la Coutume de Paris fut officiellement reconnue comme loi en Nouvelle-France ; elle tenait alors lieu de droit civil et de droit criminel. L'*Ordonnance sur le commerce de 1673* et l'*Ordonnance de la marine de 1683* constituaient notre droit commercial à cette époque.

APRÈS 1760, LA CONQUÊTE : LE RÉGIME ANGLAIS

De 1760 à 1763, immédiatement après la Conquête anglaise, un régime militaire fut instauré en Nouvelle-France et l'on appliqua alors les lois anglaises.

En 1763, par le **Traité de Paris**, la France cédait officiellement la Nouvelle-France à l'Angleterre. À la faveur d'une proclamation royale, la Nouvelle-France prit alors le nom de Canada. La Coutume de Paris et les lois françaises cédèrent leur place aux lois et aux tribunaux anglais. On proclama l'anglais comme langue officielle de la justice. C'était là un changement radical dans le régime juridique des habitants de la Nouvelle-France, qui voyaient leurs lois et leurs coutumes disparaître.

EN 1774, L'ACTE DE QUÉBEC

Jusqu'en 1774, le droit anglais fut en vigueur en Nouvelle-France, mais à la suite des pressions de la population, l'*Acte de Québec* abrogea la Proclamation royale de 1763 et rétablit le droit français dans tous les domaines concernant le droit civil et la propriété ; on permit aussi le libre exercice de la religion catholique. Par ailleurs, les lois criminelles et pénales ainsi que les lois commerciales anglaises demeurèrent en vigueur. L'anglais et le français devinrent les deux langues officielles au pays. On peut dire que, sans l'*Acte de Québec*, qui rétablissait le droit français et reconnaissait deux langues officielles, la population du Québec aurait pu être assimilée par le système anglais et sa langue, comme ce fut le cas pour la Louisiane.

EN 1791, L'ACTE CONSTITUTIONNEL

En 1791, le Parlement anglais adopta l'*Acte constitutionnel* qui divisait le Canada en deux provinces : le Haut-Canada et le Bas-Canada. À ce moment, le Bas-Canada comprenait le Québec et ce qu'on appelle aujourd'hui les provinces Maritimes, et le Haut-Canada comprenait l'Ontario et l'Ouest canadien jusqu'au Pacifique.

EN 1840, L'ACTE D'UNION

Après la rébellion des patriotes en 1837, le gouvernement anglais nomma Lord Durham gouverneur général avec le mandat de faire rapport sur la forme de gouvernement idéal pour la colonie anglaise. À la suite de la publication du rapport Durham, le Parlement britannique proclama l'*Acte d'Union* et, en 1840, il n'y eut plus qu'un seul gouvernement pour les provinces canadiennes. Les partis politiques commencèrent à s'organiser. À cette époque, les militants politiques se partageaient entre conservateurs et libéraux.

EN 1867, L'ACTE DE L'AMÉRIQUE DU NORD BRITANNIQUE (A.A.N.B.)

QU'EST-CE QU'UNE CONSTITUTION ?

Constitution : Texte dans lequel est décrite la loi fondamentale qui définit la structure politique du pays, le mode selon lequel il élit ses gouvernants, le rôle des tribunaux, les garanties dont disposent les citoyens face aux abus de pouvoir des gouvernants, etc.

Même si l'on retrouve des règles communes dans la plupart des *constitutions*, il appartient à chaque État de déterminer le contenu de sa propre constitution. Ainsi, la *Loi constitutionnelle du Canada* n'est pas identique à celle qui est en vigueur aux États-Unis ou en France. Elle répartit le pouvoir entre un gouvernement central et 10 provinces, sans régime présidentiel comme en France ou aux États-Unis.

LA CONSTITUTION CANADIENNE

Historiquement, le Canada représente une **fédération** composée de deux ordres de gouvernement : un gouvernement central et des gouvernements locaux, chacun exerçant le pouvoir de légiférer et de gouverner dans son champ de compétence respectif. Le fédéralisme canadien repose sur une constitution qui doit son origine à une loi adoptée en 1867 par le Parlement britannique. Ce pacte confédératif, traditionnellement désigné sous le titre de l'*Acte de l'Amérique du Nord britannique* (A.A.N.B.), détermine les matières sur lesquelles les différents ordres de gouvernement peuvent légiférer et établit le partage des compétences entre le Parlement fédéral et celui des provinces.

PARTAGE DES COMPÉTENCES

GOUVERNEMENT CENTRAL   C'est l'article 91 de l'A.A.N.B. qui détermine les domaines de compétence du Parlement fédéral.

PROVINCES   L'article 92 énumère les pouvoirs qui appartiennent en exclusivité aux provinces.

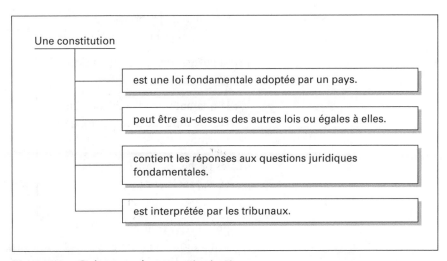

Figure 1.1   Qu'est-ce qu'une constitution ?

Le tableau 1.1 énumère les principaux domaines de compétence exclusive du gouvernement fédéral et des provinces.

Tableau 1.1   Partage des compétences législatives entre le fédéral et les provinces selon les articles 91 et 92 de la *Constitution canadienne*

Compétences exclusives du Parlement fédéral	Compétences exclusives des provinces
1. La modification de la constitution du Canada, sauf en ce qui concerne les matières entrant dans les catégories de sujets que la loi attribue exclusivement aux législatures des provinces ;	1. La modification (nonobstant ce qui est contenu au présent acte) de la constitution de la province ;
2. la dette et la propriété publiques ;	2. la taxation directe dans les limites de la province, en vue de prélever un revenu pour des objets provinciaux ;
3. la réglementation des échanges et du commerce ;	3. les emprunts de deniers sur le seul crédit de la province ;
4. l'assurance-chômage ;	4. la création et la durée des charges provinciales, ainsi que la nomination et le paiement des fonctionnaires provinciaux ;
5. le prélèvement de deniers sur le crédit public ;	5. l'administration et la vente des terres publiques appartenant à la province, et des bois et forêts qui s'y trouvent ;
6. l'emprunt de deniers sur le crédit public ;	6. l'établissement, l'entretien et l'administration des prisons publiques et des maisons de correction dans la province ;
7. le service postal ;	7. l'établissement, l'entretien et l'administration des hôpitaux, asiles, établissements et hospices de charité dans la province, autres que les hôpitaux de marine ;
8. le recensement et la statistique;	8. les institutions municipales dans la province ;
9. la milice, le service militaire et le service naval, ainsi que la défense ;	9. les licences de boutiques, de cabarets, d'auberges, d'encanteurs et autres licences en vue de prélever un revenu pour des objets provinciaux, locaux ou municipaux ;
10. la fixation et le paiement des traitements et allocations des fonctionnaires civils et autres du gouvernement du Canada ;	10. les ouvrages et entreprises de nature locale ;
11. les amarres, les bouées, les phares et l'île au Sable ;	
12. la navigation et les expéditions par eau ;	
13. la quarantaine ; l'établissement et le maintien des hôpitaux de marine ;	
14. les pêcheries des côtes de la mer et de l'intérieur ;	
15. les passages d'eau entre une province et tout pays britannique ou étranger, ou entre deux provinces ;	

Tableau 1.1   (suite)

Compétences exclusives du Parlement fédéral	Compétences exclusives des provinces
16. le cours monétaire et le monnayage ;	11. la constitution en corporation d'entreprises pour des objets provinciaux ;
17. les banques, la constitution en corporation des banques et l'émission du papier-monnaie ;	12. la célébration des mariages dans la province ;
18. les caisses d'épargne ;	13. la propriété et les droits civils dans la province ;
19. les poids et mesures ;	14. l'administration de la justice dans la province, y compris la création, le maintien et l'organisation de tribunaux provinciaux, de juridiction tant civile que criminelle, y compris la procédure en matière civile dans ces tribunaux ;
20. les lettres de change et les billets à ordre ;	
21. l'intérêt de l'argent ;	
22. les offres légales ;	
23. la faillite et l'insolvabilité ;	15. l'imposition de sanctions, par voie d'amende, de pénalité ou d'emprisonnement, en vue de faire exécuter toute loi de la province sur des matières relatives à l'une des catégories de sujets énumérés au présent article ;
24. les brevets d'invention et de découverte ;	
25. les droits d'auteur ;	
26. les Amérindiens et les terres qui leur sont réservées ;	
27. la naturalisation ;	16. généralement, toutes les matières de nature purement locale ou privée dans la province ;
28. le mariage et le divorce ;	
29. le droit criminel, sauf la constitution des tribunaux de juridiction criminelle, mais y compris la procédure en matière criminelle ;	17. les ressources naturelles non renouvelables ;
	18. les ressources forestières ;
	19. l'énergie électrique ;
30. l'établissement, le maintien et l'administration des pénitenciers ;	20. l'éducation ;
	21. l'agriculture ;
31. les catégories de matières expressément exceptées dans l'énumération des catégories de sujets exclusivement assignés aux législatures des provinces (pouvoir résiduaire du gouvernement fédéral).	22. l'immigration dans la province.
	(Dans les deux derniers cas, sous réserve que la loi provinciale ne soit pas incompatible avec une loi fédérale.)

POUVOIR RÉSIDUAIRE DU FÉDÉRAL   En dépit de cette répartition des pouvoirs qu'établissent les articles 91 et 92 entre le gouvernement central et les provinces, certains domaines de compétence demeurent ambigus ou imprécis, et il n'est pas rare de voir un ordre de gouvernement empiéter sur un champ de compétence qu'il croit lui appartenir, mais que l'autre lui conteste. Ce phénomène s'explique d'autant mieux que l'A.A.N.B. date de 1867 et que, depuis cette époque, on a vu se développer de nouvelles sphères d'activité telles les communications par satellite, la câblodistribution, les relations du travail, etc. Dès lors, il faut se demander à quel ordre de gouvernement appartient le droit de réglementer ces matières. La Cour suprême du Canada a répondu à cette question en statuant que, si les articles 91 et 92 n'attribuent pas spécifiquement une matière à un ordre de gouvernement, c'est le Parlement fédéral qui possède la compétence de légiférer dans ce domaine. Il s'agit là de ce que les juristes appellent la **compétence résiduelle** ou le **pouvoir résiduaire** du Parlement fédéral. C'est ainsi que le gouvernement peut légiférer en matière de télécommunication, y compris par satellite, pour l'ensemble du pays.

CONSTITUTIONNALITÉ DES LOIS

Un ordre de gouvernement qui adopterait une loi dans une sphère de compétence réservée à l'autre verrait cette loi frappée d'**inconstitutionnalité** ou qualifiée d'*ultra vires* et elle deviendrait, par conséquent, inopérante. Le contrôle de la constitutionnalité des lois incombe donc aux tribunaux ; au Québec, la Cour supérieure, la Cour d'appel et, ultimement, la Cour suprême du Canada sont appelées fréquemment à interpréter la Constitution et à jouer le rôle d'arbitre entre une instance gouvernementale et un citoyen ou un organisme qui prétend qu'une loi ou un règlement revêt un caractère inconstitutionnel.

CONTROVERSES CONSTITUTIONNELLES   Il existe une jurisprudence abondante en la matière, et certaines décisions ont fait la une des journaux du Québec.

> *Exemple* : Qu'on se souvienne du fameux débat mené sur la constitutionnalité de la *Charte de la langue française (Loi 101)* à propos de la « clause Québec » et de la « clause Canada » déterminant l'accès à l'école anglaise au Québec. En septembre 1982, l'ex-juge en chef Jules Deschênes de la Cour supérieure du Québec statuait dans un jugement que la clause Canada telle qu'elle figure dans la *Charte canadienne des droits et libertés* avait préséance sur la clause Québec de la *Charte de la langue française*. Ce jugement rendait ainsi inopérants certains articles de la *Loi 101* et décrétait que « les enfants de citoyens canadiens dont les parents ont reçu l'enseignement primaire en anglais au Canada peuvent fréquenter l'école anglaise au Québec, ainsi que ceux qui ont reçu l'enseignement en anglais au Canada de même que leurs frères et soeurs ». Le gouvernement a interjeté appel de ce jugement, mais il a été débouté par la Cour d'appel du Québec ; c'est finalement la Cour suprême du Canada qui a été chargée de trancher le débat.

> *Exemple* : C'est à la Cour suprême du Canada que les francophones et le Cabinet fédéral ont dû faire appel pour trancher le débat judiciaire sur le statut du français au Manitoba et, par la même occasion, assurer le respect de la Constitution. Ainsi, en 1985, la Cour suprême a déclaré inconstitutionnelle la *Loi 0-1* du Manitoba qui datait de 1890

et qui stipulait que l'anglais serait la seule langue officielle de cette province. La Cour suprême a indiqué dans son jugement que cette loi allait à l'encontre de la loi fédérale de 1870 qui avait créé le Manitoba et qui décrétait que le français et l'anglais étaient les deux langues officielles de la province. En conséquence, la Cour suprême a déclaré inconstitutionnelles toutes les lois adoptées en anglais seulement par cette province entre 1890 et 1985. Le Manitoba a donc dû engager de nombreux traducteurs pour traduire toutes ses lois. On pourrait multiplier ainsi les exemples de controverses constitutionnelles, mais nous croyons que ceux-ci illustrent bien le rôle fondamental de nos tribunaux dans la résolution des cas litigieux.

EN 1931, LE STATUT DE WESTMINSTER

En 1931, le Parlement britannique adoptait le *Statut de Westminster*, qui conférait au Canada sa pleine souveraineté politique. Dorénavant, les lois adoptées par le Parlement d'Ottawa n'auraient plus à recevoir la ratification de Londres, et la reine ou le roi, représenté par le gouverneur général, n'aurait plus qu'un rôle purement symbolique.

EN 1982, LA LOI CONSTITUTIONNELLE DE 1982 (CANADA BILL)

Même si depuis 115 ans le Canada constituait dans les faits un État jouissant d'une pleine indépendance, il devait s'adresser au Parlement britannique chaque fois qu'il désirait apporter des modifications à sa Constitution. En décembre 1981, le Parlement du Canada a formulé au Parlement britannique une demande de rapatriement de la *Constitution canadienne* ; cette requête s'est soldée par l'adoption, le 17 avril 1982, de la *Loi sur le Canada* (Canada Bill) qui dotait notre pays d'une « nouvelle constitution ». Le dernier lien colonial était à jamais rompu.

Tout en maintenant en vigueur la loi de 1867 (dont le nom a été changé pour *Loi constitutionnelle de 1867*), la *Loi constitutionnelle de 1982* comporte des éléments nouveaux qui méritent qu'on s'y arrête en raison de leur importance pour tous les Canadiens. Nous pouvons les résumer en cinq points principaux :
- la *Charte canadienne des droits et libertés* ;
- les droits des peuples autochtones du Canada ;
- la péréquation et les inégalités régionales ;
- les conférences constitutionnelles ;
- la procédure de modification de la *Constitution du Canada*.

Nous examinerons les trois premiers points.

Figure 1.2 L'expression « rapatrier la constitution » ne fait pas allusion à un geste matériel en vertu duquel Ottawa se rendrait à Londres pour rapporter au Canada le *Pacte de 1867*.

LA CHARTE CANADIENNE DES DROITS ET LIBERTÉS

Pour les Canadiens, l'élément le plus marquant de cette révision constitutionnelle a été l'enchâssement de leurs libertés et de leurs droits fondamentaux dans une charte canadienne. Ainsi, la Charte assure aux Canadiens certains droits démocratiques ; elle assure aussi à chaque citoyen certaines garanties juridiques. Nous reproduisons en annexe au présent volume la *Charte canadienne des droits et libertés*.

La Charte protège également la liberté de circulation et d'établissement des Canadiens dans la province de leur choix de même que le droit d'utiliser l'une des deux langues officielles. Enfin, les hommes et les femmes bénéficient de l'égalité des libertés et des droits énumérés dans la Charte.

Le tableau 1.2 illustre les libertés et droits fondamentaux des citoyens canadiens.

Tableau 1.2   Principaux droits, garanties et libertés prévus dans la *Charte canadienne des droits et libertés*

Libertés fondamentales	Droits et garanties juridiques
• Liberté de conscience et de religion ;	• Droit de vote aux élections ;
• liberté de pensée, de croyance ;	• droit de gagner sa vie dans toute province ;
• liberté d'opinion et d'expression ;	• droit à la vie, à la liberté et la sécurité de sa personne ;
• liberté de presse et des autres moyens de communication ;	• droit à la protection contre les fouilles, les perquisitions et les saisies abusives ;
• liberté de réunion pacifique ;	• droit contre la détention et l'emprisonnement arbitraires ;
• liberté d'association ;	• droit d'être informé sans délai anormal de l'infraction reprochée ;
• liberté de circulation et d'établissement de sa résidence partout au Canada.	• droit à l'assistance d'un avocat ;
	• droit d'être jugé dans un délai raisonnable ;
	• droit d'être protégé contre toute peine ou traitement inusité ;
	• droit d'être présumé innocent ;
	• droit au cautionnement ;
	• droit à l'égalité sans discrimination basée sur la race, l'origine nationale ou ethnique, la couleur, la religion, le sexe, l'âge ou les déficiences mentales ou physiques.

Cette consécration des droits et libertés a donné lieu à de nombreuses poursuites contre le gouvernement ou ses agents par des citoyens qui prétendaient avoir été victimes d'abus de la part du pouvoir exécutif.

Exemple: De nombreux citoyens qui se sont sentis menacés dans leur vie privée et dans leur intégrité physique à la suite d'interventions et d'arrestations effectuées par des policiers utilisant des méthodes parfois douteuses.

Exemple: Un juge acquittait un automobiliste accusé d'ivresse au volant en raison du fait que le délai entre la date de l'infraction et l'audition de la cause était de neuf mois. À l'appui de sa décision, le juge a invoqué que la longueur indue du délai de poursuite allait à l'encontre d'une disposition de la Charte, en l'occurrence l'article 11 (b), qui stipule expressément que tout inculpé a le droit d'être jugé dans un délai raisonnable. L'Honorable Claire Barrette-Joncas explique dans son jugement que ce délai de neuf mois dépasse la limite fixée en semblables matières par la Cour suprême du Canada, soit de six à huit mois.

Il est important de noter que l'article 33 de la *Charte canadienne des droits et libertés* prévoit que le parlement fédéral ou la législature d'une province peut adopter une loi où il est expressément déclaré que celle-ci ou une de ses dispositions peut s'appliquer indépendamment d'une disposition des articles 2 et 7 à 15 de la *Charte canadienne des droits et libertés* et de façon dérogatoire à cette disposition.

Cette « clause dérogatoire » aussi appelée « **clause nonobstant** » permet donc à une province ou au gouvernement fédéral d'adopter une loi qui ne respecte pas la Charte. Il faut préciser qu'une telle loi n'est valide que pour cinq ans et la législature qui l'a adoptée doit l'adopter de nouveau après cinq ans. La clause dérogatoire ou nonobstant est très peu utilisée.

Ainsi le gouvernement du Québec ne l'a utilisée qu'une seule fois depuis 1982 lorsqu'il a adopté la loi 178 sur l'affichage unilingue français pour les commerces.

LES DROITS DES PEUPLES AUTOCHTONES

La *Charte canadienne* reconnaît aussi les droits et les libertés des Inuits, des Amérindiens et des Métis, peuples qui détenaient des droits ancestraux ou conférés par traités. Ces droits revêtent dorénavant un caractère officiel et ils visent à préserver leur culture, leurs coutumes, leur identité, leurs traditions et leur langue.

LA PÉRÉQUATION

Péréquation: Répartition des paiements du fédéral aux provinces. Elle tient compte des inégalités régionales afin de promouvoir l'égalité des chances et de favoriser un équilibre dans le développement économique du Canada.

En vertu du principe de la *péréquation*, les impôts et les taxes perçus par le gouvernement fédéral sont redistribués entre les provinces. Les provinces moins riches bénéficient de transferts d'argent plus importants que les montants d'impôts perçus par le fédéral sur leur territoire. Ce sont les provinces Maritimes qui en sont les principales bénéficiaires, tandis que l'Ontario en est le plus gros contribuable.

EN 1987, L'ACCORD DU LAC MEECH

Le Québec n'ayant pas adhéré au *Pacte constitutionnel de 1982*, le gouvernement fédéral a proposé aux provinces une nouvelle formule constitutionnelle reconnaissant au Québec le statut de société distincte. Le Québec avait alors formulé cinq conditions essentielles pour adhérer à l'accord constitutionnel :

- Être reconnu comme société distincte ;
- détenir un droit de veto sur tout changement constitutionnel ;
- pouvoir contrôler son immigration ;

- pouvoir nommer ses juges (trois sur neuf) à la Cour suprême ;
- pouvoir se retirer, avec pleine compensation, des programmes fédéraux institués dans ses champs de compétences.

Le 30 avril 1987, les premiers ministres des 10 provinces canadiennes et le premier ministre Mulroney signaient l'*accord du Lac Meech*. Afin d'être mis en oeuvre, cet accord devait être ratifié par chacune des provinces individuellement. Même s'il a reçu l'assentiment de la majorité des provinces canadiennes, l'accord n'a pas été ratifié par le Manitoba et Terre-Neuve.

Le gouvernement de la province de Québec a mis sur pied une commission chargée d'étudier l'avenir constitutionnel du Québec et d'entendre les représentants des diverses tendances constitutionnelles de la société québécoise. Cette commission, mieux connue sous le nom de Commission Bélanger-Campeau, a remis son rapport au gouvernement à l'été de 1992. La recommandation de la commission Bélanger-Campeau était de tenir un référendum sur l'avenir constitutionnel du Québec au plus tard en octobre 1992.

EN 1992, L'ENTENTE DE CHARLOTTETOWN

À la suite du rejet de l'accord du Lac Meech, les onze premiers ministres ont repris les négociations constitutionnelles et ont abouti à un nouveau consensus, l'entente de Charlottetown, le 28 août 1992. Cette entente reconnaissait le Québec comme une société distincte. Elle prévoyait également ce qui suit :

- La réforme du Sénat canadien en vertu de laquelle les sénateurs ne seraient plus nommés par le gouvernement fédéral, mais élus ou nommés par les assemblées législatives des provinces ; le Sénat devrait comprendre 62 sénateurs, soit 6 par province et 1 sénateur pour chacun des deux territoires ;
- la Cour suprême était constitutionnalisée et la réforme permettait au Québec d'avoir trois juges sur les neuf juges de la Cour suprême ;
- l'augmentation du nombre de sièges à la Chambre des communes à Ottawa pour le faire passer à 337 et la garantie pour le Québec de détenir au moins 25 % des sièges avec un droit de veto sur toute modification à ce sujet.

Le gouvernement fédéral a tenu un référendum pancanadien le 26 octobre 1992 sur le nouveau projet d'accord constitutionnel, mais la population canadienne l'a rejeté par un vote de 54,2 % pour le « non » (55,4 % au Québec) contre 44,8 % pour le « oui » (44,6 % au Québec). Nous en sommes donc quitte pour le statu quo constitutionnel pour l'instant, c'est-à-dire la *Loi constitutionnelle de 1982* qui comporte la possibilité d'utiliser la clause dérogatoire, ou clause nonobstant. Un référendum, tenu en 1995 par le gouvernement du Québec, demandera aux citoyens du Québec de choisir leur avenir constitutionnel.

 # LES SOURCES SPÉCIFIQUES DU DROIT

Nous avons pu nous rendre compte que le régime politique du pays, de même que toutes les institutions au sein desquelles évoluent les citoyens, trouve ses fondements dans l'*Acte de l'Amérique du Nord britannique*. Le partage des compétences qu'il établit entre le gouvernement central et les provinces relativement à toutes les activités commerciales fait de ce pacte fédératif la source première de notre système économique et juridique.

Au Québec, le droit commercial est réglementé par deux législations distinctes et possède un caractère particulier. En effet, les règles du droit commercial québécois s'apparentent à celles du droit civil en même temps qu'elles en dérogent en créant un régime d'exception dans certaines matières.

Le tableau 1.3, page 12, illustre les principales sources du droit québécois.

LA LÉGISLATION

Selon les cas, nos législateurs utilisent indifféremment les termes loi, code, ordonnance, charte, statut ou règlement pour définir la *législation*. Ainsi on parle du *Code civil du Québec*, du *Code de la sécurité routière*, du *Code criminel*, de la *Loi sur les cités et villes*, de la *Charte canadienne des droits et libertés*. Le terme *statut* fait, quant à lui, référence aux recueils de lois publiés chaque année par les deux ordres de gouvernement et qui contiennent les lois adoptées durant cette année. (Exemple : *Lois du Québec 1994*).

Le terme charte fait référence à une loi fondamentale comme la *Charte québécoise des droits et libertés de la personne*. Il est important de souligner que la *Constitution canadienne* est, elle aussi, une loi. Les autres lois y sont soumises et doivent en respecter les principes.

En droit des affaires, la législation vient compléter les règles du *Code civil* en fournissant un encadrement juridique aux transactions commerciales. La *Loi sur les compagnies de la province de Québec*, la *Loi sur les sociétés par actions*, la *Loi sur la protection du consommateur*, la *Loi sur les valeurs mobilières du Québec*, la *Loi relative aux enquêtes sur les coalitions* et la *Loi sur la faillite et l'insolvabilité* constituent autant d'exemples de lois statutaires fédérales ou provinciales.

Avant d'examiner de façon précise chacune des sources du droit québécois, il nous apparaît important d'expliquer de quelle façon une loi est adoptée.

ÉLABORATION

Lorsque nos gouvernants décident d'élaborer une *loi*, ils le font généralement à la suite de sondages, d'enquêtes et d'études menés auprès de spécialistes et de la population, et ce, en conformité avec les objectifs et le programme du parti politique au pouvoir.

Exemple : Imaginons que le gouvernement provincial décide de présenter un projet de loi pour changer le *Code du travail*. Le Conseil des ministres mandate alors le ministre du Travail pour l'élaboration d'un **projet de loi** ; c'est l'étape de la rédaction du projet de loi. Il est évident que le ministre du Travail ne rédigera pas seul le projet de loi. Il se fera aider par les fonctionnaires de son ministère ainsi que par le **Bureau des lois** qui conseille le ministère de la Justice et les autres ministères à propos de la rédaction et de l'élaboration des projets de loi. À l'occasion, un projet de loi peut prendre la forme d'un « livre vert » ou d'un « livre blanc » publié par le ministre qui « parraine » la loi. Le **livre vert** définit le problème, expose les objectifs à atteindre pour le résoudre et propose diverses solutions. Pour sa part, le **livre blanc** vient préciser les mesures que le gouvernement a l'intention de prendre à l'égard d'une ou de situations précises.

Une loi ne devient cependant pas exécutoire tant qu'elle n'a pas suivi un cheminement rigoureux et obligatoire.

Une fois le projet de loi rédigé et approuvé par le Conseil des ministres, il est déposé à l'Assemblée nationale ou à la Chambre des communes : c'est la **présentation en première lecture**.

Législation : Ensemble des lois, codes, règles et règlements adoptés par les autorités compétentes, soit nos corps législatifs, c'est-à-dire le Parlement du Canada (la Chambre des communes) et l'Assemblée nationale du Québec, de l'ensemble des décrets et arrêtés en conseil promulgués par le pouvoir exécutif et de tous les règlements émanant de nos institutions municipales, scolaires ou professionnelles.

Loi : Règle adoptée par un vote de la Chambre des communes ou de l'Assemblée nationale qui délimite les droits et les obligations des individus, groupements ou établissements dans l'un ou l'autre secteur de l'activité humaine, et qu'on peut faire appliquer en ayant recours à la justice.

Tableau 1.3   Les sources du droit québécois

Sources	Définitions	Exemples
La *Constitution canadienne*	Loi fondamentale sur laquelle reposent toutes les autres lois du Québec et du Canada.	Les articles 91 et 92 établissent les compétences exclusives des gouvernements fédéral et provinciaux.
Le *Code civil du Québec*	Recueil des droits et obligations des citoyens du Québec entre eux, de leur naissance à leur décès, dans leurs relations tant personnelles que commerciales.	• Les *droits de la personne* ; • les modalités de règlement d'une succession ; • les différents contrats ; • la responsabilité extracontractuelle.
Les autres codes	Lois qui codifient les dispositions légales régissant un domaine particulier.	• *Code criminel* ; • *Code de procédure civile* ; • *Code du travail* ; • *Code de la sécurité routière.*
Les lois particulières	Textes de lois qui ne traitent que d'un secteur précis d'activité des citoyens.	• *Loi sur la santé et la sécurité du travail* ; • *Loi sur la protection du consommateur* ; • *Loi sur les normes du travail* ; • *Loi sur l'assurance-maladie.*
Les règlements, ordonnances et arrêtés en Conseil	Dispositions et règles d'application des lois cadres, adoptées par le Conseil des ministres.	• Règlements d'application de la *Charte de la langue française* ; • règlements de l'assurance-chômage.
Les règlements municipaux	Législation adoptée par les villes et municipalités du Québec et visant à légiférer sur des questions d'intérêt local à l'intérieur de leur territoire.	• Règlements de zonage ; • règlements de stationnement ; • règlements de la circulation ; • règlements concernant les permis d'exploitation d'une entreprise.
La jurisprudence	Ensemble des jugements rendus par les tribunaux supérieurs et dont les juges s'inspirent pour rendre leur jugement.	Jugement de l'Honorable juge Claire Barette-Joncas sur l'interprétation de l'article 4b de la *Charte canadienne des droits et libertés* en matière de délai raisonnable.
La doctrine	Ensemble des ouvrages et traités sur le droit élaborés par des juristes.	• Livre publié par Maurice et Paul Martel intitulé *La Compagnie au Québec.* • Ouvrage de l'Honorable juge Jean-Louis Beaudoin, intitulé *Les obligations.*
L'usage et la coutume	Pratique courante, uniforme, publique, répandue et répétée dans un milieu donné.	Dans un contrat de vente, l'usage veut qu'en l'absence d'une clause stipulant que la chose vendue est neuve ou usagée, on considère que la chose vendue est neuve.

Figure 1.3 L'Assemblée nationale du Québec

Par la suite, le projet de loi est étudié plus attentivement par les députés soit en **commission parlementaire**, soit en Chambre, en **comité plénier** : c'est la **présentation en deuxième lecture**. À cette étape, les personnes ou groupes de pression intéressés peuvent présenter des mémoires pour ou contre le projet de loi et faire valoir leur point de vue et leurs suggestions.

À la suite de la deuxième lecture, il arrive fréquemment que le ministre responsable fasse des modifications au projet de loi pour le redéposer au moment de la **présentation en troisième lecture** pour le vote et l'adoption finale du projet de loi, qui devient alors une **loi**.

Le projet de loi est ensuite sanctionné par le lieutenant-gouverneur à Québec.

Un projet de loi déposé devant la Chambre des communes à Ottawa suit le même cheminement que celui que nous venons de décrire pour l'Assemblée nationale, sauf qu'il doit être ratifié par le Sénat par la suite avant d'être sanctionné par le gouverneur général du Canada. (On peut se rappeler l'épisode de l'approbation de la loi créant la TPS où le Sénat a bloqué pendant plusieurs mois l'adoption de cette loi). C'est un principe de droit reconnu qu'une loi n'a généralement pas d'**effet rétroactif** ; on ne peut, par exemple, considérer comme illégal un acte commis avant l'adoption de la loi qui le prohibe.

En général, une loi n'entrera en vigueur que 60 jours après sa sanction ou selon la date de sa proclamation particulière par l'ordre de gouvernement qui l'a adoptée.

Une fois adoptées, les lois sont publiées dans la Gazette officielle du Québec ou du Canada selon le cas, puis publiées dans les *Lois du Québec* (L.Q.) ou les *Statuts révisés* (S.R.Q.) *du Canada*[1].

Nous allons maintenant examiner les principales lois qui constituent les sources du droit québécois.

---

1. Les lois adoptées chaque année par l'Assemblée nationale sont reproduites annuellement dans les *Lois du Québec*. Le gouvernement québécois révise ces lois périodiquement pour tenir compte des modifications et amendements et il publie alors les *Lois refondues du Québec* (L.R.Q.), recueil qui regroupe les lois publiées au cours des années et leur donne une nouvelle classification.

LE CODE CIVIL DU QUÉBEC

C'est en 1866, soit un an avant la Confédération, que fut adopté le Code civil du Bas-Canada.

Les auteurs du Code civil du Bas-Canada s'inspirèrent du Code Napoléon alors en vigueur en France. Notre *Code civil* fut modifié et révisé au fil des années. En 1867, pour compléter la mise en application du *Code civil*, le Parlement promulgua un **Code de procédure civile** qui subit lui aussi, au cours des années, de multiples transformations.

En 1955, le législateur québécois décida de procéder à une refonte complète de notre droit civil. À cet effet, on créa un organisme, l'Office de révision du Code civil, dont le mandat fut de recommander au législateur les transformations qui lui paraissaient appropriées. En 1977, l'Office de révision du Code civil remit le projet d'un nouveau Code civil. Enfin, le 2 avril 1981 entraient en vigueur plusieurs dispositions du *Code civil* de la province de Québec.

Le processus de révision du *Code civil* est arrivé à terme avec l'adoption et la mise en application du *Code civil du Québec*, le 1er janvier 1994.

La révision du *Code civil* a permis au législateur québécois de codifier et de consacrer certains principes de droit élaborés par la jurisprudence au cours des dernières années tout en harmonisant dans le *Code civil du Québec* certaines lois particulières et en y intégrant d'autres lois, telles la *Charte des droits et libertés de la personne*, la *Loi sur la protection du consommateur* et la *Loi sur la protection de la jeunesse*.

Le *Code civil du Québec* constitue la source essentielle de notre droit des affaires et il regroupe plus de 3168 articles. Il se divise en dix livres:

Livre premier	:	*Des personnes*
Livre deuxième	:	*De la famille*
Livre troisième	:	*Des successions*
Livre quatrième	:	*Des biens*
Livre cinquième	:	*Des obligations et des contrats*
Livre sixième	:	*Des priorités et des hypothèques*
Livre septième	:	*De la preuve*
Livre huitième	:	*De la présomption*
Livre neuvième	:	*De la publicité des droits*
Livre dixième	:	*Du droit international privé*

Le droit des affaires de la province de Québec semble donc se confondre avec le droit civil, mais à la lecture du *Code civil*, on constate qu'il crée un régime particulier en matière commerciale. Ainsi,

- la preuve par témoin est admise, ce qui, sauf exception, n'est pas le cas en matière civile (art. 2862 C.c.Q.) ;
- les parties sont toujours présumées solidairement responsables, sans qu'il soit nécessaire de le mentionner expressément (art. 1525 C.c.Q.).

Dans les faits le *Code civil* constitue la base des droits et des obligations des citoyens du Québec entre eux de leur naissance à leur décès.

L'entrée en vigueur du *Code civil du Québec* le 1er janvier 1994 a eu pour effet le chevauchement des dispositions de l'ancien Code civil du Bas-Canada et de celles du *Code civil du Québec*, et ce chevauchement continuera pendant plusieurs années. Ainsi, les actions entreprises avant l'entrée en vigueur du nouveau code ou basées sur des faits dont l'origine est antérieure à son entrée en vigueur continueront à être soumises aux dispositions de l'ancien Code civil du Bas-Canada.

Les actions intentées après le 1er janvier 1994 et basées sur des faits ayant eu lieu après cette date seront jugées en vertu des dispositions du nouveau code.

Le législateur a donc élaboré des mesures de droit transitoire qui seront en vigueur durant plusieurs années pour tenir compte de cette situation. Il s'agit de la *Loi sur l'application de la réforme du Code civil.*

LES AUTRES CODES

En plus du *Code civil du Québec*, il existe plusieurs autres **codes** qui régissent les activités des citoyens. Les plus importants sont :

- le *Code de procédure civile* ;
- le *Code criminel* ;
- le *Code du travail* ;
- le *Code de la sécurité routière* ;
- le *Code municipal du Québec.*

Le **Code de procédure civile** vient compléter les dispositions du *Code civil.* Il indique la façon de faire valoir ses droits devant les tribunaux civils du Québec et d'intenter des procédures civiles. On y retrouve notamment les compétences des tribunaux ainsi que la procédure d'arbitrage.

Le **Code criminel** précise les infractions et les actes criminels pour lesquels toute personne peut être poursuivie au Canada. Adopté par le gouvernement fédéral, il s'applique de façon uniforme sur l'ensemble du territoire canadien. Ainsi, l'individu arrêté pour meurtre ou conduite en état d'ébriété à Montréal, à Toronto, à Vancouver ou à Halifax est passible des mêmes peines, et la procédure criminelle suivie sera la même partout au pays.

Le **Code du travail** regroupe les dispositions relatives au droit d'association et de syndicalisation des salariés au Québec. On y retrouve la façon pour un groupe de salariés d'obtenir leur accréditation pour former un syndicat et négocier une convention collective avec leur employeur.

Le **Code de la sécurité routière** énonce l'ensemble des obligations des conducteurs de véhicules automobiles au Québec ainsi que les infractions pénales qui peuvent être commises sur les routes du Québec. Il stipule également les amendes et les peines qui peuvent être imposées aux contrevenants.

Le **Code municipal du Québec** regroupe les dispositions s'appliquant aux diverses municipalités du Québec sur leur territoire à l'exception de celles qui sont régies par la *Loi sur les cités et villes.* On y retrouve notamment les divers pouvoirs accordés aux municipalités de faire des règlements municipaux s'appliquant sur leur territoire ainsi que les pénalités en cas de contravention à ces règlements.

LES LOIS PARTICULIÈRES

Le législateur tant fédéral que provincial adopte également de nombreuses lois qui s'appliquent à un secteur précis des activités des citoyens. Ces lois sont :

- la *Loi sur la santé et la sécurité du travail* ;
- la *Loi sur la protection du consommateur* ;
- la *Loi sur les normes du travail.*

Le processus d'élaboration d'une loi peut être fort long, ce qui risque parfois d'engendrer des délais préjudiciables aux citoyens. Pour alléger l'appareil législatif

Code : Loi qui codifie les dispositions légales régissant un domaine particulier d'activités des citoyens, tel le *Code civil* qui est la pierre angulaire des relations des citoyens du Québec entre eux dans tous les domaines du droit civil.

et permettre au gouvernement plus de souplesse dans l'application des lois, on a créé au cours des dernières années une nouvelle forme de législation qu'on appelle **loi-cadre**. Le Parlement a de plus en plus souvent recours à ce type de législation qui consiste à adopter une loi dans laquelle on retrouve les principaux éléments constitutifs, à l'exclusion des dispositions relatives à sa mise en application.

Exemple : la *loi 101* et la *Loi sur le transport* sont des lois-cadres.

LES RÈGLEMENTS, ORDONNANCES ET ARRÊTÉS EN CONSEIL

On retrouve dans une loi-cadre un ou plusieurs articles qui permettent au Conseil des ministres d'adopter, par **règlement**, par **ordonnance**, ou par **arrêté en conseil**, des dispositions visant à modifier la loi ou à faciliter sa mise en application.

Exemple : Si le Conseil des ministres décide de modifier les conditions d'admissibilité à l'assurance-chômage, de hausser le salaire minimum ou encore de rendre obligatoire l'obtention d'un permis de transport pour la cueillette des ordures ménagères, il procède par voie de règlements, d'ordonnances, ou d'arrêtés en conseil. Cette procédure évite donc de mettre en branle le lourd mécanisme de l'élaboration ou de modification d'une loi.

LES RÈGLEMENTS MUNICIPAUX

En vertu de l'alinéa 8 de l'article 92 de l'A.A.N.B., les législatures provinciales peuvent déléguer certains de leurs pouvoirs ; cette délégation de pouvoir a lieu au profit des villes et des municipalités. En effet, le gouvernement provincial a accordé aux villes et aux municipalités le pouvoir de légiférer à l'intérieur de leur territoire dans la mesure où cette législation n'entre pas en conflit avec les lois fédérales ou provinciales.

Ce pouvoir s'exerce sous forme de **règlements municipaux**, qui traitent des questions d'intérêt local, tels le zonage commercial, industriel et résidentiel et les permis d'exploitation de commerce, de stationnement et de circulation. Ce pouvoir de légiférer par voie de réglementation appartient aussi à certains corps publics, telles les commissions scolaires, les corporations professionnelles reconnues, les universités et certaines régies ou commissions.

LA JURISPRUDENCE

Le pouvoir judiciaire voit à l'interprétation et au respect des lois adoptées par le pouvoir législatif et que le pouvoir exécutif a pour mission d'administrer. Ce devoir de surveillance s'exerce par l'intermédiaire de nos tribunaux. Les juges sont donc appelés à se prononcer régulièrement sur des litiges opposant des particuliers ou des entreprises ; les décisions qu'ils rendent dans ces occasions forment la **jurisprudence**. Les arrêtistes compilent dans des recueils les décisions les plus valables des différentes instances ; il s'agit là d'une source importante, mais secondaire, de notre droit québécois.

Dans une province de droit écrit comme au Québec, les juges ne sont pas liés par les décisions de leurs collègues, mais ils les respectent et s'en inspirent fortement, surtout lorsque ces décisions émanent de tribunaux supérieurs comme la Cour d'appel du Québec ou la Cour suprême du Canada.

Dans toutes les autres provinces du Canada, où l'on applique la *common law*, les principes de droit civil ne sont pas codifiés, c'est-à-dire qu'il n'existe pas de codification semblable à notre *Code civil*, et le juge, qui ne peut s'en remettre à un texte de loi écrit, doit rendre sa décision en se fondant uniquement sur l'ensemble des jugements déjà rendus auparavant dans des cas semblables. C'est ce qu'on appelle la doctrine du **précédent** ; le juge doit vérifier les décisions en question avant de rendre son jugement.

LA DOCTRINE

Les ouvrages et les traités de droit constituent une source documentaire non négligeable en droit civil comme en droit des affaires. Les principes et les théories qu'on y retrouve et qui sont élaborés par des juristes guident les praticiens du droit et les gens d'affaires dans leur interprétation des lois et des règlements qui ont cours dans le monde des affaires. La bibliographie présentée à la fin du présent livre réunit des exemples d'ouvrages formant la **doctrine** juridique.

La documentation juridique que nous retrouvons au Québec provient surtout de juristes du Québec, de la France, des autres provinces canadiennes, de l'Angleterre et des États-Unis.

Comme la doctrine ne constitue que le point de vue d'un ou de quelques auteurs sur un secteur du droit précis, elle est une source immédiate de notre droit mais, comme telle, elle revêt une portée d'application complémentaire à celle de la législation ou de la jurisprudence.

L'USAGE ET LA COUTUME

L'usage et la coutume constituent une source particulièrement importante en droit des affaires en raison de l'évolution rapide des activités propres au milieu et des délais qui précèdent l'adoption des lois et de la réglementation. Il n'est pas rare qu'une loi ne prévoie pas toutes les dispositions applicables à une sphère d'activité définie. À ce moment-là, on constate souvent qu'il existe un **usage** ou une **coutume** capable de pallier cette lacune.

Une pratique de commerce ne constitue pas toujours un usage au sens juridique du terme. Pour être considéré comme une source de droit, l'usage doit répondre à certains critères. En effet, l'usage ne se verra reconnu par les tribunaux et ne deviendra une source de droit que si, outre le fait de constituer une pratique courante et répandue dans un milieu donné, il est uniforme, général, fréquent et public.

En droit des affaires, l'usage revêt un caractère particulièrement important et contribue au dynamisme de cette branche du droit.

> *Exemple* : L'article 1434 du *Code civil du Québec* prévoit la possibilité d'invoquer l'usage commercial en matière de contrat. « Le contrat valablement formé oblige ceux qui l'ont conclu non seulement pour ce qu'ils y ont exprimé, mais aussi pour tout ce qui en découle, d'après sa nature et suivant les usages, l'équité ou la loi. »

LES BRANCHES DU DROIT

Au cours des années, les auteurs ont divisé le droit en plusieurs branches distinctes. Les deux principales écoles de pensée parmi les juristes divisent le droit de façon relativement semblable.

Ainsi la première divise le droit en **droit public** et en **droit privé**, et chacune de ces branches est à son tour subdivisée en **droit international** et en **droit national**.

La seconde divise quant à elle le droit en **droit international** et en **droit national,** et chacune de ces branches est à son tour subdivisée en **droit public** et en **droit privé**.

Devant la multiplication des échanges commerciaux et la mondialisation des marchés, cette deuxième école de pensée prend de plus en plus d'importance. En effet, les gouvernements considèrent de plus en plus le droit du point de vue du droit national et du droit international.

Même le législateur québécois a prévu un Livre complet sur le **droit international privé,** soit le *Livre dixième du Code civil du Québec.*

C'est donc cette division du droit que nous avons retenue. Avant d'aller plus loin, il nous apparaît important de bien définir les quatre grandes branches du droit.

LE DROIT INTERNATIONAL

Cette branche du droit réglemente les relations des États entre eux et leur organisation sur la scène internationale. On parle alors du droit international public. Le droit international privé, quant à lui, réglemente les relations entre les personnes quand les relations comportent un élément étranger, de même que les échanges et les relations entre les citoyens de pays différents.

Droit international public : Branche du droit qui réglemente les relations des États entre eux et leur organisation sur la scène internationale.

LE DROIT INTERNATIONAL PUBLIC

Le *droit international public* vise à régir les rapports interétatiques au moyen de traités, d'accords, d'ententes, de conventions, de pactes, de coutumes, de pourparlers et de rencontres entre hauts dirigeants. Ces accords touchent à différents domaines, et plus particulièrement à la sécurité des pays et aux échanges commer-

Tableau 1.4   Les branches du droit

Branche du droit	Définition	Exemples
International public	Branche du droit qui réglemente les relations des États entre eux et leur organisation sur la scène internationale.	• ONU ; • traité de libre-échange Canada/ États-Unis ; • ALENA.
International privé	Branche du droit qui réglemente les relations entre les personnes quand ces relations comportent un élément étranger de même que les échanges et relations entre des citoyens de pays différents.	• Mariage d'une Québécoise avec un Haïtien ; • ouverture d'une succession avec des biens situés aux États-Unis ; • contrat avec un fabricant de voitures japonaises pour obtenir l'exclusivité de leur distribution au Québec.
National public	Branche du droit qui réglemente l'organisation de l'État et des institutions qui en dépendent ainsi que les rapports de l'État avec ses propres citoyens.	• La *Constitution canadienne* ; • le *Code criminel* ; • le droit fiscal et les impôts.
National privé	Branche du droit qui réglemente les activités et les relations des citoyens d'un même État entre eux.	• Le *Code civil du Québec* ; • la *Loi sur les compagnies du Québec* ; • la *Loi sur les normes du travail.*

Figure 1.4   Si l'on regarde de près l'état des relations internationales, on a tôt fait de se rendre compte que c'est la loi de la jungle, c'est-à-dire la loi du plus fort, qui prévaut.

ciaux entre les pays. Les conventions internationales du travail, la charte des Nations Unies, la convention de Genève sur la Croix-Rouge, la Déclaration universelle des droits de l'homme, le traité de non-prolifération des armes nucléaires, les traités d'extradition, le traité de libre-échange entre le Canada et les États-Unis, l'ALENA, en sont autant d'exemples.

Ces traités, conventions et accords internationaux n'ont d'effet qu'entre les parties, c'est-à-dire entre les pays qui les ont signés ou qui y ont adhéré, mais rien n'empêche un pays de rejeter un traité qu'il a déjà signé. Récemment, la guerre avec l'Irak et le conflit en Yougoslavie ont remis en question le rôle du droit international public.

Si l'on regarde de près l'état des relations internationales, on se rend vite compte que c'est souvent la loi de la jungle, c'est-à-dire la loi du plus fort, qui prévaut sur la scène internationale.

Le droit international public tente également de favoriser le rapprochement et les échanges et d'éliminer, dans la mesure du possible, les tensions entre les États par la création d'organisations internationales à vocation pacifique, humanitaire, économique, éducative, etc. La principale de ces organisations s'appelle l'**Organisation des Nations Unies** (ONU). Les trois principaux organes de l'ONU sont l'Assemblée générale, le Conseil de sécurité et la Cour internationale de justice.

LE DROIT INTERNATIONAL PRIVÉ

Droit international privé : Branche du droit qui réglemente les relations entre les personnes quand ces relations comportent un élément étranger, de même que les échanges et relations entre des citoyens de pays différents.

Comme on peut s'en rendre compte, le *droit international privé* est une partie du droit particulièrement complexe, puisqu'il suppose, la plupart du temps, une connaissance précise ou une étude particulière des lois de différents États. Reconnaissant l'importance de plus en plus grande des relations internationales, tant sur le plan individuel que commercial, le *Code civil du Québec* consacre près d'une centaine d'articles au droit international privé (articles 3076 à 3168 C.c.Q.). On y traite, relativement au droit international de l'état et de la capacité des personnes, des conflits de lois concernant le statut personnel des citoyens, des droits réels, des obligations, des contrats et de la compétence internationale des autorités du Québec. À titre d'exemples, les articles 3117 et 3118 du *Code civil du Québec* stipulent que le choix par les parties de la loi applicable au contrat de consommation ou de travail ne peut avoir pour résultat de priver le consommateur ou le travailleur, selon le cas, de la protection que lui assurent les dispositions impératives de la loi de l'État où il a sa résidence ou de l'État où il travaille.

Exemple : Un travailleur québécois qui serait appelé à effectuer un travail à l'étranger dans le cadre de son emploi est protégé par les dispositions de la *Loi sur la santé et la sécurité du travail.*

LE DROIT NATIONAL

Contrairement au droit international, qui implique au moins deux pays, le droit national ne s'applique que sur le territoire d'un seul État. On parle du droit national public lorsqu'il réglemente l'organisation de l'État et les institutions qui en dépendent, ainsi que les rapports de l'État avec ses propres citoyens. Le droit national privé, quant à lui, réglemente les activités et les relations des citoyens d'un même État entre eux.

LE DROIT NATIONAL PUBLIC

Droit national public : Branche du droit qui réglemente l'organisation de l'État et des institutions qui en dépendent ainsi que les rapports de l'État avec ses propres citoyens.

Le *droit national public* se subdivise en quatre grandes catégories : le droit constitutionnel, le droit administratif, le droit pénal et criminel, et le droit fiscal.

LE DROIT CONSTITUTIONNEL   Nous avons déjà examiné la *Constitution canadienne*, qui est à la base même de notre droit constitutionnel.

LE DROIT ADMINISTRATIF   Au Canada et au Québec, l'évolution sociale a entraîné une présence de l'État de plus en plus marquée dans la vie quotidienne des citoyens.

Le droit administratif réglemente l'organisation même de l'État dans la fonction publique fédérale, provinciale et municipale. Les divers ordres de gouvernement sont divisés en ministères, en régies, en commissions et en offices.

De plus, le droit administratif régit les rapports des divers ordres de gouvernement avec les citoyens. Il établit les pouvoirs et les devoirs de l'État à l'égard de ses citoyens, de même que les droits et les obligations de ces derniers à l'égard du gouvernement.

Au cours de la dernière décennie, cette branche du droit a pris de plus en plus d'importance, et cette expansion s'est faite bien souvent au détriment du droit civil.

En effet, les commissions, les régies, les offices, les tribunaux administratifs et les autres organismes gouvernementaux ou paragouvernementaux se sont multipliés à un rythme soutenu pour alléger, dans une certaine mesure, les rôles surchargés des tribunaux de droit commun ; cela a aussi eu pour effet de spécialiser le champ d'intervention des instances judiciaires. En voici quelques exemples :

- La Commission des normes du travail ;
- la Commission des affaires sociales ;
- la Commission de la santé et de la sécurité du travail ;
- l'Office de la langue française ;
- l'Office de la protection du consommateur ;
- la Régie de l'assurance-maladie du Québec ;
- la Régie du logement ;
- la Société de l'assurance automobile du Québec ;
- la Régie des loteries et courses du Québec ;
- la Régie des rentes du Québec, etc.

Les citoyens sont donc de plus en plus conscients de la présence de l'État dans leurs activités quotidiennes. Dans tous ces cas, on doit rencontrer des fonctionnaires qui prennent, parfois arbitrairement, des décisions et font ainsi office de juges.

Au Québec, on a créé le poste de **Protecteur du citoyen** en 1968, afin de protéger les citoyens qui se sentent lésés à la suite d'une mauvaise décision, d'une erreur ou d'un acte injuste de la part d'un fonctionnaire, d'un administrateur ou de tout autre employé relevant de la fonction publique québécoise. Il s'agit d'un recours de dernière instance.

Lorsqu'il reçoit une plainte, le **Protecteur du citoyen** fait une enquête et intervient, s'il y a lieu, auprès du ministère ou de l'organisme gouvernemental intéressé pour demander qu'on révise la décision préjudiciable et recommander les mesures qui s'imposent. Le Protecteur du citoyen ne rend compte de ses actes qu'à l'Assemblée nationale ; il est indépendant de la fonction publique et offre donc la garantie d'une justice plus impartiale. Le Parlement fédéral n'a pas encore créé de poste similaire.

LE DROIT PÉNAL ET CRIMINEL Nous avons vu que le droit criminel relève exclusivement du Parlement fédéral qui a adopté un *Code criminel* s'appliquant à l'ensemble du territoire canadien. Ce code vise à assurer l'ordre, la sécurité et la paix.

On emploie indistinctement les expressions Code pénal ou Code criminel pour désigner le *Code criminel du Canada* ; il existe cependant une distinction entre les deux termes. Ainsi on parle de **droit criminel** dans le cas d'une personne citée en justice pour répondre d'une infraction ou d'un acte criminel spécifiquement mentionnés dans le *Code criminel canadien* (meurtre, vol, viol, voies de fait, etc.). Il s'agit plutôt de **droit pénal** lorsqu'un individu enfreint une loi statutaire (*Code de la sécurité routière*, règlements municipaux, *Loi sur la protection du consommateur*, etc.) ; le contrevenant encourt alors généralement une amende.

LE DROIT FISCAL Le droit fiscal englobe le domaine des finances publiques, tant sur les plans fédéral, provincial que municipal. Chacun de ces ordres de gouvernement doit être en mesure d'assurer le financement de ses projets et de ses programmes. L'État fait également appel à diverses sources de financement : imposition de taxes directes ou indirectes, impôt sur le revenu des particuliers ou des sociétés, imposition de permis d'exploitation de commerce ou d'entreprise, taxes foncières et scolaires ou encore taxe de vente. Cette catégorie du droit couvre donc un champ d'activité très vaste. À l'occasion, les gouvernements ont également recours à des emprunts sur divers marchés financiers, nationaux ou internationaux, ou à l'émission d'obligations.

LE DROIT NATIONAL PRIVÉ

Droit national privé : Branche du droit qui réglemente les activités et les relations des citoyens d'un même État entre eux.

Le *droit national privé* réglemente les activités et les relations des citoyens d'un même État entre eux. Le droit national privé se divise en trois catégories : le droit civil, le droit commercial (y compris le droit maritime et le droit aérien) et le droit social.

LE DROIT CIVIL Au Québec, les principes de droit civil sont énoncés dans le *Code civil* de la province de Québec. On y retrouve les dispositions qui régissent l'ensemble de nos activités civiles et une partie de nos activités commerciales, de la naissance à la mort. Le *Code civil* est complété par le *Code de procédure civile*, qui indique la procédure à suivre pour faire valoir nos droits devant les tribunaux.

LE DROIT COMMERCIAL   Le droit commercial fait partie du droit national privé et s'applique plus particulièrement aux commerçants ; nous en avons déjà traité dans le présent chapitre.

LE DROIT SOCIAL   D'une part, le droit social réglemente les relations indivi-duelles et collectives de travail entre les individus d'une même société et, d'autre part, il renferme un ensemble de lois à caractère social.

Le **droit du travail** est régi principalement par le *Code du travail du Québec* et par les dispositions du *Code civil* relatives aux contrats de travail ; il précise les relations entre employeurs et employés. Le droit du travail regroupe en outre différentes lois, telles que la *Loi sur les normes du travail*, la *Loi sur les accidents du travail et les maladies professionnelles*, et la *Loi sur la santé et la sécurité du travail*.

On rattache indirectement aux services sociaux certaines lois à caractère social : la *Loi sur les services de santé et les services sociaux*, la *Loi sur l'assurance-maladie*, la *Loi sur l'assurance-hospitalisation*, etc.

De même, on inclut dans le droit social la *Charte canadienne des droits et libertés*, qui assure le respect des droits fondamentaux de toute personne résidant au Canada, quels que soient sa race, sa religion, son origine nationale, son sexe et sa couleur.

Par ailleurs, le Québec possède aussi sa *Charte des droits et libertés de la personne* qui, comme la *Charte canadienne des droits et libertés*, vise à bannir toute forme de discrimination sociale et à protéger la vie privée des citoyens. Les deux chartes des droits et libertés sont reproduites en annexe au présent volume.

RÉSUMÉ

- Le droit est l'ensemble des règles et des normes établies par les autorités compétentes pour régir les relations des indidivus à l'intérieur de la so-ciété.

- Les principales sources historiques du droit sont : le régime français avant 1760 et le régime anglais par la suite.

- Les principales sources consitutionnelles du droit sont : l'*Acte de Québec*, l'*Acte constitutionnel*, l'*Acte d'Union*, l'*Acte de l'Amérique du Nord bri-tannique*, le *Statut de Westminster*, la *Loi constitutionnelle de 1982*, la *Charte canadienne des droits et libertés*.

- Les sources spécifiques du droit sont la législation et plus particulièrement : le *Code civil* de la province de Québec, les autres codes, les lois particu-lières, les règlements, ordonnances et arrêtés en conseil, les règlements municipaux. Ce sont également la jurisprudence, la doctrine ainsi que l'usage et la coutume.

- Les principales branches du droit sont le droit international public et privé, et le droit national public et privé.

RÉSEAU DE CONCEPTS

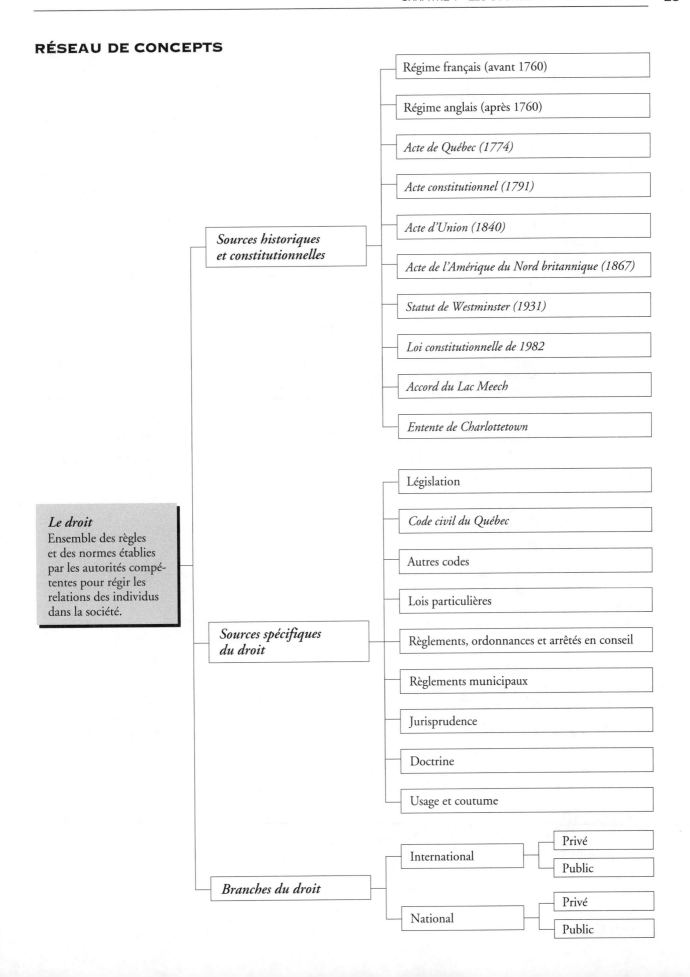

Le droit
Ensemble des règles et des normes établies par les autorités compétentes pour régir les relations des individus dans la société.

Sources historiques et constitutionnelles

- Régime français (avant 1760)
- Régime anglais (après 1760)
- *Acte de Québec (1774)*
- *Acte constitutionnel (1791)*
- *Acte d'Union (1840)*
- *Acte de l'Amérique du Nord britannique (1867)*
- *Statut de Westminster (1931)*
- *Loi constitutionnelle de 1982*
- *Accord du Lac Meech*
- *Entente de Charlottetown*

Sources spécifiques du droit

- Législation
- *Code civil du Québec*
- Autres codes
- Lois particulières
- Règlements, ordonnances et arrêtés en conseil
- Règlements municipaux
- Jurisprudence
- Doctrine
- Usage et coutume

Branches du droit

- International
  - Privé
  - Public
- National
  - Privé
  - Public

EXERCICES

ASSOCIATIONS

Associez un des termes ci-dessous à l'une des définitions qui suivent.

- loi
- droit administratif
- péréquation
- droit commercial
- jurisprudence
- *Code civil du Bas-Canada*
- constitution
- législation
- *Code civil de la province de Québec*
- *Charte canadienne des droits et libertés*
- droit international public

1. Une __7__ est la loi fondamentale qui définit la structure politique d'un pays, le mode d'élection de ses dirigeants, le rôle des tribunaux et les garanties dont tout citoyen dispose face aux abus de pouvoir des gouvernements.

2. La __8__ est formée de l'ensemble des lois votées par nos corps législatifs, c'est-à-dire le Parlement du Canada et l'Assemblée nationale du Québec, de l'ensemble des décrets et arrêtés en conseil promulgués par le pouvoir exécutif et de tous les règlements émanant de nos institutions municipales, scolaires et professionnelles.

3. Le __9__ constitue la source essentielle de notre droit des affaires. Il regroupe plus de 3168 articles, dont plusieurs réglementent les activités commerciales de tous les jours. À compter du 1er janvier 1994, il remplace le __6__ .

4. La __10__ assure le respect des droits fondamentaux de toute personne résidant au Canada, quels que soient sa race, sa religion, son origine nationale, son sexe ou sa couleur.

5. Le __11__ vise à régir les rapports interétatiques au moyen de traités, d'accords, de conventions, de coutumes et de pourparlers.

VRAI OU FAUX

Indiquez si les affirmations suivantes sont vraies ou fausses. Si l'affirmation est fausse, précisez pourquoi.

1. Lorsqu'une loi est déclarée inconstitutionnelle, cela signifie que l'ordre de gouvernement qui l'a adoptée n'avait pas la compétence pour le faire en vertu de la Constitution.

2. Le *Code criminel* s'applique seulement aux citoyens du Québec.

3. Le mariage d'une Québécoise avec un Haïtien est régi par les règles du droit international public.

4. Le Protecteur du citoyen (*ombudsman*) est un fonctionnaire qui dirige le travail de tous les autres fonctionnaires.

5. L'article 91 de l'A.A.N.B. accorde une compétence exclusive au Parlement fédéral dans certains domaines, comme l'assurance-chômage, la faillite, le divorce et l'éducation.

CHOIX MULTIPLES

1. À l'occasion, un projet de loi prend la forme d'un livre blanc. Dans ce document, le gouvernement :
   a) définit le problème et expose diverses solutions.
   b) étudie les mémoires présentés par divers groupes.
   c) précise l'option retenue par le gouvernement.
   d) aucune des réponses précédentes.

2. Le document en vertu duquel la France a cédé la Nouvelle-France à l'Angleterre s'appelle :
   a) l'*Acte d'Union*.
   b) l'*Acte de Québec*.
   c) le *Statut de Westminster*.
   d) le *Traité de Paris*.

3. Un conflit éclate entre une entreprise québécoise et une entreprise américaine ; il s'agit d'un conflit relevant du :
   a) droit national public.
   b) droit international.
   c) droit national privé.
   d) droit international public.

4. La loi fondamentale qui définit la structure politique d'un pays, le mode d'élection de ses dirigeants, le rôle des tribunaux et les garanties dont disposent les citoyens porte le nom de :
   a) droit statutaire.
   b) droit administratif.
   c) loi-cadre.
   d) constitution.

5. C'est dans la *Loi constitutionnelle de 1982* que l'on retrouve :
   a) le *Code criminel*.
   b) le *Code civil*.
   c) la loi-cadre.
   d) la *Charte canadienne des droits et libertés*.

CAS PRATIQUES

1. À quelle branche du droit se rattachent les situations suivantes ?

   a) L'extradition aux États-Unis d'un ressortissant canadien accusé de trafic de stupéfiants dans l'État de New York ;

   b) un détournement de fonds par le comptable d'une entreprise ;

   c) la mise sur pied d'une société par actions ;

   d) un contrat conclu entre une femme d'affaires du Québec et le directeur d'une maison de couture française ;

   e) la signature d'une convention collective ;

   f) une cotisation d'impôt ;

   g) la comparution d'un avocat devant le Tribunal des professions en appel d'une décision rendue par le Comité de discipline du Barreau du Québec ;

   h) un conducteur arrêté au volant parce qu'il roulait à 150 km/h ;

   i) une femme médecin qui a négligé de payer ses impôts ;

   j) une demande visant l'obtention d'un permis de transport de marchandises en vrac ;

   k) le recel de bijoux ;

   l) les accords sur la non-prolifération des armes nucléaires ;

   m) le partage des pouvoirs entre le fédéral et les provinces.

2. Le ministre de la Justice du gouvernement fédéral décide de créer un nouveau tribunal qui sera chargé d'entendre toutes les causes relatives aux municipalités, ainsi que les délits mineurs mentionnés au *Code criminel*. Il présente à cette fin le projet de loi 95 qui, une fois sanctionné, devient la Loi 95.

   Le gouvernement du Québec vous charge d'étudier la constitutionnalité de cette loi. Quelle sera votre opinion sur ce sujet ?

3. Vous venez d'être élu premier ministre de la province de Québec et vous devez élaborer votre premier projet de loi qui sera présenté à l'Assemblée nationale. Cette loi doit répondre à un besoin ou à une situation que vous voulez corriger dans la société québécoise.

   a) Trouvez le sujet de votre loi et faites la liste des divers arguments qui militent en faveur de votre projet de loi.

   b) Faites la liste des divers arguments que les adversaires de votre projet de loi pourront soulever contre vous.

   c) Essayez, par une quinzaine d'articles, d'élaborer le contenu de votre projet de loi. Prenez en considération les points suivants :
      - Que veut faire votre loi ?
      - Comment s'appliquera-t-elle ?
      - Quelles situations voulez-vous régir ?
      - Quelles pénalités auront à subir les contrevenants ?
      - Quel organisme ou tribunal sera chargé de la faire respecter ?

   d) Présentez votre projet de loi au reste de la classe et, après discussion, procédez au vote.

   e) Votre projet de loi passerait-il le test de la constitutionnalité ? Discutez-en en groupe.

4. Les policiers de la Sûreté du Québec se présentent à la porte de la résidence de Denis et lui annoncent qu'il est en état d'arrestation parce que son automobile a été impliquée dans un délit de fuite. Ils pénètrent dans la maison et commencent à fouiller partout. Quinze minutes plus tard, un des agents remonte du sous-sol avec un fusil de calibre 12 et un pistolet de tir, et demande à Denis s'il possède des permis pour ces armes ; malheureusement, il n'en détient pas. En fouillant dans le garage, les policiers découvrent une enveloppe contenant une substance blanchâtre qu'ils croient être de la cocaïne.

   Ils saisissent le tout et emmènent Denis au poste, où ils le soumettent à un interrogatoire. Denis signe une déclaration dans laquelle il admet être le propriétaire des armes et ne pas avoir de permis. De plus, la déclaration indique que l'enveloppe contient effectivement de la cocaïne, et Denis termine en ajoutant qu'il n'a jamais été impliqué dans un délit de fuite.

Denis leur dit que, devant la gravité des faits, il veut appeler son avocat, ce que les policiers lui permettent de faire.

Vous agissez à titre d'avocat de Denis. Ce dernier vous demande s'il existe des moyens de le défendre

ou s'il ne devrait pas plutôt plaider coupable ? Motivez votre réponse.

Si vous estimez qu'il dispose de moyens de défense, croyez-vous que les policiers ont respecté les droits fondamentaux de Denis tels qu'ils sont énoncés dans la *Charte canadienne des droits et libertés* ? Dans la négative, indiquez lesquels ont été bafoués et quelles en sont les conséquences.

CHAPITRE 2

L'ENVIRONNEMENT JUDICIAIRE : LES TRIBUNAUX

LE PERSONNEL JUDICIAIRE

LES TRIBUNAUX ADMINISTRATIFS

LES TRIBUNAUX JUDICIAIRES
Les tribunaux de première instance
Les tribunaux d'appel

RÉSUMÉ

RÉSEAU DE CONCEPTS

EXERCICES

CAS PRATIQUES

OBJECTIFS ET ÉLÉMENTS DE COMPÉTENCES

1 Distinguer un tribunal de première instance d'un tribunal d'appel.

2 Identifier les différents tribunaux pénaux, criminels et civils ; en connaître les juridictions respectives et les distinguer dans des situations précises.

3 Retracer les principales étapes d'un procès criminel et d'une cause civile.

4 Connaître le rôle du personnel judiciaire.

5 Connaître la procédure du recours collectif.

6 Savoir en quoi consiste l'arbitrage des différends.

7 Savoir de quelle façon obtenir un pardon.

Les gens d'affaires, tout comme les citoyens ordinaires, sont souvent appelés devant les tribunaux pour faire valoir leurs droits ou encore parce qu'ils sont poursuivis. Celui qui fait face pour la première fois au système judiciaire est généralement désemparé et incapable d'établir la différence entre une cause civile et un procès criminel ou pénal. La plupart du temps, il ignore le nom des divers tribunaux auxquels il peut s'adresser pour faire valoir ses droits. Au criminel comme en matière pénale, le justiciable connaît souvent mieux le nom de certains tribunaux en raison de la publicité que les médias accordent à des procès retentissants ; mais là s'arrêtent ses connaissances de notre système judiciaire.

Dans le domaine des affaires, de plus en plus d'entreprises sont poursuivies devant les tribunaux criminels et pénaux parce qu'elles ne se sont pas conformées aux dispositions de lois à caractère pénal :

· défaut d'obtenir un permis ;
· défaut d'employer des travailleurs qualifiés comme l'exige la loi ;
· défaut de produire un rapport à un ministère ou à un organisme gouvernemental.

En matière civile, les causes importantes résultent de la responsabilité extracontractuelle ou contractuelle. Aussi, il nous paraît essentiel d'exposer dans le présent chapitre la structure et l'organisation des tribunaux au Québec.

Dans le premier chapitre, nous avons défini le droit d'une façon générale, nous en avons déterminé les sources, nous l'avons divisé en différentes branches ou catégories et nous avons étudié le processus de l'élaboration des lois. Ces lois à caractère pénal, criminel, civil et commercial sont administrées par des organismes juridictionnels créés pour rendre justice aux citoyens. Ces organismes portent le nom de **tribunaux**.

Le Québec est actuellement divisé en 36 districts judiciaires à l'intérieur desquels on retrouve les différents tribunaux.

Comme nous l'avons vu au chapitre précédent, la *Constitution canadienne* répartit les compétences relatives du système judiciaire entre le gouvernement fédéral et le gouvernement provincial.

Ainsi, le Québec, comme les autres provinces, est responsable de l'administration de la justice sur son territoire. Le gouvernement provincial a donc procédé à la création, à la mise en place et à l'organisation des tribunaux provinciaux en matière civile et pénale. Il a créé, notamment, la Cour du Québec, les cours municipales et les tribunaux administratifs québécois.

Cour d'appel : Tribunal devant lequel on se présente pour faire casser un jugement rendu par une cour de première instance.

Quant au gouvernement fédéral, il a compétence exclusive en matière criminelle et pour la nomination des juges des différents tribunaux supérieurs dans les 10 provinces canadiennes. Il a aussi la compétence exclusive pour la mise sur pied des tribunaux d'appel et autres tribunaux nécessaires à la bonne administration des lois canadiennes. Il a créé la Cour supérieure, la *Cour d'appel*, la Cour suprême, la Cour fédérale et les tribunaux administratifs canadiens.

LE PERSONNEL JUDICIAIRE

De nombreuses personnes portant des titres différents font partie de l'environnement judiciaire.

LE JUGE   Le rôle du juge est important, car c'est lui qui préside les procès criminels et pénaux, et qui entend les causes civiles. Il doit rendre une décision qui porte le nom de jugement. Les juges de la Cour suprême, de la Cour d'appel du

Québec, de la Cour supérieure, de la Cour fédérale et des tribunaux administratifs fédéraux sont nommés par le gouvernement fédéral. Les juges de la Cour du Québec, des cours municipales et des tribunaux administratifs provinciaux sont nommés par le gouvernement du Québec.

Afin de prévenir les nominations à caractère politique, le gouvernement du Québec a modifié le mode de nomination des juges au cours des dernières années.

En effet, le gouvernement doit maintenant consulter le Barreau, les représentants de la magistrature, des représentants de la population ainsi que le ministre de la Justice avant de procéder à la nomination des juges des différents tribunaux provinciaux.

LE JURY   Dans le cas de crimes particulièrement graves, l'accusé a la possibilité de choisir un procès soit devant un juge seul, soit devant un juge et un jury. Le jury est constitué de 12 membres que l'on nomme jurés.

En vertu de la *Loi sur les jurés*, ces derniers sont choisis au hasard par un fonctionnaire du ministère de la Justice, appelé **shérif**, à partir de la liste électorale.

Toute personne majeure, de citoyenneté canadienne et inscrite sur la liste électorale peut être appelée à servir comme juré, exception faite de certaines personnes que la loi déclare inhabiles (membres du gouvernement, avocats, agents de la paix, pompiers, etc.). Toute personne que le shérif assigne par voie de sommation, au moins 30 jours avant la date d'ouverture des assises criminelles, doit obligatoirement comparaître devant le tribunal pour y être interrogée par le procureur de la Couronne et celui de la défense, qui accepteront ou rejetteront le candidat.

Depuis le 21 novembre 1984, tout travailleur assigné comme juré jouit des mêmes droits que ceux que le *Code du travail du Québec* reconnaît à un salarié : il est interdit à un employeur de congédier, de suspendre ou de muter un employé remplissant la fonction de juré ou d'user à son égard de toute autre mesure disciplinaire. Quant aux journées de travail manquées, l'employeur a pleine discrétion pour le versement de la rémunération à l'employé. Un juré a droit à une indemnité fixée et versée par le ministère de la Justice.

On procède au choix du jury pour chaque cause. Au début du procès, le juge informe les jurés que leur rôle consiste à examiner les faits qui leur seront présentés au cours de l'audience. Il leur rappelle également qu'ils doivent rendre un verdict unanime quant à la culpabilité ou à l'innocence de l'accusé.

LE GREFFIER   On le retrouve au Palais de Justice, où il a la garde des greffes, c'est-à-dire des dossiers dans lesquels sont consignées les diverses procédures judiciaires. C'est à lui qu'on s'adresse lorsqu'on veut consulter un dossier. Il assiste également le juge en cour pendant l'audition des causes. Il énumère la liste des causes que le juge aura à entendre, ce qu'on appelle le rôle de la Cour, assermente les témoins, prend en note les interventions importantes du juge et dresse le procès-verbal de la cause.

LE GREFFIER SPÉCIAL   Il assiste lui aussi le juge. Il portait autrefois le nom de protonotaire spécial. Dans certains cas, le *Code de procédure civile* lui donne compétence pour remplacer le juge. C'est le cas de l'audition de certaines requêtes préliminaires, où il peut rendre jugement. Il peut également célébrer les mariages civils. En matière de faillite, il porte le nom de **registraire**.

LE STÉNOGRAPHE OFFICIEL   Son rôle dans l'audition d'une cause consiste à enregistrer mécaniquement ou par sténographie tout ce qui se dit dans la salle d'audience. Les avocats retiennent également ses services au moment des interrogatoires préliminaires tenus hors cour.

LE MAÎTRE DES RÔLES   C'est lui qui fixe la date de l'audition des divers dossiers inscrits devant les tribunaux suivant l'ordre chronologique de leur inscription. Il est responsable de dresser les **rôles de la Cour** et d'aviser les parties et leurs avocats des dates d'audition de leurs causes.

LE SHÉRIF   C'est un officier de justice qui procède à l'émission des saisies immobilières, à la vente en justice des immeubles saisis et à l'adjudication des sommes perçues. En matière criminelle, c'est un officier de justice qui choisit au hasard les candidats jurés appelés à former le jury.

L'HUISSIER   C'est un officier de justice chargé de signifier les actes de procédure et de mettre à exécution certaines décisions des tribunaux ayant force exécutoire, comme la saisie-exécution des biens meubles d'un débiteur.

Les huissiers sont nommés par le ministère de la Justice du Québec à la suite de la réussite de l'examen d'admission et d'un stage chez un huissier.

Le rapport de l'huissier constitue la preuve formelle que les actes de procédure ont été signifiés.

LE DIRECTEUR DE LA PUBLICITÉ DES DROITS   C'est au Bureau de la publicité des droits que sont conservées toutes les copies des actes de vente, d'hypothèque et autres documents soumis à l'obligation de publicité ou d'enregistrement.

On peut y consulter le **registre foncier**, anciennement l'**index aux immeubles,** où sont consignés tous les actes précités visant une propriété immobilière donnée. On peut également consulter le **registre des droits personnels et réels mobiliers** où sont consignés par exemple les diverses garanties qu'une personne peut accorder sur ses biens mobiliers, telle une hypothèque légale mobilière sans dépossession sur ses équipements et son matériel roulant attachés à l'exploitation d'une entreprise.

LE CORONER   Chaque fois qu'il y a mort violente ou soudaine d'une personne et que les causes sont inconnues ou qu'on soupçonne la possibilité de responsabilité criminelle relativement à ce décès, la loi charge un officier public d'ouvrir une enquête ; c'est au coroner que revient cette tâche.

Au cours d'une enquête publique, habituellement tenue dans la localité où l'on a découvert le cadavre, le coroner, généralement un avocat, tente d'établir l'identité de la victime ainsi que la date, le lieu, les causes et les circonstances de ce décès. Si le coroner conclut à la responsabilité criminelle d'un individu, il recommande au procureur général d'intenter une poursuite contre lui.

À l'occasion d'un incendie d'origine suspecte ou d'une explosion, il existe un autre officier public chargé de faire enquête sur les circonstances et l'origine du feu et d'en informer la population. Cet officier porte le nom de **commissaire aux incendies**. Ce dernier possède des pouvoirs similaires à ceux du coroner. S'il en vient à la conclusion que l'incendie est d'origine criminelle, il peut recommander des poursuites contre la ou les personnes présumées coupables.

L'AVOCAT   En vertu de la *Loi du Barreau*, les avocats sont les seuls professionnels habilités à représenter des personnes devant les tribunaux. Ils peuvent les représenter soit du côté de la demande ou de la défense dans une cause civile, soit pour la défense dans un procès criminel ou pénal. Comme leur client leur donne le mandat de les représenter, on les appelle également procureurs.

Par ailleurs, dans une cause criminelle et pénale, on rencontre les **procureurs de la Couronne**, qui représentent l'État ou le gouvernement pour tenter de convaincre le juge ou le jury de la culpabilité de l'accusé. Le procureur de la Couronne est chargé d'intenter les poursuites criminelles et pénales au nom du ministère de la Justice.

L'avocat joue aussi le rôle de conseiller juridique auprès de ses clients et prépare de nombreux contrats à l'exclusion de ceux que la loi réserve aux notaires.

LE NOTAIRE   La loi n'accorde pas au notaire, comme elle le fait pour l'avocat, le pouvoir de représenter des personnes devant les tribunaux en matière litigieuse. La principale activité du notaire consiste en la rédaction de contrats dont certains lui sont attribués exclusivement, par exemple les contrats de mariage et les hypothèques immobilières. Le notaire agit également comme conseiller juridique de ses clients. Les actes qu'il rédige n'ont pas à être validés autrement devant les tribunaux, car le notaire est considéré comme un officier public qui en garantit le contenu.

 # LES TRIBUNAUX ADMINISTRATIFS

Pour trancher les litiges qui peuvent survenir dans les relations entre le gouvernement fédéral ou provincial et les citoyens, les gouvernements ont créé, par des lois particulières, des organismes possédant une compétence exclusive dans une matière donnée. Ces organismes forment les **tribunaux administratifs** ou **quasi judiciaires**. On les coiffe le plus souvent du titre de tribunal, de commission, de régie, d'office, de conseil ou de bureau. Parmi les plus connus, citons les organismes suivants :

À Québec

- Le Tribunal des professions ;
- le Tribunal des droits de la personne ;
- la Commission des affaires sociales ;
- la Commission d'appel en matière de lésions professionnelles ;
- la Régie du logement ;

À Ottawa

- l'Office national de l'énergie ;
- la Commission canadienne des transports ;
- la Commission d'assurance-chômage ;
- la Commission des libérations conditionnelles ;
- la Commission d'appel de l'immigration ;
- la Commission de contrôle de l'énergie atomique ;
- le Conseil de la radiodiffusion et des télécommunications canadiennes.

Les décisions rendues par ces tribunaux peuvent être portées en appel devant d'autres organismes.

> *Exemple* : On peut en appeler devant la Commission d'appel en matière de lésions professionnelles des décisions rendues par les tribunaux de révision paritaire de la Commission de la santé et de la sécurité du travail (CSST); il en va de même des décisions rendues par la Société de l'assurance automobile du Québec, que l'on peut porter en appel devant la Commission des affaires sociales.

Certaines lois créant les tribunaux administratifs prévoient également la possibilité de porter leurs décisions en appel directement devant les tribunaux judiciaires.

> *Exemple* : On peut en appeler devant la Cour du Québec, Chambre civile, d'une décision de la Régie du logement ; on peut aussi en appeler devant la Cour fédérale d'une décision rendue par la Commission d'appel de l'immigration.

Rappelons enfin que tous ces organismes spécialisés sont soumis au contrôle de tribunaux de droit commun, soit la Cour supérieure, en ce qui concerne les tribunaux québécois, et la Cour fédérale, en ce qui concerne les tribunaux fédéraux. L'une et l'autre pourront, dans certains cas, casser ou réviser les décisions de ces organismes.

LES TRIBUNAUX JUDICIAIRES

Les tribunaux judiciaires sont considérés comme nos tribunaux de droit commun, c'est-à-dire qu'ils s'occupent de tous les autres litiges qu'une loi particulière n'a pas confié exclusivement à un tribunal administratif.

Ce sont ces tribunaux qui entendent les causes de citoyens québécois relativement à leurs droits et obligations découlant du *Code civil du Québec*, du *Code de procédure civile*, du *Code criminel canadien*, du *Code de la sécurité routière du Québec* et des autres lois à caractère pénal. Ils ont juridiction en matière civile, criminelle et pénale.

LES TRIBUNAUX DE PREMIÈRE INSTANCE

La Cour du Québec, la Cour supérieure, la Cour municipale et la Cour fédérale forment les ***tribunaux de première instance***. Ce sont des tribunaux civils, criminels ou pénaux devant lesquels on se présente, dans un premier temps, pour obtenir un jugement.

LES TRIBUNAUX CIVILS

Contrairement au rôle des tribunaux pénaux et criminels, celui des tribunaux civils n'est pas de déterminer si une personne est coupable ou non, mais plutôt de régler les litiges qui peuvent survenir dans les relations civiles, commerciales ou sociales entre les individus. En matière civile, on est toujours en présence d'une personne physique ou morale qui en poursuit une autre dans le but de :

- recevoir une compensation en argent ;
- la forcer à exécuter une obligation légale ou contractuelle ;
- l'empêcher ou l'arrêter de commettre un acte déterminé susceptible de causer préjudice à autrui.

Tribunaux de première instance : Tribunaux civils, criminels ou pénaux devant lesquels on se présente, dans un premier temps, pour obtenir un jugement.

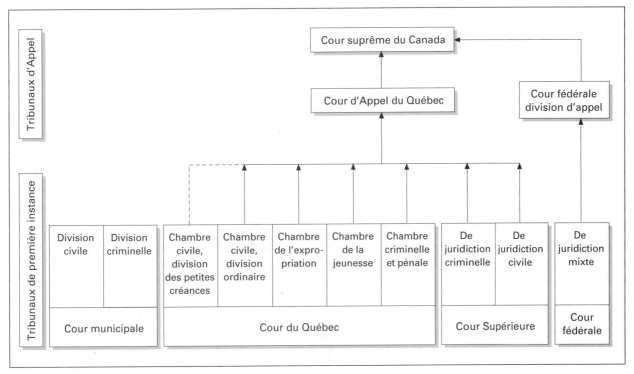

Figure 2.1   Les tribunaux judiciaires au Québec

LES COURS MUNICIPALES

La plupart des villes et des municipalités du Québec possèdent une cour municipale. Le gouvernement provincial en nomme les juges, mais ces derniers sont rémunérés par chacune des municipalités en question. Dans les plus petites municipalités, le juge municipal ne siège que quelques soirs par semaine ; c'est souvent un avocat de pratique privée qui, le soir venu, troque sa toge d'avocat pour celle de juge. À Montréal, à Québec et à Laval, les juges municipaux sont soumis à une loi spéciale ; ils sont nommés de façon permanente et siègent à plein temps.

En matière civile, les **cours municipales** sont compétentes lorsqu'il s'agit de poursuivre des individus ou des sociétés qui refusent ou négligent d'acquitter des sommes d'argent dont ils sont redevables envers une municipalité. Les poursuites en recouvrement de taxes municipales et de paiement des divers permis émis par les villes sont les principales causes entendues par les cours municipales.

D'une façon générale, les jugements de la Cour municipale sont finals et sans appel, mais on peut dans certains cas en appeler.

LA COUR DU QUÉBEC

On retrouve la **Cour du Québec, Chambre civile** dans tous les districts judiciaires du Québec. Ses juges sont nommés et rémunérés par le gouvernement du Québec. Ils sont actuellement plus de 290, et ont à leur tête un juge en chef et deux juges en chef associés (un à Montréal et un à Québec).

La Cour du Québec entend des causes civiles, criminelles et pénales. Elle est compétente en matière de protection de la jeunesse et en matière administrative et, dans certains cas, en appel, par exemple d'une décision de la Régie du logement. Elle est composée de quatre chambres, mais, en pratique, la division des petites créances peut être considérée comme une cinquième chambre. Ce sont :

- La Chambre civile, division ordinaire ;
- la Chambre civile, division des petites créances ;
- la Chambre criminelle et pénale ;

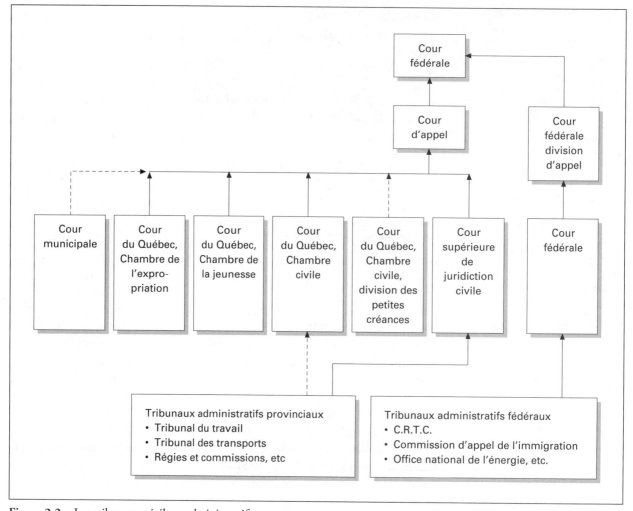

Figure 2.2   Les tribunaux civils et administratifs

- la Chambre de la jeunesse ;
- la Chambre de l'expropriation.

CHAMBRE CIVILE, DIVISION ORDINAIRE   Selon l'article 34 du *Code de procédure civile*, la Cour du Québec, Chambre civile est compétente pour entendre les causes dont le montant en litige est inférieur à 30 000 $, à l'exception des demandes de pension alimentaire et des causes spécifiquement attribuées à un autre tribunal, telle la Cour fédérale.

Par ailleurs, la Cour du Québec, Chambre civile entend, sous réserve de la compétence attribuée aux cours municipales et à l'exclusion de la Cour supérieure :

- toute demande en recouvrement d'une taxe ou autre somme d'argent due à une corporation municipale ou scolaire ;
- toute demande en annulation ou cassation de rôles d'évaluation municipale ou scolaire ;
- toute demande ayant trait à l'usurpation, la détention ou l'exercice illégal d'une charge dans une corporation municipale ou scolaire ;
- les causes d'impôt et de taxes dus au gouvernement provincial.

La Cour du Québec, Chambre civile possède également une juridiction en vertu de laquelle elle devient un tribunal d'appel dans les cas de contestations de certaines décisions rendues par plusieurs régies et commissions, notamment la Régie du logement, le Tribunal des professions, le Bureau de révision de l'évaluation foncière, ainsi que des cotisations d'impôt provincial et de taxes municipales et scolaires.

Les jugements de la Cour du Québec, Chambre civile sont tantôt finals et sans appel, tantôt susceptibles d'appel. Pour toutes les causes dont le montant de la réclamation est supérieur à 20 000 $, le justiciable dispose d'un *appel de plein droit*. Le *Code de procédure civile* prévoit la possibilité d'en appeler d'un jugement de la Cour du Québec, Chambre civile dans les causes où ce tribunal exerce une juridiction qui lui est attribuée exclusivement par un autre texte de loi, ou sur requête, avec la permission d'un juge de la Cour d'appel, lorsque celui-ci est d'avis que la question devrait être soumise à la Cour d'appel. Dans tous les autres cas, les jugements de la Cour du Québec, Chambre civile *ne peuvent être portés en appel*.

CHAMBRE CIVILE, DIVISION DES PETITES CRÉANCES   La Cour du Québec, Chambre civile, division des petites créances n'est pas, malgré son appellation courante, un tribunal autonome comme la Cour supérieure ; c'est une division de la Cour du Québec, Chambre civile. Elle a été créée en 1972 dans le but de rendre la justice plus accessible aux citoyens et de leur éviter des coûts et des honoraires d'avocat trop élevés par rapport au faible montant de leurs réclamations. Elle vise en outre à accélérer le processus judiciaire.

Comme la Cour du Québec siège dans tous les districts judiciaires du Québec, il existe aussi une division des petites créances dans chacun d'eux. Cette division entend les causes civiles seulement dans lesquelles le montant de la créance réclamée n'excède pas 3000 $.

Les articles 953 et 954 du *Code de procédure civile* établissent la juridiction de ce tribunal comme suit :

"**Art. 953** Une petite créance, c'est-à-dire :

a) une créance qui n'excède pas 3000 $;

b) qui a pour cause une obligation contractuelle ou extracontractuelle seule ;

c) qui est exigible d'un débiteur résidant au Québec ou ayant un bureau d'affaires ;

d) qui est exigible par une personne physique ou morale ou par un tuteur ou un curateur en sa qualité officielle, ne peut être recouvrée en justice que suivant le présent livre. Une personne morale ne peut, à titre de créancier, se prévaloir des dispositions du présent livre que si, en tout temps au cours de la période de 12 mois qui précède la demande, elle comptait sous sa direction ou son contrôle au plus cinq personnes liées à elle par contrat de travail."

Ces dispositions excluent les actions intentées par des personnes morales comptant plus de cinq employés, même si l'objet du litige n'excède pas 3000 $.

Ainsi une telle entreprise qui désire poursuivre une personne physique ou une autre entreprise pour un montant de 3000 $ ou moins doit s'adresser à la Cour du Québec, Chambre civile, division ordinaire.

La loi prévoit cependant qu'une personne physique poursuivie devant la Cour du Québec, Chambre civile pour une somme de 3000 $ ou moins peut faire transmettre son dossier à la Cour du Québec, division des petites créances. Par ailleurs, rien ne s'oppose à ce qu'on réduise volontairement une dette à 3000 $ ou moins si l'on désire poursuivre un débiteur à la Cour des petites créances.

Le gouvernement provincial a élargi la juridiction de la Division des petites créances en lui conférant deux responsabilités nouvelles : *l'appel sommaire en matière de fiscalité provinciale et la réception de plaintes en matière d'évaluation fon-*

cière. Cette nouvelle division « fiscale » a pour but de simplifier et d'accélérer le règlement des différends entre le ministère du Revenu du Québec et les citoyens.

Seul un particulier peut se prévaloir de ce nouveau recours pour obtenir une réduction ne dépassant pas 10 000 $ dans le calcul de son revenu imposable, pour réclamer un montant lié aux taxes sur la consommation telle la TVQ si le montant en litige ne dépasse pas 3000 $, ou pour contester des pénalités et intérêts ne dépassant pas 1000 $ que lui réclame le gouvernement provincial en vertu d'une loi fiscale.

> *Exemple* : Un citoyen qui reçoit un avis de cotisation d'impôt du ministère du Revenu du Québec lui réclamant une somme de 3595 $ peut se prévaloir de l'appel sommaire à la Division des petites créances pour le contester.

En ce qui concerne la réception de plaintes en matière d'évaluation foncière (taxes municipales et scolaires), la Cour des petites créances transmet ces réclamations au Bureau de révision de l'évaluation foncière.

Les dispositions du *Code de procédure civile* relatives au recouvrement des petites créances ont beaucoup simplifié la façon de procéder devant cette cour :

- le justiciable ne peut, entre autres, être représenté par un avocat devant la Cour des petites créances ;
- il doit donc plaider sa cause seul ;
- les frais des services offerts par la Cour des petites créances sont indexés chaque année. Une fois la cause entendue, on avise les parties du jugement rendu et le défendeur condamné doit satisfaire à ce jugement dans les 10 jours ; si ce dernier ne le fait pas, le tribunal ordonnera l'exécution forcée du jugement par le recours à la saisie des biens ou du salaire du défendeur.

Les jugements de la Cour des petites créances sont des jugements finals et sans appel. Le seul recours possible à l'encontre de ces jugements est une demande en rétractation de jugement, demande que l'on n'accorde que dans des cas très spéciaux.

CHAMBRE DE LA JEUNESSE La juridiction civile de la Cour du Québec, Chambre de la jeunesse lui est conférée par une loi provinciale destinée à assurer la protection, le développement et la sécurité des jeunes âgés de moins de 18 ans. Cette loi s'appelle la *Loi sur la protection de la jeunesse*. Les cas les plus fréquents dont le tribunal est saisi sont ceux d'enfants abandonnés, battus ou victimes d'abus sexuels.

Cette loi oblige toute personne qui a connaissance ou qui soupçonne qu'un enfant est battu ou victime d'abus sexuels à signaler le cas de cet enfant au directeur de la Protection de la jeunesse (DPJ). C'est ce qu'on appelle un **signalement**. Par exemple, si vous constatez que votre voisin maltraite son enfant âgé de cinq ans, vous devez le signaler, car la loi vous y oblige ; vous n'avez pas à craindre de représailles puisque cette démarche demeure anonyme.

La loi prévoit la présence d'un directeur de la Protection de la jeunesse dans les principales régions du territoire québécois. Le directeur de la DPJ est entouré de spécialistes tels des travailleurs sociaux, des médecins et des psychologues pour l'aider à apprécier et à analyser les situations dont on le saisit, et à prendre les mesures qui s'imposent.

La loi vise également à protéger les enfants dont la sécurité et le développement sont compromis : enfants abandonnés par leurs parents ou sur le point de l'être ; enfants dont le milieu familial peut nuire à leur développement physique, intellectuel ou émotif (isolement, absence de soins appropriés, conditions matérielles inadéquates, exploitation, négligence, usage de drogue, etc.); enfants qui manifestent des troubles de comportement sérieux (fugues, absences fréquentes de l'école sans raison valable, etc.).

La Cour du Québec, Chambre de la jeunesse n'intervient que lorsque le directeur de la Protection de la jeunesse le juge nécessaire ou que l'enfant ou ses parents en font la demande.

Il faut enfin noter que la Cour du Québec, Chambre de la jeunesse est compétente pour régler toute question en matière d'**adoption**.

CHAMBRE DE L'EXPROPRIATION   Une des limites à l'exercice du droit de propriété par les citoyens est le droit que possède les gouvernements fédéral, provincial et municipaux d'exproprier leurs immeubles pour des fins d'utilité publique.

> *Exemple* : Lorsque le gouvernement provincial décide de construire une route ou lorsque la ville de Montréal décide d'allonger son système de métro et de construire une station de métro au coin de la rue où vous habitez, ils procèdent à l'expropriation de votre propriété et vous offrent une indemnité.

Les citoyens peuvent contester la valeur de l'indemnité offerte.

C'est la Cour du Québec, Chambre de l'expropriation qui a compétence exclusive pour fixer les indemnités payables et trancher la question entre un ordre de gouvernement et le citoyen, et ce, même si le montant impliqué dépasse 30 000 $.

La Chambre de l'expropriation peut siéger n'importe où au Québec, mais les procédures qui y sont liées sont déposées soit à Montréal soit à Québec, selon le district judiciaire d'appel de la décision rendue. Elle peut rendre toute décision et présenter toute solution qu'elle juge raisonnable tel le déplacement d'un immeuble.

LA COUR SUPÉRIEURE DE JURIDICTION CIVILE

Les juges de la Cour supérieure sont nommés et rémunérés par le gouvernement fédéral. Ils sont actuellement plus de 150. Ils ont à leur tête un juge en chef, un juge en chef adjoint et un juge en chef associé. Leur nombre est augmenté régulièrement, selon les besoins.

Au Québec, la **Cour supérieure** est notre tribunal de droit commun et sa compétence s'étend à toute la province ; au point de vue pratique, cela signifie que ce tribunal est habilité à entendre toute cause que la loi n'a pas attribuée spécifiquement à un autre tribunal.

En vertu de l'article 33 du *Code de procédure civile*, la Cour supérieure exerce un pouvoir de surveillance sur les tribunaux inférieurs relevant de la compétence du gouvernement provincial (Cour du Québec, Chambre civile, Cour du Québec, Chambre criminelle, et Cour du Québec, Chambre de la jeunesse) ainsi que sur les corps politiques et les corporations de la province. Ce pouvoir lui permet, par exemple, de réviser une décision rendue par un juge du Tribunal des transports ou du Tribunal du travail, une régie ou une commission gouvernementale, si cette dernière a excédé sa juridiction. La Cour supérieure peut également réviser une décision prise par un corps politique ou une corporation professionnelle.

D'une façon générale, la Cour supérieure entend toutes les causes dont le montant en litige est de 30 000 $ et plus. De plus, elle entend toutes les demandes d'*injonction* et d'évocation contre les tribunaux inférieurs et les tribunaux administratifs ou les organismes quasi judiciaires.

La Cour supérieure possède également une juridiction exclusive en matière de faillite, de divorce et de droit de la famille. Exemple : séparation de corps, garde d'enfants, pensions alimentaires, tutelle, etc.).

Injonction : En se basant sur l'article 751 du *Code de procédure civile*, on peut définir l'injonction comme une ordonnance de la Cour supérieure qui enjoint à une personne, ses représentants ou employés de ne pas faire ou de cesser de faire un acte déterminé, susceptible de causer un préjudice grave et irréparable à autrui.

L'article 26 du *Code de procédure civile* stipule que, à moins d'une disposition contraire de la loi, tous les jugements finals de la Cour supérieure peuvent être portés en appel devant la Cour d'appel du Québec, à l'exception de ceux dont le montant en litige devant la Cour d'appel est inférieur à 20 000 $. Sont également sujets à appel devant la Cour d'appel du Québec tous les autres jugements de la Cour supérieure. La permission d'un juge de la Cour d'appel est cependant nécessaire ; il examine la question en litige pour déterminer si elle peut ou non être soumise à la Cour d'appel. Le délai pour en appeler d'un tel jugement est de 30 jours à compter de la date du jugement.

LA COUR FÉDÉRALE

La Cour fédérale est un tribunal civil qui relève essentiellement du gouvernement du Canada, lequel en nomme les juges et les rémunère. Ce tribunal compte plus de 30 juges dont un juge en chef et un juge en chef adjoint. Ce nombre peut être augmenté selon les besoins.

À l'instar de la Cour supérieure, ce tribunal exerce un pouvoir de surveillance et de contrôle sur les tribunaux administratifs fédéraux, tels :
- la Commission canadienne des relations de travail ;
- la Commission canadienne des transports ;
- le Conseil de la radiodiffusion et des télécommunications canadiennes (CRTC) ;
- l'Office national de l'énergie ;
- la Commission d'appel de l'immigration ;
- autres organismes administratifs fédéraux.

La Cour fédérale comporte une division de première instance et une division d'appel. Dans sa division de première instance, elle entend à peu près tous les litiges opposant le gouvernement du Canada à tout citoyen ou organisme fédéral. Elle fait office de tribunal de droit commun quand aucun autre tribunal n'a juridiction pour entendre un litige relatif à des lois canadiennes.

La Cour fédérale a compétence pour des questions qui relèvent de la juridiction exclusive du Parlement fédéral, tels :
- les droits d'auteur ;
- les marques de commerce ;
- les brevets d'invention ;
- le droit maritime ;
- les appels des décisions relatives à la *Loi fédérale de l'impôt sur le revenu* ;
- les appels des décisions rendues en vertu de la *Loi sur la citoyenneté canadienne.*

Dans sa division d'appel, elle révise les décisions rendues par les juges de sa division de première instance, de même que certaines décisions rendues en vertu de diverses lois fédérales. Il est possible d'interjeter appel d'un jugement de cette division de la Cour fédérale devant la Cour suprême du Canada.

La procédure utilisée en Cour fédérale s'apparente à celle utilisée en Cour supérieure, mais ses règles de pratique peuvent être modifiées conformément aux termes de la loi en vertu de laquelle on procède.

LA PROCÉDURE CIVILE

La procédure à suivre devant la Cour du Québec, Chambre civile, et la Cour supérieure est la même ; elle est établie par le *Code de procédure civile du Québec*. Pour illustrer cette procédure commune, examinons l'exemple suivant.

Exemple : La compagnie Beaubois ltée, fabricant de meubles ayant son siège social à Montréal, a vendu et livré des marchandises d'une valeur de 35 000 $ à Jean Larivière, détaillant de Sainte-Émilie. Malgré des

Archambault, Roy et associés, avocats

Montréal, le 1ᵉʳ février 1995

SOUS TOUTES RÉSERVES

Monsieur Jean Larivière
3, Chemin de la Tourmente
Sainte-Émilie (Québec)
G3M 4L1

Objet :   Beaubois ltée c. vous-même

Monsieur,

Nous avons reçu instruction de notre cliente, la compagnie Beaubois ltée, de vous réclamer la somme de 35 000 $ pour des marchandises vendues et livrées à votre nom, tel qu'en fait foi la facture n° 12357, en date du 21 décembre 1994.

À défaut par vous de faire parvenir à notre bureau un chèque visé d'un montant de 35 000 $ fait à l'ordre de Beaubois ltée, accompagné d'un autre chèque de 25 $ au nom d'Archambault, Roy et associés, avocats, pour couvrir nos frais et ce, dans les dix jours suivant la réception des présentes, des procédures judiciaires seront intentées contre vous sans autre avis ni délai.

Veuillez donc agir en conséquence.

AR/sh   Archambault, Roy et associés
                                    Avocats

Figure 2.3   Mise en demeure

Mise en demeure : Lettre que le créancier (ou son avocat) expédie à son débiteur, de préférence par courrier recommandé ou certifié, et qui le somme de régler sa dette dans un délai précis (10 jours, par exemple). Cette lettre informe aussi le débiteur que, à défaut de satisfaire à la demande, des procédures judiciaires seront intentées contre lui sans autre avis ni délai.

demandes répétées, Jean Larivière néglige de payer Beaubois ltée. Un représentant de la compagnie vient vous consulter et vous demande d'intenter des procédures judiciaires pour réclamer la somme due.

LA MISE EN DEMEURE   Tout débiteur qui ne s'acquitte pas de son obligation de paiement le rend passible d'une poursuite en réclamation de la somme due, en plus des dommages et intérêts que le créancier peut exiger dans tous les cas. Une **action civile** est souvent précédée d'une demande écrite : la *mise en demeure* (voir figure 2.3). À ce stade, on ne parle pas encore de procédure judiciaire : le créancier tente de réclamer son dû sans avoir recours aux tribunaux.

La mise en demeure peut aussi être utilisée pour sommer un débiteur de faire ou de ne pas faire quelque chose, comme nous le verrons dans le chapitre sur les obligations et les contrats.

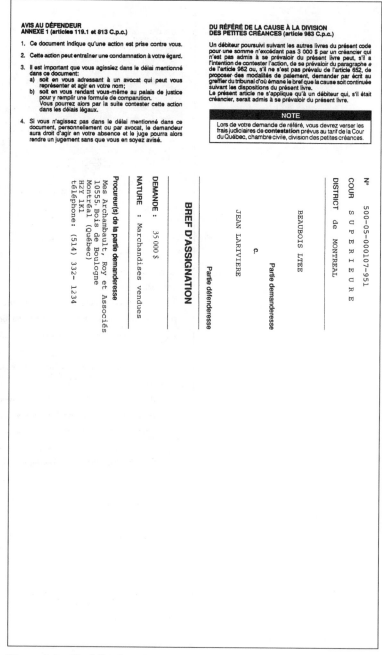

Figure 2.4   Bref d'assignation

Exemple : L'acheteur d'un bien entaché d'un défaut de qualité ou d'un vice caché doit envoyer une mise en demeure à son vendeur de remédier au défaut à l'intérieur d'un certain délai avant de faire corriger lui-même le défaut.

L'ACTION   Le réclamant (ou créancier) qui intente une action civile s'appelle le **demandeur** et celui qui est poursuivi s'appelle le **défendeur**. La partie demanderesse détermine d'abord devant quel tribunal elle devra intenter son action : c'est la **compétence d'attribution**, qui sera établie en fonction du montant de la réclamation. Dans notre exemple, la compagnie Beaubois ltée doit donc intenter son action devant la Cour supérieure, étant donné que le montant en litige est de 35 000 $.

Figure 2.4   Bref d'assignation (suite)

Une fois que le demandeur a choisi le tribunal, il détermine dans quel district judiciaire il intentera son action : c'est la **compétence territoriale**. En matière civile, la règle est la suivante : le demandeur intente son action devant le tribunal du domicile du défendeur ou devant le tribunal du lieu où l'objet du litige a pris naissance. Ainsi la compagnie Beaubois ltée a le choix d'intenter son action dans le district judiciaire de Québec, domicile du défendeur, ou dans le district de Montréal, lieu où le contrat de vente des meubles a été signé.

Si la procédure intentée n'est pas une action mais une requête, la personne qui l'intente s'appelle la **requérante** et celle qui est poursuivie s'appelle l'**intimée**. La requête est une procédure écrite adressée au tribunal lui demandant de statuer sur un point précis (la requête en injonction, la requête pour pension alimentaire).

```
C A N A D A                         C O U R S   S U P E R I E U R E

PROVINCE DE QUEBEC                  BEAUBOIS Ltée

DISTRICT DE MONTREAL                          Demanderesse

NO: 500-05-000107-951
                                    C.

                                    JEAN LARIVIERE

                                              Défendeur
                                    _____


                    D E C L A R A T I O N

A L'APPUI DE SON ACTION, LA DEMANDERESSE DECLARE:

1.    Elle réclame du défendeur Jean Larivière la somme de
35 000 $ soit la valeur de marchandises vendues et livrées à
la demande et à l'avantage du défendeur aux dates et lieux ainsi
qu'aux divers montants mentionnés dans l'état de compte détaillé
annexé à la présente action et conformément à un contrat intervenu
le 21 décembre 1994 entre les parties. Le contrat est versé à
l'appui des présentes sous la cote P-1.


2.    Le défendeur, bien que dûment mis en demeure par lettre, refuse
ou néglige de payer ce montant à la demanderesse, le montant
devenu exigible le 15 janvier 1995. Copie de cette lettre est
versée au dossier sous la cote P-2.


3.    Toute la cause d'action a pris naissance dans le district
de Montréal, lieu du contrat.


PAR CES MOTIFS PLAISE AU TRIBUNAL

ACCUEILLIR la présente action de la demanderesse
CONDAMNER le défendeur Jean Larivière à payer à la demanderesse
Beaubois Ltée. la somme de 35 000 $ avec intérêts et dépens depuis
la date de l'assignation.

                              Montréal, ce 21 février 1995

                              _____
                              Archambault,Roy & Associés
                              procureurs de la demanderesse
```

Figure 2.5   Déclaration

Bref d'assignation : Ordre de la Cour qui enjoint au défendeur de comparaître dans un délai de 10 jours devant un tribunal civil afin de prendre connaissance d'une action intentée contre lui et de présenter une défense, s'il y a lieu.

Déclaration : Document écrit dans lequel le demandeur énonce, sous forme de paragraphes distincts, les motifs de son action contre le défendeur, conclut à la responsabilité de ce dernier et demande au tribunal de condamner le défendeur, par exemple, à lui payer une somme d'argent.

LE BREF D'ASSIGNATION   L'action civile débute par l'émission d'un *bref d'assignation* (voir figure 2.4, pages 40, 41). L'avocat du demandeur fait émettre le bref d'assignation par le tribunal compétent. À cet effet, il doit payer une taxe appelée **timbre judiciaire** ; le prix de ce timbre est fixé par règlement et varie selon la nature de l'action et le tribunal devant lequel on a intenté l'action.

Un huissier est chargé de signifier le bref auquel est annexée une pièce de procédure : la *déclaration* (voir figure 2.5).

LA COMPARUTION   Il s'agit d'une procédure écrite et signée soit par le défendeur ou par son avocat ; elle doit être produite devant le tribunal dans les 10 jours de la signification du bref d'assignation, à défaut de quoi le défendeur risque de voir son adversaire obtenir un **jugement par défaut** (voir figure 2.6).

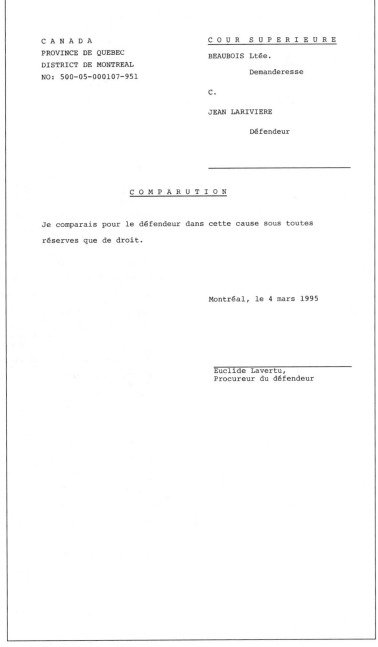

```
C A N A D A                    C O U R   S U P E R I E U R E
PROVINCE DE QUEBEC             BEAUBOIS Ltée.
DISTRICT DE MONTREAL
NO: 500-05-000107-951                        Demanderesse

                              C.

                              JEAN LARIVIERE

                                             Défendeur
                              _____


              C O M P A R U T I O N

Je comparais pour le défendeur dans cette cause sous toutes
réserves que de droit.




                              Montréal, le 4 mars 1995




                              _____
                              Euclide Lavertu,
                              Procureur du défendeur
```

Figure 2.6 Comparution

Défense : Document écrit dans lequel le défendeur relate sa version des faits et les motifs pour lesquels, selon lui, l'action du demandeur est mal fondée en fait et en droit.

LA DÉFENSE Le défendeur et son avocat ont un délai de 10 jours après la comparution pour présenter une *défense* (voir figure 2.7, page 44) écrite relativement à l'action intentée. Cet acte de procédure est signifié au procureur du demandeur par un huissier, puis déposé au greffe du tribunal devant lequel l'action a été intentée. Si le défendeur néglige ou omet de produire une défense, le demandeur inscrit la cause pour obtenir un **jugement *ex parte***, c'est-à-dire par défaut de produire un plaidoyer ou une défense.

Le plus souvent, une défense est produite à l'encontre de l'action du demandeur et elle nie les prétentions de cette dernière.

LA RÉPONSE L'avocat du demandeur peut choisir de répondre ou non aux allégations contenues dans la défense ; c'est ce qu'on appelle la **réponse**. Cette procédure n'est pas obligatoire.

```
C A N A D A                          COUR   SUPERIEURE
PROVINCE DE QUEBEC
DISTRICT DE MONTREAL                 BEAUBOIS Ltée.
NO: 500-05-000107-951
                                               demanderesse

                                     C.

                                     JEAN LARIVIERE

                                               Défendeur



                    D E F E N S E

A L'ENCONTRE DE L'ACTION DE LA DEMANDERESSE, LE DEFENDEUR
ALLEGUE CE QUI SUIT:

 1.  Je nie comme mal fondées en faits et en droit les allé-
     gations contenues au paragraphe 1 de la déclaration de
     la demanderesse;

 2.  J'admets avoir reçu la lettre de mise en demeure du procureur
     de la demanderesse en date du 1er février 1995 mais je nie
     toute responsabilité quant aux montants réclamés par la
     demanderesse;

 3.  J'admets les allégations contenues au paragraphe 3 de la
     déclaration de la demanderesse;

 4.  Le ou vers le 21 décembre 1994 j'ai effectivement acheté des
     meubles chez la demanderesse Beaubois Ltée tel qu'en fait
     foi la facture no.  12357 produite au soutien des présentes
     sous la cote D-1 et tel qu'en fait foi le contrat P-1 produit
     par la demanderesse;

 5.  Lorsque les meubles en question m'ont été livrés, j'ai consta-
     té qu'il manquait deux chaises et un sofa; de plus, j'ai
     remarqué que la table de travail était égratignée;

 6.  J'ai quand même pris possession des effets vendus avec la
     promesse expresse du directeur de Beaubois Ltée, selon laquelle
     dès la semaine suivante, on me livrerait les deux chaises
     et le sofa manquant et la table de travail serait remplacée;

 7.  J'ai fait parvenir une lettre en ce sens à la compagnie Beau-
     bois Ltée en demandant au responsable de venir reprendre
     possession des meubles à moins de remédier à la situation
     dans les cinq jours, tel qu'en fait foi ma lettre à Beaubois
     Ltée en date du 23 décembre 1994. Cette lettre est produite
     à l'appui des présentes sous la cote D-2. J'offre de lui
     remettre encore aujourd'hui les meubles livrés;

 8.  Dans les circonstances, je n'avais pas à payer ladite facture
     no. 12357 la demanderesse n'ayant pas exécuté ses obligations
     à mon égard;

 9.  Ma défense est bien fondée en faits et en droit.

     PAR CES MOTIFS PLAISE AU TRIBUNAL

     ACCUEILLIR la défense du défendeur
     REJETER   l'action de la demanderesse
     Le Tout avec dépens

                                     Montréal, le 13 mars 1995


                                     _____
                                     Euclide Lavertu,
                                     Procureur du défendeur
     ( Une déclaration assermentée doit accompagner cette défense)
```

Figure 2.7   Défense

L'INSCRIPTION POUR ENQUÊTE ET AUDITION   Une fois la contestation liée, le procureur du demandeur ou celui du défendeur peut inscrire la cause auprès du maître des rôles de la Cour du Québec ou de la Cour supérieure ; on appelle cette procédure **inscription pour enquête et audition** (voir figure 2.8, page 45). Le maître des rôles fixera une date à laquelle les parties devront se présenter devant un juge qui procédera à l'enquête et à l'audition de la cause.

Le délai entre la date de l'inscription et celle de l'audition varie d'un tribunal à l'autre. Devant la Cour des petites créances, il est de trois à neuf mois ; devant la Cour du Québec, Chambre civile (division ordinaire), il est de six mois à un an ; devant la Cour supérieure, il est de moins d'un an.

L'ENQUÊTE ET L'AUDITION   Au moins un mois avant la date fixée pour l'enquête et l'audition, le maître des rôles fait parvenir aux avocats des parties, un avis

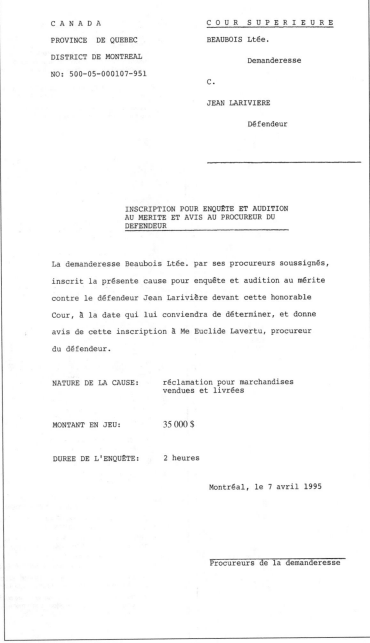

Figure 2.8   Inscription pour enquête et audition

de la date, de l'heure et du lieu de l'audition. Ceux-ci avisent leurs clients respectifs, préparent leur dossier et convoquent les témoins par le biais de *subpoena*. Dans notre exemple, le tribunal envoie un *subpoena* (voir figure 2.9, page 46) à Richard Petit, directeur de Beaubois ltée, l'obligeant à venir témoigner au moment de l'audience.

Contrairement au procès au criminel, la preuve présentée dans une cause civile n'est pas une preuve hors de tout doute raisonnable. Elle se fait par **prépondérance de preuve**, c'est-à-dire que la preuve de l'une ou l'autre des parties doit être la meilleure. Une fois la preuve de la partie demanderesse présentée, il appartient à la partie défenderesse de faire valoir ses moyens de défense. Soulignons que, après l'interrogatoire de chacun des témoins par le procureur du demandeur, ceux-ci peuvent faire l'objet d'un contre-interrogatoire de la part du procureur du

AVIS AU TÉMOIN (art. 321 du Code de procédure civile)

Lors de votre comparution en justice, nous vous avisons qu'avant de quitter le palais de justice, vous pouvez vous rendre à la salle   5.01   , où nous déterminerons l'indemnité à laquelle vous avez droit, selon le tarif approuvé par le gouvernement. **Cette indemnité doit être versée par la partie qui vous a assigné(e) comme témoin.** Ordinairement l'avocat ou procureur de cette partie s'occupe du paiement de cette indemnité. En cas de non-paiement, vous pouvez en poursuivre l'exécution contre la partie qui vous a assigné(e).

AVIS AU TÉMOIN ASSIGNÉ À LA COUR DU QUÉBEC, CHAMBRE CIVILE, DIVISION DES PETITES CRÉANCES

Si vous êtes assigné(e) comme témoin à la Cour du Québec, Chambre civile, Division des petites créances, vous n'aurez droit à une indemnité que si le juge l'a indiqué dans son jugement.

N° 500-05-000107-951

COUR SUPERIEURE

DISTRICT de MONTREAL

BEAUBOIS LTEE

Partie demanderesse

c.

JEAN LARIVIERE

Partie défenderesse

SUBPOENA
(Citation à comparaître)

Pour obtenir plus de renseignements, le témoin peut s'adresser à

Me Euclide Lavertu
100 rue de l'Eglise
Montréal (Québec)
téléphone: 388-7842

MONTANT DE L'INDEMNITÉ PAYABLE AU TÉMOIN

1. L'indemnité payable à un témoin est fixée à 20,00 $ par journée d'absence nécessaire de son domicile. Celle-ci est toutefois réduite à 10,00 $ lorsque la durée de l'absence ne dépasse pas 5 heures.

2. Un témoin reconnu et déclaré expert par le tribunal a droit à une indemnité de 40,00 $ par journée d'absence nécessaire de son domicile. Celle-ci est toutefois réduite à 20,00 $ lorsque la durée de l'absence ne dépasse pas 5 heures.

3. Les frais de transport, de repas et de séjour (s'il y a lieu) prévus au tarif s'ajoutent.

4. Aucune indemnité ne sera versée au témoin qui, en vertu d'une convention collective, d'une entente, d'un contrat, d'un arrêté ministériel ou d'une loi, ne subira pas de perte de salaire ou de traitement.

5. Un témoin qui ne subit pas de perte de salaire ou de traitement sera remboursé uniquement pour ses frais de transport, de repas et de séjour, conformément à la réglementation.

Figure 2.9   *Subpoena*

défendeur. Un avocat n'a pas le droit de poser de questions qui suggèrent la réponse au témoin quand il interroge ses propres témoins, mais il peut le faire lorsqu'il contre-interroge les témoins de la partie adverse.

Exemple : « N'est-il pas vrai, Madame, que le trottoir était glacé et que la municipalité n'y avait pas fait épandre de sable ? », plutôt que : « Madame, pouvez-vous me décrire l'état du trottoir à ce moment ? »

La défense tentera de contredire la preuve présentée par la demande en faisant entendre aussi des témoins et en produisant des éléments de preuve contraires. Tout au long de l'interrogatoire des témoins par l'un des deux procureurs en présence, l'autre peut faire valoir des **objections** dont le juge aura à évaluer la pertinence. Ces objections sont fondées sur les règles de la preuve énoncées aux articles 2803 à 2874 du *Code civil du Québec*.

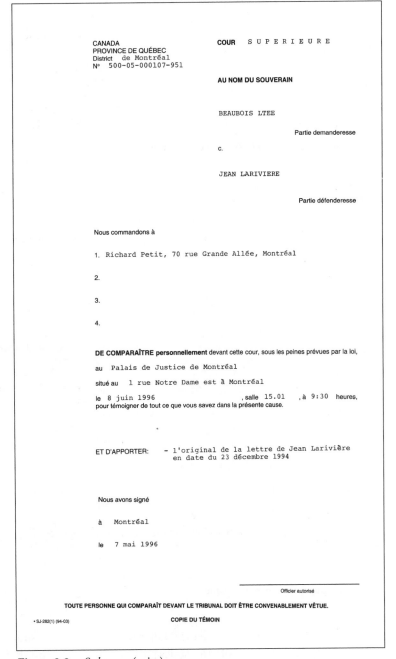

Figure 2.9 *Subpoena* (suite)

Les objections les plus fréquentes soulèvent le fait qu'une question n'est pas pertinente au litige (exemple : un avocat qui interroge un témoin sur son état de santé au cours d'un procès en recouvrement d'un chèque sans provision), ou encore qu'il s'agit de **ouï-dire** (ce qu'on ne connaît que pour l'avoir entendu dire par une autre personne).

Exemple : Une affirmation formulée de la façon suivante : « Mon frère m'a dit que son amie Johanne avait vu Richard le pousser dans l'escalier » constituerait du ouï-dire. Le Code interdit d'avoir recours à ce moyen de preuve ; le juge accueillera donc l'objection.

LE JUGEMENT   Après avoir entendu les plaidoyers de chacun des avocats, le juge rend sa décision. Toutefois, il peut prendre la cause en délibéré pour étudier la preuve qui a été présentée devant lui et rendre son jugement par écrit à une date

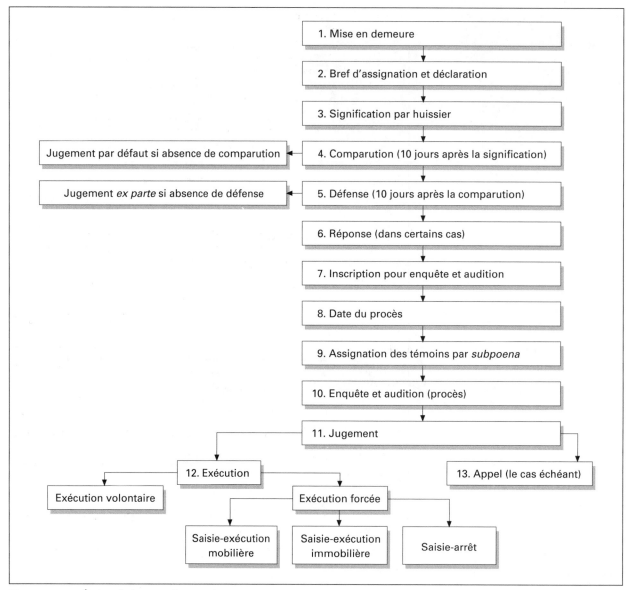

Figure 2.10   Étapes de la procédure civile

ultérieure. Dans sa décision, le juge résume les faits de la cause, récapitule la preuve offerte par les parties et expose les motifs de son jugement. Finalement, il décide quelle partie devra payer les frais judiciaires, ou dépens. Ordinairement, c'est la partie perdante qui les paie, mais le juge jouit d'un pouvoir discrétionnaire à cet égard. On nomme **tarif judiciaire** le montant des frais judiciaires, qui est lui-même fixé par le lieutenant-gouverneur en conseil.

Il ne faut pas confondre les frais judiciaires avec les honoraires des avocats, qui sont à la charge de chacune des parties. Contrairement à un préjugé fort courant, celui qui gagne une cause civile doit quand même acquitter les honoraires de son avocat : rencontres avec le client, correspondance, téléphones, recherches, étude du dossier, etc. Pour sa part, la partie qui voit son action rejetée, si elle a été condamnée avec **dépens**, comme c'est le cas la plupart du temps, devra payer non seulement les honoraires de son propre avocat, mais également les frais judiciaires de l'avocat de la partie adverse. Ces frais sont contenus dans un document appelé le **mémoire de frais** qui est dressé par l'avocat de la partie gagnante, selon le tarif judiciaire en vigueur.

Tableau 2.1   Juridiction des tribunaux civils de première instance

Nom du tribunal	Juridiction du tribunal
Cour municipale	• Juges nommés par le gouvernement provincial ; • juridiction limitée à la municipalité visée ; • entend les poursuites contre les personnes qui refusent ou négligent d'acquitter les sommes d'argent dues aux municipalités.
Cour du Québec, Chambre civile, division ordinaire	• Juges nommés par le gouvernement provincial ; • juridiction sur l'ensemble du Québec ; • entend les causes où le montant en litige est inférieur à 30 000 $ à l'exclusion des pensions alimentaires ; • entend les causes visant le recouvrement d'une taxe ou somme d'argent due à une corporation municipale ou scolaire, usurpation, détention ou exercice illégal d'une charge municipale ou scolaire ; • joue un rôle de tribunal d'appel dans les cas de contestation des décisions rendues par certains tribunaux administatifs québécois.
Cour du Québec, Chambre civile, division des petites créances	• Juridiction sur l'ensemble du territoire du Québec ; • entend les causes où le montant de la créance n'excède pas 3000 $ et résultant d'une obligation contractuelle ou extracontractuelle d'un débiteur résidant au Québec ou y ayant un bureau d'affaires ; • poursuites intentées par une personne physique ou morale qui, en tout temps au cours des 12 mois précédents, avait au plus cinq employés ; • appel sommaire en matière de fiscalité provinciale et de plaintes relatives à l'évaluation foncière.
Cour du Québec, Chambre de la jeunesse	• Juridiction sur l'ensemble du Québec ; • entend les causes impliquant l'application de la *Loi sur la protection de la jeunesse* pour assurer la protection et la sécurité des jeunes âgés de moins de 18 ans ; • entend les causes en matière d'adoption.
Cour du Québec, Chambre de l'expropriation	• Peut siéger n'importe où au Québec ; • possède une compétence exclusive pour entendre les causes d'expropriation et fixer les indemnités.
Cour supérieure de juridiction civile	• Juges nommés par le gouvernement fédéral ; • juridiction sur l'ensemble du Québec ; • entend toutes les causes dont le montant en litige dépasse 30 000 $ et celles qui n'ont pas été attribuées spécifiquement à un autre tribunal ; • possède un pouvoir de surveillance de tribunaux administratifs québécois ; • entend de façon exclusive toutes les causes d'injonction, de faillite, de divorce, de droit de la famille.
Cour fédérale	• Juges nommés par le gouvernement fédéral ; • juridiction sur l'ensemble du territoire canadien ; • possède un pouvoir de surveillance des tribunaux administratifs fédéraux ; • la division de première instance entend tous les litiges relevant de la compétence exclusive du gouvernement fédéral ; • la division d'appel révise les jugements rendus par la division de première instance ainsi que les décisions relatives à la *Loi de l'impôt sur le revenu* (fédéral) et la *Loi sur la citoyenneté canadienne*.

Les **frais judiciaires** comprennent les différents déboursés, tels les timbres judiciaires, les frais d'huissier, la taxation des témoins et les honoraires judiciaires auxquels l'avocat de la partie gagnante a droit.

Dans le cas où Beaubois ltée gagnerait sa cause, et que Jean Larivière refuserait ou négligerait de satisfaire au jugement le condamnant à payer la somme de 35 000 $, le procureur de la compagnie Beaubois ltée pourrait procéder à l'interrogatoire après jugement de Larivière (art. 543 C.p.c.) pour tenter de connaître ses actifs et ses sources de revenu. Ces renseignements permettraient alors au procureur de Beaubois ltée de décider s'il procéderait à une saisie-exécution des biens meubles ou immeubles du débiteur ou à une saisie-arrêt (saisie de salaire). Dans le cas présent, le procureur de Beaubois ltée a choisi de procéder, contre Jean Larivière, à une saisie-exécution de ses biens meubles (art. 580 et suiv. C.p.c.). Nous expliquerons cette procédure d'exécution plus en détail au chapitre 16.

LE RECOURS COLLECTIF

Le *recours collectif* peut être entrepris pour n'importe quel type d'action civile par un individu ayant un intérêt dans l'action, de même que par toute corporation sans but lucratif, tout syndicat ou toute association (de consommateurs, par exemple).

Avant d'intenter une action, l'intéressé doit préparer une requête adressée à la Cour supérieure, demandant qu'on lui reconnaisse le droit d'utiliser le recours collectif.

> *Exemple* : Les propriétaires d'automobiles de marque ZX 1994 intentent un recours collectif en responsabilité contre le manufacturier en ce qui concerne les automobiles de marque ZX 1994 qui rouillent prématurément. Une preuve commune est présentée puis le jugement exigera que chacun des acheteurs fasse la preuve, devant le greffier, des dommages qu'il a subis. Finalement, le jugement ordonnera la publication d'un avis pour informer les membres de la décision rendue en leur faveur.

> *Exemple* : Dans un jugement rendu en décembre 1984, la Cour supérieure a fait droit au recours collectif dans le dossier du groupe Euro Américain Voyages dont les membres avaient été frustrés d'une indemnité allant de 250 $ à 525 $, plus intérêts. Malgré l'achat, à l'agence précitée, d'un forfait incluant un séjour à l'hôtel Romano Palace d'Acapulco, ces voyageurs avaient dû passer trois nuits dans les corridors de l'hôtel parce qu'il n'y avait aucune chambre disponible.

La loi prévoit la possibilité, pour le demandeur, de s'adresser au Fonds d'aide aux recours collectifs pour assurer le financement du recours collectif qu'il veut exercer (pour couvrir, par exemple, le coût des expertises nécessaires à la preuve de la réclamation).

L'AIDE JURIDIQUE

Dans le but d'assurer gratuitement des services juridiques professionnels (avocat ou notaire) à toute personne économiquement défavorisée et qui possède la vraisemblance d'un droit, l'Assemblée nationale a sanctionné, le 8 juillet 1972, la *Loi sur l'aide juridique*. En vertu de cette loi, tout citoyen québécois répondant à certains critères d'admissibilité a le droit de bénéficier de l'**aide juridique**. En pratique, seules les personnes démunies et en difficulté financière sont admissibles.

Recours collectif : Procédure permettant à une personne de s'adresser à la Cour supérieure de juridiction civile pour faire valoir non seulement ses propres droits, mais aussi les droits d'autres individus ayant des réclamations qui se ressemblent suffisamment pour justifier leur regroupement dans une même action. La loi permet à cette personne d'agir de la sorte sans avoir à obtenir l'autorisation des autres personnes ayant subi un préjudice analogue.

Pour se prévaloir de l'aide juridique, il faut en faire la demande au Bureau d'aide juridique le plus près de sa résidence. Lorsqu'une personne a reçu son certificat d'admissibilité à l'aide juridique, elle demeure libre de choisir son avocat parmi les avocats permanents de l'aide juridique et les avocats de la pratique privée qui font partie de ce réseau. Il faut préciser qu'un avocat de pratique privée peut refuser un mandat d'aide juridique. Les honoraires et les frais judiciaires d'un avocat de pratique privée qui représente un bénéficiaire de l'aide juridique sont acquittés par le Bureau d'aide juridique ayant émis le mandat.

L'ARBITRAGE

En 1986, le *Code de procédure civile* de la province de Québec a été amendé pour accorder, aux commerçants comme aux citoyens ordinaires, le droit et la possibilité d'avoir recours à l'*arbitrage* pour régler leurs différends.

Arbitrage : Règlement d'un litige, à l'aide d'un arbitre ou d'un conflit entre nations par des juges de leur choix et sur la base du respect du droit.

Devant le coût élevé et la durée prolongée des causes civiles et commerciales, de plus en plus de commerçants et de citoyens commencent à avoir recours à l'arbitrage pour régler des litiges. La durée moyenne d'un arbitrage est de six mois, comparativement à près de deux ans pour une cause en Cour supérieure.

Le *Code de procédure civile* prévoit la possibilité pour les parties impliquées de nommer un arbitre ou plusieurs arbitres qui sont généralement des experts dans la matière qui touche au litige.

Il faut bien comprendre que rien ne force les parties à un litige à avoir recours à l'arbitrage. De plus, il faut que toutes les parties soient d'accord pour procéder par arbitrage plutôt que par la procédure habituelle devant les tribunaux. En cas de refus de l'arbitrage par une des parties, on doit obligatoirement recourir aux tribunaux.

Des organismes tels le **Centre d'arbitrage commercial national et international du Québec** ou l'**Institut d'arbitrage du Québec** offrent des services d'arbitres aux commerçants et aux citoyens.

Ces organismes regroupent des professionnels de diverses disciplines parmi lesquels les parties peuvent choisir leurs arbitres. Par ailleurs, il faut noter qu'il s'agit là d'organismes privés et qui n'ont rien à voir avec le ministère de la Justice ou les tribunaux ordinaires. Les parties peuvent aussi choisir leurs propres arbitres sans avoir recours à ces organismes.

La plus importante procédure d'arbitrage à avoir été entendue est celle qui concerne le litige entre la Régie des installations olympiques (RIO) et la firme Lavallin pour le parachèvement du mât du Stade olympique de Montréal et l'installation de la toile du stade.

La RIO et Lavallin avaient conclu un contrat de 117,7 millions de dollars pour ce travail et Lavallin a présenté une réclamation additionnelle de 42,5 millions pour des frais imprévus. Trois arbitres ont tranché ce litige pour 23 millions.

L'arbitrage est aussi un mode de règlement des litiges qui peuvent mettre en cause des citoyens ordinaires. Ainsi, de plus en plus de groupements de marchands et de manufacturiers, soucieux de conserver de bonnes relations avec leurs clients, offrent à ces derniers la possibilité d'avoir recours à l'arbitrage pour régler leurs plaintes.

C'est le cas notamment de l'Association des fabricants de meubles, de la Corporation des marchands de meubles du Québec, des Bureaux d'éthique commerciale (BEC) de Montréal et de Québec qui offrent aux consommateurs la possibilité d'avoir recours à l'arbitrage plutôt qu'aux tribunaux pour régler un litige de leurs marchands membres. Dans un tel cas, les parties signent une convention d'arbitrage dans laquelle ils s'engagent à respecter la décision rendue, qui est finale et sans appel.

De concert avec les manufacturiers d'automobiles (Chrysler, Ford, General Motors, Mazda, Toyota, Volvo), le BEC a mis sur pied un programme appelé *arbitrage-auto*. En vertu de ce programme, les fabricants se sont engagés à accepter l'arbitrage s'il est demandé par un consommateur.

LES TRIBUNAUX CRIMINELS ET PÉNAUX

Le rôle des tribunaux criminels et pénaux est d'entendre les procès intentés contre des individus qui ont posé des actes criminels ou ont commis des infractions pénales à l'encontre du *Code criminel canadien* ou de lois pénales tel le *Code de la sécurité routière du Québec*. Devant ces tribunaux, ce n'est pas un citoyen qui poursuit un citoyen, mais c'est l'État, soit le gouvernement fédéral, provincial ou municipal, qui intente la poursuite contre une personne physique ou morale dans le but :

· de faire reconnaître sa culpabilité ;
· d'obtenir sa condamnation.

LA COUR MUNICIPALE   Nous avons vu que les villes et les municipalités du Québec avaient le pouvoir de décréter des règlements qui s'appliquent exclusivement dans les limites de leur territoire. La juridiction première d'une cour municipale est d'entendre les litiges relatifs aux infractions à ces divers règlements, tels :

· les règlements de circulation de la municipalité ;
· les règlements sur la salubrité des établissements commerciaux ;
· les règlements relatifs aux divers permis d'exploitation d'un commerce ;
· les règlements de zonage ;
· les règlements relatifs à la taxe foncière.

La juridiction des cours municipales de Montréal, Montréal-Nord, Québec, Laval et autres, s'étend aussi à certaines poursuites relatives à des infractions ou délits mineurs commis contre le *Code criminel*, tels le méfait public, le vol à l'étalage, voies de fait, vol simple, etc. Les sentences prévues pour ces crimes ne dépassent pas deux ans d'emprisonnement. Ce tribunal a également juridiction pour juger des infractions aux lois statutaires, comme le *Code de la sécurité routière*.

Devant la cour municipale, la procédure s'apparente beaucoup à celle suivie devant la Cour du Québec, Chambre criminelle et pénale.

On peut rarement interjeter appel des décisions rendues par une cour municipale ; il s'agit habituellement de jugements finals.

LA COUR DU QUÉBEC, CHAMBRE DE LA JEUNESSE   La procédure utilisée devant ce tribunal est beaucoup moins formaliste que celle utilisée devant les autres tribunaux de droit commun et, en matière criminelle et pénale, l'accent est davantage mis sur la réhabilitation de l'adolescent fautif que sur la punition.

En matière criminelle et pénale, la **Cour du Québec, Chambre de la jeunesse** possède une juridiction qui lui est attribuée par deux lois importantes : d'abord, la *Loi sur les jeunes contrevenants,* qui confère au Tribunal sa juridiction criminelle ; ensuite, sa juridiction pénale, qui couvre les infractions aux lois québécoises et lui est attribuée par la *Loi sur les poursuites sommaires*. La compétence du Tribunal de la jeunesse s'applique aux jeunes âgés de moins de 18 ans qui ont commis un acte contraire au droit criminel ou aux lois pénales, de même qu'aux adultes qui ont incité des jeunes à commettre de tels actes.

Il est toujours possible pour un adolescent d'interjeter appel d'une décision de la Cour du Québec, Chambre de la jeunesse devant la Cour d'appel du Québec lorsqu'il s'agit d'une infraction au *Code criminel* punissable en vertu de la *Loi sur*

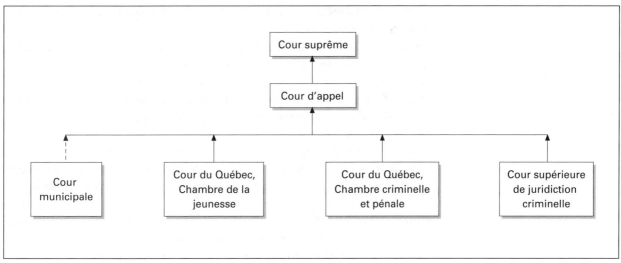

Figure 2.11   Les tribunaux criminels et pénaux

les jeunes contrevenants. S'il s'agit d'une infraction aux lois québécoises punissable en vertu de la *Loi sur les poursuites sommaires*, il pourra alors interjeter appel devant la Cour supérieure du Québec.

LA COUR DU QUÉBEC, CHAMBRE CRIMINELLE ET PÉNALE   La Cour du Québec, Chambre criminelle et pénale possède une juridiction à double volet. En premier lieu, en vertu de l'article 553 du *Code criminel*, elle a une juridiction *exclusive* pour entendre des procès portant sur certaines infractions et crimes mineurs commis contre le *Code criminel du Canada*, et pour lesquels la loi prévoit une peine d'emprisonnement ne dépassant pas deux ans. (Exemple : vol simple, voies de fait, conduite pendant interdiction, etc.). Le prévenu qui se voit inculpé d'un des crimes précités n'a pas le choix : il doit nécessairement subir son procès devant un juge seul.

En second lieu, la Cour du Québec, Chambre criminelle et pénale possède une juridiction *concurrente* qu'elle partage avec la Cour supérieure de juridiction criminelle pour juger tous les crimes que l'article 469 du *Code criminel* (C. cr.[1]) n'attribue pas spécifiquement à cette dernière. Pour tous les autres crimes, et ils sont très nombreux (vol avec violence, viol, enlèvement, homicide involontaire, vol qualifié, attentat à la pudeur, etc.), un accusé a donc le choix de subir son procès devant un juge seul, c'est-à-dire un juge de la Cour du Québec, Chambre criminelle et pénale, ou devant un juge de la Cour supérieure avec jury composé de 12 membres.

La Cour du Québec, Chambre criminelle et pénale, a également juridiction pour juger les infractions aux lois statutaires provinciales ou fédérales. (Exemple : les infractions au *Code de la sécurité routière*, etc.). Signalons également que, en matière criminelle, toutes les comparutions, quelle que soit la nature du crime reproché à l'accusé, ont lieu devant ce tribunal.

Un individu reconnu coupable par un juge de la Cour du Québec, Chambre criminelle et pénale peut s'adresser de plein droit à la Cour d'appel du Québec pour faire réviser le jugement ; la Couronne peut également en appeler d'un jugement de non-culpabilité. Si l'accusé ou la Couronne désirent interjeter appel d'une sentence (amende ou emprisonnement), ils doivent préalablement obtenir la permission d'en appeler de cette sentence.

---

1. C. Cr. est l'abréviation officiellement reconnue pour désigner le *Code criminel canadien*.

LA COUR SUPÉRIEURE DE JURIDICTION CRIMINELLE   Cette cour a compétence exclusive pour entendre certaines poursuites relatives à des actes criminels particulièrement graves énumérés à l'article 469 du *Code criminel*. Ces actes criminels, particulièrement graves, sont la trahison, l'intimidation du Parlement, le meurtre, la tentative de meurtre, la corruption de la justice, etc.; seule la Cour supérieure de juridiction criminelle est compétente pour les juger.

Ce tribunal est toujours composé d'un juge et d'un jury constitué de 12 membres que l'on nomme **jurés**.

C'est le jury, qui après avoir entendu le procès, doit rendre un jugement à l'unanimité sur la culpabilité ou la non-culpabilité de l'accusé. Le juge demeure quant à lui responsable de l'appréciation des différentes questions de droit soulevées par les avocats pendant le procès. À la fin du procès, si le jury retient un verdict de culpabilité contre l'accusé, le juge prononce la sentence en tenant compte s'il y a lieu des recommandations du jury.

On peut en appeler d'un jugement rendu par la Cour supérieure de juridiction criminelle devant la Cour d'appel du Québec en suivant les règles déjà énoncées pour la Cour du Québec, Chambre criminelle et pénale.

LA PROCÉDURE CRIMINELLE ET PÉNALE

LA DÉNONCIATION   Dans une affaire criminelle ou pénale, on procède à la suite d'une **dénonciation**. Celle-ci peut être faite par un simple citoyen, mais le plus souvent, elle émane du ministre de la Justice et de la police.

Tableau 2.2   Juridiction des tribunaux criminels et pénaux de première instance

Nom du tribunal	Juridiction du tribunal
Cour municipale	• Juges nommés par le gouvernement du Québec ; • juridiction limitée à la municipalité, qui peut dans certains cas être étendue à des lois à caractère pénal québécois ou fédéral ; • entend les causes relatives aux infractions aux règlements municipaux.
Cour du Québec, Chambre de la jeunesse	• Juges nommés par le gouvernement du Québec ; • juridiction sur l'ensemble du territoire du Québec ; • entend les causes relatives aux infractions et aux actes criminels commis par des mineurs et par des adultes qui incitent des jeunes à commettre de tels actes.
Cour du Québec, Chambre criminelle et pénale	• Juridiction sur l'ensemble du territoire du Québec ; • entend toutes les comparutions en matière criminelle et pénale ; • entend les causes relatives aux infractions et crimes mineurs prévus au *Code criminel* et pour lesquels la loi prévoit une peine ne dépassant deux ans ; • entend de façon concurrente avec la Cour supérieure de juridiction criminelle les causes où l'accusé choisit un procès devant un juge seul ; • entend les causes relatives aux infractions à l'encontre des lois statutaires fédérales et provinciales.
Cour supérieure de juridiction criminelle	• Juges nommés par le gouvernement fédéral ; • juridiction sur l'ensemble du territoire du Québec ; • entend les causes relatives aux actes criminels graves et où l'accusé choisit un procès avec jury.

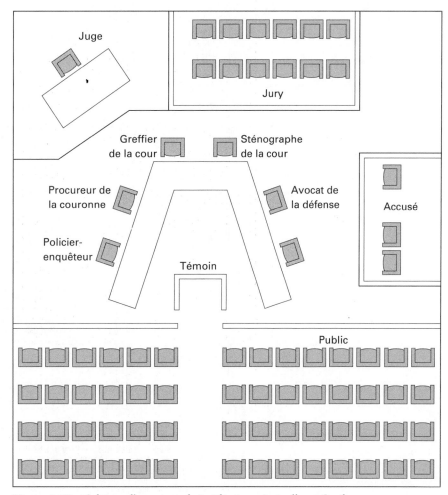

Figure 2.12   Schéma d'une cour de juridiction criminelle au Québec

Sommation : Ordre de la cour qui ordonne à l'accusé de comparaître à une date déterminée devant un tribunal pénal ou criminel pour répondre à une accusation.

Mandat d'arrestation : Ordre de la cour qui enjoint aux policiers de trouver l'accusé, de le mettre en état d'arrestation et de l'amener devant le tribunal pour répondre à une accusation relative à une infraction ou à un acte criminel dont on le soupçonne.

LA SOMMATION OU LE MANDAT   À la suite de la dénonciation, une *sommation* ou un *mandat d'arrestation* peuvent être émis. Dans les cas d'infractions ou d'actes criminels mineurs, et lorsqu'on a toutes les raisons de croire que l'accusé se présentera devant le tribunal, on émet une sommation (voir figure 2.13, page 56) ou une **citation à comparaître** qui est signifiée à l'accusé par un policier ou un huissier.

Dans le cas d'infractions plus graves, on émet un mandat d'arrestation, la plupart du temps accompagné d'un **mandat de perquisition**, qui permet aux policiers de fouiller une résidence ou un local quelconque dans le but d'y trouver des preuves.

LA COMPARUTION   Lorsque l'accusé reçoit une sommation, il doit comparaître en personne devant le tribunal à la date indiquée pour enregistrer un plaidoyer de culpabilité ou de non-culpabilité relativement au crime dont on veut l'inculper. Dans le cas d'un mandat, on doit faire comparaître l'accusé dans les 24 heures suivant son arrestation. Au moment de sa comparution, on lui demande s'il plaide coupable ou non coupable. S'il plaide coupable, le juge peut soit fixer immédiatement sa sentence, soit lui demander de se représenter à une date ultérieure. S'il plaide non coupable, on lui demandera, selon le cas, quel type de procès il choisit (juge seul, juge avec jury), et l'on en fixera la date. L'accusé sera libéré avec ou sans conditions jusqu'à la date fixée pour son procès ou pour son enquête préliminaire. En règle générale, il est libéré sans conditions. Si le procureur de la Couronne indique au juge qu'il s'objecte à la libération de l'accusé parce que ce dernier a

CANADA   GREFFE DE LA PAIX ET DE LA COURONNE
PROVINCE DE QUÉBEC
DISTRICT DE Saint-Hyacinthe
                                    SOMMATION

À   YVAN DUBOIS

|06|01|000234|95|1| adresse :   11, rue Boulé, Saint-Hyacinthe (Québec)
Numéro de dossier

| 9876543210 | Attendu que vous avez été inculpé devant moi comme suit :
Numéro du dossier S.Q.   à Saint-Hyacinthe district de Saint-Hyacinthe
ou nom du corps policier
/organisme plaignant
057 854 321 S.Q.   a, le ou vers le 31 mai 1995, violé l'article 328a du *Code de la sécurité*

                        routière du Québec en roulant à 145 kilomètres/heure sur l'autoroute 20

                        à la hauteur de la ville de Saint-Hyacinthe, se rendant passible de

                        l'amende prévue par l'article 516, alinéa « b », du *Code de la Sécurité*

                        routière du Québec.

> Si vous désirez plaider coupable, veuillez signer et nous retourner la
> présente copie avant la date fixée pour votre comparution. Vous
> n'aurez alors pas à vous présenter.
> Je .... plaide coupable.
>   (signature)
> Adresse complète : ....
> ....

À ces causes, les présentes vous enjoignent, au nom de Sa Majesté, d'être présent au tribunal
le 14 août 1995 à 13 h 30 heures, à la Cour n° 2,02 au Palais de Justice de Saint-Hyacinthe ou
devant un juge de paix pour la Province de Québec qui s'y trouve et d'être présent par la suite
selon les exigences du tribunal afin d'être traité selon la loi.

Daté du   25 juillet 1995   à   Saint-Hyacinthe

COPIE CONFORME

_____   _____
J.C.O. / Juge de paix   J.C.O. / Juge de paix
                                           agissant dans et pour la Province de Québec

                        PRÉVENU

SJ-230 (82-02)

Figure 2.13   Sommation et plaidoyer de culpabilité

commis un crime grave ou parce qu'on craint qu'il ne se présente pas à son procès,
on tient une **enquête sur cautionnement**. À la suite de cette enquête, le président
du tribunal peut accorder une libération conditionnelle au prévenu ou la lui
refuser.

L'ENQUÊTE PRÉLIMINAIRE   La procédure normale qui suit la comparution
s'appelle l'enquête préliminaire. Elle doit se tenir dans les huit jours suivant la
comparution de l'accusé si celui-ci est incarcéré. Elle a lieu devant la Cour du
Québec, Chambre criminelle, ou devant la Cour supérieure de juridiction criminelle. À ce stade, le substitut du procureur général (le procureur de la Couronne)
présente au juge chargé de l'enquête les principaux éléments de preuve qu'il a en
main, et le juge, sans proclamer la culpabilité ni l'innocence de l'accusé, doit
décider s'il y a ou non matière à procès. Dans l'affirmative, l'accusé est cité à son

RETOURNER À :   Me Gérard Duguay

                                 Me Gérard Duguay
                                 7750, Bord-de-l'eau
                                 Saint-Hyacinthe (Québec)
                                 H9T 1X1

CANADA

PROVINCE DE QUÉBEC
DISTRICT DE SAINT-HYACINTHE

NO : 06-01-000234-951   GREFFE DE LA PAIX

                                             LE MINISTRE DE LA JUSTICE
                                             DU QUÉBEC

                                                        Plaignant

                                             c.

                                             YVAN DUBOIS

                                                        Accusé(e)

PLAIDOYER DE CULPABILITÉ

JE, soussigné, déclare confesser jugement et plaider coupable sur la plainte portée contre moi, dans

la présente cause, et consens à ce que jugement intervienne avant ou après la date du rapport.

SIGNÉ à _____ ce _____ jour de _____ 199 ___ .

                              X _____

                              NOM : _____

                              ADRESSE : _____

                              VILLE : _____

                              DATE DE NAISSANCE : _____

                              N.A.S. : _____

Figure 2.13   Sommation et plaidoyer de culpabilité (suite)

procès ; dans le cas contraire, il est relâché sans autre formalité. Cette étape est
d'autant plus importante qu'elle permet à l'avocat de la défense de prendre
connaissance de la nature de la preuve dont la Couronne dispose contre son client.
À noter que, dans les causes moins graves, il n'y a pas d'enquête préliminaire ; on
passe alors directement de la comparution au procès.

LE PROCÈS   Le procès criminel peut revêtir l'une des formes suivantes : procès
devant juge sans jury ou procès devant un juge et un jury. Dans notre système
anglo-saxon de droit criminel et pénal, un accusé est présumé innocent jusqu'à
preuve du contraire. Au cours d'une instance criminelle, on n'assiste pas à un
échange de procédures écrites, comme c'est le cas dans une instance civile. Il
appartient à la Couronne d'établir la preuve de la culpabilité de l'accusé.

Figure 2.14   En droit criminel et pénal, la comparution doit se faire en personne.

Pour établir la culpabilité de l'accusé, la preuve exigée doit être **hors de tout doute raisonnable**, c'est-à-dire qu'il ne doit pas subsister l'ombre d'un doute dans l'esprit du juge ou du jury quant à la culpabilité de l'accusé. Le rôle du procureur de la défense consiste donc à soulever et à créer dans l'esprit du juge ou du jury un doute raisonnable quant à la culpabilité de son client. L'avocat de la défense doit tenter de fournir au tribunal une explication suffisamment plausible pour repousser la responsabilité criminelle de l'accusé. Si le procureur de la défense réussit à semer un doute dans l'esprit du juge ou du jury, en présentant une preuve d'alibi, par exemple, l'accusation tombe et l'accusé est acquitté sur-le-champ.

LE VERDICT   Une fois la preuve close de part et d'autre, le juge ou le jury délibère et rend une décision : le verdict. Si le verdict est négatif, l'accusé est acquitté ; s'il est positif, l'accusé est déclaré coupable et attend le prononcé de la sentence.

LA SENTENCE   À la lumière des représentations faites par le procureur de la Couronne et celui de la défense, le président du tribunal impose, à l'occasion selon la recommandation du jury, une sentence à l'accusé (emprisonnement, amende, travaux communautaires, etc.). Le juge exige souvent de la part d'un agent de probation un **rapport présentenciel** sur l'accusé. On appelle **agent de probation** la personne chargée d'étudier le dossier de l'accusé, sa personnalité, ses chances de récidive et les circonstances du crime dont il a été reconnu coupable. Le juge fonde alors sa décision sur les recommandations de cet agent.

LE CASIER JUDICIAIRE

Toute personne mineure ou majeure reconnue coupable d'une infraction ou d'un acte criminel possède un *casier judiciaire*. Le casier judiciaire suit une personne et peut lui causer préjudice dans bien des circonstances : recherche d'un emploi, obtention d'un passeport, admission à la pratique de certaines professions, etc. Certaines lois interdisent l'octroi de permis (permis d'alcool, de chauffeur de taxi, etc.) à une personne reconnue coupable d'infractions au *Code criminel.*

Casier judiciaire : Bilan des condamnations prononcées par les tribunaux contre un individu.

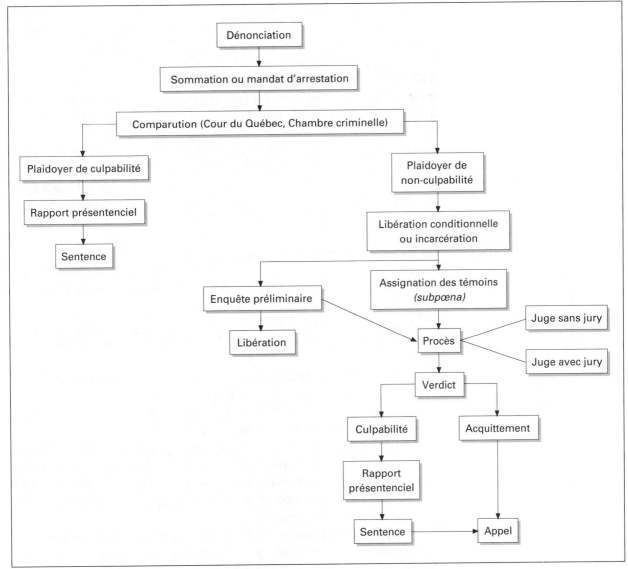

Figure 2.15 Étapes de la procédure pénale et criminelle

Notons que le casier judiciaire des moins de 18 ans demeure confidentiel, sauf pour le ministère de la Justice. Ainsi un adolescent n'est pas tenu de dire qu'il possède un casier judiciaire à un éventuel employeur. Une fois devenu majeur, si ce jeune homme revient devant le tribunal, le procureur de la Couronne pourra révéler au juge que cet individu n'a pas d'antécédents judiciaires en tant qu'adulte, mais qu'à 17 ans, par exemple, il avait été reconnu coupable de conduite en état d'ébriété et qu'il avait été condamné.

Un jeune récidiviste âgé de 20 ans pourra également voir exposés devant le juge ses crimes de jeunesse, et le juge devra alors en tenir compte dans le prononcé de sa sentence. La *Loi sur les jeunes contrevenants* prévoit la possibilité de détruire le dossier d'un adolescent qui n'a pas récidivé durant une période de deux à cinq ans, selon la gravité de l'infraction reprochée ; le délai commence dès l'expiration de la sentence.

Dans le cas des personnes majeures, la *Loi sur le casier judiciaire* permet à un individu ayant un casier judiciaire de présenter une demande de pardon. Pour l'obtenir, la personne ne doit pas avoir récidivé au cours d'une période qui varie de deux à cinq ans, selon la gravité de l'infraction ou de l'acte criminel. On adresse la demande de pardon à la Commission nationale des libérations conditionnelles. Le pardon n'efface pas un dossier, mais il fait en sorte qu'on ne puisse plus utiliser ce dossier contre une personne, à moins de récidive de sa part.

LES TRIBUNAUX D'APPEL

On nomme tribunal ou **cour d'appel**, ou encore tribunal de dernière instance, dans le cas de la Cour suprême du Canada, un tribunal devant lequel on peut en appeler d'une décision rendue par un tribunal de première instance. Ces tribunaux d'appel peuvent confirmer, réviser, modifier ou infirmer un jugement rendu par un tribunal de première instance et, dans certains cas, ordonner la tenue d'un nouveau procès. Au Québec, le plus haut tribunal porte le nom de **Cour d'appel du Québec** ; le plus haut tribunal du Canada s'appelle la Cour suprême du Canada.

LA COUR D'APPEL DU QUÉBEC

Les juges de la Cour d'appel sont nommés par le gouvernement fédéral. Ils sont plus de 20 avec, à leur tête, le juge en chef de la province de Québec. Ce nombre peut être augmenté régulièrement, selon les besoins.

La Cour d'appel du Québec est le tribunal général d'appel pour la province en matière civile et criminelle. Elle siège à Montréal et à Québec seulement. En matière civile, sont sujets à appel devant cette cour :

- tous les jugements finals de la Cour supérieure et de la Cour du Québec dont le montant en litige est de 20 000 $ ou plus ;
- les jugements finals de la Cour du Québec dans les causes où cette cour exerce une juridiction exclusive ;
- les autres jugements finals de la Cour supérieure et de la Cour du Québec, avec la permission d'un juge de la Cour d'appel, lorsque, suivant l'opinion de ce juge, la question en jeu doit être soumise à la Cour d'appel parce qu'il n'existe aucun autre recours (par exemple, l'appel d'un jugement condamnant une personne pour outrage au tribunal);
- l'appel d'un jugement ou d'une ordonnance en matière d'adoption.

En matière criminelle ou pénale, l'accusé ou le procureur général peuvent interjeter appel d'une condamnation, d'une sentence ou des deux à la fois.

En Cour d'appel siègent toujours un nombre impair de juges (trois, cinq ou sept) pour entendre une cause, puisque les décisions sont prises à la majorité, et non à l'unanimité. Un juge qui ne partage pas l'opinion de la majorité doit rédiger un jugement écrit exposant les motifs de sa dissidence.

Toute demande d'appel doit être déposée dans les 30 jours suivant le jugement final du tribunal de première instance. En principe, la Cour d'appel examine les erreurs de droit plutôt que les erreurs de faits. Une fois la demande d'appel reçue, le dossier complet du tribunal de première instance doit être transmis à la Cour d'appel. Il doit comprendre les procédures écrites, les pièces justificatives, les notes sténographiques, les plaidoiries et l'argumentation des avocats. La Cour d'appel n'entend aucun témoin. Seuls les procureurs des deux parties y font valoir leurs prétentions et leurs arguments en faveur de leur client respectif. Les juges prennent connaissance de l'ensemble de la preuve et rendent une décision. On peut interjeter appel d'un jugement de la Cour d'appel du Québec devant la Cour suprême du Canada.

LA COUR D'APPEL FÉDÉRALE

Une personne insatisfaite d'une décision d'un juge de la Cour fédérale peut en appeler du jugement rendu devant la division d'appel de cette cour.

LA COUR SUPRÊME DU CANADA

La Cour suprême du Canada constitue le plus haut tribunal du pays auquel on puisse s'adresser pour en appeler des jugements rendus par les tribunaux d'appel de toutes les provinces, y compris les jugements de la Cour fédérale, division d'appel.

Le gouvernement fédéral nomme et rémunère les juges de la Cour suprême du Canada. Ce tribunal est composé du juge en chef du Canada et de huit autres juges. Ces juges sont choisis en partie au Québec (trois), en partie en Ontario (trois); un est issu des Provinces maritimes et deux des provinces de l'Ouest. Cette répartition obligatoire vise à assurer un certain équilibre entre la *common law* et le droit civil.

La Cour suprême du Canada possède, à titre exclusif, une juridiction finale en matières civile et criminelle. Sa compétence territoriale couvre toutes les provinces canadiennes. Elle ne siège qu'à Ottawa.

La Cour suprême est souvent appelée à se prononcer sur la constitutionnalité des lois adoptées par les provinces ou par le fédéral.

En Cour suprême, les juges siègent toujours en nombre impair (cinq, sept ou neuf) pour entendre une cause. Comme à la Cour d'appel, les décisions sont prises à la majorité et les juges dissidents doivent exprimer par écrit les motifs de leur dissidence. Avant de porter une cause devant la Cour suprême, on doit d'abord présenter une requête pour permission d'en appeler. Cette requête est entendue par trois juges qui décident si l'affaire offre suffisamment d'intérêt en droit pour qu'elle fasse l'objet d'un nouvel examen.

La procédure devant la Cour suprême s'apparente à celle utilisée devant la Cour d'appel du Québec. Les jugements de la Cour suprême du Canada servent de précédents aux avocats de même qu'aux juges des tribunaux inférieurs, qui s'en inspirent dans l'interprétation de la loi. Ils sont finals et sans appel.

Figure 2.16   Un juge qui n'est pas d'accord avec la majorité des juges de la Cour suprême doit rédiger un jugement faisant état des motifs de sa dissidence.

RÉSUMÉ

- Les gens d'affaires, tout comme les citoyens ordinaires, sont souvent appelés devant les tribunaux pour faire valoir leurs droits ou encore parce qu'ils sont poursuivis.

- Les principaux intervenants dans l'environnement judiciaire sont : le juge, le jury, le greffier, le greffier spécial, le sténographe officiel, le maître des rôles, le shérif, l'huissier, le directeur de la publicité des droits, le coroner, l'avocat et le notaire.

- Les tribunaux administratifs ou quasi judiciaires possèdent une juridiction exclusive sur une matière donnée. Les tribunaux judiciaires se divisent en tribunaux civils et en tribunaux criminels et pénaux.

- Les principaux tribunaux civils de première instance sont la Cour municipale, la Cour du Québec, Chambre civile, division ordinaire, la Cour du Québec, Chambre civile, division des petites créances, la Cour du Québec, Chambre de la jeunesse, la Cour du Québec, Chambre de l'expropriation, la Cour supérieure de juridiction civile et la Cour fédérale.

- Les principales étapes de la procédure civile sont l'envoi d'une mise en demeure, l'émission du bref d'assignation et de la déclaration, la comparution, la défense, l'inscription pour enquête et audition, l'enquête et l'audition et le jugement.

- Les principaux tribunaux pénaux et criminels sont la Cour municipale, la Cour du Québec, Chambre de la jeunesse, la Cour du Québec, Chambre criminelle et pénale, et la Cour supérieure de juridiction criminelle.

- Les principales étapes de la procédure criminelle et pénale sont la dénonciation, l'émission d'une sommation, la citation à comparaître ou l'émission d'un mandat, la comparution, l'enquête préliminaire, le procès, le verdict et la sentence. L'accusé qui est condamné possède un casier judiciaire.

- Les principaux tribunaux d'appel sont la Cour d'appel du Québec, la Cour d'appel fédérale et la Cour suprême du Canada.

RÉSEAU DE CONCEPTS

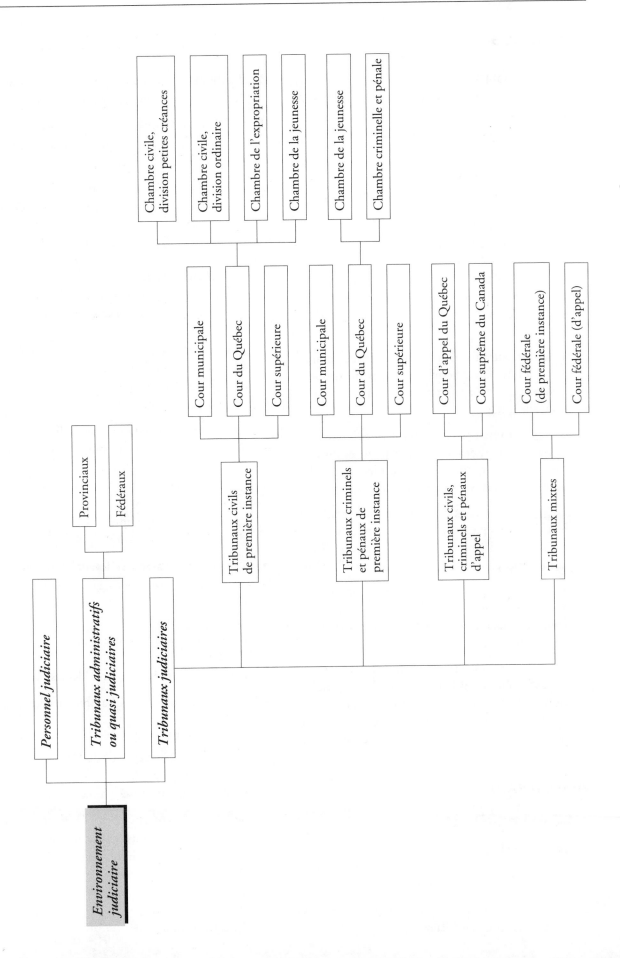

EXERCICES

ASSOCIATIONS

Associez un des termes ci-dessous à l'une des définitions qui suivent.

- mandat
- *subpoena*
- citation à comparaître ou sommation
- Cour supérieure de juridiction civile
- arbitrage
- déclaration
- Cour du Québec, Chambre civile, division ordinaire
- Cour fédérale
- recours collectif
- demandeur
- défense

1. Le document qui ordonne à un accusé de comparaître à une date déterminée devant un tribunal pénal ou criminel, pour répondre à une accusation, s'appelle une ___ .

2. Le ___ est une procédure qui permet à une personne de s'adresser à la Cour supérieure de juridiction civile pour faire valoir ses droits et ceux des autres individus ayant des réclamations semblables.

3. La ___ est annexée au bref d'assignation et explique les motifs invoqués par la partie demanderesse contre la partie défenderesse dans une action civile, ainsi que les conclusions recherchées dans l'action.

4. L' ___ est le règlement d'un litige par un ou plusieurs arbitres nommés par les parties elles-mêmes, règlement qui ne fait pas appel à l'intervention des tribunaux.

5. La ___ entend les causes civiles dont le montant en litige n'excède pas 30 000 $, et possède une juridiction exclusive pour entendre les demandes de recouvrement de taxes et les demandes en cassation des rôles d'évaluation municipale et scolaire.

VRAI OU FAUX

Indiquez si les affirmations suivantes sont vraies ou fausses. Si l'affirmation est fausse, précisez pourquoi.

1. La Cour du Québec, Chambre de la jeunesse (Tribunal de la jeunesse) possède une juridiction exclusive en matière d'adoption.

2. C'est le gouvernement provincial qui nomme les juges de la Cour supérieure.

3. L'arbitrage doit obligatoirement se faire devant la Cour supérieure de juridiction civile.

4. La Cour du Québec, division des petites créances possède une juridiction qui permet à un contribuable de contester une cotisation d'impôt provincial.

5. Devant la Cour d'appel, les procureurs interrogent leurs témoins et contre-interrogent ceux de la partie adverse.

CHOIX MULTIPLES

1. La procédure ordonnant à un individu de se présenter comme accusé devant un tribunal criminel se nomme :
   a) un *subpoena*.
   b) une comparution.
   c) un bref d'assignation.
   d) une sommation.

2. Le document qui enjoint à un individu de se présenter devant le tribunal pour y servir de témoin se nomme :
   a) un mandat.
   b) un *subpoena*.
   c) un bref d'assignation.
   d) une mise en demeure.

3. Dans un procès avec jury devant la Cour supérieure de juridiction criminelle, le jury doit rendre sa décision :
   a) à la majorité.
   b) au moins à sept contre cinq.
   c) à l'unanimité.
   d) aucune des réponses précédentes.

4. La Cour du Québec, Chambre civile entend les causes civiles :
   a) de 3000 $ et moins.
   b) jusqu'à concurrence de 30 000 $.
   c) de 30 000 $ et plus.
   d) aucune des réponses précédentes.

5. Le *Code de procédure civile du Québec* donne à l'un des tribunaux suivants un pouvoir de surveillance des tribunaux inférieurs et les corps publics :
   a) la Cour du Québec.
   b) la Cour fédérale.
   c) la Cour suprême.
   d) la Cour supérieure.

CAS PRATIQUES

1. Vous venez d'être nommé directeur de crédit de la compagnie Plomberie du Parc ltée. Au cours de votre première journée à ce poste, vous recevez trois lettres de mise en demeure.

   La première provient d'un fournisseur de la compagnie, Tuyauterie idéale inc., qui réclame 14 500 $ à Plomberie du Parc ltée pour marchandises vendues et livrées depuis plus de quatre mois.

   La deuxième provient de M.I. Boileau qui poursuit votre compagnie pour des dommages, évalués à 39 000 $, à son entrepôt et à ses stocks, résultant du gel et du bris de tuyaux que vous avez installés et qui sont garantis contre le gel.

   La troisième lettre provient de Mme Denise Hébert qui prétend que le cabinet de toilette neuf que votre compagnie lui a vendu s'est fissuré, causant des dommages évalués à 985 $ à son chalet.

   a) Devant quels tribunaux ces personnes doivent-elles intenter leur action ? Expliquez votre réponse.

   b) Le président de la compagnie entend contester ces trois réclamations et il vous demande quels seront les recours de l'entreprise dans chacun des cas. En consultant la liste des débiteurs de la compagnie, vous constatez que les personnes suivantes doivent de l'argent à Plomberie du Parc ltée :
      - Les Constructions Borsmem inc., 32 600 $ pour services rendus et marchandises livrées et vendues ;
      - Yvan Dubois, 875 $ pour marchandises vendues et livrées ;
      - Aciers du Sud inc., 9255 $ pour services rendus.

   c) Devant quels tribunaux la compagnie intentera-t-elle ses actions ?

   d) Quels sont les recours des personnes poursuivies ?

   e) Les trois débiteurs peuvent-ils en appeler des jugements rendus, le cas échéant ?

3. Vous venez d'obtenir votre premier emploi d'été à titre de moniteur au camp de jour d'un parc municipal de votre localité. Le premier jour, on vous confie la charge d'un groupe de huit enfants âgés de six à neuf ans dont vous devez vous occuper pendant 10 semaines.

   Parmi eux, il y a des jumeaux, Bruno et Nathalie, âgés de sept ans. Au début, les deux enfants restent à l'écart du groupe et évitent de vous parler. Après quelques semaines, vous gagnez leur confiance et les enfants sont plus ouverts avec vous, en particulier Nathalie qui vous confie qu'elle vous aime beaucoup.

   Vous avez constaté que lorsque vous élevez la voix pour faire respecter l'ordre dans le groupe, Bruno et Nathalie s'éloignent. À une occasion, vous avez même dû demander l'aide d'un autre moniteur pour les ramener dans votre groupe.

   Lorsque vous en avez parlé à Nathalie, elle vous a dit qu'elle n'aimait pas que vous parliez fort, car cela leur faisait peur, à elle et à son frère.

   Un bon lundi matin, vous décidez d'amener votre groupe à la piscine municipale. Ce matin-là, Bruno et Nathalie arrivent en retard et vous constatez que Bruno a un œil au beurre noir et que Nathalie a une marque au visage.

   Arrivés à la piscine, vous amenez les enfants au vestiaire pour qu'ils mettent leur maillot de bain. Bruno et Nathalie refusent de se changer. Vous leur dites que s'ils ne veulent pas se baigner, ils peuvent s'asseoir au bord de la piscine et regarder les autres. Vous constatez que Nathalie a les yeux pleins de larmes. Vous lui demandez ce qui ne va pas et pourquoi elle ne veut pas se baigner. Elle dit qu'elle a mal au dos et qu'elle s'est fait mal. Vous lui demandez de vous montrer sa blessure et vous constatez qu'elle porte de nombreuses ecchymoses et éraflures au dos.

   Vous l'interrogez sur la provenance de ces blessures. Elle dit que ce n'est rien et que son père lui a défendu d'en parler.

   Pendant ce temps, Bruno s'est approché et vous constatez qu'il porte des blessures similaires à celles de sa sœur, en plus de son œil au beurre noir. Il refuse lui aussi de vous parler de la provenance des blessures, et lorsque vous dites que vous allez en parler à leur père lorsqu'il viendra les chercher à la fin de la journée, les deux enfants, tout en larmes, vous supplient de ne pas le faire, car ils ne seront plus autorisés à revenir au camp.

   Patrick, le meilleur ami de Bruno, qui a tout entendu, vous confie que c'est le père des deux enfants qui les a grondés et les a frappés avec une règle et que, de plus, ce n'est pas la première fois que cela se produit. Il ajoute que tous les voisins le savent.

La mère des jumeaux vient les chercher à la fin de la journée et vous lui demandez des explications concernant les blessures des enfants. Elle semble évasive et vous dit qu'ils sont tombés en jouant. Vous croyez au contraire que c'est peut-être leur père qui les a battus.

a) Connaissez-vous une loi qui pourrait s'appliquer dans de telles circonstances ?

b) Le cas échéant, à qui devez-vous vous adresser ? Comment devez-vous procéder ?

c) Quel tribunal sera saisi de cette affaire, s'il y a lieu ?

d) Votre identité sera-t-elle tenue secrète vis-à-vis de la famille ?

4. Sylvie et Marc-André rencontrent leurs amis, Jean-François et Catherine, à la discothèque *Les nuits de Montréal*. Pendant la soirée, ils font la connaissance de Hugo et de Jonathan. Après quelques consommations, Hugo propose à Sylvie de l'accompagner dans une autre discothèque. Sylvie refuse et, devant l'insistance de Hugo, Marc-André intervient pour lui dire de la laisser tranquille. Hugo se fâche, bouscule Marc-André et le frappe au visage. Celui-ci se relève et une bagarre s'engage entre les deux garçons. Jonathan intervient et se jette à son tour sur Marc-André. Jean-François veut aider son ami et tente de retenir Jonathan avec l'aide de Richard, un témoin de la scène. Jonathan sort alors un couteau à cran d'arrêt et frappe Richard qui s'écroule, touché à l'abdomen. C'est alors qu'arrivent les policiers, alertés par le gérant de la discothèque. Ils procèdent à l'arrestation de toutes les personnes qui se trouvent sur les lieux. Richard est transporté à l'hôpital où il succombe à ses blessures.

Les policiers qui ont procédé à l'arrestation ont découvert 500 grammes de haschich dans les poches de Hugo. De plus, pressés de questions par des policiers, Jean-François et Catherine admettent qu'ils sont mineurs. Hugo est également mineur, alors que Jonathan est âgé de 19 ans.

a) Que devront faire les policiers pour inculper Hugo et Jonathan ?

b) Devant quel tribunal seront-ils poursuivis ?

c) Décrivez les étapes que devront franchir Hugo et Jonathan jusqu'au moment de leur procès, le cas échéant.

d) Quel genre de preuve devra présenter le procureur de la Couronne dans cette affaire s'il veut obtenir la condamnation des accusés ?

e) Quelle pièce de procédure leur imposant de venir témoigner au procès Jean-François, Sylvie, Catherine et Marc-André recevront-ils ?

f) Jean-François et Catherine peuvent-ils être également poursuivis ? Dans l'affirmative, en vertu de quelle loi peuvent-ils l'être ? Expliquez votre réponse.

g) Peut-on interjeter appel des jugements qui interviendront dans les cas de Hugo et de Jonathan ?

h) Jonathan est étudiant à l'université ; il est célibataire et ne travaille que les fins de semaine comme emballeur dans un supermarché où il gagne environ 100 $ par semaine. Peut-il s'offrir les services d'un avocat ? S'il n'en a pas les moyens, quel est son recours ?

CHAPITRE 3

LES PERSONNES ET LEUR PATRIMOINE

OBJECTIFS ET ÉLÉMENTS DE COMPÉTENCES

1 Distinguer la personne physique de la personne morale.

2 Connaître les principaux droits rattachés à la personne physique.

3 Appliquer à des situations pratiques l'acquisition graduelle de la majorité par le mineur.

4 Savoir déterminer le patrimoine d'une personne.

5 Distinguer les régimes de protection d'un majeur.

6 Connaître les attributs de la personne morale.

7 Appliquer ces notions à des situations pratiques.

« Le *Code civil du Québec* régit, en harmonie avec la *Charte des droits et libertés de la personne* et les principes généraux du droit, les personnes, les rapports entre les personnes, ainsi que les biens. » (Dispositions préliminaires C.c.Q)

Ainsi commence le *Code civil du Québec*. Par la suite, les quatre premiers livres du *Code civil* comprenant les articles 1 à 1370 énoncent les principes généraux des personnes (Livre 1), de la famille (Livre 2), des successions (Livre 3) et des biens (Livre 4).

À l'intérieur de ces dispositions, le législateur québécois a établi les dispositions qui régissent les citoyens de leur naissance jusqu'à leur décès.

« QUAND DEVIENT-ON UNE PERSONNE ? »   Malheureusement, le *Code civil* ne répond pas directement à cette question. Il n'indique pas non plus quand ou à partir de quel moment le fœtus est considéré comme une personne physique avec des droits.

Le débat sur l'avortement n'est pas tranché. Les seuls articles du *Code civil du Québec* qui reconnaissent des droits au foetus sont les articles 192 et 617 qui mentionnent l'enfant conçu mais qui n'est pas encore né ; ces articles lui reconnaissent entre autres le droit de succéder à ses parents, à la condition de naître vivant et viable. La question de savoir quand on devient une personne n'est pas réglée, mais, en droit civil, on doit tenir compte de cette notion de naître vivant et viable.

LA PERSONNE PHYSIQUE

Le *Code civil* rattache la notion de **personne physique** à l'être humain : sur le plan biologique, la vie humaine se situe entre deux pôles diamétralement opposés : la naissance et la mort ; sur le plan juridique, le législateur a réglementé les étapes importantes que tout individu est susceptible de franchir entre ces deux extrêmes : actes de l'état civil (naissance, mariage, sépulture), domicile, absence, mariage, filiation, minorité et tutelle, majorité, régime de protection d'une personne majeure.

Les articles 1, 2 et 3 du *Code civil du Québec* définissent certaines caractéristiques de la personne humaine et les principaux **droits de la personnalité** dont elle a la jouissance.

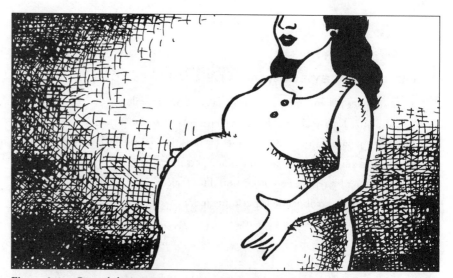

Figure 3.1   Quand devient-on une personne ?

« **Art. 1. C.c.Q.** Tout être humain possède la **personnalité juridique** ; il a la pleine jouissance des droits civils.

Art. 2. C.c.Q. Toute personne est titulaire d'un **patrimoine**. Celui-ci peut faire l'objet d'une division ou d'une affectation, mais dans la seule mesure prévue par la loi.

Art. 3 C.c.Q. Toute personne est titulaire de droits de la personnalité, tels le droit à la vie, à l'inviolabilité et à l'intégrité de sa personne, au respect de son nom, de sa réputation et de sa vie privée ».

LA PERSONNALITÉ JURIDIQUE

Chaque être humain possède un père et une mère, une date de naissance, un sexe, un état civil, un nom, un domicile, un patrimoine qui lui sont propres. Il possède également des droits et obligations qui lui sont propres et qu'il exerce. C'est ce que nous appelons la *personnalité juridique*.

> *Exemple* : Jean-François n'est pas Nicolas, lequel n'est pas Sylvie, qui elle-même n'est pas Monique. Chacun d'entre eux a une personnalité juridique propre, et exerce ses droits et ses obligations selon les dispositions du *Code civil du Québec*.

Personnalité juridique : Ce qui distingue chaque être humain de son voisin et qui fait que chaque personne est juridiquement différente, distincte et autonome par rapport aux autres personnes.

LES DROITS DE LA PERSONNALITÉ

C'est l'article 3 du C.c.Q. qui énonce ces trois droits : droit à la vie ; droit à l'inviolabilité et à l'intégrité de sa personne ; droit au respect de son nom, de sa réputation et de sa vie privée. Les articles 32 à 34 ajoutent le principe du respect des droits de l'enfant.

LIBERTÉS ET DROITS FONDAMENTAUX

Ces nouvelles dispositions intègrent dans le *Code civil* des principes déjà reconnus dans la *Charte québécoise des libertés de la personne*, notamment aux articles 1 à 9-1.

Les libertés et droits fondamentaux s'exercent dans le respect des valeurs démocratiques, de l'ordre public et du bien-être général des citoyens du Québec. La loi peut, à cet égard, en fixer la portée et en aménager l'exercice.

On peut ajouter que la *Charte canadienne des droits et libertés* et la *Charte québécoise des droits et libertés de la personne* qui sont reproduites à la fin du présent ouvrage énoncent l'ensemble des droits fondamentaux des citoyens québécois et nous vous incitons à en prendre connaissance.

INTÉGRITÉ ET LIBRE DISPOSITION DE SON CORPS

L'art. 10 C.c.Q. énonce que toute personne est inviolable et a droit à son intégrité. Sauf dans les cas prévus par la loi, nul ne peut lui porter atteinte sans son consentement libre et éclairé.

Cela indique que nul ne peut être soumis sans son consentement à des soins quelle qu'en soit la nature, qu'il s'agisse d'examens, de prélèvements, de traitements ou de toute autre intervention. Si l'intéressé est inapte à donner ou à refuser son consentement à des soins, une personne autorisée par la loi ou par un mandat donné en prévision de son inaptitude peut le remplacer.

Dans le monde médical, les dons d'organes illustrent bien ce qu'on entend par **l'intégrité de la personne** et la **libre disposition de son corps**. Les prises de sang, les traitements de chimiothérapie ou de radiothérapie, examens et prélèvements, tests de dépistage du sida, par exemple, tombent aussi dans cette catégorie. Il est important de noter que le donneur ou le malade peut en tout temps révoquer son consentement même verbalement.

> *Exemple* : Yvan, qui est atteint d'un cancer en phase terminale, peut refuser de subir des traitements additionnels. S'il est incapable d'indiquer son consentement ou son refus, ce sera son conjoint ou, à défaut de conjoint, un proche parent ou la personne à qui il a donné un mandat en prévision de son inaptitude qui le donnera à sa place (voir chapitre 10).

Par ailleurs, en cas d'urgence, le consentement aux soins médicaux n'est pas nécessaire lorsque la vie de la personne est en danger ou son intégrité menacée, et que son consentement ne peut être obtenu en temps utile. Toutefois, il sera nécessaire lorsque les soins sont inusités ou devenus inutiles, ou que leurs conséquences pourraient être intolérables pour la personne.

Dans le cas de mineurs, les personnes autorisées par la loi sont les parents, le tuteur ou le titulaire de l'autorité parentale si les parents sont divorcés. Dans le cas de personnes majeures, c'est le conjoint ou, à défaut de conjoint, un proche parent ou une personne qui démontre un intérêt particulier, un ami de la famille par exemple. Dans le cas d'un mineur de 14 ans et plus, il est important de noter que le consentement des parents ne sera pas requis si le mineur est en mesure de donner lui-même son consentement aux soins requis.

RESPECT DE LA RÉPUTATION ET DE LA VIE PRIVÉE

Le *Code civil du Québec* codifie le principe du **respect de la réputation et de la vie privée**. Les articles 35 à 41 C.c.Q. stipulent que nulle atteinte ne peut être portée à la vie privée d'une personne sans que celle-ci ou ses héritiers y consentent ou sans que la loi l'y autorise. Ainsi les actes suivants sont considérés comme des **atteintes à la vie privée** d'une personne :

- Pénétrer chez elle ou y prendre quoi que ce soit ;
- intercepter ou utiliser volontairement une conversation privée ;
- capter ou utiliser son image ou sa voix lorsqu'elle se trouve dans des lieux privés ;
- surveiller sa vie privée par quelque moyen que ce soit ;
- utiliser son nom, son image, sa ressemblance ou sa voix à toute autre fin que l'information légitime du public ;
- utiliser sa correspondance, ses manuscrits ou ses autres documents personnels.

Ces articles s'appliquent également au dossier de crédit et autres informations recueillies sur une personne. Ce sujet sera repris au chapitre 11 traitant de la *Loi sur la protection du consommateur*. Ces dispositions sont complétées par celles de la *Loi sur l'accès aux documents des organismes publics et sur la protection des renseignements personnels* (L.R.Q. chap. A-21) et par les dispositions de la *Loi sur la protection des renseignements personnels dans le secteur privé*, qui établit notamment les sanctions relativement au non-respect de ces droits.

RESPECT DES DROITS DE L'ENFANT

Le *Code civil du Québec* reconnaît le principe du **respect des droits de l'enfant**. Ainsi toute décision prise à son sujet doit avoir pour but premier son intérêt et le respect de ses droits. Ses besoins moraux, affectifs et physiques ainsi que son âge, sa santé, son caractère et son milieu familial sont pris en considération. De plus, l'enfant a droit d'être entendu par le tribunal chaque fois qu'il y va de son intérêt et que la chose s'avère possible, compte tenu de son âge et de son degré de compréhension. Le Code intègre certaines dispositions de la *Loi sur la protection de la jeunesse*. Il a aussi droit aux services d'un avocat pour le représenter, le cas échéant.

ÉLÉMENTS RELATIFS À L'ÉTAT DES PERSONNES

LE NOM

Toute personne a un nom qui lui est attribué à la naissance et qui est énoncé dans son acte de naissance. Il comprend le nom de famille et les prénoms de la personne.

L'article 5 C.c.Q. stipule que toute personne exerce ses droits civils sous le nom qui lui est attribué et qui est énoncé dans son acte de naissance.

Traditionnellement, la coutume voulait que, au Québec, le nouveau-né prenne le nom du père. Depuis la réforme, les parents ont l'entière liberté de donner à leurs enfants soit le nom du père, soit le nom de la mère, soit les deux. Il est cependant utile de souligner que le nom composé ne peut comporter plus de deux parties.

> *Exemple* : Josée est la fille de Francine Dupont-Harpin et de Mario Veilleux-Brière. L'enfant pourra porter l'un des noms composés suivants :
>
> | | |
> |---|---|
> | Josée Dupont-Veilleux | Josée Brière-Dupont |
> | Josée Dupont-Brière | Josée Brière-Harpin |
> | Josée Veilleux-Dupont | Josée Harpin-Brière |
> | Josée Veilleux-Harpin | Josée Harpin-Veilleux |

Il est important de rappeler que les articles 3, 35, 36 et 56 du C.c.Q. reconnaissent une nouvelle notion juridique, celle du **respect du nom de la personne**.

Ainsi le titulaire du nom, de même que son conjoint et ses propres parents, peuvent s'opposer à l'utilisation illégale de son nom et demander la réparation du préjudice causé.

Finalement, le *Code civil du Québec* prévoit les modalités nécessaires pour obtenir un changement de nom.

LE DOMICILE

Domicile : Lieu du principal établissement d'une personne quant à l'exercice de ses droits civils.

En droit civil, la notion du *domicile* d'une personne est importante. Ainsi une action civile devant la Cour des petites créances pourra être intentée dans le district judiciaire dans lequel la partie défenderesse possède son domicile. L'article 957 C.p.c. stipule qu'aux fins du présent livre, le tribunal compétent est soit celui du **domicile du débiteur** ou, si ce dernier n'est pas domicilié au Québec, celui de sa résidence ou de son bureau d'affaires, soit celui où la cause d'action a pris naissance.

De plus, l'article 3083 C.c.Q. énonce que l'état et la capacité d'une personne physique sont régis par la loi de son domicile. Ainsi on sait que dans plusieurs États américains, dont le Maine, l'âge de la majorité est de 21 ans alors qu'il est de 18 ans au Québec. Ainsi, si Jean-François qui est âgé de 19 ans déménage à Ogunquit dans le Maine, il ne sera plus considéré comme majeur par les lois de son nouveau domicile.

Le Code utilise la notion de résidence et celle de domicile, mais c'est cette dernière qui est la plus importante du point de vue de l'exercice des droits civils d'une personne.

Le *Code civil* stipule qu'une personne est soumise aux lois qui sont en vigueur dans le territoire où est situé son **domicile**.

Exemple : Sylvie, étudiante de cégep qui demeure chez ses parents à Québec, aura comme domicile la résidence de ses parents et sera soumise aux lois de la province de Québec et du Canada.

Si, par la suite, elle va étudier à Boston, aux États-Unis, et décide de s'y marier et d'y demeurer, son domicile changera. Le changement de domicile s'opère par le fait d'établir sa résidence principale dans un autre lieu ; c'est une question de fait.

L'article 77 C.c.Q. clarifie le cas de personnes qui possèdent plusieurs résidences et énonce ce qui suit :

« **Art. 77 C.c.Q.** La résidence d'une personne est le lieu où elle demeure de façon habituelle ; en cas de pluralité de résidences, on considère pour l'établissement du domicile celle qui a le caractère principal. »

LE REGISTRE ET LES ACTES DE L'ÉTAT CIVIL

C'est dans le **registre de l'état civil** que l'on retrouve l'information essentielle sur une personne, soit son nom, celui de son père et de sa mère, sa date de naissance, son sexe, son état civil (célibataire, marié, divorcé ou séparé) ainsi que son âge qu'on peut déterminer à partir de sa date de naissance.

LE DIRECTEUR DE L'ÉTAT CIVIL

Le **directeur de l'état civil** est le seul officier de l'état civil chargé de dresser les actes de l'état civil, de les modifier, de tenir et garder le registre de l'état civil et d'en assurer la publication.

Les actes de l'état civil sont : les actes de naissance ; les actes de mariage et les actes de décès.

CONSTAT ET DÉCLARATION DE NAISSANCE

L'accoucheur dresse le **constat de naissance** qui énonce le lieu, la date et l'heure de la naissance, le sexe de l'enfant, de même que le nom et le domicile de la mère. Il en remet une copie à ceux qui doivent déclarer la naissance, c'est-à-dire en général les parents de l'enfant.

La **déclaration de naissance** est faite au directeur de l'état civil dans les 30 jours par le père et la mère de l'enfant ou l'un d'eux. Elle énonce le nom attribué à l'enfant, son sexe, le lieu, la date et l'heure de la naissance, le nom et le domicile du père et de la mère et du témoin de même que le lien de parenté du déclarant avec l'enfant.

Le directeur de l'état civil dresse alors l'**acte de naissance** de l'enfant et le publie dans le registre de l'état civil.

Figure 3.2   Oui, je le veux.

DÉCLARATION DE MARIAGE   La personne qui célèbre un mariage le déclare au directeur de l'état civil dans les 30 jours de la célébration. La **déclaration de mariage** énonce le nom et le domicile des époux, le lieu et la date de leur naissance et de leur mariage, ainsi que le nom de leur père et mère et des témoins. Elle énonce aussi le nom, le domicile et la qualité du célébrant, et indique s'il y a lieu la société religieuse à laquelle il appartient. Elle est signée par le célébrant, les époux et les témoins.

Le directeur de l'état civil dresse alors l'**acte de mariage** et le publie dans le registre de l'état civil.

CONSTAT ET DÉCLARATION DE DÉCÈS   Quant au décès, c'est le médecin qui le constate, qui dresse le **constat de décès** et qui en remet un exemplaire à celui qui est tenu de déclarer le décès. S'il est impossible de faire constater le décès par un médecin dans un délai raisonnable, le constat de décès peut être dressé par deux agents de la paix. Celui-ci énonce le nom et le sexe du défunt, ainsi que le lieu, la date et l'heure du décès.

La **déclaration de décès** est faite sans délai au directeur de l'état civil soit par le conjoint du défunt, un proche parent ou un allié, c'est-à-dire un parent par alliance (mariage) ou, à défaut, par toute personne capable d'identifier le défunt.

À partir de l'information que la déclaration de décès contient, le directeur de l'état civil dresse l'**acte de décès** et le publie dans le registre de l'état civil.

Depuis l'entrée en vigueur du *Code civil du Québec*, seuls les actes de l'état civil émis et attestés par le directeur de l'état civil sont reconnus comme valides légalement au Québec.

LA CAPACITÉ DES PERSONNES

Capacité : Aptitude que possède un individu à être titulaire de droits et à les exercer seul.

En matière contractuelle, la *capacité* est donc l'aptitude à faire seul et librement un contrat valable. C'est de cette capacité dont il est question à l'article 1385 du *Code civil*.

La règle générale dans notre droit est que toute personne est capable de contracter. Cependant, le législateur a cru bon d'apporter un tempérament à ce principe en privant momentanément certaines personnes de cette capacité pour les protéger contre elles-mêmes, en raison soit de leur inexpérience, soit de leur inaptitude à discerner le bien du mal. On nomme ces personnes les **incapables**. Les principaux incapables auxquels fait allusion notre droit sont les mineurs et les majeurs protégés.

On distingue deux sortes d'incapacité juridique : l'*incapacité de jouissance* et l'*incapacité d'exercice.*

Incapacité de jouissance : Inaptitude d'un individu à acquérir un droit et à en jouir.

Incapacité d'exercice : Inaptitude d'un individu à exercer seul un droit dont il est titulaire.

On ne peut remédier à une incapacité de jouissance ; par exemple, l'article 1813 C.c.Q. stipule qu'un mineur ne peut faire de donation de son vivant, sauf des biens de peu de valeur. Dans un tel cas, personne ne pourrait donc se substituer au mineur et agir à sa place, tandis qu'un individu frappé d'une incapacité d'exercice peut se voir nommer un représentant pour exercer ses droits et agir momentanément à sa place.

L'entrée en vigueur du *Code civil du Québec* a introduit de nouvelles dispositions en ce qui concerne les mineurs ; c'est le principe de l'acquisition graduelle de la capacité par les mineurs.

ACQUISITION GRADUELLE DE LA CAPACITÉ PAR LES MINEURS

Selon l'article 153 C.c.Q., l'âge de la majorité est fixé à 18 ans au Québec ; par conséquent, tout individu n'ayant pas atteint cet âge est considéré comme mineur et de ce fait, frappé d'incapacité juridique.

Le mineur exerce ses droits civils dans la seule mesure prévue par la loi. Sa capacité d'exercice varie selon son âge, son discernement et ses actes.

Le *Code civil* permet au mineur de 14 ans et plus d'accomplir certains actes :

- Il est réputé majeur pour tous les actes relatifs à son emploi ou à l'exercice de son art ou de sa profession (art. 156 C.c.Q.) ;

- il peut consentir seul aux soins requis ou non par son état de santé (art. 14 et 17 C.c.Q.) ;

- on doit obtenir l'autorisation du tribunal s'il refuse des soins requis par son état de santé (art. 16 C.c.Q.) ;

- il a droit de recevoir une copie de la reddition de compte annuelle de son tuteur.

> *Exemple* : Marie, âgée de 16 ans, pourra consentir à un avortement thérapeutique, sans le consentement de ses parents ou de son tuteur. Nicolas, âgé de 15 ans, pourra signer un bail pour louer un local pour son commerce de vente de produits naturels, car il est considéré comme majeur pour les fins de l'exploitation de son entreprise.

Le mineur peut, compte tenu de son âge et de son discernement, contracter seul pour satisfaire ses besoins ordinaires et usuels (art. 157 C.c.Q.). Le Code ne définit pas en quoi consistent les besoins ordinaires et usuels du mineur. Ce sont ses besoins liés à la nourriture, le logement et les vêtements. De plus, le mineur gère seul le produit de son travail et les allocations qui lui sont versées pour combler ses besoins ordinaires et usuels. D'une façon générale, il ne peut léguer ses biens par testament, ou faire la donation de ses biens de son vivant, sauf pour ses biens de peu de valeur.

L'acte accompli seul par le mineur ou le tuteur sans l'autorisation du conseil de tutelle alors qu'elle est requise ne peut être annulé ou les obligations qui en découlent réduites, à la demande du mineur, que s'il en subit un préjudice.

Le cas le plus fréquent d'annulation de contrat est celui de la lésion.

En dehors des cas où il peut agir seul, le mineur doit être représenté par son tuteur pour l'exercice de ses droits civils.

Finalement, le Code prévoit le cas de l'**émancipation** du mineur de 16 ans et plus avec l'accord du conseil de tutelle, par le dépôt d'une déclaration en ce sens par le tuteur, auprès du curateur public. Il s'agit de la **simple émancipation**. Celle-ci peut aussi s'obtenir à la demande du mineur ou du tribunal.

La simple émancipation ne met pas fin à la minorité et ne confère pas au mineur tous les droits résultant de la majorité. Elle le libère cependant de l'obligation d'être représenté dans l'exercice de ses droits civils. Le mineur peut accomplir des actes de simple administration.

> *Exemple* : Sylvie, une jeune fille émancipée de 16 ans, peut établir son propre domicile, signer un bail d'une durée d'au plus de trois ans et même donner des biens à la condition de ne pas entamer notablement son capital.

Pour les actes excédant la simple administration, elle devra être assistée par son tuteur.

La **pleine émancipation** résulte quant à elle du mariage ou d'une déclaration du tribunal à la demande du tribunal pour un motif sérieux. La pleine émancipation rend le mineur capable, comme s'il était majeur, d'exercer ses droits civils.

LA TUTELLE DES MINEURS

Outre les droits et devoirs liés à l'autorité parentale, le père et la mère, s'ils sont majeurs ou émancipés, sont de plein droit tuteurs de leur enfant mineur afin d'assurer sa représentation dans l'exercice de ses droits civils et d'administrer son patrimoine.

Le père et la mère exercent ensemble la tutelle, à moins que l'un d'eux ne soit décédé ou ne se trouve empêché de manifester sa volonté ou de le faire en temps utile. En cas de désaccord entre eux relativement à l'exercice de la tutelle, l'un ou l'autre peut saisir le tribunal du différend. Celui-ci statue dans l'intérêt du mineur.

« **Art. 177 C.c.Q.** La tutelle est établie dans l'intérêt du mineur : elle est destinée à assurer la protection de sa personne, l'administration de son patrimoine et en général l'exercice de ses droits civils. »

Le tuteur agit comme titulaire de l'autorité parentale. Il peut intenter des actions devant les tribunaux au nom du mineur et administrer ses biens.

Dans les 60 jours de sa nomination, le tuteur doit dresser un inventaire complet des biens du mineur. Il s'engage ensuite à administrer ses biens avec diligence et bonne foi, et à répondre des dommages-intérêts qui peuvent résulter d'une mauvaise gestion. À la fin de sa tutelle, le tuteur doit remettre les biens au mineur et rendre compte de sa gestion. Considérée comme un geste purement humanitaire, la tutelle est une charge gratuite. Les dispositions du *Code civil* prévoient l'ajout d'un **conseil de tutelle** formé de trois personnes (parents ou amis) pour surveiller l'administration du tuteur. Pour accomplir certains actes, le tuteur doit obtenir l'autorisation du conseil de tutelle.

Le *Code civil* permet également aux parents de nommer un tuteur à leurs enfants mineurs dans leur testament. Dans les autres cas, c'est le tribunal qui nomme le tuteur. Celui-ci ne possède que la simple administration des biens du mineur. De plus, dès que les biens du mineur sont d'une valeur de 25 000 $ ou plus, il doit prendre une assurance et obtenir la permission du conseil de tutelle pour poser certains actes.

Chaque année, le tuteur doit faire rapport de sa gestion à la curatelle publique, au conseil de tutelle et au mineur âgé de 14 ans et plus.

Finalement, à la fin de sa tutelle, il doit faire une reddition de comptes au conseil de tutelle et à la curatelle publique, et remettre tous les documents au mineur devenu majeur.

OUVERTURE D'UN RÉGIME DE PROTECTION

Les régimes de protection du majeur sont établis dans son intérêt. Ils sont destinés à assurer la protection de sa personne, l'administration de son patrimoine et en général, l'exercice de ses droits civils.

Il arrive des situations où une personne majeure est incapable d'administrer ses biens et d'exercer ses droits. Le législateur québécois a prévu dans de tels cas l'ouverture d'un régime de protection.

Cette incapacité peut être causée par :

- un accident ;

- une maladie ;

- le vieillissement ;

- l'abus de médicaments ou de drogues.

Toute décision relative à l'ouverture d'un tel régime doit être prise dans l'intérêt de la personne en question, le respect de ses droits et la sauvegarde de son autonomie. Le Code prévoit à l'article 257 que le majeur doit, dans la mesure du possible et sans délai, en être informé.

Par ailleurs, le Code permet à toute personne physique majeure en bonne santé de prévoir la mise sur pied d'un régime de protection privilégié en préparant un mandat en prévision de son inaptitude et en nommant un mandataire pour prendre soin de sa personne et administrer ses biens en cas d'incapacité physique ou mentale. Nous examinerons ce mandat plus en détail au chapitre 10.

Quant aux trois régimes de protection, ce sont :

- la curatelle ;
- la tutelle ;
- la nomination d'un conseiller au majeur.

« **Art. 258 C.c.Q.** Il est nommé au majeur un **curateur** ou un **tuteur** pour le représenter, ou un **conseiller** pour l'assister dans la mesure où il est inapte à prendre soin de lui-même ou à administrer ses biens, par suite, notamment, d'une maladie, d'une déficience ou d'un affaiblissement dû à l'âge qui altère ses facultés mentales ou son aptitude physique à exprimer sa volonté.

Il peut aussi être nommé un tuteur ou un conseiller au prodigue qui met en danger le bien-être de son conjoint ou de ses enfants mineurs. »

Quant à l'incapable, le *Code civil* l'appelle le **majeur protégé**. Il s'agit d'une personne majeure que la loi déclare momentanément incapable de gérer son patrimoine et, dans certains cas, de veiller sur elle-même par suite, notamment, d'une maladie ou d'une déficience, à cause de l'âge, qui altère ses facultés mentales ou physiques à exprimer sa volonté, ou par suite de prodigalité. Dans ces cas, tout parent, le conjoint, toute personne intéressée ou la personne elle-même peut présenter une requête dans ce sens à la Cour supérieure.

Seul le tribunal a le pouvoir de prononcer un jugement relativement à l'ouverture d'un régime de protection d'une personne majeure.

Dans le choix d'un régime de protection, on tient compte du degré d'inaptitude de la personne à prendre soin d'elle-même ou à administrer ses biens.

- Le tribunal ouvre une **curatelle** s'il est établi que l'inaptitude du majeur à prendre soin de lui-même et à administrer ses biens est totale et permanente et s'il a besoin d'être représenté dans l'exercice de ses droits civils. Il nomme alors un **curateur**. Ce dernier a la pleine administration des biens du majeur protégé ;
- Le tribunal ouvre une **tutelle** s'il est établi que l'inaptitude du majeur est partielle ou temporaire. Il nomme alors un **tuteur** pour la personne et les biens ou un tuteur soit pour la personne, soit pour les biens. Dans ce dernier cas, le tuteur a la simple administration des biens du majeur protégé ;
- Finalement, le tribunal nomme un **conseiller** pour le majeur si celui-ci, bien que généralement ou habituellement apte à prendre soin de lui-même et à administrer ses biens, a besoin pour certains actes ou temporairement d'être assisté ou conseillé dans l'administration de ses biens. Le conseiller n'a pas l'administration des biens du majeur protégé, mais il doit intervenir dans le cas d'actes pour lesquels il est tenu de lui prêter assistance.

« **Art. 295 C.c.Q.** Le régime de protection cesse par l'effet d'un jugement de main levée ou par le décès du majeur protégé. Il cesse aussi par l'expiration du délai prévu pour contester le rapport qui atteste la cessation de l'inaptitude. »

L'administration des biens confiés aux tuteurs et aux curateurs privés est soumise au contrôle régulier d'un organisme du gouvernement du Québec qui s'appelle la **Curatelle publique**. Ceux-ci doivent lui soumettre un rapport annuel de leur gestion. Le curateur public a donc pour mandat de protéger les biens des incapables. Il exerce également sa juridiction dans d'autres domaines ; il administre, par exemple :

- les biens d'un absent ;
- les biens trouvés sur le cadavre d'un inconnu ou sur un cadavre non réclamé ;
- les biens situés au Québec dont les héritiers ou les propriétaires sont inconnus ou introuvables ;
- le produit d'une police d'assurance sur la vie d'une personne domiciliée au Québec et dont on ne peut retrouver le bénéficiaire, etc.

Il est important de noter que, à défaut d'un mandat en cas d'inaptitude ou à défaut d'un régime de protection pour le majeur, c'est la Curatelle publique qui administre les biens d'une personne incapable.

LA PERSONNE MORALE

Parallèlement à la personne physique, le législateur a défini un concept purement fictif de personne ; il s'agit de la **personne morale**.

« **Art. 298 C.c.Q.** Les personnes morales ont la personnalité juridique. Elles sont de droit public ou de droit privé. »

Cette création forme une entité juridique distincte des membres qui la composent ; elle se présente sous forme de groupements d'individus, de sociétés par actions ou compagnies, d'associations, de syndicats, de fondations, etc. qui visent à satisfaire des intérêts non plus individuels mais collectifs.

Les **personnes morales de droit public** comprennent les villes et municipalités du Québec, les commissions scolaires, les universités et les sociétés d'état telle Hydro-Québec.

Les autres sont des **personnes morales de droit privé** et elles incluent les compagnies, les coopératives, les syndicats de copropriétaires et les sociétés sans but lucratif.

« À COMPTER DE QUAND UNE PERSONNE MORALE EXISTE-T-ELLE ? »

L'article 299 du *Code civil du Québec* définit la personne morale et répond à cette question :

« **Art. 299 C.c.Q.** Les personnes morales sont constituées suivant les formes juridiques prévues par la loi, et parfois directement par la loi. Elles existent à compter de l'entrée en vigueur de la loi ou pendant que celle-ci prévoit si elles sont de droit public, ou si elles sont constituées directement par la loi ou par l'effet de celle-ci ; autrement, elles existent pendant le temps prévu par les lois qui leur sont applicables. »

> *Exemple* : La compagnie Planifitech inc. existe à compter de la date indiquée dans son certificat de constitution.

CARACTÉRISTIQUES ET ATTRIBUTS DE LA PERSONNE MORALE

PATRIMOINE PROPRE

La principale caractéristique de la personne morale, c'est qu'elle possède un patrimoine qui lui est propre et qui est entièrement indépendant de celui de chacun des individus qui la compose. Cela a pour effet de limiter la responsabilité des personnes qui la composent. C'est le principe de la **responsabilité limitée**.

Tableau 3.1   Caractéristiques et attributs de la personne morale

- Elle possède son patrimoine propre.
- Elle a une responsabilité limitée.
- Elle a un nom et un domicile.
- Elle a le pouvoir d'ester en justice.
- Elle est administrée par un conseil d'administration.

RESPONSABILITÉ LIMITÉE

En vertu de ce principe, les actionnaires et administrateurs d'une compagnie ne sont pas personnellement responsables des dettes de la compagnie advenant la faillite de cette dernière.

Les actes de la compagnie n'engagent qu'elle-même à moins que les actionnaires n'aient garanti personnellement les obligations de celle-ci.

Par ailleurs, l'article 317 C.c.Q. vient apporter une exception au principe de la responsabilité limitée :

« **Art. 317 C.c.Q.** La personnalité juridique d'une personne morale ne peut être invoquée à l'encontre d'une personne de bonne foi, dès lors qu'on invoque cette personnalité pour masquer la fraude, l'abus de droit ou une contravention à une règle intéressant l'ordre public. »

> *Exemple* : Dans le cas d'une poursuite intentée conjointement et solidairement contre la compagnie ABC ltée et ses administrateurs par un de ses fournisseurs qui allégueraient un cas de fraude de la part des administrateurs et de la compagnie pour l'obtention de marchandises alors que la compagnie était insolvable et alors que, sans payer ces marchandises à la compagnie ABC ltée, les administrateurs les auraient transférées dans une autre compagnie détenue par eux.

Cette disposition du *Code civil du Québec* permet donc de « **lever le voile corporatif** » en cas de fraude ou d'abus de droit.

De plus, les administrateurs d'une compagnie peuvent dans certains cas être poursuivis personnellement s'ils contreviennent à des lois d'ordre public comme la *Loi sur la Protection de l'environnement* et à la *Loi sur la santé et la sécurité du travail*.

NOM ET DOMICILE

Comme la personne physique, la personne morale a la pleine jouissance de ses droits civils.

Elle a un **nom** qui lui est donné au moment de sa constitution et elle exerce ses droits et exécute ses obligations sous ce nom. Ce nom doit être conforme à la loi et inclure, lorsque la loi le requiert, une mention indiquant clairement la forme juridique qu'elle emprunte (art. 305 C.c.Q.).

« **Art. 306.** La personne morale peut exercer une activité ou s'identifier sous un nom autre que le sien. Elle doit déposer un avis en ce sens auprès de l'Inspecteur général des institutions financières ou, si elle est un syndicat de copropriétaires, au bureau de la publicité des droits dans le ressort duquel est situé l'immeuble qui fait l'objet de la copropriété.

Art. 307. La personne morale a son **domicile** au lieu et à l'adresse de son siège social.

Art. 308. La personne morale peut changer son nom ou son domicile en suivant la procédure établie par la loi ».

Exemple : La compagnie ABC ltée peut changer son nom pour celui de Sogesdad inc.

POUVOIR D'ESTER EN JUSTICE

La personne morale jouit aussi d'autres attributs importants ; par exemple, elle peut *ester en justice* :

La personne morale a un nom, un domicile (siège social), une nationalité (canadienne ou étrangère) ; elle peut s'obliger et engager ses biens (signature de contrats). La société par actions, ou compagnie, représente le type par excellence de personne morale. En plus des droits qui lui sont conférés par ses statuts de constitution, elle exerce tous les **droits** et recours que les lois fédérales ou provinciales lui accordent. En contrepartie, la société par actions est une personne et, en ce sens, elle est sujette aux droits et aux **obligations** affectant les personnes, mais elle est également soumise au régime spécial des lois constitutives.

La personne morale possède les mêmes droits que la personne physique à l'exception des incapacités qui résultent de sa nature. Ainsi l'ensemble des droits extrapatrimoniaux qui résultent de la nature même de la personne physique échappent à la personne morale.

Exemple : Une personne morale ne peut agir comme tuteur d'un enfant mineur.

ADMINISTRATION DE LA PERSONNE MORALE

Les articles 298 à 364 du *Code civil du Québec* définissent de façon plus précise les droits et obligations et le fonctionnement des personnes morales et de leurs administrateurs.

« **Art. 310**. Le fonctionnement, l'administration du patrimoine et l'activité des personnes morales sont réglés par la loi, l'acte constitutif et les règlements ; dans la mesure où la loi le permet, ils peuvent aussi être réglés par une convention unanime des membres.

En cas de divergence entre l'acte constitutif et les règlements, l'acte constitutif prévaut.

Art. 311. Les personnes morales agissent par leurs organes, tels le conseil d'administration et l'assemblée des membres.

Art. 312. La personne morale est représentée par ses dirigeants, qui l'obligent dans la mesure des pouvoirs que la loi, l'acte constitutif ou les règlements leur confèrent ».

C'est le **conseil d'administration** qui gère les affaires de la personne morale. Les décisions du conseil d'administration sont prises à la majorité des voix des administrateurs.

L'administrateur est considéré comme mandataire de la personne morale et il doit agir avec prudence et diligence, honnêteté et loyauté dans l'intérêt de la personne morale. Il doit éviter de se placer en position de conflit d'intérêt.

FIN DE L'EXISTENCE DE LA PERSONNE MORALE

En principe, l'existence d'une personne morale est perpétuelle, à moins que la loi ou son acte constitutif n'en dispose autrement.

« **Art. 355**. La personne morale est dissoute par l'annulation de son acte constitutif ou pour toute autre cause prévue par l'acte constitutif ou par la loi.

Elle est aussi dissoute lorsque le tribunal constate l'avènement de la condition apposée à l'acte constitutif, l'accomplissement de l'objet pour lequel la personne

Ester en justice : Intenter des actions devant les tribunaux et se défendre lorsqu'on est l'objet de poursuites.

morale a été constituée ou l'impossibilité d'accomplir cet objet, ou encore l'existence d'une autre cause légitime.

La personne morale peut aussi être dissoute à la suite du consentement d'au moins les deux tiers des voix exprimées à une assemblée des membres convoquée expressément à cette fin ».

Exemple : Les actionnaires de Constructions Bois d'Or inc. décident à l'unanimité de dissoudre et de liquider leur compagnie.

 # LE PATRIMOINE

> **Patrimoine** : Ensemble des biens, des droits et des obligations d'une personne physique ou morale, appréciables en argent. Son actif moins son passif.

En principe, toute personne possède un *patrimoine* et un seul, et ce patrimoine n'est en aucun cas aliénable (sauf par succession à la mort du titulaire). Soulignons enfin que l'état d'un patrimoine fluctue au fil des années ; en effet, il est rarement fixe ou figé. On n'a qu'à faire la lecture des états financiers d'individus ou de sociétés pour se rendre compte de ces variations.

Tout administrateur averti fait régulièrement le point sur sa situation financière. Il évalue alors l'ensemble des biens qu'il possède comparativement aux dettes qu'il a contractées. En comptabilité, cette opération porte le nom de **bilan** et illustre l'état financier d'une personne à une date donnée ; il permet ainsi de déterminer la solvabilité ou l'insolvabilité d'une personne physique ou morale. En droit, on désigne cette même réalité sous le vocable de patrimoine.

Le patrimoine d'une personne correspond à son actif moins son passif. Le patrimoine a une *valeur positive* si l'actif est supérieur au passif ; il a une *valeur négative* si le passif excède l'actif (voir tableaux 3.2 et 3.3).

Cette notion de patrimoine s'avère d'autant plus importante que c'est sur elle que repose le droit des créanciers de se faire payer et de saisir, le cas échéant, les biens d'un débiteur. On exprime ce principe juridique en disant que *les biens d'un débiteur sont le gage commun de ses créanciers.* Les articles 2644 et 2645 du *Code civil* confirment ce principe sur lequel repose la notion de garantie de paiement :

« **Art. 2644 C.c.Q.** Les biens du débiteur sont affectés à l'exécution de ses obligations et constituent le gage commun de ses créanciers.

Art. 2645 C.c.Q. Quiconque est obligé personnellement est tenu de remplir son engagement sur tous ses biens meubles, immeubles, présents et à venir, à l'exception de ceux qui sont insaisissables et de ceux qui font l'objet d'une division de patrimoine permise par la loi.

Toutefois, le débiteur peut convenir avec son créancier qu'il ne sera tenu de remplir son engagement que sur les biens qu'ils désignent ».

Exemple : Une personne peut consentir une hypothèque immobilière sur le bâtiment abritant son usine ou une hypothèque mobilière sans dépossession sur son équipement et sa machinerie ; si cette personne fait défaut de rembourser ses créanciers, ces derniers pourront alors faire procéder à la saisie de tous ses biens mobiliers et immobiliers (à l'exception de ceux que la loi déclare insaisissables), les faire adjuger par vente en justice et, enfin, se faire payer à même le produit de cette vente.

LES PERSONNES ET LEURS DROITS

On divise habituellement les droits qui se rattachent à la personne en deux grandes catégories : les droits extrapatrimoniaux et les droits patrimoniaux.

Tableau 3.2   Patrimoine à valeur positive

Richard Lafortune		
Actif	Résidence principale	125 000 $
	Chalet d'été	55 000 $
	Automobiles (2)	25 000 $
	Actions de compagnies	50 000 $
	Obligations d'épargne	10 000 $
	Meubles et objets divers	27 000 $
	Compte en banque	12 000 $
	Total	304 000 $
Passif	Emprunt pour achat d'actions	1 900 $
	Solde sur hypothèque de sa résidence principale	35 000 $
	Emprunt personnel	15 000 $
	Cartes de crédit	2 000 $
	Solde sur l'hypothèque de son chalet	45 000 $
	Total	98 900 $
Valeur nette de son patrimoine		205 100 $

Le patrimoine de Richard Lafortune a une *valeur positive,* car son actif dépasse son passif.

Le patrimoine pourrait aussi avoir une valeur négative si son passif dépassait son actif.

Tableau 3.3   Patrimoine à valeur négative

Yvon Fauché		
Actif	Résidence principale	40 000 $
	Automobile	8 500 $
	Meubles et objets divers	4 500 $
	Piscine hors terre	1 100 $
	Compte en banque	375 $
	Total	54 475 $
Passif	Hypothèque sur sa résidence principale	37 000 $
	Emprunt pour automobile	7 100 $
	Cartes de crédit	2 235 $
	Consolidation de ses autres dettes	19 000 $
	Total	65 335 $
Valeur nette de son patrimoine		– 10 860 $

Le patrimoine d'Yvon Fauché a une *valeur négative,* car son passif dépasse son actif.

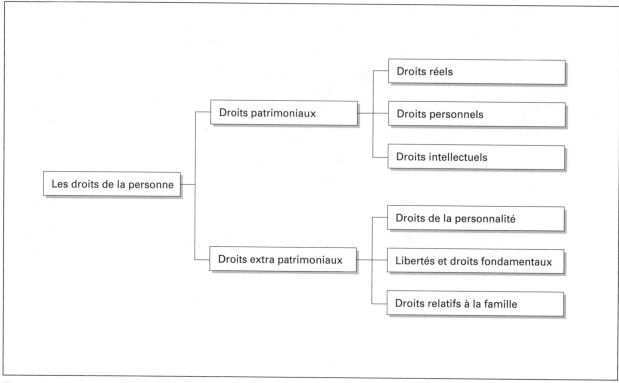

Figure 3.3   Les droits des personnes

Les personnes physiques et les personnes morales possèdent des droits liés à leur patrimoine qui sont appréciables en argent ; ce sont les ***droits patrimoniaux.***

Par ailleurs, les personnes physiques possèdent des droits qui ne sont pas appréciables en argent et qui sont liés à l'état et la capacité de cette personne ; ce sont les **droits extrapatrimoniaux.**

LES DROITS PATRIMONIAUX

Contrairement aux droits extrapatrimoniaux, les ***droits patrimoniaux*** ne sont pas rattachés à la personne même de leur détenteur, mais plutôt à son patrimoine. Comme une personne physique, une personne morale possède des droits patrimoniaux. Ce sont essentiellement des droits à caractère économique. Ils se divisent en trois catégories : les droits réels, les droits personnels et les droits intellectuels[1] (voir figure 3.4).

LES DROITS RÉELS   Le *Code civil* reconnaît comme ***droits réels*** principaux la propriété, l'usufruit, l'usage, les servitudes et l'emphytéose ; il reconnaît comme droit réel accessoire l'hypothèque. Ils feront l'objet d'une étude détaillée au chapitre 5.

En vertu du *Code civil,* **l'hypothèque** est un droit réel accessoire accordé à un créancier sur les biens de son débiteur, sans que ce dernier en soit dépossédé. Il s'agit donc d'une garantie mobilière ou immobilière en vertu de laquelle le créancier pourra faire saisir les biens meubles ou immeubles visés de son débiteur et faire procéder à leur vente en justice pour être remboursé à même le produit de la vente si le débiteur fait défaut d'acquitter son obligation. L'hypothèque sera examinée en détail au chapitre 16.

Droits patrimoniaux : Ensemble des droits, appréciables en argent, possédés par une personne physique ou morale et provenant de son activité économique.

Droits réels : Droits qu'une personne peut exercer directement par rapport à une chose ; ils sont peu nombreux.

---

1. Baudoin, J.-L. *Les obligations,* 4ᵉ édition, Les Éditions Yvon BLais inc., Cowansville, 1993, p. 14.

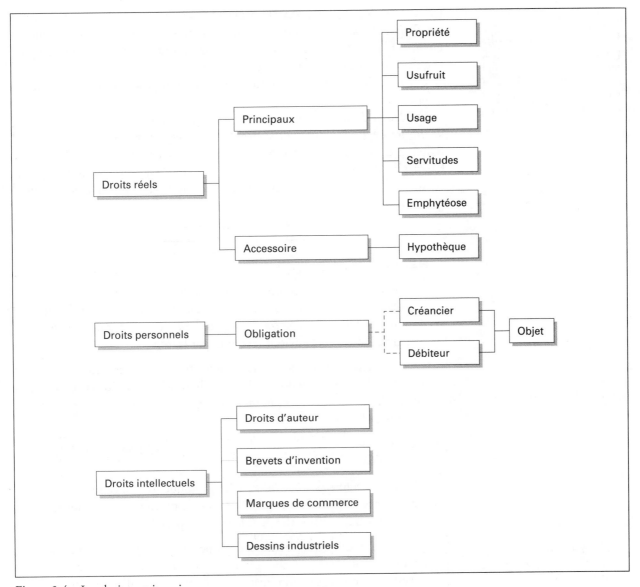

Figure 3.4   Les droits patrimoniaux

LES DROITS PERSONNELS   Les **droits personnels** ne s'exercent pas directement sur une chose, mais par rapport à une autre personne. On les appelle également **droits de créance** ; ils mettent toujours en présence trois éléments : un *créancier*, un *débiteur* et un **objet**.

La relation juridique ainsi établie entre le créancier et le débiteur par rapport à un objet s'appelle **obligation** quant au débiteur ; pour le créancier, elle s'appelle droit personnel. Nous retrouvons les termes « créancier » et « débiteur » dans tous les contrats. Dans le contrat de vente, le vendeur est le créancier et l'acheteur est le débiteur du prix de vente. Dans le contrat de location, le locateur est le créancier et le locataire est le débiteur du loyer. Enfin, dans le contrat de prêt, le prêteur est le créancier de l'argent prêté et l'emprunteur en est le débiteur.

LES DROITS INTELLECTUELS   Les **droits intellectuels** ne s'exercent pas sur une chose concrète mais sur une chose incorporelle. Ce sont les droits d'auteur, les droits sur des inventions, les droits sur les marques de commerce, les dessins industriels et les oeuvres littéraires. Ils sont régis par des lois spéciales, essentiellement de juridiction fédérale.

Créancier : Celui à qui l'on doit un bien ou une somme d'argent.

Débiteur : Celui qui doit un bien ou une somme d'argent.

Droits extrapatrimoniaux[2] :
Ensemble des droits possédés par une personne physique, non appréciables en argent, qui lui sont conférés par la loi en raison de la place qu'occupe cette personne dans la société.

LES DROITS EXTRAPATRIMONIAUX

Les *droits extrapatrimoniaux* se rattachent à la personne même de leur détenteur. Un individu possède donc certains droits extrapatrimoniaux qui lui sont propres et qu'un autre ne possède pas nécessairement.

On peut conclure de cette définition que seule une personne physique jouit de droits extrapatrimoniaux.

Les **droits de la personnalité** comprennent notamment le droit à la vie, à l'inviolabilité et à l'intégrité de sa personne, au respect de son nom, de sa réputation et de sa vie privée. De plus, les droits fondamentaux énoncés dans les Chartes des droits et libertés en font partie intégrante. Dans la vie de tous les jours, ces droits sont aussi très intimement liés au droit de la famille que nous examinerons au prochain chapitre.

RÉSUMÉ

- Le *Code civil du Québec* reconnaît deux sortes de personnes : la personne physique et la personne morale. Les personnes physiques sont les êtres humains alors que les personnes morales sont les compagnies, syndicats et groupements d'individus reconnus par la loi.

- Les principaux droits de la personnalité attachés à la personne physique sont : le droit à la vie, le droit à l'inviolabilité et à l'intégrité de sa personne, le droit au respect de son nom, de sa réputation et de sa vie privée, les droits de l'enfant.

- Les éléments relatifs à l'état des personnes physiques sont le nom, le domicile et le registre de l'état civil.

- Toute personne possède la capacité juridique, sauf les mineurs et les personnes majeures pour qui un régime de protection a été ouvert. Le mineur acquiert graduellement la pleine capacité.

- Les caractéristiques et attributs de la personne morale sont : un patrimoine propre, la responsabilité limitée, un nom et un domicile, le pouvoir d'ester en justice, son administration par un conseil d'administration.

- Le patrimoine d'une personne est constitué de son actif moins son passif et il est le gage commun de ses créanciers.

- La personne dispose de droits patrimoniaux (droits réels, droits personnels et droits intellectuels) et de droit extrapatrimoniaux (droits de la personnalité, libertés et droits fondamentaux et droits relatifs à la famille).

---

2. ibid. p. 130.

RÉSEAU DE CONCEPTS

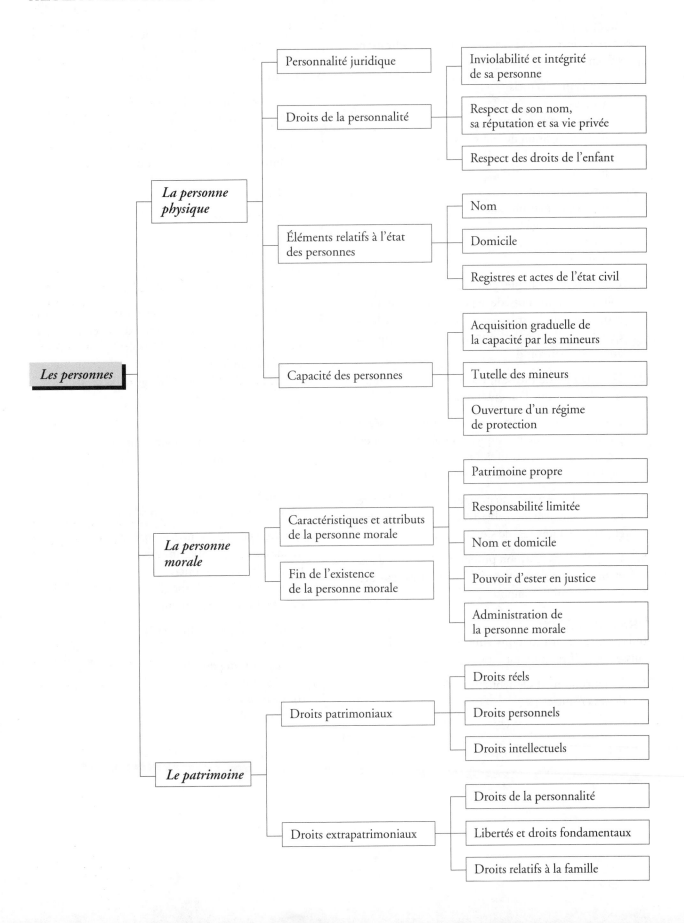

Les personnes

- **La personne physique**
  - Personnalité juridique
  - Droits de la personnalité
    - Inviolabilité et intégrité de sa personne
    - Respect de son nom, sa réputation et sa vie privée
    - Respect des droits de l'enfant
  - Éléments relatifs à l'état des personnes
    - Nom
    - Domicile
    - Registres et actes de l'état civil
  - Capacité des personnes
    - Acquisition graduelle de la capacité par les mineurs
    - Tutelle des mineurs
    - Ouverture d'un régime de protection
- **La personne morale**
  - Caractéristiques et attributs de la personne morale
    - Patrimoine propre
    - Responsabilité limitée
    - Nom et domicile
    - Pouvoir d'ester en justice
    - Administration de la personne morale
  - Fin de l'existence de la personne morale
- **Le patrimoine**
  - Droits patrimoniaux
    - Droits réels
    - Droits personnels
    - Droits intellectuels
  - Droits extrapatrimoniaux
    - Droits de la personnalité
    - Libertés et droits fondamentaux
    - Droits relatifs à la famille

EXERCICES

ASSOCIATIONS

Associez un des termes ci-dessous à l'une des définitions qui suivent :

- droits intellectuels
- acquêts
- droits patrimoniaux
- libre disposition de son corps
- personne morale
- incapacité
- ester en justice
- droits extrapatrimoniaux
- majeur protégé
- domicile
- patrimoine

1. Une personne morale, comme d'ailleurs une personne physique, possède le pouvoir d'intenter des actions devant les tribunaux et de se défendre lorsqu'elle est l'objet de poursuites. C'est ce qu'on appelle le pouvoir d' __7__ .

2. Dans le monde médical, les dons d'organes illustrent bien ce que l'on entend par __4__ .

3. Les __8__ constituent l'ensemble des droits possédés par une personne physique, non appréciables en argent, qui lui sont conférés par la loi, en raison de la place qu'occupe cette personne dans la société.

4. L' __9__ est une personne majeure que la loi déclare momentanément incapable de gérer son patrimoine, et, dans certains cas, de s'occuper d'elle-même.

5. La __5__ est une création purement fictive de la loi, et qui forme une entité juridique distincte des membres qui la composent.

VRAI OU FAUX

Indiquez si les affirmations suivantes sont vraies ou fausses. Si l'affirmation est fausse, précisez pourquoi.

1. Le patrimoine d'un débiteur est le gage commun de ses créanciers. √

2. Un mineur peut disposer de ses biens de valeur modique par testament. F

3. Le droit de créance est un droit réel. F

4. Une personne morale possède les mêmes droits extrapatrimoniaux qu'une personne physique. F

5. Un droit qu'une personne peut exercer sur un meuble ou un immeuble est un droit réel. √

CHOIX MULTIPLES

1. Le droit de propriété est un droit :
   a) personnel.
   b) intellectuel.
   c) réel.
   d) aucune des réponses précédentes.

2. Les principaux droits de la personnalité sont le droit à la vie, au respect de son nom, de sa réputation et de sa vie privée ainsi que le droit :
   a) à un domicile légal.
   b) à l'inviolabilité et à l'intégrité de son corps.
   c) à un patrimoine.
   d) à un testament.

3. Le patrimoine d'un individu comprend :
   a) son actif seulement.
   b) son passif seulement.
   c) son actif et son passif.
   d) aucune des réponses précédentes.

4. Les droits de l'homme font partie :
   a) des droits extrapatrimoniaux.
   b) des droits personnels.
   c) des droits intellectuels.
   d) des droits patrimoniaux.

5. L'obligation est un droit civil :
   a) intellectuel.
   b) réel et non personnel.
   c) réel et personnel.
   d) de créance.

CAS PRATIQUES

1. Stéphane, Caroline et Julien fréquentent la polyvalente de leur quartier. À l'occasion d'une fête chez leur amie Dodo à laquelle vous êtes invité, ils vous racontent les faits suivants :

   a) Patricia, une amie de Caroline, âgée de 15 ans, lui a dit qu'elle était enceinte. Elle n'est pas certaine de vouloir garder le bébé, mais hésite à se faire avorter car elle est certaine que sa mère s'y opposera.
   Commentez en expliquant les droits de Patricia.

   b) Que devra faire Patricia après la naissance de son enfant si elle décide de garder son bébé ? Expliquez.

   c) Est-ce que les parents de Patricia peuvent la forcer à subir des examens médicaux pour déterminer qui est le père de l'enfant ? Expliquez.

   d) Advenant que Francis, qui est le père de l'enfant et qui vient d'hériter de 300 000 $ de sa grand-mère, décède avant la naissance de l'enfant. Est-ce que l'enfant peut hériter de son père naturel ? Expliquez.

2. Le directeur du Centre hospitalier des Laurentides vient d'aviser Johane que sa mère, Mme Lamer, âgée de 70 ans, est dans un profond coma à la suite d'une défaillance cardiaque.

   Malheureusement, sa mère n'avait pas rédigé de mandat en prévision de son inaptitude. Mme Lamer est propriétaire de plusieurs immeubles et possède de nombreux placements. Johane vient vous consulter pour connaître ses droits et ceux de sa mère. Expliquez-lui les conséquences de l'état de sa mère et ses recours.

3. Ronald et Marjolaine Roy, qui sont mariés, achètent ensemble un immeuble de huit logements. Le prix de vente est fixé à 275 000 $ qu'ils paient de la façon suivante :

- 50 000 $ comptant ;
- le solde de 225 000 $ payable en 15 ans par versements mensuels, égaux et consécutifs.

Pour garantir le solde du prix de vente, les acheteurs ont grevé leur immeuble d'une hypothèque de 225 000 $ au profit du vendeur, Gilles Gauthier.

Ronald et Marjolaine décident de faire des rénovations à l'immeuble et, à cette fin, retiennent les services de Construction Permil inc.

Au premier étage, ils installent deux commerces : le fleuriste Belle Fleur inc. loue un des locaux en vertu d'un bail de cinq ans et moyennant un loyer mensuel de 2500 $. L'autre local est loué par Bronzage Peau d'or ltée moyennant un loyer mensuel de 3000 $.

Le deuxième étage est complètement réaménagé pour faire place au bureau de comptables Michel Hébert et associés, et est loué 3500 $ par mois.

Le troisième étage est occupé par deux logements à Chantal et Denise. Quant au quatrième étage, Ronald et Marjolaine décident de l'aménager pour en faire leur résidence personnelle.

Le coût total des travaux est de 100 000 $.

À la lumière de ces renseignements, répondez aux questions suivantes :

   a) Ronald et Marjolaine possèdent-ils des droits personnels ? Dans l'affirmative, quels sont ces droits et à l'endroit de quelles personnes peuvent-ils les exercer ?

   b) Quels sont les droits réels de Ronald et Marjolaine ? Ceux de Gilles Gauthier ?

   c) Quelle est la nature des autres droits que possèdent Gilles Gauthier, Construction Permil inc. et Bronzage Peau d'or ltée ?

   d) Établissez la distinction entre un droit réel et un droit personnel.

CHAPITRE 4

LA FAMILLE ET LES SUCCESSIONS

OBJECTIFS ET ÉLÉMENTS DE COMPÉTENCES

1 Connaître les principales distinctions entre la famille résultant du mariage et celle résultant de l'union de fait ou concubinage.

2 Connaître les incidences de la notion de patrimoine familial dans les relations entre les époux.

3 Distinguer les différents régimes matrimoniaux au Québec.

4 Connaître les principaux droits et devoirs des époux dans le mariage.

5 Connaître les implications de l'obligation alimentaire.

6 Pouvoir distribuer les biens d'une personne morte sans testament au Québec.

7 Définir les devoirs et obligations du liquidateur d'une succession.

LA FAMILLE

Les individus issus d'une famille naturelle sont des sujets de droits extrapatrimoniaux tout autant que ceux issus d'une famille structurée à l'intérieur des liens du mariage. Le mariage, la filiation et l'autorité parentale sont des exemples de droits extrapatrimoniaux qui découlent de la notion de *famille*. Le titulaire de ces droits ne peut ni les céder ni les transmettre à ses héritiers ; il doit les exercer lui-même. En outre, ces droits ne peuvent faire l'objet d'une saisie et ils échappent à la prescription.

Famille : Sur le plan juridique, la famille constitue « l'ensemble des personnes unies par le mariage, ou par la filiation, ou par la parenté et l'alliance, résultant elles-mêmes du mariage et de la filiation ».

Le droit de la famille est basé sur trois principes directeurs :
- l'égalité de l'homme et de la femme entre eux devant la loi ;
- la liberté des personnes dans la façon d'organiser leurs relations familiales ;
- l'égalité économique des époux dans le mariage.

On parle donc d'abord de la famille à partir de la notion de mariage, de parenté et d'alliance. C'est la famille traditionnelle.

La famille est aussi basée sur la notion de filiation. Cela implique la reconnaissance d'une famille en dehors des liens du mariage. C'est le cas d'un homme et d'une femme non mariés qui vivent ensemble et ont des enfants. Ils constituent aussi une famille, même s'ils vivent en union libre ou concubinage.

LE MARIAGE

L'article 373 du *Code civil du Québec* stipule qu'on ne peut contracter mariage avant d'avoir atteint l'âge de 16 ans. Le mariage est une institution publique et la loi exige qu'il soit célébré par un officier compétent (soit un ministre du culte ou un représentant officiel du tribunal) et devant deux témoins. Le législateur québécois reconnaît deux formes de célébration du mariage qui ont la même valeur juridique : le mariage religieux et le mariage civil. Dans les deux cas, il faut respecter des formalités strictes. La preuve par excellence du mariage est l'*acte de mariage* (art. 378 C.c.Q.).

Le mariage accorde certains droits et impose certains devoirs aux époux. Ces droits et obligations sont énumérés aux articles 392 à 400 C.c.Q.

Ces dispositions illustrent de façon évidente le principe de l'égalité entre les époux dans le mariage.

LA RÉSIDENCE FAMILIALE
L'article 395 C.c.Q. énonce que les époux choisissent de concert la résidence familiale et que, en l'absence de choix exprès, la résidence familiale est présumée être celle où les membres de la famille exercent leurs principales activités. En un mot, c'est là où réside la famille.

La résidence familiale peut être louée ou appartenir à l'un ou l'autre des conjoints, ou aux deux.

Les articles 401 à 413 C.c.Q. énoncent les principes qui régissent la résidence familiale. Ainsi, par une **déclaration de résidence familiale**, le Code protège la résidence principale de la famille et son contenu, tant que dure la vie commune des conjoints. Un époux ne peut, sans le consentement de son conjoint, disposer de quelque façon des meubles affectés à l'usage du ménage.

L'article 403 interdit à l'époux locataire de la résidence familiale de sous-louer cette dernière ou de résilier le bail sans le consentement de son conjoint. De même, l'époux propriétaire enregistré d'un immeuble qui sert, en tout ou en partie, de résidence familiale ne peut, sans le consentement de son conjoint, l'hypothéquer ni le louer.

Tableau 4.1   Les composantes du patrimoine familial

Biens inclus	Biens exclus
Toutes les résidences de la famille comprenant la résidence principale et toutes les résidences secondaires.	Biens échus à l'un des époux par succession, legs ou donation **avant ou pendant** le mariage.
Meubles affectés à l'usage du ménage qui garnissent ou ornent la ou les résidences.	Gains inscrits, **durant le mariage**, au nom de chaque époux, en application de la *Loi sur le régime de rentes du Québec* ou de programmes équivalents si la dissolution du mariage résulte du décès.
Véhicules automobiles utilisés pour les déplacements de la famille.	Tous les autres biens personnels des conjoints qui ne sont pas énumérés ci-contre.
Droits accumulés durant le mariage au titre d'un régime de retraite.	
Gains inscrits durant le mariage au nom de chaque époux en application de la *Loi sur le régime de rentes du Québec* ou de programmes équivalents, tels les REÉR.	

LE PATRIMOINE FAMILIAL   Le patrimoine familial constitue la pierre angulaire de notre régime de droit de la famille et consacre le principe de l'égalité économique des époux. Ce principe vient remettre en question et chambarder des notions depuis longtemps reconnues en droit québécois, telles que le respect de la propriété privée, la liberté de contracter, la liberté de tester. Certains y voient même un obstacle au mariage ou au remariage en raison des implications qu'il peut avoir sur le patrimoine individuel de chacun des conjoints.

L'ensemble des relations économiques entre conjoints est subordonné au principe du patrimoine. Le tableau 4.1 résume les diverses composantes du patrimoine familial, essentiellement constitué de biens dont l'un ou l'autre des deux époux est propriétaire.

Advenant la dissolution du mariage par suite d'un décès, d'un divorce, d'une séparation de corps ou d'une annulation du mariage, chacun des conjoints a le droit d'exiger sa part de ce qui constitue le patrimoine familial, c'est-à-dire la moitié de sa valeur.

Il est aussi important de noter que la valeur nette du patrimoine familial est établie selon la valeur marchande des biens qui le constituent, moins les dettes contractées pour leur acquisition, leur amélioration, leur entretien ou leur conservation.

C'est au moment du décès ou de l'introduction de la procédure de divorce ou de séparation de corps ou à la date de la cessation de vie commune que se fait cette évaluation.

Exemple : Prenons le cas de Denis et de Francine qui sont mariés depuis 10 ans sous le régime de la séparation de biens et qui sont propriétaires des biens suivants :
- un bungalow à Laval au nom de Denis d'une valeur de 150 000 $, grevé d'une hypothèque de 55 000 $;
- un chalet dans les Laurentides au nom de Francine d'une valeur de 75 000 $, grevé d'une hypothèque de 25 000 $;
- les meubles de ces deux maisons, qui ont été payés par les deux en parts égales et qui totalisent 40 000 $;

- la Chevrolet au nom de Denis d'une valeur de 18 000 $;
- la Honda au nom de Francine d'une valeur de 12 000 $;
- leurs régimes de retraite respectifs totalisant 125 000 $.

Le patrimoine familial a une valeur brute de 320 000 $ et les dettes totalisent 80 000 $; la valeur nette sera donc de 240 000 $, c'est-à-dire 320 000 $ – 80 000 $.

Chacun des conjoints aura droit à la moitié du patrimoine familial. Ils devront donc se partager les biens et l'argent afin que chacun obtienne cette moitié. Ce partage peut se faire à l'amiable ou nécessiter l'intervention du tribunal.

De plus, les époux ne peuvent renoncer, par contrat de mariage ou autrement, à leurs droits dans le patrimoine familial sauf dans les cas d'exception stipulés à l'article 423 C.c.Q. Dans les cas de divorce ou de séparation, le tribunal interviendra pour s'assurer que toute entente conclue entre les parties quant au partage du patrimoine familial protège bien les deux conjoints. Dans la négative, le juge peut la modifier ; les dispositions du Code accordent au juge une très grande discrétion dans le but d'éviter des injustices entre les conjoints quant au partage du patrimoine. Il est important de noter que, advenant la dissolution du mariage à la suite du décès de l'un des conjoints, on doit d'abord procéder au partage du patrimoine familial en parts égales pour déterminer le patrimoine du défunt.

Par ailleurs, dans le but d'éviter la fraude entre conjoints, l'article 421 C.c.Q. énonce que lorsqu'un bien du patrimoine familial a été aliéné dans l'année précédant le décès de l'un des époux ou l'introduction de l'instance en divorce, en séparation ou en annulation du mariage, et que le bien n'a pas été remplacé, le tribunal peut ordonner qu'un paiement compensatoire soit fait à l'époux à qui aurait profité l'inclusion de ce bien dans le patrimoine familial.

Ce serait le cas, dans l'exemple précité, si Francine vendait le chalet enregistré à son nom dans l'année précédant le divorce et qu'elle encaissait le produit de la vente. Denis pourrait exiger un paiement compensatoire équivalant au montant dont il aurait bénéficié si le chalet était demeuré dans le patrimoine familial.

Le Code prévoit même la possibilité de revenir plus d'un an en arrière si l'on peut prouver l'intention de frauder le conjoint.

Les époux qui ont cessé de faire vie commune avant le 15 mai 1989 et qui avaient réglé, par écrit ou autrement, les conséquences de leur séparation ne sont pas soumises non plus à ces dispositions.

Toutes les personnes qui se sont mariées après le 1er juillet 1989 sont automatiquement assujetties à la réglementation concernant le patrimoine familial et ne peuvent demander d'en être exemptées.

La seule autre façon de ne pas être soumis aux dispositions obligatoires et prioritaires du patrimoine familial est de résider en dehors du Québec.

LA FILIATION (ART. 522 À 584 C.C.Q.)

Filiation : Lien juridique qui unit un enfant à son père ou à sa mère ; elle résulte des liens du sang ou de l'acte ou du jugement d'adoption.

Le lien de *filiation* se matérialise par l'enregistrement de la naissance de tout enfant dans les registres de l'état civil et se prouve par l'acte de naissance. Le Code abolit les distinctions entre les enfants, qu'ils soient légitimes ou naturels, ce qui signifie que tous les enfants jouissent des mêmes droits et des mêmes responsabilités, que leurs parents soient mariés ou non. Une mère célibataire n'est donc plus obligée d'adopter son enfant pour le rendre légitime.

Il est de plus intéressant de noter que les articles 538 à 542 du *Code civil du Québec* prévoient des dispositions concernant la **procréation médicalement assistée**, dont le problème des mères porteuses qui a déjà fait les manchettes.

L'article 538 énonce que la contribution au projet parental d'autrui par un apport de forces génétiques à la **procréation médicalement assistée** ne permet de fonder aucun lien de filiation entre l'auteur de la contribution et l'enfant issu de la procréation. Les cas de mères porteuses et des banques de sperme sont ainsi réglementés pour éviter des poursuites en reconnaissance de paternité ou de maternité. L'article 541 C.c.Q. déclare nulles les **conventions de procréation** ou de gestation pour le compte d'autrui.

L'ADOPTION (ART. 543 À 584 C.C.Q.)

Toute personne majeure peut, seule ou conjointement avec une autre personne, adopter un enfant. L'intérêt de l'enfant demeure le pivot de ces dispositions. Il est important de noter que l'article 583 C.c.Q. permet au majeur et au mineur âgé de plus de 14 ans d'obtenir les renseignements lui permettant de retrouver ses parents biologiques si ces derniers ont consenti à dévoiler leur identité. Un enfant adopté possède les mêmes droits et obligations que ses frères et sœurs nés de ses parents adoptifs.

L'AUTORITÉ PARENTALE (ART. 597 À 613 C.C.Q.)

Conçu de manière à faire respecter le principe d'égalité entre les conjoints, le *Code civil du Québec* impose à la mère et au père la même responsabilité envers leurs enfants. Selon l'alinéa 1 de l'article 600 du *Code civil du Québec*, le père et la mère exercent ensemble **l'autorité parentale**. En vertu du *Code civil*, l'exercice de l'autorité parentale accorde automatiquement aux parents la tutelle légale de leurs enfants.

LES RÉGIMES MATRIMONIAUX

Avant de parler des régimes matrimoniaux, une mise au point s'impose : le patrimoine familial ne constitue pas un régime matrimonial. C'est une conséquence, un effet obligatoire du mariage.

Les dispositions du Code concernant les régimes matrimoniaux sont donc subordonnées et soumises aux dispositions prioritaires et obligatoires régissant le patrimoine familial.

Nous avons déjà vu que tout individu possède un ensemble de biens, de droits et d'obligations qui constituent son patrimoine. Ainsi en est-il des futurs époux qui, chacun de leur côté, apportent en se mariant un patrimoine qu'ils pourront choisir de continuer à accroître individuellement ou en commun. Pour y arriver, les futurs époux devront observer certaines règles juridiques. Le régime matrimonial est l'ensemble de ces règles régissant les liens économiques entre les époux, et entre ces derniers et les tiers qui font affaire avec eux.

Dans le domaine des affaires, le régime matrimonial d'un individu peut avoir une incidence importante sur l'établissement de son bilan personnel et, par conséquent, sur les garanties qu'il peut être appelé à fournir à ses créanciers lorsque vient le temps d'obtenir du crédit.

> *Exemple* : Un individu marié sous le régime de communauté de biens ne peut vendre sans le consentement et la signature de son conjoint un immeuble appartenant au couple. Il ne peut donc pas inscrire dans son bilan la valeur de cet immeuble puisque, en pratique, celui-ci ne peut être vendu et qu'on ne peut en réaliser la valeur.

La notion de patrimoine familial vient compliquer encore davantage la distinction qui existait entre les biens propres des conjoints et ceux qui composent le patrimoine familial. Ainsi on pourrait se poser la question suivante : est-ce qu'un commerçant en difficulté financière, et qui risque de perdre la résidence familiale et le chalet enregistrés à son nom, n'aurait pas intérêt à ce que son épouse demande le divorce et lui permette ainsi de sauver la moitié de la valeur de ces biens, qui revient à l'épouse en vertu du partage du patrimoine familial ?

Seule la jurisprudence pourra, au cours des prochaines années, trancher véritablement cette question et toutes les autres soulevées par le patrimoine familial.

Avant de se marier, les futurs époux peuvent donc opter pour un régime matrimonial. Ils ont le choix entre le régime légal ou un régime conventionnel. Le régime légal est celui qui s'applique automatiquement en vertu de la loi si les époux ne choisissent pas un régime conventionnel **telle la séparation de biens** en passant un contrat de mariage devant un notaire.

Avant le 1er juillet 1970, le régime légal qui s'appliquait au Québec était celui de la **communauté de biens**. Ainsi toute personne mariée au Québec sans contrat de mariage avant cette date était et est encore automatiquement soumise au régime légal de la communauté de biens.

Le 1er juillet 1970, le législateur a remplacé le régime légal de la communauté de biens par celui de la **société d'acquêts**. Depuis cette date, toute personne mariée sans contrat de mariage au Québec est automatiquement soumise au régime légal de la société d'acquêts et possède deux catégories de biens : les biens propres et les acquêts (art. 432 C.c.Q.).

Le *Code civil du Québec* permet aux époux mariés en vertu de l'un ou de l'autre régime de changer ce dernier par un acte notarié. Cette modification peut se faire d'un commun accord dans la mesure où elle ne cause pas préjudice aux membres de la famille ni aux créanciers des conjoints.

Ainsi des époux mariés sous le régime de la communauté de biens peuvent désormais changer de régime pour adopter celui de la séparation de biens.

Sans faire une étude exhaustive des régimes matrimoniaux, il nous paraît essentiel de résumer brièvement les trois principaux régimes toujours en vigueur au Québec : la **société d'acquêts**, la **séparation de biens** et la **communauté de biens**. Précisons que le *Code civil du Québec* ne traite que des deux premiers, mais que les futurs époux peuvent encore se prévaloir du régime de la communauté de biens.

Le tableau 4.2 illustre les principales caractéristiques des trois régimes matrimoniaux.

L'UNION LIBRE

L'**union libre** ou **de fait** est aussi appelée **concubinage**. Il est important de préciser certains points importants à son sujet.

Alors que le législateur québécois aurait pu profiter de la réforme du *Code civil* pour reconnaître ce mode de vie commune, pourtant choisi par une partie importante des citoyens du Québec, il n'en a rien fait.

À part quelques allusions aux concubins (articles 555, 1938 et 1958 C.c.Q.), le *Code civil* est muet à leur sujet et les personnes qui vivent sous ce régime n'ont aucun droit et ne sont soumises à aucune des obligations prévues par le Code pour les personnes mariées légalement.

> *Exemple*: Le patrimoine familial ne s'applique pas aux personnes qui choisissent cette façon de vivre. Le législateur a voulu respecter ici la liberté des individus dans l'organisation de leurs relations familiales. Toutefois, les enfants issus de ces unions jouissent des mêmes droits et ont les mêmes obligations que ceux dont les parents sont unis par les liens du mariage.

Tableau 4.2 Les régimes matrimoniaux

	Société d'acquêts	Séparation de biens	Communauté de biens
Actif	*Mari* Bien propres[1], acquêts[2]. *Épouse* Biens propres, acquêts. Les biens acquis après le mariage par chacun des époux sont réputés acquêts.	*Mari* Biens propres. *Épouse* Biens propres. Les biens dont aucun des époux ne peut revendiquer la propriété exclusive sont réputés indivis, c'est-à-dire qu'ils appartiennent à chacun pour moitié.	*Mari* Biens propres (avant le mariage). *Épouse* Biens propres (avant le mariage et biens réservés). Tous les autres biens appartiennent à la communauté, c'est-à-dire que chaque époux a droit à la moitié.
Passif	*Mari* Responsable à l'égard de ses propres et de ses acquêts pour dettes entrées de son chef. *Épouse* Responsable à l'égard de ses propres et de ses acquêts pour dettes entrées de son chef. Responsabilité également à l'égard de ses acquêts (1/2 - 1/2) pour dettes entrées du chef de l'autre conjoint.	*Mari* Responsable de ses dettes. *Épouse* Responsable de ses dettes. Si les époux ont des dettes communes, ils en sont tous deux responsables.	*Mari* Responsable des dettes propres ou entrées de son chef. *Épouse* Responsable des dettes propres ou entrées de son chef. Chaque conjoint a aussi une responsabilité à l'égard des biens de la communauté (1/2 - 1/2) pour les dettes entrées du chef de l'autre conjoint, ainsi que des dettes de la communauté.
Pouvoir des époux sur leurs biens	*Mari* Administre seul ses propres et ses acquêts. *Épouse* Administre seule ses propres et ses acquêts. Dans le cas d'aliénation gratuite des acquêts de l'un des conjoints, l'autre doit donner son consentement.	*Mari* Administre seul ses biens. *Épouse* Administre seule ses biens. Dans le cas de biens indivis, les deux conjoints administrent ensemble les biens.	*Mari* Administre seul ses propres. *Épouse* Administre seule ses propres et ses biens réservés, mais elle ne peut se départir de ses biens réservés à titre gratuit ni aliéner ou hypothéquer les immeubles en faisant partie sans consentement du mari. • Lorsque les biens sont administrés par le mari, celui-ci peut disposer seul des meubles, sauf d'une entreprise et des meubles du ménage, mais doit avoir le consentement de l'épouse pour disposer des immeubles. • Le mari ne peut les aliéner à titre gratuit.
À la dissolution	*Mari* Conserve ses propres et a droit à la moitié des acquêts de l'épouse. *Épouse* Conserve ses propres et a droit à la moitié des acquêts du mari. On peut renoncer au partage des acquêts du conjoint.	*Mari* Conserve ses biens. *Épouse* Conserve ses biens. Les biens indivis appartiennent à chacun pour moitié.	*Mari* Conserve ses propres. *Épouse* Conserve ses propres (et ses biens réservés si elle renonce à sa part de communauté). Les biens appartiennent à chacun pour moitié ; seule l'épouse peut y renoncer.

1. Biens propres : Biens que l'un ou l'autre des époux possédait avant le mariage ; ceux qu'il acquiert pendant la durée du régime, par héritage ou par donation, sont aussi considérés comme biens **propres** (lui appartenant exclusivement), de même que les biens qu'il acquiert en remplacement de ces biens propres.

2. Acquêts : Biens acquis après le mariage, comme les salaires, les revenus de placement ou de travail, de même que les biens acquis avec ces sommes d'argent.

Ajoutons que de plus en plus de lois à portée sociale reconnaissent, après un certain temps, l'union de fait. Sur le plan provincial, il y a, par exemple, la subvention pour frais de garde, l'aide juridique, le Régime de rentes du Québec, les accidents du travail et les maladies professionnelles, l'assurance-automobile, l'impôt du Québec, les prêts et bourses, le *Code de procédure civile* en matière de saisie ; sur le plan fédéral, on peut citer la sécurité de la vieillesse, l'assurance-chômage, les allocations aux anciens combattants, l'impôt du Canada.

Compte tenu du fait que de plus en plus de personnes choisissent cette façon de vivre ensemble, qu'ils ont des enfants et qu'ils amassent des biens, il est préférable que les conjoints de fait signent entre eux une **convention de vie commune** prévoyant les modalités de leur vie commune, l'inventaire des biens appartenant à chacun et les modalités de partage advenant un décès ou une séparation, afin d'éviter des problèmes à ce moment.

De plus, ils ont aussi avantage à rédiger un testament car, advenant le décès d'un conjoint de fait, le *Code civil* ne reconnaît pas les conjoints de fait au même titre qu'un conjoint marié. Il n'a pas le droit d'hériter de son conjoint de fait qui avait omis de faire un testament, même s'il demeure avec lui depuis 20 ans.

LE DIVORCE ET LA SÉPARATION

Les époux peuvent s'adresser au tribunal pour demander le **divorce** ou la **séparation de corps**. Cette dernière délie les époux de l'obligation de faire vie commune, mais ne rompt pas le lien du mariage. Seuls le décès d'un conjoint ou le divorce ont cette conséquence. Le juge qui entend une cause de divorce ou de séparation de corps statue sur l'entretien et la garde des enfants, le paiement de l'obligation alimentaire, la dissolution du régime matrimonial et le partage du patrimoine familial et la prestation compensatoire, le cas échéant. Il est important de noter qu'en vertu de l'article 494(2) C.c.Q., les époux peuvent demander la séparation dès qu'ils ne font plus vie commune, alors que, pour demander le divorce, ils doivent avoir cessé de faire vie commune depuis un an ou invoquer l'adultère de leur conjoint.

L'OBLIGATION ALIMENTAIRE (ART. 585 À 596 C.C.Q.)

Le code impose aux époux de même qu'aux parents en ligne directe (enfants, père, mère, grands-parents et arrière-grands-parents) l'obligation d'assurer la subsistance de ceux d'entre eux qui sont dans le besoin.

L'obligation alimentaire existe durant le mariage mais subsiste après le divorce, la séparation et même le décès.

Cette **obligation alimentaire** peut prendre la forme d'une pension versée à un membre de la famille incapable de subvenir à ses besoins essentiels. Les tribunaux tiennent toutefois compte des moyens et des besoins de chacun dans l'octroi d'une telle pension afin de ne pas sacrifier la subsistance de l'un au profit de l'autre. En plus de cette obligation alimentaire, les parents ont celle de veiller à l'éducation de leurs enfants mineurs. L'obligation alimentaire prend le plus souvent la forme d'une pension alimentaire payable au conjoint dans le besoin et aux enfants, dans les cas de divorce et de séparation.

Advenant que celui qui paie une pension alimentaire décède, l'article 684 du *Code civil du Québec* stipule que le créancier de la pension alimentaire, généralement le conjoint ou les enfants mineurs du défunt, peut dans les six mois qui suivent le décès réclamer de la succession une contribution financière à titre de pension alimentaire. Celle-ci est attribuée sous forme d'une somme forfaitaire payable au comptant ou par versements. Si c'est l'ex-conjoint du défunt qui la réclame, elle est égale à 12 mois d'aliments (art. 688 C.c.Q.).

Il est important de noter que les conjoints de fait n'ont pas de pension alimentaire à se verser entre eux advenant leur séparation et ce, même s'ils ont vécu ensemble pendant 15 ans ou plus. Par ailleurs, en vertu du lien de filiation, ils doivent continuer à voir à l'entretien de leurs enfants mineurs et peuvent se voir condamner à leur payer une pension alimentaire.

LA GARDE LÉGALE DES ENFANTS

Durant le mariage, le père et la mère ont la garde légale de leurs enfants mineurs et exercent l'autorité parentale. Même après un divorce ou une séparation, ils ont le devoir de veiller à leur entretien et à leur éducation. Généralement, le juge qui prononce le jugement de divorce ou de séparation accordera la garde légale des enfants mineurs à celui des époux avec lequel les enfants mineurs vont demeurer, l'autre conjoint ayant alors des droits de visite et de sortie des enfants mineurs. Le critère retenu par le juge est l'intérêt de l'enfant.

LA PRESTATION COMPENSATOIRE

Maintenant, la loi tient aussi compte de la contribution d'un conjoint à l'enrichissement de l'autre en dehors des charges du mariage. Ainsi dans le cas de la dissolution du mariage, à la suite d'un divorce, d'une séparation de corps, d'une annulation de mariage ou d'un décès, le tribunal peut accorder à un conjoint qui en fait la demande une **prestation compensatoire**. Cette prestation revêt la forme d'une indemnité versée à l'un des deux conjoints pour des services rendus gratuitement.

Exemple : À titre d'employé dans un commerce dont l'autre détient la propriété exclusive, ou encore en contrepartie du paiement partiel d'une propriété appartenant à l'autre conjoint.

C'est l'article 427 qui est à la base de la demande de prestation compensatoire par l'un des époux.

Figure 4.1   Le partage du patrimoine familial peut se faire à l'amiable ou nécessiter l'intervention du Tribunal.

N'importe lequel des époux qui s'estime lésé peut demander une prestation compensatoire. Celle-ci prend généralement la forme du paiement d'une somme d'argent en un ou plusieurs versements, mais le juge peut intervenir et forcer le conjoint débiteur à transférer un ou plusieurs biens au conjoint lésé.

Exemple : Une épouse séparée de biens qui a versé tous ses salaires pour pourvoir à l'entretien, à l'habillement et à l'alimentation de la famille pourra réclamer une prestation compensatoire au moment du divorce ou de la séparation si, pendant le mariage, son mari a acheté en son nom personnel pour 100 000 $ d'obligations d'épargne du Québec à même son salaire.

Il est important de noter que la notion de prestation compensatoire n'a rien à voir avec le partage du patrimoine familial, qui est quant à lui obligatoire en cas de divorce ou de séparation.

LE PATRIMOINE FAMILIAL

Comme nous l'avons vu précédemment, on doit procéder au partage du patrimoine familial en cas de divorce ou de séparation.

LES SUCCESSIONS

Parfois, la succession d'une personne amène de nombreux problèmes à ses héritiers parce qu'elle est mal planifiée.

Les articles 613 à 702 du *Code civil du Québec* établissent les règles applicables aux droits successoraux et aux successions *ab intestat*.

LES SUCCESSIONS *AB INTESTAT*

Succession *ab intestat* : Succession réglée par la loi seule dans le cas où une personne décède sans laisser de testament.

La succession testamentaire survient lorsqu'une personne décède après avoir exprimé ses dernières volontés quant à l'attribution de ses biens ; on suit alors les dernières volontés exprimées par le défunt dans son testament. Les mécanismes juridiques qui réglementent les successions sont complexes et nous n'en ferons pas une étude exhaustive dans le présent ouvrage. Nous nous contenterons d'examiner le cas le plus fréquent de dévolution successorale, c'est-à-dire celui où la personne décède en laissant un conjoint survivant. Dans une telle éventualité, aux termes des articles 666 et suivants du *Code civil du Québec*, le conjoint hérite :

- *de la totalité de la succession*, s'il n'y a pas de descendants (enfants, petits-enfants, etc.), ni d'ascendants privilégiés (père et mère), ni collatéraux privilégiés (frères, sœurs, neveux et nièces au premier degré) (voir figure 4.2) ;

- *du tiers (1/3) de la succession*, s'il y a des descendants ; ces derniers reçoivent alors les deux tiers (2/3) (voir figure 4.3) ;

- *des deux tiers (2/3) de la succession*, s'il n'y a pas de descendants, mais des ascendants privilégiés et des parents collatéraux privilégiés ; dans un tel cas, les ascendants privilégiés reçoivent l'autre tiers (1/3) (voir figure 4.4) ;

- *des deux tiers (2/3) de la succession*, s'il y a ni descendants ni ascendants, mais des parents collatéraux privilégiés ; ces derniers reçoivent alors l'autre tiers (1/3) (voir figure 4.5).

Figure 4.2   Pierre n'a aucun parent proche et il décède. Carole, son épouse survivante, hérite alors de la totalité de la succession.

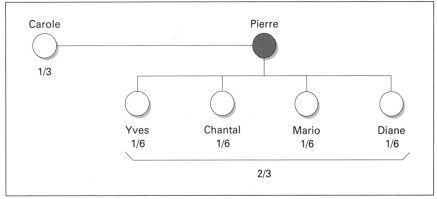

Figure 4.3   Pierre décède en laissant son épouse Carole et quatre enfants : Yves, Chantal, Mario et Diane. Sa succession se partagera de la façon illustrée ci-dessus.

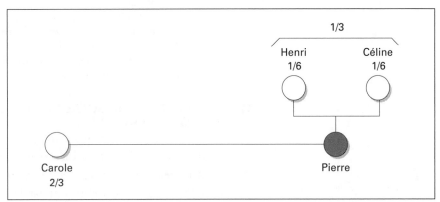

Figure 4.4   Pierre décède en laissant son épouse Carole, sa mère Céline, son père Henri, sa sœur Claudette, ses deux nièces Josée et Sophie, issues de son frère Denis, prédécédé. Sa succession se partagera de la façon illustrée ci-dessus.
Il est important de noter que les ascendants privilégiés (père et mère du défunt) héritent prioritairement sur les collatéraux privilégiés (frères, sœurs, neveux et nièces).

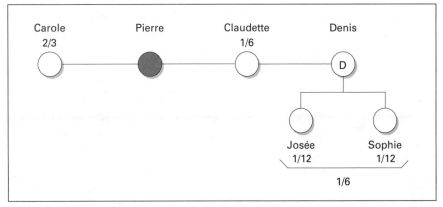

Figure 4.5   Pierre décède en laissant son épouse Carole, sa sœur Claudette et ses deux nièces Josée et Sophie, issues de Denis, prédécédé. Sa succession se partagera de la façon illustrée ci-dessus.

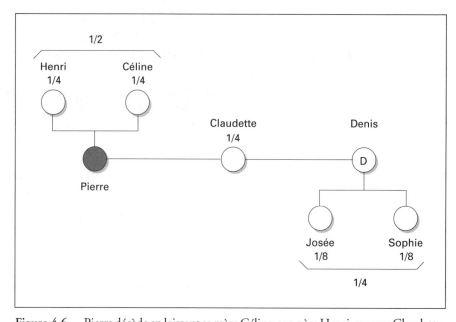

Figure 4.6 Pierre décède en laissant sa mère Céline, son père Henri, sa sœur Claudette, ses deux nièces Josée et Sophie, issues de son frère Denis, prédécédé. Sa succession se partagera de la façon illustrée ci-dessus.

À défaut de descendants et de conjoint survivant, les ascendants privilégiés et les collatéraux privilégiés se partagent également la succession.

Il est important de noter que si Pierre décède alors que son épouse est déjà décédée en laissant un enfant ainsi que sa mère, son père, sa sœur et ses deux nièces, l'enfant héritera de la totalité de la succession à l'exclusion des ascendants et des collatéraux.

QU'ARRIVE-T-IL LORSQUE LE DÉFUNT LAISSE PLUS DE DETTES QUE D'ACTIFS ?

L'article 625 C.c.Q. stipule que tous les héritiers acceptent la succession sous bénéfice d'inventaire. De plus, en acceptant la succession, l'héritier n'est pas tenu aux dettes au-delà des biens dans la succession.

« **Art. 625 C.c.Q.** Les héritiers sont, par le décès du défunt ou par l'événement qui donne effet à un legs, saisis du patrimoine du défunt sous réserve des dispositions relatives à la liquidation successorale.

Ils ne sont pas, sauf les exceptions prévues au présent livre, tenus des obligations du défunt au-delà de la valeur qu'ils recueillent et ils conservent le droit de réclamer de la succession le paiement de leurs créances. »

Ils sont saisis des droits d'action du défunt contre l'auteur de toute violation d'un droit de la personnalité ou contre ses représentants.

Le *Code civil* fixe à 10 ans le délai pour se faire reconnaître comme héritier à partir de l'ouverture de la succession.

LA SUCCESSION TESTAMENTAIRE

Testament : Acte juridique unilatéral révocable établi dans l'une des formes prévues par la loi, par lequel le testateur dispose de tous ses biens ou d'une partie de ceux-ci, et qui n'a d'effet qu'à son décès.

Est-il essentiel de faire un *testament* ? Il faut répondre par l'affirmative si l'on se prétend un administrateur avisé qui veut éviter que, après sa mort, l'État ne se charge de faire le partage de ses biens et les distribue à sa place, sans tenir compte du moindre de ses désirs.

Un testament est un acte important qui doit être fait de façon judicieuse ; pour l'essentiel, il contient la description des biens du testateur, leur mode de distribution aux légataires, les conditions de ses funérailles, le mode de disposition de son cadavre et, enfin, le nom de son ou de ses exécuteurs testamentaires.

L'article 704 C.c.Q. définit le *testament* comme étant un acte juridique unilatéral révocable établi dans l'une des formes prévues par la loi, par lequel le testateur dispose de tous ses biens ou d'une partie de ceux-ci, et qui n'a d'effet qu'à son décès.

Au Québec, tout majeur sain d'esprit peut tester. En général, les incapables (mineurs, majeurs protégés) ne peuvent léguer leurs biens par testament. Toutefois, le *Code civil du Québec* établit qu'un mineur peut tester quant à ses biens de valeur modique, et dans certaines circonstances, il reconnaît à un majeur mis en tutelle la possibilité de tester. Le *Code civil* reconnaît trois formes de testament : le testament notarié, le testament olographe et le testament devant témoins.

LE TESTAMENT NOTARIÉ

Testament notarié : Testament qui doit être signé par le testateur devant un notaire assisté d'un témoin, ou, en certains cas, de deux témoins qui ne sont pas des conjoints ni des héritiers et qui ne sont pas apparentés au notaire, ou encore devant deux notaires.

Le *testament notarié* offre certains avantages sur les deux autres formes de testaments. Ainsi le notaire en conserve l'original dans son greffe. Les noms du testateur et du notaire sont consignés au registre central des testaments de la Chambre des notaires ; au moment du décès du testateur, il sera donc facile de retracer le testament ; par ailleurs, étant donné son caractère authentique, il ne sera pas nécessaire de le faire vérifier par le tribunal.

LE TESTAMENT OLOGRAPHE

Testament olographe : Forme la plus simple et la plus connue de testament. C'est celui qui est écrit en entier et signé de la main du testateur, autrement que par un moyen technique. Il ne requiert ni notaire ni témoin.

Le *testament olographe* présente certains avantages :

- aucuns frais ;
- discrétion assurée puisqu'il n'exige pas de témoin ;
- facile à modifier en tout temps.

Mais il comporte de sérieux inconvénients :

- possibilité qu'il tombe entre les mains d'un parent insatisfait qui le ferait disparaître ;
- danger qu'il ne soit pas retrouvé au décès du testateur ;
- risque de falsification.

On conseille donc à toute personne désirant recourir à cette forme de testament de ranger le document contenant ses dernières volontés dans un coffret de sûreté et d'en avertir une personne de confiance.

LE TESTAMENT DEVANT TÉMOINS

Testament devant témoins : Forme de testament qui ne requiert pas de notaire ; il peut être écrit par le testateur ou par une autre personne, mais doit être signé ou reconnu par le testateur en présence de deux témoins majeurs qui y apposent également leur signature.

Lorsqu'on opte pour un *testament devant témoins*, l'article 728 C.c.Q. oblige le testateur et les témoins à parapher (initialer) ou à signer chaque page de l'acte lorsque le testament est écrit par un tiers (un avocat, par exemple) ou par un moyen technique (à la machine à écrire, par exemple). Il est à souligner que les témoins ne peuvent être mari et femme ni d'éventuels héritiers. Les avocats rédigent cette forme de testament ; dans ce cas, les testaments doivent être obligatoirement enregistrés au registre des testaments du Barreau du Québec, ce qui permet de les retracer au moment du décès du testateur.

Pour qu'ils soient valables et exécutoires, les testaments olographes et devant témoins doivent être **vérifiés** au moyen d'une requête présentée au greffier de la Cour supérieure. Cette procédure vise à reconnaître que toutes les conditions de forme ont été respectées et à prévenir les faux. L'article 714 C.c.Q. mentionne qu'un testament olographe ou devant témoins qui ne satisfait pas aux conditions requises pour sa forme vaut néanmoins s'il y satisfait pour l'essentiel et s'il contient de façon certaine et non équivoque les dernières volontés du défunt.

Tableau 4.3   Les formes de testament

Forme	Caractéristiques
Testament notarié	· Signé par le testateur devant un notaire et un témoin ou devant deux notaires ; · copie conservée au greffe du notaire ; · consigné au registre central des testaments de la Chambre des notaires pour le retrouver facilement.
Testament olographe	· Écrit en entier et signé de la main du testateur autrement que par un moyen technique ; · ne requiert aucun témoin ; · danger de ne pas le retrouver ou qu'un parent insatisfait ne le fasse disparaître.
Testament devant témoins	· Ne requiert pas de notaire ; · peut être écrit par le testateur ou une autre personne (Exemple : un avocat) ; · doit être signé ou reconnu par le testateur en présence de deux témoins majeurs qui le signent, et chaque page doit être initialée ; · possibilité d'en déposer copie auprès d'un avocat et de l'enregistrer au registre des testaments du Barreau du Québec pour le retracer facilement.

Cette brève étude des types de testaments ne serait pas complète sans la mention d'une clause fort utilisée au Québec dans les contrats de mariage et que l'on nomme clause testamentaire ; cette clause est habituellement rédigée de la façon suivante : « Au dernier vivant les biens », c'est-à-dire que le conjoint survivant hérite de tous les biens de celui qui le prédécède.

LE LIQUIDATEUR DE LA SUCCESSION

Quelle que soit la forme de testament que l'on privilégie, il est essentiel que le testateur nomme une personne de confiance qui administrera sa succession et verra à ce que ses dernières volontés soient respectées. Le *Code civil du Québec* utilise l'expression « **liquidateur de la succession** » (anciennement l'exécuteur testamentaire) et l'on parle de la *liquidation de la succession* telle que la définit l'article 776 C.c.Q.

La figure 4.7 illustre les principales étapes de la liquidation d'une succession.

Pour exercer la charge de liquidateur, il ne faut pas être incapable. Il est important de noter que la charge incombe de plein droit aux héritiers à moins d'une disposition testamentaire contraire (exemple : la nomination d'un liquidateur par le testateur).

Les héritiers peuvent désigner à la majorité un liquidateur ou voir à son remplacement (exemple : un avocat, un notaire, un comptable). La personne ainsi désignée n'est évidemment pas obligée d'accepter cette charge mais, si elle l'accepte, elle ne pourra y renoncer sans l'autorisation préalable du tribunal. À l'exception des cas où c'est un professionnel (avocat ou notaire) qui exerce cette charge, elle est gratuite et seuls les frais engagés pour le règlement de la succession seront remboursés au liquidateur, ce qui n'empêche pas le testateur de lui léguer des biens ou une somme d'argent à titre de récompense.

Liquidation de la succession *ab intestat* ou testamentaire : Il s'agit ici d'identifier les successibles et de les appeler à déterminer le contenu de la succession, à recouvrer les créances, à payer les dettes de la succession, qu'il s'agisse des dettes du défunt, des charges de la succession ou des dettes alimentaires, à payer les legs particuliers, à rendre des comptes et à faire la délivrance des biens.

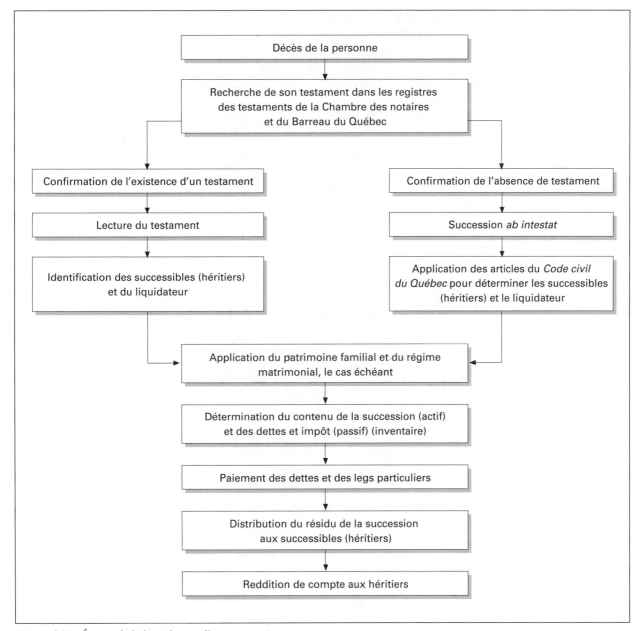

Figure 4.7 Étapes de la liquidation d'une succession

Le *Code civil du Québec* indique que le liquidateur dispose de tout le temps nécessaire à la liquidation de la succession. En résumé, ce dernier devra veiller aux funérailles du défunt conformément à ses dernières volontés, dresser l'inventaire des biens du défunt, payer ses dettes, procéder à la clôture de l'inventaire ainsi qu'à sa publication dans un journal et dans le registre des droits personnels et réels mobiliers, puis partager ses biens entre ses légataires.

Mentionnons qu'il appartient au liquidateur de rédiger les déclarations des revenus du défunt pour l'année en cours et d'acquitter, le cas échéant, les droits successoraux. Il s'agit donc d'une tâche complexe qui requiert à tout le moins des connaissances de base en administration, et le testateur aurait intérêt à tenir compte de ces facteurs avant de choisir son liquidateur ; à défaut de connaître une personne possédant ces compétences parmi les membres de sa famille ou ses amis, il serait bien avisé d'avoir recours aux services d'une société de fiducie ou d'un professionnel compétent en la matière.

L'APPLICATION DU PATRIMOINE FAMILIAL DANS LA SUCCESSION

Les principes de liberté de tester demeurent, mais ils sont désormais subordonnés à la notion de patrimoine familial.

Ainsi le défunt qui est marié ne pourrait plus léguer à ses enfants la totalité de la résidence familiale et du chalet qui sont enregistrés à son seul nom. Au moment du décès, ces deux biens qui font partie du patrimoine familial sont évalués, disons à 200 000 $. L'épouse a droit à la moitié de cette valeur, par l'application des principes régissant le patrimoine familial. Le défunt ne pourra donc léguer que l'autre moitié (100 000 $) à ses enfants.

Quant aux biens qui sont exclus du patrimoine familial, placements et autres biens et immeubles, le testateur peut en disposer à sa guise, en totalité.

RÉSUMÉ

- La famille constitue l'ensemble des personnes unies par le mariage ou par la filiation, ou par la parenté ou l'alliance.

- Les principaux attributs et caractéristiques de la famille sont : le mariage, la filiation, l'adoption, l'autorité parentale, les régimes matrimoniaux (société d'acquêts, séparation de biens et communauté de biens), l'union libre, le divorce et la séparation.

- Dans le cas d'un divorce ou d'une séparation, on doit considérer l'obligation alimentaire, la garde légale des enfants, la prestation compensatoire et l'application du patrimoine familial.

- Il existe deux sortes de succession : la succession *ab intestat* ou sans testament et la succession testamentaire. Dans la première, c'est le *Code civil du Québec* qui prévoit la dévolution des biens et les héritiers ou successibles. Dans la seconde, c'est le testateur dans son testament.

- Il existe trois formes de testament : le testament notarié, le testament olographe et le testament devant témoins.

- C'est le liquidateur de la succession qui administrera la succession.

RÉSEAU DE CONCEPTS

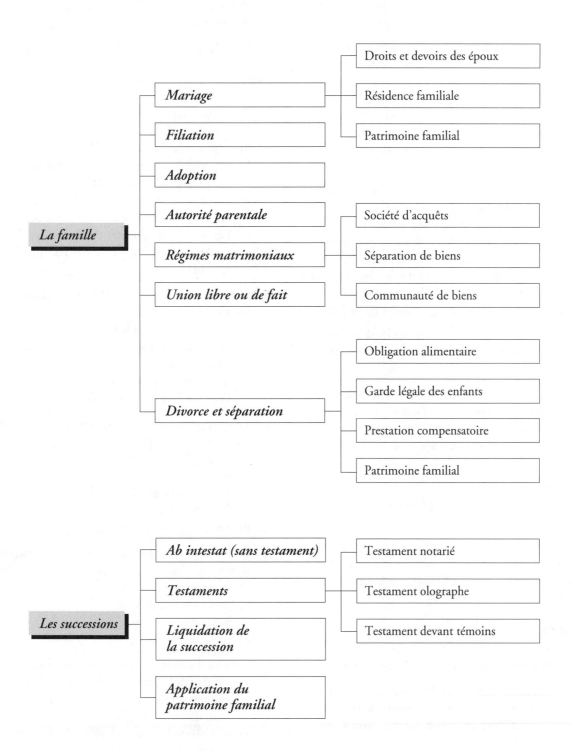

EXERCICES

ASSOCIATIONS

Associez un des termes ci-dessous à l'une des définitions qui suivent :

- comptes de banque
- devant témoins
- liquidateur
- successoral
- patrimoine familial
- automobiles
- séparation de biens
- enfants
- exécuteur
- *ab intestat*
- olographe
- société d'acquêts
- créancier
- débiteur
- usufruitier

1. Le ___ est constitué des biens suivants dont l'un ou l'autre des époux est propriétaire au moment du décès, d'un divorce ou d'une séparation de corps : les résidences principale et secondaires et les meubles qui les garnissent, les droits accumulés dans leurs régimes de retraite, les gains inscrits durant le mariage en application de la *Loi sur le régime de rentes du Québec* ainsi que les ___ utilisées par la famille.

2. Avant le 1er juillet 1970, le régime légal au Québec était la communauté de biens ; depuis cette date, il a été remplacé par la ___ .

3. Les personnes qui vivent ensemble sous le régime de l'union libre ou de fait n'ont aucun droit et ne sont soumises à aucune des obligations que possèdent les époux mariés, si ce n'est à l'égard des ___ .

4. La personne chargée d'administrer la succession et de voir aux dernières volontés du défunt s'appelle ___ .

5. Il existe trois formes de testaments : le testament notarié, le testament ___ , écrit en entier de la main du testateur et qui ne nécessite pas de témoins, et le testament ___ .

VRAI OU FAUX

Indiquez si les affirmations suivantes sont vraies ou fausses. Si l'affirmation est fausse, précisez pourquoi.

1. Si un homme marié décède sans testament en laissant comme héritiers une épouse et deux enfants, son patrimoine se divise moitié-moitié entre l'épouse et les enfants.

2. Le salaire des conjoints et leurs épargnes personnelles font partie du patrimoine familial.

3. Les enfants issus du mariage doivent obligatoirement porter les noms de famille de leur père et de leur mère.

4. Les époux qui choisissent le régime de la séparation de biens doivent obligatoirement passer un contrat de mariage.

5. C'est le père qui exerce l'autorité parentale.

CHOIX MULTIPLES

1. Si un homme décède sans testament et sans enfants, mais en laissant son épouse, sa mère et un frère, sa succession se divisera ainsi :
   a) l'épouse hérite de tout.
   b) l'épouse hérite du tiers (1/3) de la succession et la mère des deux tiers (2/3).
   c) l'épouse hérite des deux tiers (2/3) de la succession, et la mère de l'autre tiers (1/3).
   d) l'épouse hérite du tiers (1/3), la mère du deuxième tiers (1/3) et le frère du troisième tiers (1/3).

2. Les biens suivants sont exclus du patrimoine familial :
   a) la résidence secondaire.
   b) les certificats d'actions de compagnies cotées à la Bourse.
   c) les droits accumulés dans un REÉR.
   d) l'automobile du père de famille.

3. Le testament rédigé de façon manuscrite et signé par le testateur s'appelle :
   a) olographe.
   b) authentique.
   c) suivant la forme dérivée de la loi d'Angleterre.
   d) aucune des réponses précédentes.

4. Les biens que des époux mariés en 1980, sans contrat de mariage, ont acquis après le mariage s'appellent :
   a) biens propres.
   b) biens communs.
   c) biens communaux.
   d) biens d'acquêts.

5. Lorsque l'un des conjoints a contribué à l'enrichissement de l'autre pendant le mariage en dehors des charges du mariage, il a le droit, en cas de dissolution du mariage, d'obtenir :
   a) une prestation patrimoniale.
   b) une pension alimentaire.
   c) une prestation de dissolution.
   d) une prestation compensatoire.

CAS PRATIQUES

1. Depuis son mariage, il y a 10 ans, Francine travaille comme secrétaire pour l'entreprise de construction de son mari. En plus du secrétariat, elle s'occupe de la comptabilité. Durant toutes ces années, Robert, son mari, ne lui a pas versé de salaire, les époux estimant que, de toute façon, cela restait dans le même portefeuille.

    L'entreprise qui existe depuis 15 ans a grandement prospéré au cours des dernières années. Les relations entre les conjoints ont commencé à s'envenimer au point que Francine songe sérieusement à intenter des procédures de divorce contre son mari. Les époux sont mariés sous le régime de la séparation de biens en vertu d'un contrat de mariage intervenu devant le notaire Bélanger. Selon ce contrat, Robert a fait donation à Francine des meubles meublant la maison totalisant une valeur de 10 000 $. La maison est enregistrée au nom de Robert. Francine vous consulte pour connaître ses droits. Elle veut savoir :

    a) si elle a des droits dans le commerce de son mari en raison de sa contribution (expliquez votre réponse) ;

    b) si elle peut empêcher son mari de vendre la maison avant le début des procédures de divorce ;

    c) si le patrimoine familial s'applique dans son cas, étant donné qu'elle s'est mariée avant 1989 ;

    d) si votre réponse à la question précédente est oui, de quelle façon le patrimoine familial sera-t-il divisé ?

2. Émile Robitaille décède, laissant dans le deuil son épouse Carole et leurs deux enfants Stéphane et Martine. Quinze mois avant son décès, les relations avec son épouse s'étant détériorées, Émile avait quitté le domicile conjugal pour aller vivre avec Monique Lemire sans qu'aucune procédure en divorce ou en séparation ne soit intentée par l'un ou l'autre des époux. Durant cette période, Monique a donné naissance à une petite fille, Caroline, dont Émile a reconnu la paternité. Émile et Carole étaient mariés sous le régime de la société d'acquêts et, au décès, le patrimoine d'Émile est composé des biens suivants :

    - la résidence familiale d'une valeur de 100 000 $ et entièrement payée ;
    - un compte en banque de 5000 $;
    - une automobile d'une valeur de 10 000 $;
    - un REÉR d'une valeur de 25 000 $.

    Deux ans avant son décès, Émile avait fait un testament notarié dans lequel il léguait tous ses biens en parts égales à sa femme Carole et à ses enfants.

    En fouillant dans les papiers d'Émile, Monique trouve une lettre écrite de la main de ce dernier dans laquelle il lui lègue tous ses biens et annule tout testament antérieur.

    Carole vous consulte pour connaître ses droits et ceux de ses enfants et vous montre les deux testaments.

    a) Lequel des testaments est valide ?

    b) Dans l'hypothèse où le testament trouvé par Monique est celui qui prévaut, est-ce que Carole et les enfants ont des droits sur le patrimoine d'Émile ?

    c) Dans l'hypothèse où le testament notarié trouvé par Carole est celui qui prévaut, est-ce que Monique et Caroline ont des droits sur le patrimoine d'Émile ? Expliquez votre réponse.

3. Jean et Johane sont mariés depuis 13 ans sous le régime de la séparation de biens. Jean est un homme d'affaires prospère alors que Johane exerce la profession de comptable. Ils ont trois enfants : Carole, Isabelle et Alexandre, âgés respectivement de dix, sept et trois ans. Les époux sont propriétaires des biens suivants :

    - une maison enregistrée au nom de Jean d'une valeur de 275 000 $ et grevée d'une hypothèque de 95 000 $;
    - un chalet d'été situé à Ogunquit aux États-Unis d'une valeur de 125 000 $, entièrement payé et enregistré au nom de Jean et de Johane ;
    - un chalet d'hiver dans les Laurentides, enregistré au nom de Johane, d'une valeur de 95 000 $ et grevé d'une hypothèque de 25 000 $;
    - les meubles meublant ces trois immeubles d'une valeur de 75 000 $ et entièrement payés. Dans leur contrat de mariage, Jean a fait don à Johane des meubles meublant la résidence familiale totalisant une valeur de 15 000 $.
    - la Honda Accord de Johane d'une valeur de 17 000 $;

- la Mercedes de Jean d'une valeur de 55 000 $ et grevée d'un prêt de 25 000 $;
- le REÉR de Jean d'une valeur de 125 000 $;
- le REÉR de Johane d'une valeur de 80 000 $;
- les comptes en banque de Jean totalisant 27 000 $;
- les comptes en banque de Johane totalisant 62 000 $;
- un immeuble à revenus d'une valeur de 200 000 $ que Johane a hérité de son père il y a cinq ans et qui est grevé d'une hypothèque de 25 000 $;

- les actions de Jean dans son commerce Gestion Avenir inc. évaluées à 500 000 $.

Après plusieurs mois de disputes répétées, Johane intente une action en divorce contre Jean et demande la garde des enfants.

a) Calculez la valeur du patrimoine familial en expliquant pourquoi certains biens en sont exclus.

b) Si les époux avaient été mariés sous le régime de la société d'acquêts, décrivez le partage qui serait intervenu entre eux et les incidences du patrimoine familial.

CHAPITRE 5

LES BIENS ET LA PROPRIÉTÉ

OBJECTIFS ET ÉLÉMENTS DE COMPÉTENCES

1 Savoir distinguer les biens selon le *Code civil du Québec.*

2 Comprendre les conséquences juridiques de la distinction entre les meubles et les immeubles, et les appliquer à des mises en situation.

3 Définir le droit de propriété.

4 Distinguer les principaux démembrements du droit de propriété.

5 Connaître les divers modes d'acquisition du droit de propriété.

6 Connaître les principales modalités de la propriété : la copropriété divise ou *condominium.*

7 Appliquer ces notions à des situations pratiques.

LES BIENS

Dans les chapitres précédents, nous avons parlé des droits de la personne et notamment de ses droits patrimoniaux. Nous avons vu que le patrimoine d'un individu se compose de son actif et de son passif. L'actif d'une personne est formé des droits et des choses qu'elle possède. Nous avons établi que certains droits patrimoniaux, tels les droits réels, consistaient en une relation entre une personne et une chose.

En termes juridiques, on nomme cette chose un bien, et l'article 899 du *Code civil du Québec* stipule que tous les biens, qu'ils soient corporels ou incorporels, se divisent en immeubles et en meubles.

Les *biens corporels* sont des biens matériels ; on peut donc les toucher, les palper. Dans cette catégorie entrent une maison, une automobile, une chaise, un arbre, etc.

Les *biens incorporels* sont des biens immatériels et impalpables que l'on perçoit par l'esprit. Dans cette catégorie entrent les droits d'auteur, les droits de créance et de propriété, les salaires, les actions et les obligations d'une société, les fonds de commerce, etc.

Dans le langage courant, on utilise souvent les expressions meubles et immeubles pour décrire certains biens ou certaines situations :
- « Les meubles de ma maison » ;
- « un huissier a saisi tous les meubles appartenant à la compagnie » ;
- « mon père a vendu son immeuble » ;
- « un agent d'immeuble » ;
- « donner ses immeubles en garantie d'un prêt » ;
- « léguer tous ses biens meubles et immeubles ».

Dans le *Code civil du Québec*, le législateur a voulu simplifier la terminologie et on ne parle que de meubles ou d'immeubles, sans autrement les qualifier.

Dans la pratique, on peut cependant distinguer les catégories illustrées à la figure 5.1.

Biens corporels : Biens matériels, donc biens que l'on peut toucher, palper.

Biens incorporels : Biens immatériels et impalpables que l'on perçoit par l'esprit.

LES MEUBLES

Le *Code civil du Québec* reconnaît trois catégories de biens meubles : les meubles par nature, les meubles par anticipation et les meubles par qualification de la loi.

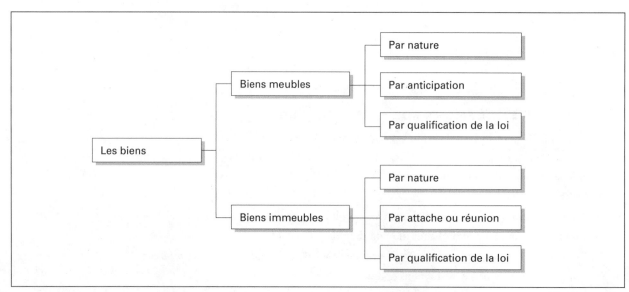

Figure 5.1   Les catégories de biens

MEUBLES PAR NATURE

Meubles par nature : Choses qui peuvent se transporter, soit qu'elles se meuvent par elles-mêmes, soit qu'il faille une force étrangère pour les déplacer (art. 905 C.c.Q.).

L'article 905 du *Code civil* définit les ***meubles par nature*** comme des choses pouvant se transporter, soit par elles-mêmes, soit par une force extérieure à elles-mêmes. On retrouve dans cette catégorie ce que l'on peut qualifier de biens meubles corporels (fauteuils, tables, pupitres, chaises, appareils de télévision, automobiles, cuisinières, etc.), c'est-à-dire tout ce que l'on déplace dans un déménagement. Un chien, un chat ou des poissons rouges qui se meuvent par eux-mêmes sont aussi des meubles par nature.

MEUBLES PAR ANTICIPATION

Meubles par anticipation : Biens qui sont au départ des biens immeubles corporels, mais qui peuvent être considérés d'avance par les parties à un contrat comme des biens meubles.

Les ***meubles par anticipation*** constituent une nouvelle catégorie de bien élaborée par la jurisprudence et reconnue dans le *Code civil du Québec*. Ce sont les biens qui sont au départ des biens immeubles corporels, mais qui peuvent être considérés d'avance par les parties à un contrat comme des biens meubles. C'est aussi le cas des fruits et autres produits du sol tels les végétaux et les minéraux qui sont considérés comme partie intégrante de l'immeuble ou du fonds de terre tant qu'ils n'en sont pas séparés ou extraits.

L'article 900 (2) indique :

« ... Toutefois, les fruits et les autres produits du sol peuvent être considérés comme des meubles dans les actes de disposition dont ils sont l'objet. »

Il en est de même des biens immeubles par attache ou réunion tels les matériaux et autres éléments ou équipements faisant partie intégrante d'un immeuble par nature.

> *Exemple* : C'est le cas des matériaux de démolition qui en sont détachés après en avoir fait partie intégrante.

> *Exemple* : Un agriculteur obtient un emprunt de 100 000 $ pour financer ses activités agricoles et il donne en garantie les fruits et produits de sa récolte à l'établissement financier.

MEUBLES PAR QUALIFICATION DE LA LOI

Meubles par qualification de la loi : Sont réputées meubles corporels les ondes ou l'énergie maîtrisées par l'être humain et mises à son service, quel que soit le caractère mobilier ou immobilier de leur source ; ainsi que les autres biens meubles ou immeubles que la loi n'a pas autrement qualifiés (art. 906 C.c.Q.).

Le *Code civil du Québec* qualifie un certain nombre de biens comme étant des meubles. C'est le cas de l'énergie électrique et du gaz (art 906 C.c.Q.).

De plus, l'article 907 stipule que tous les autres biens que la loi n'a pas qualifiés autrement de meuble ou d'immeuble sont automatiquement des meubles.

C'est aussi le cas des droits réels qui portent sur des meubles et des actions qui tendent à les faire valoir et ceux qui visent à obtenir la possession d'un bien meuble.

On classe dans la catégorie des ***meubles par qualification de la loi*** tous les droits personnels et intellectuels et les actions qui se rattachent à ces droits :

- Les actions ou obligations de sociétés ;
- les certificats d'actions ;
- les certificats de dépôt ;
- les droits relatifs à des actions ou à des créances ;
- les certificats d'obligation d'épargne ;
- les salaires ;
- les droits d'auteur ;
- les brevets ;
- les rentes ;
- l'achalandage et la clientèle qui se rattachent à une entreprise.

LES IMMEUBLES

Le *Code civil du Québec* reconnaît trois catégories de biens immeubles : les immeubles par nature, les immeubles par attache ou réunion et les immeubles par qualification de la loi.

Figure 5.2   On retrouve dans la catégorie des biens meubles par leur nature tout ce que l'on déplace dans un déménagement.

IMMEUBLES PAR NATURE

L'article 900 du *Code civil du Québec* définit cette catégorie de biens.

Les fonds de terre, les bâtiments, les maisons et les édifices sont des ***immeubles par nature***. Ce sont des biens à caractère fixe, immobile. L'immeuble est essentiellement un bien qui ne peut être déplacé. Selon l'article 900 du *Code civil,* les végétaux et les récoltes non encore cueillis, de même que les arbres, sont également considérés comme des immeubles. Mais ils deviennent meubles au fur et à mesure qu'ils sont coupés, détachés ou extraits. Il en va de même de l'édifice en démolition dont les matériaux désassemblés sont considérés comme des meubles.

De plus, les meubles qui sont incorporés à un immeuble et en assurent l'utilité perdent leur individualité et sont considérés comme partie intégrante d'un immeuble. C'est le cas des matériaux de construction.

L'article 902 du *Code civil du Québec* précise que les parties intégrantes d'un immeuble qui sont temporairement détachées de l'immeuble conservent leur caractère immobilier si ces parties sont destinées à y être replacées. Ce sera le cas d'une plinthe électrique ou d'une porte par exemple.

IMMEUBLES PAR ATTACHE OU RÉUNION

Contrairement aux biens meubles qui font partie intégrante d'un immeuble et qui ont perdu leur individualité pour devenir immeuble, les ***immeubles par attache ou réunion*** ne perdent pas leur individualité.

L'art. 903 du *Code civil du Québec* en donne la définition.

En d'autres mots, les ascenseurs et le système de climatisation seront des immeubles par attache ou réunion parce qu'ils **servent à l'utilité de l'immeuble** alors que les meubles d'un hôtel seront considérés comme des meubles, car ils servent à l'exploitation d'une entreprise dans l'immeuble et non à l'utilité de l'immeuble lui-même en tant qu'immeuble.

De la même manière, la machinerie lourde de production manufacturière se trouvant dans une usine ne sera pas considérée comme un immeuble par attache ou réunion puisqu'elle ne sert pas à l'utilité de l'immeuble, mais plutôt à l'exploitation d'une entreprise.

Pour qu'un bien meuble devienne immeuble par attache ou réunion, cinq conditions sont nécessaires :

1. On doit être en présence d'un immeuble par nature, un terrain ou une maison par exemple et d'un meuble par nature, tel un système d'alarme. Il n'est pas nécessaire que le meuble et l'immeuble appartiennent à la même

Immeubles par nature : Sont immeubles les fonds de terre, les constructions et ouvrages à caractère permanent qui s'y trouvent et tout ce qui en fait partie intégrante. Le sont aussi les végétaux et les minéraux, tant qu'ils ne sont pas séparés ou extraits du fonds (art. 900 C.c.Q.).

Immeubles par attache ou réunion : Meubles qui sont, à demeure, matériellement attachés ou réunis à l'immeuble, sans perdre leur individualité et sans y être incorporés, sont immeubles tant qu'ils y restent (art. 903 C.c.Q.).

personne. Ainsi si un locataire installe un système d'alarme dans son logement, il devient un immeuble par attache ou réunion de la même façon que si c'était le propriétaire qui l'avait installé.

2. Le bien meuble par nature doit être matériellement ou physiquement attaché ou réuni à l'immeuble. Ainsi, il sera cloué, vissé, collé, cimenté à l'immeuble.

3. L'attache ou la réunion du meuble à l'immeuble est faite de façon indéfinie et non temporaire. C'est-à-dire qu'une fois attaché à l'immeuble, on ne prévoit pas l'en détacher avant un certain temps.

4. Le bien meuble doit assurer **l'utilité de l'immeuble** comme le précise l'article 48 de la *Loi sur l'application de la réforme du Code civil*. Ainsi un système de climatisation pourra être considéré comme un immeuble par attache ou réunion s'il satisfait aux autres conditions de l'article 903, alors qu'une horloge ne le sera pas, ni un lave-vaisselle encastré.

5. Le bien meuble ne doit pas être intégré à l'immeuble de façon à perdre son individualité. Ce sera le cas d'une piscine hors terre par exemple. Tant qu'il est attaché ou réuni à un immeuble par nature et que cette attache satisfait aux conditions de l'article 903, le bien meuble est considéré comme un immeuble par attache ou réunion. Il perdra cette qualité pour redevenir un meuble par nature lorsque le propriétaire choisira de le détacher. Ce sera le cas de celui qui vend sa maison et qui garde son système d'alarme.

IMMEUBLES PAR QUALIFICATION DE LA LOI

L'article 907 mentionne que tous les autres biens que la loi ne qualifie pas sont meubles. Cela implique donc que la loi qualifie certains biens d'immeubles. C'est le cas notamment de l'article 904 du *Code civil*.

« **Art. 904 C.c.Q.** Les droits réels qui portent sur des immeubles, les actions qui tendent à les faire valoir et celles qui visent à obtenir la possession d'un immeuble sont immeubles. »

> *Exemple*: Ce sera le cas d'une action en bornage ou en reconnaissance du droit de propriété sur une parcelle de terrain.

Les démembrements du droit de propriété tels : l'usufruit, l'usage, les servitudes et l'emphytéose, que nous définirons plus loin, font également partie de ces droits réels.

CONSÉQUENCES JURIDIQUES DE LA DISTINCTION ENTRE IMMEUBLES ET MEUBLES

La distinction juridique entre les immeubles et meubles aboutit à deux régimes juridiques différents.

Ainsi à la lecture du *Code civil*, on constate cette distinction dans des situations bien précises notamment :

- la prescription acquisitive ;
- les saisies ;
- l'aliénation ou le transfert de propriété d'un bien ;
- le choix du lieu d'un procès ;
- la taxation municipale et scolaire ;
- la priorité du vendeur impayé ;
- les sûretés ;
- la déclaration de résidence familiale.

Prescription acquisitive : Moyen d'acquérir le droit de propriété ou l'un de ses démembrements par la possession d'un bien par le simple écoulement du temps.

LA PRESCRIPTION ACQUISITIVE

La *prescription acquisitive* est un moyen d'acquérir le droit de propriété ou l'un de ses démembrements par la possession d'un bien par le simple écoulement du temps. La prescription acquisitive est de trois ans pour les meubles et de dix ans pour les immeubles. Ce sujet est traité plus en détail dans le présent chapitre.

> *Exemple* : Denis trouve une montre dans la rue. Après trois ans, la montre sera considérée sa propriété.

LES SAISIES

Le créancier qui a obtenu un jugement contre son débiteur peut saisir les biens meubles et les biens immeubles de ce dernier. Le *Code de procédure civile* mentionne qu'on ne peut pas saisir un immeuble servant de résidence principale du débiteur pour une dette inférieure à 10 000 $, à moins qu'il ne s'agisse d'une créance hypothécaire ou alimentaire. De plus, on doit d'abord procéder à la saisie des meubles avant celle des immeubles, et c'est seulement si le produit de la vente aux enchères des meubles est insuffisant qu'on procédera à la saisie des immeubles.

La saisie mobilière est effectuée par un huissier, le même qui signifie les procédures dans une action civile. Ce dernier s'occupe de la saisie, de la publication des avis légaux et de la vente aux enchères. Les formalités sont moins longues et moins compliquées que pour la saisie immobilière.

La saisie immobilière est effectuée par un officier de justice, appelé shérif.

> *Exemple* : Lucie obtient un jugement condamnant Nancy à lui payer 9000 $. Lucie pourra envoyer un huissier chez Nancy pour saisir ses biens meubles, mais elle ne pourra pas saisir la maison de Nancy, qui est un immeuble, car le montant du jugement ne dépasse pas 10 000 $.

L'ALIÉNATION OU LE TRANSFERT DE PROPRIÉTÉ D'UN BIEN

L'aliénation ou le transfert de propriété d'un bien comprend la vente ou la donation de ce bien.

La **donation** est le contrat en vertu duquel le donateur transfère la propriété d'un bien à titre gratuit à une autre personne, le donataire.

La **vente** est le contrat par lequel le vendeur transfère la propriété d'un bien à une autre personne, l'acheteur, moyennant un prix en argent que l'acheteur s'oblige à payer.

Tout contrat d'aliénation d'un immeuble doit être fait par écrit, et publié au **Bureau de publicité des droits** dans le registre foncier. Cette publication tenant lieu de publicité légale, elle fait connaître le propriétaire actuel de même que les anciens propriétaires d'un immeuble et a pour effet de rendre la vente opposable aux tiers.

Il n'est pas nécessaire d'avoir un contrat écrit dans le cas de transfert de propriété d'un bien meuble ; le contrat verbal est suffisant. La loi n'oblige pas la publication des contrats de transfert de la propriété d'un bien meuble, car cette exigence couvrirait trop d'articles.

> *Exemple* : Claude veut donner son chalet à Collette. Pour que la donation soit valide, il doit obligatoirement faire un contrat qui sera publié au Bureau de la publicité des droits du district judiciaire où l'immeuble est situé.
>
> Par ailleurs, lorsque Marjolaine vend sa planche à voile à Ronald, ils peuvent très bien procéder par contrat verbal et à l'amiable, car il s'agit d'un bien meuble.

LE CHOIX DU LIEU D'UN PROCÈS

Dans une poursuite civile, la partie demanderesse qui intente l'action pourra le faire dans un district judiciaire différent selon qu'il s'agit d'une action relative à un meuble ou à un immeuble.

Ainsi, habituellement, une action civile intentée relativement à un immeuble le sera dans le district judiciaire dans lequel se trouve cet immeuble.

L'action civile intentée relativement à un bien meuble est habituellement intentée dans le district judiciaire où réside le défendeur, ou encore dans le district judiciaire où a eu lieu le contrat ou les dommages faisant l'objet d'une réclamation.

> *Exemple* : Élie poursuit Josée parce que la maison qu'il a achetée d'elle a un défaut caché. Son action sera intentée dans le district judiciaire où se trouve la maison. Par ailleurs, si Pierre poursuit Louise pour une somme de 5000 $ qu'elle lui doit, il intentera son action soit dans le district judiciaire où Louise réside, soit dans celui où a eu lieu le contrat entre eux.

LA TAXATION MUNICIPALE ET SCOLAIRE

Seuls les immeubles sont taxables aux fins municipales et scolaires. Les biens meubles ne le sont pas.

> *Exemple* : Monique paiera ses taxes foncières à la ville de Laval sur la valeur de l'évaluation municipale de sa maison et de son terrain. Si elle ajoute une piscine creusée à sa maison, il s'agit d'un immeuble et cela fera augmenter la valeur de sa propriété et donc de son compte de taxes. Par ailleurs, si elle achète pour 50 000 $ de meubles pour sa maison, cela n'augmente pas la valeur de son évaluation ni ses taxes municipales et scolaires.

LA PRIORITÉ DU VENDEUR IMPAYÉ

En vertu de l'article 2651 du *Code civil du Québec*, le vendeur impayé d'un bien meuble vendu à une personne physique qui n'exploite pas une entreprise possède un droit de priorité, c'est-à-dire le droit de se faire payer avant les autres créanciers de l'acheteur pour le prix du bien vendu.

Cette priorité ne s'applique que pour le vendeur de bien meuble et non pour le vendeur d'immeuble.

On voit donc l'importance de déterminer si un bien vendu est un meuble ou un immeuble.

> *Exemple* : Meubles Beaubois ltée vend des meubles à Jean Larivière et ce dernier est en défaut d'en payer le solde. Si après avoir obtenu un jugement Beaubois saisit les meubles vendus et les fait vendre aux enchères, il se fera payer avant les autres créanciers de Jean Larivière à même le produit de la vente aux enchères des meubles saisis.

LES SÛRETÉS

Toute personne peut pour des fins de financement donner ses biens en garantie d'un emprunt. En général, une telle sûreté ou garantie prend le nom d'hypothèque.

Les modalités de l'hypothèque immobilière sont différentes de celles de l'hypothèque mobilière. Ainsi la première exige d'être constituée par acte notarié en minute alors qu'un simple contrat ordinaire sans l'intervention d'un notaire est suffisant pour l'hypothèque mobilière.

Exemple: Le restaurant Le Maestro désire obtenir un prêt de 500 000 $. À cette fin, il devra signer un acte d'hypothèque notarié pour donner son immeuble en garantie à la banque, mais n'aura pas besoin d'un acte notarié pour donner ses équipements en garantie à la même banque parce qu'ils sont des biens meubles.

LA DÉCLARATION DE RÉSIDENCE FAMILIALE

Comme nous l'avons vu précédemment au chapitre 4 sur la famille, on peut publier une déclaration de résidence familiale pour un immeuble, mais pas pour les meubles.

LA PROPRIÉTÉ

Le législateur reconnaît à toute personne le droit d'acquérir des biens meubles et immeubles, d'en user, d'en jouir, d'en percevoir les fruits et les revenus et d'en disposer librement et complètement sous réserve des limites et des conditions d'exercice fixées par la loi (art. 947 C.c.Q.) ; c'est là l'essence même du droit de propriété.

ATTRIBUTS DU DROIT DE PROPRIÉTÉ

Propriété : Le législateur reconnaît à toute personne le droit d'acquérir des biens meubles et immeubles, d'en user, d'en jouir, d'en percevoir les fruits et les revenus et d'en disposer librement et complètement sous réserve des limites et des conditions d'exercice fixées par la loi (art. 947 C.c.Q.).

Le droit de *propriété* se caractérise par les trois éléments suivants :
- le droit d'utiliser un bien et d'en jouir (l'*usus*) ;
- le droit de percevoir les fruits et les revenus d'un bien (le *fructus*) ;
- le droit de disposer d'un bien (l'*abusus*).

DROIT D'UTILISER UN BIEN ET D'EN JOUIR (L'*USUS*)

Le propriétaire d'un bien peut l'utiliser à sa guise. Il peut donc permettre à qui il désire de s'en servir.

Exemple : Il peut consentir à ce qu'une personne habite sa maison ou son chalet ; il peut les louer pourvu qu'il respecte les lois et les règlements.

Exemple : Un propriétaire n'a pas le droit d'augmenter le loyer de son locataire sans motif suffisant ; il appartient alors au propriétaire de justifier la hausse du loyer exigée (par exemple, par l'augmentation des coûts d'entretien et de rénovation de l'immeuble).

LE DROIT DE PERCEVOIR LES FRUITS ET LES REVENUS D'UN BIEN *(LE FRUCTUS)*

Le propriétaire d'un bien peut en percevoir, d'une part, les fruits naturels, par exemple, les récoltes, le produit et l'accroissement des animaux, et, d'autre part, les fruits civils, par exemple les loyers des logements loués, les intérêts des placements bancaires, les dividendes de ses actions, etc.

LE DROIT DE DISPOSER D'UN BIEN (L'*ABUSUS*)

En principe, le *Code civil* accorde au propriétaire un droit absolu de disposer de son bien.

Exemple : Il peut le vendre, l'hypothéquer, le donner, le louer, le diviser et même le détruire. Mais ce droit d'en disposer a ses limites et ne doit en aucune façon aller à l'encontre de l'ordre public.

LIMITES D'EXERCICE DU DROIT DE PROPRIÉTÉ

L'ORDRE PUBLIC

On entend par ordre public les limites imposées par les lois. L'article 952 du *Code civil du Québec* stipule qu'un propriétaire ne peut être contraint de céder sa propriété si ce n'est par voie d'**expropriation**, faite suivant la loi pour une cause d'utilité publique, et moyennant une juste indemnité versée au préalable. Dans de tels cas, les différentes instances gouvernementales ont donc le droit d'exproprier un immeuble, voire de contraindre le propriétaire à s'en départir.

Citons quelques cas de notoriété publique :

- expropriation de terrains et de fermes à Sainte-Scholastique pour la construction de l'aéroport de Mirabel ;
- expropriation de terrains, d'édifices et de maisons pour la construction du métro de Montréal ;
- expropriation de terrains et de pâtés de maisons du centre-ville de Montréal pour la construction de l'autoroute Ville-Marie (l'autoroute est-ouest), etc.

Les municipalités viennent également limiter le droit absolu d'un citoyen de disposer de son bien en réglementant la création de zones résidentielles, commerciales et industrielles. Un citoyen peut donc se voir refuser un permis d'exploitation de commerce de vente au détail dans un immeuble si ce dernier est situé dans un quartier résidentiel ; il en va de même de l'octroi d'un permis de construction d'usine si l'emplacement choisi se trouve dans un territoire commercial (par exemple, un règlement de construction adopté par une municipalité pour l'ensemble ou une partie de son territoire en vertu de la *Loi sur l'aménagement et l'urbanisme*).

De plus en plus de lois à portée sociale tendent à restreindre l'exercice du droit de propriété individuelle en obligeant les citoyens et les entreprises à obtenir des autorisations et des permis de toutes sortes pour qu'ils respectent l'environnement et le mieux-être collectif (par exemple, la *Loi québécoise sur la qualité de l'environnement*, les règlements des communautés urbaines de Montréal et de Québec et les règlements de l'Outaouais sur la pollution atmosphérique, la gestion des déchets, l'épuration des eaux usées, etc.

La *Loi sur la protection du territoire agricole* défend également l'utilisation d'une terre agricole à des fins autres que l'agriculture.

Figure 5.3   Un terrain étant entouré par d'autres terrains, il existe un droit de passage sur le terrain d'un voisin pour se rendre au chemin public ou au lac.

LE VOISINAGE

L'exercice du droit de propriété d'une personne est aussi limité par l'exercice du droit de propriété de ses voisins sur leurs propres immeubles. Le législateur québécois a donc élaboré toute une série de règles à ce sujet. Elles traitent notamment :

- du bornage ;
- de l'écoulement des eaux ;
- des arbres ;
- de l'accès au fonds d'autrui ;
- des vues sur la propriété d'autrui ;
- des droits de passage ;
- des clôtures et ouvrages mitoyens.

Elles constituent en quelque sorte le Code du bon voisinage que le législateur a énoncé aux articles 976 à 1003 du *Code civil du Québec*.

MODES D'ACQUISITION DU DROIT DE PROPRIÉTÉ

La propriété des biens s'acquiert :

- par **occupation** ou **possession** ;
- par accession ;
- par succession ou par testament ;
- par contrat ;
- par prescription acquisitive ;
- par l'effet de la loi et des obligations.

ACQUISITION PAR OCCUPATION OU POSSESSION

Possession : La détention de fait, par soi-même ou par l'intermédiaire d'une autre personne, d'un bien qui nous appartient ou qui appartient à une autre personne.

Le *Code civil* édicte que la *possession* d'un meuble corporel en fait présumer le juste titre. C'est au réclamant de prouver, outre son droit, les vices de possession et du titre du possesseur.

La propriété d'un bien meuble se déduit à partir de sa possession. C'est à celui qui réclame la propriété d'un bien meuble de faire la preuve de son titre de propriété. La propriété est présumée. Si elle fait défaut, il y a détention.

Dans le cas d'un immeuble, la loi exige l'inscription ou la publication pour établir le juste titre du propriétaire.

Dans le cas de biens vacants ou laissés sans maître, le Code énonce qu'ils appartiennent à la personne qui se les approprie par **occupation**. C'est le cas des animaux sauvages et de la faune aquatique. L'article 938 du Code est intéressant en ce qu'il traite des trésors et énonce qu'ils appartiennent à ceux qui les découvrent sur leur propriété et que, si on les découvre sur le terrain d'autrui, la moitié appartient à celui qui les découvre et l'autre moitié au propriétaire du terrain.

ACQUISITION PAR ACCESSION

Droit d'accession : Tout ce qui s'unit et s'incorpore à un bien appartient au propriétaire de ce bien.

La propriété d'une chose mobilière ou immobilière donne droit de propriété sur tout ce qu'elle produit et sur tout ce qui s'y unit de façon naturelle ou artificielle. Ce droit se nomme *droit d'accession*.

Exemple : C'est le cas des améliorations apportées par le propriétaire, locataire ou l'emphytéote, à moins de dispositions contraires prévues au bail.

ACQUISITION PAR SUCCESSION OU TESTAMENT

On peut acquérir des biens à la suite du décès d'une personne, soit à titre d'héritier, dans le cas d'une personne décédée sans testament, soit à titre de légataire expressément nommé dans le testament du défunt.

ACQUISITION PAR CONTRAT

C'est à la suite d'un contrat d'achat que l'on acquiert la majorité de nos biens. Ce contrat peut être verbal ou écrit. Dans le cas de l'acquisition d'un immeuble, le contrat doit être écrit et publié au Bureau de la publicité des droits.

ACQUISITION PAR PRESCRIPTION ACQUISITIVE

« **Art. 2911 C.c.Q.** La prescription acquisitive requiert une possession conforme aux conditions établies au livre des biens.

Art. 922 C.c.Q. Pour produire ses effets, la possession doit être paisible, continue, publique et non équivoque ».

C'est donc à la fois au moyen de la possession et de la prescription qu'on peut devenir propriétaire en vertu de la **prescription acquisitive**. Ainsi une personne possédant un bien meuble ou immeuble peut en devenir propriétaire après l'écoulement d'un certain laps de temps si sa possession remplit les conditions prévues au Code. Ces articles précisent que la prescription acquisitive fait présumer ou confirmer le titre et transfère la propriété au possesseur par la continuation de sa possession.

Dans le cas d'un immeuble, en principe, si le possesseur acquiert de bonne foi et par titre translatif de propriété un immeuble corporel, il peut en devenir propriétaire par la prescription acquisitive *après 10 ans de possession*. (art. 2918 C.c.Q.). Cette possession doit respecter les termes des articles 922 et 2911 du *Code civil du Québec*, c'est-à-dire qu'elle doit être :

- continue (ininterrompue) ;
- paisible (assurée par des moyens autres que la violence) ;
- publique (non cachée : le fait d'habiter une maison ou de cultiver une terre, par exemple) ;
- non équivoque (elle ne doit pas prêter à confusion) ;
- à titre de propriétaire.

Le possesseur doit agir comme s'il était le vrai propriétaire de l'immeuble ; il doit, entre autres, en payer les taxes foncières.

> *Exemple* : Richard cultive depuis plus de 15 ans une portion de terre qu'il croit être sa propriété, puisqu'elle est située à l'intérieur des clôtures que l'ancien propriétaire de la ferme avait installées. Durant cette période, il a payé les taxes municipales et scolaires de cette partie de lot et son voisin ne lui a jamais manifesté de signes d'opposition, même lorsqu'il y a construit un garage. En faisant arpenter sa propriété, Richard s'aperçoit que cette parcelle n'est pas comprise dans son lot. Il peut s'adresser au tribunal pour lui demander de reconnaître son droit de propriété acquis par suite de prescription.

Dans le cas d'un meuble, l'article 2919 du *Code civil* fixe à trois ans la prescription acquisitive dans le cas d'un objet mobilier.

« **Art. 2919 C.c.Q.** Le possesseur de bonne foi d'un meuble en acquiert la propriété trois ans à compter de la dépossession du propriétaire.

Tant que ce délai n'est pas expiré, le propriétaire peut revendiquer le meuble, à moins qu'il n'ait été acquis sous l'autorité de la justice. »

C'est le cas de choses ou de biens perdus ou volés et aussi de ce que l'on appelle la vente de la chose d'autrui. D'une part, le principe sous-jacent est de permettre au propriétaire d'un bien meuble perdu ou volé de le récupérer ou de le revendiquer auprès du nouvel acquéreur ou possesseur dans un délai de trois ans ; d'autre part, ce principe tend à protéger le nouvel acquéreur ou possesseur d'un bien qu'aurait acheté ce dernier d'un commerçant trafiquant en semblables matières.

Soulignons que la prescription de trois ans ne s'applique qu'en cas de possession de bonne foi.

Si le nouvel acquéreur a acquis ce bien dans le cours des activités **d'une entreprise** et si l'ancien propriétaire veut reprendre son bien, ce dernier devra rembourser au nouvel acquéreur le prix payé au commerçant. L'ancien propriétaire pourra ensuite poursuivre l'auteur du vol ou, le cas échéant, le receleur. À noter que ceux-ci ne peuvent devenir propriétaires (art. 927 C.c.Q.).

Si le nouvel acquéreur n'a pas acquis le bien **d'un commerçant**, mais l'a trouvé ou l'a acheté d'un receleur, l'ancien propriétaire n'aura absolument rien à rembourser au nouvel acquéreur pour récupérer son bien ; il devra cependant faire la preuve que ce bien lui appartenait.

Il faut aussi noter les dispositions des articles 939 à 946 C.c.Q. qui stipulent que, pour prescrire un **bien perdu ou oublié**, celui qui trouve un bien perdu doit déclarer le fait à un agent de la paix de la municipalité où il a trouvé le bien ou à la personne qui a la garde du bien où il a été trouvé. Il peut alors à son choix garder le bien, le remettre à la personne à qui il a fait la déclaration pour qu'elle le détienne ou, s'il n'est pas réclamé dans les 60 jours, procéder à sa vente aux enchères après l'expiration d'un délai d'au moins 10 jours après la publication d'un avis dans le journal du lieu où le bien a été trouvé.

S'il décide plutôt de garder le bien, le propriétaire du bien disposera du délai de trois ans pour le revendiquer, mais il devra payer au détenteur les frais d'administration du bien (par exemple, les frais d'entreposage).

Le code prévoit aussi la possibilité de remettre le bien à un organisme de bienfaisance.

Finalement, les articles 944 et 945 C.c.Q. prévoient le cas d'un bien oublié chez un commerçant qui en avait la garde ou qui l'a réparé et stipulent que le commerçant peut en disposer après une période de 90 jours ou l'expiration de la période convenue en donnant avis de la même durée à celui qui lui a confié le bien.

LA COPROPRIÉTÉ

Une des principales modalités de la propriété est la copropriété. La copropriété est le droit que possèdent plusieurs personnes d'user, de jouir et de disposer librement d'un seul et même bien. Elle peut être divise ou indivise.

« **Art. 1010 C.c.Q.** La copropriété est la propriété que plusieurs personnes ont ensemble et concurremment sur un même bien, chacune d'elles étant investie privativement d'une quote-part du droit. »

> *Exemple* : Danièle achète un appartement dans le complexe immobilier les Condos du Vieux port à Québec. Elle est propriétaire exclusive de l'appartement et détient une quote-part des espaces communs (corridors, murs extérieurs, piscine etc.).

DIVISE OU CONDOMINIUM

La *copropriété divise* est aussi appelée condominium.

Le *Code civil du Québec* traite de ce sujet aux articles 1038 à 1109. Il stipule :

« **Art. 1039 C.c.Q.** La collectivité des propriétaires constitue, dès la publication de la déclaration de copropriété, une personne morale qui a pour objet la conservation de l'immeuble, l'entretien et l'administration des parties communes, la sauvegarde des droits afférents à l'immeuble ou à la copropriété ainsi que toutes les opérations d'intérêt commun [...] »

Cette personne morale prend le nom de **syndicat** et doit être immatriculée au registre des associations et entreprises.

Copropriété divise : La propriété est dite divise lorsque le droit de propriété se répartit entre les copropriétaires par fractions comprenant chacune une partie privative matériellement divisée et une quote-part des parties communes.

La copropriété divise existe lorsque le droit de propriété d'un immeuble est divisé en fractions entre une ou plusieurs personnes. Ainsi, la personne qui achète un appartement en devient le propriétaire exclusif ; par ailleurs, on dira que cette même personne est copropriétaire d'une fraction des parties communes de l'immeuble, comme le stationnement, les corridors, le terrain, la piscine, de même que de tout ce qui est affecté à l'utilité de tous les copropriétaires divis : les ascenseurs, les caves, les systèmes centraux de chauffage et de climatisation, etc. Cette quote-part de propriété dans les parties communes est calculée en fonction de la valeur que représente l'appartement acheté par rapport à la valeur totale de l'édifice ; cette valeur doit faire l'objet d'une clause dans la déclaration de copropriété. Aux fins d'évaluation et d'imposition foncières, chaque appartement forme une entité distincte.

> *Exemple* : Si Gilles achète un appartement d'une valeur de 100 000 $ dans un immeuble ayant une valeur totale de 2 millions de dollars, sa quote-part attribuée aux parties communes devrait être de 5/100 (100 000/2 000 000 × 100 % = 5 % ou 5/100). Gilles devra donc débourser 5 % de la facture du système de chauffage central, 5 % de l'entretien des corridors, des ascenseurs, etc. Il est toutefois responsable à 100 % de tout ce qui concerne l'appartement dont il est le propriétaire exclusif.

L'acheteur qui désire se porter acquéreur d'un appartement en copropriété divise doit examiner avec soin la **déclaration de copropriété**, car elle définit la destination de l'immeuble, en précise les parties qui sont exclusives et celles qui sont communes ; elle contient également leur désignation cadastrale, une liste des règlements de l'immeuble quant à son administration générale, de même qu'un état des fractions et de leur valeur relative. Cette déclaration, y compris les modifications que l'on peut y apporter à l'occasion, doit être notariée, enregistrée et signée par tous les propriétaires de l'immeuble.

Dans les règlements de l'immeuble, on prévoit la composition du conseil d'administration du syndicat, le mode de nomination, de remplacement ou de rémunération des administrateurs (art. 1084 C.c.Q.). L'administration courante du syndicat peut être confiée à un gérant, choisi ou non parmi les copropriétaires. Le conseil d'administration du syndicat doit rendre compte de sa gestion, au moins une fois par année, à une assemblée générale des copropriétaires. L'avis de convocation de cette assemblée annuelle doit être accompagné, outre du bilan, de l'état des résultats de l'exercice écoulé, de l'état des dettes et créances, du budget prévisionnel, de tout projet de modification à la déclaration de copropriété et d'une note sur les modalités essentielles de tout contrat proposé et de tous travaux projetés (art. 1087 C.c.Q.). Chaque copropriétaire dispose, au cours de l'assemblée, d'un nombre de voix proportionnel à la valeur relative de sa fraction.

INDIVISE OU INDIVISION

Copropriété indivise : La propriété est dite indivise ou par indivision lorsque le droit de propriété ne s'accompagne pas d'une division matérielle du bien.

La *copropriété indivise* ou **indivision** existe lorsque plusieurs personnes détiennent ensemble le droit de propriété d'un meuble ou d'un immeuble sans que la copropriété de cet immeuble n'ait fait l'objet d'un partage en parts divises. Elle se distingue de la copropriété divise par le fait qu'aucun copropriétaire ne possède la propriété exclusive d'une partie de l'immeuble. Le copropriétaire indivis (**indivisaire**) qui détient, par exemple, 4/10 de la propriété, est propriétaire des 4/10 de tous les appartements et des 4/10 de tous les espaces communs ; selon cette forme de copropriété, chacun des copropriétaires possède donc des droits sur l'ensemble de l'immeuble, mais aucun ne possède de droit exclusif de propriété sur un appartement en particulier, ce qui suppose l'accord de tous pour la prise de décisions importantes : vente, location, hypothèque de l'immeuble, etc.

L'indivision découle d'un contrat, d'une succession, d'un jugement ou de la loi. Afin d'éviter les controverses et les malentendus, les indivisaires doivent établir entre eux une convention écrite et la faire publier par dépôt (art. 1012 C.c.Q.). Cette convention doit comporter la désignation du bien, en l'occurrence de l'immeuble, la description des parts appartenant à chaque copropriétaire, les règles à suivre au moment de la vente ou de la location d'une unité de l'immeuble, ou du décès d'un indivisaire. La copropriété indivise n'étant qu'un état temporaire, l'alinéa 2 de l'article 1013 du *Code civil du Québec* prévoit que la convention qui la réglemente ne doit pas excéder 30 ans. Les indivisaires peuvent toutefois la renouveler à l'échéance. Par ailleurs, elle peut prendre fin en tout temps par la vente de l'immeuble en justice et le paiement de sa part au copropriétaire indivis qui a exigé le partage.

De plus, l'article 1030 du *Code civil* énonce un principe de base en matière de propriété indivise.

« **Art. 1030 C.c.Q.** Nul n'est tenu de demeurer dans l'indivision. Le partage peut toujours être provoqué, à moins qu'il n'ait été reporté par une convention, par une disposition testamentaire, par un jugement ou par l'effet de la loi, ou qu'il n'ait été rendu impossible du fait de l'affectation du bien à un but durable. »

Après avoir examiné les principales caractéristiques de ces deux variantes de la copropriété, on peut en déduire que l'une et l'autre ont un avantage commun : celui de permettre un accès à la propriété plus facile et à un coût moindre que la maison individuelle. Notons cependant que les futurs acheteurs qui en ont les moyens préfèrent généralement investir dans la copropriété divise, ou *condominium*, même si son coût est plus élevé.

LA PROPRIÉTÉ SUPERFICIAIRE

Propriété superficiaire : Celle des constructions, ouvrages ou plantations situés sur l'immeuble appartenant à une autre personne, le tréfoncier.

L'article 1011 C.c.Q. définit la *propriété superficiaire* comme étant la propriété des constructions, ouvrages ou plantations situés sur l'immeuble appartenant à une autre personne, le tréfoncier.

La propriété superficiaire résulte de la division du droit de propriété d'un immeuble.

Exemple : Ce type de propriété se retrouve lorsque le propriétaire d'un terrain, le **tréfoncier**, accorde à une autre personne, le **superficiaire**, le droit d'exploiter le sous-sol de son terrain pour y exploiter une mine et en tirer le minerai, et continue d'y exploiter sa ferme en surface.

Exemple : Ce sera également le cas d'un propriétaire d'un terrain où se trouve une bâtiment et dont il aurait cédé ses droits sur le sous-sol, pour la construction d'une station du métro par exemple.

LES DÉMEMBREMENTS DU DROIT DE PROPRIÉTÉ

On parle de démembrement du droit de propriété lorsque deux ou plusieurs personnes exercent chacune un des attributs du droit de propriété. L'usufruit, l'usage, la servitude et l'emphytéose sont des démembrements du droit de propriété et constituent des droits réels comme nous l'avons vu au chapitre 4.

L'USUFRUIT

Usufruit : Le droit d'user et de jouir, pendant un certain temps, d'un bien dont un autre a la propriété, comme le propriétaire lui-même, mais à charge d'en conserver la substance et d'en respecter la destination.

L'article 1120 du *Code civil du Québec* définit l'*usufruit* comme étant le droit d'user et de jouir, pendant un certain temps, d'un bien dont un autre a la propriété, comme le propriétaire lui-même, mais à charge d'en conserver la substance et d'en respecter la destination. L'usufruit se crée par contrat, par testament ou par la loi. Par exemple, un conjoint rédige un testament aux termes duquel il lègue, à sa mort, la propriété de sa maison à ses enfants, mais il assortit son legs d'un droit d'usufruit viager en faveur de son conjoint survivant. En pratique, cela signifie que le conjoint survivant pourra utiliser la maison comme bon lui semblera jusqu'à sa mort ; par la suite, la maison reviendra aux enfants. Dans cet exemple, le conjoint survivant est l'**usufruitier** tandis que les enfants sont les **nus-propriétaires**.

L'entretien et l'assurance du bien légué en usufruit appartiennent à l'usufruitier ; seules les réparations majeures (poutres, murs portants, système de chauffage, plomberie, électricité, etc.) sont à la charge du nu-propriétaire.

L'USAGE

Usage : Le droit de se servir temporairement du bien d'autrui et d'en percevoir les fruits et les revenus, mais jusqu'à concurrence des besoins de l'usager et, le cas échéant, des personnes qui habitent avec lui ou sont à sa charge.

Par le droit d'*usage*, on peut permettre à une personne de demeurer sur une terre dont on est le propriétaire à la condition que cette personne la défriche et l'exploite.

LES SERVITUDES

Servitude : Charge établie sur un immeuble, appelé le fonds servant, pour l'usage et l'utilité d'un autre immeuble, appelé le fonds dominant, et qui appartient à des propriétaires différents.

La *servitude* peut découler de la situation naturelle des lieux ; elle peut s'établir par l'effet de la loi ou par la volonté humaine, c'est-à-dire par contrat ou par testament. Parmi les servitudes les plus courantes, citons : les servitudes de vue sur la propriété du voisin, de non-construction, d'égouts, de toits, de murs et de fossés mitoyens, de droit de passage, etc.

Exemple : Un propriétaire dont le terrain est enclavé, et qui n'a pas directement accès au chemin public, a le droit d'exiger un passage sur le terrain de l'un ou de l'autre de ses voisins pour pouvoir accéder à sa propriété. Si ce droit de passage occasionne des débours, ils seront évidemment à la charge de celui qui fait le demande (voir figure 5.4).

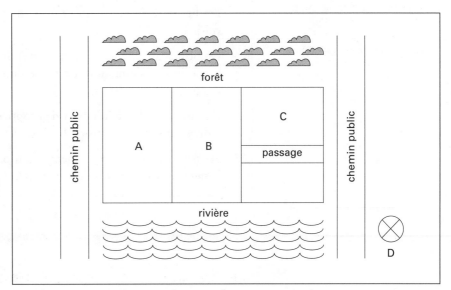

Figure 5.4   On voit dans cette figure que le terrain B est enclavé et que son propriétaire n'a aucun accès à la voie publique. Si l'on suppose que le propriétaire du terrain B habite au point D, il pourra, pour se rendre à son terrain, exiger un droit de passage du propriétaire du terrain C. Ce passage doit être accordé du côté où le trajet est le plus court entre le terrain enclavé et la voie publique.

Emphytéose : Sorte de bail par lequel le propriétaire d'un immeuble cède celui-ci pendant un certain temps à un autre, à condition qu'il n'en compromette pas l'existence et à charge d'y faire des améliorations (constructions, plantations, etc.) qui augmentent sa valeur.

L'EMPHYTÉOSE

L'*emphytéose* est un type de bail par lequel le propriétaire d'un immeuble cède celui-ci pendant un certain temps à un autre, à condition qu'il n'en compromette pas l'existence et à charge d'y faire des améliorations (constructions, plantations, etc.) qui augmentent sa valeur. Aux termes d'un tel contrat, le preneur s'engage à payer au bailleur une redevance annuelle. En vertu de l'article 1197 C.c.Q., l'emphytéose doit avoir une durée prévue au contrat d'au moins 10 ans et d'au plus de 100 ans. Le bail emphytéotique confère au preneur un droit réel susceptible d'hypothèque.

RÉSUMÉ

- Ce que dans le langage courant on appelle une chose porte le nom de « bien » en termes juridiques.

- Les biens sont soit corporels ou incorporels, meubles ou immeubles.

- Les biens meubles se divisent en trois catégories : les meubles par nature, les meubles par anticipation et les meubles par qualification de la loi.

- Les biens immeubles se divisent en trois catégories : les immeubles par nature, les immeubles par attache ou réunion et les immeubles par qualification de la loi.

- Les principales conséquences juridiques de la distinction entre meubles et immeubles touchent la prescription acquisitive, les saisies, l'aliénation ou le transfert de propriété d'un bien, le choix du lieu d'un procès, la taxation municipale et scolaire, la priorité du vendeur impayé, les sûretés et la déclaration de résidence familiale.

- Les principaux attributs du droit de propriété sont le droit d'utiliser un bien et d'en jouir, le droit d'en percevoir les fruits et revenus et le droit d'en disposer.

- Les limites à l'exercice du droit de propriété sont l'ordre public et le voisinage.

- Les principaux modes d'acquisition et de propriété sont l'occupation et la succession, l'accession, les successions, les contrats, la prescription acquisitive.

- Les autres modalités du droit de propriété sont la copropriété divise et indivise et la propriété superficiaire.

- Les principaux démembrements du droit de propriété sont l'usufruit, l'usage, les servitudes et l'emphytéose.

RÉSEAU DE CONCEPTS

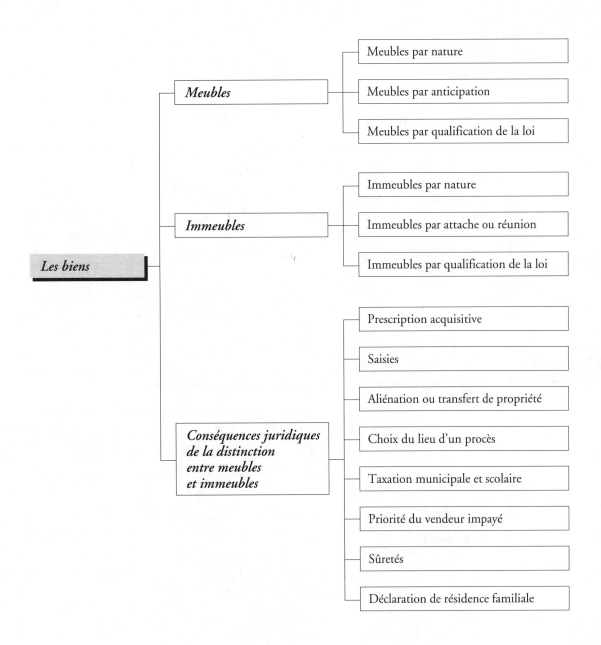

RÉSEAU DE CONCEPTS (SUITE)

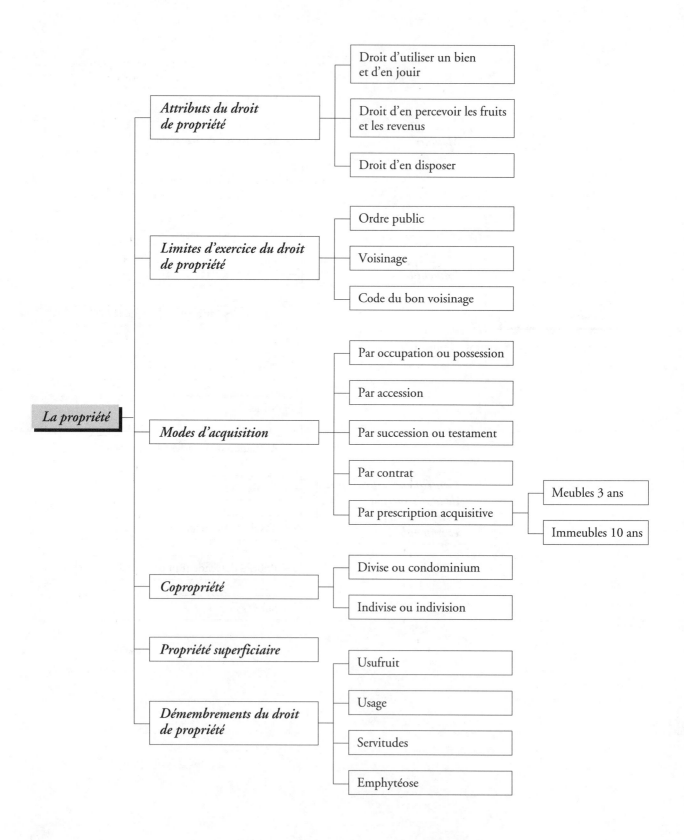

EXERCICES

ASSOCIATIONS
Associez un des termes ci-dessous à l'une des définitions qui suivent :

- copropriété
- meubles par nature
- possession
- expropriation
- propriété
- syndicat
- meubles par anticipation
- ordre public
- déclaration de copropriété
- meubles par qualification de la loi
- condominium
- occupation

1. La collectivité des propriétaires divis d'un même immeuble ou condominium porte le nom de ___ et constitue une personne morale qui a pour objet la conservation de l'immeuble, l'entretien et l'administration des parties communes, la sauvegarde des droits ainsi que toutes les opérations d'intérêt commun.

2. La ___ d'un bien meuble corporel en fait présumer la propriété.

3. Une créance, un certificat d'actions, un fonds de commerce, un salaire et une clientèle sont des ___ .

4. La ___ est le droit d'acquérir, de jouir et de disposer des biens meubles et immeubles et d'en percevoir les fruits et revenus pourvu qu'on n'en fasse pas un usage prohibé par l' ___ et les règlements.

5. La ___ est le droit que possèdent plusieurs personnes d'user, de jouir et de disposer librement d'un seul et même bien.

VRAI OU FAUX
Indiquez si les affirmations suivantes sont vraies ou fausses. Si l'affirmation est fausse, précisez pourquoi.

1. Un chien est un meuble par nature.

2. On ne peut devenir propriétaire d'un immeuble par prescription acquisitive.

3. Dans un procès relatif à un immeuble, le demandeur doit intenter son action devant le tribunal du district où l'immeuble se trouve.

4. Celui qui vole un bien mobilier ne peut jamais en devenir le propriétaire par la possession.

5. Le propriétaire d'un bien meuble perdu ou volé dispose d'un délai de cinq ans pour le revendiquer auprès du nouvel acquéreur.

CHOIX MULTIPLES
1. Les biens suivants sont assujettis aux taxes municipales et scolaires :
   a) les meubles.
   b) les immeubles.
   c) les meubles par qualification de la loi.
   d) aucune des réponses précédentes.

2. La propriété d'une chose donne un droit de propriété sur tout ce que cette chose produit et sur tout ce qui s'y trouve naturellement ou artificiellement ; ce droit porte le nom de :
   a) droit de possession.
   b) droit de disposition.
   c) droit d'accession.
   d) aucune des réponses précédentes.

3. La copropriété divise porte également le nom suivant :
   a) indivision.
   b) syndicat.
   c) *condominium*.
   d) collectivité.

4. Toute vente d'immeuble doit être inscrite ou publiée :
   a) à la cour.
   b) au Bureau de publicité des droits.
   c) au ministère des institutions financières et Coopératives.
   d) au bureau du greffier de la Cour supérieure.

5. Vous achetez un poisson rouge, il s'agit :
   a) d'un meuble par nature.
   b) d'un meuble par qualification de la loi.
   c) d'un accessoire.
   d) d'un meuble par anticipation.

CAS PRATIQUES

1. Vous êtes engagé par un huissier pour votre travail d'été. Afin de vous familiariser avec la saisie, l'huissier vous demande d'indiquer à quelle catégorie précise de biens appartiennent les biens suivants en vertu du *Code civil du Québec* :

    · une piscine creusée ;

    · un chien ;

    · un certificat d'actions de compagnie ;

    · un lave-vaisselle encastré ;

    · le mobilier de l'hôtel Quatre-Saisons ;

    · une ferme ;

    · un salaire ;

    · un véhicule automobile ;

    · une maison mobile ;

    · une rente viagère ;

    · un droit de passage ;

    · la moquette de votre maison ;

    · une créance de 5000 $;

    · une emphytéose ;

    · des droits d'auteurs.

2. Élie Salem est propriétaire d'une auberge de 15 chambres située sur un terrain de 50 acres à Pointe-au-Pic. Il possède également un immeuble de 30 logements situé à Trois-Rivières.

    Son entreprise, Les Textiles É.S. ltée, a loué un local commercial d'une superficie de 15 000 m² à Hull, pour abriter son usine de fabrication de vêtements pour enfants. L'équipement et la machinerie de l'entreprise, d'une valeur de 2,5 millions de dollars, y sont installés.

    Finalement, Élie Salem est propriétaire d'une résidence à Laval.

    Il vient de recevoir ses comptes de taxes foncières de chacune des quatre municipalités et a constaté les faits suivants :

    · La ville de Laval a évalué sa résidence à 275 000 $ et cette évaluation comprend la valeur de sa piscine creusée, d'un lave-vaisselle et d'une baignoire à remous.

    · La municipalité de Pointe-au-Pic a évalué son terrain à 300 000 $, les bâtiments à 600 000 $ et les meubles de l'auberge à 200 000 $.

    · La ville de Trois-Rivières a évalué l'immeuble à 750 000 $ dont 50 000 $ pour la valeur de l'ascenseur.

    · La ville de Hull a évalué l'usine à 4,5 millions de dollars comprenant le bâtiment, la machinerie et l'équipement.

    Élie désire savoir si ces quatre comptes de taxes sont conformes aux dispositions de la loi et s'il doit les acquitter. Conseillez-le en lui expliquant, dans chaque cas, le pourquoi de votre réponse.

3. Jean-François achète un terrain situé à l'angle des rues Bois-de-Boulogne et Henri-Bourassa, dans l'intention d'y construire une usine d'insecticides. Il ne mentionne pas ce fait au vendeur ni à l'agent d'immeubles. Il fait tracer des plans par un architecte, Philippe Parizeau, puis il s'adresse à la ville de Montréal pour obtenir un permis de construction.

    Le représentant de la ville lui refuse l'émission du permis en alléguant qu'il ne peut absolument pas construire d'usine à cet endroit en raison du règlement de zonage ; en effet, ce secteur est réservé à des constructions résidentielles et commerciales ainsi qu'à la construction d'immeubles pour des personnes exerçant une profession libérale.

    Jean-François a la ferme intention de contester cette décision devant les tribunaux, car il pense qu'un propriétaire peut faire ce qu'il veut. Quels conseils lui donneriez-vous ? Expliquez-lui quels sont ses droits et ses obligations.

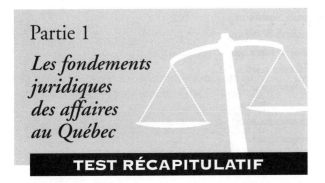

Partie 1
Les fondements juridiques des affaires au Québec

TEST RÉCAPITULATIF

Le but de cet examen est de vous permettre de procéder à une récapitulation des connaissances et compétences acquises dans les cinq chapitres constituant la Partie 1 du présent volume intitulé *Les fondements juridiques des affaires au Québec*.

Il vous permet de faire une autoévaluation de la matière étudiée jusqu'à maintenant.

L'examen a été élaboré à partir de la matière déjà vue et sur laquelle vous avez déjà répondu à des questions dans les chapitres précédents.

Afin d'en profiter au maximum, nous vous suggérons d'y répondre sans utiliser le volume.

VOCABULAIRE
Complétez les phrases suivantes.

1. Le *Code civil* définit les choses comme des ___ .

2. Avant le 1er juillet 1970, le régime matrimonial légal au Québec était la ___ .

3. On appelle ___ la répartition des paiements du fédéral aux provinces, en tenant compte des inégalités régionales, afin de favoriser un équilibre dans le développement du Canada.

4. La ___ est un tribunal criminel composé d'un juge et d'un jury de 12 membres.

5. La ___ assure le respect des droits fondamentaux de toute personne résidant au Canada.

VRAI OU FAUX
Indiquez si les affirmations suivantes sont vraies ou fausses. Si l'affirmation est fausse, précisez pourquoi.

1. Les juges de la Cour des petites créances sont nommés par le gouvernement fédéral.

2. Un droit d'auteur et une marque de commerce sont des droits intellectuels.

3. Le salaire des époux et leurs épargnes personnelles font partie du patrimoine familial.

4. Le *Code civil de l'Ontario* énonce l'ensemble des règles de droit civil s'appliquant dans cette province.

5. Une personne morale possède les mêmes droits qu'une personne physique.

CHOIX MULTIPLES

1. Toute personne qui a connaissance ou qui soupçonne qu'un enfant est battu ou victime d'abus sexuels doit signaler le cas à la DPJ. C'est ce qu'on appelle :
   a) une dénonciation.
   b) un mandat.
   c) une citation à comparaître.
   d) un signalement.

2. À l'occasion, un projet de loi prend la forme d'un livre blanc. Dans ce document, le gouvernement :
   a) définit le problème et expose diverses solutions.
   b) étudie les mémoires présentés par divers groupes.
   c) précise le choix qu'il a retenu.
   d) convoque une commission parlementaire.

3. L'administration des biens confiés aux tuteurs, curateurs et conseillers est soumise au contrôle d'un organisme gouvernemental appelé :
   a) la Commission de contrôle des interdits.
   b) la Régie des tuteurs et curateurs.
   c) le Tribunal des mineurs et majeurs protégés.
   d) la Curatelle publique.

4. Le document qui ordonne à une personne de se présenter en cour pour y servir de témoin s'appelle :
   a) un mandat.
   b) un *subpœna*.
   c) une citation à comparaître.
   d) une déclaration.

5. Le testament rédigé à la main par le testateur lui-même s'appelle :
   a) testament devant témoin.
   b) testament notarié.
   c) testament suivant la loi d'Angleterre.
   d) testament olographe.

CAS PRATIQUES

Christine et Sylvain vivent en union libre depuis sept ans. Le couple a un enfant, Caroline âgée de sept ans. Sylvain décède dans un accident d'automobile, et Caroline a été sérieusement blessée et repose actuellement dans le coma à l'hôpital. Un an avant sa mort, Sylvain avait rédigé un testament sur vidéocassette dans lequel il lègue tous ses biens à Christine et, advenant le décès de cette dernière, à leur fille Caroline.

À part Christine et Caroline, Sylvain laisse dans le deuil, sa mère Denise, son frère Claude, ainsi qu'Alexandre, Simon et Sarah, les enfants de sa sœur Diane également décédée dans l'accident.

La succession de Sylvain se compose des biens suivants :

- 40 000 $ en argent ;
- un immeuble à logements d'une valeur de 200 000 $ avec une hypothèque de 75 000 $;
- son automobile d'une valeur de 10 000 $ sur laquelle il reste un emprunt de 5000 $;
- son REÉR d'une valeur de 30 000 $;
- la maison familiale qu'il habitait avec Christine et Caroline d'une valeur de 150 000 $ et grevée d'une hypothèque de 50 000 $;
- les meubles meublant la maison d'une valeur de 25 000 $;
- des placements d'une valeur de 15 000 $.

Christine vient vous consulter :

a) Elle vous demande si le testament de Sylvain est valide. Expliquez votre réponse.

b) Elle vous demande de calculer sa part du patrimoine familial en vous expliquant que les seuls biens qu'elle-même possède à part ses effets personnels

sont son automobile d'une valeur de 10 000 $ et 5000 $ dans son compte de banque. Faites le calcul et expliquez-lui ses droits.

c) Advenant que le testament de Sylvain ne soit pas valide, expliquez qui héritera de Sylvain :
  i) si Caroline survit à ses blessures.
  ii) si Caroline décède à son tour des suites de l'accident.

d) Si Caroline hérite d'une part de la succession de Sylvain, est-ce que Christine pourra administrer ses biens ? Expliquez.

e) Si Alexandre, Simon et Sarah héritent d'une part de la succession de Sylvain, expliquez la situation juridique dans laquelle ils se trouvent et en particulier ce qui se produirait si l'un d'entre eux désirait toucher sa part en argent immédiatement.

f) Les policiers qui ont informé Christine de l'accident lui ont indiqué que celui-ci avait été causé par un conducteur en état d'ébriété dont le taux d'alcoolémie était de 0,15 et que ce dernier a été immédiatement arrêté.
  i) Quelles seront les principales étapes menant à la condamnation du conducteur ?
  ii) Quel type de preuve le procureur de la Couronne devra-t-il apporter pour obtenir la condamnation du conducteur ?

CHAPITRE 6

LES OBLIGATIONS ET LES CONTRATS

LES OBLIGATIONS

Éléments constitutifs de l'obligation

Sources des obligations

Modalités des obligations

Extinction des obligations

LES CONTRATS

Classification des différentes espèces de contrats

Conditions de validité des contrats

Effets du contrat

Interprétation du contrat

Preuve du contrat

Responsabilité contractuelle

Mise en œuvre du droit à l'exécution

Les recours

RÉSUMÉ

RÉSEAU DE CONCEPTS

EXERCICES

CAS PRATIQUES

OBJECTIFS ET ÉLÉMENTS DE COMPÉTENCES

1 Reconnaître les différentes espèces d'obligations.

2 Faire la distinction entre la condition et le terme en matière d'obligations.

3 Distinguer la responsabilité solidaire de la responsabilité conjointe.

4 Expliquer les différents modes d'extinction des obligations.

5 Expliquer les cinq conditions essentielles à la validité d'un contrat.

6 Établir les principaux moyens de preuve d'un contrat.

7 Appliquer à des situations précises la responsabilité contractuelle et les principaux droits et recours des parties.

LES OBLIGATIONS

Sur le plan juridique, toute personne a des droits ; en contrepartie, elle doit s'acquitter de certaines obligations. Pris au sens large, le terme obligation peut avoir plusieurs significations. Par exemple, on dira d'une personne qu'elle a beaucoup d'obligations ; cela peut vouloir dire qu'elle a des dettes et qu'elle doit de l'argent à plusieurs créanciers, ou encore qu'elle s'est engagée à faire beaucoup de choses. Ce sens du mot « obligation » retiendra ici notre attention et nous amènera à en formuler une définition juridique.

Le *Code civil du Québec* y consacre les articles 1371 à 2643, soit le Livre cinquième intitulé *Des obligations*, qui regroupe plus de 1272 articles formant un peu plus de 40 % de l'ensemble du Code.

Ces dispositions s'appliquent à l'ensemble des relations personnelles et contractuelles des résidents du Québec et constituent la base de notre droit civil et de la responsabilité civile.

ÉLÉMENTS CONSTITUTIFS DE L'OBLIGATION

L'*obligation* est la relation qui existe entre un créancier et un débiteur par rapport à un objet ; elle constitue un droit personnel ou droit de créance.

PERSONNES

Les personnes visées dans l'obligation sont le *créancier* et le *débiteur.*

OBJET

« **Art. 1373 C.c.Q.** L'objet de l'obligation est la prestation à laquelle le débiteur est tenu envers le créancier et qui consiste à faire ou à ne pas faire quelque chose.

La prestation doit être possible et déterminée ou déterminable ; elle ne doit être ni prohibée par la loi ni contraire à l'ordre public. »

> *Exemple* : La clause résolutoire dans un contrat de vente d'une entreprise qui permet au vendeur de demander la résolution du contrat si l'acheteur ne respecte pas ses obligations.

> *Exemple* : Étienne achète le dépanneur Laval Nord de Johanne, son ancienne propriétaire, pour la somme de 200 000 $. Voulant éviter que celle-ci n'ouvre un autre dépanneur à proximité de celui qu'il vient d'acheter, Étienne fait ajouter au contrat une clause selon laquelle Johanne ne pourra pas ouvrir de dépanneur ou même travailler dans un dépanneur dans un rayon de 20 kilomètres de l'établissement vendu pendant trois ans. Il s'agit d'une **obligation de ne pas faire quelque chose** (clause de non-concurrence).

« **Art. 1374 C.c.Q.** La prestation peut porter sur tout bien, même à venir, pourvu qu'il soit déterminé quant à son espèce et déterminable quant à sa quotité. »

Il s'agit notamment de biens dont on doit déterminer le volume, la masse ou une autre mesure quantitative.

> *Exemple* : Victor achète toute la récolte de pommes MacIntosh de Rosaire.

> *Exemple* : Marjolaine chauffe sa maison au gaz naturel ou à l'électricité. Ce n'est qu'après la lecture des compteurs qu'on détermine la quantité réellement utilisée.

Obligation : Lien de droit qui contraint une personne (le débiteur) envers une autre (le créancier) de faire ou de ne pas faire quelque chose.

Créancier : Personne à qui l'on doit quelque chose ou en faveur de laquelle on doit exécuter l'obligation.

Débiteur : Personne qui doit quelque chose ou qui doit exécuter l'obligation.

Finalement, l'article 1375 C.c.Q. établit que la **bonne foi** doit gouverner la conduite des parties tant au moment de la naissance de l'obligation qu'à celui de son exécution et de son extinction, reprenant ainsi le principe posé à l'article 6 C.c.Q., qui stipule que « toute personne est tenue d'exercer ses droits civils selon les exigences de la bonne foi ». Ceci signifie que les droits civils ne peuvent être exercés de façon abusive.

CAUSE

La cause de l'obligation est l'intention, le but poursuivi, la raison déterminante qui décide les parties à contracter une obligation. (Exemples : chauffer sa maison, se procurer une automobile).

SOURCES DES OBLIGATIONS

L'article 1372 du *Code civil du Québec* indique clairement quelles sont les sources des obligations :

« **Art. 1372 C.c.Q.** L'obligation naît du contrat et de tout acte ou fait auquel la loi attache d'autorité les effets d'une obligation. »

Elle peut être pure et simple ou assortie de modalités. C'est ainsi que l'on parle d'**obligations contractuelles** et d'**obligations extracontractuelles**, selon leur source. Il y a donc trois sources d'obligations.

ACTE JURIDIQUE

L'**acte juridique** est un acte de l'homme, voulu par lui, et par lequel il recherche volontairement et directement des effets juridiques.

> *Exemple* : Le contrat est l'acte juridique le plus courant. On parle alors de responsabilité contractuelle.

FAIT JURIDIQUE

C'est celui qui produit des effets en droit, que ces effets aient été voulus ou non. L'ensemble des dispositions du Code relatives à la responsabilité civile créent des obligations. Il s'agit en général de gestes, de situations ou d'événements qui entraînent la responsabilité extracontractuelle d'une personne.

> *Exemple* : Un accident d'automobile et un accident de travail sont des faits juridiques.

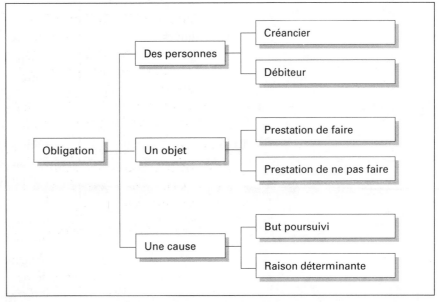

Figure 6.1 Les éléments constitutifs de l'obligation

LOI

Certaines obligations naissent directement de la loi, sans la moindre intervention de l'individu.

> *Exemple* : L'obligation pour les parents de voir à l'éducation et à l'entretien de leurs enfants mineurs et, le cas échéant, de payer une pension alimentaire.

Les obligations énoncées au *Code civil* portent le nom d'**obligations civiles**. Elles sont complètes parce qu'elles comportent une sanction qui peut prendre la forme de dommages-intérêts et qu'elles sont susceptibles d'exécution forcée. On peut les opposer aux **obligations naturelles,** qui sont quant à elles incomplètes parce que dépourvues de sanction légale. Elles se fondent exclusivement sur la conscience et l'honneur. L'aide apportée à une personne dans le besoin ou l'obligation résultant d'une dette de jeu sont des exemples d'obligations naturelles.

On peut aussi, dans certains cas, parler d'**obligations morales**.

> *Exemple*: Un failli, même s'il est libéré de toutes ses dettes, rembourse les 10 000 $ que sa mère lui avait prêtés avant la faillite.

L'obligation civile peut être de deux ordres. Il peut s'agir d'une obligation de résultat ou d'une obligation de moyen.

OBLIGATION DE RÉSULTAT   Le débiteur doit garantir à son créancier un résultat.

> *Exemple* : L'obligation du transporteur de livrer la marchandise à l'endroit convenu au contrat.

Tableau 6.1   Les sources des obligations

Sources des obligations	Exemples
Actes juridiques	• Un contrat de bail ; • un contrat de vente ; • un contrat de prêt.
Faits juridiques	• Un accident d'automobile ; • une personne qui glisse et se blesse sur votre trottoir mal entretenu ; • votre chien qui mord le facteur.
La loi	• Obligation des parents de voir à l'éducation et à l'entretien de leurs enfants mineurs ; • le tuteur doit rendre compte de l'administration des biens du mineur à la curatelle publique ; • obligation de détenir un permis de vendeur itinérant en vertu de la *Loi sur la protection du consommateur*.

OBLIGATION DE MOYEN   Le débiteur n'est pas tenu de garantir un résultat, mais il doit utiliser tous les moyens dont il dispose pour arriver au meilleur résultat possible.

> *Exemple* : Le fait pour un avocat de ne pas gagner la cause de son client n'entraîne pas automatiquement sa responsabilité s'il a mis à profit toutes les ressources de son art.

> *Exemple* : Il en est de même du médecin que vous consultez pour guérir la maladie dont vous êtes affligé. Il ne peut pas toujours vous garantir la guérison.

MODALITÉS DES OBLIGATIONS

L'article 1372 énonce que l'obligation peut être pure et simple.

> *Exemple* : Louise achète un volume à la coopérative. Elle paie le prix et on lui remet le volume.

L'article mentionne aussi que l'obligation peut être assortie de modalités. Les articles 1497 à 1552 du Code énoncent ces modalités, auxquelles il faut ajouter l'obligation assortie d'une clause pénale prévue aux articles 1622 à 1625 C.c.Q. en raison de son utilisation de plus en plus fréquente dans le domaine des affaires.

Nous ne traiterons ici que des modalités les plus courantes de l'obligation ; ce sont les obligations conditionnelles, les obligations à terme, les obligations conjointes et les obligations solidaires, ainsi que les obligations avec clause pénale.

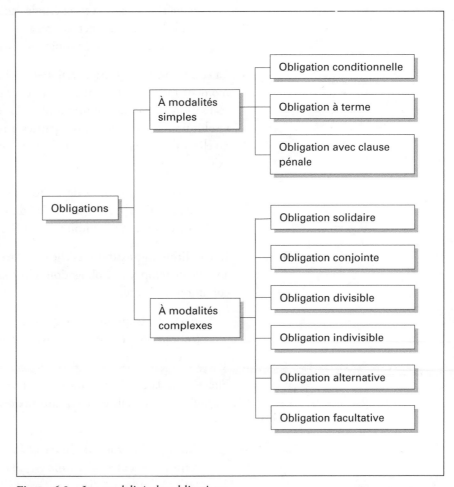

Figure 6.2   Les modalités des obligations

OBLIGATIONS À MODALITÉS SIMPLES

OBLIGATIONS CONDITIONNELLES   Les obligations qui découlent d'un événement futur et incertain dont on fait dépendre soit la naissance, soit la réalisation d'une obligation sont des *obligations conditionnelles.* Le contrat d'assurance-incendie constitue une illustration de ce principe. Ainsi, celui qui souscrit à une police d'assurance-incendie reçoit le produit de sa police seulement s'il a perdu ses biens dans un incendie.

En se référant aux règles du *Code civil du Québec,* on constate qu'il peut exister divers types de conditions : la condition suspensive, la condition résolutoire, la condition impossible et la condition contraire à l'ordre public.

> **Obligation conditionnelle :** Obligation qui dépend d'un événement futur et incertain, soit en suspendant sa naissance jusqu'à ce que l'événement arrive ou qu'il devienne certain qu'il n'arrivera pas (**condition suspensive**), soit en subordonnant son extinction au fait que l'événement arrive ou n'arrive pas (**condition résolutoire**).

- **La condition suspensive** ne donnera naissance à l'obligation que si l'événement se réalise dans le futur.

    Exemple : Dans l'assurance-automobile, l'obligation de l'assureur naîtra à la suite d'un accident d'automobile.

- **La condition suspensive accomplie** oblige le débiteur à exécuter l'obligation, comme si celle-ci avait existé depuis le jour où il s'est obligé sous telle condition, d'où son caractère rétroactif. Les contrats de vente à l'essai constituent une application de cet article en ce qui concerne la condition suspensive.

    Exemple : L'achat d'une chaîne stéréophonique que l'on prend à l'essai pendant 10 jours, et dont on ne désire plus se porter acquéreur une fois cette période écoulée. On doit alors retourner le bien au commerçant ou au fabricant qui, même pendant la période d'essai, en a toujours conservé la propriété.

- **La condition résolutoire** entraîne une obligation qui prend naissance au moment même où le contrat entre en vigueur, mais qui s'éteint avec la réalisation de la condition stipulée. Une fois accomplie, la condition résolutoire oblige chacune des parties à restituer à l'autre les prestations qu'elle a reçues en vertu de l'obligation, comme si celle-ci n'avait jamais existé.

    Exemple : Le contrat de vente à tempérament qui permet au vendeur de reprendre le bien vendu si l'acheteur est en défaut est une condition résolutoire.

- **La condition impossible** est celle qui place le débiteur dans l'impossibilité absolue de remplir une obligation. Un contrat qui reposerait sur une telle condition serait nul.

    Exemple : La promesse de donner une certaine somme d'argent à une personne si celle-ci tond une pelouse de 1000 mètres carrés en une minute.

- Finalement, **la condition contraire à l'ordre public** ou prohibée par la loi est nulle parce qu'elle est contraire aux dispositions des articles 8 et 1499 C.c.Q.

    Exemple : La promesse de verser 25 000 $ à un tueur à gages s'il réussit à exécuter sa victime est un exemple de condition contraire à l'ordre public.

Figure 6.3   La promesse de verser 25 000 $ à un tueur à gages s'il réussit à exécuter sa victime est un exemple de condition contraire à l'ordre public et aux bonnes moeurs.

Terme : Événement futur et certain, selon l'article 1508 du *Code civil du Québec.*

OBLIGATIONS À TERME   Le *terme* retarde l'échéance de l'obligation, mais celle-ci doit nécessairement s'exécuter.

Exemple : C'est le cas de la vente à crédit, des factures payables après 30 jours net, des prêts d'argent et du contrat de louage.

- **Le bénéfice du terme**
  L'article 1511 C.c.Q. mentionne que le terme est établi en faveur du débiteur et profite à ce dernier à moins de stipulations contraires. Le débiteur pourra rembourser un emprunt en tout temps avant sa date d'exigibilité, sans être pénalisé, à moins de stipulations contraires dans le contrat.

    Exemple : Lorsqu'on emprunte sur hypothèque pour acheter une propriété, le prêteur accorde un terme de trois ans ou de cinq ans pour rembourser le prêt. Aussi longtemps que les paiements mensuels sont respectés, l'emprunteur conserve le bénéfice du terme. Dans le cas contraire, il s'en trouve déchu.

- **La déchéance du bénéfice du terme**
  En vertu de l'article 1514 C.c.Q., le débiteur qui bénéficie du terme perd ce bénéfice s'il devient insolvable ou s'il fait faillite, ou lorsque, par sa faute, il diminue les garanties données au créancier. En effet, il s'agit là de violations du contrat, et le créancier peut exiger le paiement immédiat de tout solde.

    D'après les tribunaux, le fait de ne pas effectuer un paiement à une date d'échéance précise ne constitue pas une présomption suffisante d'insolvabilité et n'entraîne pas la déchéance du bénéfice du terme.

    Dans certains contrats, on retrouve des clauses qui stipulent que, à défaut de paiement d'une mensualité, le solde global devient exigible. Il s'agit là d'une application du deuxième alinéa de l'article 1514, qui stipule que le débiteur perd aussi le bénéfice du terme s'il ne respecte pas les conditions selon lesquelles ce bénéfice lui avait été accordé.

Clause pénale : La clause pénale est celle par laquelle les parties évaluent à l'avance les dommages-intérêts en stipulant que le débiteur se soumettra à une peine au cas où il n'exécuterait pas son obligation (art. 1622 C.c.Q.).

OBLIGATIONS AVEC CLAUSE PÉNALE   La *clause pénale* est une sanction civile prévue au contrat dans le cas où le débiteur ne respecte pas ses obligations.

Les obligations avec clause pénale sont assorties d'une pénalité en cas d'inexécution, ou d'un retard dans leur exécution, de la part du débiteur.

> *Exemple* : Un entrepreneur s'est engagé à construire un gymnase pour une municipalité dans un délai de trois mois, mais n'a pas terminé les travaux à temps. Il se verra infliger une pénalité de 1000 $ par jour de retard si le contrat le stipule.

Les articles 1622 et 1623 du *Code civil du Québec* définissent la **clause pénale** et ses conséquences :

« **Art. 1622 (2) C.c.Q.** Elle donne au créancier le droit de se prévaloir de cette clause au lieu de poursuivre, dans les cas qui le permettent, l'exécution en nature de l'obligation ; mais il ne peut en aucun cas demander en même temps l'exécution et la peine, à moins que celle-ci n'ait été stipulée que pour le seul retard dans l'exécution de l'obligation.

Art. 1623 C.c.Q. Le créancier qui se prévaut de la clause pénale a droit au montant de la peine stipulée sans avoir à prouver le préjudice qu'il a subi.

Cependant, le montant de la peine stipulée peut être réduit si l'exécution partielle de l'obligation a profité au créancier ou si la clause est abusive ».

Ce type de clause est souvent utilisé dans des contrats d'engagement de personnel, de vente ou d'achat d'entreprise et dans des conventions entre actionnaires.

> *Exemple* : Dans un contrat de vente d'entreprise, on retrouve souvent une clause de non-concurrence, assortie d'une clause pénale stipulant que le vendeur n'a pas le droit d'exploiter un commerce similaire dans un territoire donné et pendant une période de temps déterminée et que, en cas de contravention de sa part, il devra payer une pénalité de 500 $ pour chaque jour où son défaut persiste.

OBLIGATIONS À MODALITÉS COMPLEXES

OBLIGATIONS SOLIDAIRES   Jusqu'ici, nous avons vu qu'il pouvait exister différentes espèces d'obligations entre un débiteur et un créancier. Il faut noter qu'on peut aussi se trouver en présence de plusieurs créanciers ou de plusieurs débiteurs liés par une seule obligation ; c'est ce qu'on appelle l'**obligation solidaire** ou, en langage juridique, la **solidarité.**

- **La solidarité entre les créanciers** (solidarité active)

  C'est le cas où un seul débiteur doit une somme d'argent à plusieurs créanciers. Le débiteur peut payer la totalité de la dette à l'un des créanciers et en être libéré ; il n'a pas à payer, à chacun des créanciers, une somme égale à leur quote-part dans le montant de la dette totale qui leur est due. En pratique, cette forme de solidarité ne se rencontre que très rarement.

- **La solidarité entre les débiteurs** (solidarité passive)

  Cette forme de solidarité, à laquelle renvoient les articles 1523 à 1544 C.c.Q., est celle que l'on retrouve habituellement dans les contrats. Elle existe lorsqu'un créancier a plusieurs débiteurs pour une même obligation. Le créancier peut alors, à son choix, poursuivre un ou plusieurs débiteurs, ou tous les débiteurs à la fois. Après jugement, il peut réclamer le paiement partiel de la dette à l'un ou à l'autre des débiteurs, ou le paiement entier à un seul débiteur.

La solidarité entre les débiteurs ne se présume pas ; elle n'existe que lorsqu'elle est expressément stipulée par les parties ou prévue par la loi.

Elle est au contraire présumée entre les débiteurs d'une obligation contractée pour le service ou l'exploitation d'une entreprise.

L'article 1525, qui définit la solidarité, introduit une nouvelle notion dans le *Code civil du Québec*, soit l'***exploitation d'une entreprise.***

Lorsque nous examinons un contrat, il faut déterminer s'il s'agit d'un contrat civil ou d'une obligation contractée pour le service ou l'exploitation d'une entreprise. Dans un contrat civil, la solidarité devra y être stipulée, sinon les débiteurs n'ont qu'une responsabilité conjointe, c'est-à-dire que chacun n'est responsable que de sa quote-part de la dette et non de la dette en entier.

> *Exemple :* Anne, Marc et Pauline doivent à Claude la somme de 90 000 $ à la suite de l'achat d'une maison. Une clause de solidarité est prévue entre les débiteurs.
>
> Claude peut, à sa guise, poursuivre l'un ou l'autre des débiteurs ou les trois à la fois et il peut, après jugement, recouvrer toute la dette soit d'Anne, soit de Marc, soit de Pauline, ou une partie de la dette de l'un et le reste des autres. Si la dette est divisée en parts égales entre Anne, Marc et Pauline et si Pauline a dû payer en entier la somme de 90 000 $ à Claude, Pauline pourra ensuite réclamer de Marc et d'Anne les deux tiers de la somme qu'elle a dû verser à Claude soit la part de chacun d'eux.

En effet, un débiteur solidaire est responsable de toute la dette, mais il peut recouvrer de ses codébiteurs la quote-part de chacun en prenant une action en remboursement (art. 1537 C.c.Q.). De plus, si l'un des débiteurs se trouve insolvable, la perte qu'occasionne son insolvabilité se répartit par contribution entre tous les autres codébiteurs solvables, y compris celui qui a fait le paiement.

En matière de responsabilité extracontractuelle, l'article 1526 du *Code civil du Québec* stipule ce qui suit :

« L'obligation de réparer les préjudices causés par la faute de deux personnes ou plus est solidaire lorsque cette obligation est extracontractuelle. »

> *Exemple :* Si un chirurgien se rend responsable d'un acte dommageable à la santé de son patient et si cet acte est attribuable à une faute professionnelle, le chirurgien n'assumera pas seul cette responsabilité ; elle pourra aussi être partagée par l'hôpital si l'on peut démontrer une faute de celui-ci.

Cette responsabilité est solidaire, c'est-à-dire que la victime du dommage pourra intenter des poursuites et se faire indemniser soit par le chirurgien, soit par l'hôpital (art. 1526 C.c.Q.).

OBLIGATIONS CONJOINTES, DIVISIBLES OU INDIVISIBLES   Dans l'exemple précédent, où Anne, Marc et Pauline devaient 90 000 $ à Claude à la suite de l'achat d'une maison selon un contrat ne comportant pas de clause de solidarité, chacun n'aurait eu à rembourser que sa quote-part de 30 000 $. L'obligation n'aurait pas été solidaire, mais **conjointe**, c'est-à-dire que chacun d'eux n'aurait été responsable que de 30 000 $ envers Claude.

Les articles 1518 à 1520 définissent les obligations conjointes, divisibles et indivisibles.

Exploitation d'une entreprise : Exercice par une ou plusieurs personnes d'une activité économique organisée, qu'elle soit ou non à caractère commercial, et consistant en la production ou la réalisation de biens, leur administration ou leur aliénation, ou en la prestation de services.

« **Art. 1518 C.c.Q.** L'*obligation est conjointe* entre plusieurs débiteurs lorsque ces derniers sont obligés à une même chose envers le créancier, mais de manière que chacun d'eux ne puisse être contraint à l'exécution de l'obligation que séparément et jusqu'à concurrence de sa part dans la dette.

L'obligation est conjointe entre plusieurs créanciers lorsque chacun d'eux ne peut exiger, du débiteur commun, que l'exécution de sa part dans la créance.

Art. 1519 C.c.Q. L'*obligation est divisible* de plein droit, à moins que l'indivisibilité n'ait été expressément stipulée ou que l'objet de l'obligation ne soit pas, de par sa nature, susceptible de division matérielle ou intellectuelle.

Art. 1520 C.c.Q. L'*obligation indivisible* ne se divise ni entre les débiteurs ou les créanciers, ni entre leurs héritiers ».

> *Exemple* : L'obligation de rembourser la somme de 90 000 $ à Claude sera **divisible** entre Anne, Marc et Pauline s'il s'agit d'une obligation conjointe selon la définition ci-dessus et, dans un tel cas, l'exécution du remboursement se fera par les trois paiements individuels de 30 000 $ chacun d'Anne, de Marc et de Pauline.

L'obligation sera **indivisible** s'il est impossible de la diviser pour l'exécuter.

> *Exemple* : Daniel s'engage à donner un tableau de Marc-Aurèle Fortin. Cette obligation est indivisible, car il ne peut donner le tableau en pièces détachées.

EXTINCTION DE L'OBLIGATION

Comme l'indique l'article 1671 C.c.Q., l'extinction d'une obligation peut résulter :

- du paiement ;
- de l'arrivée du terme extinctif ;
- de la novation ;
- de la prescription extinctive ;
- de la compensation ;
- de la confusion ;
- de la remise ;
- de l'impossibilité d'exécuter l'obligation ;
- de la libération du débiteur sous certaines conditions ;
- du jugement d'annulation (ou de rescision) ;
- de l'effet de la condition résolutoire.

En pratique, certains de ces moyens sont peu utilisés ; aussi traiterons-nous seulement de ceux qui sont le plus souvent employés.

Le débiteur peut recourir de son propre chef à certains moyens qui conduisent à l'extinction de sa dette. Dans d'autres cas, la dette s'effacera d'elle-même sans que le débiteur ait à se servir de la loi. La prescription et la remise en sont des illustrations.

Le tableau 6.2 illustre les principaux modes d'extinction des obligations.

Le tableau 6.3, à la page 142, énumère les principaux délais de prescription extinctive.

AUTRES CAS D'EXTINCTION DES OBLIGATIONS

Il existe d'autres moyens de mettre fin à ses obligations ou de se libérer de ses dettes. Nous ne ferons pas une étude détaillée de ces moyens mais nous en citerons certains à titre d'exemples. L'article 1695 s'applique notamment au cas d'un débiteur qui se voit dépossédé d'un bien en faveur de son créancier prioritaire ou hypothécaire.

Tableau 6.2 Principaux modes d'extinction des obligations

Moyens d'extinction	Définition	Exemples
Le paiement ou l'exécution de l'obligation	« **Art. 1553 C.c.Q.** Par paiement on entend non seulement le versement d'une somme d'argent pour acquitter une obligation, mais aussi l'exécution même de ce qui est l'objet de l'obligation. »	• Vous devez 1000 $ à votre amie Johane et vous lui payez cette somme. • Un peintre s'engage à exécuter un tableau pour vous et vous le remet.
L'arrivée du terme extinctif	Un terme est un événement futur certain, une date précise d'échéance, un délai accordé au débiteur.	• Un bail commercial de 36 mois. • Un contrat de société pour la durée d'une foire commerciale.
La novation	« **Art. 1660 C.c.Q.** La novation s'opère lorsque le débiteur contracte envers son créancier une nouvelle dette qui est substituée à l'ancienne, laquelle est éteinte, ou lorsqu'un nouveau débiteur est substitué à l'ancien, lequel est déchargé par le créancier ; la novation peut alors s'opérer sans le consentement de l'ancien débiteur. Elle s'opère aussi lorsque, par l'effet d'un nouveau contrat, un nouveau créancier est substitué à l'ancien envers lequel le débiteur est déchargé. »	• France doit 250 $ à Marie. Par un nouveau contrat, cette dette est transférée à Jacqueline, libérant ainsi France de sa dette envers Marie. • Marc doit 500 $ à Henri. La femme de Marc signe avec Henri un contrat en vertu duquel elle se substitue à son mari.
La remise	« **Art. 1687 C.c.Q.** Il y a remise lorsque le créancier libère son débiteur de son obligation. La remise est totale, à moins qu'elle ne soit stipulée partielle. » « **Art. 1688 C.c.Q.** La remise est expresse ou tacite. »	Votre créancier vous remet une quittance écrite pour le solde de l'hypothèque que vous lui devez. Il s'agit d'une remise expresse.
La compensation	« **Art. 1672 C.c.Q.** Lorsque deux personnes se trouvent réciproquement débitrices et créancières l'une de l'autre, les dettes auxquelles elles sont tenues s'éteignent par compensation jusqu'à concurrence de la moindre. »	Émile doit 800 $ à Arthur. Arthur achète d'Émile un téléviseur pour la somme de 600 $. Les deux dettes s'éteignent et Émile ne doit plus que 200 $ à Arthur.
La confusion	« **Art. 1683 C.c.Q.** La réunion des qualités de créancier et de débiteur dans la même personne opère une confusion qui éteint l'obligation. Néanmoins, dans certains cas, lorsque la confusion cesse d'exister, ses effets cessent aussi. »	André doit 1000 $ à son père. Ce dernier décède et laisse une petite fortune. Son seul héritier est son fils André. Celui-ci réunit dans une seule personne les qualités de créancier et de débiteur ; la dette s'éteint automatiquement.

Tableau 6.2 Principaux modes d'extinction des obligations (suite)

Moyens d'extinction	Définition	Exemples
Cas de force majeure (impossibilité pour le débiteur d'exécuter l'obligation)	Les cas de force majeure consistent en des événements ou des suites d'événements imprévisibles, échappant à tout contrôle humain qui empêchent le débiteur d'exécuter une obligation. Le terme anglais « Act of God » illustre encore mieux en quoi consiste la force majeure.	• Un fermier vend sa récolte de maïs à une coopérative au printemps. L'été venu, il ne peut respecter son contrat à cause d'une tornade qui a dévasté ses champs.
La prescription extinctive	« **Art. 2921 C.c.Q.** La prescription extinctive est un moyen d'éteindre un droit par non-usage ou d'opposer une fin de non-recevoir à une action. Elle éteint le droit que pourrait avoir un créancier de demander l'exécution d'une obligation ou la reconnaissance d'un droit s'il n'agit pas dans le temps ou le délai fixé par la loi. »	• Vous devez 300 $ à un dentiste qui soit par négligence ou autrement omet de vous réclamer ce montant. Un telle dette pour services professionnels se prescrivant par 3 ans, le dentiste ne pourra vous réclamer cette somme au-delà de cette période.

Lorsqu'un créancier prioritaire ou hypothécaire acquiert le bien sur lequel porte sa créance, à la suite d'une vente en justice, d'une vente faite par le créancier ou d'une vente sous contrôle de justice, le débiteur est libéré de sa dette envers ce créancier, jusqu'à concurrence de la valeur marchande du bien au moment de l'acquisition, déduction faite de toute autre créance ayant priorité de rang sur celle de l'acquéreur.

Tableau 6.3 Principaux délais de prescription

Dix ans	Trois ans	Un an
« **Art. 2922 C.c.Q.** Le délai de prescription extinctive est de 10 ans, s'il n'est autrement fixé par la loi. » « **Art. 2923 C.c.Q.** Les actions qui visent à faire valoir un droit réel immobilier se prescrivent par 10 ans. » « **Art. 2924 C.c.Q.** Le droit qui résulte d'un jugement se prescrit par 10 ans s'il n'est pas exercé. » • Quelqu'un qui obtient un jugement contre son débiteur dispose de 10 ans pour se faire payer. • L'action en reconnaissance du droit de propriété sur un terrain.	« **Art. 2925 C.c.Q.** L'action qui tend à faire valoir un droit personnel ou un droit réel mobilier et dont le délai de prescription n'est pas autrement fixé se prescrit par trois ans. » Cet article vient fixer la prescription pour la majorité des actions civiles. • Action en dommages matériels • action en dommages corporels • action en annulation d'un contrat • action pour percevoir une dette impayée par le débiteur • action sur lettre de change ou chèque	• Action sur atteinte à la réputation (art. 2929 C.c.Q.). • Action pour prestation compensatoire à compter du décès (art. 2928 C.c.Q.). • Action en inopposabilité (ancienne action paulienne, art. 1635 C.c.Q.).

Le jugement d'annulation prononcé par le tribunal constate la nullité d'une obligation et, de ce fait, l'éteint.

Exemple : Ce serait le cas d'un mineur dont le contrat le liant à une société de financement est annulé pour cause de lésion.

Mentionnons finalement que la réalisation d'une condition résolutoire contenue dans un contrat peut entraîner la libération du débiteur.

Exemple : Si vous promettez 500 $ à Pierre pour qu'il ne déménage pas et que ce dernier déménage quand même, la condition résolutoire se réalise et votre obligation s'en trouve éteinte.

LES CONTRATS

Nous avons vu que les obligations pouvaient naître, entre autres, d'actes voulus et recherchés directement par l'homme, dans le but d'engendrer des effets juridiques. Le contrat constitue l'acte juridique par excellence qui engendre l'obligation telle que nous l'avons considérée précédemment.

> **Contrat** : Accord de volontés, par lequel une ou plusieurs personnes s'obligent envers une ou plusieurs autres à exécuter une prestation.

Le *Code civil* définit clairement le **contrat** ainsi que les différents types de contrats prévus au Code (art. 1377 à 1384 C.c.Q.).

Le contrat peut être d'adhésion ou de gré à gré, synallagmatique ou unilatéral, à titre onéreux ou gratuit, commutatif ou aléatoire et à exécution instantanée ou successive ; il peut aussi être de consommation.

CLASSIFICATION DES DIFFÉRENTES ESPÈCES DE CONTRATS

Le tableau 6.4, pages 144 et 145, illustre cette classification des différentes espèces de contrats.

Il ressort donc clairement de ce qui précède qu'un contrat peut répondre à plusieurs des classifications que nous venons de définir.

Exemple : Le contrat de vente. C'est à la fois un contrat de gré à gré, synallagmatique, onéreux, principal, nommé, qui peut être soit verbal ou écrit, notarié ou sous seing privé, de consommation, ou dans le cadre de l'exploitation d'une entreprise, à exécution instantanée ou successive, il peut aussi revêtir la forme verbale ou écrite, notarié ou sous seing privé selon ses modalités comme nous le verrons au chapitre 8.

CONDITIONS DE VALIDITÉ DES CONTRATS

L'article 1385 du *Code civil du Québec* énonce cinq conditions nécessaires pour la validité d'un contrat.

« **Art. 1385 C.c.Q.** Le contrat se forme par le seul **échange de consentement** entre des **personnes capables** de contracter, à moins que la loi n'exige, en outre, le respect d'une **forme** particulière comme condition nécessaire à sa formation, ou que les parties n'assujettissent la formation du contrat à une forme solennelle.

Il est aussi de son essence qu'il ait une **cause** et un **objet**. »

CAPACITÉ DES PARTIES

> **Capacité** : Aptitude que possède un individu à être titulaire de droits et à les exercer seul. En matière contractuelle, la capacité est donc l'aptitude à faire seul et librement un contrat valable.

La règle générale dans notre droit est que **toute personne est capable de contracter**. Cependant, le législateur a cru bon d'apporter un tempérament à ce principe en privant momentanément certaines personnes de cette *capacité* pour

Tableau 6.4   Classification des différentes espèces de contrats

Contrat d'adhésion		Contrat de gré à gré

« **Art. 1379 C.c.Q.** Le contrat est d'adhésion lorsque les stipulations essentielles qu'il comporte ont été imposées par l'une des parties ou rédigées par elle, pour son compte ou suivant ses instructions, et qu'elles ne pouvaient être librement discutées. »
 	
Exemples : • un contrat d'assurance ;
    • certains baux commerciaux.
	ou son contraire	« **Art. 1379 (2) C.c.Q.** Tout contrat qui n'est pas d'adhésion est de gré à gré. »
		   Tout contrat qui est négocié est de gré à gré.
		
		Exemples : • un contrat d'achat d'une maison ;
		    • une convention collective.

Contrat synallagmatique (bilatéral)		Contrat unilatéral
« **Art. 1380 C.c.Q.** Le contrat est synallagmatique ou bilatéral lorsque les parties s'obligent réciproquement, de manière que l'obligation de chacune d'elles soit corrélative à l'obligation de l'autre. » *Exemples* : • le contrat de vente ; • un bail.	*ou son contraire*	« **Art. 1380 (2) C.c.Q.** Il est unilatéral lorsque l'une des parties s'oblige envers l'autre sans que, de la part de cette dernière, il y ait d'obligation. » *Exemple* : une donation. *Cautionnement*
Contrat à titre onéreux		Contrat à titre gratuit

« **Art. 1381 C.c.Q.** Le contrat à titre onéreux est celui par lequel chaque partie retire un avantage en échange de son obligation. »
 	
Exemples : • la vente ;
    • le louage.
	ou son contraire	« **Art. 1831 (2) C.c.Q.** Le contrat à titre gratuit est celui par lequel l'une des parties s'oblige envers l'autre pour le bénéfice de celle-ci, sans retirer d'avantage en retour. »
		
		Exemples : • un prêt d'argent sans intérêt ;
		    • une donation.

Contrat commutatif		Contrat aléatoire

« **Art. 1382 C.c.Q.** Le contrat est commutatif lorsque, au moment où il est conclu, l'étendue des obligations des parties et des avantages qu'elles retirent en échange est certaine et déterminée. »
 	
Exemples : • la vente ;
    • le contrat de prêt.
	ou son contraire	« **Art. 1382 (2) C.c.Q.** Il est aléatoire lorsque l'étendue de l'obligation ou des avantages est incertaine. »
		
		Exemples : • le contrat d'assurance-incendie ;
		    • le contrat de fourniture d'électricité.

Contrat à exécution instantanée		Contrat à exécution successive
« **Art. 1383 C.c.Q.** Le contrat à exécution instantanée est celui où la nature des choses ne s'oppose pas à ce que les obligations des parties s'exécutent en une seule et même fois. » *Exemple* : le contrat de vente d'un bien payé comptant et remis à l'acheteur au même moment.	*ou son contraire*	« **Art. 1383 (2) C.c.Q.** Le contrat à exécution successive est celui où la nature des choses exige que les obligations s'exécutent en plusieurs fois ou d'une façon continue. » *Exemples* : • le contrat de louage ; • le contrat de prêt d'argent.

Tableau 6.4 Classification des différentes espèces de contrats (suite)

Contrat de consommation		Contrat dans le cadre de l'exploitation d'une entreprise
« **Art. 1384 C.c.Q.** Le contrat de consommation est le contrat dont le champ d'application est délimité par les lois relatives à la protection du consommateur, par lequel l'une des parties, étant une personne physique, le consommateur, acquiert, loue, emprunte ou se procure de toute autre manière, à des fins personnelles, familiales ou domestiques, des biens ou des services auprès de l'autre partie, laquelle offre de tels biens ou services dans le cadre d'une entreprise qu'elle exploite. » *Exemple* : l'obtention d'une carte de crédit par un consommateur.	*ou son contraire*	Le contrat dans le cadre de l'exploitation d'une entreprise est un contrat conclu par une personne qui exploite une entreprise au sens de l'article 1525 (3) C.c.Q., soit une activité économique organisée à caractère. *Exemple* : tous les contrats conclus par des commerçants.
Contrat principal		Contrat accessoire
Le contrat principal est celui qui existe par lui-même, il est autonome. *Exemples* : • la vente ; • le prêt ; • le louage.	*ou son contraire*	Le contrat accessoire n'existe que dans la mesure où il y a un autre contrat (le contrat principal) dont il dépend. *Exemple* : l'hypothèque est souvent l'accessoire d'un contrat de prêt qui lui est le contrat principal.
Contrat nommé		Contrat innommé
Tous les contrats définis dans le *Code civil* sont des contrats nommés. *Exemples* : • la vente ; • le louage ; • le mandat.	*ou son contraire*	Le contrat innommé est celui pour lequel le législateur n'a prévu aucune règle précise. *Exemple* : le contrat de franchise.

les protéger contre elles-mêmes, en raison soit de leur inexpérience, soit de leur inaptitude à discerner le bien du mal. On nomme ces personnes les **incapables**. Les principaux incapables auxquels fait allusion notre droit sont les mineurs et les personnes majeures pour lesquelles on a ouvert un régime de protection. Nous vous reportons au chapitre 2 sur la capacité des personnes à ce sujet.

L'incapacité des mineurs et des majeurs protégés est établie en leur faveur. Cela signifie en pratique que, à moins d'exception, une personne majeure, ayant pleine capacité de contracter, ne peut invoquer l'incapacité du mineur ou d'un majeur protégé avec qui elle aurait contracté pour faire annuler le contrat.

> *Exemple* : Robert, âgé de 17 ans, vend son voilier à Joseph pour la somme de 1500 $. Dans le cas où Joseph se rendrait compte qu'il n'a pas fait une bonne affaire et voudrait faire annuler la vente en invoquant l'incapacité de Robert, qui est mineur, il ne pourrait le faire. En effet, seul Robert ou son tuteur pourrait invoquer sa propre incapacité.

L'article 1420 du *Code civil du Québec* amène une nouvelle règle qui permet au cocontractant d'invoquer lui aussi la nullité relative du contrat, s'il est de bonne foi et s'il subit un préjudice sérieux.

CONSENTEMENT LIBRE ET ÉCLAIRÉ

Consentement : Expression de la volonté des parties. Pour qu'il y ait contrat, il faut un accord de volontés, et le consentement est l'extériorisation de cet accord.

Le *consentement* peut être exprès ou tacite. Le **consentement exprès** peut prendre la forme de la signature des parties au bas du contrat alors que le **consentement tacite** peut se déduire de l'agissement des parties.

L'acheteur qui, sans avoir donné son consentement écrit à une offre d'acheter, mandate son notaire pour préparer un contrat écrit selon les modalités de l'entente verbale intervenue avec le vendeur offrant donne un consentement tacite.

OFFRE ET ACCEPTATION   Pour qu'il y ait contrat, il faut un accord de volontés, accord qui doit être extériorisé. Le consentement réciproque des parties est atteint en deux étapes : l'**offre**, d'une part, et l'acceptation qui y correspond, d'autre part. L'offre seule n'est donc pas un contrat.

Offre de contracter : Proposition qui comporte tous les éléments du contrat envisagé et qui indique la volonté de son auteur d'être lié en cas d'acceptation (art. 1386 C.c.Q.).

L'échange de consentement se réalise par la manifestation expresse ou tacite de la volonté d'une personne d'accepter l'***offre de contracter*** que lui fait une autre personne.

Le contrat est conclu au moment du consentement mutuel. Si les parties sont en présence l'une de l'autre, le contrat prend naissance dès l'instant où chacune d'elles prend connaissance de l'acceptation par l'autre. Mais si les parties sont éloignées l'une de l'autre et communiquent entre elles par la poste, par exemple, le cas se présente de façon différente. Dès lors, on peut se demander à quel moment le contrat est conclu. Le *Code civil du Québec* vient clarifier la situation aux articles 1387 et suivants.

L'offre de contracter peut être faite :

- à une personne déterminée ou indéterminée ;
- elle peut aussi être assortie ou non d'un délai pour son acceptation ;
- celle qui est assortie d'un délai est irrévocable avant l'expiration du délai ;
- celle qui n'en est pas assortie demeure révocable tant que l'offrant n'a pas reçu l'acceptation.

Le contrat est formé au moment où l'offrant reçoit l'acceptation et au lieu où cette acceptation est reçue, quel qu'ait été le moyen utilisé pour la communication et ce, même si les parties ont convenu de réserver leur accord sur certains éléments secondaires.

> *Exemple :* Dans une lettre, Bernard offre à Jean, domicilié à Toronto, de lui vendre sa maison pour la somme de 300 000 $. Après avoir pris connaissance de cette offre, Jean décide de faire une contre-offre pour la somme de 200 000 $. Bernard refuse cette contre-offre et avise Jean qu'il accepterait 275 000 $ et qu'il lui donne 48 heures pour accepter sa contre-offre. Jean l'avise que son prix final est de 250 000 $, mais que le prix comprend tous les appareils ménagers ainsi que la piscine hors terre de Bernard. Il donne 24 heures à ce dernier pour accepter sa contre-offre. Bernard accepte, mais dit qu'il veut conserver les appareils ménagers.

Finalement, le *Code civil du Québec* vient trancher deux situations confuses en stipulant aux articles 1393 et 1394 que l'acceptation qui n'est pas substantiellement conforme à l'offre ne vaut pas acceptation, mais peut constituer une nouvelle offre et que, de plus, le **silence de l'une des parties ne vaut pas acceptation à moins d'une stipulation de la loi ou de circonstances particulières.**

VICES DE CONSENTEMENT   En d'autres mots, si un consentement a été donné, mais qu'il se trouve entaché d'un des vices mentionnés dans la loi, le contrat peut être annulé. Notre Code civil prévoit les vices de consentement suivants : l'erreur, le dol ou la fraude, la violence et la crainte, et finalement, la lésion.

- **L'erreur**

L'article 1400 du *Code civil du Québec* prévoit trois cas d'erreur qui frappent le contrat de nullité relative :

« **Art. 1400 C.c.Q.** L'erreur vicie le consentement des parties ou de l'une d'elles lorsqu'elle porte sur la nature du contrat, sur l'objet de la prestation ou, encore, sur tout élément essentiel qui a déterminé le consentement. L'erreur inexcusable ne constitue pas un vice de consentement. »

Exemple : À la suite d'une annonce parue dans les journaux, Arthur désire louer la maison d'Henri et il prend contact avec lui à ce sujet. Henri se rend chez Arthur avec un acte de vente en main, croyant que celui-ci désire acheter sa propriété. Arthur pense qu'il s'agit d'un bail de location et il signe l'acte de vente. Il y a ici **erreur sur la nature** même du contrat, et celui-ci est frappé de nullité absolue.

Exemple : Charles croit acheter une automobile à transmission automatique, et le vendeur lui vend une automobile à transmission manuelle. Il y a là **erreur sur l'objet de la prestation** et le contrat est, de ce fait, nul. Diane croit acheter des boucles d'oreilles en or, alors que le bijoutier lui vend des boucles d'oreilles plaquées or.

Exemple : Philippe achète un camion en se fiant à la parole du vendeur, qui lui affirme que ce camion peut transporter jusqu'à 15 tonnes de marchandises. Une fois le contrat conclu, Philippe constate que le camion ne peut raisonnablement supporter que des charges de 10 tonnes. Dans cet exemple, même si le vendeur était de bonne foi, Philippe peut demander au tribunal d'annuler le contrat, car s'il avait su que le camion ne pouvait transporter que 10 tonnes, il ne l'aurait pas acheté. Voilà un exemple d'**erreur sur un élément essentiel** qui entraîne la nullité relative du contrat.

Figure 6.4   Le contrat comportant un vice de consentement est nul.

Dol ou fraude : Synonymes. Il s'agit d'une ruse, d'une tromperie ou d'un artifice qui a pour but de provoquer le consentement d'un contractant.

- **Le dol ou la fraude**

La conséquence du *dol* ou de la *fraude* est l'erreur qui rend le consentement vicié.

« **Art. 1401 C.c.Q.** L'erreur d'une partie provoquée par le dol de l'autre partie ou à la connaissance de celle-ci vicie le consentement dans tous les cas où, sans cela, la partie n'aurait pas contracté ou aurait contracté à des conditions différentes ; le dol peut résulter du silence ou d'une réticence. »

> *Exemple :* Il y a fraude lorsque l'odomètre d'une voiture d'occasion a été sciemment faussé par le vendeur ; si l'acheteur avait connu le véritable kilométrage de l'automobile, il ne l'aurait pas achetée ou l'aurait payée moins cher. Le contrat est donc nul.

- **La violence et la crainte**

La violence consiste à provoquer chez une personne la crainte d'un mal sérieux, physique ou moral, à l'égard d'elle-même, de son conjoint, de ses enfants ou de ses proches, dans le but de lui faire passer un contrat.

Dans l'appréciation de cette crainte, le tribunal tiendra compte de l'âge, du sexe, du caractère et de la condition des personnes.

> *Exemple :* Éric est propriétaire d'un commerce prospère et livre une dure concurrence à son voisin André qui possède un commerce similaire. Ce dernier force Éric à lui signer un acte de vente de son commerce en le menaçant d'enlever ses enfants. Le consentement arraché à Éric dans ces circonstances n'est pas libre et il constitue une cause d'annulation du contrat.

> *Exemple :* Un homme menace sa femme de la battre si elle ne renonce pas à certains droits.

- **La lésion**

La lésion résulte de l'exploitation de l'une des parties par l'autre qui entraîne une disproportion importante entre les prestations des parties ; le fait même qu'il y ait une disproportion importante fait présumer l'exploitation.

En vertu de l'article 1405 du *Code civil*, la lésion n'est une cause de nullité des contrats que pour certaines personnes (les mineurs, majeurs protégés).

La lésion ne s'applique pas de plein droit en faveur du mineur. En effet, si ce dernier veut faire résilier un contrat pour cause de lésion, il devra prouver qu'il a réellement subi un préjudice, et que la personne avec qui il a signé le contrat a réellement profité de son état.

> *Exemple :* Le tribunal n'hésitera pas à annuler un contrat de vente d'automobile conclu par un mineur à un prix qui dépasse de beaucoup la valeur de l'automobile, surtout si le mineur n'a pas la capacité de payer, compte tenu de ses ressources financières. Toutefois, dans un tel cas, le garagiste ne serait pas tenu de rembourser au mineur plus que la portion du montant dont ce dernier n'a pas profité. En d'autres termes, le mineur ou l'interdit dont le contrat est annulé par le tribunal doit toujours payer une part équivalant aux avantages qu'il a retirés de l'objet du contrat.

Il est à remarquer que la loi considère le mineur qui exploite une entreprise comme un majeur aux fins de son entreprise ; il ne pourra donc invoquer la lésion pour faire annuler un contrat passé en raison de son commerce.

Toutefois, un majeur se croyant victime d'une transaction abusive concernant un prêt d'argent peut toujours, en vertu de l'article 2332 C.c.Q., s'adresser au tribunal pour demander la réduction ou l'annulation de son obligation. Dans ce cas, le tribunal jouit d'un pouvoir discrétionnaire et doit fonder sa décision sur cette notion de justice naturelle qu'est l'**équité**. L'article 1405 C.c.Q. permet cependant au majeur en tutelle ou en curatelle d'invoquer la lésion pour annuler un contrat[2].

OBJET

« **Art. 1412 C.c.Q.** L'objet du contrat est l'opération juridique envisagée par les parties au moment de sa conclusion, telle qu'elle ressort de l'ensemble des droits et obligations que le contrat fait naître. »

Cette opération juridique peut être l'achat d'un bien meuble, la location d'un appartement, un emprunt bancaire, l'engagement d'un entrepreneur, etc. Le contrat dont l'objet est prohibé par la loi ou contraire à l'ordre public est prohibé.

LA LOI ET L'ORDRE PUBLIC   En droit québécois, la liberté contractuelle est absolue, sous réserve des restrictions qu'impose l'article 8 du *Code civil du Québec* selon lequel :

« On ne peut renoncer à l'exercice des droits civils que dans la mesure où le permet l'ordre public. »

Le *Code civil* fait souvent allusion à la notion d'ordre public sans jamais cependant la définir. C'est donc par le biais de la jurisprudence qu'on peut tenter d'en élaborer une définition.

L'*ordre public* est un concept variable qui est à la base de toute la structure de notre système public.

> *Exemple* : Au Québec, une personne qui se livrerait au commerce de la prostitution n'aurait aucun recours légal contre un client qui refuserait de lui verser la somme convenue.

> *Exemple* : Paul loue sa maison à Albert qui a l'intention de l'utiliser pour la tenue d'un bar clandestin. L'objet du contrat est contraire à l'ordre public.

> *Exemple* : Le contrat de mère porteuse est prohibé par la loi et contraire à l'ordre public.

Ordre public : « Ensemble des dispositions légales édictées en vue d'assurer la protection matérielle et morale des personnes groupées en société, notamment en matière de statut familial, d'organisation politique, économique et sociale. » *Dictionnaire de droit*, BARRAINE R., Paris, Librairie générale de droit et de jurisprudence, 1967, p. 216.

CAUSE

On ne peut assumer d'obligation sans *cause*.

> *Exemple* : Si l'on paie par erreur deux fois la même facture, le deuxième paiement est fait sans cause et l'on a droit à un remboursement.

Comme pour l'objet du contrat, la cause du contrat ne doit pas être prohibée par la loi ou contraire à l'ordre public.

Cause : But poursuivi par le débiteur au moment où il s'engage envers le créancier. L'article 1410 C.c.Q. définit la **cause du contrat** comme la raison qui détermine chacune des parties à le conclure; il n'est pas nécessaire qu'elle soit exprimée.

FORME DU CONTRAT

Quant à sa forme, le contrat peut être écrit, verbal ou tacite (implicite par l'agissement des parties comme le bail par tolérance) sous réserve des règles concernant la preuve et la publication de certains contrats. Comme nous le ver-

---

2   On peut citer un cas où le majeur peut invoquer la lésion : l'article 8 de la *Loi sur la protection du consommateur*.

Laval, le 14 mars 1995

Je, soussigné, Robert Dalla, vend par les présentes à Daniel Séguin mon voilier Windstar 1990 d'une longueur de 17 pieds pour la somme de 20 000 $, payée comptant à la signature des présentes, par chèque visé.

Daniel Séguin déclare avoir examiné le voilier, se déclare satisfait de son état et l'achète tel que vu, sans autre garantie de la part du vendeur.

L'acheteur prend possession du voilier à la signature des présentes.

En foi de quoi nous avons signé

_____   _____
témoin   Robert Dalla

_____   _____
témoin   Daniel Séguin

Figure 6.5   Exemple d'un contrat sous seing privé

Contrat sous seing privé : Contrat pour lequel la loi n'exige aucune formalité. Il peut être soit manuscrit, dactylographié ou imprimé selon une formule type; c'est notamment ce type de contrat que rédigent les avocats.

rons la loi impose la forme écrite à certains contrats. Un contrat écrit peut être notarié ou *sous seing privé.*

Le tableau 6.5 illustre les différentes formes que peut revêtir un contrat.

Le non-respect des exigences de la loi peut entraîner la nullité d'un contrat comme l'indique l'article 1414 C.c.Q.

« **Art. 1414 C.c.Q.** Lorsqu'une forme particulière ou solennelle est exigée comme condition nécessaire à la formation du contrat, elle doit être observée ; cette forme doit aussi être observée pour toute modification apportée à un tel contrat, à moins que la modification ne consiste qu'en stipulations accessoires. »

EFFETS DU CONTRAT

Selon l'article 1440 C.c.Q., les contrats n'ont d'effet qu'entre les parties contractantes. L'article 1443 C.c.Q. stipule qu'on ne peut, par un contrat en son propre nom, engager que soi-même et ses héritiers.

Le contrat a donc force de loi **entre les parties.** Il est obligatoire pour chacune des parties qui doivent mutuellement remplir les obligations qu'elles ont contractées. L'article 1439 C.c.Q. stipule que les contrats ne peuvent être résolus que par le consentement des parties, ou pour les causes que la loi reconnaît. Même le tribunal ne peut modifier un contrat, il ne peut que le reconnaître ou l'annuler. Il existe toutefois certains contrats à durée indéfinie et susceptibles de révocation unilatérale (mandat, louage et société pour un temps illimité).

Tableau 6.5 Les formes du contrat

Contrat écrit		Contrat verbal
Le contrat écrit est celui qui est rédigé de façon écrite par les parties, il peut être notarié ou sous seing privé.	*ou son contraire*	Sauf lorsque la loi oblige les parties à rédiger un contrat écrit, le contrat verbal est valide et accepté par les tribunaux. Il peut par ailleurs causer des problèmes de preuve entre les parties devant le tribunal.
Exemples : • le contrat d'achat d'une maison ; • un contrat d'assurance ; • une convention collective.		*Exemples* : • un bail par tolérance ; • la vente ou le prêt d'un bien.
Contrat notarié		**Contrat sous seing privé**
Le contrat notarié est un écrit qui a été reçu ou attesté par un officier public (le notaire) selon les formalités requises, qui fait preuve de son contenu sans qu'il soit nécessaire de prouver la signature qui y apparaît. En général la loi exige que certains contrats soient notariés.	*ou son contraire*	Le contrat sous seing privé est celui pour lequel la loi n'exige aucune formalité. Il peut être manuscrit, dactylographié ou imprimé selon une formule type.
Exemples : • le contrat de mariage ; • le contrat d'hypothèque immobilière.		*Exemples* : • un contrat de vente d'entreprise ; • un contrat de bail ; • un contrat soumis à la *Loi sur la protection du consommateur*.

Mis à part ces exceptions, l'inexécution ou le bris de contrat par l'une des parties confère à la partie lésée le droit d'intenter des poursuites en justice pour demander soit l'exécution du contrat, soit sa résiliation ou sa résolution, avec ou sans dommages-intérêts dans un cas comme dans l'autre.

Un contrat ne peut engager ni lier les tiers, c'est-à-dire les personnes qui n'y sont pas parties.

Exemple : Je ne peux vous vendre l'automobile de mon voisin à moins d'être autorisé par ce dernier à le faire en vertu d'un mandat ou d'une procuration.

Il existe certaines exceptions que l'on retrouve notamment aux articles 1443 et suivants du *Code civil*. (promesse du fait d'autrui et stipulation pour autrui) ; 1767 et ssq. C.c.Q. (vente d'entreprise) et la convention collective.

Le Code prévoit des cas où un créancier, même s'il n'est pas partie au contrat, peut intervenir et exercer à la place de ses débiteurs négligents les droits qu'ont ces derniers. De même, un créancier peut intervenir pour faire annuler un contrat entre son débiteur et un tiers, si ce contrat est de nature frauduleuse et lui cause préjudice. L'action qu'intentera alors ce créancier porte le nom d'**action en inopposabilité.**

Exemple : Jean se trouve dans une situation financière précaire et il est sur le point de se faire saisir son automobile. Il vend alors son automobile à Gérard, privant ainsi le créancier de son droit de recouvrement. Ce dernier pourra alors intenter une action en inopposabilité de façon à faire annuler la vente et à rétablir l'automobile dans le patrimoine de Jean.

INTERPRÉTATION DU CONTRAT

Les parties doivent remplir les obligations qu'elles ont assumées en passant le contrat, ce qui suppose que le contrat est rédigé en des termes clairs et précis dont les parties saisissent bien la portée. Au départ, on présume de la bonne foi des contractants. Malheureusement, tous les contrats ne répondent pas à ces critères d'excellence et ils contiennent souvent des clauses ambiguës qui donnent naissance à des controverses entre les parties.

RÈGLES GÉNÉRALES   Pour régler ces litiges et s'assurer, par le fait même, de l'exécution mutuelle du contrat, les parties doivent alors s'adresser aux tribunaux ; ceux-ci disposent de règles d'interprétation pour les aider à trancher ces mésententes. Ce sont les articles 1425 à 1432 C.c.Q. dont voici quelques exemples :

« **Art. 1425 C.c.Q.** Dans l'interprétation du contrat, on doit rechercher quelle a été la commune intention des parties plutôt que de s'arrêter au sens littéral des termes utilisés.

Art. 1426 C.c.Q. On tient compte, dans l'interprétation du contrat, de sa nature, des circonstances dans lesquelles il a été conclu, de l'interprétation que les parties lui ont déjà donnée ou qu'il peut avoir reçue, ainsi que des usages.

Art. 1427 C.c.Q. Les clauses s'interprètent les unes par les autres, en donnant à chacune le sens qui résulte de l'ensemble du contrat.

Art. 1432 C.c.Q. Dans le doute, le contrat s'interprète en faveur de celui qui a contracté et contre celui qui l'a stipulé. Dans tous les cas, il s'interprète en faveur de l'adhérent ou du consommateur ».

CLAUSES EXTERNES, CLAUSES ILLISIBLES OU INCOMPRÉHENSIBLES ET CLAUSES ABUSIVES   Le *Code civil du Québec* offre trois protections en faveur du consommateur et de l'adhérent, en ce qui concerne les clauses illisibles, incompréhensibles et abusives figurant dans un contrat de consommation ou d'adhésion ainsi qu'aux références à une clause externe au contrat.

« **Art. 1435 C.c.Q. La clause externe à laquelle renvoie le contrat lie les parties.** »

Toutefois, dans un contrat de consommation ou d'adhésion, cette clause est nulle si, au moment de la formation du contrat, elle n'a pas été expressément portée à la connaissance du consommateur ou de la partie qui y adhère, à moins que l'autre partie ne prouve que le consommateur ou l'adhérent en avait par ailleurs connaissance. »

> *Exemple* : La clause d'une offre de location qui se réfère à la formule de bail standard du locateur.

« **Art. 1436 C.c.Q.** Dans un contrat de consommation ou d'adhésion, la **clause illisible** ou **incompréhensible** pour une personne raisonnable est nulle si le consommateur ou la partie qui y adhère en souffre préjudice, à moins que l'autre partie ne prouve que des explications adéquates sur la nature et l'étendue de la clause ont été données au consommateur ou à l'adhérent. »

> *Exemple* : Certaines clauses figurant à l'endos de billets d'avion ou d'autres contrats qui sont écrites en caractères tellement petits qu'elles sont illisibles.

« **Art. 1437 C.c.Q. La clause abusive** d'un contrat de consommation ou d'adhésion est nulle ou l'obligation qui en découle, réductible.

Est abusive toute clause qui désavantage le consommateur ou l'adhérent d'une manière excessive et déraisonnable, allant ainsi à l'encontre de ce qu'exige la bonne foi. »

Exemple : Une clause dans un contrat de consommation qui obligerait un consommateur à envoyer au commerçant un avis écrit supplémentaire à ceux prévus en vertu de la loi pour bénéficier des dispositions de la *Loi sur la protection du consommateur*.

La clause qui est nulle ne rend pas le reste du contrat invalide à moins qu'il n'apparaisse que le contrat doive être considéré comme un tout individuel. Il en est de même pour la clause qui est sans effet ou réputée non écrite.

PREUVE DU CONTRAT

Dans le cas où l'une des parties néglige de se conformer à une convention parfaitement valide, l'autre partie peut s'adresser au tribunal pour en exiger l'exécution, sous réserve, toutefois, d'en faire la preuve à la satisfaction du juge :

- Il appartient à celui qui réclame l'exécution d'une obligation d'en faire la preuve ;
- la preuve offerte doit être la meilleure possible.

L'article 2857 C.c.Q. énonce que la preuve de tout fait pertinent au litige est recevable et peut être faite par tous les moyens, mais toutes les catégories de preuve n'ont pas la même valeur probante et ne sont pas nécessairement permises.

Les meilleurs moyens de faire la preuve d'un contrat sont les suivants :

- l'écrit ;
- les témoins ;
- la présomption ;
- l'aveu ;
- la présentation d'un élément matériel.

Dans le *Code civil*, la preuve est réglementée par les articles 2803 à 2874.

La force probante des divers moyens de preuve est laissée à l'appréciation du tribunal.

L'ÉCRIT

La preuve littérale est celle découlant d'actes ou de titres écrits. Les écrits, comme nous l'avons déjà mentionné, peuvent être notariés ou sous seing privé.

Les articles 2860 à 2862 énoncent les principes généraux de la preuve d'un écrit.

« **Art. 2860 C.c.Q.** L'acte juridique constaté dans un écrit ou le contenu d'un écrit doit être prouvé par la production de l'original ou d'une copie qui légalement en tient lieu.

Toutefois, lorsqu'une partie ne peut, malgré sa bonne foi et sa diligence, produire l'original de l'écrit ou la copie qui légalement en tient lieu, la preuve peut être faite par tous moyens.

Art. 2861 C.c.Q. Lorsqu'il n'a pas été possible à une partie, pour une raison valable, de se ménager la preuve écrite d'un acte juridique, la preuve de cet acte peut être faite par tous moyens.

Art. 2862 C.c.Q. La preuve d'un acte juridique ne peut, entre les parties, se faire par témoignage lorsque la valeur du litige excède 1500 $ ».

Néanmoins, en l'absence d'une preuve écrite et quelle que soit la valeur du litige, on peut prouver par témoignage tout acte juridique dès lors qu'il y a commencement de preuve ; on peut aussi prouver par témoignage, contre une personne, tout acte juridique passé par elle dans le cours des activités d'une entreprise.

LES TÉMOINS

La preuve testimoniale est celle qui trouve son fondement dans les déclarations des **témoins**, c'est-à-dire le *témoignage*.

> **Témoignage :** Déclaration par laquelle une personne relate les faits dont elle a eu personnellement connaissance ou par laquelle un expert donne son avis.

Aux articles 2811 et ssq., le *Code civil du Québec* établit des règles en matière de preuve par témoin. Un principe ressort de ces articles : « la preuve par témoins ne peut, en aucun cas, contredire un écrit valablement fait et produit en preuve. »

Exemple : Si une personne produit devant le tribunal un contrat stipulant qu'elle vend son commerce pour la somme de 750 000 $, l'autre partie ne peut faire entendre de témoins qui viendraient dire que le prix convenu était de 800 000 $ et qu'une somme de 50 000 $ a été donnée au comptant au vendeur. Il y aura objection à une telle preuve qui contredit le contrat écrit.

LES PRÉSOMPTIONS

En l'absence d'*aveu*, de preuve par écrit ou par témoins, il arrive que le juge puisse parvenir à la vérité à partir d'une *présomption*.

> **Aveu :** Reconnaissance d'un fait de nature à produire des conséquences juridiques contre son auteur.
>
> **Présomption :** Conséquence que la loi ou le tribunal tire d'un fait connu à un fait inconnu.

Exemple : En matière de droit criminel, l'accusé est présumé innocent jusqu'à preuve du contraire.

Exemple : En matière de possession, les articles 921 et ssq. C.c.Q. énoncent qu'il existe une présomption en faveur du possesseur de bonne foi d'un bien, selon laquelle il est propriétaire de ce bien.

L'AVEU DE LA PARTIE ADVERSE

Si la partie poursuivie reconnaît l'existence d'un contrat et en admet le contenu, le contrat s'en trouve prouvé ; si cet aveu a lieu au cours du procès et devant le juge, il prend le nom d'**aveu judiciaire** et constitue une preuve irréfutable qui sera retenue contre elle.

Il existe une autre forme d'aveu que l'on nomme **aveu extrajudiciaire**. Cet aveu est celui fait à l'extérieur de la Cour (une reconnaissance de dettes, par exemple).

Exemple : Paul confie à Claude qu'il doit 2000 $ à Pierre. Pour valoir comme preuve, cet aveu doit être fait par écrit. Si Paul fait cet aveu sous serment, le tribunal peut également l'admettre en preuve. Dans ce cas, le témoignage de Claude est irrecevable comme moyen de preuve, car la somme réclamée excède 1500 $. Le tribunal aurait admis en preuve le témoignage de Claude si le montant réclamé avait été inférieur à 1500 $ (art. 2862 C.c.Q.), sauf s'il s'était agi d'une matière commerciale.

Il est important de noter que l'aveu ne peut résulter du silence d'une personne sauf si cela est prévu par la loi.

Exemple : Le locataire qui ne répond pas à l'avis d'augmentation de loyer de son propriétaire dans les délais prescrits est réputé avoir accepté l'augmentation de loyer.

LA PRÉSENTATION D'UN ÉLÉMENT MATÉRIEL

Il s'agit ici de la présentation par l'une des parties à un litige d'un élément matériel, d'un objet, d'un fait, d'un lieu, ou de leur représentation qui permet au juge de tirer ses propres constatations. Dans le langage juridique, les avocats utilisent le terme **pièces** lorsqu'ils sont présentés devant le tribunal. En droit criminel cela pourrait être l'arme du crime, en droit civil, une pièce défectueuse d'un appareil acheté d'un commerçant.

L'article 2854 C.c.Q. énonce ce qui suit :

« La **présentation d'un élément matériel** constitue un moyen de preuve qui permet au juge de faire directement ses propres constatations. »

RESPONSABILITÉ CONTRACTUELLE

Lorsque des personnes signent un contrat, il faut que chacune des parties au contrat exécute les obligations qui y sont mentionnées.

L'article 1553 définit le paiement de ses obligations comme le versement d'une somme d'argent pour acquitter une obligation, mais aussi l'exécution même de ce qui est l'objet de l'obligation.

> *Exemple* : Lorsque Meubles Beaubois ltée vend des meubles pour une somme de 30 000 $ à Jean Larivière, la compagnie exécute son obligation en livrant les meubles à la résidence de ce dernier. Quant à Jean Larivière, il devra payer le prix convenu de 30 000 $ pour exécuter son obligation.

L'article 1458 du *Code civil du Québec* stipule que toute personne a le devoir d'honorer les engagements qu'elle a contractés. « Elle est, lorsqu'elle manque à ce devoir, responsable du préjudice corporel, moral ou matériel qu'elle cause à son cocontractant et tenue de réparer ce préjudice. » Il est donc très important de bien indiquer dans le contrat quels sont les droits et les obligations de chacune des parties.

MISE EN ŒUVRE DU DROIT À L'EXÉCUTION

Souvent, il arrive que l'un ou l'autre des contractants n'exécute pas ses obligations, les exécute en retard, les exécute mal ou ne les exécute que partiellement. Nous parlons alors d'inexécution du contrat. Dans chacun de ces cas, le créancier de l'obligation possède contre son débiteur en défaut des droits et des recours que lui accordent les articles 1590 et ssq. du *Code civil*. Toutefois le créancier doit les exercer en respectant les délais de rigueur.

Aux termes des articles 1594 et ssq. du *Code civil*, le créancier peut adresser au débiteur une **mise en demeure** ou **demande extrajudiciaire** lui enjoignant d'exécuter son obligation. Il est à noter que l'envoi d'une mise en demeure n'est pas une procédure obligatoire dans tous les cas, mais qu'elle est recommandée au créancier afin d'informer le débiteur de son défaut et de lui permettre une dernière fois d'y remédier. L'article 1594 du Code énonce ce qui suit :

« **Art. 1594 C.c.Q.** Le débiteur peut être constitué en demeure d'exécuter l'obligation par les termes mêmes du contrat, lorsqu'il est stipulé que le seul écoulement du temps pour l'exécuter aura cet effet.

Il peut aussi être constitué en demeure par la demande extrajudiciaire que lui adresse son créancier d'exécuter l'obligation, par la demande en justice formée contre lui ou encore, par le seul effet de la loi. »

Les articles 1596 et 1597 du *Code civil du Québec* introduisent une notion nouvelle reliée à l'envoi de la **mise en demeure** : celle-ci doit être faite par écrit et doit accorder au débiteur un délai d'exécution suffisant eu égard à la nature de l'obligation et aux circonstances. Le défaut d'accorder un tel délai ou le fait d'intenter une demande en justice trop hâtive permettent au débiteur de l'obligation de l'exécuter dans un délai raisonnable à compter de la date à laquelle l'action a été intentée ; les frais de demande en justice sont alors à la charge du créancier.

À défaut par le débiteur de donner suite à la mise en demeure, le créancier a le choix d'exercer un des recours suivants :

. l'exécution forcée en nature de l'obligation ;

. l'exécution par un tiers ;

. la résolution ou la résiliation du contrat ou la réduction de l'obligation ;
. l'exécution par équivalence ou recours en dommages-intérêts.

LES RECOURS

EXÉCUTION FORCÉE OU EN NATURE (ART. 1601 À 1603 C.C.Q.)

On parle d'exécution forcée ou en nature lorsque le créancier peut forcer le débiteur à exécuter ses obligations. Mais ce recours ne s'applique pas pour toutes les sortes d'obligations. Ainsi il pourra s'appliquer dans les cas où le débiteur s'est engagé à payer une somme d'argent ou encore à exécuter, à donner ou à faire une chose certaine et déterminée.

> *Exemple*: Le débiteur qui doit 5000 $ à une personne pourra être forcé par un jugement du tribunal à exécuter son obligation.

Par ailleurs, le créancier ne pourra avoir recours à l'exécution forcée lorsqu'il s'agit d'une obligation se rattachant à la personne même du débiteur.

> *Exemple*: On engage un chanteur pour donner un spectacle et il refuse de donner suite à son contrat ; on ne pourra en aucune manière le forcer à chanter ; on devra employer d'autres recours contre ce dernier.

EXÉCUTION PAR UN TIERS (ART. 1590 (3) C.C.Q.)

Dans certains cas, le créancier préférera, lorsque cela est possible compte tenu de la nature de l'obligation, faire exécuter l'obligation par un tiers plutôt que par le débiteur lui-même. Il arrivera également que le débiteur refuse d'exécuter ses obligations et que le créancier doive recourir aux services d'un tiers pour donner suite à un contrat. Ce type de recours est fréquent, notamment, dans le domaine de la construction.

> *Exemple* : Marc engage un entrepreneur pour construire sa maison. Après un certain temps, l'entrepreneur décide de cesser la construction. Marc devra alors avoir recours à un autre entrepreneur pour terminer la construction et, dans le cas où le coût des travaux est supérieur au montant du contrat initial, il pourra poursuivre le premier entrepreneur pour la différence de prix.

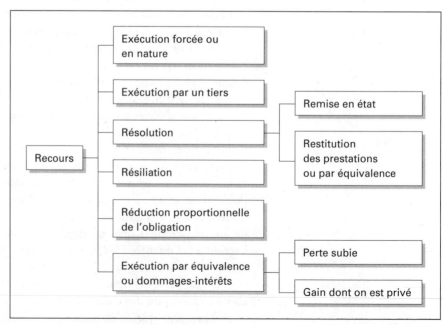

Figure 6.6   Les recours du créancier

RÉSOLUTION OU RÉSILIATION DU CONTRAT

Le créancier peut également choisir de demander la **résolution** ou la **résiliation** du contrat en raison de l'inexécution des obligations du débiteur. En principe, la résolution et la résiliation amènent l'annulation du contrat. C'est l'article 1604 qui en énonce les modalités.

Le tribunal prononce la **résiliation** dans le cas de contrats à exécution successive, tels un bail ou un contrat de prêt. Elle vaut pour l'avenir seulement, vu l'impossibilité d'annuler ce qui a été fait dans le passé.

> *Exemple* : Le tribunal prononcera la résiliation du bail de Boutique Cinquième Sens inc. avec la Corporation du Carrefour Laval ltée à compter du 31 janvier 1995, alors que le bail devait être en vigueur jusqu'en 1998, et condamnera Boutique Cinquième Sens inc. à payer le loyer impayé jusqu'au 31 janvier 1995, plus une pénalité égale à trois mois de loyer.

Lorsque le tribunal prononce la **résolution** du contrat, celui-ci est réputé n'avoir jamais existé et chacune des parties est alors tenue de restituer à l'autre les prestations qu'elle a reçues.

> *Exemple* : Le tribunal prononcera la résolution du contrat de vente d'entreprise de Restaurant Québec inc. à Restaurant Nouveau-Québec inc. pour motifs de dol et fausses représentations. Il ordonnera la restitution des prestations aux parties. Cela implique que le vendeur, Restaurant Québec inc., devra rembourser à l'acheteur, Restaurant Nouveau-Québec inc., le prix d'achat de 500 000 $ et que Restaurant Nouveau-Québec inc. devra remettre au vendeur les biens et équipements achetés afin que les parties au contrat soient remises dans l'état où elles étaient au moment de la signature du contrat.

Ce sont les articles 1699 à 1706 C.c.Q. qui énoncent les principes qui s'appliquent à la *restitution des prestations*.

Le tribunal peut, exceptionnellement, refuser la restitution lorsqu'elle aurait pour effet d'accorder à l'une des parties, débiteur ou créancier, un avantage indu, à moins qu'il ne juge suffisant, dans ce cas, de modifier plutôt l'étendue ou les modalités de la restitution.

D'une façon générale, la restitution se fait en nature, mais si elle ne ne peut se faire ainsi en raison d'une impossibilité ou d'un inconvénient sérieux, elle se fait par équivalent, c'est-à-dire par le paiement de dommages-intérêts évalués à la date où le débiteur a reçu ce qu'il doit restituer.

> *Exemple* : Advenant que Restaurant Nouveau-Québec inc. soit incapable de remettre tous les équipements et appareils au vendeur à la suite d'un incendie d'une partie de la cuisine, il devra lui remettre l'indemnité reçue des assureurs, à moins que la valeur de ces biens ne soit déduite de la somme de 500 000 $ que le vendeur Restaurant Québec inc. doit lui-même lui remettre.

Il est à noter que, dans le cas de la vente d'un bien mobilier, la résolution s'opère de plein droit, sans recours aux tribunaux, si l'acheteur n'a pas payé le prix ou n'a pas pris livraison du bien. Dans tous les autres cas, le créancier doit s'adresser au tribunal pour faire annuler le contrat.

Parallèlement à la notion de mise en demeure introduite par les articles 1596 et 1597 du *Code civil*, l'article 1605 ajoute :

« La résolution ou la résiliation du contrat peut avoir lieu sans poursuite judiciaire lorsque le débiteur est en demeure de plein droit d'exécuter son obligation ou qu'il ne l'a pas exécutée dans le délai fixé par la mise en demeure. »

Restitution des prestations : La restitution des prestations a lieu chaque fois qu'une personne est, en vertu de la loi, tenue de rendre à une autre des biens qu'elle a reçus sans droit ou par erreur, ou encore en vertu d'un acte juridique qui est subséquemment anéanti de façon rétroactive ou dont les obligations deviennent impossibles à exécuter en raison d'une force majeure (art. 1699 C.c.Q.).

L'application de ces nouvelles dispositions devraient permettre la résiliation plus rapide de certains contrats sans avoir recours au tribunal. On peut penser, par exemple, à l'acceptation d'une offre d'achat à la suite de laquelle une des parties ne respecte pas ses obligations.

Nous verrons que ces dispositions trouvent notamment application dans le contrat de vente (voir chapitre 8).

RÉDUCTION PROPORTIONNELLE DE L'OBLIGATION

La réduction proportionnelle de l'obligation est prévue à l'article 1604, elle s'apprécie selon les circonstances. Si elle ne peut avoir lieu le créancier n'a droit qu'à des dommages-intérêts.

> *Exemple* : La compagnie Vêtements Beaux & Jeunes ltée s'est adressée au tribunal pour faire annuler son bail avec Place Laurier parce que, selon elle, Place Laurier ne respectait pas ses obligations envers elle en bouchant la façade de sa boutique depuis plus de deux mois à cause de travaux de rénovation. Dans un tel cas, même si le tribunal juge que ce défaut ne risque pas de se répéter à l'avenir, et pour cette raison ne prononce pas la résiliation du bail, il pourra néanmoins condamner Place Laurier à une réduction proportionnelle du loyer de Vêtements Beaux & Jeunes ltée pendant la durée des travaux.

EXÉCUTION PAR ÉQUIVALENCE OU DOMMAGES-INTÉRÊTS

Le créancier a aussi la possibilité de poursuivre son débiteur en défaut pour la perte qu'il a subie et pour le gain dont il a été privé par suite de l'inexécution du contrat (article 1611 C.c.Q.). Le créancier pourra réclamer les dommages-intérêts prévus au contrat ou résultant directement de l'inexécution du contrat (article 1613 C.c.Q.).

Dans tous les cas, le créancier devra choisir entre les trois premiers recours, car ce sont des recours qui s'opposent les uns aux autres. En effet, le créancier ne peut en même temps demander l'exécution forcée du contrat par son débiteur, l'exécution par un tiers ou la résiliation du contrat. Cependant, il pourra ajouter à l'un ou l'autre de ses recours une réclamation pour les dommages qu'il a subis en raison de l'inexécution du contrat.

Comme nous l'avons vu précédemment, le Code prévoit la possibilité d'ajouter une **clause pénale** au contrat. Il s'agit essentiellement d'une clause prévoyant au départ l'évaluation des dommages-intérêts auxquels sera tenu le débiteur en cas d'inexécution de son obligation. Le créancier n'a pas alors à prouver les dommages, il reçoit le montant convenu d'avance.

Les dommages résultant du retard dans le paiement d'une somme d'argent consistent en l'**intérêt** au taux convenu dans la convention ou le contrat et, à défaut de convention, au taux légal. Ils sont dus à compter de la mise en demeure sans que le créancier ait à prouver qu'il a subi un préjudice (article 1617 C.c.Q.).

L'article 1619 du *Code civil du Québec* prévoit la possibilité d'exiger une **indemnité additionnelle**, soit un pourcentage égal à l'excédent du taux d'intérêt fixé par le ministère du Revenu et le taux d'intérêt convenu entre les parties ou le taux légal selon le cas. L'article 1617 C.c.Q. ajoute la notion de **dommages additionnels** distincts des intérêts à la condition qu'ils aient été prévus au contrat et que le créancier puisse en faire la preuve.

Dans tous les autres cas, il incombe à la partie qui réclame les dommages-intérêts d'en faire la preuve devant le tribunal en utilisant tous les moyens de preuve prévus au Code.

Finalement, les articles 1610 et 1621 C.c.Q. introduisent la notion de **dommages punitifs** en faveur du créancier. Les nouveaux articles 1899, 1902 et 1968 C.c.Q. illustrent cette notion en matière de relations locateur-locataire et il en est de même de la *Charte des droits* et de la *Loi sur la protection du consommateur*.

RÉSUMÉ

- L'obligation est un lien de droit qui contraint une personne (le débiteur) envers une autre (le créancier) à faire ou à ne pas faire quelque chose.

- L'obligation naît d'un contrat ou de tout acte ou fait auquel la loi attache d'autorité les effets d'une obligation.

- L'obligation peut être pure et simple ou assortie de modalités.

- Les obligations à modalités simples sont l'obligation conditionnelle, l'obligation à terme et l'obligation avec clause pénale.

- Les obligations à modalités complexes sont l'obligation solidaire, l'obligation conjointe, l'obligation divisible, l'obligation indivisible, l'obligation alternative et l'obligation facultative.

- L'extinction d'une obligation peut résulter du paiement, de l'arrivée du terme extinctif, de la novation, de la prescription extinctive, de la compensation, de la confusion, de la remise, des cas de force majeure et d'un jugement.

- Le contrat est un accord de volontés, par lequel une ou plusieurs personnes s'obligent envers une ou plusieurs autres à exécuter une prestation.

- Les cinq conditions de validité du contrat sont la capacité, le consentement libre et volontaire, un objet, une cause et la forme du contrat lui-même, le cas échéant.

- À moins d'exception, le contrat n'a d'effet qu'entre les parties contractantes.

- Les meilleurs moyens de preuve d'un contrat sont l'écrit, les témoins, la présomption, l'aveu et la présentation d'un élément matériel.

- En cas d'inexécution du contrat par le débiteur, le créancier peut adresser une mise en demeure à son débiteur avant d'exercer ses recours, qui sont l'exécution forcée ou en nature, l'exécution par un tiers, la résolution ou la résiliation du contrat, la réduction proportionnelle de l'obligation et l'exécution par équivalence ou dommages-intérêts.

RÉSEAU DE CONCEPTS

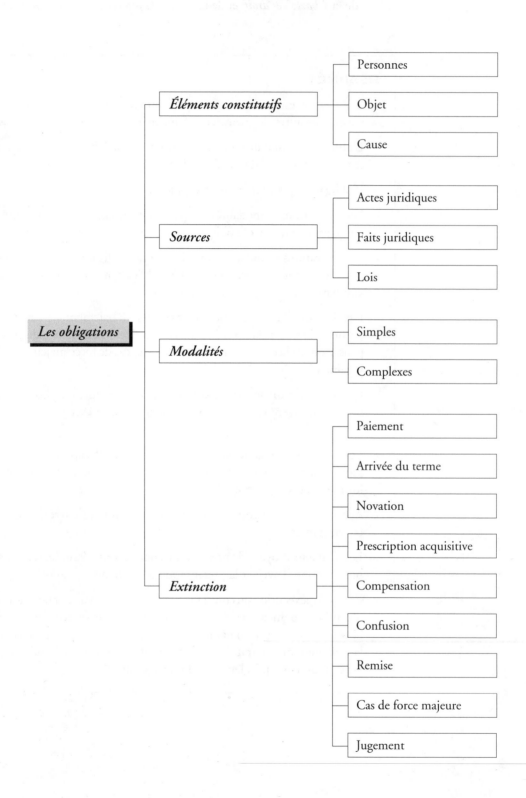

RÉSEAU DE CONCEPTS (SUITE)

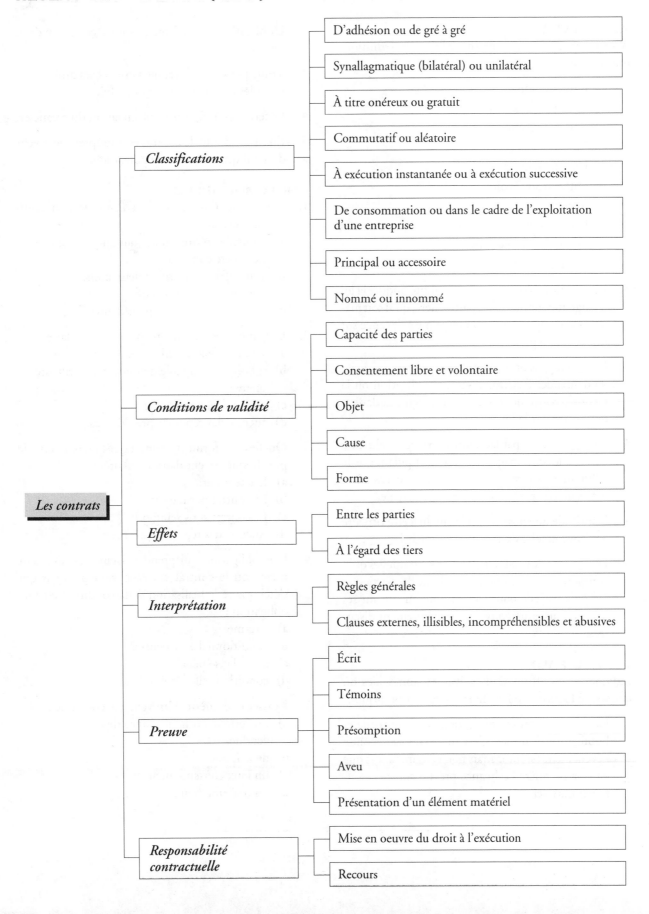

Classifications
- D'adhésion ou de gré à gré
- Synallagmatique (bilatéral) ou unilatéral
- À titre onéreux ou gratuit
- Commutatif ou aléatoire
- À exécution instantanée ou à exécution successive
- De consommation ou dans le cadre de l'exploitation d'une entreprise
- Principal ou accessoire
- Nommé ou innommé

Conditions de validité
- Capacité des parties
- Consentement libre et volontaire
- Objet
- Cause
- Forme

Les contrats

Effets
- Entre les parties
- À l'égard des tiers

Interprétation
- Règles générales
- Clauses externes, illisibles, incompréhensibles et abusives

Preuve
- Écrit
- Témoins
- Présomption
- Aveu
- Présentation d'un élément matériel

Responsabilité contractuelle
- Mise en oeuvre du droit à l'exécution
- Recours

EXERCICES

ASSOCIATIONS
Associez un des termes ci-dessous à l'une des définitions qui suivent :

- compensation
- prescription extinctive
- contrat de consommation
- lésion
- clause pénale
- contrat d'adhésion
- violence
- clause résolutoire
- contrat sous seing privé
- capacité

1. Le _9_ est un contrat pour la validité duquel la loi n'exige aucune formalité particulière, qu'il soit manuscrit, dactylographié ou imprimé à l'avance sur une feuille type.

2. La _2_ éteint le droit que pourrait avoir un créancier de demander l'exécution de son obligation ou la reconnaissance de son droit s'il n'agit pas dans le temps fixé par la loi.

3. La _5_ est celle par laquelle les parties évaluent à l'avance les dommages-intérêts en stipulant que le débiteur se soumettra à une peine au cas où il n'exécuterait pas son obligation principale.

4. L'aptitude que possède un individu à être titulaire de droits et à les exercer seul s'appelle la _10_ .

5. Le _6_ est celui où les stipulations essentielles qu'il comporte ont été imposées par l'une des parties ou rédigées par elle pour son compte ou suivant ses instructions et ne pouvaient être librement discutées.

VRAI OU FAUX
Indiquez si les affirmations suivantes sont vraies ou fausses. Si l'affirmation est fausse, précisez pourquoi.

1. _F_ La différence entre l'obligation conditionnelle et l'obligation à terme, c'est que dans la seconde l'événement est futur mais non certain, tandis que dans la première l'échéance prévue doit nécessairement arriver.

2. _V_ L'obligation est un droit personnel et non un droit réel.

3. _V_ Toute personne est tenue d'exercer ses droits civils selon les exigences de la bonne foi.

4. _F_ Le terme est toujours établi en faveur du créancier.

5. _V_ En cas de doute, le contrat est interprété en faveur de celui qui a contracté l'obligation.

CHOIX MULTIPLES
1. D'après le *Code civil du Québec*, la condition accomplie :
    a) a un effet rétroactif au jour auquel l'obligation a été contractée.
    b) a un effet rétroactif de deux mois.
    c) n'a pas d'effet rétroactif.
    d) aucune des réponses précédentes.

2. Le tribunal acceptera une preuve secondaire :
    a) si l'on a déjà fourni la meilleure preuve.
    b) si l'on est incapable de fournir la meilleure preuve.
    c) s'il y a déjà eu un aveu.
    d) aucune des réponses précédentes.

3. Quelle est la forme de contrat que l'on rencontre le plus fréquemment dans les affaires ?
    a) L'acte notarié.
    b) Le contrat par témoins.
    c) Le contrat sous seing privé.
    d) Aucune des réponses précédentes.

4. Une obligation qui prend naissance au moment même où le contrat entre en vigueur, mais qui s'éteint avec la réalisation de la condition est une obligation :
    a) à terme.
    b) conditionnelle suspensive.
    c) avec clause pénale.
    d) conditionnelle résolutoire.

5. Fausser l'odomètre d'un véhicule constitue :
    a) une erreur sur la substance de la chose vendue.
    b) de la lésion.
    c) un faux consentement.
    d) un dol, une fraude.

CAS PRATIQUES

1. Pour chacune des situations suivantes, indiquez le type d'obligation et le mode d'extinction ainsi que les conséquences juridiques de ce dernier, compte tenu des dispositions du *Code civil du Québec*.

   a) Le 1ᵉʳ juin 1995, Michel endommage la maison de son voisin André pendant la construction de sa piscine. Le 25 août 1995, André intente une action de 30 000 $ contre Michel pour ces dommages.

   b) Christine prête 10 000 $ à son fils Francis pour l'achat d'une automobile. Christine décède six mois plus tard sans que Francis ait remboursé sa dette. Dans son testament, elle nomme Francis légataire universel.

   c) Daniel emprunte 45 000 $ à la Caisse populaire de Champfleury. Il s'engage à rembourser sa dette à raison de 500 $ par mois, par versements égaux et consécutifs payables le premier jour du mois, pendant 10 ans. Ce prêt porte intérêt au taux de 12 % par année. Daniel effectue tous ses versements jusqu'à échéance.

   d) Robert achète le bateau de Richard. Le prix est fixé à 12 000 $. Il verse 2000 $ et s'engage à payer le solde à raison de 400 $ par mois jusqu'au paiement complet. Après cinq mois, Robert perd son emploi et ne peut plus payer. Pressé par Richard de le rembourser, il offre à ce dernier de lui donner sa jeep et sa motoneige. Richard accepte et lui signe une quittance.

   e) Jacques est comptable et prépare les déclarations des revenus de Nancy qui est peintre en bâtiments. Il lui envoie une facture de 200 $. Entre-temps, il retient les services de Nancy pour repeindre sa maison. Une fois le travail effectué, Nancy lui fait parvenir une facture de 450 $.

   f) Jean achète une automobile neuve au garage Bochar inc. Pour payer son automobile, il emprunte 10 000 $ à la Banque Royale et il contracte une assurance de responsabilité pour protéger son véhicule contre les accidents. Six mois plus tard, il est impliqué dans un accident grave et son automobile est une perte totale.

   g) Serge et Robert achètent un commerce de nettoyage de vêtements qu'ils exploitent en société. À cette fin, la société acquiert une presse d'une valeur de 50 000 $. L'entreprise connaît des difficultés financières et ils doivent fermer boutique. Le vendeur poursuit la société pour leur réclamer le paiement du solde pour la presse, qui s'élève à 48 000 $.

2. Pierre Benoit a vendu sa librairie à José Salem pour 500 000 $. L'acte de vente contient une clause stipulant que Pierre s'engage à ne pas ouvrir ni exploiter directement ou indirectement de commerce similaire au cours des trois prochaines années et ce, dans un rayon de 15 kilomètres du 11 500, boulevard Saint-Laurent, à Montréal, où il exploitait son ancienne librairie. Si Pierre ne respecte pas cet engagement, le contrat prévoit que ce dernier devra verser à José, à titre de dommages-intérêts, une somme de 500 $ pour chaque journée où il contrevient à son engagement. Deux ans et demi après la transaction, José apprend d'un de ses clients que Pierre exploite une librairie, à l'angle du boulevard de la Concorde et du boulevard des Laurentides, à Laval. Après vérification, José s'aperçoit que ce commerce est situé à 12,5 kilomètres du 11 500, boulevard Saint-Laurent, à Montréal.

   Il envoie à Pierre une lettre le mettant en demeure de cesser ses activités commerciales à défaut de quoi il intentera contre lui des procédures judiciaires, sans autres avis ni délai. Pierre poursuit néanmoins l'exploitation de son entreprise.

   a) José a-t-il des recours contre son vendeur ? Dans l'affirmative de quels recours s'agit-il. Expliquez.

   b) Devant quel tribunal devra-t-il intenter ses procédures ?

   c) La défense de Pierre consiste à dire que son nouveau commerce n'est pas situé à Montréal, mais à Laval, et à presque 15 kilomètres de son ancienne librairie. De plus, il soutient avoir respecté la clause du contrat pendant deux ans et demi et qu'en outre le délai de trois ans est presque entièrement écoulé. Il clôt sa défense en alléguant que la clause n'est pas valide parce qu'elle est contraire à l'ordre public et qu'elle l'empêche de gagner sa vie convenablement. Commentez les arguments de Pierre.

3. Yvon de Malenpis, imprésario, organise un festival rock d'une durée de trois jours, dans le Vieux-Port de Montréal. À cette fin, il signe des contrats avec divers groupes, dont le plus populaire du Québec, *Les Sonnés*. Le groupe comprend cinq personnes et représente l'attraction principale du festival. Il doit

jouer chaque jour et le contrat prévoit des cachets de l'ordre de 50 000 $ par jour. Yvon passe également des contrats avec cinq autres groupes, leur promettant 10 000 $ pour les trois jours. Enfin, il conclut avec le Conseil des ports nationaux, administrateur du Vieux Port, un contrat de location du site moyennant une somme de 75 000 $.

La vente des billets a déjà rapporté 450 000 $ lorsque Ray Sonné, le chanteur principal du groupe, appelle Yvon et l'informe qu'il a décidé de ne pas se présenter le soir de l'ouverture du festival, car il part en vacances ce jour-là en raison d'une fatigue extrême. Yvon tente de le convaincre de présenter tout de même le spectacle et ajoute qu'il doit respecter le contrat qu'il a signé. Ray ne veut rien entendre. Un journaliste qui se trouvait dans le bureau d'Yvon à ce moment-là entend l'essentiel de la conversation. Le lendemain, trois jours avant le début du festival, la nouvelle paraît à la une des journaux : « Les Sonnés se décommandent et sonnent le glas du festival du Vieux Port. »

Déchaînés, des centaines de spectateurs qui avaient acheté des billets spécialement pour entendre *Les Sonnés* se présentent aux guichets pour demander un remboursement. Deux jours plus tard, c'est la débandade, et Yvon pense sérieusement à annoncer l'annulation du festival. Furieux, il vient vous consulter pour connaître ses droits.

a) Peut-il forcer *Les Sonnés* à respecter leur contrat et à présenter leur spectacle ? Expliquez votre réponse.

b) Dans la négative, quels sont ses recours ? Motivez votre réponse.

c) Yvon doit-il respecter quand même les contrats qu'il a signés avec les cinq autres groupes et avec le Conseil des ports nationaux ? Expliquez votre réponse.

CHAPITRE 7

LA RESPONSABILITÉ

RÉGIMES DE RESPONSABILITÉ
Responsabilité criminelle
Responsabilité pénale
Responsabilité civile

**ÉLÉMENTS ENTRAÎNANT
LA RESPONSABILITÉ CIVILE
D'UN INDIVIDU**
Faute (devoir de respecter les règles de conduite)
Dommage (préjudice corporel, moral ou matériel)
Lien de causalité

**PRÉSOMPTIONS DE FAUTE
EN RESPONSABILITÉ
EXTRACONTRACTUELLE**
Responsabilité du titulaire de l'autorité parentale
Responsabilité du gardien d'un mineur
Responsabilité du curateur ou tuteur d'un majeur
  protégé
Responsabilité de l'employeur
Responsabilité du gardien d'un bien
Responsabilité du propriétaire d'un animal
Responsabilité résultant du défaut d'entretien, d'un
  vice de construction ou de la ruine d'un bâtiment
Responsabilité du fabricant et du distributeur
  d'un bien meuble

**ATTÉNUATIONS DE LA RESPONSABILITÉ
CIVILE ET MOYENS D'EXONÉRATION**
Cas de force majeure
Règle de l'acceptation du risque
Défense du bon Samaritain
Divulgation d'un secret commercial
Connaissance du défaut de sécurité d'un bien
Avis et clauses d'exonération ou de limitation
  de responsabilité
Partage de responsabilité

**RESPONSABILITÉ ET
INDEMNISATION SANS FAUTE**
Loi sur l'assurance automobile du Québec
Loi sur les accidents du travail et les maladies professionnelles
Loi sur l'indemnisation des victimes d'actes criminels
Loi visant à favoriser le civisme
Assurance-dépôt

RESPONSABILITÉ CIVILE ET ASSURANCES
Action en responsabilité civile

RÉSUMÉ
RÉSEAU DE CONCEPTS
EXERCICES
CAS PRATIQUES

OBJECTIFS ET ÉLÉMENTS DE COMPÉTENCES

1 Distinguer les différents régimes de responsabilité.

2 Appliquer les éléments essentiels de la responsabilité civile extracontractuelle à des cas pratiques.

3 Connaître les diverses catégories de dommages.

4 Énumérer les personnes sur lesquelles la loi fait reposer une présomption de responsabilité.

5 Appliquer les différents moyens d'atténuation et d'exonération de responsabilité à des cas précis.

6 Distinguer les règles de l'acceptation des risques et l'application des clauses de limitation de responsabilité.

7 Connaître les champs d'application des lois québécoises prévoyant une responsabilité et une indemnisation sans faute.

RÉGIMES DE RESPONSABILITÉ

En raison des relations de plus en plus nombreuses et complexes qui s'établissent quotidiennement entre les individus, et en particulier chez les gens d'affaires, dans la société d'aujourd'hui, toute personne physique ou morale est susceptible de faire, volontairement ou non, un geste dommageable à son voisin ou aux biens qui sont la propriété de ce dernier. De la même façon, elle peut commettre un acte de nature à violer l'ordre social.

Dans le premier cas, cette personne engage sa **responsabilité extracontractuelle** et l'on intente contre elle une action en dommages-intérêts ; dans le second, elle engage sa **responsabilité pénale** ou **criminelle** et elle est passible d'amende ou d'emprisonnement, et l'on intente contre elle une poursuite criminelle ou pénale.

La même personne peut également négliger d'exécuter ses obligations résultant de divers contrats qu'elle a signés, en ne payant pas ses dettes, par exemple. Elle engage alors sa **responsabilité contractuelle**.

Responsabilité : Obligation qui incombe à toute personne d'assumer les conséquences de ses actes et d'en répondre devant les tribunaux criminels, pénaux ou civils, le cas échéant.

> *Exemple* : Pour illustrer ceci, prenons l'exemple de Hugo Lavallée, un homme d'affaires de 33 ans qui, au cours de la même journée, fait une série d'actes qui engagent sa responsabilité.
>
> Depuis quelque temps, Hugo connaît des difficultés financières qui l'empêchent de payer ses différents créanciers. Ainsi il n'a pas payé le loyer de son logement depuis quatre mois et il n'a pas acquitté les versements mensuels pour la location de son automobile auprès de Location Québec inc. depuis les cinq derniers mois. Ce matin, il a été éveillé par un huissier qui lui a signifié une action de son locateur pour l'annulation de son bail et le paiement des quatre mois de loyer dus. En ne payant pas son loyer, il n'a pas respecté ses obligations stipulées à son contrat de bail, engageant ainsi sa **responsabilité contractuelle**. À l'heure du midi, il se rend à la Brasserie du Coin pour prendre son dîner et consomme sept bières. À la sortie de cet établissement, il est interpellé par un deuxième huissier qui lui présente une action de Location Québec inc. pour l'annulation de son contrat de location d'automobile, le paiement des cinq versements mensuels impayés ainsi que les pénalités.
>
> L'huissier lui explique que, compte tenu des circonstances, il doit saisir l'automobile immédiatement. Hugo se fâche, bouscule

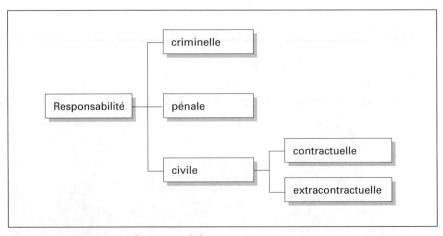

Figure 7.1   Les régimes de responsabilité

l'huissier, qui se défend, Hugo le frappe, l'huissier tombe et subit une fracture du crâne.

Énervé, Hugo monte dans son automobile et se sauve. Il brûle deux feux rouges et roule à 150 km/h avant d'être arrêté par la police qui l'accuse de conduite en état d'ébriété et de voies de fait sur la personne de l'huissier ; la police l'accuse aussi d'avoir enfreint le *Code de la sécurité routière du Québec* en roulant à une vitesse excessive et en brûlant deux feux rouges.

Hugo a engagé sa **responsabilité criminelle** en conduisant en état d'ébriété et en se rendant coupable de voies de fait, ainsi que sa **responsabilité pénale** en enfreignant le *Code de la sécurité routière*.

Six mois plus tard, Hugo est saisi d'une action civile intentée contre lui par l'huissier qu'il a blessé lui réclamant 100 000 $ pour dommages corporels, matériels et moraux. Cette action a trait à la **responsabilité extracontractuelle** de Hugo.

RESPONSABILITÉ CRIMINELLE

Dans le cas de Hugo, ce sont la conduite en état d'ébriété et les voies de fait qui engagent sa *responsabilité criminelle*.

Une fois Hugo accusé, il appartiendra au procureur de la Couronne de prouver sa responsabilité criminelle, c'est-à-dire sa culpabilité hors de tout doute raisonnable.

Le procureur de la Couronne tentera de faire condamner Hugo soit à une amende, soit à la prison ou à toute autre sentence prévue par la loi, en prouvant le fait et l'intention de Hugo.

RESPONSABILITÉ PÉNALE

Il appartiendra au procureur de la Couronne de démontrer que Hugo a commis les actes reprochés, c'est-à-dire qu'il a roulé à 150 km/h et a brûlé deux feux rouges, ce qui engage sa *responsabilité pénale*. D'une façon générale ce sont des infractions de responsabilité stricte contre lesquelles l'accusé n'a pas beaucoup de moyens de défense une fois qu'on a prouvé qu'elles ont été commises.

RESPONSABILITÉ CIVILE

Le *Code civil* établit deux régimes distincts de *responsabilité civile* : la **responsabilité civile contractuelle** qui a fait l'objet d'une étude approfondie au chapitre 6, et la **responsabilité civile extracontractuelle** à laquelle nous nous attarderons plus en détail dans le présent chapitre.

La responsabilité civile extracontractuelle est considérée comme une des sources des obligations au même titre que le contrat.

RESPONSABILITÉ EXTRACONTRACTUELLE

C'est l'article 1457 (1) du *Code civil* qui énonce le principe de base de la *responsabilité extracontractuelle*.

Dans notre exemple, Hugo n'a pas respecté ces règles de conduite et a causé un préjudice corporel, moral et matériel à l'huissier qui, maintenant, le poursuit. Il a donc l'obligation de réparer ce préjudice.

L'alinéa 3 de l'article 1457 étend cette obligation de réparer le préjudice à tout préjudice corporel, moral ou matériel causé par le fait ou la faute d'une autre personne (ses enfants, ses employés) ou par le fait de biens dont on a la garde.

Exemple : Votre chien mord le facteur.

Nous examinerons cette responsabilité plus en détail.

Responsabilité criminelle : Implique qu'une personne a commis un acte criminel prévu au *Code criminel canadien*.

Responsabilité pénale : Implique qu'une personne a commis une infraction à une loi pénale provinciale, fédérale ou à un règlement municipal. Ces lois et règlements prévoient des peines qui peuvent comprendre des amendes, l'emprisonnement, la perte de permis, des points d'inaptitude ou d'autres sentences.

Responsabilité civile : Obligation que le *Code civil* impose à toute personne douée de raison de ne pas causer de préjudice à autrui et de réparer tout préjudice ou dommage résultant de son défaut de respecter les règles de conduite qui s'imposent ou les engagements qu'elle a contractés.

Responsabilité extracontractuelle : Toute personne douée de raison doit respecter les règles de conduite qui s'imposent de manière à ne pas causer préjudice à autrui, tout défaut entraînant l'obligation de réparer ce préjudice.

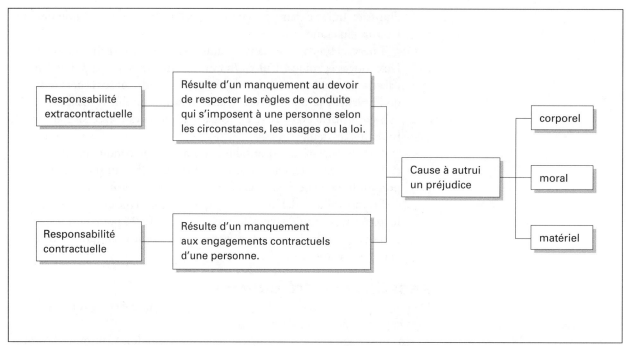

Figure 7.2   Les distinctions entre les régimes de responsabilité civile

RESPONSABILITÉ CONTRACTUELLE

C'est l'article 1458 qui en établit les bases :

« **Art. 1458 C.c.Q.** Toute personne a le devoir d'honorer les engagements qu'elle a contractés. »

En ne payant pas son loyer et en n'effectuant pas ses versements mensuels de location d'automobile, Hugo engage sa responsabilité contractuelle. Il a donc le devoir de réparer le préjudice causé à ses cocontractants.

Il est important de noter que la deuxième partie du deuxième alinéa de l'article 1458 élimine à toutes fins utiles les possibilités de cumul d'actions dans une même cause, obligeant les parties à opter soit pour le régime de la *responsabilité contractuelle*, soit pour le régime de la responsabilité extracontractuelle.

Il n'y a pas lieu dans le présent ouvrage d'insister davantage sur les distinctions théoriques entre les différents régimes de responsabilité, d'autant plus qu'au point de vue pratique ces distinctions de la responsabilité n'ont, la plupart du temps, aucun effet sur la décision du tribunal.

> **Responsabilité contractuelle :** Toute personne est, lorsqu'elle manque à ses engagements, responsable du préjudice, corporel, moral ou matériel qu'elle cause à son cocontractant et tenue de réparer ce préjudice; ni elle ni le cocontractant ne peuvent alors se soustraire à l'application des règles du régime contractuel de responsabilité pour opter en faveur de règles qui leur seraient plus profitables.

ÉLÉMENTS ENTRAÎNANT LA RESPONSABILITÉ CIVILE D'UN INDIVIDU

Qu'elle soit extracontractuelle ou contractuelle, la responsabilité civile suppose toujours la présence de trois éléments essentiels : la faute, le dommage et le lien de causalité.

FAUTE (DEVOIR DE RESPECTER LES RÈGLES DE CONDUITE)

Il ne saurait être question de responsabilité sans qu'une *faute* ne soit commise.

L'application de la notion de faute est une question de fait et chaque cause doit être appréciée par le tribunal. C'est donc à l'aide de la jurisprudence qu'on peut établir le critère servant à déterminer s'il y a faute ou non.

> **Faute :** Manquement à un devoir sur le plan légal, moral ou contractuel. De façon générale, la faute est une violation du devoir qui incombe à chaque individu de ne pas causer de tort à son semblable.

En résumé, chaque fois qu'une personne manque à un devoir qui lui incombe et, par conséquent, ne se conduit pas comme une personne raisonnable et de bonne foi et selon les règles, compte tenu des circonstances, des usages et de la loi, elle commet une faute qui engage sa responsabilité et exige réparation.

D'ailleurs, les articles 6 et 7 du *Code civil* énoncent clairement que toute personne est tenue d'exercer ses droits civils selon les exigences de la bonne foi et qu'aucun droit ne doit être exercé de manière à nuire à autrui ou d'une manière excessive et déraisonnable à l'encontre de la bonne foi. En langage juridique, on parle alors d'abus de droit.

IMPUTABILITÉ DE LA FAUTE

Sur le plan juridique, une faute n'existe que dans la mesure où on peut l'imputer à quelqu'un.

En vertu de l'article 1457 du *Code civil*, la personne à qui l'on reproche d'avoir commis une faute doit être capable de discernement ; elle doit être douée de raison et avoir manqué à ses devoirs.

L'âge est une façon d'apprécier la capacité de discernement. Le *Code civil* n'en parle pas, mais les tribunaux sont enclins à considérer qu'un enfant de sept ans intellectuellement normal a atteint l'âge de raison et est en mesure de juger de la portée de ses actes. Toutefois, il ne s'agit pas d'un critère absolu en matière civile, et le juge a toute discrétion pour apprécier chaque cas au mérite. Par contre, en matière pénale, l'enfant ne peut être convaincu d'un crime avant l'âge de sept ans.

L'autre catégorie de personnes que la loi considère comme incapables de discerner le bien du mal est celle des aliénés, ou majeurs protégés. Ces personnes sont civilement jugées incapables et ne peuvent, de ce fait, engager leur responsabilité lorsqu'elles font un acte dommageable. Les articles 1461 et 1462 traitent spécifiquement de ces personnes.

Il nous paraît important de souligner que les tribunaux ont régulièrement rejeté comme moyen de défense contre une action en responsabilité civile l'aberration momentanée d'un individu sous l'influence de l'alcool ou de la drogue.

FAUTE CONTRACTUELLE

La faute contractuelle consiste essentiellement dans le manquement par une personne à ses engagements contractuels. C'est le cas de Hugo envers son locateur pour son logement et envers Location Québec inc. pour son automobile. Il n'est pas ici question de manquement à des règles de conduite qui s'imposent.

FAUTE EXTRACONTRACTUELLE

Il s'agit ici de comparer les agissements de la personne à ceux d'une personne raisonnable. Une telle faute peut être la conséquence des actes de la personne. C'est le cas de Hugo qui a frappé et blessé l'huissier. Il est évident qu'une personne raisonnable n'aurait pas agi de la sorte.

La faute extracontractuelle peut aussi résulter de la négligence ou de l'imprudence.

Exemple : Claire laisse traîner une balle dans son escalier, quelqu'un met le pied dessus, glisse et se blesse.

Elle peut également découler de l'inhabileté de la personne.

Exemple : Robert travaille sur son toit et accroche l'échelle qui tombe et blesse Louise qui passait par là.

DOMMAGE (PRÉJUDICE CORPOREL, MORAL OU MATÉRIEL)

Le deuxième élément essentiel à l'existence de la responsabilité est le **dommage**. Il nous arrive fréquemment dans la vie de tous les jours de commettre des actes fautifs, mais fort heureusement, ces actes fautifs ne causent la plupart du temps de dommage à personne et n'engagent donc pas notre responsabilité civile.

Par ailleurs, tout dommage imputable à la faute d'une personne engage la responsabilité de son auteur et exige réparation. Les articles 1457 et 1458 C.c.Q. stipulent que cette réparation doit couvrir tout le préjudice subi et prouvé par la victime, qu'il soit corporel, moral ou matériel. Elle comprend donc tous les dommages à la condition qu'ils soient une suite immédiate et directe de la faute.

ÉVALUATION DU DOMMAGE IMMÉDIAT

Seul le dommage immédiat et direct peut être réparé. Quant au dommage futur, il ne sera compensé que dans la mesure où il est certain suivant la « prépondérance de preuve ». On n'indemnise pas une victime pour un préjudice éventuel ou purement hypothétique. Par ailleurs, l'article 1615 C.c.Q. introduit une nouvelle notion, celle des *dommages additionnels*.

> **Dommages additionnels** : Le tribunal, quand il accorde des dommages-intérêts en réparation d'un préjudice corporel, peut, pour une période d'au plus trois ans, réserver au créancier le droit de demander des dommages-intérêts additionnels lorsqu'il n'est pas possible de déterminer avec une précision suffisante l'évolution de sa condition physique au moment du jugement (art. 1615 C.c.Q.).

Pour être réparé, le dommage ou préjudice doit consister en une atteinte personnelle à la victime qui, seule, pourra intenter une poursuite en responsabilité. Si une personne se fracture la jambe à la suite d'une chute sur un trottoir mal entretenu, il lui appartient d'intenter une action en responsabilité contre la municipalité. Si elle néglige d'intenter son action, sa soeur, par exemple, ne pourra le faire à sa place.

Enfin, le **dommage doit être direct** pour qu'il donne lieu à une indemnisation. Ainsi le témoin, victime d'un choc nerveux à la vue d'une personne blessée dans un accident, ne peut réclamer de dommages au responsable de l'accident car les tribunaux jugent ces dommages trop éloignés pour en tenir compte.

En droit civil, on reconnaît quatre catégories de dommages : le dommage matériel, le dommage corporel, le dommage moral et le dommage contractuel.

LE DOMMAGE MATÉRIEL

> **Dommage matériel** : Dommage causé aux biens de l'individu.

Le *dommage matériel* se prouve généralement sans difficulté à l'aide de pièces justificatives telles que des reçus, des comptes et des rapports d'estimation.

> *Exemple* : Si Hugo avait endommagé son automobile en se sauvant des lieux de son altercation avec l'huissier, Location Québec inc. aurait pu lui réclamer la valeur des réparations faites au véhicule en produisant soit une estimation ou une facture pour ces réparations.

LE DOMMAGE CORPOREL

> **Dommage corporel** : Blessures subies par le demandeur et imputables à la faute du défendeur.

La plupart des réclamations pour *dommages corporels* impliquent des sommes d'argent considérables, et le tribunal ne peut se fier à la seule parole de la victime pour établir le montant des dommages à accorder. On fait donc procéder à un examen physique complet du demandeur par un médecin expert habituellement choisi par la partie demanderesse. Ce médecin rédige ensuite un rapport d'expertise sur la condition physique du demandeur. Ce rapport médical établit le degré d'incapacité de la victime. Le *Code civil* ne traite pas des différentes sortes d'incapacité, mais la jurisprudence les répartit de la façon suivante : l'**incapacité partielle ou totale temporaire** et l'**incapacité partielle ou totale permanente.**

INCAPACITÉ PARTIELLE OU TOTALE TEMPORAIRE   L'incapacité partielle ou totale temporaire correspond à la période au cours de laquelle le demandeur a été totalement ou partiellement incapable de travailler et au cours de laquelle il a subi une perte complète de salaire ou de revenu qu'il veut réclamer au défendeur. Ce type d'incapacité se résume donc en une opération comptable fort simple.

> *Exemple* : Si l'huissier a été incapable de travailler pendant 30 semaines après sa fracture du crâne, il pourra poursuivre Hugo pour sa perte de salaire. Ainsi si son salaire était de 1000 $ par semaine, il poursuivra Hugo pour 30 000 $.

INCAPACITÉ PARTIELLE OU TOTALE PERMANENTE L'incapacité partielle ou totale permanente correspond à une diminution permanente de la capacité de travailler d'un individu ou encore à une perte totale et définitive de sa capacité de travailler. Les dommages résultant de cette forme d'incapacité sont beaucoup plus difficiles à évaluer, et c'est le rôle des experts médicaux de fixer le taux de cette incapacité.

Le tribunal évalue les dommages en tenant compte du taux déterminé d'après des examens médicaux et en considérant également le genre de profession de la victime, ses chances de réhabilitation ainsi que le nombre d'années pendant lesquelles la victime aurait eu une vie professionnelle active, d'après des tables actuarielles de la moyenne de survie.

> *Exemple* : Le tribunal a accordé une indemnité de 75 000 $ à un garçon de sept ans en raison d'une incapacité partielle permanente évaluée à 15 % pour la perte d'un oeil.

Dans le cas de Hugo, si le médecin expert évalue à 20 % l'incapacité partielle permanente de l'huissier à la suite de sa fracture du crâne, il pourra réclamer jusqu'à 150 000 $ de Hugo. Le tribunal fixera alors le montant des dommages compte tenu de la preuve qui sera présentée.

DOMMAGE MORAL

Dommage moral : Douleurs, souffrances et inconvénients subis par la victime, tels la perte de jouissance de la vie, l'atteinte à la réputation à la suite d'injures et de paroles ou d'écrits diffamatoires, le préjudice esthétique.

Les tribunaux accorderont une compensation pour certains *dommages moraux*, comme l'atteinte à la réputation ou le préjudice esthétique (le fait d'être défiguré), mais ils refuseront d'indemniser une personne en raison de la douleur ressentie à la suite de la perte d'un être cher, parce qu'il devient impossible d'évaluer en argent ce genre de préjudice. En résumé, on peut dire que tout dommage prouvé ou prouvable sera susceptible de recevoir une compensation pécuniaire.

> *Exemple* : Le tribunal a accordé 25 000 $ à une dame de 43 ans à la suite de la perte de l'usage d'un bras, pour souffrance et inconvénients.

Dans le cas de Hugo, il appartiendra à l'huissier de convaincre le juge qu'il a droit à de tels dommages en raison des douleurs, souffrances, inconvénients et perte de jouissance de la vie que sa fracture du crâne lui occasionne.

DOMMAGES CONTRACTUELS

Les dommages dus au créancier compensent la perte qu'il subit et le gain dont il est privé. À ces normes on doit ajouter les intérêts légaux ou conventionnels et l'indemnité prévue à l'article 1619 C.c.Q.

Le créancier a droit à des dommages-intérêts en réparation de la perte qu'il a subie ou du gain dont il a été privé que lui cause le défaut de son débiteur d'exécuter ses obligations contractuelles. Nous vous référons au chapitre 6 à ce sujet.

LIEN DE CAUSALITÉ

Il doit exister une relation immédiate et directe entre la faute commise et le dommage subi. Le **lien de causalité** constitue le troisième élément essentiel à l'existence de la responsabilité.

Exemple : Paul circule en automobile dans une rue où un camion de livraison est stationné transversalement et obstrue la majeure partie de la rue. Afin d'éviter le camion, il donne un brusque coup de volant ; cette manoeuvre a pour effet de lui faire perdre la maîtrise du véhicule qui enjambe le trottoir et enfonce une clôture.

Le propriétaire de la clôture endommagée devra poursuivre Paul, car les dommages sont directement de sa faute et non attribuables au camion mal stationné, qui est une cause indirecte de l'accident.

Dans le cas de Hugo, il existe un lien de causalité évident entre les dommages subis par l'huissier et les actes de Hugo. Les trois éléments engageant sa responsabilité civile extracontractuelle sont donc réunis.

PRÉSOMPTIONS DE FAUTE EN RESPONSABILITÉ EXTRACONTRACTUELLE

Nous avons vu que, en vertu de l'article 1457 C.c.Q., la victime d'un dommage résultant de la faute d'un individu a le droit d'être indemnisée par ce dernier. Le fardeau de la preuve incombe alors au demandeur.

Les articles 1459 et 1469 du *Code civil du Québec* renversent ce fardeau de la preuve en rejetant des présomptions de faute sur certaines personnes que le Code tient responsables des dommages causés par d'autres personnes ou des biens qu'elles ont sous leur garde. Cette responsabilité trouve donc son fondement dans le devoir de surveillance et de contrôle que la loi impose aux personnes dont il est question dans les paragraphes qui suivent.

Catégories :
- Responsabilité du titulaire de l'autorité parentale (art. 1459 C.c.Q.).
- Responsabilité du gardien d'un mineur (art. 1460 C.c.Q.).
- Responsabilité du curateur ou tuteur d'un majeur protégé (art. 1461 C.c.Q.).
- Responsabilité de l'employeur (art. 1463 C.c.Q.).
- Responsabilité du gardien d'un bien (art. 1465 C.c.Q.).
- Responsabilité du propriétaire d'un animal (art. 1466 C.c.Q.).
- Responsabilité résultant du défaut d'entretien, d'un vice de construction ou de la ruine d'un bâtiment (art. 1467 C.c.Q.).
- Responsabilité du fabricant et du distributeur d'un bien meuble (art. 1468 et 1469 C.c.Q.).

RESPONSABILITÉ DU TITULAIRE DE L'AUTORITÉ PARENTALE (ART. 1459 C.C.Q.)

Le titulaire de l'autorité parentale est responsable d'un dommage causé par un enfant mineur sur qui il exerce cette autorité. Selon le *Code civil du Québec*, le père et la mère exercent ensemble l'autorité parentale. Dans le cas du décès ou de l'incapacité d'agir de l'un deux, l'autorité est exercée par l'autre. Dans le cas du décès des deux parents, c'est le tuteur qui exerce l'autorité parentale. Le tribunal apprécie cette présomption en tenant compte de l'âge de l'enfant et du dommage subi par la victime. Pour se disculper, la partie défenderesse doit prouver que l'enfant qui est l'auteur du dommage a reçu une bonne éducation et qu'elle a exercé sur l'enfant une surveillance raisonnable, eu égard aux circonstances.

Exemple : Un enfant mineur blesse un de ses camarades de jeu avec une carabine à plomb. Ses parents ou son tuteur, selon le cas, pourra être tenu responsable des dommages causés.

RESPONSABILITÉ DU GARDIEN D'UN MINEUR (ART. 1460 C.C.Q.)

« Art. 1460 C.c.Q. La personne qui, sans être titulaire de l'autorité parentale, se voit confier, par délégation ou autrement, la garde, la surveillance ou l'éducation d'un mineur est tenue, de la même manière que le titulaire de l'autorité parentale, de réparer le préjudice causé par le fait ou la faute du mineur. Toutefois, elle n'y est tenue, lorsqu'elle agit gratuitement ou moyennant une récompense, que s'il est prouvé qu'elle a commis une faute. »

Cette responsabilité vise toutes les personnes à qui les parents peuvent confier la garde de leurs enfants mineurs. Les gardiens, gardiennes et instituteurs entrent dans cette catégorie.

En ce qui concerne l'enseignant, il est présumé responsable du dommage causé par les élèves pendant la période de classe. Cette présomption s'applique également à l'établissement d'enseignement.

Un élève est réputé être sous la surveillance de l'enseignant dans les salles de classe et dans les cours de récréation pendant les heures normales d'ouverture de l'école. Lorsque l'élève quitte l'école, ses parents en reprennent la responsabilité. Ce devoir de surveillance que la loi impose à l'enseignant ne s'applique qu'au primaire et au secondaire. L'enseignant est aussi responsable de ses élèves à l'occasion de visites culturelles ou industrielles. Il en est de même des personnes en garderie.

Ils pourront se dégager de la responsabilité du dommage causé par l'enfant en prouvant que le dommage n'est attribuable à aucune faute de leur part et en faisant appel aux mêmes moyens de défense que le père et la mère pourront utiliser pour se disculper ; ils devront faire la preuve qu'ils n'ont pu empêcher le fait dommageable, qu'ils ont toujours exercé sur l'enfant une surveillance adéquate et qu'ils leur ont inculqué le sens du devoir moral.

Il paraît important de souligner que, en dépit de ces présomptions de responsabilité que la loi fait peser sur les épaules des parents, tuteurs, curateurs, enseignants et artisans, l'auteur immédiat d'un dommage, le mineur, n'en demeure pas moins personnellement responsable si ce dommage est attribuable à une faute ou une négligence grossière de sa part.

> *Exemple* : Sylvie amène ses élèves visiter le Musée des Beaux Arts ; pendant la visite, deux élèves s'éloignent du groupe et endommagent plusieurs statues. Dans cet exemple, Sylvie, les deux élèves et même leurs parents pourraient être poursuivis.

RESPONSABILITÉ DU CURATEUR OU TUTEUR D'UN MAJEUR PROTÉGÉ (ART. 1461 C.C.Q.)

Le curateur et le tuteur d'un majeur protégé ne sont pas responsables des dommages causés par la faute de la personne dont ils ont la garde, à moins de commettre eux-mêmes une faute intentionnelle ou lourde dans l'exercice de la garde. Dans le cas où la personne est placée dans un établissement, le directeur de cet établissement en est alors réputé en avoir la garde.

« Art. 1461 C.c.Q. La personne qui, agissant comme tuteur, curateur ou autrement, assume la garde d'un majeur non doué de raison n'est pas tenue de réparer le préjudice causé par le fait de ce majeur, à moins qu'elle n'ait elle-même commis une faute intentionnelle ou lourde dans l'exercice de la garde. »

> *Exemple* : Pierre agit comme curateur de son frère Denis, pyromane reconnu ; il le laisse sans surveillance dans le chalet de Catherine devant un feu de foyer pendant qu'il s'absente pour aller voir un film. À son retour, il constate que Denis a mis le feu à la maison qui est complètement détruite. Catherine pourrait poursuivre Pierre.

RESPONSABILITÉ DE L'EMPLOYEUR (ART. 1463 ET 1464 C.C.Q.)

Le Code tient l'employeur responsable du dommage causé par un préposé dans l'exécution de ses fonctions. Cette **présomption de responsabilité** est **irréfragable**, c'est-à-dire qu'elle ne peut être repoussée par une preuve contraire. Trois conditions sont essentielles à l'existence de cette présomption :

- un lien de subordination ;
- un dommage causé par le préposé dans l'exécution de ses fonctions ;
- une faute du préposé.

LIEN DE SUBORDINATION

Il doit exister entre l'employeur et le préposé un lien de subordination. On peut définir l'employeur comme la personne qui fait appel aux services d'une autre personne pour son compte et son profit personnel, et qui lui donne des ordres et des instructions sur la manière de remplir les fonctions qu'elle lui a confiées. L'autre personne peut prendre le nom d'ouvrier, de mandataire, de préposé ou d'employé.

DOMMAGE CAUSÉ PAR LE PRÉPOSÉ DANS L'EXÉCUTION DE SES FONCTIONS

La deuxième condition nécessaire à l'existence de la présomption de responsabilité est que le dommage causé par le préposé l'ait été dans le cadre de l'exercice de ses fonctions, c'est-à-dire pendant ses heures de travail et en exécutant sa tâche.

Si l'employeur réussit à prouver que le dommage a été causé par son employé en dehors de ses fonctions, il pourra alors se disculper. Les tribunaux ont également retenu comme moyen d'exonération pour l'employeur le fait que son employé cause un dommage en excédant ses fonctions, même si c'était pendant ses heures de travail.

FAUTE DU PRÉPOSÉ

Le troisième élément essentiel à l'existence de cette présomption est évidemment la faute du préposé.

On peut conclure que cette présomption de responsabilité des employeurs n'offre aucun moyen d'exonération si ce n'est l'absence d'une des conditions nécessaires à son application.

> *Exemple* : Jacques est un employé de Plomberie Boileau ltée ; il se rend chez un client pour effectuer un travail et tache le nouveau tapis blanc de Mme Larivée avec ses bottes pleines de graisse. Son employeur est responsable des dommages causés par son préposé dans l'exécution de ses fonctions.

Depuis l'adoption du *Code civil du Québec*, les fonctionnaires et employés de l'État seront eux aussi, de façon concrète, soumis à ces dispositions dans l'exécution de leurs fonctions.

« **Art. 1464 C.c.Q.** Le préposé de l'État ou d'une personne morale de droit public ne cesse pas d'agir dans l'exécution de ses fonctions du seul fait qu'il commet un acte illégal, hors de sa compétence ou non autorisé ou du fait qu'il agit comme agent de la paix. »

RESPONSABILITÉ DU GARDIEN D'UN BIEN (ART. 1465 C.C.Q.)

Il s'agit ici du dommage causé par une chose inanimée dont une personne a la garde.

Le demandeur devra prouver que c'est la chose elle-même qui a causé le dommage et non la personne en se servant de la chose. Cette présomption vise toutes les choses mobilières ou immobilières dont une personne a la garde juridique : machine industrielle, véhicules de toutes sortes, outils, etc.

> *Exemple* : Marguerite a mis des plantes sur le rebord de sa fenêtre, au premier étage de sa maison. Un des pots glisse et tombe sur un passant, lui causant une fracture du crâne. La victime pourra poursuivre Marguerite.

Dès qu'une personne se sert d'une chose pour son profit personnel, cette personne est présumée en avoir la garde juridique et elle est responsable du dommage que cette chose peut causer. Pour repousser cette présomption, le gardien de la chose devra faire la preuve qu'il a agi en personne raisonnable, avec diligence, qu'il n'a pas commis de faute et qu'il n'a rien pu faire pour empêcher le dommage.

RESPONSABILITÉ DU PROPRIÉTAIRE D'UN ANIMAL (ART. 1466 C.C.Q.)

« **Art. 1466 C.c.Q.** Le propriétaire d'un animal est tenu de réparer le préjudice que l'animal a causé, soit qu'il fût sous sa garde ou sous celle d'un tiers, soit qu'il fût égaré ou échappé.

La personne qui se sert de l'animal en est aussi, pendant ce temps, responsable avec le propriétaire. »

Pour que la présomption s'applique, il doit s'agir d'un animal domestique ou d'un animal sauvage sous la garde d'une personne qui en prend soin. Il faut également que le dommage causé résulte du fait autonome de l'animal et non d'un ordre de son maître ; dans ce dernier cas, le maître serait poursuivi suivant les règles générales de la responsabilité.

Le demandeur doit toujours prouver que le défendeur est le propriétaire (garde juridique) ou celui qui a la garde physique (l'usager) de l'animal.

On peut conclure en disant qu'un individu victime d'un dommage imputable au fait autonome et actif d'un animal bénéficie de la présomption de l'article 1466 du *Code civil du Québec*, à moins qu'il n'ait contribué à son propre malheur. Ainsi

Figure 7.3   Le propriétaire d'un animal est responsable du dommage causé par celui-ci.

la Cour supérieure partageait récemment la responsabilité (deux tiers au demandeur et un tiers au défendeur) dans une action intentée contre le propriétaire d'une station-service dont le berger allemand avait mordu un individu que le tribunal a considéré comme un « intrus ».

RESPONSABILITÉ RÉSULTANT DU DÉFAUT D'ENTRETIEN, D'UN VICE DE CONSTRUCTION OU DE LA RUINE D'UN BÂTIMENT (ART. 1467 C.C.Q.)

« **Art. 1467 C.c.Q.** Le propriétaire, sans préjudice de sa responsabilité à titre de gardien, est tenu de réparer le préjudice causé par la ruine, même partielle, de son immeuble, qu'elle résulte d'un défaut d'entretien ou d'un vice de construction. »

Cette responsabilité vise le propriétaire, qu'il s'agisse d'un individu, d'un corps public ou d'une entreprise. Les tribunaux ont défini comme bâtiment une construction faisant partie d'un immeuble ; ils ont également reconnu comme ruine la chute ou l'écroulement de pièces majeures faisant partie d'un bâtiment.

Exemple : Les bardeaux se détachant et tombant d'une toiture.

Pour que la responsabilité du propriétaire soit retenue, la ruine du bâtiment doit provenir d'un vice de construction ou d'un défaut d'entretien. Finalement, le demandeur devra établir le lien de causalité entre la ruine et le dommage allégué.

Lorsque ces éléments sont établis, nous sommes en présence d'une présomption irréfragable de responsabilité. La seule façon pour le propriétaire du bâtiment de se dégager sera d'invoquer le cas fortuit ou la force majeure ou de faire la preuve de la faute de la victime.

RESPONSABILITÉ DU FABRICANT ET DU DISTRIBUTEUR D'UN BIEN MEUBLE (ART. 1468 ET 1469 C.C.Q.)

Le *Code civil du Québec* vient ajouter une nouvelle forme de responsabilité civile, soit celle du fabricant d'un bien meuble.

C'est l'article 1468 C.c.Q. qui crée cette responsabilité :

« **Art. 1468 C.c.Q.** Le fabricant d'un bien meuble, même si ce bien est incorporé à un immeuble ou y est placé pour le service ou l'exploitation de celui-ci, est tenu de réparer le préjudice causé à un tiers par le *défaut de sécurité du bien*.

Il en est de même pour la personne qui fait la distribution du bien sous son nom ou comme étant son bien et pour tout fournisseur du bien, qu'il soit grossiste ou détaillant, ou qu'il soit ou non l'importateur du bien. »

Cette nouvelle responsabilité dépassera donc la responsabilité contractuelle du vendeur pour les vices cachés dont nous parlerons au chapitre 8.

Exemple : En vertu de ces articles, l'acheteur d'une carabine qui serait blessé à la suite de l'explosion de celle-ci causée par un défaut de fabrication pourrait poursuivre le fabricant et le distributeur de celle-ci pour les blessures subies.

Il est à souligner que le *Code civil du Québec* ne permet pas d'exercer les recours prévus ci-dessus s'il s'agit d'un accident visé par la *Loi sur les accidents du travail et les maladies professionnelles* ou par la *Loi sur l'assurance automobile*, excepté dans la mesure où ces lois le permettent.

Défaut de sécurité d'un bien : Il y a défaut de sécurité du bien lorsque, compte tenu de toutes les circonstances, le bien n'offre pas la sécurité à laquelle on est normalement en droit de s'attendre, notamment en raison d'un vice de conception ou de fabrication du bien, d'une mauvaise conservation ou présentation du bien ou encore, de l'absence d'indications suffisantes quant aux risques et dangers qu'il comporte ou quant aux moyens de s'en prémunir.

ATTÉNUATIONS DE LA RESPONSABILITÉ CIVILE ET MOYENS D'EXONÉRATION

Après avoir exposé les éléments susceptibles d'engager la responsabilité civile d'un individu, nous examinerons maintenant les moyens légaux dont dispose cet individu pour atténuer sa responsabilité, voire même s'en dégager.

CAS DE FORCE MAJEURE

Force majeure : Événement imprévisible et irrésistible ; y est assimilée la cause étrangère qui représente ces mêmes caractères.

« **Art. 1470 C.c.Q.** Toute personne peut se dégager de sa responsabilité pour le préjudice causé à autrui si elle prouve que le préjudice résulte d'une *force majeure*, à moins qu'elle ne se soit engagée à le réparer. »

D'une façon générale, la jurisprudence inclut les cataclysmes naturels parmi les cas de force majeure. Comme nous l'avons vu au chapitre 6, c'est un moyen d'exonération de responsabilité contractuelle et extracontractuelle.

Dans certains cas, on peut invoquer la force majeure à propos d'un événement prévisible, mais impossible à empêcher.

> *Exemple* : Un arbre brisé au cours d'un ouragan et qui tombe en plein milieu d'une route, provoquant un accident d'automobile.

La personne qui invoque le cas de force majeure comme moyen d'écarter sa responsabilité en a le fardeau de la preuve.

RÈGLE DE L'ACCEPTATION DU RISQUE

« **Art. 1477 C.c.Q.** L'acceptation de risques par la victime, même si elle peut, eu égard aux circonstances, être considérée comme une imprudence, n'emporte pas renonciation à son recours contre l'auteur du préjudice. »

Les tribunaux reconnaissent la règle de l'acceptation du risque comme moyen de se dégager de sa responsabilité. Il s'agit alors pour la personne qui fait appel à ce moyen de défense de faire la preuve que la victime a consenti librement et en toute connaissance de cause à un risque de conséquences graves. Il y a, par exemple, des risques inhérents à la participation à certains sports, que ce soit à titre de compétiteur ou de spectateur.

Ainsi celui qui assiste à une course d'automobiles et se place volontairement au bord de la piste s'expose à des blessures advenant le dérapage d'une automobile. Si un tel événement se produisait, le conducteur ou le propriétaire de la voiture poursuivi en responsabilité pourrait invoquer la règle de l'acceptation du risque pour se disculper. En pratique, ce moyen de défense ne vaut que dans la mesure où la preuve ne révèle aucune faute de la part du défendeur.

DÉFENSE DU BON SAMARITAIN

« **Art. 1471 C.c.Q.** La personne qui porte secours à autrui ou qui, dans un but désintéressé, dispose gratuitement de biens au profit d'autrui est exonérée de toute responsabilité pour le préjudice qui peut en résulter, à moins que ce préjudice ne soit dû à sa faute intentionnelle ou à sa faute lourde. »

Le législateur québécois a introduit ces dispositions dans le *Code civil du Québec* dans le but d'éviter aux personnes qui portent secours à quelqu'un ou qui donnent gratuitement des biens soient exonérées de toute responsabilité extracontractuelle.

> *Exemple* : Le Restaurant La Truffe donne les restes de son brunch du dimanche à des personnes défavorisées de son quartier et certaines d'entre elles sont victimes d'une intoxication alimentaire.

Figure 7.4   La personne qui fait appel à la règle de l'acceptation du risque doit faire la preuve que la victime a consenti librement et en toute connaissance de cause à un risque dont pouvaient découler des conséquences graves.

Exemple : Rémi est blessé et inconscient dans son camion en flammes. Jean-Guy, un passant, le sort du camion mais lui brise le bassin par accident. Rémi ne pourra pas poursuivre Jean-Guy à moins de démontrer qu'il s'agit d'une faute intentionnelle ou d'une faute lourde.

L'article 1474 définit la **faute lourde** comme étant celle qui dénote une insouciance, une imprudence ou une négligence grossière.

DIVULGATION D'UN SECRET COMMERCIAL

L'article 1472 C.c.Q. permet la divulgation d'un secret commercial dans l'intérêt général :

« **Art. 1472 C.c.Q.** Toute personne peut se dégager de sa responsabilité pour le préjudice causé à autrui par suite de la divulgation d'un secret commercial si elle prouve que l'intérêt général l'emportait sur le maintien du secret et, notamment, que la divulgation de celui-ci était justifiée par des motifs liés à la santé ou à la sécurité du public. »

Ces dispositions visent à assurer une plus grande sécurité et une meilleure protection aux citoyens du Québec.

Exemple : Un chimiste employé d'une entreprise pharmaceutique qui dévoilerait les résultats de certains tests révélant les risques de cancer associés à l'utilisation d'un médicament contre le rhume serait protégé par les dispositions de cet article.

CONNAISSANCE DU DÉFAUT DE SÉCURITÉ D'UN BIEN

Pour compléter les dispositions des articles 1468 et 1469 C.c.Q. concernant la responsabilité du fabricant et du distributeur, le Code permet à ces derniers de s'exonérer dans certains cas :

« **Art. 1473 C.c.Q.** Le fabricant, distributeur ou fournisseur d'un bien meuble n'est pas tenu de réparer le préjudice causé par le défaut de ce bien s'il prouve que la victime connaissait ou était en mesure de connaître le défaut du bien, ou qu'elle pouvait prévoir le préjudice.

Il n'est pas tenu, non plus, de réparer le préjudice s'il prouve que le défaut ne pouvait être connu, compte tenu de l'état des connaissances, au moment où il a fabriqué, distribué ou fourni le bien et qu'il n'a pas été négligent dans son **devoir d'information** lorsqu'il a eu connaissance de l'existence de ce défaut. »

Les instructions aux utilisateurs et les mises en garde fournies par les fabricants et les distributeurs sont certains des moyens dont ceux-ci disposent pour diminuer leur responsabilité définie aux articles 1468 et 1469 C.c.Q.

> *Exemple* : La compagnie XYZ ltée vend des taille-bordures pour gazon et inclut une mise en garde écrite sur l'appareil indiquant le danger de l'utilisation de leur appareil sans des verres protecteurs de sécurité. Elle ajoute également un avis écrit sur l'appareil. Paul utilise l'appareil sans verres protecteurs de sécurité et se crève un oeil.

AVIS ET CLAUSES D'EXONÉRATION OU DE LIMITATION DE RESPONSABILITÉ

Les tribunaux considèrent comme valides les clauses limitatives de responsabilité et de non-responsabilité en matière contractuelle ; dans certains cas, elles constituent un excellent moyen d'atténuer sa responsabilité ou de s'en dégager. Toutefois, ces clauses doivent toujours être interprétées de manière restrictive et ne peuvent jamais servir à excuser une faute lourde ou intentionnelle, ni la négligence grossière du défendeur (articles 1474 à 1476 C.c.Q.). On peut les retrouver autant en matière contractuelle qu'en matière extracontractuelle.

« **Art. 1474 C.c.Q.** Une personne ne peut exclure ou limiter sa responsabilité pour le préjudice matériel causé à autrui par une faute intentionnelle ou une faute lourde ; la faute lourde est celle qui dénote une insouciance, une imprudence ou une négligence grossière.

Elle ne peut aucunement exclure ou limiter sa responsabilité pour le préjudice corporel ou moral causé à autrui.

Art. 1475 C.c.Q. Un avis, qu'il soit ou non affiché, stipulant l'exclusion ou la limitation de l'obligation de réparer le préjudice résultant de l'inexécution d'une obligation contractuelle n'a d'effet, à l'égard du créancier, que si la partie qui invoque l'avis prouve que l'autre partie en avait connaissance au moment de la formation du contrat ».

Ainsi un jugement récent vient de condamner un garagiste à payer à son client le prix de son automobile volée pendant qu'elle était stationnée sur le terrain du garage. Le magistrat a jugé que le garagiste avait fait preuve de négligence en n'exerçant pas une surveillance adéquate du véhicule. De la même manière, bien qu'elle ait signé une déclaration relevant le propriétaire du ranch de toute responsabilité en cas d'accident, la personne qui se blesse en faisant de l'équitation peut obtenir un jugement contre le propriétaire, si elle réussit à prouver la faute ou la négligence grossière de ce dernier.

On retrouve ces clauses sur les billets de stationnement, dans des vestiaires, à l'endos de billets de ski, etc. Elles sont valides mais n'excluent pas la faute lourde ou intentionnelle de celui qui a stipulé la clause.

« **Art. 1476 C.c.Q.** On ne peut, par un avis, exclure ou limiter, à l'égard des tiers, son obligation de réparer ; mais pareil avis peut valoir dénonciation d'un danger. »

L'article 1476 s'applique particulièrement en matière extracontractuelle. Par exemple, il arrive qu'une personne mette une pancarte sur sa propriété indiquant :

- « Gare au chien. »
- « Attention à la glace. »
- « Avancez à vos risques. »

Ces avis ne peuvent la dégager de sa responsabilité mais peuvent valoir comme dénonciation d'un danger ; il reviendra alors au tribunal d'en apprécier la valeur et de déterminer les responsabilités respectives des personnes impliquées.

PARTAGE DE RESPONSABILITÉ

Il arrive souvent que les dommages pour lesquels la victime poursuit une personne soient la responsabilité de plusieurs, dont quelquefois la victime elle-même.

Le *Code civil* prévoit ces deux cas aux articles 1478 à 1481 :

- faute causée par plusieurs personnes ;
- faute commune de la victime.

FAUTE COLLECTIVE

« **Art. 1478 C.c.Q.** Lorsque le préjudice est causé par plusieurs personnes, la responsabilité se partage entre elles en proportion de la gravité de leur faute respective [...].

Art. 1480 C.c.Q. Lorsque plusieurs personnes ont participé à un fait collectif fautif qui entraîne un préjudice ou qu'elles ont commis des fautes distinctes dont chacune est susceptible d'avoir causé le préjudice, sans qu'il soit possible, dans l'un ou l'autre cas, de déterminer laquelle l'a effectivement causé, elles sont tenues solidairement à la réparation du préjudice ».

Lorsque la preuve démontre que plusieurs personnes ont contribué aux dommages causés, le juge rend un jugement de **responsabilité partagée.**

> *Exemple* : Patrice et Claude procèdent à l'installation d'une antenne parabolique sur le toit de la maison de Patrice. Malheureusement, il vente très fort et, malgré leurs efforts pour la retenir, l'antenne tombe sur la maison de Daniel, le voisin de Patrice, fracassant sa nouvelle serre. Les dommages sont évalués à 10 000 $.

Il est évident que Patrice et Claude sont responsables de ces dommages et que le tribunal devrait partager également entre eux la responsabilité à 50 %, à moins de pouvoir départager entre eux des degrés de responsabilité différents. Par exemple, cela aurait été le cas si Lise, la femme de Patrice, les avait aidés en leur prodiguant des conseils sans les aider physiquement. Dans un tel cas, le tribunal aurait pu, par exemple, retenir la responsabilité de Patrice et Claude chacun pour 45 % et celle de Line pour 10 %, ou selon tout autre pourcentage qu'il aurait établit compte tenu des circonstances.

Un tel jugement exige que les personnes impliquées paient chacune leur part du 10 000 $.

Advenant que l'une d'elles n'ait pas les moyens financiers de payer sa part, l'article 1526 C.c.Q. stipule que l'obligation de réparer le préjudice causé à autrui par la faute de deux personnes ou plus est solidaire lorsque cette obligation est extracontractuelle. Cela veut dire que si Claude ne peut payer sa part, Patrice devra la payer à sa place si le tribunal les trouve également responsables à 50 %.

Le défendeur peut également invoquer la faute d'un tiers pour se dégager complètement de sa responsabilité.

> *Exemple* : Un livreur se blesse en se rendant à votre appartement parce que le trottoir n'a pas été déneigé. Vous pouvez vous dégager de cette responsabilité en alléguant que votre bail contient une clause selon laquelle le propriétaire de l'immeuble est responsable du déneigement.

FAUTE COMMUNE DE LA VICTIME

« **Art. 1478 (2) C.c.Q.** [...] La faute de la victime, commune dans ses effets avec celle de l'auteur, entraîne également un tel partage.

Art. 1479 C.c.Q. La personne qui est tenue de réparer un préjudice ne répond pas de l'aggravation de ce préjudice que la victime pouvait éviter ».

La faute commune constitue une autre défense dans une poursuite en responsabilité. Il s'agit alors pour le défendeur de prouver que la victime a contribué par sa propre faute au dommage qu'elle prétend avoir subi. Si le défendeur réussit à prouver que la victime est responsable, par exemple, dans une proportion de 25 %, 50 % ou 75 % du dommage subi, il atténuera sa responsabilité d'autant.

> *Exemple* : Celui qui fait de l'équitation et qui, défiant les directives du guide, fait galoper son cheval, tombe et se blesse sérieusement, pourrait voir le juge tenir compte de sa faute contributoire.

L'article 1479 reprend un principe reconnu par la jurisprudence selon lequel la victime doit tenter de minimiser ses dommages. Cela implique que si elle ne le fait pas, le tribunal réduira le montant des dommages accordés en conséquence.

> *Exemple* : Michèle et Jean-Guy achètent une maison des Constructions Rosemère inc. Celle-ci doit être prête pour le 1er octobre. Malheureusement, la maison n'est pas terminée pour cette date. Michèle et Jean-Guy, qui ont quitté leur appartement pour le 1er octobre, ont dû s'installer à l'hôtel et faire entreposer leurs meubles.
>
> Ils ont loué une suite au Sheraton Laval au coût de 300 $ par jour et ont entreposé leurs meubles chez Entreposage Idéal ltée au coût de 200 $ par mois. Ils prennent possession de leur nouvelle maison exactement 30 jours plus tard. Michèle et Jean-Guy poursuivent maintenant Constructions Rosemère pour la somme de 9200 $, soit le coût de l'entreposage des meubles et de l'hébergement au Sheraton Laval pendant 30 jours.
>
> Dans sa défense, Constructions Rosemère peut prétendre que Jean-Guy et Michèle n'ont pas tenté de minimiser leurs dommages et qu'ils auraient pu facilement trouver une chambre dans un motel ou un hôtel pour environ 100 $ par jour, ce qui aurait coûté 3000 $ et non 9000 $.
>
> Le tribunal tiendra compte de cet argument dans son jugement.

RESPONSABILITÉ ET INDEMNISATION SANS FAUTE

On parle de responsabilité sans faute lorsque la victime des dommages ne peut pas intenter d'action devant les tribunaux contre la personne qui lui a causé les dommages. L'indemnisation des victimes est assurée par un organisme gouvernemental selon des normes précises. Cet organisme n'a pas à porter de jugement sur la faute ou la responsabilité de qui que ce soit et indemnisera les victimes sans tenir compte de leur faute. Ainsi une personne qui est blessée dans un accident d'automobile dont elle est responsable sera indemnisée par la Société d'assurance automobile du Québec même s'il est évident que l'accident résulte de sa négligence.

LOI SUR L'ASSURANCE AUTOMOBILE DU QUÉBEC

Cette loi a institué à compter du 1er mars 1978 un organisme appelé Société de l'assurance automobile du Québec dont le rôle est, d'une part, d'évaluer les dommages corporels causés à la victime d'un accident d'automobile et, d'autre part, de lui verser une indemnité. Aux termes de la loi, la victime est toute personne physique qui subit un dommage corporel à la suite d'un accident d'automobile, que ce soit le propriétaire, le conducteur, le passager ou même un piéton.

En cas de décès, la loi prévoit la possibilité de verser l'indemnité aux héritiers de la victime.

LOI SUR LES ACCIDENTS DU TRAVAIL ET LES MALADIES PROFESSIONNELLES

Cette loi permet d'indemniser les travailleurs et travailleuses (ou leurs héritiers en cas de décès) qui ont subi un accident du travail ou qui sont atteints d'une maladie professionnelle.

La loi a créé un organisme, la Commission de la santé et de la sécurité du travail (CSST). C'est un organisme dont le premier rôle est la prévention des lésions professionnelles et qui agit également comme tribunal administratif qui reçoit les demandes d'indemnisation, les étudie et décide du montant des indemnités à verser aux victimes.

Cette responsabilité s'applique même si le travailleur a été blessé par sa propre faute ou négligence, la CSST n'ayant pas à se prononcer sur la faute ou la responsabilité.

Nous examinerons plus en détail la question des accidents du travail au chapitre 17.

LOI SUR L'INDEMNISATION DES VICTIMES D'ACTES CRIMINELS

Cette loi adoptée en 1971 permet à toute victime d'un acte criminel (ou à ses héritiers si la personne est tuée) d'être indemnisée pour les blessures subies en s'adressant à la Commission de la santé et de la sécurité du travail (CSST). Aux termes de la Loi, le mot blessure signifie une lésion corporelle, la grossesse à la suite d'un viol, un choc nerveux ou mental. Une demande peut être formulée, que l'auteur de l'acte criminel soit ou non poursuivi ou trouvé coupable. Les indemnités sont les mêmes que celles prévues dans le cas d'un accident du travail.

LOI VISANT À FAVORISER LE CIVISME

Cette loi prévoit l'indemnisation d'une personne blessée ou tuée tandis qu'elle porte secours à quelqu'un.

ASSURANCE-DÉPÔTS

Le législateur a prévu la création de deux autres organismes : la Régie de l'assurance-dépôts du Québec et la Société d'assurance-dépôts du Canada, dont le rôle consiste à indemniser les déposants qui perdraient leurs économies à la suite de la faillite d'un établissement financier telle une banque. Les déposants visés s'adressent à l'un de ces organismes, selon que l'établissement en faillite était assuré par l'organisme provincial ou fédéral, et peuvent récupérer leurs épargnes jusqu'à concurrence de 60 000 $.

RESPONSABILITÉ CIVILE ET ASSURANCES

Au moins 60 % des actions civiles devant les tribunaux mettent d'abord en cause la responsabilité civile extracontractuelle des personnes.

Les gens d'affaires, tout comme les citoyens ordinaires, ont donc intérêt à prendre les meilleurs moyens pour protéger leur patrimoine car, advenant une condamnation en dommages-intérêts prononcée par le tribunal, ils risquent de voir leurs biens saisis et vendus aux enchères.

L'assurance de responsabilité est l'arme la plus efficace pour se protéger contre la perte ou la saisie de son patrimoine.

- L'entrepreneur qui détient une assurance de responsabilité sera protégé contre les réclamations résultant de la faute de ses employés.
- Le locataire qui, par accident, met le feu à l'immeuble abritant son logement, verra son assurance couvrir le coût des dommages qu'il a causés par sa négligence.
- Le transporteur dont le camion est impliqué dans un accident routier et dont la cargaison est complètement détruite pourra demander à son assureur d'indemniser le propriétaire de la cargaison.
- Les parents poursuivis pour les dommages causés par leur enfant mineur seront généralement protégés contre ces dommages par la clause de responsabilité civile de leur assurance résidentielle.

Dans chacun de ces cas, l'action civile devant les tribunaux n'est pas exclue, mais l'intervention de l'assureur, qui paie le coût des dommages, protège le patrimoine de l'assuré. Nous examinerons plus en détail l'assurance au chapitre 10.

ACTION EN RESPONSABILITÉ CIVILE

La personne victime d'un dommage a droit à une juste compensation de la part de la personne qui en est responsable. Si cette dernière refuse de l'indemniser, elle devra intenter contre elle une **action en responsabilité civile**. Dans une telle éventualité, le demandeur doit faire en sorte que son droit d'action ne se prescrive pas et, à cet effet, il doit agir avec diligence. Il doit donc intenter son action dans les délais prévus au *Code civil du Québec.*

L'article 2925 C.c.Q. établit une prescription uniforme de trois ans pour les actions en dommages matériels, pour les actions, pour les lésions ou blessures corporelles et pour la plupart des actions en responsabilité civile contractuelle.

RÉSUMÉ

- La responsabilité est l'obligation qui incombe à toute personne d'assumer les conséquences de ses actes et d'en répondre devant les tribunaux criminels, pénaux et civils, le cas échéant.

- Elle se divise en responsabilité criminelle, pénale, civile contractuelle et extracontractuelle.

- Les trois éléments entraînant la responsabilité civile d'un individu sont la faute, le dommage matériel, corporel, moral ou contractuel et le lien de causalité.

- En matière de responsabilité extracontractuelle, le *Code civil du Québec* crée des présomptions de faute contre certaines personnes en raison des dommages causés par les personnes ou les biens dont elles ont la garde ; ce sont le titulaire de l'autorité parentale, le gardien d'un mineur, le curateur ou le tuteur d'un majeur protégé, l'employeur, le gardien d'un bien, le propriétaire d'un animal, le propriétaire d'un bâtiment, le fabricant et le distributeur d'un bien meuble.

- Les principaux moyens d'atténuation et d'exonération de responsabilité sont le cas de force majeure, la règle de l'acceptation des risques, la défense du bon Samaritain, la divulgation d'un secret commercial, la connaissance du défaut de sécurité d'un bien, les avis et clauses d'exonération ou de limitation de responsabilité et le partage de responsabilité résultant soit d'une faute collective ou d'une faute commune de la victime.

- Les principaux cas de responsabilité sans faute sont les accidents d'automobile, les accidents du travail et les maladies professionnelles, les cas de victimes d'actes criminels, les préjudices subis en accomplissant un acte de civisme et la faillite d'établissements financiers régis par l'assurance-dépôts.

RÉSEAU DE CONCEPTS

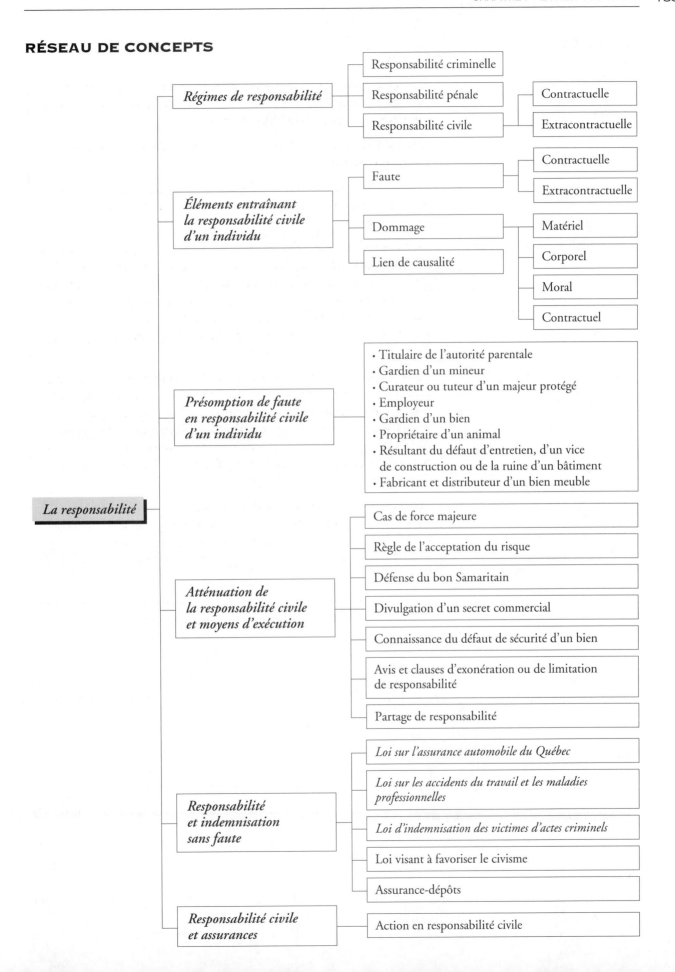

EXERCICES

ASSOCIATIONS

Associez un des termes ci-dessous à l'une des définitions suivantes :

- lien de causalité
- préjudice ou dommage matériel
- garde
- possession
- responsabilité civile contractuelle
- préjudice ou dommage moral
- faute commune ou contributaire
- responsabilité civile extracontractuelle
- préjudice ou dommage physique
- faute partagée

1. Le ___ englobe les douleurs, souffrances et inconvénients subis par la victime, tels la perte de jouissance de la vie, l'atteinte à la réputation, le préjudice esthétique.

2. Le propriétaire d'un animal est responsable du dommage causé par celui-ci, que l'animal soit sous sa ___ ou sous celle d'une personne qui s'en sert, ou qu'il se soit échappé.

3. Le ___ se définit comme le dommage causé aux biens de la victime.

4. On parlera de ___ comme moyen de défense contre une action en responsabilité civile lorsque le défendeur sera en mesure de prouver que la victime a contribué par sa propre faute au dommage qu'elle prétend avoir subi.

5. La ___ est l'obligation civile créée par la loi, concernant toute personne douée de raison, de réparer le dommage ou le préjudice causé à autrui par son défaut de respecter les règles de conduite imposées par les circonstances, les usages ou la loi.

VRAI OU FAUX

Indiquez si les affirmations suivantes sont vraies ou fausses. Si l'affirmation est fausse, précisez pourquoi.

1. La négligence ou une distraction peuvent constituer une faute.

2. Le dommage doit être la conséquence directe, immédiate et matérielle de la faute.

3. Les clauses limitatives et de non-responsabilité exonèrent l'auteur d'une faute de toute responsabilité, y compris sa négligence grossière.

4. Le propriétaire d'un animal n'est pas responsable du dommage que l'animal a causé si ce dernier s'est échappé ou égaré.

5. Celui qui a la garde d'une chose ou qui s'en sert pour son bénéfice personnel est responsable des dommages que cette chose a causés.

CHOIX MULTIPLES

1. Le fabricant, distributeur ou fournisseur d'un bien meuble causant un préjudice en raison d'un défaut de sécurité de ce bien :
   a) n'encourt aucune responsabilité s'il a ajouté une clause de non-responsabilité.
   b) est responsable d'un préjudice causé.
   c) n'est pas responsable si ce bien est incorporé à un immeuble.
   d) aucune des réponses précédentes.

2. Depuis le ___ , toute victime de dommages corporels causés par un accident d'automobile ne peut plus s'adresser aux tribunaux civils pour être indemnisée.
   a) 1er mars 1980
   b) 30 mars 1971
   c) 1er mars 1978
   d) 1er avril 1983

3. L'employeur ne sera pas responsable des dommages causés par son employé s'il prouve que celui-ci :
   a) était réellement dans l'exécution de ses fonctions au moment des dommages.
   b) travaillait pour son propre compte.
   c) a été congédié à la suite de cet accident.
   d) aucune des réponses précédentes.

4. Lorsqu'un médecin expert, après avoir examiné la victime d'un accident, fixe à 20 % l'incapacité de celle-ci, on parle :
   a) d'incapacité partielle temporaire.
   b) d'incapacité totale temporaire.
   c) de perte de jouissance de la vie.
   d) d'incapacité partielle permanente.

5. Un mineur qui cause des dommages à autrui :
   a) n'est jamais responsable des dommages causés.
   b) est responsable si l'on peut prouver sa faute et s'il est doué de raison.
   c) n'est pas responsable, car ses parents payeront les pots cassés.
   d) aucune des réponses précédentes.

CAS PRATIQUES

1. Daniel achète une scie à chaîne chez Scies-Québec inc., distributeur exclusif des produits Matascie au Québec. Après avoir déballé la scie, il commence à l'utiliser pour couper des arbres qui se trouvent sur son terrain. Son ami André est venu l'aider et ils ont installé des câbles pour retenir un des arbres dans sa chute, car cet arbre se trouve à proximité du cabanon neuf de sa voisine Carole qui l'a fait construire au coût de 2500 $. Malheureusement, ils ne peuvent retenir l'arbre, et celui-ci s'écroule sur le cabanon de Carole et le détruit totalement.

Par la suite, tandis qu'ils débitent l'arbre en question, la chaîne de la scie casse et cause de graves blessures à Daniel qui perd l'usage de trois doigts de la main droite.

Après examen, on constate que la scie était défectueuse et que plusieurs autres personnes avaient déjà été blessées de façon similaire.

a) Expliquez le principe du partage de la responsabilité et de quelle manière il peut s'appliquer dans le présent cas aux dommages causés à Carole.

b) Expliquez la notion de défaut de sécurité et de quelle manière elle pourrait s'appliquer dans le cas de Daniel.

c) Expliquez les recours de Daniel ainsi que les moyens de défense à l'encontre de ces recours.

2. Caroline et son frère Jean, âgés respectivement de dix et cinq ans, décident d'aller visiter la cour de leur voisin, André Côté, pendant l'absence de ce dernier. Après avoir escaladé la clôture, ils se rendent jusqu'au potager où ils arrachent et mangent quelques carottes. À ce moment-là, Brutus, le berger allemand de M. Côté, se réveille, aperçoit les deux garnements et s'élance à leur poursuite en aboyant furieusement. Apeurés, les deux enfants se mettent à courir vers la clôture. Plus rapide que son frère cadet, Caroline réussit à enjamber la clôture avant que Brutus ne la rattrape. Le molosse réussit à rattraper Jean et lui inflige de graves morsures et lacérations aux bras, aux jambes et au visage. Sans l'arrivée providentielle de Josée, la femme de M. Côté, qui revenait de l'épicerie, la bête déchaînée aurait pu tuer l'enfant.

Jean-Guy et Michèle, les parents de Jean, viennent vous consulter et ils désirent connaître leurs droits.

a) Quelle est la responsabilité d'André Côté ? Expliquez votre réponse.

b) Peut-il s'exonérer de sa responsabilité en alléguant qu'il était absent de son domicile au moment de l'accident et qu'il y avait une pancarte indiquant « Attention, chien dangereux » ? Expliquez votre réponse.

c) Quels sont les autres moyens de défense dont dispose M. Côté ? Expliquez.

d) Quel rôle peut être amené à jouer l'assureur de M. Côté dans cette affaire ? Motivez votre réponse.

3. Jean-Philippe, Éric, Carl et Marc-André ont décidé de jouer à la « Guerre des tuques ». Jean-Philippe et Éric occupent un fort qu'ils ont protégé par une entrée souterraine aménagée dans la neige. Ils ont fait de bonnes provisions de balles de neige, et Éric en a fait glacer quelques-unes.

Carl et son frère Marc-André ont décidé de prendre d'assaut le fort des deux autres. Arrivé à proximité, Carl commence à frapper le fort avec un bâton de baseball pour le démolir. Pendant ce temps, Marc-André lance des balles de neige aux deux autres. Éric décide d'attaquer Marc-André. Au même moment, Jean-Philippe redouble d'ardeur contre Carl qui commence à endommager sérieusement le fort. Jean-Philippe lance une balle glacée à Carl et le frappe au-dessus de l'oeil gauche ; le sang se met à couler. Bien qu'il sache qu'Éric se trouve dans la sortie souterraine, Marc-André se met alors à sauter au-dessus du souterrain qui s'écroule sur son compagnon de jeu.

Affolé, Carl court jusqu'à la maison et sa mère doit appeler Urgences Santé. Pendant ce temps, Jean-Philippe tente de dégager Éric. Lorsqu'il réussit quelques minutes plus tard, ce dernier est inconscient. Arrivés sur les lieux, les médecins d'Urgences Santé tentent de le réanimer et constatent que l'oeil de Carl est gravement blessé. Les deux enfants sont envoyés à l'hôpital de l'Enfant-Jésus.

Dix mois plus tard, les parents de Carl et de Marc-André viennent vous consulter et vous soumettent les faits suivants :

- Carl a perdu l'usage de l'oeil gauche ;
- ils ont reçu une action civile des parents d'Éric leur réclamant 275 000 $ en dommages pour les lésions au cerveau subies par leur fils ;

- les parents de Jean-Philippe sont décédés il y a six mois.

a) Quelle est la responsabilité de Jean-Philippe et celle de ses parents ? Expliquez votre réponse.

b) À votre avis, les parents de Marc-André sont-ils responsables des dommages subis par Éric ? Expliquez.

c) Dans le cas où l'écroulement du passage souterrain aurait été causé par un camion appartenant à la compagnie Entreprises de déneigement Denis Monette ltée, qui les parents d'Éric auraient-ils dû poursuivre et quels moyens de défense la personne poursuivie aurait-elle pu faire valoir ? Expliquez.

CHAPITRE 8

LA VENTE ET SES MODALITÉS

LA VENTE

Caractéristiques du contrat de vente

Conditions particulières de la vente

Effets de la vente

MODALITÉS DE LA VENTE

Vente à l'essai

Vente à terme

Vente à tempérament

Vente aux enchères

Vente d'entreprise

Vente d'immeuble à usage d'habitation

Vente en consignation

RÉSUMÉ

RÉSEAU DE CONCEPTS

EXERCICES

CAS PRATIQUES

OBJECTIFS ET ÉLÉMENTS DE COMPÉTENCES

1 Définir le contrat de vente.

2 Expliquer les notions de promesse et d'offre d'achat ou de vente.

3 Énumérer les conditions de validité du contrat de vente.

4 Expliquer les obligations du vendeur et de l'acheteur, et les illustrer à l'aide d'exemples.

5 Connaître les différentes modalités dont on peut assortir le contrat de vente.

6 Différencier les divers recours du vendeur et de l'acheteur en cas de défaut de l'autre partie à un contrat de vente.

7 Appliquer les recours à des cas précis et concrets.

LA VENTE

De tous les contrats nommés dans le *Code civil du Québec*, le contrat de **vente** est sans contredit celui que l'on passe le plus souvent. Que ce soit à titre de commerçants, d'industriels, ou de simples consommateurs, les gens vendent ou achètent des biens mobiliers ou immobiliers à longueur d'année. Il importe donc de bien examiner les règles qui régissent le contrat de vente.

Le contrat ci-dessous constitue un contrat de vente par lequel une personne, Mathieu Limoges, le vendeur, transfère la propriété d'un bien, son automobile de marque Mazda, 1989, à une autre personne, Jean-François Archambault, l'acheteur, moyennant un prix en argent de 4500 $ que ce dernier s'engage à payer.

Le contrat qui suit aurait pu tout aussi bien être un contrat verbal, car le *Code civil du Québec* n'impose pas à ce type de contrat une forme particulière. Il en aurait été autrement si Mathieu avait vendu sa maison à Jean-François avec une garantie hypothécaire. Dans un tel cas, le *Code civil* aurait exigé un contrat écrit notarié ainsi que sa publication au Bureau de la publicité des droits.

CARACTÉRISTIQUES DU CONTRAT DE VENTE

La vente est un contrat à titre onéreux, consensuel, verbal ou écrit, synallagmatique ou bilatéral, translatif de propriété, civil ou utilisé dans le cadre de l'exploitation d'une entreprise (voir tableau 8.1).

> **Vente :** Contrat par lequel une personne (le vendeur) transfère la propriété d'un bien à une autre personne (l'acheteur) moyennant un prix en argent que cette dernière s'oblige à payer.

Laval, le 15 mai 1995

Je, soussigné, Mathieu Limoges, vend par les présentes mon automobile de marque Mazda 1989 à Jean-François Archambault pour la somme de 4500 $.

_____   _____

Jean-François Archambault   Mathieu Limoges

Figure 8.1   Exemple de contrat de vente

Tableau 8.1   Caractéristiques du contrat de vente

Contrat	Caractéristiques
Contrat à titre onéreux	La vente comporte un échange pécuniaire : le prix.
Contrat consensuel	La vente est conclue par le seul consentement des parties.
Contrat verbal ou écrit	Selon le cas, la vente peut être verbale ou écrite.
Contrat synallagmatique ou bilatéral	La vente crée des droits et des obligations de part et d'autre pour l'acheteur et le vendeur.
Contrat translatif de propriété	La principale caractéristique de la vente, c'est qu'elle donne lieu au transfert du droit de propriété d'une personne à une autre.
Contrat civil ou utilisé dans le cadre de l'exploitation d'une entreprise	La vente entre deux consommateurs est considérée comme un contrat civil, alors que celle effectuée par un commerçant est considérée faite dans le cadre de l'exploitation d'une entreprise, et les règles en sont différentes.

CONDITIONS PARTICULIÈRES DE LA VENTE

Les cinq conditions nécessaires à la validité des contrats, soit la capacité, le consentement, l'objet, la cause et la forme, doivent être présentes pour que la vente soit valide. Il est important de souligner que la forme du contrat de vente ne sera pas considérée comme une condition essentielle pour tous les types de contrat de vente.

Nous avons déjà expliqué ces conditions ; aussi nous contenterons-nous de mettre en lumière certaines règles propres au contrat de vente que le Code établit relativement à la capacité des parties et à l'objet de la vente.

CAPACITÉ DES PARTIES

En raison des conflits d'intérêts que peuvent connaître certaines personnes, l'article 1709 du *Code civil du Québec* leur interdit certaines pratiques.

« **Art. 1709 C.c.Q.** Celui qui est chargé de vendre le bien d'autrui ne peut, même par partie interposée, se rendre acquéreur d'un tel bien ; il en est de même de celui qui est chargé d'administrer le bien d'autrui ou de surveiller l'administration qui en est faite, sous réserve cependant, quant à l'administrateur, de l'article 1312.

Celui qui ne peut acquérir ne peut, non plus, vendre ses propres biens, moyennant un prix provenant du bien ou du patrimoine qu'il administre et dont il surveille l'administration. Ces personnes ne peuvent en aucun cas demander la nullité de la vente. »

Ceci peut s'appliquer dans le cas des tuteurs et des curateurs, par exemple. Un contrat de vente fait à l'encontre de cet article est frappé de nullité relative et non absolue, c'est-à-dire que seuls le propriétaire et les parties intéressées à la chose vendue peuvent la soulever, mais non l'acheteur. Une restriction semblable s'applique aux juges, avocats et procureurs, greffiers, shérifs, huissiers et autres officiers de justice qui ne peuvent devenir acquéreurs des droits litigieux qui sont du ressort du tribunal auprès duquel ils exercent leurs fonctions.

CONSENTEMENT, OFFRE ET PROMESSE DE VENTE OU D'ACHAT

Très souvent et en particulier en matière immobilière, la vente est précédée de négociations et de discussions entre les parties pour que celles-ci s'entendent sur l'objet, la cause, les modalités, le prix et les termes mêmes du contrat. Nous sommes alors en présence de l'un ou l'autre des avant-contrats suivants :

- offre d'acheter ;
- offre de vendre ;
- promesse unilatérale ou option de contracter ;
- promesse bilatérale.

Exemples :

Offre d'acheter

Jean-Pierre et Monique font un tour d'automobile dans les Laurentides et voient un chalet qui les intéresse. Ils sonnent à la porte et indiquent au propriétaire qu'ils voudraient l'acheter. Il s'agit d'une offre ou promesse unilatérale de leur part, qui n'engage en rien le propriétaire sauf s'il l'accepte.

Offre de vendre

Robert veut vendre son chalet dans les Laurentides et il met une annonce devant sa propriété indiquant « Chalet à vendre par le propriétaire », ainsi qu'une annonce dans La Presse. Il s'agit d'une offre ou promesse unilatérale de sa part qui n'engage que lui.

Promesse unilatérale ou option de contracter

Richard indique à son voisin Jacques que, si jamais il décide de vendre sa propriété, il la lui vendra avant toute autre personne. Il s'agit d'une promesse ou option unilatérale de contracter qui engage celui qui la fait.

Promesse bilatérale

Philippe et Dominique signent un document en vertu duquel Philippe promet de vendre ses actions dans la compagnie Bomont ltée, à Dominique, son associée dans cette compagnie au moment de son retrait de l'entreprise dans deux ans pour la somme de 250 000 $, et Dominique promet d'acheter ces actions au prix convenu. Il s'agit d'une promesse bilatérale de contracter qui engage les deux personnes en question.

Comme on peut le constater, les offres, promesses ou options d'acheter ou de vendre peuvent prendre diverses formes. On s'aperçoit également à la simple lecture des exemples précités que les droits et obligations qui en résultent ne sont pas les mêmes et que, pour plusieurs d'entre eux, les parties doivent clarifier et préciser les modalités qui aboutiront à la signature d'un contrat de vente.

Ainsi, une offre ou une promesse peut être assortie d'un délai d'acceptation ou de conditions à observer, elle peut aussi être accompagnée d'un dépôt ou acompte. Le *Code civil* édicte les règles qui suivent à ce sujet.

OFFRE DE CONTRACTER   L'offre de contracter peut être faite à une **personne déterminée**. C'est le cas de Jean-Pierre et de Monique qui offrent d'acheter le chalet directement de son propriétaire.

Elle peut être faite à une **personne indéterminée**. C'est le cas de Robert qui offre de vendre son chalet au moyen d'une pancarte et d'une annonce dans le journal.

Préparé pour le
Services des affaires juridiques

ASSOCIATION DES COURTIERS ET AGENTS IMMOBILIERS DU QUÉBEC

PROMESSE D'ACHAT
Formulaire obligatoire pour tous les courtiers et agents immobiliers du Québec à compter du 1er août 1994

Le présent formulaire ne constitue pas le contrat préliminaire requis aux termes des articles 1785 et suivants du Code civil du Québec dans le cas où la vente d'un immeuble à usage d'habitation, bâti ou à bâtir, est faite par le constructeur de l'immeuble ou par un promoteur à une personne physique qui l'acquiert pour l'occuper elle-même, que cette vente comporte ou non le transfert à l'acquéreur des droits du vendeur sur le sol.

1. IDENTIFICATION DES PARTIES

nom de l'acheteur 1 | nom du vendeur 1
adresse de l'acheteur 1 (code postal) (numéro de téléphone) | adresse du vendeur 1 (code postal) (numéro de téléphone)
nom de l'acheteur 2 | nom du vendeur 2
adresse de l'acheteur 2 (code postal) (numéro de téléphone) (ci-après appelé l'ACHETEUR) | adresse du vendeur 2 (code postal) (numéro de téléphone) (ci-après appelé le VENDEUR)

2. OBJET DU CONTRAT

2.1 Par la présente, l'ACHETEUR promet d'acheter par l'intermédiaire de ____________________,
courtier immobilier, représenté par ____________________ (numéro du certificat de l'agent immobilier ou du courtier immobilier affilié),
l'immeuble ci-après décrit aux prix et conditions énoncés ci-dessous.

3. DESCRIPTION SOMMAIRE DE L'IMMEUBLE

3.1 **ADRESSE** ____________________ (numéro, rue, ville)

3.2 L'IMMEUBLE, avec construction y érigée, est désigné comme suit :
Désignation cadastrale : ____________________ (numéro de lot, subdivision) (nom du cadastre officiel)
Mesurant : __________, pour une superficie de __________
☐ L'immeuble est détenu en copropriété ☐ divise
☐ indivise pour une quote-part de ______ %.
L'immeuble en copropriété comprend ______ espace(s) de stationnement (nos ______) et ______ espace(s) de rangement (nos ______).
(ci-après appelé l'IMMEUBLE)

4. PRIX ET ACOMPTE

4.1 **PRIX** Le prix d'achat sera de ____________________ dollars (__________ $)
que l'ACHETEUR convient de payer entièrement lors de la signature de l'acte de vente, à moins qu'un autre mode de paiement ne soit prévu, ci-après. Toutes taxes sur les produits et services, taxe de vente du Québec ou autre taxe pouvant être imposée comme conséquence de la vente et devant être perçues par le vendeur en vertu des lois fiscales applicables, devront être remises par l'acheteur au vendeur à ces fins au moment de la signature de l'acte de vente.

4.2 **ACOMPTE** Avec la présente promesse d'achat, l'ACHETEUR remet à l'intermédiaire mentionné ci-dessus, à titre d'acompte sur le prix de vente à payer, une somme de ____________________ dollars (__________ $)
au moyen d'un chèque fait à l'ordre de « ____________________ (nom du courtier inscripteur) en fidéicommis» (ci-après appelé le FIDUCIAIRE).

Après l'acceptation de la présente promesse d'achat, le chèque pourra être visé et devra être remis au FIDUCIAIRE. Celui-ci devra déposer cette somme dans un compte en fidéicommis jusqu'à la signature de l'acte de vente, alors qu'elle sera imputée au prix d'achat. Dès qu'il aura déposé cette somme dans un compte en fidéicommis, le fiduciaire devra remettre un reçu au déposant. Advenant que la présente promesse d'achat devienne nulle et non avenue, le FIDUCIAIRE devra, rembourser immédiatement à l'ACHETEUR, le dépôt sans intérêt. Autrement, le FIDUCIAIRE ne pourra disposer de ce dépôt que conformément à la présente promesse d'achat.

5. DÉCLARATIONS ET OBLIGATIONS DE L'ACHETEUR

5.1 **DÉCLARATIONS** À moins de stipulation contraire ci-après, l'ACHETEUR a examiné l'IMMEUBLE et s'en déclare satisfait ____________________.

5.2 À moins de stipulation contraire ci-après, l'ACHETEUR a de plus examiné, s'il y a lieu, la déclaration de copropriété, incluant le règlement de l'immeuble, et s'en déclare satisfait ____________________.

5.3 **TAXES** L'ACHETEUR s'engage, suite à la signature de l'acte de vente, à payer, le cas échéant, le droit de mutation.

5.4 **FRAIS** L'ACHETEUR s'engage à assumer les frais de l'acte de vente, de sa publication, ainsi que des copies requises.

5.5 **INCESSIBILITÉ** L'ACHETEUR s'engage à ne pas vendre, céder ou autrement aliéner ses droits dans la présente promesse d'achat, sans obtenir au préalable le consentement écrit du VENDEUR.

6. DÉCLARATIONS ET OBLIGATIONS DU VENDEUR

6.1 **DÉCLARATIONS** Le VENDEUR déclare, à moins de stipulations contraires ci-après :
a) n'avoir connaissance d'aucun facteur se rapportant à l'immeuble susceptible, de façon significative, d'en diminuer la valeur ou les revenus ou d'en augmenter les dépenses, sauf ; ____________________

Page 1 de 3 220FN (1,01) **PA** ☐☐☐☐☐

L'autorisation accordée à l'auteur de reproduire le présent formulaire ne signifie pas que l'ACAIQ entérine ou accepte en tout ou en partie les propos tenus par l'auteur.

Figure 8.2 Promesse d'achat

Elle peut être **assortie ou non d'un délai d'acceptation**. Ce serait le cas de Jean-Pierre et de Monique qui offriraient au propriétaire du chalet 100 000 $ pour son chalet et lui donneraient 48 heures pour accepter leur offre. Le Code précise que si l'offre est **assortie d'un délai,** elle est irrévocable avant l'expiration du délai. Cela veut dire que Jean-Pierre et Monique ne pourraient pas la retirer avant l'expiration des 48 heures.

FORMULAIRE REPRODUIT POUR FINS DE CONSULTATION SEULEMENT

b) n'avoir reçu aucun avis d'une autorité compétente indiquant que l'immeuble n'est pas conforme aux lois et règlements en vigueur ni aucun avis d'un assureur à la suite duquel il n'aurait remédié de façon complète au défaut y étant dénoncé, sauf _____

c) ne pas être un non résident canadien au sens des lois fiscales provinciale et fédérale ; _____

d) que la municipalité concernée fournit à l'immeuble les services d'aqueduc et d'égout ; _____

e) l'immeuble ne fait pas partie d'un ensemble immobilier au sens de la Loi sur la Régie du logement ; _____

f) l'immeuble n'est pas assujetti à la Loi sur la protection du territoire agricole ; _____

g) l'immeuble n'est pas un bien culturel classé ou reconnu et n'est pas situé dans un arrondissement historique ou naturel, dans un site historique classé ni dans une aire de protection conformément à la Loi sur les biens culturels ; _____

h) l'immeuble est conforme aux lois et règlements relatifs à la protection de l'environnement ; _____

i) dans le cas d'un immeuble comportant bail, le vendeur fait les déclarations suivantes :

   i. les loyers rapportent au moins _____ dollars (_____ $) annuellement et les baux viennent à échéance le _____

   ii. aucun avis susceptible de modifier les baux n'a été envoyé par l'une ou l'autre des parties et aucune instance n'est en cours devant la Régie du logement ;

   iii. il n'a reçu aucun avis d'un locataire ou du conjoint d'un locataire déclarant que l'immeuble, ou une partie de celui-ci, sert de résidence familiale _____ ;

j) autres déclarations _____

6.2 **LIVRAISON DE L'IMMEUBLE** Le VENDEUR promet de vendre l'IMMEUBLE à l'ACHETEUR et, à moins de stipulation contraire ci-après, s'engage à le livrer dans l'état où il se trouvait lorsque ce dernier l'a examiné _____

6.3 **FRAIS DE REMBOURSEMENT ET DE RADIATION** Les frais reliés au remboursement et à la radiation de toute créance garantie par hypothèque, priorité ou tout autre droit réel affectant l'immeuble dont le paiement ne serait pas assumé par l'acquéreur seront à la charge du vendeur.
Les frais reliés au remboursement incluent toute pénalité pouvant être exigible dans le cas d'un remboursement par anticipation.

6.4 **DOCUMENTS DE PROPRIÉTÉ** Le VENDEUR fournira à l'ACQUÉREUR un bon titre de propriété, libre de toute redevance, priorité, hypothèque, droit réel, charge ou autre limitation de droit privé sauf les servitudes usuelles et apparentes d'utilité publique, toute créance affectant l'immeuble dont le remboursement est, le cas échéant, assumé par l'ACQUÉREUR aux termes des présentes et ce qui suit :

Le VENDEUR se portera également garant envers l'ACHETEUR de toute violation aux limitations de droit public qui grèvent le bien et qui échappent au droit commun de la propriété sauf _____

Le VENDEUR fournira à l'ACHETEUR, dans un délai de _____ jours une copie authentique de son titre d'acquisition, une copie authentique des actes translatifs de propriété et constitutifs de servitude couvrant une période de _____ ans, de même qu'un certificat de localisation préparé par un arpenteur-géomètre indiquant l'état actuel de la propriété ; tout nouveau certificat étant à la charge de l'ACHETEUR s'il ne révèle aucune modification au certificat précédent. Dans le cas d'un immeuble qui fait l'objet d'une déclaration de copropriété, le VENDEUR fournira également à l'ACHETEUR la déclaration de copropriété, incluant le règlement de l'immeuble. Dans le cas d'un immeuble qui fait l'objet d'une déclaration de copropriété un certificat de localisation décrivant la partie divise vendue sera suffisant.

6.5 **VICE OU IRRÉGULARITÉ** Advenant la dénonciation aux parties, avant la signature de l'acte de vente, d'un quelconque vice ou d'une quelconque irrégularité affectant les titres, ou au cas de non conformité à quelque garantie du VENDEUR contenue aux présentes, ce dernier disposera d'un délai de 21 jours à compter de la réception d'un avis écrit à cet effet, pour aviser l'ACHETEUR, par écrit, qu'il a remédié, à ses frais, au vice ou irrégularité soulevé, ou qu'il ne peut y remédier.
Dans cette dernière éventualité, l'ACHETEUR pourra, dans les cinq (5) jours suivant la réception d'un tel avis, aviser le VENDEUR, par écrit :
a) qu'il achète avec les vices ou irrégularité allégués, auquel cas la garantie du VENDEUR sera diminuée d'autant, ou
b) qu'il rend la présente promesse d'achat nulle et non avenue, auquel cas les honoraires, dépenses et frais alors raisonnablement engagés par l'une ou l'autre des parties seront à la seule charge du VENDEUR.
Dans le cas où l'ACHETEUR ne se serait pas prévalu des dispositions des paragraphes *a)* ou *b)* dans le délai stipulé, la présente promesse d'achat deviendra nulle et non avenue, auquel cas les honoraires, dépenses et frais alors engagés par chacune des parties seront à leur charge respective.

6.6 **INTERVENTION DU CONJOINT** Si une partie de l'IMMEUBLE constitue la résidence familiale du VENDEUR, ou si son régime matrimonial le rend nécessaire, ce dernier s'engage à remettre à l'ACHETEUR dès l'acceptation des présentes, soit un document constatant le consentement de son conjoint et, le cas échéant, son concours ainsi que l'engagement de ce dernier à intervenir à l'acte de vente notarié aux mêmes fins, soit copie d'un jugement l'autorisant à vendre l'IMMEUBLE sans le consentement de son conjoint. À défaut, l'ACHETEUR pourra, par un avis écrit à cet effet, rendre la présente promesse d'achat nulle et non avenue.

7. **DÉCLARATIONS ET OBLIGATIONS COMMUNES AUX PARTIES**

7.1 **ACTE DE VENTE** Les parties s'engagent à signer un acte de vente devant le notaire _____ , le ou avant le _____ 19___ . L'ACHETEUR sera propriétaire à compter de la signature de l'acte de vente.

7.2 **RÉPARTITIONS** Au moment de la signature de l'acte de vente, toutes les répartitions relatives notamment aux taxes foncières générales et spéciales, aux dépenses de copropriété, aux réserves de combustibles, ainsi qu'aux revenus et dépenses afférents à l'IMMEUBLE seront faites en date du _____ .
S'il s'agit d'une copropriété divise, il n'y aura aucune répartition de tout fonds quelconque de la copropriété.

7.3 **RÉTRIBUTION AU COURTIER** Les parties chargent de façon irrévocable le notaire instrumentant à retenir à même le produit de la vente et à payer directement à _____ , courtier, la rétribution prévue au contrat de courtage consenti par le VENDEUR.

7.4 **INCLUSIONS** Sont inclus dans la vente : *a)* les installations permanentes de chauffage, d'électricité et d'éclairage ; *b)* autres : _____

Figure 8.2 Promesse d'achat (suite)

Par ailleurs, l'offre **non assortie d'un délai** est révocable tant que l'offrant n'a pas reçu d'acceptation.

PROMESSE DE CONTRACTER L'offre de contracter, faite à une personne déterminée, comme c'est le cas de Jean-Pierre et de Monique au propriétaire du chalet pour la somme de 100 000 $, constitue une **promesse de conclure le contrat** envisagé dès que le destinataire (le propriétaire du chalet) manifeste

Préparé pour le
Service des affaires juridiques

FORMULAIRE REPRODUIT POUR FINS DE CONSULTATION SEULEMENT

7.5 EXCLUSIONS Sont exclus de la vente : *a)* les tringles à rideaux et les stores ; *b)* autres : _____

c) les appareils suivants qui font l'objet d'un contrat de location : _____

8. AUTRES DÉCLARATIONS ET CONDITIONS

8.1 _____

9. ANNEXES

9.1 Les dispositions apparaissant aux annexes désignées ci-dessous, font partie intégrante des présentes :

Annexe A : AA- |__|__|__| Annexe B : AB- |__|__|__| Annexe générale : AG- |__|__|__|__| Autre : _____

10. CONDITIONS D'ACCEPTATION

10.1 **Les parties déclarent que leur consentement aux présentes n'est le résultat d'aucune représentation ou condition qui n'y est pas écrite.** La présente promesse d'achat est irrévocable jusqu'à _____ heures, le _____. Si la promesse est acceptée dans ce délai, l'acceptation devra être notifiée à l'acheteur dans les _____ heures qui suivent l'expiration du délai. Si la promesse n'est pas acceptée dans ce délai ou si l'acceptation n'a pas été notifiée à l'acheteur dans le délai prévu, la promesse sera nulle et non avenue et le dépôt considéré comme acompte sur le prix de vente, auquel il a été référé précédemment, sera remboursé à l'acheteur immédiatement. Par contre, si la promesse est acceptée et que notification est reçue dans le délai imparti, cette promesse d'achat constituera un contrat liant juridiquement les parties.

11. DIVERS

11.1 Rien dans ce qui est stipulé dans la présente promesse d'achat ne doit être interprété comme venant restreindre le droit du courtier immobilier d'obtenir, le cas échéant, le paiement de toutes sommes pouvant lui être dues à titre de rétribution ou de dommages-intérêts selon les règles ordinaires du droit notamment, mais sans limiter la généralité de ce qui précède, dans le cas où la vente n'aurait pas lieu parce que c'est le vendeur ou l'acheteur qui a volontairement fait obstacle ou qui a autrement volontairement empêché la conclusion de la vente.

12. INTERPRÉTATION

12.1 À moins que le contexte ne s'y oppose, tout mot écrit au masculin comprend aussi le féminin et vice versa et tout mot écrit au singulier comprend aussi le pluriel et vice versa.

SIGNATURES

ACHETEUR L'ACHETEUR reconnaît avoir lu et compris cette promesse d'achat, y compris les annexes, et en avoir reçu copie.

Signé à _____

le _____ 19_____ , à _____ h_____

_____
Signature d'acheteur 1

_____
Signature conjoint d'acheteur 1

_____
Témoin

_____
Signature d'acheteur 2

_____
Signature conjoint d'acheteur 2

_____
Témoin

ACCUSÉ DE RÉCEPTION L'ACHETEUR reconnaît avoir reçu copie de la réponse du VENDEUR.

Signé à _____

le _____ 19_____ , à _____ h_____

_____
Signature d'acheteur 1

_____
Témoin

_____
Signature d'acheteur 2

_____
Témoin

RÉPONSE DU VENDEUR Le VENDEUR reconnaît avoir lu et compris cette promesse d'achat, y compris les annexes, et en avoir reçu copie.

Il déclare _____ (indiquer à la main «accepter» ou «refuser») cette promesse d'achat.

☐ y faire la contre-proposition **CP-** |__|__|__|__|

Signé à _____

le _____ 19_____ , à _____ h_____

_____
Signature vendeur 1

_____
Témoin

_____
Signature vendeur 2

_____
Témoin

INTERVENTION DU CONJOINT DU VENDEUR Le soussigné déclare être le conjoint du VENDEUR, consentir, et, le cas échéant, concourir à l'acceptation de la présente promesse d'achat, y compris les annexes, et s'engager à intervenir à l'acte de vente notarié à toutes fins que de droit.

Signé à _____

le _____ 19_____ , à _____ h_____

_____
Signature : conjoint du vendeur 1

_____
Témoin

_____
Signature : conjoint du vendeur 2

_____
Témoin

Page 3 de 3 220FN (1,01) © Association des courtiers et agents immobiliers du Québec, 1994. Tous droits de reproduction réservés, sauf accord écrit. **PA** |__|__|__|

Figure 8.2 Promesse d'achat (suite)

clairement à l'offrant (Jean-Pierre et Monique) son intention de prendre l'offre en considération et d'y répondre dans un délai raisonnable ou dans celui dont elle est assortie. Afin d'illustrer de façon concrète une telle offre ou promesse de contrater, nous reproduisons le formulaire de *promesse d'achat* suggéré par l'Association des courtiers et agents immobiliers du Québec. L'offre ou la promesse non acceptée ne constitue pas un contrat.

Le deuxième alinéa de l'article 1396 vient compléter ceci en indiquant ce qui suit :

« **Art.1396 (2) C.c.Q.** La promesse, à elle seule, n'équivaut pas au contrat envisagé ; cependant, lorsque le bénéficiaire de la promesse l'accepte ou lève l'option à lui consenti, il s'oblige alors, de même que le promettant, à conclure le contrat, à moins qu'il ne décide de le conclure immédiatement.

La promesse de vente accompagnée de délivrance et de possession immédiate du bien équivaut à une vente et engage les parties à en respecter les obligations convenues. »

Acompte sur le prix : Toute somme versée à l'occasion d'une promesse de vente à moins que le contrat n'en dispose autrement.

L'offre ou la promesse est souvent accompagnée d'un **dépôt** ou d'un *acompte sur le prix* d'achat. L'article 1711 indique la nature de cette somme d'argent.

Cela implique que l'acompte de 3000 $ que Jean-Pierre et Monique déposeraient avec leur offre d'achat serait déduit du prix de vente au moment de la signature du contrat chez le notaire. Par ailleurs, cela veut dire que si Jean-Pierre et Monique ne donnent pas suite à leur offre une fois qu'elle est acceptée et refusent de signer le contrat chez le notaire, ils perdent leur dépôt ou leur acompte. Si les parties veulent que la somme versée ne soit pas considérée comme un acompte, ils doivent le spécifier. Ce sera le cas lorsque les parties considèrent la somme versée comme des **arrhes,** ce qui permet soit à l'acheteur soit au vendeur de se dédire ou de se retirer de l'offre même une fois acceptée. Dans le cas de l'acheteur, il abandonne la somme versée avec sa promesse alors que, dans le cas du vendeur, il doit rembourser à l'acheteur le double de la somme versée pour mettre fin à l'offre acceptée.

VIOLATION DE L'OFFRE OU DE LA PROMESSE ACCEPTÉE   Le défaut, par une personne ayant signé une promesse ou une offre d'achat ou de vente, de passer le titre et de signer le contrat devant le notaire, confère au bénéficiaire de la promesse le droit d'obtenir un jugement qui en tienne lieu. C'est l'**action en passation de titre.**

Exemple : Pierre a signé une promesse de vente de sa maison en faveur de Paul. Dans le cas du refus de Pierre de respecter sa promesse dans le délai convenu, Paul pourra, en vertu de l'article 1712 C.c.Q. :

- prendre contre Pierre une action en passation de titre obligeant ce dernier à lui passer un titre de vente, à défaut de quoi le jugement du tribunal équivaudra à un tel titre, ou
- réclamer de Pierre des dommages-intérêts pour avoir contrevenu à son obligation.

Dans le même exemple, si l'on suppose que Pierre a violé sa promesse envers Paul et a vendu sa maison à Arthur, on peut envisager deux hypothèses :

- Arthur ne connaissait pas l'existence de la promesse en faveur de Paul et était de bonne foi. Arthur a alors acquis un titre valable, et la loi reconnaît à Paul un recours en dommages-intérêts contre Pierre seulement.
- Arthur connaissait l'existence de la promesse en faveur de Paul et était de mauvaise foi. Alors, Paul pourra poursuivre à la fois Arthur et Pierre, mais il ne pourra pas faire annuler le contrat intervenu entre les deux.

OBJET DE LA VENTE

La chose qui fait l'objet de la vente doit être la propriété du vendeur. L'article 1713 du *Code civil du Québec* pose ce principe général :

« La vente d'un bien par une personne qui n'en est pas propriétaire ou qui n'est pas chargée ni autorisée à le vendre peut être frappée de nullité. »

Ce principe de base admet cependant quelques exceptions :

- La **vente de la chose d'autrui** sera aussi valide si le vendeur devient ensuite propriétaire de la chose (art. 1713 (2) C.c.Q.).

   Exemple : Si j'acquiers un piano par un achat à tempérament, je n'en deviens propriétaire qu'au moment du dernier versement. Si, dans l'intervalle, je vends ce piano, cette vente a pour objet une chose qui ne m'appartient pas encore. Toutefois, en payant intégralement le commerçant au moment de la transaction, je deviens alors propriétaire de la chose, et la vente est réputée valide.

Les articles 1714 et 2919 énoncent trois autres exceptions :

- la vente faite sous l'autorité de justice ;
- la prescription acquisitive ;
- la vente du bien d'autrui vendu dans le cours des activités d'une entreprise.

En vertu de l'article 1714 C.c.Q., s'il s'agit d'une chose perdue ou volée et achetée de bonne foi, ou d'un commerçant dans le cours des activités d'une entreprise, la loi permet au propriétaire de la revendiquer à condition de rembourser à l'acheteur le prix qu'il a payé pour cet achat. Ce droit de revendication se prescrit par trois ans (art. 2919 C.c.Q.).

   Exemple : Jean achète, de bonne foi, au prix de 150 $, une montre chez un bijoutier qui l'a préalablement achetée d'un voleur. Un mois plus tard, Pierre reconnaît sa montre au poignet de Jean et la revendique. S'il veut la ravoir, Pierre devra rembourser à Jean le prix que ce dernier a payé au bijoutier.

Enfin, la chose perdue ou volée qui a été vendue sous l'autorité de la loi ne peut être revendiquée. Citons comme exemples une vente à l'encan, par une municipalité, de bicyclettes abandonnées ou les biens acquis dans une vente aux enchères faite par un huissier à la suite d'une saisie-exécution.

Finalement, il est important de noter que, dans un tel cas, le Code permet à l'acheteur de demander lui aussi l'annulation de la vente. Ainsi, Jean pourrait demander l'annulation de la vente intervenue entre lui et le bijoutier et se faire rembourser son 150 $. Par ailleurs, il n'est pas admis à le faire lorsque le propriétaire du bien n'est pas lui-même admis à revendiquer le bien. Ce sera le cas des deux exceptions précitées : la vente en justice et la prescription acquisitive.

EFFETS DE LA VENTE

En raison de son caractère synallagmatique, le contrat de vente crée, pour le vendeur et pour l'acheteur, des obligations. De même, il leur confère réciproquement des droits.

OBLIGATIONS DU VENDEUR

OBLIGATION DE DÉLIVRANCE   Si l'on vend un voilier, on satisfait à l'obligation de *délivrance* en remettant à l'acheteur le titre de propriété. Le principal effet de la délivrance est la jouissance, c'est-à-dire qu'elle permet à l'acheteur de se servir de la chose.

En matière de **vente mobilière**, l'obligation de délivrer le bien est remplie lorsque le vendeur met l'acheteur en possession du bien ou consent à ce qu'il en prenne possession.

Délivrance : Mise en possession de l'acheteur de la chose vendue. Il peut s'agir de la possession physique de la chose elle-même ou du titre de propriété.

> *Exemple* : Lorsque Meubles Beaubois inc. vend un ameublement de chambre à coucher à Jean Larivière, la compagnie remplit son obligation au moment où elle livre les meubles chez ce dernier ou quand elle avise ce dernier qu'il peut venir en prendre possession à son entrepôt.

En matière de **vente immobilière**, le vendeur doit non seulement donner accès à l'immeuble à l'acheteur et lui remettre les clés s'il s'agit d'un bâtiment, mais aussi lui remettre les titres de propriété qu'il possède, ainsi qu'une copie de l'acte d'acquisition de l'immeuble, de même qu'une copie des titres antérieurs et du certificat de localisation qu'il possède.

Le vendeur est tenu de délivrer le bien vendu dans l'état où il se trouve au moment de la vente avec tous ses accessoires.

- **Lieu et moment de la délivrance**

  À moins de stipulations contraires contenues au contrat, le lieu de la délivrance est généralement, s'il s'agit d'une chose certaine et déterminée, celui où se trouvait cette chose au moment de la vente. La chose ainsi vendue est livrable à la date à laquelle le contrat est conclu.

- **Frais de délivrance**

  À moins qu'il en soit autrement convenu entre les parties, les frais de délivrance sont à la charge du vendeur, et ceux de l'enlèvement ; à la charge de l'acheteur (art. 1722 C.c.Q.). Par exemple, dans le cas de l'achat d'un téléviseur importé, les frais de délivrance (emballage, transport et douane) sont à la charge du magasin et les frais d'enlèvement (acceptation de l'appareil), à la charge de l'acheteur.

  Ces conditions n'étant pas d'ordre public, rien n'empêche les parties de les modifier.

  Par exemple, dans les échanges commerciaux, il existe une clause que l'on retrouve fréquemment dans les contrats de vente impliquant le transport de marchandises ; il s'agit de la clause « franco à bord » et l'on parle d'une **vente FAB**.

  > *Exemple* : Un détaillant de Montréal achète 500 paires de bottes d'équitation d'un manufacturier de Calgary. Une clause de contrat précise que la vente est faite FAB Calgary par Air Canada. Cela signifie que le vendeur, en remettant les bottes à la compagnie d'aviation, a satisfait à son obligation de livraison et les marchandises appartiennent dès lors au détaillant de Montréal, qui en assumera tous les risques et devra en payer le fret. En cas de perte des biens à partir de Calgary, c'est donc l'acheteur qui en sera responsable.

L'acheteur est responsable à partir de l'endroit indiqué après le mot **FAB**. Avant cela, c'est le vendeur qui est responsable en cas de perte ou d'avarie

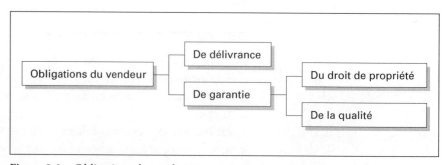

Figure 8.3   Obligations du vendeur

aux biens vendus. Il incombe donc à chacune des parties de prendre des polices d'assurance en conséquence.

La chose vendue doit être livrée dans le même état que celui où elle se trouvait au moment de la vente, et le vendeur a l'obligation de la conserver jusqu'à la livraison même s'il n'en est plus propriétaire. En raison du caractère bilatéral du contrat de vente, le vendeur n'est pas tenu de livrer la chose si l'acheteur n'en paie pas le prix, à moins que le vendeur ne lui ait accordé un délai pour le paiement (art. 1721 C.c.Q.).

- **Sanction du défaut de délivrance**

  « **Art. 1736 C.c.Q.** L'acheteur d'un bien meuble peut, lorsque le vendeur ne délivre pas le bien, considérer la vente comme résolue si le vendeur est en demeure de plein droit d'exécuter son obligation ou s'il ne l'exécute pas dans le délai fixé par la mise en demeure. »

  Si les parties ont indiqué un délai de livraison, le vendeur doit le respecter. Si aucun délai n'a été fixé, la livraison doit se faire immédiatement.

  En cas de défaut de livraison, l'acheteur doit mettre le vendeur en demeure soit de livrer le bien dans un délai indiqué dans la mise en demeure, soit de considérer la vente résolue de plein droit.

  En plus, l'acheteur dispose toujours d'un recours en dommages-intérêts pour les dommages occasionnés par le défaut de livraison.

  > *Exemple :* Un fabricant d'ordinateurs achète des disques durs de la compagnie MicroHard pour les 500 appareils qu'il doit livrer aux États-Unis. MicroHard ne livre pas les 500 disques durs et le fabricant perd alors son contrat aux États-Unis.

OBLIGATION DE GARANTIE   La garantie est l'obligation du vendeur de procurer à l'acheteur la jouissance paisible et utile des biens et des droits cédés, ou de l'indemniser dans le cas contraire.

La garantie est de deux types : elle est légale ou conventionnelle. Elle a un double objet : la propriété de la chose et les *vices cachés* de la chose.

Dans un contrat de vente, lorsque le contrat est silencieux à propos des garanties, la **garantie légale** s'applique automatiquement. L'article 1716 C.c.Q. indique qu'elle existe de plein droit sans qu'il soit nécessaire de la stipuler dans le contrat de vente. Il s'agit d'une garantie minimale qui oblige le vendeur à attester que la chose vendue est conforme à l'usage auquel elle est destinée et que le vendeur avait le droit de la vendre. Ainsi, lorsqu'on achète un lave-vaisselle, on s'attend que la machine nettoie bien la vaisselle ; c'est l'obligation légale à laquelle sont astreints le fabricant et le vendeur.

Dans la pratique courante du commerce, il est d'usage que le fabricant aille au-delà de la garantie légale et offre une garantie s'étendant sur une période de temps plus ou moins longue ; c'est la **garantie conventionnelle**.

C'est ce type de garantie qui s'applique dans la vente d'une automobile avec une garantie de 50 000 km sur le moteur et la transmission ou dans la vente d'un téléviseur couleur avec une garantie de un an sur la lampe-écran.

OBLIGATION DE GARANTIE DU DROIT DE PROPRIÉTÉ   L'article 1723 du *Code civil du Québec* définit cette garantie de la façon suivante :

Le vendeur est tenu de garantir à l'acheteur que le bien est libre de tous droits, à l'exception de ceux qu'il a déclarés au moment de la vente. Il s'agit de la **garantie du droit de la propriété**.

L'article 1726 du *Code civil du Québec* tient le vendeur responsable des vices cachés dont pouvait être affectée la chose au moment de la vente. Il s'agit de la **garantie de qualité**.

Vice caché : Vice qui rend la chose impropre à l'usage auquel on la destine, ou qui diminue tellement son utilité que l'acquéreur ne l'aurait pas achetée, ou n'en aurait pas donné un prix si élevé, s'il l'avait connu.

En matière **mobilière**, le vendeur doit faire en sorte que l'acheteur puisse jouir paisiblement de la chose vendue, c'est-à-dire qu'il n'en soit pas évincé ni privé par un tiers qui pourrait en revendiquer la propriété, ni par le vendeur lui-même qui viendrait troubler sa jouissance.

> *Exemple* : Jean vend à Pierre un téléviseur portatif qu'il a volé chez Clair-Image inc. Pierre, de bonne foi, ignore qu'il s'agit d'un appareil volé. Clair-Image, appelée pour réparer l'appareil chez Pierre, reconnaît le téléviseur volé et veut en reprendre possession. Jean doit satisfaire à son obligation de garantie contre l'éviction en remboursant à Pierre le prix qu'il lui a payé, en acquittant les frais engagés par Pierre à l'occasion de cet achat et en lui versant aussi des dommages-intérêts.

En vertu de l'article 1732 C.c.Q., le vendeur est obligé à la garantie de ses faits personnels et toute convention contraire serait nulle. Toutefois, il n'est pas tenu de garantir les faits des tiers. Par exemple, si Jean vend une montre à Pierre, il lui garantit qu'il en est le véritable propriétaire et qu'un tiers ne la revendiquera pas, mais il n'est pas tenu de lui garantir qu'un tiers ne le lui volera pas.

En matière **immobilière**, cette garantie du droit de propriété trouve une application particulièrement importante dans le cas de l'achat d'une propriété immobilière, en raison de l'ampleur de l'investissement et des implications économiques et légales qu'il représente.

En effet, le vendeur d'un immeuble doit délivrer à l'acheteur un titre de propriété franc et quitte, c'est-à-dire libre de toutes charges. C'est en procédant à l'examen des titres que le notaire s'assure que le vendeur est le véritable propriétaire de l'immeuble, que celui-ci n'est pas grevé d'hypothèques ou de servitudes, qu'il n'est pas sous le coup d'une saisie, que l'état matrimonial du vendeur lui permet de vendre la propriété sans l'autorisation de son conjoint, etc. Le **certificat de localisation** que le vendeur remet au notaire permet à ce dernier de protéger son client contre l'éviction en vérifiant les dimensions exactes du terrain, en s'assurant que le voisin n'empiète pas sur le terrain, que la construction de la maison répond aux règlements municipaux de zonage et qu'il n'y a pas d'empiètement sur les lots voisins.

Ces précautions sont importantes en matière d'achat de résidence privée et d'une importance capitale en matière commerciale, où le moindre vice de titre ou la moindre servitude cachée peut empêcher l'acheteur d'utiliser la propriété comme il se propose de le faire. Les actes de vente immobilière contiennent une clause par laquelle le vendeur vend avec la garantie légale. Toutefois, il est recommandé d'insérer la clause suivante : *le vendeur vend la propriété avec garantie légale, libre de toute garantie, hypothèque, charge et servitude quelconques, sauf celles d'utilité publique qui n'affectent pas la valeur marchande de la propriété.*

L'article 1723 C.c.Q. stipule que le vendeur doit désormais purger l'hypothèque qui se rattache à sa dette, à moins que l'acheteur ne l'assume dans le contrat.

Tout en protégeant l'éventuel acheteur d'une propriété contre l'éviction, ces précautions lui faciliteront l'obtention d'un financement hypothécaire intéressant. Si, malgré toutes ces mesures, un acheteur se voit évincé de l'immeuble qu'il vient d'acquérir par un tiers, la loi oblige d'abord le vendeur à agir en justice à la place de l'acheteur et à prouver son titre clair sur la chose litigieuse.

OBLIGATION DE GARANTIE DE QUALITÉ   Le vendeur n'est donc pas tenu de garantir les vices apparents qu'un acheteur prudent aurait pu lui-même déceler, ni les vices cachés connus de l'acheteur.

Figure 8.4   Le vendeur doit garantir à l'acheteur la qualité du bien vendu.

> **Vice apparent** : Vice qui peut être constaté par un acheteur sans avoir besoin de recourir à un expert.

L'article 1726 C.c.Q. définit le *vice apparent*.

D'une façon générale, on peut déceler le vice apparent à l'oeil nu sans avoir besoin de recourir à un expert.

Exemples :
- une fissure dans un mur ;
- un trou dans un toit ;
- un moteur bruyant ;
- de la rouille.

Le vice caché est celui qu'on ne peut déceler.

Exemples :
- une automobile usagée dont la transmission tombe en panne quelques jours après l'achat ;
- une cheminée bouchée ;
- des égoûts bouchés.

Le vice doit rendre la chose impropre à l'usage ou en diminuer considérablement l'utilité au point où l'acheteur ne l'aurait pas achetée ou payée un si haut prix.

Il est à souligner que le législateur tient le vendeur responsable des vices cachés même s'il ne les connaissait pas au moment de la vente.

La vente faite sous l'autorité de la justice (exemple : une vente aux enchères à la suite d'une saisie-exécution) ne donne lieu à aucune obligation de garantie contre les vices cachés du bien vendu. Finalement, l'article 1729 du *Code civil du Québec* élargit cette garantie au **vendeur professionnel** (le commerçant) en créant une présomption de connaissance et d'existence du vice.

« **Art. 1729 C.c.Q.** En cas de vente par un vendeur professionnel, l'existence d'un vice au moment de la vente est présumée, lorsque le mauvais fonctionnement du bien ou sa détérioration survient prématurément par rapport à des biens identiques ou de même espèce ; cette présomption est repoussée si le défaut est dû à une mauvaise utilisation du bien par l'acheteur. »

GARANTIE CONVENTIONNELLE   Rien n'empêche les parties à un contrat d'ajouter des garanties additionnelles à la garantie légale, d'en diminuer les effets ou de l'exclure entièrement. Mais le vendeur ne peut en aucun cas se dégager de la responsabilité pour ses faits personnels, ni exclure ou limiter sa responsabilité s'il n'a pas révélé les vices du titre ou du bien qu'il connaissait ou ne pouvait ignorer.

Les seules exceptions à ces principes sont :
- lorsque l'acheteur connaissait les vices cachés ou les vices de titre ou lorsqu'il aurait pu découvrir les vices de titre avec une diligence raisonnable ;
- lorsque l'acheteur a acheté à ses risques et périls d'un vendeur non professionnel (exemple : Jacques achète un voilier et signe un contrat selon lequel il achète « tel que vu » et sans garantie).

Exemple : Catherine achète l'automobile usagée de Sylvie en signant un contrat attestant qu'elle a essayé l'automobile, qu'elle s'en déclare satisfaite et qu'elle l'achète telle que vue, sans garantie aucune.

Il est important de noter que si Catherine avait acheté l'automobile usagée d'Autos d'occasion Québec inc., commerçant considéré comme vendeur professionnel, cette clause ne serait pas valide en vertu des dispositions de la *Loi sur la protection du consommateur*.

RECOURS DE L'ACHETEUR

GARANTIE DU DROIT DE PROPRIÉTÉ   « Art. 1738 C.c.Q. L'acheteur qui découvre un risque d'atteinte à son droit de propriété doit, par écrit et dans un délai raisonnable depuis sa découverte, dénoncer au vendeur le droit ou la prétention du tiers, en précisant la nature de ce droit ou de cette prétention.

Le vendeur qui connaissait ou ne pouvait ignorer ce droit ou cette prétention ne peut, toutefois, se prévaloir d'une dénonciation tardive de l'acheteur. »

L'acheteur doit d'abord dénoncer à son vendeur le risque d'atteinte à son droit de propriété par un tiers. Cela se fait par l'envoi d'une **mise en demeure** au vendeur. Le but de cette démarche est de permettre au vendeur de corriger la situation à ses frais ou de la clarifier, ou encore d'intervenir pour protéger les droits de l'acheteur.

Les autres recours de l'acheteur sont la résolution de la vente et la remise du prix payé ou la diminution du prix et l'action en dommages-intérêts pour autant que l'acheteur était de bonne foi et qu'il ignorait les motifs susceptibles de conduire à l'éviction. La mise en demeure doit être envoyée dans un délai raisonnable.

RECOURS DE L'ACHETEUR CONTRE LE VENDEUR EN RAISON DE VICES CACHÉS   L'acheteur dispose des trois types de recours suivants :
- **L'action en restitution du prix**   L'acheteur s'adresse au tribunal pour remettre l'objet affecté d'un vice caché et pour se faire rembourser le prix qu'il en a payé. Il demande donc la résolution de la vente en raison de vices cachés.
- **L'action en diminution de prix**   Ce recours sera intenté par l'acheteur qui désire conserver la chose, mais veut se faire déduire du prix de vente le montant qu'il a dû verser pour corriger le vice caché de la chose.
- **L'action en dommage-intérêts**   En plus des actions en restitution et en diminution de prix, l'acheteur aura un **recours en dommages-intérêts** contre le vendeur qui connaissait ou qui était présumé connaître les vices cachés de la chose vendue, mais n'en a pas fait mention.

L'article 1739 du *Code civil du Québec* ajoute l'obligation pour l'acheteur de dénoncer par écrit par l'envoi d'une **mise en demeure** au vendeur le vice caché et ce, dans un délai raisonnable.

« **Art. 1739 C.c.Q.** L'acheteur qui constate que le bien est atteint d'un vice doit, par écrit, le dénoncer au vendeur dans un délai raisonnable depuis sa découverte. Ce délai commence à courir, lorsque le vice apparaît graduellement, du jour où l'acheteur a pu en soupçonner la gravité et l'étendue.

Le vendeur ne peut se prévaloir d'une dénonciation tardive de l'acheteur s'il connaissait ou ne pouvait ignorer le vice. »

La jurisprudence relative à la notion d'intenter l'action dans un délai raisonnable sous le *Code civil du Bas Canada* s'appliquera à l'avenir à l'envoi de l'avis indiquant le défaut de qualité ou du droit de propriété. Cet avis devra donc être envoyé dans un délai raisonnable.

L'action, quant à elle, devra être intentée en dedans du délai de prescription de trois ans.

OBLIGATIONS DE L'ACHETEUR

OBLIGATION DE PRENDRE LIVRAISON   La contrepartie de l'obligation du vendeur de livrer le bien est pour l'acheteur d'en prendre livraison.

OBLIGATION DE PAYER LE PRIX   La principale obligation de l'acheteur est de payer le prix de la chose vendue au temps et au lieu de la livraison, à moins que le vendeur n'ait accordé un délai à l'acheteur, ou qu'il n'ait convenu d'un mode de crédit comme c'est le cas dans une vente à tempérament. L'obligation de payer le prix comprend aussi les intérêts et, le cas échéant, les frais du contrat et les accessoires. Par exemple, au moment de la vente d'un immeuble, les frais de publicité et les honoraires du notaire sont à la charge de l'acheteur. La taxe de vente est toujours à la charge de l'acheteur.

RECOURS DU VENDEUR

Le vendeur qui n'a pas reçu le paiement du prix a, entre autres, les quatre recours suivants contre l'acheteur :

- Le **droit de rétention** qui consiste pour le vendeur à ne pas livrer l'objet vendu, excepté s'il s'agit d'une vente à crédit ; mais dans ce cas, le vendeur bénéficiera quand même de son droit de rétention si l'acheteur est devenu insolvable après la vente.
- Le vendeur impayé peut demander la **résolution de la vente**. Il y a lieu ici de faire une distinction entre la vente en matière mobilière et celle en matière immobilière.

  En matière **mobilière**, l'article 1740 du *Code civil du Québec* mentionne ce qui suit :

  « **Art. 1740 C.c.Q.** Le vendeur d'un bien meuble peut, lorsque l'acheteur n'en paie pas le prix et n'en prend pas livraison, considérer la vente comme résolue si l'acheteur est en demeure de plein droit d'exécuter ses obligations ou s'il ne les a pas exécutées dans le délai fixé par la mise en demeure.

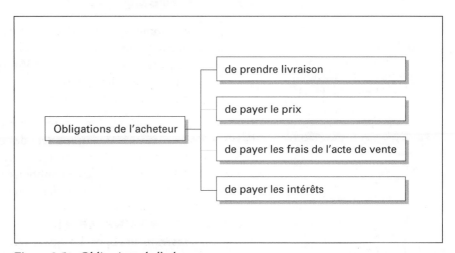

Figure 8.5   Obligations de l'acheteur

Il peut aussi, lorsqu'il apparaît que l'acheteur n'exécutera pas une partie substantielle de ses obligations, arrêter la livraison du bien en cours de transport. »

En matière **immobilière**, le vendeur ne peut demander la résolution de la vente, à moins d'une clause spéciale contenue dans le contrat. C'est la clause résolutoire et, dans un tel cas, l'article 1743 C.c.Q. l'oblige à envoyer à l'acheteur une mise en demeure (avis de 60 jours) de remédier à son défaut avant de se prévaloir de la clause résolutoire.

- Le **droit de revendication** s'applique lorsqu'il y a eu livraison du bien. Il permet au vendeur de revendiquer le bien vendu dans les 30 jours de la livraison si la vente n'est pas une vente à terme, si le bien est encore dans le même état et s'il n'est pas passé entre les mains d'un tiers qui en a payé le prix. L'article 1741 C.c.Q., permet au vendeur, dans les 30 jours de la délivrance d'un bien meuble, de considérer la vente comme résolue et de revendiquer le bien si l'acheteur (après avoir été mis en demeure) ne paie pas le prix et si le bien est encore entre les mains de celui-ci.

- Le vendeur peut aussi exiger le paiement du bien vendu en intentant une **action en dommages-intérêts** pour le gain dont il a été privé et la perte subie.

MODALITÉS DE LA VENTE

Maintenant que nous connaissons les règles de base régissant le contrat de vente, il convient d'examiner certaines modalités dont on peut l'assortir (voir figure 8.6).

VENTE À L'ESSAI

> **Vente à l'essai :** Vente en vertu de laquelle le vendeur permet à l'acheteur d'utiliser le bien pendant une certaine période avant de décider s'il veut en devenir propriétaire. Cette vente est présumée faite sous condition suspensive (art. 1475 et 1744 C.c.Q.).

Dans la *vente à l'essai*, comme c'est le cas pour la vente de disques ou de volumes, l'acheteur dispose de 10, 30 ou 60 jours pour les « essayer » . S'il décide de les conserver, il est réputé en être propriétaire rétroactivement au moment où il en a pris livraison.

L'article 1744 du *Code civil du Québec* vient clarifier cette notion en stipulant ce qui suit :

« Lorsque la durée de l'essai n'est pas stipulée, la condition est réalisée par le défaut de l'acheteur de faire connaître son refus au vendeur dans les 30 jours de la délivrance du bien. »

VENTE À TERME

> **Vente à terme :** Vente en vertu de laquelle le vendeur accorde à l'acheteur un terme ou un délai pour acquitter le prix de vente.
>
> **Vente à tempérament :** Vente à terme par laquelle le vendeur se réserve la propriété du bien jusqu'au paiement total du prix de vente. La réserve de propriété d'un bien acquis pour le service ou l'exploitation d'une entreprise n'est opposable aux tiers que si elle est publiée (art. 1745 C.c.Q.).

Exemple : Dominique se rend chez Meubles Beaubois inc. pour acheter des appareils électroménagers (cuisinière et réfrigérateur) pour son nouvel appartement durant la **Vente 36 mois pour payer**. Il s'agit d'une vente à terme où Meubles Beaubois inc. accorde à ses clients des facilités de crédit pour échelonner le paiement du prix sur 36 mois.

Il est important de noter que, contrairement à la vente à tempérament, il y a dans la *vente à terme* transfert de la propriété des biens achetés dès la signature du contrat de vente, de sorte que Dominique devient propriétaire des biens achetés à la signature du contrat. Si elle ne rembourse pas après les deux premiers mois, Meubles Beaubois inc. ne pourra réclamer que le solde impayé sur les meubles.

VENTE À TEMPÉRAMENT

La *vente à tempérament* s'opère lorsque le vendeur se réserve la propriété du bien jusqu'au paiement total du prix de vente par l'acheteur. C'est l'acheteur qui

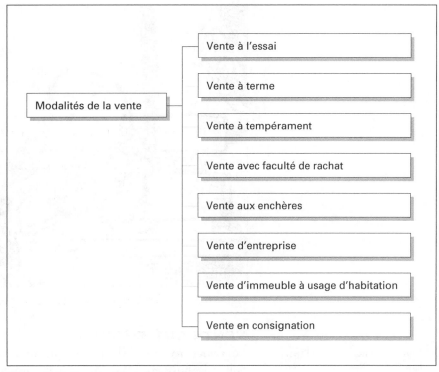

Figure 8.6   Les modalités de la vente

assume les risques de perte du bien, à moins qu'il s'agisse d'un contrat de consommation ou à moins de stipulation contraire.

> *Exemple* : La Croissanterie inc. achète un four de la compagnie Fournitures de restauration du Québec ltée. Le contrat stipule que l'acheteur paiera le prix de 30 000 $ en 60 versements mensuels égaux et consécutifs échelonnés sur les cinq prochaines années et que Fournitures de restaurant du Québec ltée demeurera propriétaire du four jusqu'à ce que La Croissanterie inc. ait effectué ses 60 versements. Si après deux ans La Croissanterie n'est plus capable de faire ses versements mensuels, le vendeur pourra reprendre le four et garder tous les versements effectués au cours des deux premières années.

Le solde du compte devient exigible lorsque le bien est vendu en justice ou lorsque l'acheteur revend le bien sans la permission du vendeur, avant de l'avoir payé en totalité.

Comme pour la vente à terme, tant que l'acheteur respecte ses obligations en vertu du contrat, il conserve le bénéfice du terme. Dans le cas contraire, il y a déchéance du terme et le vendeur peut exercer ses droits, soit :

- exiger les paiements échus ;
- reprendre le bien et garder les paiements effectués ;
- exiger le paiement du solde de la dette (si le contrat comprend une clause de déchéance du terme).

L'article 1749 C.c.Q. ajoute que, si le vendeur a publié sa réserve de propriété, il doit mettre l'acheteur en demeure de remédier à son défaut dans les 20 jours s'il s'agit d'un bien meuble et dans les 60 jours s'il s'agit d'un immeuble avant d'exercer son droit de reprise. Il faut souligner que, si l'acheteur est un consommateur, les dispositions de la *Loi sur la protection du consommateur* auront priorité sur les dispositions du *Code civil du Québec*, comme nous le verrons au chapitre 11.

Figure 8.7   Vente à l'essai

VENTE AUX ENCHÈRES

Vente aux enchères : Celle par laquelle un bien est offert en vente à plusieurs personnes par l'entremise d'un tiers, et est déclaré adjugé au plus offrant. Le syndic ou l'huissier procèdent à la vente des biens et il adjuge les biens au plus offrant.

Les *ventes aux enchères* les plus fréquentes sont celles effectuées par les syndics de faillite, les huissiers et le shérif. La **vente aux enchères** est celle par laquelle un bien est offert en vente à plusieurs personnes par l'entremise d'un tiers, l'encanteur, et est déclaré adjugé au plus offrant et dernier enchérisseur.

« **Art. 1758 C.c.Q.** La vente aux enchères est volontaire ou forcée; en ce dernier cas, la vente est alors soumise aux règles prévues au *Code de procédure civile*, ainsi qu'aux règles du présent sous-paragraphe, s'il n'y a pas incompatibilité.

Rappelons que la vente en justice purge le bien de tous les droits, sûretés ou garanties portant sur ce bien et que l'acquéreur obtient un titre parfait à ce bien. »

VENTE D'ENTREPRISE

On appelle vente d'entreprise la vente par un commerçant de la totalité ou d'une partie importante de son entreprise. On désigne aussi cette opération par l'expression **vente d'un fonds de commerce.**

Une telle transaction oblige l'acquéreur d'une entreprise à payer, à même le prix de vente, les sommes dues aux créanciers du vendeur.

La vente doit répondre aux conditions suivantes :
- Le vendeur doit exploiter une entreprise ;
- la vente doit avoir lieu hors du cours ordinaire des opérations du vendeur ;
- la vente peut porter sur la totalité ou une partie importante de l'entreprise : marchandises du magasin, installations nécessaires à l'exploitation du commerce, marques de commerce, achalandage, etc.

Dans ce genre de vente, le vendeur doit remettre à l'acheteur une déclaration solennelle contenant le nom et l'adresse de tous ses créanciers, la nature de chaque créance, les montants dus à chacun d'eux ainsi que les sûretés qui s'y rattachent (voir figure 8.8, page 208).

À partir de cette déclaration, l'acquéreur de l'entreprise devra payer lui-même les créanciers du vendeur avant que ce dernier ne touche le produit de sa vente.

Exemple : Marc-André vend à Jean-Pierre son commerce de dépanneur. Le contrat indique que le vendeur a des dettes d'une valeur de 20 000 $ et que le prix de vente est de 100 000 $; cela implique que Jean-Pierre devra payer lui-même les créanciers du vendeur à même le produit de la vente et qu'une fois ces personnes payées il remettra le solde (80 000 $) au vendeur. Si Jean-Pierre n'observait pas ces formalités, il pourrait se voir poursuivi par les créanciers qui lui réclameraient la somme de 20 000 $.

La vente d'entreprise faite sans avoir obtenu préalablement du vendeur cette déclaration solennelle est réputée frauduleuse et inopposable à l'égard des créanciers du vendeur, sauf s'ils sont payés en totalité.

Les articles 1767 à 1778 du *Code civil du Québec* visent avant tout à protéger les créanciers du vendeur et définissent de façon précise les obligations des parties :

OBLIGATIONS DES PARTIES À LA VENTE D'ENTREPRISE

Avant de se départir du prix de vente, la personne désignée par les parties doit aviser de la vente les créanciers prioritaires et hypothécaires désignés dans la déclaration solennelle et leur demander de lui indiquer, dans les 20 jours de sa demande, la valeur qu'ils attribuent à leur sûreté et le montant de leur créance (art. 1769 C.c.Q.).

- Le créancier prioritaire ou hypothécaire qui omet d'indiquer la valeur de sa sûreté ne peut faire valoir sa créance au moment de la distribution du prix de vente (art. 1771 C.c.Q.).
- L'acheteur et le vendeur désignent, dans l'acte de vente, une personne à qui l'acheteur devra remettre, pour distribution aux créanciers, le prix de vente, que celui-ci soit payable, en tout ou en partie, au comptant ou à terme (art. 1773 C.c.Q.).
- La personne désignée pour procéder à la distribution du prix est tenue de préparer un bordereau de distribution dont elle donne copie aux créanciers mentionnés dans la déclaration du vendeur. En l'absence de contestation du bordereau dans les 20 jours, elle paie les créanciers en proportion de leurs créances. Si le bordereau est contesté, la personne retient sur le prix de vente ce qui est nécessaire pour acquitter la partie contestée jusqu'à ce que jugement soit rendu (art. 1774 C.c.Q.).
- Lorsque l'acheteur a rempli toutes les formalités requises, les créanciers ne peuvent exercer aucun recours contre lui (art. 1775 C.c.Q.).
- Lorsque ces formalités n'ont pas été remplies, la vente d'entreprise est inopposable aux créanciers du vendeur dont la créance est antérieure à la vente, à moins que l'acheteur ne paie les créanciers jusqu'à concurrence de la valeur des biens achetés (art. 1776 C.c.Q.).
- L'inopposabilité ne peut être soulevée, à peine de déchéance, que dans l'année qui suit le jour où le créancier a eu la connaissance de la vente et, dans tous les cas, pas plus de trois ans après l'acte de vente (art. 1776 C.c.Q.).
- Les règles précitées ne s'appliquent pas à la vente faite à une société formée par le vendeur pour acheter l'actif de l'entreprise lorsque la société assume les dettes du vendeur, continue l'entreprise et donne avis de la vente aux créanciers du vendeur (art. 1778 C.c.Q.).

VENTE D'IMMEUBLE À USAGE D'HABITATION

Cette vente est régie par les articles 1785 à 1794 du *Code civil du Québec*. Dans le but de mieux protéger l'acheteur (consommateur) qui acquiert un immeuble pour l'occuper lui-même à des fins d'habitation, le *Code civil* a prévu des dispositions particulières régissant la vente d'immeubles à usage d'habitation. Celles-ci visent l'obligation de faire précéder la vente d'un contrat préliminaire par lequel la personne promet d'acheter l'immeuble. Ce dernier doit contenir une clause permettant au futur acheteur de se dédire de sa promesse dans les 10 jours. Si ce

Déclaration solennelle

« Je, _____ , de _____ dans la province de Québec, vendeur (ou agent du vendeur) déclare solennellement, dépose et dis :

Que j'ai vendu (ou convenu de vendre, ou *s'il s'agit d'une compagnie ou société* : que la compagnie ou société a vendu ou convenu de vendre) mon (ou son) fonds de commerce ou de marchandises situé à _____ pour la somme de _____ $;

Que les adresses et les noms suivants sont bien, au meilleur de mes connaissances et croyance, les noms et adresses de tous mes créanciers (ou de tous les créanciers de la compagnie ou société), et que les montants vis-à-vis de leur nom sont les montants qui leur sont dus ou qui doivent leur échoir de la manière et pour les raisons mentionnées dans la colonne intitulée « Nature de la créance » .

Noms et prénoms   Adresses   Montants dus   Montants à échoir   Nature de la créance

Que je n'ai pas (ou que la compagnie n'a pas) à ma connaissance, d'autres créanciers que ceux mentionnés ci-dessus.

En foi de quoi, j'ai signé
à _____ ce _____ jour de 19____
Signature du vendeur

Déclaré solennellement devant moi
à _____ ce _____ jour de 19____
(avocat, notaire, commissaire à l'assermentation)

Figure 8.8   Exemple de déclaration solennelle

contrat prévoit une indemnité en cas d'exercice de la faculté de dédit, celle-ci ne peut excéder 0,5 % du prix de vente convenu. L'article 1786 énonce les divers renseignements que ce contrat préliminaire doit contenir. La vente d'un immeuble à usage d'habitation qui n'est pas précédée d'un tel contrat préliminaire peut être annulée à la demande de l'acheteur si celui-ci démontre qu'il a subi un préjudice sérieux.

Dans le cas de copropriété divise (condominium) ou indivise d'un immeuble à usage d'habitation comportant 10 unités de logement ou plus, le vendeur doit remettre à l'acheteur, au moment de la signature du contrat préliminaire, une **note d'information**. C'est l'article 1788 qui indique le contenu de cette note d'information.

VENTE EN CONSIGNATION

Ce type de contrat qu'est la *vente en consignation* porte le nom de vente, mais en fait, n'en comporte pas toutes les caractéristiques.

Exemple : Aimée est artisane et désire vendre ses produits. Claire, qui exploite une boutique d'artisanat, prend en consignation un certain nombre des oeuvres d'Aimée et les expose dans sa boutique sans les acheter. Il s'agit d'un contrat de vente en consignation.

Vente en consignation :
Contrat en vertu duquel une personne qu'on appelle le **consignateur** laisse des biens, des produits ou des marchandises entre les mains d'une autre personne, appelée le **consignataire**, afin que cette dernière tente de vendre ceux-ci. La propriété des produits et marchandises demeure au consignateur jusqu'à leur vente par le consignataire.

Le consignataire :

- doit garder les biens, produits ou marchandises avec diligence et voir à les protéger ;
- doit garder ceux-ci de façon séparée de son propre inventaire et de façon que le public puisse les identifier comme étant la propriété du consignateur ;
- doit conserver une liste distincte de la sienne de comptes à recevoir concernant ces biens, produits ou marchandises ;
- doit faire un rapport régulier de ses ventes au consignateur ;
- n'a pas à payer ce dernier tant que les biens n'ont pas été vendus.

Il a le droit de :

- recevoir une commission ou une ristourne sur les ventes ;
- d'être remboursé des coûts et dépenses engagés pour conserver les biens du consignateur ;
- d'engager le consignateur ;
- de vendre les biens à crédit, sauf si ce droit est restreint par son contrat.

Advenant la faillite du consignataire, le consignateur pourra, à certaines conditions, reprendre ses biens, car ceux-ci ne sont jamais devenus la propriété du consignataire en faillite.

Ce type de contrat qui nous vient de la *common law* est fréquent dans les commerces de vente au détail, particulièrement dans le cas de nouvelles entreprises qui veulent faire connaître leurs produits.

RÉSUMÉ

- La vente est un contrat par lequel une personne (le vendeur) transfère la propriété d'un bien à une autre personne (l'acheteur) moyennant un prix en argent que cette dernière s'oblige à payer.

- Souvent, la vente est précédée d'une offre ou d'une promesse de vendre ou d'acheter.

- Les obligations du vendeur sont l'obligation de délivrance du bien vendu et l'obligation de garantie, soit la garantie du droit de propriété et la garantie de qualité qui porte sur les vices cachés.

- Les recours de l'acheteur sont la résolution de la vente et la remise du prix payé ou la diminution du prix et l'action en dommages-intérêts.

- Les obligations de l'acheteur sont de prendre livraison, de payer le prix, les frais de l'acte et les intérêts.

- Les recours du vendeur sont l'exercice de son droit de rétention, la résolution de la vente, l'exercice de son droit de revendication et l'action en dommages-intérêts.

- Les principales modalités de la vente sont la vente à l'essai, la vente à terme, la vente à tempérament, la vente avec faculté de rachat, la vente aux enchères, la vente d'entreprise, la vente d'immeuble à usage d'habitation et la vente en consignation.

RÉSEAU DE CONCEPTS

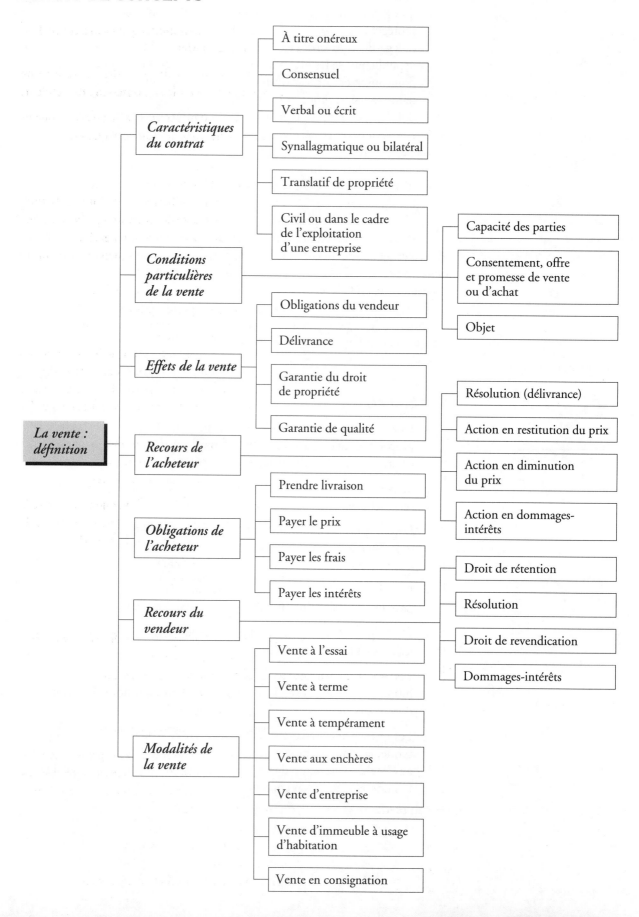

EXERCICES

ASSOCIATIONS

Associez un des termes ci-dessous à l'une des définitions qui suivent :

- vente pyramidale
- garantie de qualité
- vente à l'essai
- vente d'entreprise
- garantie du droit de propriété
- vente à tempérament
- titre clair
- vendeur
- contrat
- contrat de louage de services à exécution successive

1. Un contrat assorti d'un crédit par lequel le transfert de la propriété d'un bien vendu par un commerçant à un consommateur est différé jusqu'à l'exécution, par ce dernier, de son obligation en tout ou en partie porte le nom de ___ .

2. Dans un contrat de vente avec livraison de marchandise, FAB Montréal veut dire que le ___ est responsable de la perte ou de la destruction de la marchandise jusqu'à Montréal et que, à partir de là, c'est l'acheteur qui l'assume.

3. La ___ est l'obligation du vendeur d'accorder à l'acheteur la jouissance paisible et utile des droits cédés ou de l'indemniser dans le cas contraire.

4. En matière immobilière, la garantie du droit de propriété implique que le vendeur doit fournir à l'acheteur un ___ .

5. La vente en vertu de laquelle le vendeur permet à l'acheteur d'utiliser un bien pendant une certaine période avant de décider s'il veut en devenir propriétaire porte le nom de ___ .

VRAI OU FAUX

Indiquez si les affirmations suivantes sont vraies ou fausses. Si l'affirmation est fausse, précisez pourquoi.

1. Le vendeur est toujours présumé connaître les vices cachés de la chose.

2. Si l'acheteur d'un bien meuble n'en prend pas livraison, le vendeur peut demander la résolution du contrat de vente.

3. En vertu de la garantie du droit de propriété, le vendeur doit purger l'hypothèque qui se rattache à l'immeuble vendu à moins que l'acheteur ne l'assume dans le contrat.

4. Les honoraires du notaire qui rédige l'acte de vente d'un immeuble sont la responsabilité du vendeur.

5. Le propriétaire d'un bien volé a un délai de trois ans pour le revendiquer du nouvel acquéreur.

CHOIX MULTIPLES

1. Dans un contrat d'adhésion ou de consommation, la clause abusive, considérée comme nulle, est celle :
   a) qui est illisible ou incompréhensive.
   b) qui désavantage le consommateur à l'encontre de la bonne foi.
   c) qui a été acceptée par les parties.
   d) aucune des réponses précédentes.

2. FAB Montréal veut dire :
   a) que lorsque la marchandise arrive à Montréal, le vendeur n'est plus responsable de la chose.
   b) que le vendeur est responsable de la chose tant que son client de Québec ne l'a pas entre les mains.
   c) que l'acheteur est responsable de la chose dès que la marchandise est en route pour Montréal.
   d) aucune des réponses précédentes.

3. Le contrat en vertu duquel le vendeur se réserve la propriété du bien jusqu'au paiement total du prix de vente par l'acheteur porte le nom de :
   a) vente à tempérament.
   b) vente en consignation.
   c) vente FAB.
   d) vente à l'essai.

4. Si l'acheteur ne paie pas le prix de la chose vendue, le vendeur peut demander :
   a) d'exercer son droit de rétention.
   b) la garantie du droit de propriété.
   c) la garantie de qualité.
   d) une action en diminution de prix.

5. Si, dans une vente d'entreprise, le prix de vente est inférieur au montant des dettes du vendeur, qui sera responsable des dettes non payées à même le produit de la vente ?
   a) Le vendeur.
   b) Les dettes sont effacées.
   c) L'acheteur.
   d) Le vendeur et l'acheteur également.

CAS PRATIQUES

1. La compagnie Laval Auto, qui vend des voitures de marque Yoda, achète 300 voitures de son fournisseur japonais. Les voitures sont livrées par bateau puis acheminées par camion au garage de Laval Auto. Le contrat liant Laval Auto à la compagnie Yoda contient une clause selon laquelle la vente est faite FAB Montréal par Transport International ltée. Pendant le déchargement du bateau dans le port de Montréal, l'énorme grue fait défaut ; trois voitures s'écrasent au sol et sont déclarées perte totale. Les autres voitures sont acheminées à Laval par la compagnie Transport International ltée.

Durant le transport, un des camionneurs perd la maîtrise de son véhicule sur le pont de l'autoroute 15 reliant Montréal à Laval, et le camion s'abîme dans la rivière des Prairies avec les huit voitures qu'il transporte.

a) Que veut dire l'expression FAB Montréal par Transport International ltée ?

b) Qui assume la responsabilité de la perte de marchandises ? Justifiez votre réponse.

c) De quelle manière peut-on se protéger d'une telle responsabilité ?

2. Lucien signe une offre d'achat sur un condominium avec les Immeubles du Vieux Port le 14 mars et donne un dépôt de 10 000 $. Quelques jours plus tard, il apprend que son beau-frère est muté aux États-Unis par sa compagnie et celui-ci lui offre de lui vendre sa maison à la valeur de l'évaluation municipale, plus 10 % ; offre qu'il ne peut refuser.

Il vient vous consulter et vous pose les questions suivantes :

a) Peut-il annuler son offre d'achat ?

b) Dans l'affirmative, comment peut-il procéder ?

c) Pourra-t-il récupérer la totalité de son dépôt de 10 000 $?

d) Si le vendeur avait été Robert Robillard, l'un des copropriétaires ayant acheté un condominium dans les Condos du Vieux Port, votre réponse serait-elle la même aux trois questions précédentes ?

e) Dans un tel cas, Robert Robillard aurait-il eu des recours contre Lucien ?

f) Finalement, si Lucien avait tout simplement fait une offre d'achat du condominium de Robert Robillard pour la somme de 125 000 $ valable pour cinq jours et s'il venait vous consulter après quatre jours, expliquez-lui sa position et les recours des parties.

3. André et Élizabeth désirent acheter une maison dans les Laurentides. Après en avoir visité plusieurs, ils décident de faire une offre d'achat sur la maison de Richard Lauzon située au 251, Chemin du Ruisseau, à Val-David, construite sur un terrain de 35 000 mètres carrés.

La maison date de 1940. Elle est très coquette et paraît en bon état. Au moment où Richard l'a achetée, il y a bientôt 10 ans, il y a effectué de nombreux travaux et a refait le toit et la plomberie à neuf. Le prix convenu est de 125 000 $.

La vente a eu lieu au mois d'octobre et après deux mois d'occupation André et Élizabeth viennent vous consulter.

- Ils vous indiquent que la fosse sceptique dégage une odeur nauséabonde et qu'un professionnel de la construction qu'ils ont consulté leur a signalé qu'elle était fissurée et devait être remplacée, et que le champ d'épuration devait être refait.

- Le coût de ces travaux est évalué à 17 500 $.

- Ils vous indiquent également que le toit coule à plusieurs endroits et qu'ils ont constaté en montant au grenier que plusieurs planches du toit sont pourries.

- Le coût de ces travaux est évalué à 10 000 $.

Ils estiment ne pas être responsables de ces travaux et veulent connaître leurs droits.

a) Indiquez-leur, le cas échéant, les recours dont ils disposent contre le vendeur.

b) Dans quels délais et de quelle manière doivent-ils agir dans cette affaire ?

CHAPITRE 9

LE LOUAGE

OBJECTIFS ET ÉLÉMENTS DE COMPÉTENCES

1 Distinguer les caractéristiques du contrat de louage.

2 Connaître les conditions de formation du contrat de louage.

3 Expliquer les obligations du locateur et du locataire à l'aide d'exemples.

4 Expliquer le rôle de la Régie du logement ainsi que sa juridiction.

5 Indiquer les dispositions particulières du bail d'un logement.

6 Examiner les principales clauses que doit contenir le bail pour l'exploitation d'une entreprise.

7 Appliquer les droits et recours du locateur et du locataire à des cas précis et concrets.

Le contrat de louage de choses est d'utilisation courante dans le secteur des affaires et de l'entreprise. En effet, bon nombre de gens d'affaires ou de propriétaires d'entreprises commerciales et industrielles trouvent plus rentable de louer leur équipement de bureau, leur outillage, leur flotte d'automobiles ou de camions, etc. Grâce à la location de ces biens, ces gens réalisent des économies puisqu'ils n'ont pas à investir de capitaux considérables dans l'achat d'appareils coûteux, qu'ils n'ont pas à en payer les frais d'entretien et qu'ils n'en absorbent pas la dépréciation.

Dans le présent chapitre, nous examinerons, d'une part, les principes généraux qui régissent le contrat de louage de choses et, d'autre part, les règles propres au bail d'un logement locatif. Enfin, nous étudierons les caractéristiques des baux dans le cadre de l'exploitation d'une entreprise.

LE LOUAGE

> **Louage :** Contrat par lequel une personne, le locateur, s'engage envers une autre personne, le locataire, à lui procurer, moyennant un loyer, la jouissance d'un bien, meuble ou immeuble, pendant un certain temps. Le bail est à durée fixe ou indéterminée (art. 1851 C.c.Q.).

L'article 1851 du *Code civil du Québec* définit le *louage* de choses ou bail comme étant le contrat par lequel une personne, le locateur, s'engage envers une autre personne, le locataire, à lui procurer, moyennant un loyer, la jouissance d'un bien, meuble ou immeuble, pendant un certain temps. Le bail est à durée fixe ou indéterminée.

Le locataire n'a qu'un simple droit de créance à l'égard du locateur, et il ne possède aucun droit de propriété sur la chose.

CARACTÉRISTIQUES

Il ressort de cette définition que le louage de choses est un contrat synallagmatique ou bilatéral, onéreux, à durée fixe ou indéterminée, verbal, écrit ou par tolérance, à caractère temporaire, à exécution successive applicable à un bien meuble ou immeuble, un logement ou un local commercial ou industriel (voir le tableau 9.1).

CONDITIONS DE FORMATION DU CONTRAT

CONDITIONS DE FOND

Le bail étant un contrat, les conditions de fond nécessaires à la validité des contrats s'appliquent au louage de choses : capacité, consentement, objet, cause et forme du contrat.

Dans certains cas, on peut être le locateur d'une chose appartenant à autrui. Ce louage de la chose d'autrui porte alors le nom de **sous-location**, et il fait naître entre les parties des obligations réciproques.

CONDITIONS DE FORME

La loi n'a pas d'exigence particulière quant à la forme que peut revêtir un bail. On peut donc conclure un bail *écrit* ou *verbal*. Toutefois, il y va de l'intérêt des parties d'avoir un contrat écrit pour en faciliter la preuve et pour éviter les mésententes.

Tableau 9.1 Caractéristiques du contrat de louage

Contrat	Caractéristiques
Synallagmatique ou bilatéral	Le louage crée des obligations et des droits réciproques pour le locateur et le locataire.
Onéreux	Le locataire doit payer un loyer au locateur.
À durée fixe ou indéterminée	Le bail peut être à durée fixe, par exemple de 12 mois, ou indéterminée, par exemple si vous louez une automobile pendant que la vôtre est au garage.
Verbal, écrit ou par tolérance	Le *Code civil* n'impose aucune forme précise au contrat de bail.
À caractère temporaire	Le bail ne confère au locataire la jouissance d'un bien que pendant un certain temps.
À exécution successive	Les obligations des parties, comme le paiement du loyer, se remplissent sur un certain laps de temps.
Applicable à un bien meuble ou immeuble, à un logement ou dans le cadre de l'exploitation d'une entreprise	Le locataire peut être un consommateur qui loue un logement, un bien, ou une entreprise qui loue un bureau commercial, une usine ou une pièce d'équipement.

Concernant le **bail d'un logement**, le Code stipule qu'il est un contrat écrit ou verbal entre un propriétaire et un locataire. Il est à noter que même si le bail d'habitation peut être verbal, le locateur doit remettre au locataire un écrit reproduisant les articles obligatoires du *Code civil* (art. 1895 C.c.Q.).

En matière de bail immobilier, l'article 1853 du *Code civil* reconnaît l'existence d'un **bail par tolérance** à durée indéterminée. En matière mobilière, le bail ne se présume pas, et la personne qui utilise le bien, avec la tolérance du propriétaire, est présumée l'avoir emprunté en vertu d'un prêt à usage.

LOUAGE DE MEUBLES

Ce type de louage est surtout le fait d'entreprises spécialisées dans la location, par exemple :

- Avis ou Tilden : pour des automobiles ;
- Loutec : pour des outils ou équipements de construction ;
- Ryder : pour des camions ;
- Infoloc : pour des équipements informatiques.

Un consommateur peut faire affaires avec différents types d'entreprises pour ses fins personnelles.

Exemple : Pierre veut rénover sa maison et loue divers outils chez Loutec. Une entreprise peut elle aussi, dans le cadre de son exploitation, louer des outils, des équipements de bureau, des équipements informatiques ou du matériel roulant.

Exemple: Construction Beaubois inc. loue un appareil pour mélanger le ciment chez Loutec et un camion chez Ryder, car ses équipements sont insuffisants.

Par ailleurs, rien n'empêche le consommateur de louer un bien meuble à un autre consommateur.

Exemple: Mathieu loue sa planche à voile à Jean-François 100 $ pour l'été.

LOUAGE D'IMMEUBLES
Ce type de bail peut prendre deux formes :
- le bail de logement ;
- le bail dans le cadre de l'exploitation d'une entreprise.

LE BAIL DE LOGEMENT
Le bail de logement comprend le bail d'un logement, d'une chambre, d'une maison mobile ainsi que d'un terrain destiné à recevoir une maison mobile.

Comme nous le verrons plus loin, ce type de bail est soumis à des règles très strictes dans le *Code civil*.

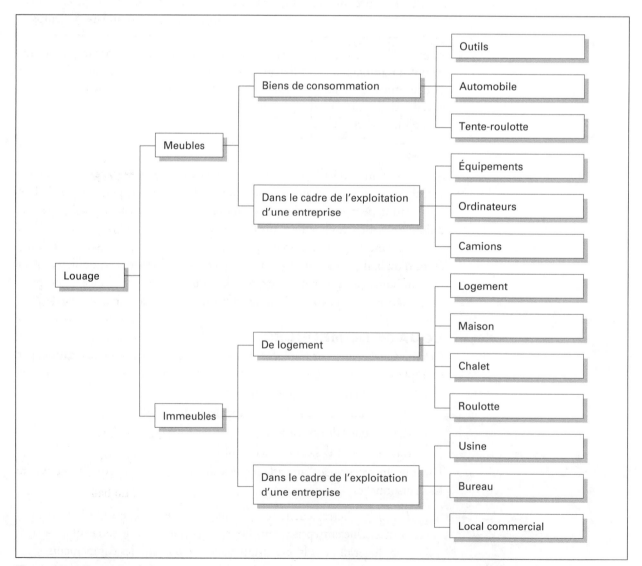

Figure 9.1   Catégories de louage

La Régie du logement, qui supervise l'application des dispositions du *Code civil du Québec* concernant ce type de bail, a même procédé à l'adoption d'un bail type qui est reproduit à la figure 9.2, page 225.

LE BAIL DANS LE CADRE DE L'EXPLOITATION D'UNE ENTREPRISE

Bail dans le cadre de l'exploitation d'une entreprise : Ensemble des baux signés par des commerçants entrepreneurs et gens d'affaires pour louer des biens ou les locaux dans lesquels ils exploitent leur entreprise. On retrouve dans cette catégorie les baux pour la location de bureaux et pour la location d'équipements, de locaux commerciaux et industriels.

Le *Code civil* n'intervient pas de façon aussi sévère dans la réglementation du *bail dans le cadre de l'exploitation d'une entreprise* et laisse plutôt aux gens d'affaires le soin d'en établir les règles entre eux. Cependant, c'est souvent la loi du plus fort qui s'applique ici. Le bail constitue la loi entre les parties.

Exemple : Si la Boutique Quintessence inc. désire louer un local à Place Sainte-Foy, elle n'aura pas d'autre choix que de signer tel quel le bail standardisé du locateur sans pouvoir y faire des changements.

DROITS ET OBLIGATIONS RÉSULTANT DU LOUAGE

Le *Code civil* accorde des droits au locateur et au locataire mais il leur impose également des obligations.

OBLIGATIONS DU LOCATEUR

Les obligations du locateur sont illustrées au tableau 9.2.

OBLIGATIONS DU LOCATAIRE

Les obligations du locataire sont illustrées au tableau 9.3.

RECOURS DU LOCATAIRE ET DU LOCATEUR

C'est l'article 1863 du *Code civil* qui énumère les recours des parties :

« **Art. 1863 C.c.Q.** L'inexécution d'une obligation par l'une des parties confère à l'autre le droit de demander, outre **des dommages-intérêts**, l'**exécution en nature**, dans les cas qui le permettent. Si l'inexécution lui cause à elle-même ou, s'agissant d'un bail immobilier, aux autres occupants, un préjudice sérieux, elle peut demander la **résiliation du bail**. »

L'inexécution confère, en outre, au locataire le droit de demander une **diminution de loyer** ; lorsque le tribunal accorde une telle diminution de loyer, le locateur qui remédie au défaut a néanmoins le droit au rétablissement du loyer pour l'avenir.

Le recours choisi dépendra de l'importance de l'inexécution des obligations par l'autre partie.

Exemple : Dans le cas d'un locataire qui ne paie pas son loyer de façon répétée, le locateur demandera généralement la résiliation du bail.

Exemple : Dans le cas d'un locateur qui omet de chauffer adéquatement ou n'effectue pas des réparations, le locataire pourra choisir entre demander une diminution de loyer ou la résiliation du bail.

Il est important de noter que l'article 1883 du *Code civil* prévoit qu'un locataire poursuivi en résiliation de bail pour défaut de paiement du loyer peut éviter la résiliation en payant, avant jugement, le loyer dû ainsi que les intérêts et les frais. Ceci met fin à l'action en résiliation et lui permet de continuer le bail.

Tableau 9.2   Obligations du locateur

Obligations du locateur	Explications	Exemples
Livrer le bien en bon état et libre de réparation de toute espèce (art. 1854 (1) C.c.Q.).	C'est une obligation de délivrance qui s'apparente à celle du vendeur.	• Bail pour la location d'un véhicule automobile. • Bail d'un logement infesté de coquerelles.
Garantir au locataire la jouissance paisible du bien pendant toute la durée du bail (art. 1854 (1) C.c.Q.).	Cette obligation s'apparente à la garantie du droit de propriété du vendeur. Cette garantie impose au locateur d'accorder une garantie contre les **troubles de fait**, et contre les **troubles de droit** (art 1859 C.c.Q.).	• Un autre locataire ou ses invités font trop de bruit ou occupent votre espace de stationnement. • Un locataire loue un appartement déjà loué à une tierce partie en vertu d'un bail antérieur.
Garantir au locataire que le bien peut servir à l'usage pour lequel on l'a loué (art. 1854 (2) C.c.Q.).	Cette obligation s'apparente à la garantie de qualité contre les défauts cachés, elle exclut donc les défauts apparents.	• Un locataire loue un local pour y exploiter son entreprise, qui en est empêché par un règlement de zonage. • Un bail pour une pièce d'équipement qui ne fonctionne pas.
Entretenir le bien en état de servir à l'usage pour lequel il a été loué (art. 1854 (2) et 1864 C.c.Q.).	Les réparations majeures sont à la charge du locateur alors que les menues réparations d'entretien sont à la charge du locataire.	• Les réparations au système de chauffage ou de climatisation à la structure de l'immeuble et à la tuyauterie.
Ne pas changer la forme ou la destination du bien loué pendant la durée du bail (art. 1856 C.c.Q.).	Par destination du bien on entend l'usage auquel il sert.	• Un locateur ne peut convertir un immeuble commercial en maison privée, ni faire l'inverse pendant la durée du bail, ni réduire l'espace occupé par le locataire.
User de son droit d'accès et de faire des réparations au bien loué de façon raisonnable (art. 1857 C.c.Q.).	Le locateur a le droit de vérifier l'état du bien loué et d'y effectuer des travaux, et dans le cas d'un immeuble de le faire visiter par un acheteur ou un locataire éventuel.	• Un locateur ne peut avoir accès à n'importe quelle heure au logement du locataire. Sauf, en cas d'urgence il doit l'aviser avec un délai raisonnable.

Par ailleurs, le Code prévoit également que dans la plupart des cas, le locataire doit dénoncer le défaut qu'il reproche au locateur avant d'exercer son recours. Cela implique donc l'envoi préalable par le locataire d'une mise en demeure au locateur de corriger la situation dans un délai raisonnable, par exemple pour des troubles de fait et de droit et pour des réparations au bien loué.

Les articles 1864 à 1869 C.c.Q. énoncent les droits et obligations du locataire et du locateur en ce qui concerne les réparations, défectuosités ou détérioration substantielle du bien loué.

Tableau 9.3 Obligations du locataire

Obligations du locataire	Explications	Exemples
Payer le loyer (art. 1855 C.c.Q.).	C'est la contrepartie de son droit à l'utilisation du bien loué. S'il ne la paie pas, le locateur peut demander la résiliation du bail.	• Le locataire qui ne paie pas son loyer pour son logement ou son automobile.
User du bien loué avec prudence et diligence (art. 1855 C.c.Q.).	S'il n'agit pas de façon raisonnable, il engage sa responsabilité.	• Le locataire qui ferait des expériences de chimie dans son appartement entraînant l'incendie de l'immeuble.
Ne pas troubler la jouissance des autres locataires (art. 1860 C.c.Q.).	Cette obligation découle de la précédente en ce qu'elle dicte la conduite du locataire envers les autres locataires.	• Bloquer l'entrée. • Être trop bruyant. • Ne pas respecter une clause de son bail lui interdisant de vendre un produit réservé à un autre locataire.
À la fin du bail, remettre le bien loué dans l'état où il l'a reçu sans être tenu des changements résultant de la vétusté, de l'usure normale ou d'une force majeure (art. 1890 C.c.Q.).	L'état du bien loué peut être constaté par une description ou des photographies faites par les parties, à défaut de quoi, le locataire est présumé avoir reçu le bien en bon état.	• Le locataire n'est pas responsable de l'usure normale du tapis et n'a pas à repeindre son appartement, à moins d'avoir brûlé le tapis ou abimé les murs.
À la fin du bail, enlever les constructions, ouvrages et plantations qu'il a faits (art. 1891 C.c.Q.).	Si ces améliorations ne peuvent être enlevées sans détériorer le bien, le locateur a le droit de les garder en en payant la valeur ou de forcer le locataire à les enlever et remettre le bien en état. Si cela est impossible, le locateur peut les conserver sans indemnité.	• Il est fréquent que dans le cadre de l'exploitation d'une entreprise, un locataire aménage les locaux loués pour les fins de son entreprise : bureaux, entrepôt, restaurant, etc.
Ne pas changer la forme ou la destination du bien loué pendant la durée du bail.	Par destination on entend l'usage auquel il sert.	• Le locataire d'un logement n'a pas le droit d'utiliser le local pour y exploiter une entreprise ou l'agrandir sans le consentement du locateur.
Accorder accès au bien ou au logement loué au locateur pour vérifier l'état du bien, y effectuer des travaux ou le faire visiter.	Cette obligation est le pendant de celle du locateur d'exercer ce droit de façon raisonnable.	• Le locataire ne peut refuser l'accès aux lieux loués au locateur.
Effectuer les menues réparations d'entretien (art. 1864 C.c.Q.).	Les réparations courantes mineures sont à la charge du locataire.	• Une fenêtre brisée. • Un tuyau de lavabo bouché.

Ainsi si le locateur ne corrige pas la situation à la suite de l'envoi par le locataire d'un avis raisonnable, le *Code civil* permet au locataire de s'adresser au tribunal pour obtenir l'autorisation d'exécuter les travaux nécessaires. Il peut alors déduire le montant des dépenses de son loyer. Ces articles prévoient également les cas d'urgence.

Exemple : Un locateur qui ne s'occuperait pas de faire réparer un appareil de chauffage en plein mois de janvier.

Jusqu'au 31 décembre 1993, le *Code civil du Bas-Canada* accordait au locateur, pour la garantie de ses droits, un *privilège* sur les effets mobiliers qui se trouvaient sur les lieux et qui appartenaient au locataire.

Ce privilège permettait au locateur dans un bail commercial ou industriel de saisir avant jugement tous les biens se trouvant sur les lieux loués si ce dernier ne payait pas son loyer, par exemple.

Le *Code civil du Québec* n'a pas retenu cette notion de privilège du locateur et l'a totalement supprimée pour les baux conclus après l'entrée en vigueur du *Code civil du Québec*, soit depuis le 1er janvier 1994. Pour les baux conclus avant, la *Loi sur l'application de la réforme du Code civil* prévoit que le privilège du locateur, d'un immeuble autre que résidentiel, sur les meubles du locataire devient une hypothèque légale mobilière qui conserve son opposabilité pendant une période d'au plus 10 ans à la condition d'être publiée au Bureau de la publicité des droits dans les 12 mois suivant l'entrée en vigueur du *Code civil du Québec*. Mais il ne sera plus possible de saisir ces meubles avant jugement, comme c'était le cas auparavant, sans invoquer le fait que la créance du locateur est en péril.

Exemple : Immeubles Locatech inc. a signé un bail de 10 ans avec Boutique Soleil inc. le 1er janvier 1990. Pour conserver son privilège, Immeubles Locatech inc. devra publier son hypothèque légale dans le registre des droits prévu à cette fin dans un délai de un an après l'entrée en vigueur du Code. Le privilège sera conservé jusqu'à la fin du bail.

En cas d'incendie dans les lieux loués, le locateur n'a de recours en dommages-intérêts contre son locataire que s'il réussit à faire la preuve que l'incendie est dû à la faute du locataire ou à celle des personnes qui ont accès au logement.

D'une façon générale, le locataire est tenu de réparer le préjudice subi par le locateur en raison des pertes survenues au bien loué, à moins qu'il ne prouve que ces pertes ne sont pas dues à sa faute ni à celle des personnes à qui il permet l'usage du bien ou l'accès à celui-ci.

> **Sous-location** : La sous-location du bien loué implique que le bail principal subsiste entre le locateur et le locataire. Ce dernier signe un nouveau contrat de bail en vertu duquel il loue le bien loué à une autre personne appelée le sous-locataire. Les obligations du locataire envers le locateur subsistent jusqu'à la fin du bail principal, et le locataire est responsable des dommages causés au bien loué par le sous-locataire.

SOUS-LOCATION ET CESSION DE BAIL

« **Art. 1870 C.c.Q.** Le locataire peut sous-louer tout ou partie du bien loué ou céder le bail. Il est alors tenu d'aviser le locateur de son intention, de lui indiquer le nom et l'adresse de la personne à qui il entend sous-louer le bien ou céder le bail et obtenir le consentement du locateur à la *sous-location* ou à la cession. »

La loi défend la sous-location de logement et la cession de bail dans deux cas : celui d'un étudiant qui loue un logement d'un établissement d'enseignement (art. 1981 C.c.Q.) et celui d'une personne qui habite un logement à loyer modique (art. 1995 C.c.Q.).

SOUS-LOCATION

Exemple : Chantal signe un bail avec Immeubles Locatech inc. pour exploiter une boutique de fleuriste sous le nom de « Fleurs Champêtres ». Après deux ans, elle décide de vendre son commerce à Denise, alors qu'il reste encore cinq ans avant l'expiration de son bail. Immeubles Locatech inc. refuse de résilier son bail et d'en signer un nouveau avec Denise. Par ailleurs, Immeubles Locatech inc. consent à ce que Chantal sous-loue le local à Denise pour le reste de la durée du bail. Advenant que Denise cesse de payer le loyer du commerce, Chantal demeure responsable de ce loyer jusqu'à la fin du bail. De la même manière, si Denise cause des dommages aux lieux loués, Chantal en sera responsable vis-à-vis des Immeubles Locatech inc. Il est important de noter que dans ces deux cas, Chantal pourra toujours poursuivre Denise pour les sommes qu'elle serait appelée à payer à sa place.

CESSION DE BAIL

Cession de bail : La cession de bail implique que le locateur et le locataire conviennent de résilier le bail existant pour l'avenir, et que le locateur signe un nouveau bail avec le nouveau locataire proposé, ou bien que le bail du locataire-cédant peut être assumé tel quel par le locataire-cessionnaire. Dans un tel cas de bail de logement, il y a novation par l'effet de la loi, et le locataire-cédant n'encoure aucune responsabilité concernant les dommages ou le non-paiement du loyer par le nouveau locataire.

Il est préférable pour un locataire de demander la cession de son bail plutôt que la sous-location du local, car la *cession de bail* décharge l'ancien locataire de ses obligations en vertu du bail alors que la sous-location ne le libère pas de ses obligations.

Exemple : Sophie sous-loue son logement à son amie Geneviève et cette dernière cesse de payer le loyer.

Dans ce cas, Sophie demeure personnellement responsable du paiement du loyer envers le locateur jusqu'à la fin de son bail. Si elle avait cédé son bail, Sophie aurait été complètement déchargée de ses obligations en vertu du bail.

BAIL DE LOGEMENT

Les articles 1870 et 1871 du *Code civil du Québec* sont d'ordre public, c'est-à-dire que le bail résidentiel ne peut contenir une clause refusant au locataire de sous-louer son logement ou de céder son bail. Le locataire envoie l'avis prévu à l'article 1870, et le locateur ne peut refuser la sous-location ou la cessation de bail sans un motif sérieux, telle l'insolvabilité du sous-locataire proposé. Si le locateur refuse, il est tenu d'en aviser le locataire dans les 15 jours de la réception de l'avis en indiquant ses motifs. S'il omet de répondre, il est réputé consentir.

BAIL DANS LE CADRE DE L'EXPLOITATION D'UNE ENTREPRISE

En matière de bail dans le cadre de l'exploitation d'une entreprise comme c'est le cas de Chantal dans notre exemple, les dispositions de ces articles ne sont pas d'ordre public et les parties peuvent prévoir dans leur bail une clause disant que le locataire ne peut sous-louer le local ou céder son bail. Certains baux prévoient même que le locateur peut reprendre le local à la suite d'une telle demande. Il est donc important de s'assurer que le bail signé dans le cadre de l'exploitation d'une entreprise prévoit la possibilité de sous-louer ou de céder le bail.

FIN DU BAIL

EXPIRATION DU TERME ET AVIS

Comme nous l'avons vu précédemment, à la fin du bail, le locataire est tenu de remettre le bien dans l'état où il l'a reçu.

Le **bail à durée fixe** prend fin à l'échéance du terme, sans qu'il soit nécessaire pour l'une ou l'autre des parties de donner un avis. En pratique cependant, ce genre de contrat prévoit habituellement un préavis de trois ou six mois que le locataire s'engage à donner au locateur.

Dans un **bail à durée indéterminée**, la partie qui désire résilier son bail doit donner un avis à l'autre. S'il s'agit de la location d'un immeuble, cet avis correspond au terme fixé pour le paiement du loyer (semaine, mois, etc.), mais ne peut excéder trois mois. S'il s'agit d'un meuble, l'avis est de 10 jours selon l'article 1882 du *Code civil* ; une clause du contrat peut toutefois fixer un délai différent.

Notons par ailleurs que le décès du locataire ou du locateur n'entraîne pas la résiliation du bail (art. 1884 C.c.Q.).

Lorsque le bail d'un immeuble est d'une durée fixe de un an ou plus, le locataire doit permettre, à des fins de location, la *visite des lieux et l'affichage* au cours des trois mois qui précèdent l'expiration du bail. Dans le cas d'un bail de moins de un an, le locateur peut exercer ce droit au cours du mois qui précède l'expiration du bail.

Lorsque le bail a une durée indéterminée, le locataire est tenu à cette obligation à compter de l'avis de résiliation (art. 1885 C.c.Q.).

Il est important de souligner que le locateur peut obtenir l'expulsion du locataire qui continue d'occuper les lieux après la fin du bail ou après la date convenue pour la remise des lieux.

RECONDUCTION DU BAIL

L'article 1879 du *Code civil du Québec* stipule que le bail est reconduit tacitement (renouvelé automatiquement) pour un an, ou pour la même période si celle-ci était inférieure à un an, lorsque le locataire continue d'occuper les lieux loués, sans opposition de la part du locateur, plus de 10 jours après l'expiration du bail.

Le locateur peut manifester son opposition par un avis écrit faisant part de son intention de ne pas renouveler le bail ou par une action en expulsion intentée avant l'expiration du délai précité.

À noter que la jurisprudence a déterminé que des négociations sur les modalités de renouvellement du bail (sur la fixation du loyer, par exemple) font obstacle à la tacite reconduction, surtout si elles aboutissent à une impasse.

Nous verrons plus loin que, en matière d'expiration et de tacite reconduction du bail, le législateur québécois a prévu des règles particulières en ce qui concerne les baux résidentiels.

VENTE OU EXPROPRIATION DU BIEN LOUÉ

LA VENTE

La vente volontaire ou judiciaire de l'immeuble abritant les lieux loués, de même que l'exercice d'un droit de rachat ou de la remise en paiement, ne met pas fin de plein droit au bail. Le nouveau propriétaire est lié par les baux existants. Il en est de même s'il s'agit de la location d'un bien meuble.

Exemple : Une automobile louée.

L'article 1887 énonce les droits du nouvel acquéreur concernant la demande de résiliation du bail existant.

« **Art. 1887 C.c.Q.** L'acquéreur ou celui qui bénéficie de l'extinction du titre peut résilier le bail à durée indéterminée en suivant les règles ordinaires de résiliation prévues à la présente section.

S'il s'agit d'un bail immobilier à durée fixe et qu'il reste à courir plus de 12 mois à compter de l'aliénation ou de l'extinction du titre, il peut le résilier à l'expiration de ces 12 mois en donnant par écrit un préavis de six mois au locataire. Si le bail a été inscrit au Bureau de la publicité des droits avant que l'ait été l'acte d'aliénation ou l'acte à l'origine de l'extinction du titre, il ne peut résilier le bail. »

S'il s'agit d'un bail mobilier à durée fixe, l'avis est de un mois.

Par ailleurs, il est à souligner que, selon le *Code civil du Québec*, le bail inscrit au Bureau de la publicité des droits avant la date de l'acte de vente ou de l'aliénation de l'immeuble ne peut être résilié par le nouveau propriétaire.

L'EXPROPRIATION

L'expropriation met fin au bail à compter de la date à laquelle l'expropriant peut prendre possession du bien exproprié selon la *Loi sur l'expropriation*. Dans une telle éventualité, le locataire ne peut réclamer de dommages-intérêts au locateur.

En cas d'expropriation partielle, le locataire peut, suivant les circonstances, obtenir une diminution de loyer ou la résiliation du bail (art. 1888 C.c.Q.).

RÈGLES PARTICULIÈRES DU BAIL D'UN LOGEMENT

Comme nous l'avons souligné précédemment, le législateur québécois a créé un régime juridique particulier en ce qui concerne le **bail d'un logement**, aussi appelé le **bail résidentiel**. En effet, **il déclare que les articles 1892 à 2000 du *Code civil*, soit la section IV du chapitre portant sur le louage de même que certains autres articles généraux, sont d'ordre public et donc impératifs.** En d'autres mots, cela veut dire que les parties à un bail d'un logement ne peuvent contrevenir à ces dispositions par une clause spéciale dans leur bail. C'est le cas notamment de la sous-location et de la cession de bail, comme nous l'avons vu précédemment.

« **Art. 1893 C.c.Q.** Est sans effet la clause d'un bail portant sur un logement, qui déroge aux dispositions de la présente section, à celles du deuxième alinéa de l'article 1854 ou à celles des articles 1856 à 1858, 1860 à 1863, 1865, 1866, 1868 à 1872, 1875, 1876 et 1883. »

BAIL DE LOGEMENT

L'article 1892 mentionne que les baux suivants sont assimilés à un **bail de logement** :

- le bail d'une chambre ;
- le bail d'une maison mobile placé sur un châssis, qu'elle ait ou non une fondation permanente ;
- le bail d'un terrain destiné à recevoir une maison mobile ;
- le bail relatif aux services, accessoires et dépendances
  - d'un logement ;
  - d'une chambre ;
  - de la maison mobile ;
  - du terrain.

Par ailleurs, les baux suivants sont exclus de la définition de bail d'un logement :
- le bail d'un logement loué à des fins de villégiature ;
- le bail d'un logement dont plus du tiers de la superficie totale est utilisée à un autre usage que l'habitation ;
- le bail d'une chambre située dans un établissement hôtelier ;
- le bail d'une chambre située dans la résidence principale du locateur, lorsque deux chambres au maximum y sont louées ou offertes en location et que la chambre ne possède ni sortie distincte donnant sur l'extérieur, ni installations sanitaires indépendantes de celles utilisées par le locateur ;
- le bail d'une chambre située dans un établissement de santé et de services sociaux, sauf en application de l'article 1974 C.c.Q.

RÉGIE DU LOGEMENT

En vue de favoriser de meilleures relations entre propriétaires et locataires, le gouvernement du Québec a adopté une loi instituant la Régie du logement.

Pour faire valoir leurs droits et régler leurs différends, les parties liées par le bail d'un logement doivent s'adresser à la **Régie du logement**.

JURIDICTION QUANT AUX RECOURS EN MATIÈRE DE BAIL

La Régie du logement est un tribunal administratif de première instance qui possède une juridiction exclusive et auquel un locataire ou un propriétaire peut s'adresser, seul ou par l'entremise d'un avocat, dans les cas suivants :
- demande relative au bail d'un logement locatif lorsque la somme en litige n'excède pas 15 000 $;
- demande de fixation ou de révision du loyer (indépendamment de la somme en cause), de reprise de possession, de modification des modalités du bail, de subdivision ou de changement d'affectation d'un logement ;
- demande relative aux dispositions du bail d'un logement à loyer modique ;
- demande relative à la conservation des logements en matière de démolition, d'aliénation d'un immeuble dans un ensemble immobilier et de copropriété (condominium).

DÉCISION

La Régie entend les parties, rend une décision écrite et motivée et en expédie une copie à chacune des parties par courrier recommandé ou certifié.

Les décisions deviennent exécutoires après l'expiration du délai de révision ou d'appel selon le cas.

BAIL TYPE

Le bail résidentiel conclu entre un locataire et un propriétaire peut revêtir la forme d'un contrat écrit ou verbal. Le bail écrit a pour but de minimiser les mésententes qui peuvent survenir entre les parties pendant la durée du bail. Il se divise en deux parties : la première énumère les dispositions obligatoires auxquelles sont soumis le locataire et le locateur. La seconde fait état des conditions particulières du bail : la désignation des parties et des lieux, la durée du bail, le loyer et les clauses additionnelles que les parties peuvent prévoir (chauffage, enlèvement de la neige, description des meubles fournis, etc.).

La Régie du logement a élaboré elle-même un **bail type** qui contient toutes les dispositions relatives à la location d'un logement d'habitation. Il est donc important de s'y référer afin d'en connaître les dispositions obligatoires. Nous reproduisons les pages importantes de ce bail type à la figure 9.2. (Les pages non reproduites traitent des dispositions du *Code civil*.)

BAIL

ENTRE

le propriétaire (locateur)

Nom

N°   Rue   App.

Ville   Code postal

Téléphone (résidence)   Téléphone (autre)

Adresse du logement loué

N°   Rue   App.

Ville   Code postal

et le ou les locataires

Nom

N°   Rue

Ville   Code postal

Téléphone (résidence)   Téléphone (autre)

Nom

N°   Rue

Ville   Code postal

Téléphone (résidence)   Téléphone (autre)

CONDITIONS

Durée

Ce bail a une durée de _____ mois.

Il commence le : ___/___/___
jour mois année

Il se termine le : ___/___/___
jour mois année

Loyer

Le ou les locataires s'engagent à payer le loy
au propriétaire en versements égaux et cons

_____ $ par mois ☐ par se

pour un total de _____ $.

Le paiement se fera le 1er jour du mois ou de

semaine, ou le _____.

Le mode de paiement est le suivant : _____

AUTRES CONDITIONS (voir mentions 6 et 7)

Les frais suivants sont à la charge du :

	propriétaire	locataire
• Chauffage du logement	☐	☐
• Eau chaude	☐	☐
• Électricité	☐	☐
• Taxe d'eau	☐	☐

Inscrire ci-dessous toute autre condition don
ties peuvent convenir, par exemple, des préc

• l'enlèvement de la neige ;   • l'entretien ;
• la peinture ;   • les réparati
• les services de conciergerie ;   • le stationner

MENTIONS

À reproduire obligatoirement dans un bail ou un écrit en cas de bail verbal
(Article 1895 du *Code civil du Québec*)

Renseignements généraux

Les présentes mentions décrivent la plupart des droits et obligations des locataires et des propriétaires. Elles résument l'essentiel de la loi sur le contrat de bail, soit les articles 1851 à 2000 du *Code civil du Québec*.

Les numéros entre parenthèses renvoient à ces articles du Code civil.

Ces droits et obligations doivent s'exercer dans le respect des droits fondamentaux reconnus par la Charte des droits et libertés de la personne du Québec qui

prescrit, entre autres, que toute personne a d
respect de sa vie privée, que toute personne à
jouissance paisible et à la libre disposition de
sauf dans la mesure prévue par la loi, et que
est inviolable.

Les exemples donnés dans les mentions
valeur informative et servent à illustrer une r

Pour faciliter la compréhension, le mot p
utilisé dans les mentions a le même sens que
locateur utilisé dans la loi.

Gouvernement du Québec
Régie du logement

MENTION DE COMPÉTENCE PARTIELLE (voir mention 9)

La Régie du logement ne peut fixer le loyer de votre logement, ni se prononcer sur une modification de votre bail puisqu'une des situations mentionnées ci-contre s'applique. La Régie peut cependant se prononcer sur tous les autres aspects du bail.

Cochez la situation qui s'applique :

☐ Le logement est loué par une coopérative d'habitation dont vous êtes membre.

☐ Le logement est situé dans un immeuble construit depuis 5 ans ou moins.
L'immeuble a été prêt pour la location le ___/___/___
jour mois année

☐ Le logement est situé dans un immeuble dont l'utilisation à des fins résidentielles résulte d'un changement d'affectation récent, depuis 5 ans ou moins (exemple : entrepôt transformé en logements).
L'immeuble a été prêt pour la location le ___/___/___
jour mois année

Attention: Dans ces deux dernières situations, la restriction ne vaut que pour les cinq années qui suivent la date inscrite.

SIGNATURES

Propriétaire   Signé à :   le
Ville   date

Locataires
Ville   date
Ville   date

LES AVIS

Avis au nouveau locataire (voir mention 10)

Je vous avise que le loyer le plus bas payé pour votre logement au cours des 12 mois précédant le début de votre bail, ou le loyer fixé par la Régie du logement au cours de cette période, a été de _____ $

☐ par mois
☐ par semaine
☐ autre (préciser)

Je vous avise également que les conditions de votre bail ne sont pas les mêmes.
Ainsi les services suivants (exemples : stationnement, chauffage, eau chaude) ont été

	ajoutés	supprimés
	☐	☐
	☐	☐
	☐	☐
	☐	☐
	☐	☐

Signature du propriétaire   Date

(Avis conforme à l'article 1896 du Code civil du Québec)

Avis de résidence familiale

Je déclare être marié à _____

Je vous avise que le logement faisant l'objet de ce bail sera la résidence de la famille.

nom et prénom du conjoint ou de la conjointe

Signature du locataire ou de son conjoint ou de sa conjointe   Date

(Avis conforme à l'article 403 du Code civil du Québec)

TÉLÉPHONE

On peut joindre la Régie du lundi au vendredi entre 8 h 30 et 16 h 30.

Dans la région de Hull : **776-BAIL**
Dans la région de Montréal : **873-BAIL**
Dans la région de Québec : **643-BAIL**

Dans les régions de Montréal et de Québec, un service de renseignements automatisé est offert tous les jours, jour et nuit.

Dans les autres régions du Québec, on trouvera le numéro de téléphone de son bureau local dans les pages bleues de l'annuaire téléphonique.

Pour faciliter l'entretien téléphonique, réunissez d'abord tous les documents utiles.

Reproduction interdite   La Régie du logement relève du ministre des Affaires municipales, responsable de l'Habitation.   1994

Figure 9.2   Bail type

FORMALITÉS DU BAIL

Avant la conclusion du bail, le locateur est tenu de remettre au locataire un exemplaire des **règlements de l'immeuble** abritant les lieux loués et concernant les règles relatives à la jouissance, à l'usage et à l'entretien des lieux d'usage commun. Ces règlements font partie du bail.

Une fois le bail signé, le locateur doit en remettre une copie au locataire et ce, dans les 10 jours qui suivent la signature. S'il s'agit d'un **bail verbal**, l'article 1895 du *Code civil du Québec* stipule que le locateur doit, dans les mêmes délais, remettre au locataire un écrit indiquant le nom et l'adresse du locateur et reproduisant les mentions obligatoires prescrites par règlement.

De plus, au moment de la conclusion du bail, le locateur doit remettre au nouveau locataire un avis indiquant le loyer le plus bas payé au cours des 12 mois précédant le début du bail ou, le cas échéant, le loyer fixé par la Régie du logement.

Le bail ainsi que les règlements de l'immeuble doivent être rédigés en français. Ils peuvent cependant être rédigés dans une autre langue si telle est la volonté des parties.

En plus des dispositions prévues à la *Charte des droits et libertés de la personne* qui protègent le locataire et le locateur potentiel contre toute forme de **harcèlement** et de **discrimination**, le législateur québécois a introduit trois articles à ce sujet dans le *Code civil du Québec*.

DISCRIMINATION   « **Art. 1899 C.c.Q.** Le locateur ne peut refuser de consentir un bail à une personne, refuser de la maintenir dans ses droits ou lui imposer des conditions plus onéreuses pour le seul motif qu'elle est enceinte ou qu'elle a un ou plusieurs enfants, à moins que son refus ne soit justifié par les dimensions du logement ; il ne peut, non plus, agir ainsi pour le seul motif que cette personne a exercé un droit qui lui est accordé en vertu du présent chapitre ou en vertu de la *Loi sur la Régie du logement*.

Il peut être attribué des dommages-intérêts punitifs en cas de violation de cette disposition. »

NOMBRE D'OCCUPANTS   « **Art. 1900 (2) C.c.Q.** [...]. Est aussi sans effet la clause visant à modifier les droits du locataire en raison de l'augmentation du nombre d'occupants, à moins que les dimensions du logement n'en justifient l'application, ou la clause limitant le droit du locataire d'acheter des biens ou d'obtenir des services de personnes de son choix, suivant les modalités dont lui-même convient. »

HARCÈLEMENT   « **Art. 1902 C.c.Q.** Le locateur ou toute autre personne ne peut user de harcèlement envers un locataire de manière à restreindre son droit à la jouissance paisible des lieux ou à obtenir qu'il quitte le logement.

Le locataire, s'il est harcelé, peut demander que le locateur, ou toute autre personne qui a usé de harcèlement, soit condamné à des dommages-intérêts punitifs.

Les dommages-intérêts punitifs seront fixés par le tribunal. »

LOYER

Le loyer est celui convenu dans le bail ; il est payable le premier jour de chaque terme, (à moins qu'il n'en soit convenu autrement) par versements égaux, sauf le dernier qui peut être moindre.

Le locateur ne peut exiger la remise d'un chèque ou d'une série de chèques postdatés pour le paiement du loyer.

Le locateur peut obtenir la résiliation du bail si le locataire a un retard de plus de trois semaines dans le paiement du loyer, ou encore si le locataire en retarde fréquemment le paiement et que de ce fait, le locateur en subisse un préjudice sérieux (art. 1971 C.c.Q.).

Comme nous l'avons déjà mentionné, le locataire poursuivi en résiliation pour défaut de paiement du loyer peut éviter la résiliation en payant, avant jugement, le loyer dû, les frais et les intérêts au taux fixé suivant l'article 28 de la *Loi sur le ministère du Revenu* ou tout autre taux convenu avec le locateur si le taux est moins élevé (art. 1883 C.c.Q.).

ÉTAT DU LOGEMENT

Les articles 1910 à 1921 du *Code civil du Québec* établissent les obligations réciproques des parties concernant l'état du logement. Ainsi le locateur doit le remettre et le conserver en bon état d'habitabilité et le remettre en bon état de propreté. Il incombe au locataire de maintenir le logement en bon état de

Logement impropre à l'habitation : Logement dont l'état constitue une menace sérieuse pour la santé ou la sécurité de ses occupants ou du public en général, ou qui a été déclaré tel par le tribunal ou une autorité compétente (art. 1913 C.c.Q.).

propreté. Le locataire peut refuser de prendre possession d'un *logement impropre à l'habitation,* et le bail est alors résilié de plein droit.

Les deux parties doivent se conformer aux obligations que la Loi ou tout règlement leur impose concernant la sécurité ou la salubrité du logement. La Loi oblige le locataire à aviser le locateur dans un délai raisonnable de toute défectuosité ou de toute détérioration importante du logement.

Le locataire qui occupe un tel logement peut déguerpir et, s'il avise le locateur de cet état dans les 10 jours qui suivent son déguerpissement, il n'est pas tenu de payer le loyer pendant la période où le logement est dans cet état, à moins que l'état du logement ne résulte de sa faute. À défaut d'un tel avis, il demeure responsable du paiement du loyer. Même si le locateur remet le logement en bon état, le locataire n'est pas obligé de le réintégrer.

L'article 1919 stipule ce qui suit :

« **Art. 1919 C.c.Q.** Le locataire ne peut, sans le consentement du locateur, employer ou conserver dans un logement une substance qui constitue un risque d'incendie ou d'explosion et qui aurait pour effet d'augmenter les primes d'assurance du locateur. »

Finalement, l'article 1920 vient établir les balises relatives au **nombre d'occupants d'un logement** en énonçant que ce nombre doit être tel qu'il permet à chacun de vivre dans des conditions normales de confort et de salubrité.

RÉPARATIONS ET MODIFICATIONS APPORTÉES AU LOGEMENT

D'une façon générale, le locateur est responsable des réparations majeures assurant l'habitabilité du logement et le locataire est responsable des réparations mineures ou locatives.

L'article 1868 du *Code civil du Québec* permet au locataire d'effectuer une réparation urgente si le locateur refuse ou néglige de le faire. L'article 1869 ajoute que, dans un tel cas, le locataire peut si nécessaire retenir sur son loyer le montant des dépenses raisonnables ainsi faites, mais il doit remettre au locateur les pièces justificatives.

Le locateur qui veut effectuer une réparation ou une amélioration majeure mais non urgente doit respecter les dispositions des articles 1922 et 1923 du *Code civil.* Il doit donner un avis écrit de 10 jours à son locataire en indiquant la nature des travaux, la date prévue pour leur début et leur durée. Si les travaux nécessitent l'évacuation du locataire, l'avis doit en mentionner la durée et le montant de l'indemnité offerte au locataire pour les dépenses raisonnables qui lui sont occasionnées. Si la période d'évacuation nécessaire est de plus d'une semaine, l'avis doit être de trois mois.

Dans les 10 jours qui suivent la réception de l'avis, le locataire peut en contester les conditions si elles sont abusives ; mais il ne peut en aucune manière contester la nature des travaux, même si ceux-ci peuvent amener une hausse éventuelle de son loyer.

Quant à l'indemnité, l'article 1924 ajoute les précisions suivantes :

« **Art. 1924 C.c.Q.** L'indemnité due au locataire en cas d'évacuation temporaire est payable à la date de l'évacuation.

Si l'indemnité se révèle insuffisante, le locataire peut être remboursé des dépenses raisonnables faites en surplus.

Le locataire peut aussi obtenir, selon les circonstances, une diminution de loyer ou la résiliation du bail. »

Le locataire doit accorder au locateur accès au logement pour lui permettre d'effectuer les travaux, et ce dernier doit remettre les lieux en bon état de propreté.

ACCÈS AU LOGEMENT ET VISITE DES LIEUX

Le locataire qui avise le locateur de la non-reconduction de son bail ou de sa résiliation est tenu de permettre la visite du logement et l'affichage dès qu'il a donné cet avis.

Sauf s'il y a urgence, le locateur doit donner au locataire un préavis de 24 heures de son intention de vérifier l'état du logement, d'y effectuer une réparation ou de faire visiter le logement à un acquéreur ou un locataire éventuel. Cet avis peut être verbal et, sauf urgence, la visite doit s'effectuer entre 9 h et 21 h. Le locataire peut exiger la présence du locateur ou de son représentant pendant la visite des lieux. Lorsqu'il s'agit de travaux à effectuer dans le logement, le locataire peut en refuser l'accès au locateur avant 7 h et après 19 h, à moins que le locateur ne doive y effectuer des travaux urgents.

Aucune serrure ni mécanisme restreignant l'accès au logement ne peut être posé ou changé sans le consentement réciproque du locateur et du locataire.

DROIT AU MAINTIEN DANS LES LIEUX

Tout locataire a un droit personnel au maintien dans les lieux. Il ne peut être évincé du logement que dans les cas prévus par la loi.

Comme nous l'avons vu précédemment, l'aliénation volontaire ou forcée d'un immeuble comportant un logement ou l'extinction du titre du locateur ne permet pas au nouveau locateur de résilier le bail. Le nouveau locateur a, envers le locataire, les droits et obligations résultant du bail.

Le sous-locataire d'un logement ne bénéficie pas du droit au maintien dans les lieux loués après l'expiration du bail. Un avis de 10 jours à cette fin doit lui être envoyé par le locateur ou le locataire principal.

Quant au conjoint et au concubin, l'article 1938 du *Code civil* prévoit le cas du décès du locataire et celui de la cessation de la vie commune :

« **Art. 1938 C.c.Q.** Le conjoint d'un locataire ou, s'il habite avec ce dernier depuis au moins six mois, son concubin, un parent ou un allié, a droit au maintien dans les lieux et devient locataire si, lorsque cesse la cohabitation, il continue d'occuper le logement et avise le locateur de ce fait dans les deux mois de la cessation de la cohabitation.

La personne qui habite avec le locataire au moment de son décès a le même droit et devient locataire si elle continue d'occuper le logement et avise le locateur de ce fait dans les deux mois du décès ; cependant, si elle ne se prévaut pas de ce droit, le liquidateur de la succession ou, à défaut, un héritier, peut dans le mois qui suit l'expiration de ce délai de deux mois résilier le bail en donnant au locateur un avis de un mois. »

REPRISE DE POSSESSION

La Loi permet au locateur de reprendre possession d'un logement pour l'habiter lui-même ou pour y loger un membre de sa famille. L'article 1960 du *Code civil* prévoit que le propriétaire qui désire reprendre possession de son logement doit le faire au moyen d'un avis adressé à son locataire six mois avant l'expiration du bail si celui-ci a une durée fixe de plus de six mois. Pour les baux à durée indéterminée, l'avis doit parvenir au locataire six mois avant la date prévue pour la reprise de possession (voir tableau 9.4).

De plus, le locateur qui ne désire pas habiter lui-même le logement doit préciser le nom et le degré de parenté de la personne qui habitera ce logement, de même que la date de la reprise de possession.

L'article 1957 du *Code civil* détermine quels sont les parents du locateur qui peuvent bénéficier de la reprise de possession :

Tableau 9.4 Les étapes de la reprise de possession et les délais d'avis

Étapes	Avis de reprise de possession		
	Bail à durée fixe de plus de 6 mois	Bail à durée fixe de 6 mois ou moins	Bail à durée indéterminée
1re étape : Avis du propriétaire	6 mois avant la fin du bail.	1 mois avant la fin du bail.	6 mois avant la date à laquelle on entend reprendre possession.
2e étape : Réponse du locataire	Dans le mois qui suit la réception de l'avis du propriétaire. Si le locataire ne répond pas, il est présumé avoir refusé de quitter le logement.		
3e étape : Demande à la Régie du logement par le propriétaire	Dans le mois suivant la réception du refus ou l'exonération du délai de réponse du locataire.		

- les ascendants au premier degré : les parents, c'est-à-dire le père et la mère du locataire ;
- les descendants au premier degré : les enfants du locataire ;
- tout autre parent ou allié dont le locataire est le principal soutien, par exemple une vieille tante ;
- son conjoint dont il est séparé ou divorcé et dont il est le principal soutien.

SUBDIVISION OU CHANGEMENT D'AFFECTATION DU LOGEMENT

Les dispositions des articles 1958 à 1967 C.c.Q. permettent au locateur d'évincer son locataire à l'expiration du bail pour subdiviser le logement ou en changer l'affectation. Le locateur doit alors donner à son locataire l'avis prévu au tableau 9.4.

Lorsque le locataire reçoit un **avis de reprise de possession**, il dispose de un mois pour faire connaître son intention de quitter ou non le logement. S'il ne répond pas à l'avis, il est présumé avoir refusé de quitter le logement. Dans un tel cas, ou si le locataire conteste la reprise de possession, le propriétaire doit demander à la Régie de rendre une décision en sa faveur ; sa demande doit être faite dans le mois qui suit le moment où il connaît l'intention de son locataire.

Si la Régie juge que le motif du propriétaire est suffisant, il lui permet de reprendre possession de son logement. Il peut toutefois enjoindre au propriétaire de verser au locataire une indemnité égale aux frais engagés à la suite de son déménagement. Si le locateur agit de mauvaise foi pour se débarrasser d'un locataire, la loi accorde à ce dernier un recours en dommages-intérêts contre le locateur.

Dans les cas de reprise de possession, l'article 1965 du *Code civil* accorde au locataire évincé une indemnité égale à trois mois de loyer et des frais raisonnables de déménagement. Le locateur doit payer l'indemnité à l'expiration du bail, et les frais de déménagement sont remboursables sur présentation de pièces justificatives.

Finalement, il faut souligner que le locataire peut avoir droit à des dommages-intérêts résultant d'une demande de reprise de possession obtenue de mauvaise foi. Il peut, en plus de ces dommages, obtenir contre le locateur de mauvaise foi des dommages-intérêts punitifs (art. 1968 C.c.Q.).

Reconduction : Le locataire qui a droit au maintien dans les lieux a droit à la reconduction de plein droit du bail à durée fixe lorsque celui-ci prend fin. Le bail est, à son terme, reconduit aux mêmes conditions et pour la même durée ou, si la durée du bail excède 12 mois, pour une durée de 12 mois. Les parties peuvent cependant convenir d'un terme de reconduction différent (art. 1941 C.c.Q.).

RECONDUCTION ET MODIFICATION DU BAIL

On entend par *reconduction* le renouvellement automatique du bail à son expiration. Tout locataire a un droit personnel au maintien dans les lieux loués et il ne peut être évincé du logement loué que dans les cas prévus par la loi.

Le locataire peut donc continuer à occuper son logement aussi longtemps qu'il le désire s'il respecte ses obligations et compte tenu des droits du locateur.

L'article 1941 C.c.Q. spécifie les modalités de la reconduction :

> *Exemple* : Patrice a loué un logement de Claude pour une période de 12 mois. À la fin du bail le 30 juin, il a le droit de demeurer sur les lieux, son bail étant reconduit, c'est-à-dire qu'il continue de plein droit pour une autre période de 12 mois et aux mêmes conditions.

Dans tous les cas, ce bail ne peut être reconduit pour une durée excédant 12 mois.

Par ailleurs, le Code reconnaît aussi au locateur le droit de demander des changements au bail, par exemple l'**augmentation du loyer**. Pour être valides, ces changements doivent avoir été demandés selon les formalités prescrites par la loi et conformément aux délais prévus aux articles 1941 à 1956 C.c.Q. Si le locateur ne respecte pas ces délais, le bail est renouvelé automatiquement aux mêmes conditions et pour la même durée. Par ailleurs, il est important de préciser que rien n'empêche un locataire qui reçoit un avis d'augmentation de loyer de son locateur de rencontrer ce dernier pour en venir à une entente sur l'augmentation en question et ainsi éviter le recours à la Régie du logement. Le tableau 9.5 énumère les délais et les avis requis de la part du locateur.

L'avis d'augmentation de loyer doit indiquer le nouveau loyer en dollars ou l'augmentation désirée en dollars ou en pourcentage, et, s'il y a lieu, la durée proposée de la prolongation du bail. Il doit aussi indiquer le délai dont dispose le locataire pour s'opposer. Si le locataire ne répond pas au locateur dans le mois qui suit la réception de l'avis, il est réputé en avoir accepté le contenu.

Si le locataire désire s'opposer à l'augmentation du loyer ou aux autres modifications proposées au bail, il doit en aviser par écrit le locateur. Il appartient ensuite à ce dernier de s'adresser à la Régie du logement pour obtenir l'augmentation de loyer ou les modifications désirées et ce, dans le mois qui suit la réception

Tableau 9.5   Les étapes de la modification du bail et les délais d'avis (1942 et 1945 C.c.Q.)

| Étapes | Avis de modification au bail (loyer, durée, etc.) | | | |
	Bail de 1 an	Bail de moins de 12 mois	Bail à durée indéterminée	Bail d'une chambre
1re étape : Avis du propriétaire	Entre 3 et 6 mois avant la fin du bail.	Entre 1 et 2 mois avant la fin du bail.	Entre 1 et 2 mois avant la modification souhaitée.	Entre 10 et 20 jours avant la fin du bail ou la modification souhaitée.
2e étape : Réponse du locataire	Dans le mois suivant la réception de l'avis de modification. Si le locataire ne répond pas, il est réputé avoir accepté les modifications.			
3e étape : Demande à la Régie du logement par le propriétaire	Dans le mois suivant la réception du refus du locataire. Sinon, le bail est reconduit.			

de l'opposition du locataire. C'est la Régie qui fixe alors le loyer ou les nouvelles modalités du bail.

De la même façon, un locataire qui désire quitter les lieux à l'expiration du bail doit en aviser son locateur par écrit, à défaut de quoi, son bail sera reconduit automatiquement et aux mêmes conditions. Le tableau 9.6 illustre les délais d'avis du locataire.

RECOURS DU LOCATEUR ET DU LOCATAIRE

L'inexécution d'une obligation par l'une des parties au bail d'un logement confère à l'autre le droit d'exercer un des recours suivants :

RECOURS DU LOCATEUR

Outre l'exécution en nature de l'obligation, comme le paiement du loyer ou une réclamation en dommages-intérêts, le locateur peut demander la **résiliation** du bail si l'inexécution des obligations du locataire cause un préjudice sérieux au locateur ou aux autres occupants de l'immeuble.

> *Exemple* : Un locataire qui rendrait le logement impropre à l'habitation, ou si le locataire est en retard de plus de trois semaines dans le paiement du loyer.

Le fait pour un locataire de retarder régulièrement le paiement de son loyer ou de le déposer fréquemment sans motif valable peut constituer un préjudice sérieux. Le but d'une telle disposition est d'éviter les abus de la part du locataire.

Tableau 9.6 La non-reconduction du bail : délais d'avis du locataire (1945 et 1946 C.c.Q.)

Durée	Locataire qui n'a pas reçu d'avis de modification du bail	Locataire d'une chambre qui n'a pas reçu d'avis de modification du bail	Locataire (y compris le locataire d'une chambre) qui a reçu un avis de modification du bail
Bail de 1 an ou de plus de 1 an	Entre 3 et 6 mois avant la fin du bail.	Entre 10 et 20 jours avant la fin du bail.	Dans le mois qui suit la réception de l'avis du propriétaire :
Bail de moins de 12 mois	Entre 1 et 2 mois avant la fin du bail.		1. lorsque le locataire a sous-loué son logement pendant plus de 12 mois consécutifs et si le locateur en avise le locataire et le sous-locataire ;
Bail à durée indéterminée	Entre 1 et 2 mois avant la fin souhaitée du bail.	Entre 10 et 20 jours avant la fin souhaitée du bail.	2. en cas de décès du locataire, si l'héritier ou le légataire n'habitait pas avec lui et si le locateur en avise l'une de ces deux personnes.

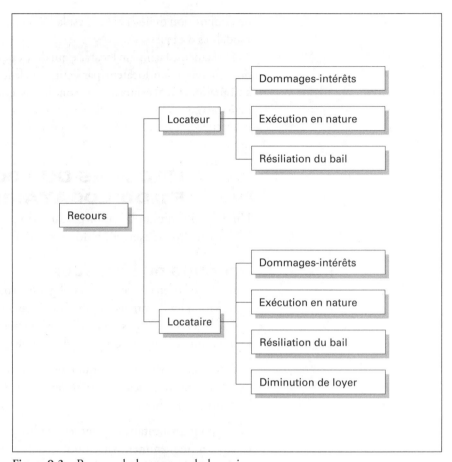

Figure 9.3   Recours du locateur et du locataire

Contrairement à un préjugé courant, le locataire ne dispose pas d'un délai de trois semaines pour payer son loyer. En effet, celui-ci est payable d'avance le premier jour de chaque période de paiement à moins d'entente contraire.

RECOURS DU LOCATAIRE

La Régie peut, le cas échéant, ordonner la résiliation du bail ou enjoindre au locateur d'exécuter ses obligations dans un délai prescrit. La **résiliation** n'est accordée que si l'inexécution des obligations du locateur cause un préjudice sérieux au locataire. Sinon, la plupart du temps, la Régie accorde au locataire une **diminution de loyer** proportionnelle à sa perte de jouissance (comme dans le cas du chauffage inadéquat du logement).

L'article 1907 du *Code civil du Québec* énonce que si le locateur n'effectue pas les réparations et améliorations auxquelles il est tenu, le locataire peut, sans préjudice à ses autres recours, s'adresser à la Régie du logement par requête pour obtenir la **permission de retenir son loyer** et de faire procéder aux réparations selon les modalités fixées par le tribunal.

La loi permet au locataire de **déposer son loyer au tribunal** lorsque le locateur n'exécute pas ses obligations en vertu du bail. Le locataire qui désire déposer son loyer au tribunal doit préalablement donner au locateur un avis écrit de 10 jours indiquant les motifs du dépôt et demandant au locateur de remédier à sa faute.

Le tribunal autorise le dépôt si, après avoir entendu le locataire, il appert que ce dernier a un motif valable pour recourir à cette procédure. Il en fixe alors le montant et les modalités.

RÈGLES PARTICULIÈRES AU BAIL SIGNÉ DANS LE CADRE DE L'EXPLOITATION D'UNE ENTREPRISE

DÉFINITION

Le **bail signé dans le cadre de l'exploitation d'une entreprise**, aussi appelé **bail industriel** ou **commercial**, est un contrat de louage d'un local à usage commercial, industriel, professionnel ou artisanal. La Régie du logement n'intervient pas dans les litiges entre un locateur et son locataire qui ont signé un tel bail. Ce sont les dispositions du Code relatives au louage en général qui s'appliquent à ce type de bail et, contrairement aux dispositions concernant le bail d'un logement, elles ne sont pas d'ordre public.

Ainsi le locateur peut fixer des taux d'augmentation dépassant ceux approuvés par la Régie du logement, et le locataire ne peut s'adresser au tribunal pour les ramener à un taux plus raisonnable.

Le monde des affaires a élaboré au cours des dernières années différents types de baux commerciaux adaptés aux nécessités du commerce. Dans ce domaine, on peut véritablement dire que le contrat est la loi entre les parties. Ainsi, pour autant que les dispositions du bail commercial ou industriel ne contreviennent pas à l'ordre public, les parties sont liées par le contrat qu'elles ont signé.

Dans 95 % des cas, ces baux sont rédigés par le locateur et ses conseillers juridiques, et contiennent très peu de dispositions favorables au locataire. Le locateur indique au locataire potentiel qu'il s'agit là de son *bail type*, que tous les autres locataires l'ont signé tel quel, et qu'il ne peut donc y apporter de modifications. Nous sommes d'avis qu'un tel contrat peut dans certains cas constituer un contrat d'adhésion et que l'article 1437 C.c.Q. concernant les clauses abusives pourrait s'y appliquer.

OFFRE DE LOCATION

Habituellement, la signature du bail est précédée d'une **offre de location** que la personne désireuse de louer le local commercial doit remplir. Ce document a généralement été préparé sur une formule type où figure l'en-tête de la compagnie

Figure 9.4   En matière de bail commercial, il existe de nombreux types de baux.

de location ou du propriétaire de l'immeuble et stipule que cette offre de location est conditionnelle à l'approbation du propriétaire.

Ce document mentionne fréquemment que, si l'offre de location est approuvée, le locataire potentiel s'engage à signer le bail type du locateur.

Le locataire qui signe une telle offre de location sans avoir pris connaissance du bail type du locateur est un peu dans la même situation que celui qui signe un chèque en blanc : il ne sait pas ce qui l'attend.

C'est pourquoi il est fortement recommandé d'ajouter à l'offre de location une clause conditionnelle similaire à celle-ci et ce, malgré l'existence de l'article 1435 C.c.Q. concernant les clauses externes au contrat :

« La présente offre de location est conditionnelle à la remise au locataire d'une copie du bail type du locateur, et à l'examen et à l'approbation par le locateur des modifications proposées par le locataire et ses conseillers juridiques dans les 15 jours suivant la signature de l'offre de location. »

Une telle clause permettra au locataire de faire examiner le bail type par ses conseillers juridiques qui lui suggéreront des modifications visant à mieux le protéger et à lui éviter de se soumettre à des clauses arbitraires favorables au propriétaire seulement.

L'expérience nous révèle que, même si le locateur n'accepte que très rarement toutes les modifications proposées, le locataire peut obtenir certaines modifications.

Les principales clauses à examiner de près sont celles qui concernent les paiements de loyer, d'assurance, de taxes et de frais communs, et les clauses de défaut permettant au locateur de résilier le bail.

L'offre de location doit contenir en annexe les plans et devis détaillés du local ainsi que la liste des travaux que le locateur s'engage à exécuter. Le locataire doit s'assurer que le local qu'il entend louer est décrit adéquatement dans l'offre et que le locateur ne s'est pas réservé le droit d'en changer l'emplacement. Ces précautions visent à assurer au futur locataire que l'immeuble répond bien à ses exigences.

Dans certains cas, il sera prudent d'ajouter que l'offre est conditionnelle à l'obtention par le locataire des permis nécessaires à l'exploitation de son commerce (permis municipaux d'occupation et permis d'alcool, par exemple).

Le bail commercial a une durée variable et est souvent assorti d'options de renouvellement. Dans le cas d'une PME, le bail a généralement une durée de 5 à 10 ans avec des options de renouvellement de 5 ans.

SORTES DE BAUX

Étant donné la diversité des besoins dans le secteur commercial, il existe plusieurs sortes de baux en la matière. Les différences entre les uns et les autres proviennent des facteurs suivants : augmentation des taxes foncières, des coûts d'entretien et de réparations, des primes d'assurance et d'un ensemble d'autres frais qui sont tantôt à la charge du locataire, tantôt à la charge du bailleur.

Ces baux peuvent varier grandement : il peut s'agir aussi bien d'un bail en vertu duquel la seule obligation du locataire est de payer le loyer (exemple : 1000 $ par mois) que d'un contrat où le locataire, en plus du paiement d'un *loyer de base*, est responsable de tous les frais d'entretien et d'administration ainsi que des taxes et des assurances, et doit verser au locateur un pourcentage de son chiffre d'affaires.

Dans le langage des affaires, ces baux portent différentes appellations qui ont été élaborées par la pratique commerciale et que l'on ne retrouve pas au *Code civil*, mais qui varient en fonction des charges et obligations assumées par l'une et l'autre des parties à un bail commercial ou industriel et qui peut porter l'un des noms suivants :

Loyer de base : Loyer initial que doit payer le locataire. C'est la même notion que celle que l'on retrouve dans le bail résidentiel.

- bail brut ;
- bail brut avec clause escalatoire ;
- bail net ;
- bail net, net ;
- bail net, net, net ;
- bail net, net, net, net ;
- crédit bail ;
- vente-location (*leaseback*).

D'une façon générale, ces expressions sont intimement liées au paiement du loyer, des dépenses, des taxes et de l'entretien de l'immeuble abritant les lieux loués.

Les gens d'affaires avisés que sont les locateurs ne veulent pas perdre d'argent en louant leur immeuble ou leurs locaux.

En signant des baux de 5, 10, 15 et 30 ans, ils ne peuvent pas prévoir les augmentations de taxes et de frais d'entretien, d'administration ou de réparation de leurs immeubles. Ils ont donc élaboré différentes formules de paiement de loyer compte tenu de ces augmentations imprévisibles, d'où les notions de loyer de base et de *loyer additionnel*.

À l'intérieur d'un centre commercial ou d'un édifice à bureaux, la responsabilité des frais d'entretien des lieux, d'électricité, de chauffage, de même que celle des taxes foncières est répartie entre les divers locataires en proportion de leur pourcentage d'occupation des lieux.

La pratique commerciale a donné lieu à trois types de clauses de loyer additionnel :

- la clause escalatoire ;
- la clause d'indexation selon l'indice des prix à la consommation ;
- la clause de loyer proportionnel.

Ces différentes clauses se retrouvent à l'intérieur de l'un ou l'autre des baux commerciaux.

Nous limiterons notre étude aux baux les plus fréquents.

> **Loyer additionnel** : Le loyer additionnel est habituellement formé des sommes additionnelles que le locataire s'engage à payer en vertu de son bail (exemple: taxes foncières, chauffage, électricité, frais communs d'entretien, de publicité et de réparation, pourcentage de ses revenus, etc.).

BAIL BRUT

Le **bail brut** est le moins complexe et est celui qui s'apparente le plus au bail résidentiel. En vertu de ce bail, le locataire s'engage à payer un loyer fixe (exemple : 900 $ par mois) à son locateur. Il n'a aucune autre obligation à l'exception de celles stipulées au *Code civil*. Le locateur est responsable de toutes les dépenses, des frais d'entretien, du chauffage et des réparations.

BAIL BRUT AVEC CLAUSE ESCALATOIRE

Le **bail brut avec *clause escalatoire*** est un bail brut auquel on a ajouté une clause relative à l'augmentation des dépenses pour les années subséquentes.

Le locataire supporte, en tout ou en partie, cette augmentation pour les années subséquentes. S'il n'en paie qu'une partie, sa contribution sera calculée en fonction du pourcentage de l'espace qu'il occupe dans l'immeuble.

À titre d'exemple, à la fin de la première année du bail, le locateur présentera le coût de chaque poste de dépenses pour cette année d'occupation. Par la suite, le locataire devra payer au locateur, chaque année, le coût excédentaire par rapport à cette année de référence.

> **Clause escalatoire** : Clause relative à l'augmentation des dépenses d'exploitation des immeubles pour les années subséquentes à la première année du bail.

BAIL NET

Le **bail net** stipule que le bailleur est propriétaire d'un espace locatif généralement situé dans un centre commercial, un immeuble à bureaux ou un parc industriel qui respecte les règlements de construction et de zonage de la municipalité. Dans un tel bail, les grosses réparations, c'est-à-dire celles qui concernent la toiture, les murs et la structure de l'édifice, sont à la charge du bailleur, tandis que les frais d'exploitation (comme les taxes foncières) et d'entretien de l'édifice sont à la charge du locataire et s'ajoutent à son loyer de base en proportion de son pourcentage d'occupation des lieux loués.

BAIL NET, NET

Le **bail net, net** concerne la location d'un local situé dans un immeuble à bureaux, un centre commercial ou un parc industriel. Dans ce cas, le locataire supporte, en plus de son loyer de base, le coût des grosses réparations (sauf celles de la structure), étant donné qu'il lui a été loisible d'évaluer l'étendue du risque en tout temps avant la signature du bail. Il paye aussi les frais d'entretien, les assurances et les taxes foncières de l'immeuble. Toutefois, il appartient au bailleur d'assurer au locataire que la construction de l'édifice respecte les règlements de construction et de zonage en vigueur dans la municipalité.

Le bail net, net est souvent utilisé pour les locaux situés dans un centre commercial et, dans un tel cas, il est fréquent que le locateur y ajoute une clause stipulant que le locataire s'engage à lui verser un pourcentage de ses recettes.

Il s'agit là d'une **clause de loyer proportionnel** ou **à pourcentage**. Elle peut s'ajouter au loyer de base et au loyer additionnel ou, dans certains cas, constituer le seul loyer payé par le locataire. Le pourcentage des recettes versé peut varier (exemple : 0,5 %, 1 ou 2 %). Le locataire qui signe un bail contenant une telle clause doit permettre au locateur d'avoir accès à ses livres pour en vérifier les chiffres.

La clause de loyer proportionnel peut aussi se retrouver dans les autres types de baux, ce qui n'est cependant pas fréquent.

L'encadré de la page 237 illustre un exemple de calcul du loyer d'un bail dans le cadre de l'exploitation d'une entreprise comportant des clauses de loyer additionnel et de loyer proportionnel ou à pourcentage.

CLAUSES IMPORTANTES

Lorsque les gens d'affaires signent un bail aux fins de l'exploitation de leur entreprise, il est important pour eux de s'attarder à certaines clauses spéciales.

EXCLUSIVITÉ ET NON-CONCURRENCE

Le bail dans un centre commercial comporte des clauses visant à protéger les parties (par exemple l'exclusivité de la marchandise vendue). Ainsi un disquaire voudra s'assurer qu'un concurrent n'exploitera pas un commerce semblable à l'intérieur du même centre commercial. On retrouve aussi des *clauses de non-concurrence* visant à empêcher le locataire d'exploiter un commerce similaire dans la périphérie.

CLAUSES ESCALATOIRES ET D'INDEXATION

À partir des données de *Statistique Canada*, il est d'usage d'inclure dans un bail commercial des clauses que l'on appelle escalatoires et d'indexation. Ces deux types de clauses permettent de parer à l'inflation et d'indexer le loyer au coût de la vie. Les **clauses escalatoires** visent les taxes foncières, le chauffage, l'entretien, les assurances et certaines dépenses d'administration ; la répartition de ces coûts s'effectue en proportion de la surface occupée par chaque locataire. Les **clauses d'indexation** du loyer ont pour objet l'ajustement du loyer selon l'indice du coût de la vie.

Exemple de calcul d'un loyer dans le cadre de l'exploitation d'une entreprise

La Boutique Quintessence inc. désire signer un bail au Carrefour Deauville pour occuper une superficie de 300 mètres carrés. Le **loyer de base** est de 175 $ le mètre carré, soit de 52 500 $ par année. Le total des taxes, frais et dépenses d'entretien et d'exploitation pour l'ensemble du Carrefour Deauville s'élève à un million de dollars. La superficie du Carrefour Deauville est de 15 000 mètres carrés. La Boutique Quintessence occupe 2 % de la superficie totale du Carrefour Deauville (soit 300 m²/15 000 m² = 2 %). Son **loyer additionnel** sera donc de 2 % de un million, soit de **20 000 $** par année.

Le bail contient une clause de **loyer proportionnel ou à pourcentage** équivalant à 1 % des recettes de Boutique Quintessence inc. Les états financiers pro-forma de Boutique Quintessence prévoient des ventes de un million de dollars pour la première année. Son loyer proportionnel ou à pourcentage sera donc de 1 % de un million, soit de **10 000 $** par année.

Le loyer annuel total de Boutique Quintessence inc. s'établira donc comme suit :

- Loyer de base : 175 $ le mètre carré x 300 mètres carrés :   52 500 $

- Loyer additionnel : $\dfrac{300 \text{ mètres carrés x } 500\ 000\ \$}{15\ 000 \text{ mètres carrés}}$ 20 000 $

- Loyer proportionnel ou à pourcentage :
  1 000 000 $ x 1 % :   <u>10 000 $</u>

- Loyer annuel :   82 500 $

- Loyer mensuel : (82 500 $ ÷ 12) :   <u>6 875 $</u>

RENOUVELLEMENT

Parmi toutes les clauses contenues dans le bail commercial, la **clause de renouvellement** est celle qui intéresse peut-être le plus, à long terme, le locataire. En effet, le locataire a avantage à faire mettre dans son bail une clause prévoyant son renouvellement pour un ou plusieurs termes de cinq ans ; toutefois, le bailleur acceptera cette possibilité de renouvellement si elle comporte une augmentation de loyer raisonnable pour chaque renouvellement. Le locataire qui omettrait d'inclure une telle clause dans son bail risquerait de se voir expulsé à la fin du bail ou encore de se voir imposer une augmentation de loyer déraisonnable. Les tribunaux ont déclaré nulle une clause de renouvellement selon laquelle le nouveau montant du loyer devait être soumis au consentement des parties. En effet, suivant cette clause, les parties ne pouvaient en venir à une entente sur le nouveau loyer et le tribunal a statué que la clause était à toutes fins pratiques sans effet.

Une telle clause est également importante advenant la vente de l'entreprise, car le nouveau propriétaire pourra rester sur place et profiter de l'achalandage et de la clientèle sur les lieux loués.

SOUS-LOCATION

Souvent, ce type de bail contient une **clause relative à la sous-location** des lieux qui retire au locataire le droit de sous-louer les lieux ou même de vendre son commerce. Le locataire prudent doit donc s'assurer que le locateur ne peut lui refuser sans motif raisonnable le droit de sous-louer ou de vendre son commerce et de permettre à l'acheteur de continuer le bail.

RÉSUMÉ

- Le louage, aussi appelé bail, est un contrat par lequel une personne, le locateur, s'engage envers une autre personne, le locataire, à lui procurer, moyennant un loyer, la jouissance d'un bien meuble ou immeuble pendant un certain temps.

- Dans le cas d'un immeuble, le louage peut porter sur un logement ou se faire dans le cadre de l'exploitation d'une entreprise.

- Les obligations du locateur consistent à livrer le bien loué en bon état, à procurer au locataire la jouissance paisible du bien, à garantir au locataire que le bien peut servir à l'usage pour lequel on l'a loué.

- Si le locateur ne respecte pas ses obligations, les recours du locataire sont l'exécution en nature de l'obligation, la résiliation du bail, la diminution de loyer et les dommages-intérêts.

- Les obligations du locataire consistent à payer le loyer, à user du bien loué avec prudence et diligence, à ne pas troubler la jouissance normale des autres locataires et, à la fin du bail, à remettre le bien dans l'état où il l'a reçu.

- Le législateur a adopté une série de règles particulières qui s'appliquent au bail d'un logement et a créé la Régie du logement pour régler les différends entre locataires et locateurs.

- Ces règles particulières visent notamment la sous-location, la reprise de possession et les modifications apportées au bail.

- Le monde des affaires a élaboré des règles particulières concernant le bail signé dans le cadre de l'exploitation d'une entreprise.

- Les principaux types de bail qu'on y retrouve sont le bail brut, le bail brut avec clause escalatoire, le bail net, le bail net, net, le bail net, net, net, le bail net, net, net, net et la vente-location.

- Les baux sont souvent assortis de clauses spéciales.

RÉSEAU DE CONCEPTS

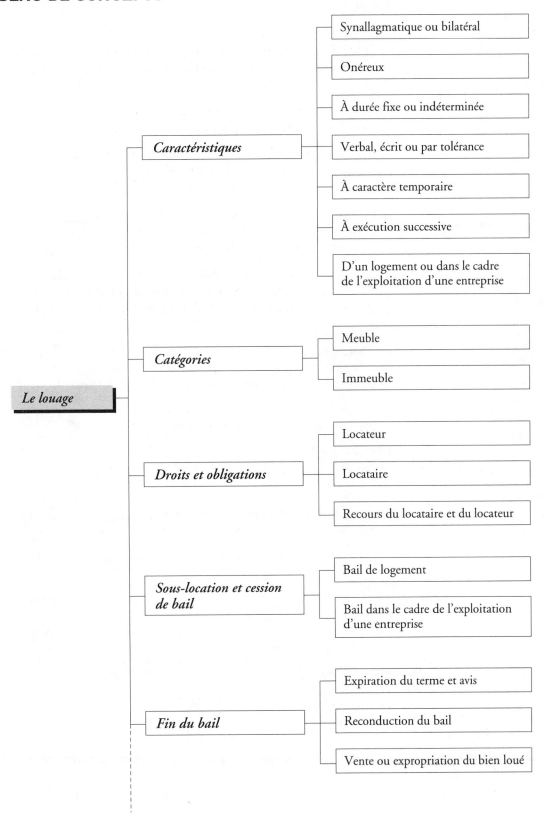

RÉSEAU DE CONCEPTS (SUITE)

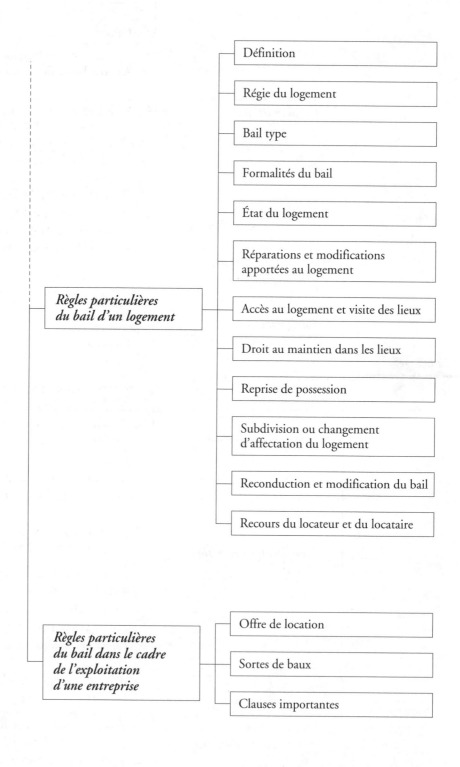

EXERCICES

ASSOCIATIONS

Associez un des termes ci-dessous à l'une des définitions suivantes.

- indexation
- bail brut
- bail net, net
- escalatoire
- bail net
- brut
- de loyer proportionnel
- bail net, net, net
- reconduction
- de premier refus

1. La clause en vertu de laquelle le locataire s'engage à supporter en tout ou en partie l'augmentation des dépenses pour les années subséquentes porte le nom de clause ___ .

2. Le ___ est celui en vertu duquel le locataire s'engage à payer un loyer fixe à son locateur, et qui n'impose aucune autre obligation au locataire, à l'exception de celles stipulées au *Code civil du Québec*.

3. La clause qui stipule que le locataire s'engage à verser au locateur un pourcentage de ses ventes s'appelle clause ___ .

4. La ___ est le renouvellement automatique du bail à son échéance, généralement aux mêmes conditions parce que les parties n'ont pas envoyé les avis requis par la loi.

5. En vertu de la clause ___ , le locateur qui veut vendre son immeuble à une tierce personne doit offrir l'immeuble au locataire au même prix et aux mêmes conditions.

VRAI OU FAUX

Indiquez si les affirmations suivantes sont vraies ou fausses. Si l'affirmation est fausse, précisez pourquoi.

1. Le propriétaire d'un logement peut en reprendre possession pour l'habiter lui-même ou pour y loger un membre de sa famille durant la période du bail.

2. Le locateur qui veut aviser son locataire possédant un bail de 12 mois de son intention d'augmenter le loyer doit l'aviser par écrit dans les deux mois précédant l'expiration du bail.

3. Le contrat de location n'est légal que s'il est écrit.

4. Une clause de non-concurrence insérée dans un bail commercial est contraire à l'ordre public et est donc nulle.

5. Le locateur n'est pas responsable des défauts cachés de la chose louée s'il ne les connaissait pas.

CHOIX MULTIPLES

1. Dans le cas d'un bail résidentiel à durée indéterminée, le locateur d'un logement qui veut en reprendre possession doit aviser son locataire :
   a) un mois avant la fin du bail.
   b) six mois avant la fin du bail.
   c) trois mois avant la fin du bail.
   d) six mois avant la date à laquelle il entend en reprendre possession.

2. Le renouvellement automatique d'un bail par reconduction tacite ne vaut jamais pour plus de :
   a) six mois.
   b) un an.
   c) deux ans.
   d) trois ans.

3. Le locataire qui désire quitter les lieux à l'expiration du terme de son bail de 12 mois :
   a) doit aviser son locateur par écrit entre le cinquième et le deuxième mois avant la fin du bail.
   b) doit aviser son locateur par écrit au moins six mois avant la fin du bail.
   c) n'a aucun avis à envoyer à son locateur.
   d) doit aviser son locateur par écrit entre le troisième et le sixième mois avant la fin du bail.

4. Le locataire qui désire sous-louer son logement :
   a) peut le faire en tout temps.
   b) doit d'abord aviser par écrit son locateur.
   c) doit demander la permission à la Régie du logement.
   d) doit obtenir l'autorisation de la Cour du Québec.

5. Le bail en vertu duquel le locataire assume le coût des grosses réparations, les frais d'entretien, les assurances et les taxes foncières de l'immeuble est un bail :
   a) net.
   b) net, net.
   c) résidentiel.
   d) brut.

CAS PRATIQUES

1. Claude décide d'installer son commerce de vente de chaussures, Le Soulier agile inc., à Place Sainte-Foy. À cette fin, il rencontre le directeur du centre commercial, Victor Sansoucy, qui lui fait visiter les locaux disponibles. Un certain local intéresse particulièrement Claude. M. Sansoucy lui remet une formule d'offre de location et veut qu'il la signe sur-le-champ s'il ne veut pas rater l'occasion de louer ce local, car déjà plusieurs autres commerçants sont intéressés par cet emplacement.

   Cette offre mentionne, entre autres, que Claude s'engage à signer le bail type du locateur dans les 30 jours qui suivent la signature de l'offre.
   a) Croyez-vous que Claude serait bien avisé de signer cette offre de location sur-le-champ ? Expliquez les conséquences d'une telle signature.
   b) Quels autres documents Claude devrait-il exiger du locateur ? Motivez votre réponse.
   c) Après avoir obtenu tous les documents nécessaires, Claude vient vous consulter, car il désire s'assurer que ses intérêts seront bien protégés. Il vous explique les faits suivants :
      - Son local occupera 3 % de la superficie totale du centre commercial ;
      - le loyer de base sera de 2500 $ par mois, plus un loyer additionnel représentant 1/2 de 1 % de ses recettes mensuelles ;
      - la durée du bail sera de cinq ans.

   Il désire savoir dans quelle proportion il sera responsable des dépenses communes.

   Il veut aussi que vous recommandiez des ajouts au bail pour mieux protéger ses droits.

   Quelles sont vos recommandations ? Expliquez votre réponse.

2. Yvan Leboeuf vient vous consulter. Il a fait l'acquisition d'une propriété située rue Saint-Laurent, à Montréal, dans une zone commerciale. Cette propriété est occupée, au sous-sol, par Nancy Lavallée qui y exploite un salon de coiffure dont la raison sociale est Salon Belle Boucle. Nancy a signé un bail se terminant dans trois mois et demi, avec possibilité de renouvellement pour une période de cinq ans. Nancy a fait publier son bail au Bureau de la publicité des droits de la circonscription de Montréal.

   Quant au rez-de-chaussée, il est occupé par Cyclo Nouveautés inc. dont le bail se termine dans 15 mois. Le premier étage est un logement occupé par Amable Bauchesne en vertu d'un bail de deux ans qui doit expirer dans huit mois.

   Finalement, le deuxième étage se divise en deux logements occupés respectivement par Fred Dubois et par Léon Bouillon. Tous deux ont signé un bail de un an, le premier vient à échéance dans cinq mois et l'autre dans sept mois.
   a) Yvan vous informe qu'il entend reprendre possession de l'immeuble pour habiter le premier étage avec sa femme et pour y établir son commerce de boucherie, Le Bœuf de l'Ouest inc., au rez-de-chaussée et au sous-sol.
   b) Quant au logement de Fred Dubois situé au deuxième étage, Yvan a l'intention d'y installer sa fille Catherine qui se marie dans sept mois. Il veut également subdiviser l'appartement occupé par Léon Bouillon en deux nouveaux logements.

   Il vous demande de lui expliquer en détail la procédure à suivre pour mener à terme ses trois projets.

CHAPITRE 10

LES CONTRATS NOMMÉS

OBJECTIFS ET ÉLÉMENTS DE COMPÉTENCES

1 Distinguer les différents contrats nommés.

2 Connaître les caractéristiques des principaux contrats à incidence commerciale.

3 Énumérer et expliquer les obligations réciproques du mandant et du mandataire, et leurs obligations à l'égard des tiers.

4 Connaître les applications du mandat en prévision de l'inaptitude.

5 Expliquer les principales dispositions du *Code civil du Québec* relativement au contrat de transport et au contrat d'entreprise ou de service.

6 Distinguer les obligations de l'assuré de celles de l'assureur à la suite de la conclusion du contrat d'assurance.

7 Appliquer les droits et les recours des parties relatifs aux principaux contrats à incidence commerciale à des cas précis et concrets.

Contrat nommé : Contrat défini dans le *Code civil*, dont le législateur québécois a codifié les principales caractéristiques ainsi que les droits et obligations des parties qui le signent.

Contrat innommé : Contrat qui n'est pas mentionné au *Code civil* et qui ne fait pas l'objet de ses dispositions.

LES CONTRATS NOMMÉS

Le titre deuxième du Livre cinquième du *Code civil du Québec* qui comprend 936 articles (art. 1708 à 2643 C.c.Q.) est intitulé *Des contrats nommés*.

Les contrats de vente et de louage que nous avons examinés aux deux chapitres précédents sont les deux contrats nommés les plus fréquents et les plus utilisés tant par les consommateurs que par les gens d'affaires.

Un *contrat innomé* n'est pas mentionné au *Code civil* et ne fait pas l'objet de ses dispositions.

Le contrat de **franchisage** est le meilleur exemple de contrat innommé.

Le *Code civil du Québec* a retenu 19 contrats nommés, ce sont :

- la vente (art. 1708 à 1805) ;
- la donation (art. 1806 à 1841) ;
- le crédit-bail (art. 1842 à 1850) ;
- le louage (art. 1851 à 2000) ;
- l'affrètement (art. 2001 à 2029) ;
- le transport (art. 2030 à 2084) ;
- le contrat de travail (art. 2085 à 2097) ;
- le contrat d'entreprise ou de service (art. 2098 à 2129) ;
- le mandat (art. 2130 à 2185) ;
- le contrat de société et le contrat d'association (art. 2186 à 2279) ;
- le dépôt (art. 2280 à 2311) ;
- le prêt (art. 2312 à 2332) ;
- le cautionnement (art. 2333 à 2366) ;
- la rente (art. 2367 à 2388) ;
- les assurances (art. 2389 à 2628) ;
- le jeu et le pari (art. 2629 et 2630) ;
- la transaction (art. 2631 à 2637) ;
- la convention d'arbitrage (art. 2638 à 2643).

Le but du présent chapitre n'est pas d'examiner de façon exhaustive tous ces contrats nommés. D'une part, les plus importants comme la vente, le louage, le contrat de société et d'association, le contrat de travail, le crédit-bail et le cautionnement font déjà l'objet de notre étude. D'autre part, certains d'entre eux sont moins utilisés que d'autres.

PRINCIPAUX CONTRATS NOMMÉS À INCIDENCE COMMERCIALE

Notre étude portera sur les principaux contrats nommés à incidence commerciale. Ce sont :

- Le mandat
- Les assurances
- Le transport
- Le contrat d'entreprise ou de service
- Le prêt

Ces contrats sont ceux qu'une personne est le plus souvent amenée à signer dans le cadre de l'exploitation d'une entreprise. Le contrat de prêt sera quant à lui examiné en détail au chapitre 15 sur le financement des entreprises.

LE MANDAT

DÉFINITION

Le *mandat* a pour fondement le principe juridique de la représentation. Le mandataire représente le mandant ; il agit en son nom et suivant ses instructions. Ainsi l'actionnaire qui ne peut être présent à une importante assemblée de son entreprise nommera une personne pour le représenter et exercer son droit de vote à sa place.

> *Exemple* : Le syndic de faillite représente les créanciers dans la liquidation des actifs du failli, et l'on pourrait citer bien d'autres exemples.

Les dispositions du *Code civil* ont ajouté la notion de **mandat en prévision de l'inaptitude du mandant** à prendre soin de lui-même ou à administrer ses biens. L'article 2131 définit le **mandat en prévision de l'inaptitude** de la façon suivante :

> **Mandat** : Mission qu'une personne, le **mandant**, confie à une autre personne, le **mandataire**, de la représenter dans l'accomplissement d'un acte juridique avec un tiers (par exemple, la négociation ou la signature d'un contrat). Dans un écrit, on le désigne souvent sous le nom de **procuration** (art. 2130 C.c.Q.).
>
> Le **mandat** peut aussi avoir pour objet les actes destinés à assurer, **en prévision de l'inaptitude du mandant** à prendre soin de lui-même ou à administrer ses biens, la protection de sa personne, l'administration, en tout ou en partie, de son patrimoine et, en général, son bien-être moral et matériel (art. 2131 C.c.Q.).

TYPES DE MANDAT

Le mandat peut être spécial ou général. Comme dans les exemples précédents, le mandant qui nomme un mandataire pour une affaire en particulier ou pour certaines affaires spéciales lui confie un **mandat spécial**.

Le mandataire qui est chargé d'administrer toutes les affaires du mandant jouit d'un **mandat général**. L'article 2135 C.c.Q. précise bien que le mandat général ne comprend que les **actes de simple administration** (voir les articles 1301 à 1305 C.c.Q.).

> *Exemple* : Le tuteur d'un mineur ne peut accomplir que des **actes de simple administration**. Ainsi le tuteur ne pourrait vendre ou hypothéquer les biens du mineur ; pour ce faire, il lui faudrait une autorisation expresse. Ce sera le cas des **actes de pleine administration** énumérés aux articles 1306 et 1307 C.c.Q.

À moins de convention contraire, le mandat est gratuit en droit civil. Celui qui est confié à des commerçants (courtiers en valeurs mobilières, courtiers en immeubles, etc.) ou à des personnes qui exercent une profession libérale (avocats, notaires, etc.) est présumé à titre onéreux (art. 2133 C.c.Q.).

CONDITIONS

CONSENTEMENT ET FORME

Le mandat est un contrat qui suit les règles de validité applicables aux contrats en général en ce qui concerne la capacité, le consentement, la forme, l'objet et la cause du contrat. En principe, le mandat doit être donné et constaté par écrit. La loi prévoit l'acceptation tacite du mandat par le mandataire. Le mandat verbal peut aussi exister, mais il peut engendrer des problèmes en ce qui concerne la preuve.

Par ailleurs, dans certaines circonstances, le mandat devra être constaté par écrit.

Exemple: Au moment de la vente de sa résidence, Jean, qui ne peut être présent à la signature du contrat, donne une procuration à sa femme Monique pour qu'elle puisse le représenter et signer l'acte de vente à sa place.

Exemple: Le mandat en prévision de l'inaptitude doit être constaté par écrit et être soit notarié ou rédigé devant deux témoins.

CAPACITÉ

Le mandant doit jouir de la pleine capacité juridique. En effet, on voit mal comment un mandant pourrait déléguer à un mandataire des pouvoirs qu'il ne possède pas lui-même en raison de son incapacité.

Pour ce qui est du mandataire, il importe peu qu'il soit majeur ou mineur puisque, en vertu de la théorie de la représentation, c'est le mandant qui est censé agir par son intermédiaire. Toutefois, le mandant qui nomme un mineur comme mandataire pourra difficilement lui réclamer des dommages-intérêts si ce dernier exécute mal son mandat.

En ce qui concerne le mandat donné par une personne majeure dans l'éventualité de son inaptitude à prendre soin d'elle-même ou à administrer ses biens, on doit considérer sa capacité au moment où elle a rédigé le mandat ou la procuration.

EFFETS

OBLIGATIONS DU MANDATAIRE

Le mandataire a essentiellement l'obligation d'exécuter le mandat qu'il a accepté. La figure 10.1 résume les obligations du mandataire.

RESPONSABILITÉ DU MANDATAIRE

Le mandataire négligent dans l'exécution de son mandat est passible de poursuite en dommages-intérêts. Toutefois, si le mandat est gratuit, la responsabilité du mandataire relativement aux fautes qu'il aurait pu commettre dans l'exécution de son mandat s'en trouvera d'autant diminuée, mais elle subsiste quand même.

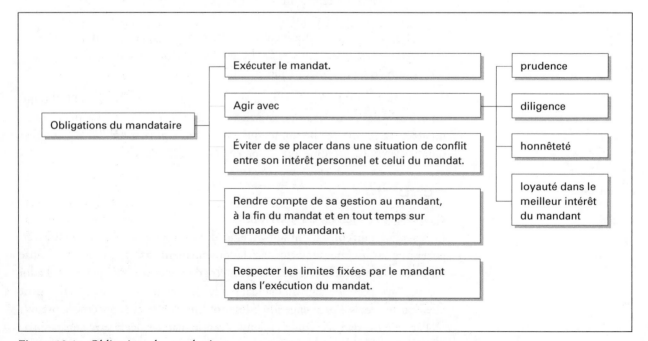

Figure 10.1 Obligations du mandataire

En général, le mandataire n'est pas responsable personnellement envers les tiers des actes accomplis dans l'exécution du mandat s'il a agi conformément à son mandat.

Par ailleurs, le mandataire qui excède son mandat devient responsable à l'endroit des tiers, à moins qu'il n'ait rempli le mandat d'une façon plus avantageuse pour le mandant.

> *Exemple* : Pierre confie à Jacques le mandat de vendre son automobile pour la somme de 5000 $. Si Jacques vend l'automobile 4000 $, il excède son mandat. S'il la vend 6000 $, il est présumé être resté dans les limites de son mandat, étant donné que la transaction s'est faite à l'avantage de son mandant.

Si le mandataire excède les limites de son mandat, mais que le mandant ratifie après coup ce dépassement de mandat, le mandant demeure alors responsable à l'égard des tiers (art. 2160 (2) C.c.Q.), mais le mandataire n'a plus de responsabilité face aux tiers (art. 2138 C.c.Q.).

Certaines personnes, de par leur profession ou le poste qu'elles occupent, engagent leur employeur ou mandant, car elles détiennent un mandat implicite ou usuel lié à leurs fonctions.

En effet, l'article 2137 C.c.Q. énonce ce qui suit :

« Les pouvoirs que l'on donne à des personnes de faire un acte qui n'est pas étranger à la profession ou aux fonctions qu'elles exercent, mais se déduisent de leur nature, n'ont pas besoin d'être mentionnés expressément. »

> *Exemple* : Gilles est directeur général de PolyPlante inc., une compagnie spécialisée dans la fabrication de plantes en plastique de toutes sortes. Au cours d'un voyage aux États-Unis, il signe un contrat de 500 000 $US pour l'achat de 5000 kilos de plastique de U.S. Plastics Inc., pensant faire un bon achat pour la compagnie. À son retour, Robert, l'acheteur de PolyPlante inc., lui dit que le fournisseur canadien Polyure Canada inc. vend la même quantité de plastique pour 500 000 $CAN et que, loin de représenter une bonne affaire, le contrat signé par Gilles entraîne un excédent de coûts de 40 % pour l'entreprise. Malheureusement, le conseil d'administration de cette dernière ne pourrait pas refuser de respecter son contrat avec U.S. Plastics Inc. en prétendant que Gilles n'avait pas le mandat de signer ce contrat au nom de la compagnie parce que son acheteur est Robert. En effet, les personnes qui font affaire avec une entreprise tiennent pour acquis que ses dirigeants et administrateurs ont le pouvoir de lier l'entreprise et de signer des contrats en son nom.

Finalement, le mandataire qui s'oblige en son propre nom est tenu personnellement responsable envers les tiers avec qui il contracte.

CODE D'ÉTHIQUE DU MANDATAIRE

En imposant l'obligation pour le mandataire d'agir avec honnêteté et loyauté, le *Code civil du Québec* introduit dans la législation certains principes élaborés par la jurisprudence en matière de mandat au cours des dernières années. La figure 10.2 résume les principales dispositions visées par ce que l'on appelle le Code d'éthique du mandataire.

ADMINISTRATEURS DE PERSONNES MORALES

Dans le cas des administrateurs de personnes morales, dirigeants et membres de conseil d'administration, les articles 321 à 326 C.c.Q. viennent compléter les

Conflits d'intérêts

Le mandataire doit éviter de se placer en position de conflit d'intérêts. Le Code prohibe la concurrence déloyale sous quelque forme que ce soit par le mandataire, mais le met aussi en garde contre les dangers de se placer dans des situations potentielles de conflit d'intérêts.

Double mandat

Il arrive quelquefois qu'un mandataire, un courtier en immeubles, par exemple, accepte de représenter deux parties à la fois : l'acheteur et le vendeur. Le code stipule qu'un mandataire qui accepte d'agir de la sorte pour des parties dont les intérêts sont en conflit ou susceptibles de l'être doit en informer chacun des mandants, à moins que l'usage ou la connaissance respective du double mandat ne l'en dispense. De plus, il doit agir envers chacun d'entre eux avec impartialité.

La sanction associée au double mandat est la nullité relative, que seul le mandant qui en subit préjudice peut demander.

Détournement d'information ou d'un bien

L'article 2146 C.c.Q. mentionne que le mandataire ne peut utiliser à son profit l'information qu'il obtient ou le bien qu'il est chargé de recevoir ou d'administrer dans l'exécution de son mandat, à moins que le mandant n'y ait consenti ou que l'utilisation ne résulte de la loi ou du mandat.

Exemple : On peut penser ici aux cas d'administrateurs ou de représentants d'une entreprise qui profiteraient de leur situation et d'informations privilégiées auxquelles ils ont accès pour faire des profits personnels.

Dans un tel cas, outre la compensation à laquelle ils peuvent être tenus pour le préjudice subi, ces mandataires doivent, s'ils utilisent le bien ou l'information sans y être autorisés, indemniser le mandant (l'entreprise, dans notre exemple) en payant, s'il s'agit d'une information, une somme équivalant à l'enrichissement qu'ils ont obtenu ou, s'il s'agit d'un bien, un loyer approprié ou l'intérêt sur les sommes utilisées.

Interdiction d'être partie à un contrat

Finalement, le mandataire ne peut se porter partie, même par personne interposée, à un acte ou à un contrat qu'il a accepté de conclure pour son mandant, à moins que celui-ci ne l'autorise ou ne connaisse sa qualité de cocontractant.

Exemple : On peut imaginer ici le cas d'un courtier en immeubles, d'un syndic de faillite, d'un tuteur ou d'un curateur qui se porterait acquéreur directement ou par personne interposée (son frère, par exemple) d'un bien qu'il administre.

La sanction associée à un tel acte est la nullité relative que seul le mandant peut demander.

Figure 10.2   Code d'éthique du mandataire

règles générales du mandat et leur imposer des obligations additionnelles qui seront examinées plus en détail au chapitre 13.

OBLIGATIONS DU MANDANT ENVERS LE MANDATAIRE

Les obligations du mandant envers le mandataire sont :

- coopérer avec le mandataire pour que ce dernier exécute le mandat ;
- rembourser au mandataire les avances et les frais engagés par ce dernier ;
- verser le salaire ou la commission convenus avec le mandataire ;
- indemniser le mandataire de tout préjudice subi par ce dernier en raison de l'exécution du mandat.

Exemple : Denis représente la compagnie K-Settes inc. et parcourt le Québec pour vendre ses produits. K-Settes inc. doit lui rembourser les frais engagés telles ses dépenses de voyagement et lui verser le salaire ou la commission convenus.

OBLIGATIONS DU MANDANT ENVERS LES TIERS

La règle est que le mandant est responsable envers les tiers de tous les actes faits par son mandataire dans l'exercice et les limites de son mandat. Il est également responsable des actes qui excèdent les limites du mandat et qu'il a ratifiés.

En matière de responsabilité extracontractuelle, on peut ajouter que le mandant est responsable envers les tiers des dommages résultant de la faute du mandataire dans l'exécution de son mandat.

Exemple : Paul travaille comme représentant de la compagnie de produits pharmaceutiques Les drogues WX inc. En se rendant chez un client, il heurte une bicyclette garée en bordure du trottoir. Étant donné qu'au moment de l'accident Paul était au travail, la compagnie est responsable des dommages causés à la bicyclette par son agent.

Si des dommages résultent du fait que le mandataire a excédé son mandat et que le mandant a dû en supporter le coût, ce dernier peut alors exercer un recours contre son mandataire.

Dans le domaine des affaires, il arrive souvent que des entreprises passent avec des hôteliers ou des restaurateurs des ententes qui permettent à leurs représentants de séjourner dans les hôtels et de prendre des repas aux frais des entreprises en question.

Si ces représentants quittent leur emploi et continuent d'user de ces privilèges, l'entreprise demeure responsable du paiement des frais envers les tiers de bonne foi, tant qu'elle n'a pas avisé ces derniers, par écrit, qu'elle révoquait le mandat. Cette dernière forme de mandat prend le nom de **mandat apparent** (art. 2163 C.c.Q.). Notons toutefois que l'entreprise aura un recours contre ses anciens employés pour se faire rembourser.

Exemple : Michel est un vendeur de la compagnie d'équipements de ski Dynastar dont le rôle consiste à visiter des détaillants sur l'ensemble du territoire du Québec. Dans certaines villes, la compagnie a conclu des ententes avec des hôteliers ; Michel n'a alors qu'à signer la note d'hôtel que l'hôtelier envoie directement à Dynastar pour en obtenir le paiement. Michel est congédié et il prend des vacances à Québec. Comme d'habitude, il descend au Château Frontenac, signe la note qui est envoyée à Dynastar. Celle-ci envoie une lettre au Château Frontenac indiquant que Michel a été congédié et que Dynastar ne paie plus ses notes d'hôtel. Malheureusement, dans ce cas Dynastar devra payer la note parce qu'elle n'a pas pris les dispositions nécessaires pour aviser les hôteliers du congédiement de Michel.

MANDAT DONNÉ EN PRÉVISION DE L'INAPTITUDE DU MANDANT

Le *Code civil* permet à toute personne majeure et saine d'esprit de rédiger un mandat pour nommer un mandataire qui prendra soin d'elle et administrera ses biens dans l'éventualité de son inaptitude à le faire.

Ainsi lorsqu'une personne majeure devient incapable d'administrer ses biens et de s'occuper d'elle-même, on doit, si elle n'a pas rédigé un tel mandat, convoquer un conseil de famille et lui nommer un curateur, un tuteur ou un conseiller (voir chapitre 3). Si l'on ne procède pas ainsi, c'est la curatelle publique qui est responsable d'administrer les biens de cette personne. On doit prendre de telles dispositions dans le genre de cas suivants :

- coma prolongé à la suite d'un accident ou d'une opération ;
- amnésie ;
- maladie d'Alzheimer.

Le mandat pour cause d'inaptitude doit être écrit par acte notarié portant minute ou devant deux témoins. La figure 10.3 illustre un tel mandat.

L'exécution du mandat est subordonnée à la survenance de l'inaptitude et à l'**homologation** (la reconnaissance par le tribunal), sur demande du mandataire désigné à l'acte.

> *Exemple* : Pauline, qui se sent vieillir mais qui est encore en pleine possession de ses moyens, rédige un mandat en faveur de sa fille Ginette en vertu duquel celle-ci peut administrer tous ses biens et même les hypothéquer et les vendre, le cas échéant. Quelque temps plus tard, Pauline est victime d'une crise cardiaque qui la laisse paralysée du côté droit et incapable de marcher, de parler, de lire et d'écrire. Ginette pourra, en vertu du mandat, administrer tous les biens de Pauline, signer et endosser ses chèques, les déposer et même emprunter en hypothéquant les biens de sa mère. Les articles 2172 et 2174 du *Code civil* énoncent ce qui suit :

« **Art. 2172 C.c.Q.** Le mandat cesse d'avoir effet lorsque le tribunal constate que le mandant est redevenu apte ; ce dernier peut alors, s'il le considère approprié, révoquer son mandat.

Art. 2174 C.c.Q. Le mandataire ne peut, malgré toute stipulation contraire, renoncer à son mandat sans avoir au préalable pourvu à son remplacement si le mandat y pourvoit, ou sans avoir demandé l'ouverture d'un régime de protection à l'égard du mandant ».

MANDATS PARTICULIERS

Au cours des années, la pratique du monde des affaires a créé des mandats particuliers. Certains de ces mandats sont confiés notamment aux avocats et aux notaires. D'autres le sont à des intermédiaires ou à des consultants spécialisés dans des domaines précis où certaines de leurs tâches peuvent inclure un mandat :

- avocats ;
- notaires ;
- comptables ;
- courtiers ou agents d'immeubles ;
- courtiers en valeurs mobilières ;
- courtiers ou agents d'assurance ;
- conseillers en placements ;
- planificateurs financiers.

Ajoutons que certains d'entre eux, comme les avocats et les notaires, sont soumis à des lois précises, comme la *Loi sur le Barreau* et la *Loi du notariat*, ainsi qu'au Code des professions. D'autres, comme les planificateurs financiers, courtiers et agents d'assurance, sont assujettis à la *Loi sur les intermédiaires de marché* qui vise à encadrer ces personnes qui offrent des services de consultation et de planification financière aux consommateurs québécois.

Mandat en cas d'inaptitude

Fait à .... (endroit)

Le .... (date)

Je, soussigné, ... (nom du mandant) advenant mon inaptitude,

confie à .... (nom du mandataire) le mandat de:

1. Administrer tous mes biens meubles et immeubles en tant qu'administrateur chargé de la pleine administration conformément aux articles 1345 et 1346 du Code civil du Québec;
2. Assurer mon bien-être moral et matériel et, notamment, accomplir tout acte visant à pourvoir à mes besoins en tenant compte de mon niveau de vie et de la valeur de mon patrimoine;
3. Prendre toutes les décisions quant aux soins exigés par mon état de santé dans la mesure où ils sont opportuns dans les circonstances en tenant compte de mon opposition à l'acharnement thérapeutique et à l'administration de soins disproportionnés ainsi que de ma volonté de mourir dignement. Pour ce faire, j'autorise mon mandataire à refuser que je sois maintenu en vie par des moyens artificiels;
   Mon mandataire devra exiger que me soit administré tout médicament susceptible de diminuer mes souffrances même s'il devait hâter le moment de ma mort;
   Mon mandataire pourra consulter mon dossier médical;
   Mon mandataire devra autoriser le prélèvement sur mon corps de tout organe pour transplantation ou autres fins médicales;
4. Au cas de démission, refus, décès, révocation de mon mandataire principal, je nomme et constitue pour le remplacer dans l'exécution du présent mandat .... (nom du mandataire remplaçant) .... avec les mêmes pouvoirs et devoirs prévus ci-dessus;
5. Le mandataire principal devra faire un rapport annuel de son administration financière à .... (nom du mandataire remplaçant);
6. Le présent mandat révoque tout mandat en cas d'inaptitude fait antérieurement.

....
Signature du mandant

Déclaration des témoins

Nous, soussignés, ... (nom du témoin) et .... (nom du témoin)

tous deux témoins à la signature de .... (nom du mandant)

déclarons n'avoir aucun intérêt dans le présent acte et avoir constaté l'aptitude du mandant à agir.

En foi de quoi nous avons signé à .... (endroit)

Ce .... (date)

en présence de .... (nom du mandant)

.... Signature du témoin .... Signature du témoin

Figure 10.3 Mandat d'inaptitude

EXTINCTION DU MANDAT

Le mandat se termine :

- par la *révocation*. Le mandat, même assorti d'un salaire, peut être révoqué. Ce droit ne doit cependant pas être utilisé d'une façon abusive.

  Exemple : Le tribunal a décidé qu'on ne pouvait révoquer le mandat d'un agent à commission chargé de vendre du matériel de climatisation au moment où, grâce à ses efforts, l'affaire était sur le point d'être conclue.

Les dommages-intérêts seront, dans ce cas, proportionnels à la commission perdue :

- par la *renonciation* du mandataire ou du mandant ;

- par la *mort du mandant ou du mandataire*. Le contrat de mandat étant fondé sur la représentation personnelle, il est tout à fait normal qu'il prenne fin par le décès de l'une ou l'autre des parties ; le mandat ne se transmet pas aux héritiers du mandataire ;
- par la *faillite* de l'une ou l'autre des parties ;
- par l'*extinction du pouvoir* dans le mandat ;
- par l'*accomplissement de l'affaire* ou l'expiration du temps pour lequel le mandat a été donné ;
- pour toute autre cause d'extinction commune aux obligations (voir le chapitre 6) ;
- par l'*ouverture d'un régime de protection* à l'égard de l'une ou l'autre des parties. Toutefois, il ne prend pas fin du seul fait que le mandant devient inapte à prendre soin de lui-même ou à administrer ses biens.

LES ASSURANCES

L'assurance est un secteur du monde des affaires qui a connu un essor particulièrement important au Canada depuis les dernières décennies.

En effet, se sentant à la merci d'événements imprévisibles, l'on éprouve aujourd'hui de plus en plus le besoin de protéger son patrimoine acquis au prix de durs labeurs. L'arme la plus efficace dont on dispose pour contrer les coups de l'adversité est l'assurance qui, par un mécanisme des plus simples, répartit les pertes subies par les individus victimes du hasard entre un grand nombre de personnes.

Ce phénomène a donné lieu à l'expansion considérable du secteur privé de l'assurance.

Au Québec, les assurances sont soumises à une double réglementation. D'une part, elles relèvent d'une loi générale, le *Code civil*, dont les articles 2389 à 2628 régissent le **contrat d'assurance** et ses diverses modalités. D'autre part, elles sont l'objet d'une loi statutaire spéciale, la *Loi sur les assurances* qui régit l'activité des compagnies d'assurances.

> **Contrat d'assurance :** Contrat par lequel l'assureur, moyennant une prime ou cotisation, s'oblige à verser au preneur ou à un tiers une prestation dans le cas où un risque couvert par l'assurance se réalise. [...] (art. 2389 C.c.Q.).

PRINCIPALES BRANCHES DE L'ASSURANCE

L'assurance se divise en deux grandes catégories : l'assurance maritime et l'assurance terrestre. La figure 10.4 illustre les différentes branches de l'assurance définies au *Code civil du Québec*.

DÉFINITION ET ÉLÉMENTS ESSENTIELS DU CONTRAT D'ASSURANCE

L'article 2389 du *Code civil du Québec* définit le **contrat d'assurance** :

« **Art. 2389 C.c.Q.** Le contrat d'assurance est celui par lequel l'assureur, moyennant une prime ou une cotisation, s'oblige à verser au preneur ou à un tiers une prestation dans le cas où un risque couvert par l'assurance se réalise. »

On peut dégager de cette définition les éléments essentiels du contrat d'assurance :

- Le risque ;
- la prime ;
- la prestation de l'assureur ;
- l'intérêt d'assurance.

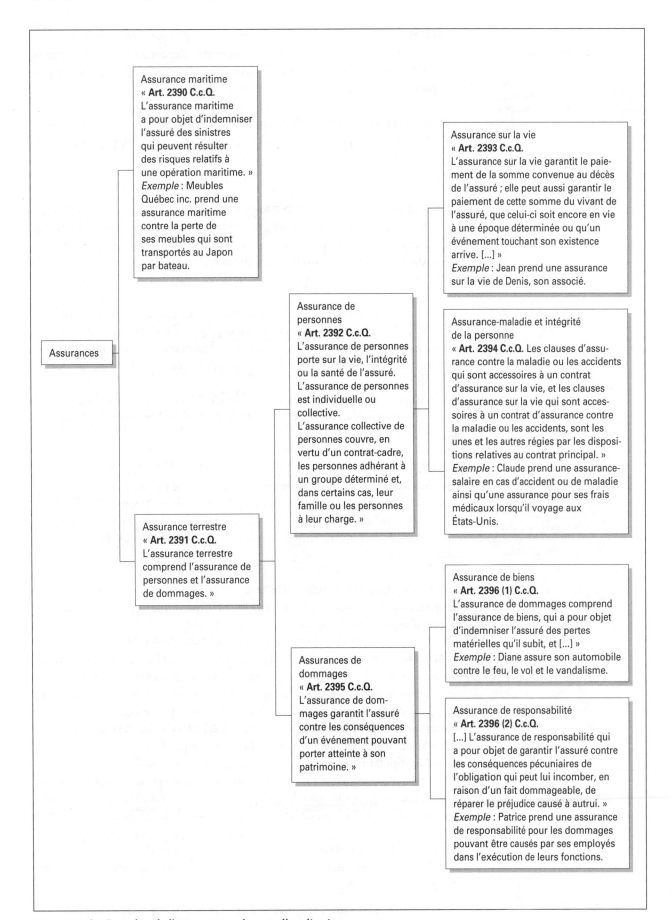

Figure 10.4 Branches de l'assurance et champs d'application

Risque : Événement incertain qui ne dépend pas de la volonté des parties, plus particulièrement de la volonté de l'assuré, et non contraire à l'ordre public.

RISQUE

Le *risque* peut se définir comme tout événement incertain qui ne dépend pas de la volonté des parties, plus particulièrement de la volonté de l'assuré, et non contraire à l'ordre public.

ÉVÉNEMENT INCERTAIN   L'incertitude porte généralement sur la réalisation du risque (par exemple, l'incendie d'une maison ou le vol d'un objet), mais elle peut aussi porter sur l'époque de la réalisation du risque (l'assurance-vie, par exemple).

ÉVÉNEMENT QUI NE DÉPEND PAS DE LA VOLONTÉ DES PARTIES   L'article 2464 C.c.Q. reconnaît qu'une personne peut s'assurer contre le dommage causé à autrui par sa propre faute. Ce contrat d'assurance de responsabilité est valide dans la mesure où l'événement dommageable n'est pas occasionné par la faute *intentionnelle* de l'assuré ; sinon, la notion de risque disparaît du contrat qui devient alors illégal.

La seule exception que le *Code civil* reconnaît à cette théorie de l'incertitude du risque s'applique au suicide. En effet, l'article 2441 C.c.Q. stipule que le suicide de l'assuré n'est pas cause de nullité du contrat d'assurance et que toute stipulation contraire est sans effet si le suicide survient après deux ans d'assurance ininterrompue.

On ne peut non plus se protéger contre ses actes criminels. Ainsi un contrat d'assurance ayant pour objet de protéger un contrebandier contre les risques de son « métier » serait nul.

PRIME

Prime : Prix de l'assurance ou montant que l'assuré doit verser à l'assureur en contrepartie du risque que ce dernier court à sa place.

La *prime* constitue le prix de l'assurance, c'est-à-dire le montant que l'assuré doit verser à l'assureur en contrepartie du risque que ce dernier court à sa place.

Le critère de base utilisé dans l'établissement de la prime est celui de la probabilité de la réalisation du risque. La prime varie également en fonction de la somme assurée.

PRESTATION DE L'ASSUREUR

La **prestation de l'assureur** est l'obligation qui lui incombe de payer à l'assuré une somme d'argent dans le cas de la réalisation du risque.

ASSURANCE DE PERSONNES   L'assureur doit payer l'indemnité au preneur, à l'adhérent ou au bénéficiaire désigné dans la police, selon qu'il s'agit d'assurance-vie, d'assurance-maladie, d'assurance-accident ou de rente. Selon l'article 2449 C.c.Q., la désignation de tout bénéficiaire dans une police d'assurance de personnes est révocable à moins de stipulation contraire. Mais la désignation du conjoint de droit (mariage) à titre de bénéficiaire par l'assuré est irrévocable à moins de stipulation contraire.

Cependant, quelles que soient les dispositions utilisées, toute désignation de bénéficiaire est révocable aussi longtemps que l'assureur n'a pas reçu de stipulation contraire (art. 2449 C.c.Q.).

ASSURANCE DE DOMMAGES   Sous réserve des droits des créanciers, l'article 2494 C.c.Q. donne aussi à l'assureur la faculté de réparer, de rebâtir ou de remplacer la chose assurée.

Exemple : Dans une assurance contre le bris de vitres, l'assureur peut remplacer la vitre brisée plutôt que d'en payer la valeur en argent.

EN ASSURANCE DE RESPONSABILITÉ La prestation de l'assureur consiste à prendre en main la défense de toute personne qui a droit au bénéfice de l'assurance et à assumer sa défense dans toute action intentée contre elle et, le cas échéant, à payer le montant de toute condamnation (art. 2503 C.c.Q.).

INTÉRÊT D'ASSURANCE

L'article 2481 C.c.Q. stipule qu'une personne a un **intérêt d'assurance** dans une chose lorsqu'elle peut subir un dommage direct et immédiat de la perte ou de la détérioration de cette chose.

Le contrat d'assurance ne constitue pas un moyen de s'enrichir, mais bien une façon de se protéger contre le risque d'appauvrissement de son patrimoine. Le propriétaire d'un bien a intérêt à l'assurer, car il subirait une perte à la suite de la destruction ou de la détérioration de ce bien ; il en va de même du créancier hypothécaire.

> *Exemple* : Un contrat de prêt entre un établissement financier et l'acheteur d'une maison contient une clause stipulant que ce dernier devra assurer sa maison contre les incendies et que, à la suite d'un sinistre, le produit de la police d'assurance sera versé au créancier hypothécaire jusqu'à concurrence du montant de sa créance.

Il est à noter que l'assurance d'une chose dans laquelle l'assuré n'a aucun intérêt est sans effet.

EN MATIÈRE D'ASSURANCE SUR LA VIE L'article 2419 C.c.Q. déclare qu'une personne a un intérêt susceptible d'assurance sur sa vie et sa santé ainsi que sur celle :

- de son conjoint ;
- de ses descendants et de ceux de son conjoint, quelle que soit leur filiation ;
- de ceux qui contribuent à son soutien ou à son éducation ;
- de ses préposés et de son personnel ;
- de ceux dont la vie et la santé présentent pour elle un intérêt pécuniaire, tel un associé dans un contrat de société.

CONDITIONS DE FORMATION DU CONTRAT D'ASSURANCE

En ce qui concerne le contrat d'assurance, on retrouve les mêmes conditions de validité, à savoir : la *capacité*, l'*objet*, la *cause*, le *consentement* et la *forme*. Mais une condition particulière vient s'ajouter au contrat d'assurance : il s'agit de la *déclaration du risque*.

CAPACITÉ

Au Québec, l'article 201 de la *Loi sur les assurances* impose deux conditions à l'assureur : être dûment constitué en corporation et être détenteur d'un permis émanant du surintendant des assurances.

CONSENTEMENT

Le contrat d'assurance est parfait au moment où les parties prennent connaissance de leur consentement réciproque. Ce consentement doit être exempt d'erreur, de dol ou de violence.

> *Exemple* : Déclarer à un assureur que l'on désire assurer une maison privée contre les incendies alors qu'en réalité cet immeuble abrite une entreprise constitue une fausse déclaration qui l'induit en erreur et vicie son consentement.

Plus précisément, l'article 2398 C.c.Q. stipule que le contrat d'assurance est formé dès que l'assureur accepte la proposition du **preneur** (la personne qui souscrit à l'assurance et paie la prime).

Il y a lieu de faire une distinction entre la formation du contrat d'assurance de dommages et la formation du contrat d'assurance de personnes.

ASSURANCE DE DOMMAGES   Il n'est pas nécessaire que l'assuré ait en sa possession un écrit. La plupart du temps, le courtier prend la demande par téléphone et il accepte immédiatement, au nom de l'assureur, de couvrir le risque. Par la suite, le courtier fait parvenir à l'assuré une note de couverture valable pour une période de 30 jours et tenant lieu de contrat temporaire en attendant l'émission de la police par l'assureur.

ASSURANCE-VIE   L'agent d'assurance n'a pas le pouvoir de lier la compagnie d'assurances qu'il représente. Il ne fait que proposer au contractant les éléments d'une éventuelle police d'assurance-vie, et il lui fait remplir et signer un questionnaire destiné à l'assureur (voir figure 10.6, page 258). Le contrat n'est conclu que lorsque l'assureur a pu vérifier les renseignements que le contractant lui a donnés relativement à son état de santé. La signature du questionnaire par l'assuré et l'agent d'assurance n'entraîne donc pas la conclusion du contrat ; cette dernière est conditionnelle à l'acceptation de l'assureur de courir le risque en toute connaissance de cause.

Lorsqu'il s'agit de faire *la preuve du contrat d'assurance*, l'article 2399 C.c.Q. stipule que la police est le document qui constate le contrat d'assurance.

De plus :

« **Art. 2400 C.c.Q.** En cas de divergence entre la police et la proposition, cette dernière fait foi du contrat [...]. »

Figure 10.5   En matière d'assurance-vie, l'âge, l'état de santé présent ou passé du preneur d'assurance peuvent influencer l'acceptation ou le refus du risque et la fixation de la prime, le cas échéant.

Toute modification apportée au contrat au moyen d'un **avenant** (ajout à une police d'assurance) en fait partie intégrante.

La police émise par l'assureur ne lie les parties qu'à compter du moment où l'assuré la reçoit et l'accepte sans protester.

DÉCLARATION DU RISQUE

C'est une condition importante dans la formation du contrat d'assurance et elle lui est propre. Le risque étant l'élément essentiel du contrat d'assurance, il est normal que l'assureur en connaisse exactement l'étendue et les circonstances qui l'entourent pour établir une prime équitable basée sur la fréquence de la réalisation du risque.

L'obligation pour l'assuré de déclarer le risque se retrouve à l'article 2408 du *Code civil* :

« **Art. 2408 C.c.Q.** Le preneur, de même que l'assuré si l'assureur le demande, est tenu de déclarer toutes les circonstances connues de lui qui sont de nature à influencer de façon importante un assureur dans l'établissement de la prime, l'appréciation du risque ou la décision de l'accepter, mais il n'est pas tenu de déclarer les circonstances que l'assureur connaît ou est présumé connaître en raison de leur notoriété, sauf en réponse aux questions posées. »

Ces circonstances portent le nom de **faits matériels**.

En pratique, la déclaration doit être conforme à la réalité.

Certaines circonstances peuvent avoir une influence sur la détermination du taux de la prime ; elles constituent le risque objectif.

> *Exemple* : En matière d'**assurance-incendie**, il s'agit :
> - du genre et du mode de construction de la chose assurée ;
> - de la situation d'un immeuble ;
> - du fait qu'il soit habité ou vacant ;
> - de la destination du lieu : le risque peut varier considérablement suivant qu'il s'agisse d'une maison privée, d'un hôtel ou d'une usine.
>
> *Exemple* : En matière d'**assurance-vie**, il existe certains facteurs qui peuvent influencer l'acceptation ou le refus du risque et la fixation de la prime. Ce sont l'âge, l'état de santé présent ou passé du contractant d'assurance et ses antécédents familiaux.

Afin de bien cerner le risque en matière d'assurance-vie, les compagnies d'assurances font remplir une proposition d'assurance comprenant de nombreuses questions sur la santé et les antécédents médicaux et familiaux du candidat. La figure 10.7, page 259, reproduit ce genre de questionnaire.

Il existe d'autres circonstances qui n'influent pas directement sur le taux de la prime, mais qui motivent la décision de l'assureur d'accepter ou de refuser la couverture d'un risque ; il s'agit du **risque subjectif**.

> *Exemples* :
> - Le fait qu'une personne ait été victime d'un sinistre similaire à celui contre lequel elle désire s'assurer ; en assurance automobile, le fait qu'elle ait déjà eu des accidents doit être déclaré à l'assureur de même que toute suspension de permis de conduire ;
> - le fait qu'une autre compagnie d'assurances ait refusé d'assurer une personne ou ait déjà résilié son contrat.

En matière d'**assurance de personnes**, dès que le contrat d'assurance est conclu, l'obligation de déclaration prend fin. Si l'assuré tombe gravement malade après l'entrée en vigueur de sa police d'assurance-vie, il n'a pas à en avertir son assureur.

COLONIA COMPAGNIE D'ASSURANCE VIE   PROPOSITION D'ASSURANCE

14. QUESTIONNAIRE GÉNÉRAL   **PAGE 4**

PREMIÈRE PERSONNE À ASSURER	DEUXIÈME PERSONNE À ASSURER

1. a) Emploi et fonctions   Revenu annuel
_____ $
_____

b) Employeur et adresse   Durée de l'emploi
_____
_____   Années   Mois

c) Ancien employeur (si moins de 5 ans au poste actuel)
_____
_____

1. a) Emploi et fonctions   Revenu annuel
_____ $
_____

b) Employeur et adresse   Durée de l'emploi
_____
_____   Années   Mois

c) Ancien employeur (si moins de 5 ans au poste actuel)
_____
_____

14A.   Total de l'assurance-vie en viguerur y compris l'assurance commerciale.
S'il n'y en a oas, inscrivez "néant" _____ .

	Cie. d'Ass.	Année établie	Commerciale	Pers.	Montânt	Plan	ADA
1 ere vie							
2 eme vie							

	OUI	NON			OUI	NON	
Détails des réponses affirmatives.	☐	☐	2. Avez-vous fait l'usage du tabac au cours des 12 derniers mois?		☐	☐	Détails des réponses affirmatives.
Préciser le numéro de la question.	☐	☐	3. Au cours des 2 dernières années, avez-vous voyagé à titre de pilote, d'aspirant-pilote ou de membre d'équipage ou avez-vous l'intention de le faire? (Si OUI, remplir le questionnaire sur l'aviation)		☐	☐	Préciser le numéro de la question.
	☐	☐	4. Au cours des 2 dernières années, avez-vous participé à des activités ou loisirs dangereux, par ex. la course (automobile, kart, motocyclette, bateau ou motoneige) ou la plongée (sous-marine, à scaphandre autonome ou chute libre) ou avez-vous l'intention de le faire? (Si OUI, remplir le questionnaire approprié)		☐	☐	
	☐	☐	5. Avez-vous demandé ou reçu une rente, des prestations ou une indemnité en raison d'une blessure, maladie ou invalidité?		☐	☐	
	☐	☐	6. Vous a-t-on déjà révoqué votre permis de conduire ou a-t-il été suspendu? (Donner les détails, y compris le numéro du permis de conduire)		☐	☐	
	☐	☐	7. Avez-vous déjà été accusé d'une infraction au code de la route? (Préciser)		☐	☐	
	☐	☐	8. Vous a-t-on déjà dit que vous n'étiez pas admissible à une assurance ou avez-vous déjà eu une assurance reportée ou offerte avec surprime ou des modifications? (Si OUI, indiquer les compagnies, dates et détails)		☐	☐	

15. ANTÉCÉDENTS FAMILIAUX (Tuberculose, diabète, cancer, hypertension artérielle, maladie cardiaque ou rénale, maladie mentale ou suicide?)

	Âge si vivant	État de santé ou cause de décès	Âge au décès		Âge si vivant	État de santé ou cause de décès	Âge au décès
Père				Père			
Mère				Mère			
Frères et soeurs Nombre qui sont en vie __ Nombre qui sont décédés __				Frères et soeurs Nombre qui sont en vie __ Nombre qui sont décédés __			

16. GARANTIE DE PROTECTION DES ENFANTS (âgés de moins de 21 ans seulement)

1. ENFANTS À ASSURER (maximum de 5) NOM AU COMPLET DE L'ENFANT (en lettres majuscules)	LIEN DE PARENTÉ AVEC LA PERSONNE À ASSURER	SEXE (M/F)	DATE DE NAISSANCE (jj/mmm/aa)	ÂGE	TAILLE PI/M	POIDS LB/KG
_____	_____	_____	_____	_____	_____	_____
_____	_____	_____	_____	_____	_____	_____
_____	_____	_____	_____	_____	_____	_____
_____	_____	_____	_____	_____	_____	_____

2. ENFANTS NOMMÉS CI-DESSUS (Donner les détails aux réponses affirmatives ci-dessous) :
UNE DEMANDE A-T-ELLE DÉJA ÉTÉ REFUSÉE, REPORTÉE OU MODIFIÉE DE QUELQUE FAÇON? (Si OUI donner les détails, y compris le nom de l'enfant, le nom de la compagnie, la date et la raison)   ☐ OUI   ☐ NON   DÉTAILS _____

3. TOUS LES ENFANTS À ASSURER FIGURANT SUR CETTE LISTE SONT-ILS EN BONNE SANTÉ, SANS ANTÉCÉDENTS D'UNE MALADIE OU AFFECTION QUELCONQUE?   ☐ OUI   ☐ NON (Si NON, préciser)   DÉTAILS _____

Figure 10.6   Exemple de déclaration dans une proposition d'assurance-vie

COLONIA COMPAGNIE D'ASSURANCE VIE PROPOSITION D'ASSURANCE

PAGE 5

17. QUESTIONNAIRE NON-MÉDICAL

PREMIÈRE PERSONNE À ASSURER **DEUXIÈME PERSONNE À ASSURER**

1. DATE DE NAISSANCE (jj/mmm/aa) **1. DATE DE NAISSANCE** (jj/mmm/aa)

TAILLE : ....m/pi ....cm/po POIDS : ....kg/lb TAILLE : ....m/pi ....cm/po POIDS : ....kg/lb

2. RENSEIGNEMENTS SUR LE MÉDECIN

(a) ....

(b) ....

(c) ....

(a) Nom et adresse de votre médecin personnel (si aucun, indiquer «aucun»)
(b) Date et raison de la dernière consultation
(c) Traitement ou médicament prescrit

DÉTAILS des réponses affirmatives. (IDENTIFIER LE NUMÉRO DE LA QUESTION; ENCERCLER L'ARTICLE PERTINENT : inclure les diagnostics, les dates, la durée et le nom et l'adresse de tous les médecins traitants et établissements médicaux.

(a) ....

(b) ....

(c) ....

OUI	NON		OUI	NON
		3. Avez-vous déjà souffert ou présenté des signes connus des affections suivantes ou reçu des soins pour celles-ci :		
☐	☐	a) Troubles des yeux, des oreilles, du nez ou de la gorge ou des poumons, y compris l'essoufflement, raucité de la voix ou toux persistante, crachements de sang, bronchite, pleurésie, asthme, emphysème, tuberculose ou troubles respiratoires chroniques?	☐	☐
☐	☐	b) Étourdissements, évanouissements, convulsions, maux de tête, troubles de la parole, paralysie ou accident cérébrovasculaire, troubles mentaux ou nerveux?	☐	☐
☐	☐	c) Douleurs thoraciques, palpitations, hypertension artérielle, fièvre rhumatismale, souffle cardiaque, crise cardiaque ou autres troubles du coeur ou des vaisseaux sanguins?	☐	☐
☐	☐	d) Jaunisse, hémorragie intestinale, ulcère, hernie, appendicite, colite, diverticulite, hémorroïdes, indigestion récurrente, ou autres troubles de l'estomac, des intestins, du foie ou de la vésicule biliaire?	☐	☐
☐	☐	e) Sucre, albumine, sang ou pus dans l'urine, maladie vénérienne, calculs ou autres troubles des reins, de la vessie, de la prostate ou des organes de reproduction?	☐	☐
☐	☐	f) Diabète, désordre de la glande thyroïde ou troubles endocriniens?	☐	☐
☐	☐	g) Névrite, sciatique, rhumatisme, arthrite, goutte ou troubles des muscles ou des os, y compris la colonne vertébrale, le dos ou les articulations?	☐	☐
☐	☐	h) Difformité, claudication, ou amputation?	☐	☐
☐	☐	i) Désordres cutanés, troubles des ganglions lymphatiques, kyste, tumeurs ou cancer?	☐	☐
☐	☐	j) Allergies, anémie ou autres troubles du sang?	☐	☐
☐	☐	**4. Êtes-vous en observation ou suivez-vous des traitements pour raisons médicales?**	☐	☐
☐	☐	**5. Votre poids a-t-il fluctué au cours de l'année?** Perte.............kg/lb Gain...............kg/lb	☐	☐
		6. Sauf ce qui a été mentionné précédemment, au cours des 5 dernières années, avez-vous :		
☐	☐	a) subi un examen médical, consulté un médecin, souffert d'une maladie ou blessure ou subi une opération?	☐	☐
☐	☐	b) été admis dans un hôpital, une clinique, un sanatorium ou autre établissement médical?	☐	☐
☐	☐	c) subi un électrocardiogramme, des radiographies ou tout autre test diagnostique?	☐	☐
☐	☐	d) été avisé de subir un test diagnostique, d'être hospitalisé, ou de subir une opération, sans y donner suite?	☐	☐
☐	☐	**7. Avez-vous fait usage de marijuana, cocaïne, amphétamines, barbituriques, substances hallucinogènes, opium ou ses dérivés, sauf sur ordonnance médicale?**	☐	☐
☐	☐	**8. Avez-vous déjà reçu des traitements pour l'usage d'alcool ou de drogues?**	☐	☐
☐	☐	**9. Réservé aux femmes :** Êtes-vous enceinte? (Date prévue de l'accouchement...) a) Avez-vous déjà eu des troubles des organes génitaux ou des seins?	☐	☐
		10. Avez-vous déjà souffert ou été informé que vous souffriez de l'une des affections suivantes ou subi des tests, ou reçu des soins ou des conseils à cet égard :		
☐	☐	a) le SIDA (syndrome d'immunodéficience acquise) para SIDA (complexe lié au SIDA) ou autre désordre immunitaire?	☐	☐
☐	/ ☐	b) Hypertrophie ganglionnaire, diarrhée chronique, lésions cutanées rares, ou infections inexpliquées?	☐	☐

A

Figure 10.7 Antécédents médicaux et familiaux du candidat

Par ailleurs, en matière d'**assurance de dommages**, l'article 2466 C.c.Q. oblige l'assuré à communiquer promptement à l'assureur les *aggravations de risques* spécifiés au contrat, ainsi que celles résultant de ses faits et gestes, et qui sont de nature à influencer de façon importante un assureur raisonnable dans l'établissement du taux de la prime, l'appréciation du risque ou la décision de maintenir l'assurance.

Qu'arrive-t-il lorsque l'assuré contrevient à son obligation de déclaration en faisant de fausses représentations ou des réticences de bonne foi ?

Le *Code civil* répond à cette question en stipulant que, en l'absence de fraude, aucune fausse déclaration ni réticence ne peut donner lieu à l'annulation d'une assurance en vigueur *depuis deux ans* ; cette règle s'applique à l'**assurance de personnes.**

Pour ce qui est de l'**assurance de dommages**, les articles 2411 (2) et 2472 C.c.Q. résolvent le problème en édictant que, à moins de prouver la mauvaise foi de l'assuré, l'assureur doit couvrir le risque proportionnellement à la prime reçue, sauf s'il est établi qu'il n'aurait pas accepté le risque s'il avait connu les circonstances en cause.

PRESCRIPTION

Pour toutes les catégories d'assurances, la loi fixe à *trois ans* le délai de prescription. En pratique, cela veut dire que toute action découlant d'un contrat d'assurance, que ce soit de la part de l'assureur ou de l'assuré, doit être intentée dans les trois ans à compter du moment où naît le droit d'action.

Dans l'**assurance de dommages**, l'assureur doit payer l'indemnité dans les *60 jours qui suivent la réception* de l'avis de la perte ; dans l'**assurance de personnes**, l'assureur a *30 jours* après la réception des pièces justificatives pour verser l'indemnité. La prescription ne commence donc à courir qu'à la fin de ces délais.

EXÉCUTION DU CONTRAT D'ASSURANCE

OBLIGATIONS DE L'ASSURÉ

PAIEMENT DE LA PRIME   En plus de l'obligation de déclaration que nous venons d'examiner, l'assuré est tenu de payer la prime, c'est-à-dire le montant stipulé au contrat en contrepartie du risque assumé par l'assureur.

DÉCLARATION DU SINISTRE   L'article 2470 C.c.Q. oblige l'assuré à aviser rapidement l'assureur de tout sinistre qui met en cause la police émise pour sa protection. Tout intéressé peut également donner cet avis.

L'objectif de cette obligation de l'assuré est de permettre aux évaluateurs de constater par eux-mêmes, le plus tôt possible, la nature et l'étendue des dommages pour lesquels l'assureur sera tenu de verser une indemnité. L'assuré doit collaborer avec l'assureur dans l'établissement des circonstances entourant le sinistre et dans la recherche de sa cause probable.

L'assureur peut demander à l'assuré de lui fournir les pièces justificatives à l'appui de ces renseignements et lui demander d'attester sous serment la véracité de ces renseignements (art. 2471 C.c.Q.). Il est important de rappeler que toute déclaration mensongère de la part de l'assuré le prive de son droit d'être indemnisé.

L'assureur qui désire recouvrer l'indemnité versée à un assuré victime de dommages dont un tiers est responsable peut exercer contre ce tiers le droit d'action qu'avait son assuré. La loi dit alors que l'assureur est subrogé dans les droits de l'assuré contre les tiers responsables. C'est ce qu'on appelle la **subrogation légale.**

OBLIGATION DE L'ASSUREUR

PAIEMENT DE L'INDEMNITÉ   L'assureur assume une obligation conditionnelle qui est subordonnée à la réalisation du risque. Si l'assuré prouve que le risque s'est réalisé à la suite d'un événement qui lui a occasionné une perte contre laquelle il était assuré, l'assureur doit payer l'indemnité.

RÉSILIATION ET EXTINCTION DU CONTRAT D'ASSURANCE

Le contrat d'assurance prend fin à l'expiration du terme ; la plupart du temps, le terme est de un an. Le contrat d'assurance peut prendre fin par suite de son annulation pour les causes prévues par la loi : absence d'intérêt d'assurance, non-paiement de la prime par l'assuré, déclarations frauduleuses, par exemple, les parties peuvent, d'un commun accord, y mettre fin, ce qui n'entraîne pas de formalités particulières.

En matière d'assurance de dommages, l'article 2477 C.c.Q. précise que l'assureur ou l'assuré peut, sauf dans l'assurance de transport, résilier le contrat moyennant un avis écrit. Si l'avis provient de l'assuré, il prend effet dès que l'assureur le reçoit ; s'il provient de l'assureur, il prend effet 15 jours après réception par l'assuré.

LE TRANSPORT

Un des aspects les plus importants de toute activité commerciale est celui des transports. En effet, ce secteur a des conséquences considérables sur l'économie d'un pays en raison des ressources pécuniaires et humaines qu'il mobilise. Aussi se doit-on, dans le domaine de l'entreprise, de connaître les grandes lignes de sa réglementation.

CONTRAT DE TRANSPORT

> **Contrat de transport :** Contrat par lequel une personne, le transporteur, s'oblige à effectuer le déplacement d'une personne ou d'un bien moyennant un prix qu'une autre personne, le **passager**, l'**expéditeur** ou le **destinataire** du bien, s'engage à lui payer au temps convenu.

Le *contrat de transport* est celui par lequel une personne, le transporteur, s'oblige à effectuer le déplacement d'une personne ou d'un bien moyennant un prix qu'une autre personne, le passager, l'expéditeur ou le destinataire du bien, s'engage à lui payer au temps convenu.

Le Code appelle **transporteur** toute personne qui se livre au transport de personnes ou de biens.

> *Exemple* : Transport Saguelac s'engage à transporter trois conteneurs de Montréal à Chicoutimi pour la somme de 5000 $.

On parle de **transport successif** lorsque celui-ci est effectué par plusieurs transporteurs qui se succèdent en utilisant le même mode de transport. Le **transport combiné** est celui où les transporteurs se succèdent en utilisant des modes de transport différents (exemple : camion - avion - camion).

Le transporteur qui offre ses services au public ne peut refuser de transporter une personne ou un bien lorsqu'on le lui demande, à moins d'avoir un motif sérieux et raisonnable.

> *Exemple* : Un transporteur qui n'a ni les permis ni l'équipement nécessaires pour transporter des matières dangereuses ou pouvant causer des dommages à l'environnement serait justifié de refuser d'effectuer un tel transport.

La période du transport couvre le temps entre la prise en charge de la marchandise par le transporteur en vue de son déplacement jusqu'à la livraison.

CONNAISSEMENT

Connaissement : Écrit qui constate le contrat de transport de biens. Il est émis par le transporteur.

Le *connaissement* est l'écrit qui constate le contrat de transport de biens. Il est émis par le transporteur.

Le connaissement mentionne :
- le nom de l'expéditeur ;

  le nom du destinataire ;

  le nom du transporteur ;

  le nom de celui qui doit payer le fret ;
- les frais de transport ;
- le lieu et la date de la prise en charge du bien ;
- le point de départ et la destination ;
- le fret ;
- la nature, la quantité, le volume ou la masse et l'état apparent du bien ;
- s'il y a lieu, son caractère dangereux.

Jusqu'à preuve du contraire, le connaissement fait foi de la prise en charge, de la nature et de la quantité ainsi que de l'état apparent des biens transportés.

Le connaissement est établi en plusieurs copies :
- le transporteur qui l'émet en conserve une ;
- il en remet une à l'expéditeur ;
- une autre accompagne le bien jusqu'à sa destination.

Le connaissement fait foi, jusqu'à preuve du contraire :
- de la prise en charge du bien ;
- de sa nature ;
- de sa quantité ;
- de son état apparent.

Le connaissement reproduit généralement au verso plusieurs articles du *Code civil du Québec*.

Le connaissement n'est pas négociable, à moins que la loi ou le contrat lui-même ne prévoit le contraire.

> *Exemple* : La compagnie Ordinateurs Lumina inc. achète 1000 ordinateurs IBM-486 du fabricant pour la somme de 1500 $ l'unité. Cette commande est entièrement destinée à un important client, Richard Leriche à qui Ordinateurs Lumina a vendu chaque ordinateur 2000 $. Dans un tel cas, il serait inutile, et coûteux, qu'Ordinateurs Lumina prenne livraison de la marchandise et la réexpédie à M. Leriche.
>
> En contrepartie du paiement de deux millions de dollars, Ordinateurs Lumina n'a qu'à endosser le connaissement en faveur de Richard Leriche et à le lui remettre (exactement comme on le fait dans le cas d'un chèque que l'on endosse avant de le remettre à quelqu'un qui le touchera à notre place).

Si le connaissement est négociable, le transporteur est tenu de livrer les biens transportés soit au destinataire, soit au détenteur du connaissement. Le détenteur d'un connaissement négociable est quant à lui tenu de le remettre au transporteur lorsqu'il exige la livraison des biens transportés.

Ainsi, dans notre exemple, Richard Leriche devra remettre le connaissement endossé par Ordinateurs Lumina inc. pour prendre possession des 1000 ordinateurs.

En conséquence, le destinataire ou, selon le cas, le détenteur du connaissement, par son acceptation du bien ou du contrat, acquiert les droits et assume les obligations résultant du contrat, le tout sous réserve des droits de l'expéditeur.

RESPONSABILITÉ DU TRANSPORTEUR

Le transporteur est tenu de transporter les personnes et les biens à destination. De plus, il est responsable de la perte ou des dommages causés aux biens et aux personnes qui lui sont confiés, ainsi que des dommages résultant d'un retard, à moins qu'il ne réussisse à prouver que la perte ou les dommages ont été causés par un cas de force majeure, ou qu'ils proviennent de la chose elle-même.

Le transporteur peut toujours insérer dans son contrat de transport une clause visant à limiter sa responsabilité en matière de dommages, mais, en dépit de cette clause, il demeure toujours responsable des dommages si le client réussit à prouver qu'ils ont été causés par une faute grave ou la négligence grossière du transporteur ou de ses employés.

En contrepartie de son obligation et pour assurer au transporteur le paiement de ses frais, la loi lui confère le droit de retenir la chose transportée, jusqu'au paiement du fret (le coût du transport ou tout objet transporté pour le compte d'un expéditeur en vertu d'un contrat de transport), des frais de transport et d'entreposage, le cas échéant.

La responsabilité du transporteur en cas de perte ne peut excéder la valeur de la marchandise transportée selon la déclaration de l'expéditeur. Le transporteur

Figure 10.8 Le voiturier est responsable de la perte ou des dommages causés aux choses qui lui sont confiées, à moins qu'il ne réussisse à prouver que la perte ou les dommages ont été causés par force majeure ou proviennent de la chose elle-même.

n'est responsable de la perte de documents, d'espèces ou de biens de grande valeur que si la nature et la valeur de ces biens lui a été déclarée au préalable.

> *Exemple* : Jean fait transporter un tableau d'une valeur de 50 000 $ sans le préciser au transporteur et le tableau est endommagé pendant le transport. Dans un tel cas, l'expéditeur ne pourrait pas réclamer la pleine valeur du tableau.

Un peu comme en matière d'assurances, la déclaration de l'expéditeur des marchandises quant à leur nature et à leur valeur sera donc des plus importantes. Ainsi une déclaration mensongère à ce sujet pourra dégager le transporteur de toute responsabilité et permettra même à ce dernier, dans le cas de matières dangereuses, de poursuivre l'expéditeur pour les dommages qu'il aura subis.

> *Exemple* : ABC ltée engage Transbec inc. pour transporter 50 barils sans mentionner au transporteur qu'il s'agit de contenants d'acide. Si ces contenants se déversent dans le camion et causent des dommages, Transbec inc. pourra poursuivre ABC ltée pour ces dommages.

D'une façon générale, les frais de transport sont payables avant la livraison, sauf si le connaissement porte une indication contraire. Lorsque le prix est payable sur livraison, le transporteur ne doit procéder à la livraison qu'après avoir reçu le paiement.

À moins d'instructions contraires sur le connaissement, les frais sont à la charge du destinataire.

La majorité des contrats de transport mentionnent que le destinataire doit examiner soigneusement les marchandises livrées avant de les accepter. Une fois le bon de livraison signé, il se trouve à les accepter telles qu'elles sont livrées, renonçant ainsi à tout recours contre le transporteur.

Si la marchandise est avariée, il doit l'indiquer immédiatement et faire évaluer les dommages.

En règle générale, les transporteurs prennent les assurances nécessaires pour protéger leur responsabilité et celle de leurs préposés.

LE CONTRAT D'ENTREPRISE OU DE SERVICE

DÉFINITION

Contrat d'entreprise ou de service : Contrat par lequel une personne, selon le cas l'entrepreneur ou le prestataire de services, s'engage envers une autre personne, le client, à réaliser un ouvrage matériel ou intellectuel ou à fournir un service moyennant un prix que le client s'oblige à payer.

L'article 2098 du *Code civil du Québec* définit le **contrat d'entreprise ou de service** comme étant celui par lequel une personne, selon le cas, l'entrepreneur ou le prestataire de services, s'engage envers une autre personne, le client, à réaliser un ouvrage matériel ou intellectuel ou à fournir un service moyennant un prix que le client s'oblige à payer.

C'est le type de contrat que l'on signe lorsqu'on engage :

- un entrepreneur en construction pour construire une maison ou effectuer des rénovations ;
- un plombier ;
- un électricien ;
- une personne pour faire l'entretien de sa pelouse ou de sa piscine ;
- une personne pour déneiger son entrée de garage.

CARACTÉRISTIQUES

Le contrat d'entreprise ou de services est un contrat consensuel, synallagmatique, à titre onéreux. Le contrat met en présence deux parties :

- l'entrepreneur ou prestataire de services ;
- le client.

Contrairement au contrat individuel de travail, il n'existe, entre l'entrepreneur ou le prestataire de services et le client, aucun lien de subordination quant à l'exécution du contrat. L'entrepreneur a le libre choix des moyens d'exécution du contrat. Le client ne paie pas un salaire et n'a donc pas à faire de déductions à la source sur la rémunération de l'entrepreneur ou de remises d'impôt sur le prix convenu pour l'exécution du contrat.

TYPES DE CONTRAT

Les trois contrats d'entreprise ou de services les plus fréquents sont :

- le contrat à prix ferme ou à forfait ;
- le contrat en pourcentage ou à prix majoré ;
- le contrat à prix unitaire ou à phases successives.

CONTRAT À PRIX FERME OU À FORFAIT

Contrat à prix ferme ou à forfait : Contrat en vertu duquel l'entrepreneur ou le prestataire de services s'engage à exécuter les travaux pour un prix global fixé d'avance.

Le *contrat à prix ferme ou à forfait* : il s'agit d'un contrat en vertu duquel l'entrepreneur ou le prestataire de services s'engage à exécuter les travaux pour un prix global fixé d'avance. Ce type de contrat est très fréquent lorsqu'on procède à des rénovations, par exemple.

Exemple : 100 000 $ pour la construction d'une maison.

Exemple : Jean-Guy engage les services de Michel Hébert pour préparer ses états financiers et son rapport d'impôt au coût total de 2500 $.

CONTRAT AU POURCENTAGE OU À PRIX MAJORÉ

Contrat au pourcentage ou à prix majoré : Contrat qui prévoit que l'entrepreneur sera payé au moyen d'une commission calculée sur le coût réel du travail ou de la construction.

Le *contrat au pourcentage ou à prix majoré* : il s'agit d'un contrat qui prévoit que l'entrepreneur sera payé au moyen d'une commission calculée sur le coût réel du travail ou de la construction. Dans un tel contrat, l'entrepreneur ajoute une commission sur le coût des travaux.

Exemple : Patrice engage les services de Constructions du Nord ltée pour lui construire un chalet selon des plans et devis. On fixe un taux horaire pour les employés et l'on convient que Constructions du Nord chargera en plus du coût des travaux et des matériaux selon le prix du marché un pourcentage de 15 % du coût total des travaux et des matériaux.

Ce type de contrat est utilisé pour de grands projets tels ceux de la Baie James ou de la construction du Stade olympique.

CONTRAT À PRIX UNITAIRE OU À PHASES SUCCESSIVES

Contrat à prix unitaire ou à phases successives : Contrat à forfait ou à prix majoré où le prix est établi pour chacune des phases du projet ou de la construction.

Le *contrat à prix unitaire ou à phases successives* : il s'agit d'un contrat à forfait ou à prix majoré où le prix est établi pour chacune des phases du projet ou de la construction. Plusieurs prêteurs hypothécaires suggèrent d'utiliser un tel contrat et libèrent les sommes dues au fur et à mesure que progresse la construction.

Exemple : La compagnie Conzbec inc est engagée pour la construction d'un immeuble de 30 étages et le contrat prévoit qu'elle sera payée à chacune des phases du projet qui consiste en la construction de six étages moyennant 20 % de la valeur totale du prix du contrat, soit 100 millions de dollars.

CONTENU DU CONTRAT

Comme pour le contrat individuel, le contrat d'entreprise peut être verbal ou écrit. Avant sa conclusion, l'entrepreneur présente souvent au propriétaire des offres ou soumissions. On rencontre fréquemment ce genre de contrat dans l'administration publique.

Exemple : Le ministère des Transports fait un appel d'offres pour la construction d'une autoroute.

La plupart des contrats d'entreprise ont pour objet des travaux de construction ; on les appelle **contrats par devis et marchés**. Le **devis** est un écrit indiquant le détail des travaux à exécuter, la nature des matériaux à utiliser dans la construction et les délais d'exécution. Ce document permettra à l'entrepreneur de fixer le prix pour la construction envisagée.

Deux clauses essentielles dans tout contrat d'entreprise ou de service sont celles qui concernent la date d'exécution ou d'achèvement des travaux ou des services et la modalité de paiement du prix. Le client prudent devra s'assurer que la date d'achèvement des travaux est précisée pour éviter des délais interminables pour la livraison de l'ouvrage ou de la construction. Certains ajouteront une clause pénale qui prévoit que l'entrepreneur devra leur verser une pénalité déterminée pour chaque jour écoulé après la date de livraison prévue au contrat.

LE PRIX

La clause de paiement du prix est tout aussi importante. Le client devra s'assurer qu'il n'a pas à payer complètement le prix à l'entrepreneur ou au prestataire de services avant la fin des travaux et la livraison de l'ouvrage ou de la construction.

Une clause de paiement adéquatement rédigée est particulièrement importante dans le domaine de la construction. Le client prudent devra s'assurer que la construction ou l'ouvrage a été exécuté conformément aux plans et devis et selon les règles de l'art. Il devra de plus s'assurer que tous les sous-traitants et fournisseurs de matériaux ont été payés intégralement par l'entrepreneur général pour éviter que ceux-ci n'enregistrent des hypothèques légales contre son immeuble pour la valeur des matériaux, biens ou services qu'ils y ont apportés.

Le **prix** est déterminé dans le contrat en fonction du type d'ouvrage ou de services, selon les usages ou la loi ou encore d'après la valeur des travaux effectués ou des services rendus.

LES EXTRA

Dans le cas du contrat à prix ferme ou à forfait, l'entrepreneur ne peut exiger le paiement pour des travaux supplémentaires, ou **extra**, si ceux-ci n'étaient pas prévus aux plans et devis ou s'ils n'ont pas été autorisés par écrit par le client et si le prix n'a pas été convenu avant leur exécution.

Les tribunaux ont souvent eu à se prononcer sur ce sujet et ont établi les principes suivants :

- l'entrepreneur ne peut en réclamer le paiement des extra sur la base d'une simple entente verbale avec le client ;
- les parties peuvent prévoir une clause escalatoire dans le contrat ;
- l'entrepreneur doit faire autoriser les extra par écrit par le client, en spécifiant la nature des travaux, les matériaux et leur coût, avant de les exécuter.

L'article 2109 énonce les principes retenus par le *Code civil* en ce qui a trait à la modification du prix dans un contrat à forfait :

« **Art. 2109 C.c.Q.** Lorsque le contrat est à forfait, le client doit payer le prix convenu et il ne peut prétendre à une diminution du prix en faisant valoir que l'ouvrage ou le service a exigé moins de travail ou a coûté moins cher qu'il n'avait été prévu.

Pareillement, l'entrepreneur ou le prestataire de services ne peut prétendre à une augmentation du prix pour un motif contraire.

Le prix forfaitaire reste le même, bien que des modifications aient été apportées aux conditions d'exécution initialement prévues, à moins que les parties n'en aient convenu autrement. »

OBLIGATIONS DE L'ENTREPRENEUR

L'entrepreneur et le prestataire de services doivent agir :

- au mieux des intérêts de leur client ;
- avec prudence et diligence ;
- conformément aux usages et aux règles de leur art ;
- en s'assurant que l'ouvrage réalisé ou le service rendu est conforme au contrat.

Par ailleurs, la jurisprudence a établi le principe selon lequel l'entrepreneur est tenu de réaliser l'ouvrage pour lequel ses services ont été retenus conformément aux usages et aux **règles de l'art** de sa profession ou de son métier.

> *Exemple* : Un entrepreneur qui construirait une maison de deux étages sans tenir compte du poids de la structure et du toit, et qui n'ajouterait pas les supports et les poutres nécessaires pour le répartir, ne respecterait pas les règles de l'art de l'industrie de la construction.

À moins que le contrat n'ait été conclu en considération de ses qualités personnelles ou que cela ne soit incompatible avec la nature du contrat, l'entrepreneur ou le prestataire de services peut s'adjoindre un tiers pour l'exécuter. Il conserve néanmoins la direction et la responsabilité de l'exécution du contrat. C'est le cas notamment de l'entrepreneur général en construction qui signe le contrat avec le client et qui s'adjoint différents sous-traitants ou sous-entrepreneurs pour les fondations, la plomberie, l'électricité, la maçonnerie, etc.

OBLIGATIONS DU CLIENT

La réception de l'ouvrage est l'acte par lequel le client déclare accepter l'ouvrage avec ou sans réserve.

Les obligations du client sont :

- de faciliter à l'entrepreneur l'exécution des travaux ;
- une fois les travaux terminés, d'en prendre livraison ;
- de payer le prix convenu.

Le client concrétisera son acceptation en versant aux entrepreneurs le prix fixé au contrat. Rappelons que l'ouvrier, le fournisseur de matériaux, le constructeur et l'architecte peuvent inscrire une hypothèque légale sur l'immeuble pour garantir le paiement de leur travail.

Selon les articles 2111, 2122 et 2123 C.c.Q., le client n'est pas tenu de payer le prix d'un ouvrage avant la livraison de celui-ci. Il peut même retenir certaines sommes sur le prix pour s'assurer que les corrections et réparations sont faites et que les sous-entrepreneurs ont tous été payés.

> *Exemple* : Meubles Beaubois inc. pourra retenir une partie importante du prix pour s'assurer que les sous-entrepreneurs engagés par Rénovations Moderne ltée pour effectuer des rénovations à son usine ont tous été payés, que les travaux sont terminés et que les sous-entrepreneurs ne publieront pas une hypothèque légale contre l'immeuble de Meubles Beaubois pour garantir le paiement de leur créance.
>
> À tout moment de la construction, Meubles Beaubois inc. peut vérifier le déroulement et l'avancement des travaux, la qualité des

matériaux utilisés, du travail effectué et l'état des dépenses faites par l'entrepreneur.

RESPONSABILITÉS DES INTERVENANTS DE LA CONSTRUCTION

Les principaux intervenants dans la construction d'un immeuble sont : l'architecte, l'ingénieur, l'entrepreneur général, les sous-entrepreneurs.

Pendant la construction d'un immeuble, des spécialistes de divers secteurs se côtoient sur le chantier et unissent leurs efforts pour mener le projet à terme. Chacun d'eux a un rôle précis à jouer et certaines responsabilités. Ainsi l'architecte exécute les plans et devis qu'il soumet à l'approbation du propriétaire. Dans certains cas, il surveillera l'évolution des travaux et jouera le rôle de conseiller auprès du propriétaire quant au choix de l'entrepreneur.

L'ingénieur, pour sa part, doit faire des études du sol afin d'en vérifier la stabilité et la possibilité d'y ériger un bâtiment solide. Il s'occupe également des fondations, de la charpente et de l'aspect mécanique de l'ouvrage. Finalement, l'entrepreneur général doit construire l'immeuble suivant les règles de l'art en respectant les plans et devis de l'architecte. De plus, il engage les services de sous-entrepreneurs spécialisés dans divers domaines, fondations, électricité, plomberie, couverture, etc.

D'une façon générale, on peut regrouper ainsi les obligations que la loi impose à ces différents spécialistes de la construction :

- exécution des travaux selon les plans et devis et selon les règles de l'art ;
- livraison de l'immeuble dans les délais fixés ;
- responsabilité en cas de perte de l'ouvrage avant la fin des travaux et jusqu'à ce que le propriétaire l'accepte, lorsque l'entrepreneur fournit les matériaux et se charge de faire tout l'ouvrage ;
- responsabilité de la perte de l'immeuble en tout ou en partie, dans les cinq ans, à cause d'un vice de construction ou de réalisation de l'ouvrage, d'un vice de conception ou d'un vice du sol. Selon l'article 2118 C.c.Q., l'architecte, l'entrepreneur, le sous-entrepreneur et l'ingénieur assument une responsabilité conjointe et solidaire en cas de perte partielle ou totale de l'immeuble dans de telles circonstances. La prescription pour intenter l'action est de trois ans à compter de la perte ou de la première manifestation de la perte graduelle (articles 2925 et 2926 C.c.Q.).

L'article 2119 du *Code civil* résume bien les principes énoncés par la jurisprudence et qui partagent la responsabilité entre l'architecte, l'ingénieur, l'entrepreneur et le client.

« **Art. 2119 C.c.Q.** L'architecte ou l'ingénieur ne sera dégagé de sa responsabilité qu'en prouvant que les vices de l'ouvrage ou de la partie qu'il a réalisée ne résultent ni d'une erreur ou d'un défaut dans les expertises ou les plans qu'il a pu fournir, ni d'un manquement dans la direction ou dans la surveillance des travaux.

L'entrepreneur n'en sera dégagé qu'en prouvant que ces vices résultent d'une erreur ou d'un défaut dans les expertises ou les plans de l'architecte ou de l'ingénieur choisi par le client. Le sous-entrepreneur n'en sera dégagé qu'en prouvant que ces vices résultent des décisions de l'entrepreneur ou des expertises ou plans de l'architecte ou de l'ingénieur.

Chacun pourra encore se dégager de sa responsabilité en prouvant que ces vices résultent de décisions imposées par le client dans le choix du sol ou des matériaux, ou dans le choix des sous-entrepreneurs, des experts ou des méthodes de construction. »

De plus, l'article 2120 du *Code civil du Québec* ajoute une garantie de un an donnée par l'entrepreneur, l'architecte et l'ingénieur, indépendamment de toute autre responsabilité, contre les malfaçons (défauts de construction apparents) existant au moment de la réception ou découvertes dans l'année qui suit.

EXTINCTION DU CONTRAT

Le contrat d'entreprise ou de service prend fin par l'achèvement des travaux, mais il peut aussi s'éteindre pour une des causes communes aux obligations en général.

D'une façon particulière, l'article 2125 C.c.Q. permet au client de *résilier unilatéralement* le contrat d'entreprise pour la construction d'un immeuble en remboursant à l'entrepreneur les dépenses déjà engagées pour les travaux en cours et en lui versant des dommages-intérêts. La loi confère ce droit de nature spéciale au client qui verrait sa situation financière se dégrader ou ses responsabilités professionnelles ou familiales l'obliger à changer de ville, ce qu'il ne pouvait prévoir le jour de la signature du contrat. Ce droit unilatéral du client de résilier le contrat représente un certain risque pour l'entrepreneur ; aussi ce dernier peut-il exiger, au moment de la signature du contrat, que le propriétaire y renonce.

Mentionnons que, en vertu des articles 2127 et 2128 C.c.Q., le contrat de louage d'ouvrage par devis et marchés ne se termine pas automatiquement par la mort des parties. Leurs représentants légaux sont tenus de l'exécuter.

Le législateur ajoute que, si le contrat avait été conclu en considération des qualités personnelles de l'entrepreneur ou du prestataire de services et si celui qui lui succède ne peut continuer le contrat de manière adéquate (art. 2128 C.c.Q.), le client peut résilier le contrat.

L'entrepreneur ou le prestataire de services ne peut quant à lui résilier le contrat que pour un motif sérieux et, même alors, il doit dédommager le client pour tout préjudice ou dommage subi. De plus, s'il a reçu des avances, il est tenu de restituer la somme qui excède le montant des dépenses qu'il a faites jusqu'à la date de la résiliation (art. 2129 C.c.Q.).

 # LE PRÊT

Le **prêt** figure parmi les contrats les plus susceptibles d'être signés par le citoyen ordinaire et, en particulier, par les gens d'affaires.

En effet, que ce soit pour l'acquisition d'une propriété immobilière, d'un véhicule automobile, d'un commerce ou d'une pièce de machinerie importante, nous ne disposons que très rarement des sommes nécessaires pour effectuer un achat au comptant.

Nous devons alors emprunter le capital nécessaire soit à un établissement financier, soit à un prêteur privé.

Le prêt fera l'objet d'une étude plus complète au chapitre 15 sur le financement des entreprises.

RÉSUMÉ

- Les contrats nommés sont ceux qui sont définis dans le *Code civil du Québec* et au sujet desquels la législation a codifié les principales caractéristiques ainsi que les droits et obligations des parties qui les signent.

- Les principaux contrats nommés à incidence commerciale les plus utilisés dans le cadre de l'exploitation d'une entreprise sont le mandat, les assurances, le transport, le prêt et le contrat d'entreprise ou de service.

- Le mandat est une mission qu'une personne, le mandant, confie à une autre personne, le mandataire, de la représenter dans l'accomplissement d'un acte juridique avec un tiers. Il peut aussi être donné en prévision de l'inaptitude.

- Le contrat d'assurance est celui par lequel l'assureur, moyennant une prime ou une cotisation, s'oblige à verser au preneur ou à un tiers, une prestation dans le cas où un risque couvert par l'assurance se réaliserait. Il porte généralement sur les personnes ou sur les dommages.

- Le contrat de transport est celui par lequel une personne, le transporteur, s'oblige à effectuer le déplacement d'une personne ou d'un bien moyennant un prix qu'une autre personne, le passager, l'expéditeur ou le destinataire du bien, s'engage à lui payer au temps convenu.

- Le contrat d'entreprise ou de service est celui par lequel une personne, selon le cas l'entrepreneur ou le prestataire de services, s'engage envers une autre personne, le client, à réaliser un ouvrage matériel ou intellectuel ou à fournir un service moyennant un prix que le client s'oblige à payer.

RÉSEAU DE CONCEPTS

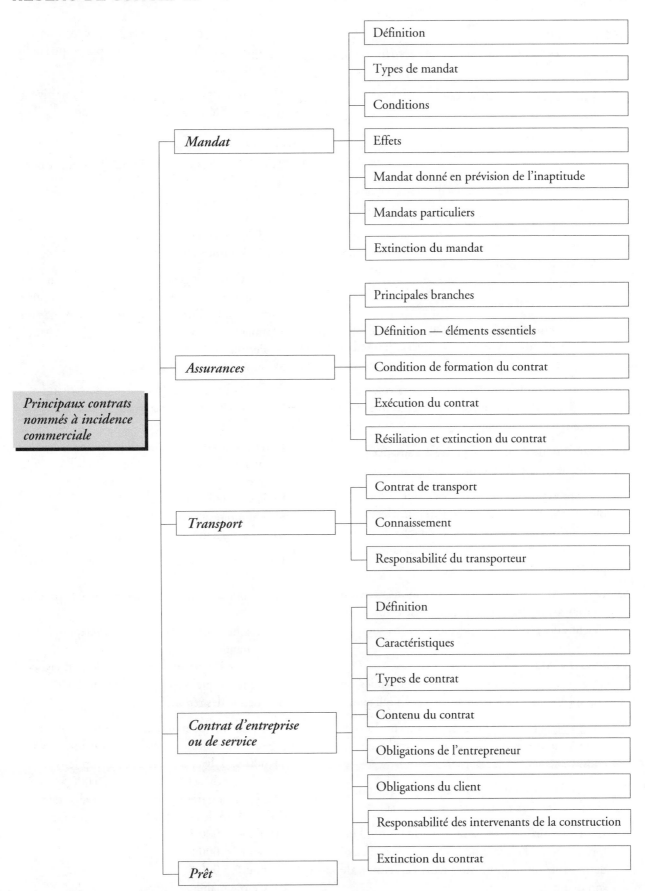

Principaux contrats nommés à incidence commerciale

Mandat
- Définition
- Types de mandat
- Conditions
- Effets
- Mandat donné en prévision de l'inaptitude
- Mandats particuliers
- Extinction du mandat

Assurances
- Principales branches
- Définition — éléments essentiels
- Condition de formation du contrat
- Exécution du contrat
- Résiliation et extinction du contrat

Transport
- Contrat de transport
- Connaissement
- Responsabilité du transporteur

Contrat d'entreprise ou de service
- Définition
- Caractéristiques
- Types de contrat
- Contenu du contrat
- Obligations de l'entrepreneur
- Obligations du client
- Responsabilité des intervenants de la construction
- Extinction du contrat

Prêt

EXERCICES

ASSOCIATIONS

Associez un des termes ci-dessous à l'une des définitions qui suivent :

- contrat individuel de travail
- connaissement
- mandat apparent
- contrat d'entreprise ou de service
- intérêt d'assurance
- contrat à prix unitaire ou à phases successives
- ristourne
- transport successif
- mandat en prévision de l'inaptitude
- transport combiné
- avenant
- contrat de transport

1. Une personne possède un __5__ dans une chose lorsqu'elle peut subir un dommage direct et immédiat de la perte ou de la détérioration de cette chose.

2. Le transport effectué par plusieurs transporteurs qui se succèdent en utilisant le même mode de transport porte le nom de __8__ .

3. Toute modification à une police d'assurance porte le nom d' __11__ et en fait partie intégrante.

4. Un représentant d'une entreprise quitte son emploi et continue à se prévaloir des privilèges que l'entreprise lui accordait auprès de tiers de bonne foi, non avisés de la révocation du mandat. On parle alors de __3__ .

5. Le __4__ est soit un contrat à prix ferme, soit un contrat à prix majoré, où le prix est établi pour chacune des phases du projet ou de la construction.

VRAI OU FAUX

Indiquez si les affirmations suivantes sont vraies ou fausses. Si l'affirmation est fausse, précisez pourquoi.

1. L'entrepreneur, l'architecte et l'ingénieur doivent accorder une garantie de huit ans contre les malfaçons.

2. Le mandataire est aussi responsable que le mandant vis-à-vis des tiers s'il respecte son mandat.

3. Le mandataire ne peut détourner à son profit l'information qu'il obtient ou le bien qu'il est chargé de recevoir ou d'administrer dans l'exécution de son mandat.

4. En cas de divergence entre la police d'assurance et la proposition d'assurance, c'est la police qui fait foi de contrat.

5. Un voiturier peut ajouter une clause limitative de responsabilité à son contrat de transport.

CHOIX MULTIPLES

1. Toute modification à un contrat d'assurance porte le nom :
   a) de correction.
   b) d'avenant.
   c) d'amendement.
   d) de modification.

2. L'architecte, l'ingénieur et l'entrepreneur sont responsables de la perte de l'édifice en tout ou en partie à cause d'un vice de construction, de conception ou d'un vice de sol dans les ___ suivant la fin des travaux.
   a) trois ans
   b) deux ans
   c) cinq ans
   d) huit ans

3. La reconnaissance d'un mandat d'inaptitude par le tribunal s'appelle :
   a) le connaissement.
   b) la Curatelle publique.
   c) l'homologation.
   d) le mandataire.

4. En matière d'assurance-vie, le contrat n'est conclu que :
   a) lorsque le courtier ou l'agent signe la proposition.
   b) lorsque l'assureur est avisé par téléphone de la demande de l'assuré.
   c) lorsque l'assureur a pu vérifier les renseignements et que ceux-ci s'avèrent exacts.
   d) aucune des réponses précédentes.

5. Jean-François demande à sa soeur Sylvie de lui acheter une voiture neuve d'une valeur d'environ 15 000 $. Sylvie, qui aime beaucoup les voitures luxueuses, achète une Maserati à 35 000 $ et signe au nom de son frère. Jean-François refuse de prendre livraison de la voiture. Sylvie est responsable :
   a) pour 20 000 $.
   b) pour 15 000 $.
   c) pour 35 000 $.
   d) c'est le mandant qui est responsable.

CAS PRATIQUES

1. Le 3 janvier 1995, Hélène Lachance a prêté à Denyse Dupont la somme de 20 000 $, remboursable sans intérêts par versements de 5000 $ payables le premier jour des mois de mars, juin, septembre et décembre 1995.

   Le 15 janvier 1995, Hélène Lachance s'adresse à la compagnie Assurance tous risques ltée dans le but d'obtenir une police d'assurance de 20 000 $, valide pour une période de un an, sur la vie de Denyse Dupont et elle paie la prime requise.

   Une police de 20 000 $, portant la date du 15 janvier 1995 et indiquant Hélène Lachance comme bénéficiaire, est émise. Denyse Dupont a payé les versements de mars et de juin, mais le 10 juin 1995, son corps a été trouvé dans les eaux du fleuve Saint-Laurent. Il a été établi à l'enquête du coroner qu'elle s'était délibérément précipitée dans le fleuve du haut du pont Jacques-Cartier.

   Hélène Lachance vous consulte aujourd'hui et vous révèle que la compagnie d'assurances a refusé de payer le montant de 20 000 $ stipulé dans la police malgré la réclamation qu'elle lui a faite dans la forme requise.

   La compagnie d'assurances invoque qu'Hélène Lachance n'avait aucun intérêt d'assurance dans la vie de Denyse Dupont et que, de plus, la police est sans effet par suite du suicide de cette dernière.

   Assurances tous risques ltée est-elle obligée de payer la réclamation d'Hélène Lachance ? Motivez votre réponse.

2. Monsieur Lemay est propriétaire d'une agence de publicité. Il avait à son service M. Honoré Mercier qui devait voyager à l'extérieur et, de ce fait, prendre des repas au restaurant. Dans chaque ville, un restaurant en particulier a l'habitude de faire crédit à l'agence. M. Mercier a été remercié de ses services il y a deux semaines et il a continué d'aller prendre un certain nombre de repas aux frais de l'agence. À la suite du renvoi de cet employé, quelle est la responsabilité de M. Lemay vis-à-vis de ces restaurateurs ?

3. M. Lemire confie à Mme Labelle la vente de sa maison. La maison est vendue par l'intermédiaire de Mme Labelle à M. Bossé. Ce dernier constate que le toit coule et il intente une action contre Mme Labelle. A-t-il des chances d'avoir gain de cause ? Motivez votre réponse.

4. André retient les services de Rénovation Plus inc. pour effectuer certains travaux à sa maison et à son usine.

   Pour les travaux à sa maison, le contrat prévoit que Rénovation Plus inc. procèdera à la finition de son sous-sol et à la rénovation de sa cuisine selon des plans et devis. La valeur totale de ces travaux spécifiée au contrat est de 25 000 $ et la durée des travaux est de 10 jours.

   Pour les travaux à son usine, il s'agit d'ajouter une nouvelle aile pour les bureaux des représentants de la compagnie d'une dimension de 400 mètres carrés, encore une fois selon les plans et devis préparés par Denis Jolicoeur, architecte. La valeur totale de ces travaux est de 75 000 $. André vient vous consulter et vous explique les faits suivants :

   - Les travaux à son domicile ont débuté le 14 mars et étaient terminés le 19 mars. Il estime avoir été berné par le représentant de Rénovation Plus inc. quant à la durée de ces travaux et il voudrait récupérer la moitié de leur valeur totale.

   a) Peut-il agir de la sorte et récupérer 12 500 $? Motivez votre réponse.

   - Quant aux travaux à son usine, il vous indique qu'ils sont terminés depuis déjà 10 mois. Cependant, il ajoute que le toit coule et que la porte arrière ne ferme pas bien. De plus, il semble que la structure avant du bâtiment s'affaisse dans le sol.

   b) Expliquez-lui les recours dont il dispose en spécifiant contre qui et dans quel délai il doit procéder.

   c) La ou les personnes poursuivies ont-elles des moyens de défense à l'encontre d'une telle poursuite ?

CHAPITRE 11

LES CONTRATS VISÉS PAR LA LOI SUR LA PROTECTION DU CONSOMMATEUR

LOI SUR LA PROTECTION DU CONSOMMATEUR

OFFICE DE LA PROTECTION DU CONSOMMATEUR

CODE CIVIL ET LA PROTECTION DU CONSOMMATEUR

DISPOSITIONS GÉNÉRALES DE LA LOI
Formation du contrat de consommation
Garanties
Publicité et pratiques interdites de commerce

CONTRATS VISÉS PAR LOI
Contrats conclus avec un vendeur itinérant
Contrats de crédits
Contrats de prêts d'argent
Contrats de crédit variable

Contrats assortis d'un crédit
Contrats de louage à long terme
Contrats de vente d'automobiles
  et de motocyclettes d'occasion
Contrats de réparation d'automobiles
  et de motocyclettes
Contrats de réparation d'appareils ménagers
Contrats de louage de services à exécution successive
Contrats à distance
Comptes en fiducie

RÉSUMÉ

RÉSEAU DE CONCEPTS

EXERCICES

CAS PRATIQUES

EXAMEN RÉCAPITULATIF

OBJECTIFS ET ÉLÉMENTS DE COMPÉTENCES

1 Expliquer le champ d'application de la *Loi sur la protection du consommateur*.

2 Connaître le rôle de l'Office de la protection du consommateur.

3 Expliquer les conditions requises pour la validité d'un contrat visé par la *Loi sur la protection du consommateur*.

4 Désigner les différents contrats visés par la *Loi sur la protection du consommateur*.

5 Expliquer les garanties additionnelles prévues par la *Loi sur la protection du consommateur*.

6 Indiquer les principales pratiques interdites de commerce avec des exemples à l'appui.

7 Appliquer les droits et recours du consommateur à des cas précis et concrets.

LOI SUR LA PROTECTION DU CONSOMMATEUR

C'est en 1971 que le législateur a adopté des mesures précises visant à protéger les consommateurs québécois contre certains abus et certaines pratiques abusives de la part des commerçants. Cette loi, qui a été remaniée à plusieurs reprises, porte le nom de *Loi sur la protection du consommateur* (L.P.C.).

Elle déroge aux règles fondamentales du *Code civil du Québec* concernant de nombreux contrats signés entre un consommateur et un **commerçant**.

DÉFINITION DE CONSOMMATEUR   La définition d'un consommateur exclut spécifiquement un commerçant et les personnes morales telles que les compagnies, coopératives et syndicats, de même que les personnes physiques qui se procurent des biens ou des services aux fins de l'exploitation d'une entreprise.

DÉFINITION DE COMMERÇANT   Le commerçant n'est pas défini par la *Loi sur la protection du consommateur*, mais on peut le définir comme une personne physique ou morale qui exploite une entreprise dans le but de vendre ou louer des biens ou des services.

L'article 2 de la Loi stipule :

« **Art. 2 L.P.C.** La présente loi s'applique à tout contrat conclu entre un consommateur et un commerçant dans le cours de son commerce et ayant pour objet un bien ou un service. »

Cet article exclut de l'application de la Loi :
- les contrats entre deux commerçants ;
- les contrats entre deux consommateurs.

> *Exemple* : Daniel Grenier est menuisier artisan, et il se rend chez Réno-Dépôt pour acheter une scie électrique et une raboteuse.

Ce contrat n'est pas régi par la *Loi sur la protection du consommateur* parce que Daniel s'est procuré les biens à des fins d'entreprise pour son métier de menuisier. L'achat s'est fait entre deux commerçants.

> *Exemple* : Ginette achète la même scie électrique et la même raboteuse chez Réno-Dépôt comme cadeau de fête à son mari qui est comptable et qui aime bien bricoler à la maison.

Ce contrat sera régi par la *Loi sur la protection du consommateur* parce que Ginette et son mari sont considérés comme consommateurs, et que l'achat est fait à des fins personnelles. Le contrat est intervenu entre un consommateur et un commerçant.

Ginette et son mari pourront se prévaloir des dispositions et des garanties additionnelles prévues par la *Loi sur la protection du consommateur*.

OFFICE DE LA PROTECTION DU CONSOMMATEUR

La Loi a créé l'**Office de la protection du consommateur** dont la mission première est la protection et l'information du consommateur.

Pour jouer efficacement son rôle, l'Office analyse constamment la qualité des biens mis sur le marché et en transmet les résultats à tout consommateur qui en fait la demande. Le consommateur peut également recourir à l'Office pour

---

Loi sur la protection du consommateur : Loi qui définit le consommateur comme une personne physique qui se procure un bien ou un service pour ses fins personnelles.

Commerçant : Personne physique ou morale qui exploite une entreprise dans le but de vendre ou louer des biens ou des services.

l'obtention de tout renseignement au sujet du permis d'un commerçant, de sa solvabilité ou de sa réputation.

> *Exemple* : Lorsqu'un consommateur signe un contrat dans des circonstances douteuses et qu'il veut savoir s'il a un recours ou s'il peut porter plainte contre le commerçant, l'Office agit en tant que conseiller.

Le consommateur doit exercer lui-même ses recours civils contre les commerçants, mais c'est l'Office qui intente les poursuites pénales contre eux à la suite des plaintes des consommateurs.

CODE CIVIL ET PROTECTION DU CONSOMMATEUR

Le *Code civil du Québec* a introduit de nombreuses dispositions visant à protéger le consommateur.

> *Exemple* : Au chapitre concernant le **respect de la réputation et de la vie privée**, les articles 37 à 41 C.c.Q. protègent le consommateur contre l'utilisation abusive de son dossier de crédit (voir chapitre 3).

> *Exemple* : Le Code définit le **contrat de consommation** à l'article 1384 et stipule aux articles 1435, 1436 et 1437 qu'une **clause externe illisible, incompréhensible** ou **abusive** dans un contrat de consommation est nulle ou que l'obligation qui en découle est réductible selon le cas (voir chapitre 6).

> *Exemple* : Les dispositions des articles 1785 à 1794 concernant la **vente d'immeubles à usage d'habitation** (voir chapitre 6).

Il est important de souligner que la *Loi sur la protection du consommateur* est considérée comme une loi d'ordre public et que les parties ne peuvent par contrat y déroger ou renoncer à un droit qui y est mentionné en leur faveur. De plus, ses dispositions ont préséance sur celles du *Code civil*.

> *Exemple* : L'article 2863 C.c.Q. concernant la preuve d'un contrat devant les tribunaux stipule qu'on ne peut contredire par un témoignage un écrit ou un contrat valablement fait.

L'article 263 de la *Loi sur la protection du consommateur* stipule :

« Malgré l'article 2863 du *Code civil*, le consommateur peut, s'il exerce un droit prévu par la présente loi ou s'il veut prouver que la présente loi n'a pas été respectée, administrer une preuve testimoniale, même pour contredire ou changer les termes d'un écrit. »

Un consommateur pourrait par exemple alléguer des garanties ou promesses additionnelles du commerçant faites verbalement, car elles lient le commerçant.

DISPOSITIONS GÉNÉRALES DE LA LOI

Ces dispositions générales visent :

- la formation du contrat ;
- les garanties ;
- la lésion ;
- les pratiques interdites de commerce.

Contrat de consommation :
Contrat qui est régi par les lois relatives à la protection du consommateur, par lequel l'une des parties, une personne physique, le consommateur, acquiert, loue, emprunte ou se procure de toute autre manière des biens ou des services auprès de l'autre partie, laquelle offre de tels biens ou services dans le cadre d'une entreprise qu'elle exploite (art. 1384 C.c.Q.).

FORMATION DU CONTRAT DE CONSOMMATION

L'article 1384 du *Code civil* définit le ***contrat de consommation*** comme celui qui est régi par les lois relatives à la protection du consommateur, par lequel l'une des parties, une personne physique, le consommateur, acquiert, loue, emprunte ou se procure de toute autre manière des biens ou des services auprès de l'autre partie, laquelle offre de tels biens ou services dans le cadre d'une entreprise qu'elle exploite.

Dans un premier temps, les conditions prévues au *Code civil* pour la formation d'un contrat doivent être respectées : capacité des parties, consentement libre et volontaire, objet, cause et forme, le cas échéant (art. 1371 C.c.Q.).

À ces conditions, la *Loi sur la protection du consommateur* vient ajouter les suivantes : le contrat doit être :

- rédigé par écrit ;
- en double exemplaire, un pour le consommateur, un pour le commerçant ;
- rédigé en français, à moins d'entente expresse entre les parties ;
- clairement et lisiblement rédigé ;
- signé par le commerçant sur la dernière page ;
- remis ensuite au consommateur pour lui permettre d'en prendre connaissance avant d'y apposer sa signature ;
- signé par le consommateur sur la dernière page ;
- remis à chacune des parties.

Dans le cas d'un contrat de crédit, il doit indiquer le détail des intérêts et des frais dus par le consommateur.

Le consommateur n'est tenu à l'exécution de ses obligations qu'à compter du moment où il est en possession d'un double signé du contrat. Dans le cas d'un contrat conclu avec un vendeur itinérant et d'un contrat par correspondance, le contrat doit contenir l'adresse détaillée du domicile du consommateur et l'adresse détaillée seulement (et non la case postale) du commerçant.

Lorsqu'un contrat visé par la Loi n'en respecte pas les exigences, le consommateur peut, compte tenu du préjudice subi, demander au tribunal soit l'annulation du contrat, soit, s'il s'agit d'un contrat de crédit, la suppression des frais de crédit et la restitution de la partie déjà payée des frais de crédit.

GARANTIES

En plus de la garantie légale, qui comprend les garanties du droit de propriété et de qualité déjà prévues au *Code civil*, la *Loi sur la protection du consommateur* ajoute des garanties additionnelles, tout en prévoyant que le commerçant ou le manufacturier peut ajouter à la garantie légale une **garantie conventionnelle**, c'est-à-dire une garantie supplémentaire offerte par de la publicité ou autrement.

GARANTIE DE BON FONCTIONNEMENT

Au Québec, en raison de nos conditions climatiques, on a souvent assisté à d'interminables procès opposant des consommateurs à des fabricants et à des concessionnaires d'automobiles pour des problèmes de rouille prématurée.

Ainsi les articles 37 et 38 de la Loi ajoutent à la garantie de qualité prévue au *Code civil* une **garantie de bon fonctionnement** pendant une période raisonnable. Ces dispositions sont complétées par les articles 53 et 54 L.P.C. que nous examinerons plus loin.

« **Art. 37 L.P.C.** Un bien qui fait l'objet d'un contrat doit être tel qu'il puisse servir à l'usage auquel il est normalement destiné. »

« **Art. 38 L.P.C.** Un bien qui fait l'objet d'un contrat doit être tel qu'il puisse servir à un usage normal pendant une durée raisonnable, eu égard à son prix, aux dispositions du contrat et aux conditions d'utilisation du bien.

L'article 39, quant à lui, oblige le commerçant et le manufacturier à fournir les pièces de rechange et les services de réparation pour ce bien pendant une durée raisonnable, à moins qu'ils n'aient avisé le consommateur du contraire par écrit, avant la formation du contrat. »

L'article 54 ajoute que le consommateur qui a contracté avec un commerçant a droit d'exercer directement contre le commerçant ou contre le manufacturier un recours fondé sur une obligation résultant des articles 37, 38 et 39. De plus, le recours contre le manufacturier fondé sur un de ces trois articles peut aussi être exercé par un acquéreur subséquent du bien.

GARANTIE CONTRE LES DÉFAUTS CACHÉS

En matière de garantie légale et de garantie contre les vices cachés, la *Loi sur la protection du consommateur* va au-delà des dispositions du *Code civil du Québec*. En effet, elle protège davantage le consommateur en imputant aux manufacturiers et aux commerçants une responsabilité accrue en ce qui concerne la qualité des biens qu'ils fabriquent et qu'ils vendent. De plus, la Loi a voulu alléger le fardeau de la preuve qui incombait au consommateur, à l'occasion d'un procès, en créant des présomptions en sa faveur. L'article 53 stipule :

« **Art. 53 L.P.C.** Le consommateur qui a contracté avec un commerçant a le droit d'exercer directement contre le commerçant ou contre le manufacturier un recours fondé sur un vice caché du bien qui a fait l'objet du contrat, sauf si le consommateur pouvait déceler ce vice par un examen ordinaire.

Il en est ainsi pour le défaut d'indications nécessaires à la protection de l'utilisateur contre un risque ou un danger dont il ne pouvait lui-même se rendre compte.

Ni le commerçant ni le manufacturier ne peuvent alléguer le fait qu'ils ignoraient ce vice ou ce défaut.

Le recours contre le manufacturier peut être exercé par un consommateur acquéreur subséquent du bien. »

Le dernier alinéa de l'article 53 indique que le recours contre le manufacturier peut être exercé par un **consommateur acquéreur subséquent** d'un bien.

Cette disposition implique que cette garantie est cédée avec le bien et qu'elle pourrait s'appliquer dans le cas d'une automobile d'occasion récente, par exemple.

Tant le recours fondé sur la garantie contre les défauts cachés que celui du bon fonctionnement peuvent être intentés à la fois contre le commerçant et le manufacturier.

> *Exemple* : Le consommateur qui achète un grille-pain ou un four à micro-ondes est en droit de s'assurer de son bon fonctionnement pendant une durée raisonnable.
>
> De la même façon, il bénéficie aussi d'une protection contre les vices de conception et de fabrication.
>
> De plus, le bien acheté peut être assorti d'une garantie conventionnelle additionnelle du fabricant ou du vendeur.

Souvent, lorsqu'un consommateur achète un bien tels un four à micro-ondes, une chaîne stéréophonique ou un baladeur, il trouve une carte de garantie dans la boîte indiquant qu'il doit retourner cette carte au fabricant pour bénéficier de la garantie.

Le consommateur n'a pas à craindre de perdre sa garantie s'il a omis de poster la carte de garantie jointe à l'objet acheté, car la garantie du commerçant ou du manufacturier s'applique de toute façon.

LÉSION

Nous avons vu précédemment au chapitre 6 que la **lésion** ne s'appliquait qu'en faveur des mineurs et des majeurs protégés et nous avons défini la **lésion** comme étant l'exploitation d'une des parties au contrat par l'autre entraînant une disproportion importante entre les prestations des parties. Le fait de cette disproportion fait présumer l'exploitation.

L'article 8 de la *Loi sur la protection du consommateur* vient apporter une exception importante aux dispositions du *Code civil* en étendant la notion de lésion au **consommateur majeur** lorsqu'il signe un contrat visé par cette loi avec un commerçant.

Ce sera souvent le cas des **ventes sous pression** lorsqu'il y a effectivement exploitation du consommateur au sens de l'article 8.

« **Art. 8 L.P.C.** Le consommateur peut demander la nullité du contrat ou la réduction des obligations qui en découlent lorsque la disproportion entre les prestations respectives des parties est tellement considérable qu'elle équivaut à de l'exploitation du consommateur, ou que l'obligation du consommateur est excessive, abusive ou exorbitante.

Art. 9 L.P.C. Lorsqu'un tribunal doit apprécier le consentement donné par un consommateur à un contrat, il tient compte de la condition des parties, des circonstances dans lesquelles le contrat a été conclu et des avantages qui résultent du contrat pour le consommateur ».

GARANTIE DE LA PUBLICITÉ

Les dispositions des articles 41 à 43 de la Loi prévoient que toutes les déclarations verbales ou écrites d'un vendeur ainsi que toute publicité ou message publicitaire à la radio, à la télévision, dans les journaux concernant un bien ou un service lient le commerçant ou le manufacturier. Il est évident que le consommateur doit faire preuve de discernement.

> *Exemple* : Il ne pourrait pas poursuivre le fabricant ni le vendeur de la fameuse colle Crazy Glue parce qu'il s'est blessé en tentant de faire comme les cascadeurs dans la publicité télévisée, qui sont suspendus au plafond par leur casque de travail.

PUBLICITÉ ET PRATIQUES INTERDITES DE COMMERCE

On connaît tous les désaccords qui existent dans notre société au sujet de la publicité. Les commerçants ont largement abusé de ce moyen pour faire connaître leurs produits. Les dispositions de la *Loi sur la protection du consommateur* viennent de plus appuyer l'Office pour contrer les abus encore existants dans le domaine de la publicité ainsi que les représentations et les pratiques interdites de commerce.

L'article 216 L.P.C. définit une *représentation* comme une affirmation, un comportement ou une omission d'un commerçant à l'égard d'un consommateur.

Une représentation constitue une *pratique interdite* lorsqu'elle va à l'encontre de la *Loi sur la protection du consommateur*.

L'article 218 ajoute que, pour déterminer si une représentation constitue une pratique interdite, il faut tenir compte de l'impression générale qu'elle donne et, s'il y a lieu, du sens littéral des termes qui y sont employés.

Le fait de se livrer à une pratique interdite n'est pas subordonné à la signature d'un contrat.

L'article 219 L.P.C. défend toute forme de **publicité fausse ou trompeuse** :

Représentation : Affirmation, comportement ou omission d'un commerçant à l'égard d'un consommateur.

Pratique interdite : Une représentation constitue une pratique interdite lorsqu'elle va à l'encontre de la *Loi sur la protection du consommateur*.

Figure 11.1 [..] aucun commerçant [...] ne peut, par quelque moyen que ce soit, faire une représentation fausse ou trompeuse à un consommateur (art. 219).

« **Art. 219 L.P.C.** Aucun commerçant, manufacturier ou publicitaire ne peut, par quelque moyen que ce soit, faire une représentation fausse ou trompeuse à un consommateur. »

Le contrevenant à cet article est donc susceptible de poursuite devant les tribunaux.

Il est également interdit :

- de passer un contrat avec un consommateur en lui octroyant un rabais, un paiement ou un autre avantage, à condition que celui-ci passe un contrat de même nature avec une autre personne. On désigne souvent ce genre de pratique commerciale par le nom de **vente pyramidale** ; elle vise davantage le recrutement de nouveaux distributeurs ou agents que la vente du produit en question.

> *Exemple*: Il y a quelques années, bon nombre de consommateurs ont été victimes d'une compagnie qui fonctionnait selon une organisation pyramidale. En effet, les instigateurs de cette compagnie convoquaient des agents recruteurs à des réunions régulières et leur demandaient de verser 25 $ chacun pour un cours et 50 $ pour un permis annuel ; chacun de ces agents recruteurs déboursait également 99 $ pour obtenir sa carte de membre de la compagnie, qui lui donnait droit à des réductions de 2 % à 10 % sur le prix de l'essence chez les marchands participants. La tâche de ces agents recruteurs consistait à vendre le plus grand nombre de cartes de membre possible, au même prix de 99 $; ils recevaient en retour une commission qui s'est révélée, par la suite, dérisoire.
>
> Pour prolonger l'existence de la pyramide, les agents recruteurs tentaient de convaincre les membres de recruter, à leur tour, d'autres personnes, en leur faisant miroiter la possibilité de recevoir des commissions importantes.

En plus de l'article 235 de la *Loi sur la protection du consommateur* qui condamne ce genre de pratique, le *Code criminel* prévoit l'emprisonnement et de fortes amendes pour toute personne qui contribue à mettre sur pied une vente pyramidale et y participe.

La *Loi sur la protection du consommateur* traite de nombreuses autres pratiques interdites. Il est interdit au commerçant :

- de fournir de faux renseignements quant aux avantages d'un bien ou d'un service.

    Exemple : Mettre sur le marché un économiseur d'essence si on n'a pas réussi à faire la preuve de son efficacité.

- de fausser la réalité concernant les caractéristiques d'un bien ou d'un service offert au consommateur.

    Exemples : Prétendre qu'un shampoing contient un ingrédient contre les pellicules alors qu'il n'en est rien ; vendre un téléviseur d'un modèle d'une année antérieure en affirmant qu'il s'agit d'un modèle de l'année.

- de faire de fausses représentations dans le but de vendre un bien ou un service.

    Exemples : Vendre une automobile à cause d'un décès si ce n'est pas le cas ; présenter une facture comportant des heures pendant lesquelles on n'a pas travaillé.

- d'exiger pour un bien ou un service un prix supérieur à celui qui a été annoncé.

    Exemple : Annoncer un téléviseur couleur à 435 $ alors que son prix en magasin est de 495 $; dans un tel cas, le commerçant sera obligé de le laisser à 435 $.

- d'annoncer un produit sans mentionner la quantité dont il dispose, et sans s'assurer qu'il en possède suffisamment. À ce sujet, l'article 231 stipule :

    « **Art. 231 L.P.C.** Aucun commerçant, manufacturier ou publicitaire ne peut, par quelque moyen que ce soit, faire de la publicité concernant un bien ou un service qu'il possède en quantité insuffisante pour répondre à la demande du public, à moins de mentionner dans son message publicitaire qu'il ne dispose que d'une quantité limitée du bien ou du service et d'indiquer cette quantité.

    Ne commet pas d'infraction au présent article le commerçant, le manufacturier ou le publicitaire qui établit à la satisfaction du tribunal qu'il avait des motifs raisonnables de croire être en mesure de répondre à la demande du public, ou qui a offert au consommateur, au même prix, un autre bien de même nature et d'un prix coûtant égal ou supérieur. »

    Exemple : Sports Lauzon inc. annonce une vente de skis Blizzard Strato Plus à 100 $ la paire. Si Sports Lauzon ne mentionne pas dans sa publicité que cette offre ne s'adresse qu'aux 50 premiers clients, la compagnie pourra être accusée de publicité trompeuse, à moins de prouver au tribunal qu'elle avait des motifs raisonnables de croire qu'elle était en mesure de répondre à la demande ou d'offrir au consommateur, au même prix, une autre sorte de skis de même nature et d'un prix coûtant égal ou supérieur.

> **Vendeur itinérant :** Tout commerçant qui, en personne ou par son représentant, sollicite un consommateur en vue de passer un contrat de vente, ou qui passe effectivement un contrat de vente, ailleurs qu'à son établissement de commerce.

CONTRATS VISÉS PAR LA LOI

La loi a établi des règles particulières relativement à certains contrats :

CONTRATS CONCLUS AVEC UN VENDEUR ITINÉRANT

Le contrat conclu avec un *vendeur itinérant* est celui que l'on conclut entre un consommateur et tout commerçant qui, en personne ou par son représentant, sollicite un consommateur en vue de passer un contrat de vente, ou qui passe effectivement un contrat de vente, ailleurs qu'à son établissement de commerce.

Tableau 11.1 Contrats particuliers visés par la *Loi sur la protection du consommateur*

Contrats		Exemples
Contrats conclus avec un vendeur itinérant		Jean-Pierre achète une encyclopédie d'un vendeur qui sonne à sa porte.
Contrats de crédit	• prêt d'argent	Monique emprunte 10 000 $ à la Banque Royale pour acheter une automobile.
	• avec crédit variable	Monique signe un contrat avec la Banque Royale pour l'ouverture d'une marge de crédit de 2000 $.
	• assorti d'un crédit	Monique achète un nouvel ameublement de salon et de cuisine chez Meubles Beaubois payable sur 24 mois.
Contrats de louage à long terme de biens		Jean-Pierre loue une automobile de marque Honda Accord de Hamel Honda pour deux ans.
Contrats de vente d'automobiles et de motocyclettes d'occasion	• vente de véhicules d'occasion	Monique achète une automobile d'occasion de marque Mazda chez Automobiles Idéales inc.
	• réparation	Monique fait réparer la transmission de son automobile au garage Laval Mazda.
Contrat de réparation d'appareils domestiques		Jean-Pierre fait réparer son réfrigérateur par Services Champfleury.
Contrats de louage de services à exécution successive	Contrats principaux : • enseignement – entraînement intellectuel, physique, moral, relations personnelles ou sociales	Monique s'inscrit à un cours d'espagnol à l'Institut provincial des langues.
	• studio de santé	Monique s'inscrit à un cours de danse aérobique chez Nautilus.
	Contrat accessoire	Monique signe avec un studio de santé un contrat pour acquérir des vidéo cassettes de danse aérobique.
Contrat à distance		Après avoir vu une annonce parue dans une revue, Jean-Pierre commande un appareil de musculation.

La plupart du temps, la sollicitation a lieu au domicile du consommateur. La *Loi sur la protection du consommateur* ne couvre que les contrats de plus de 25 $ conclus entre un commerçant itinérant et un consommateur.

PERMIS

En vertu de la Loi, tout vendeur itinérant doit être titulaire d'un permis de l'Office auprès duquel il doit déposer un cautionnement. Le consommateur peut donc demander à un commerçant itinérant de lui montrer son permis, et si le vendeur ne détient pas un tel permis, le consommateur peut obtenir l'annulation du contrat.

RÉSOLUTION

La Loi accorde au consommateur un délai de réflexion de 10 jours, y compris les samedis, dimanches et jours fériés, pour résoudre tout contrat conclu avec un vendeur itinérant ; ce délai est calculé à partir du moment où le consommateur a en main un double du contrat signé.

Dans ce calcul, on ne compte pas le jour qui marque le point de départ, mais on compte celui de l'échéance ; si le dernier jour est férié, on proroge le délai au premier jour ouvrable suivant.

L'avis doit être expédié dans ce délai. Le timbre postal pourra faire foi de la date de l'envoi de l'avis. En pratique, l'expédition de l'avis par courrier recommandé est fortement suggérée.

REMISE DU BIEN

Dans le cas de la résolution d'un contrat entre un vendeur itinérant et un consommateur, les parties sont tenues de se restituer ce qu'elles ont reçu l'une de l'autre dans les 10 jours qui suivent. Les frais occasionnés à ce sujet seront payés par le commerçant.

Aussi longtemps que le délai de 10 jours dont jouit le consommateur pour annuler un tel contrat n'est pas expiré, de même que durant le second délai de 10 jours dont il dispose pour remettre le bien, la Loi tient le commerçant responsable de toute perte ou détérioration du bien, même par cas fortuit (art. 64 L.P.C.).

Exemple : Jean-Pierre achète une encyclopédie d'un vendeur qui sonne à sa porte. Le premier volume coûte 10 $ et, par la suite, il s'engage à acquérir les 23 autres volumes au cours des mois suivants à raison de un volume par mois. Une fois le vendeur parti, il constate que les

Figure 11.2   Vendeur itinérant

volumes subséquents lui coûteront 50 $ chacun, pour un total de 1150 $. Il dispose d'un délai de 10 jours pour annuler son contrat.

CONTRATS DE CRÉDIT

Sous la rubrique des contrats de crédit, la *Loi sur la protection du consommateur* établit les dispositions générales et énonce les règles spéciales en ce qui a trait aux contrats suivants :

- le contrat de prêt d'argent ;
- le contrat de crédit variable ;
- le contrat assorti d'un crédit.

La *Loi sur la protection du consommateur* protège ce dernier en obligeant le commerçant à mentionner dans le contrat les *frais de crédit* et le **taux (en pourcentage) de crédit**.

Frais de crédit : Somme que le consommateur doit payer pour bénéficier d'un montant déterminé de crédit pendant un certain temps.

FRAIS DE CRÉDIT

Les frais de crédit représentent la somme que le consommateur doit payer pour bénéficier d'un montant déterminé de crédit pendant un certain temps.

Parmi les frais de crédit les plus fréquents, on peut citer les suivants :

- une somme réclamée à titre d'intérêt ;
- une prime d'assurance, à l'exception de celle d'assurance automobile ;
- des frais d'administration.

Exemple : France achète, à crédit, une machine à coudre d'un montant de 390 $ chez Dupré & Fils ltée. Elle verse 90 $ comptant et obtient un financement de 300 $ auprès d'une société de crédit. Cette dernière exige 40 $ d'intérêt et 10 $ pour l'obtention d'un rapport de solvabilité.

Dans l'exemple précédent, le capital net est de 300 $, les frais de crédit de 50 $, et l'obligation totale de France est de 350 $.

L'article 71 de la Loi oblige le commerçant à mentionner les frais de crédit en dollars et en cents et à indiquer qu'ils se rapportent :

- à toute la durée du contrat, dans le cas d'un contrat de prêt d'argent ou d'un contrat assorti d'un crédit ;
- à la période faisant l'objet de l'état de compte, dans le cas d'un contrat de crédit variable.

Mentionnons que, dorénavant, les frais de crédit seront calculés au jour le jour sur le solde impayé à la date du paiement précédent.

TAUX DE CRÉDIT

Le **taux de crédit** est l'expression en pourcentage annuel des frais de crédit.

Exemple : Un consommateur achète un téléviseur pour la somme de 475 $; il donne 25 $ comptant et signe un contrat de crédit de 450 $. Il doit payer cette somme, incluant des frais de crédit qui s'élèvent à 78,47 $, sur une période de neuf mois. Même si le contrat assorti d'un crédit couvre une période de moins de un an, le commerçant devra tout de même y indiquer le taux de crédit annuel, soit 23,25 % dans ce cas-ci.

Le taux de crédit prévu à un contrat, exception faite des prêts de moins de 1500 $ et des contrats de crédit variable, doit être *unique* et exprimé en *pourcentage*.

Exemple : Un magasin de vente au détail offre deux taux pour les utilisateurs de sa carte de crédit (forme de crédit variable) : le taux est de 21 % lorsque le solde est de 10 $ à 500 $ et de 15 % sur la portion du solde qui excède 500 $.

CONTRATS DE PRÊT D'ARGENT

Nous vous reportons aux dispositions du chapitre 15 sur le prêt, auxquelles la *Loi sur la protection du consommateur* ajoute notamment que le contrat de prêt d'argent peut faire l'objet d'une résiliation de la part du consommateur. La Loi prévoit un délai d'annulation de *deux jours*, sans frais ni pénalité, à compter du moment où le consommateur a en sa possession un double du contrat. Le consommateur qui a déjà touché la somme empruntée doit, bien sûr, la retourner au prêteur.

> *Exemple* : Monique emprunte 10 000 $ de la Banque Royale pour acheter une automobile. Si dans les deux jours de la date de l'emprunt son père lui indique qu'il peut lui prêter l'argent sans intérêts, Monique peut annuler le contrat sans frais ni pénalité.

CONTRATS DE CRÉDIT VARIABLE

Contrat de crédit variable : Contrat par lequel un crédit est consenti d'avance par un commerçant à un consommateur qui peut s'en prévaloir de temps à autre, en tout ou en partie, selon les modalités du contrat. Le contrat de crédit variable comprend notamment le contrat conclu pour l'utilisation de ce qui est communément appelé carte de crédit, compte de crédit, compte budgétaire, crédit rotatif, marge de crédit, ouverture de crédit et tout autre contrat de même nature (art. 118 L.P.C.).

Le *contrat de crédit variable* est le contrat par lequel un crédit est consenti d'avance par un commerçant à un consommateur qui peut s'en prévaloir de temps à autre, en tout ou en partie, selon les modalités du contrat. Le contrat de crédit variable comprend notamment le contrat conclu pour l'utilisation de ce qui est communément appelé carte de crédit, compte de crédit, compte budgétaire, crédit rotatif, marge de crédit, ouverture de crédit et tout autre contrat de même nature.

L'article 118 de la *Loi sur la protection du consommateur* définit le contrat du crédit variable.

Aucun commerçant ne peut émettre de carte de crédit au nom d'un consommateur, à moins que ce dernier ne lui en ait fait la demande par écrit. Une carte de crédit peut toujours être renouvelée ou remplacée aux conditions initiales à moins d'avis contraire de la part du consommateur. En cas de perte ou de vol de sa carte de crédit, le consommateur se dégage de toute responsabilité découlant de l'usage de la carte par une autre personne en avisant la compagnie émettrice. S'il omet d'aviser la compagnie, la responsabilité du consommateur est limitée à 50 $.

La Loi oblige le commerçant à fournir au consommateur un état de compte mensuel. Enfin le commerçant ne peut, sans l'autorisation écrite du consommateur, augmenter la marge de crédit accordée.

> *Exemple* : Monique signe un contrat avec la Banque Royale pour l'obtention d'une marge de crédit personnelle de 2000 $ et pour une carte de crédit Visa. La banque ne peut unilatéralement augmenter sa marge de crédit sans la permission écrite de Monique. À la fin de chaque mois, la banque devra lui faire parvenir un état de compte détaillé.

CONTRATS ASSORTIS D'UN CRÉDIT

Le consommateur passe régulièrement des contrats assortis d'un crédit, dont les plus connus sont la vente à tempérament et la vente à terme. Nous vous reportons aux dispositions du chapitre sur la vente concernant ces deux contrats.

> *Exemple* : Monique achète un nouvel ameublement de salon et de cuisine chez Meubles Beaubois inc. pour la somme de 3000 $ payable sur 24 mois au taux d'intérêt de 10 % par année.

VENTE À TEMPÉRAMENT

Vente à tempérament : Contrat assorti d'un crédit par lequel le transfert de la propriété d'un bien, vendu par un commerçant à un consommateur, est différé jusqu'à l'exécution, par ce dernier, de son obligation, en tout ou en partie (art. 132 L.P.C.).

D'après l'article 132 de la Loi, on peut définir la *vente à tempérament* comme étant un contrat assorti d'un crédit par lequel le transfert de la propriété d'un bien, vendu par un commerçant à un consommateur, est différé jusqu'à l'exécution, par ce dernier, de son obligation, en tout ou en partie.

Les deux éléments essentiels de la vente à tempérament sont l'existence d'un crédit et la suspension du transfert de propriété jusqu'au dernier versement.

RISQUES DE PERTE OU DE DÉTÉRIORATION Étant donné que le consommateur n'est pas propriétaire du bien tant qu'il n'a pas effectué le dernier versement prévu au contrat, il est normal qu'il n'en assume pas les risques de perte ni de détérioration totale ou partielle pendant qu'il en a la possession.

RECOURS DU COMMERÇANT EN CAS DE DÉFAUT DU CONSOMMATEUR
Lorsque le consommateur ne se conforme pas aux modalités de son contrat, le commerçant peut :

- soit exiger le paiement immédiat des sommes échues ;
- soit exiger le paiement immédiat du solde de la dette si le contrat contient une clause de déchéance du bénéfice du terme ;
- soit reprendre possession du bien vendu en suivant les prescriptions de la Loi.

Dans le cas où le consommateur a effectué au moins la moitié des versements, le commerçant doit lui envoyer un avis de 30 jours l'informant de son recours. En cas de refus du consommateur de remettre le bien, le commerçant qui veut reprendre le bien doit s'adresser au tribunal pour demander la permission. Celui-ci tient compte des circonstances de chaque cas et, s'il refuse la permission, il peut modifier les modalités de paiement du solde, selon les conditions qu'il juge raisonnables. Ce sera le cas où un consommateur explique au tribunal qu'il connaît des difficultés passagères, par exemple.

VENTE À TERME

Une **vente à tempérament** qui ne respecte pas les règles relatives aux contrats de crédit devient automatiquement une vente à terme. Le bien qui fait l'objet du contrat fautif est réputé être la propriété du consommateur dès la formation du contrat. Par conséquent, dans une vente à terme, le consommateur devient propriétaire du bien au moment même de la formation du contrat, et il en assume tous les risques, même s'il échelonne ses paiements sur une période de temps donnée.

DOSSIER DE CRÉDIT

En terminant l'étude des différents types de contrats de crédit réglementés par la *Loi sur la protection du consommateur*, il peut être utile de rappeler que tout consommateur se prévalant du crédit, sous une forme ou sous une autre, possède un **dossier de crédit** conservé au bureau de crédit du district de son domicile.

Souvent le consommateur est appelé à donner certains renseignements sur des formulaires relativement à ses actifs, références bancaires, commerciales et autres, tels ses numéros de cartes de crédit et les emprunts qu'il a contractés. Les établissements financiers et le bureau de crédit vérifient et compilent ces renseignements, et les tiennent à jour.

Le consommateur qui a déjà fait l'objet d'un rapport de solvabilité par un agent de crédit a le droit d'examiner son dossier pour vérifier l'exactitude des renseignements qui y sont consignés et, le cas échéant, d'exiger qu'on y rectifie les erreurs.

Les articles 37 à 41 du *Code civil* codifient les principes visant à protéger le consommateur en ce qui concerne l'utilisation de son dossier.

« **Article 40 C.c.Q.** Toute personne peut faire corriger, dans un dossier qui la concerne, des renseignements inexacts, incomplets ou équivoques ; elle peut aussi faire supprimer un renseignement périmé ou non justifié par l'objet du dossier ou formuler par écrit des commentaires et les verser au dossier.

La rectification est notifiée, sans délai, à toute personne qui a reçu des renseignements dans les six mois précédents et, le cas échéant, à la personne de qui elle les tient. Il en est de même de la demande de rectification si elle est contestée. »

Depuis le 1er juillet 1981, il existe une réglementation québécoise visant à protéger les droits du consommateur qui s'est prévalu du crédit et qui accuse un retard dans le remboursement de ses dettes ; il s'agit de la *Loi sur le recouvrement de certaines créances*. L'application de cette loi est du ressort de l'Office de la protection du consommateur.

Cette loi a comme premier objectif de protéger un débiteur contre les méthodes abusives utilisées par certains agents de recouvrement chargés, moyennant rémunération, de recouvrer une créance pour autrui. En langage populaire, on désigne souvent ces individus par le nom d'agent de « collection ». Les bureaux de crédit ne sont pas des organismes gouvernementaux mais des entreprises privées auxquelles les compagnies ont accès moyennant certains frais.

Trop de débiteurs, souvent malchanceux mais honnêtes, ont dû goûter à la médecine amère d'individus peu scrupuleux qui les harcelaient régulièrement au téléphone en les menaçant de saisir leurs biens, de leur faire perdre leur emploi et leur réputation, ou en les insultant carrément.

Il est important de savoir que la *Loi sur le recouvrement de certaines créances* ne s'applique pas aux avocats, aux notaires, aux agents d'assurance, aux huissiers ni aux syndics qui sont tous régis par des lois spéciales. Elle ne s'applique pas non plus aux employés qui, dans l'exécution de leurs fonctions, ont pour mandat de recouvrer des sommes d'argent appartenant à leur employeur (à titre d'exemple, l'employé d'une société de financement n'est pas considéré comme un agent de recouvrement au sens de la loi). Le tableau 11.2 illustre les règles à respecter lors du recouvrement de créances.

CONTRAT DE LOUAGE À LONG TERME DE BIENS

Le *contrat de louage à long terme de biens* est un contrat de louage qui prévoit une période de location de quatre mois ou plus. Le contrat de location de moins de quatre mois est quant à lui réputé à long terme s'il contient une clause de renouvellement ou de reconduction permettant de porter sa durée à quatre mois ou plus.

Les contrats de louage à long terme de biens est réglementé par les articles 130.1 à 150.31 de la *Loi sur la protection du consommateur*.

Ces contrats peuvent être assortis d'une option d'achat du bien loué ou d'une clause de valeur résiduelle garantie. Le domaine où ce type de contrat est le plus fréquent est celui de la location d'équipement et de la location de véhicules automobiles.

> *Exemple* : Jean-Pierre loue une automobile de marque Honda Accord 1995 de Hamel Honda pour une durée de deux ans. Le contrat peut être assorti d'une clause de valeur résiduelle garantie en vertu de laquelle Jean-Pierre garantit qu'à la fin du contrat le véhicule aura une valeur de 10 000 $ ou il peut être assorti d'une option d'achat en vertu de laquelle Jean-Pierre peut acheter le véhicule pour la somme de 10 000 $.

Selon l'article 150.13 de la Loi, si le consommateur n'exécute pas son obligation suivant les modalités du contrat, le commerçant peut :

- soit exiger le paiement immédiat de ce qui est échu ;
- soit exiger le paiement immédiat de ce qui est échu et des versements périodiques non échus si le contrat contient une clause de déchéance du bénéfice du terme ;
- soit reprendre possession du bien loué.

Contrat de louage à long terme de biens : Contrat de louage qui prévoit une période de location de quatre mois ou plus. Le contrat de location de moins de quatre mois est quant à lui réputé à long terme s'il contient une clause de renouvellement ou de reconduction permettant de porter sa durée à quatre mois ou plus.

Tableau 11.2 Règles de recouvrement de créances

Les règles à respecter lors du recouvrement des créances

Les obligations générales (créanciers, agents de recouvrement, etc.)

Il est interdit :

- de faire une représentation fausse ou trompeuse (par exemple, de prétendre pouvoir saisir tous les biens du débiteur sans prendre les procédures judiciaires appropriées).

- de faire du harcèlement, de proférer des menaces ou d'employer l'intimidation. Le fait de menacer d'exercer un recours prévu par la loi ne constitue cependant pas une menace, sauf s'il s'agit d'un agent de recouvrement. Celui-ci ne peut davantage harceler ou menacer la famille, des voisins, l'employeur du débiteur ou toute autre personne.

- de faire croire que le débiteur sera arrêté ou fera l'objet de poursuites pénales s'il ne paie pas.

- de donner un renseignement qui peut causer un préjudice indu au débiteur, à sa caution ou à un membre de sa famille.

- d'utiliser un écrit qui peut être confondu avec un document émis ou utilisé par un tribunal ou le gouvernement (par exemple, du papier à entête d'un ministère).

- de communiquer avec un débiteur qui a avisé par écrit l'agent ou le créancier de s'adresser à son avocat.

- de réclamer une somme d'argent supérieure à celle due (si le montant de la dette réclamé est de 320 $ et qu'on réclame 50 $ à titre des frais de recouvrement, il faut refuser de payer plus de 320 $).

- de communiquer avec l'employeur ou les voisins du débiteur, sauf pour obtenir l'adresse de ce dernier, ou si ces personnes l'ont cautionné pour la créance concernée. Dans tous les cas, l'agent doit s'identifier en déclinant ses nom et prénom, et nommer l'organisme qu'il représente, s'il y a lieu.

Les obligations supplémentaires pour les agents de recouvrement

Tout agent de recouvrement doit :

- détenir un permis émis par le président de l'Office de la protection du consommateur.

- fournir un cautionnement avec sa demande de permis. Ce cautionnement servira d'abord à indemniser une personne qui obtiendrait un jugement après avoir poursuivi un agent en vertu de la loi.

- détenir un compte en fiducie pour y verser l'argent reçu du débiteur, jusqu'à ce qu'il le remette au créancier pour lequel il l'a recouvré.

Les procédures de communication

- Aucun agent de recouvrement ne peut communiquer oralement avec le débiteur tant qu'il ne lui a pas envoyé un avis de réclamation écrit.

- Toute communication orale postérieure doit avoir lieu entre 8 h et 20 h les jours non fériés.

- Un agent doit toujours communiquer par écrit avec le débiteur qui lui en fait la demande, et ce pour les trois mois suivant la réception de l'avis écrit.

- Un agent ne peut communiquer avec un membre de la famille du débiteur que pour obtenir l'adresse de ce dernier, sauf si cette personne l'a cautionné pour la créance concernée.

- Un agent ne peut menacer de révéler à des personnes non parties au contrat concerné, ou menacer de publier le fait que le débiteur n'effectue pas ses paiements. Il ne peut pas non plus menacer de faire inscrire une mention défavorable dans son dossier de crédit, par exemple.

- Il est aussi interdit à un agent de recouvrement de suggérer qu'à défaut de paiement, des poursuites judiciaires seront intentées, puisque ce droit ne lui appartient pas.

Avant d'exercer le droit de reprise du bien loué, le commerçant doit expédier au consommateur un avis écrit.

Le consommateur peut remédier au fait qu'il est en défaut ou remettre le bien au commerçant dans les 30 jours qui suivent la réception de l'avis, et le droit de reprise ne peut être exercé qu'à l'expiration de ce délai.

Tableau 11.3   Normes pour la vente des voitures et des motocyclettes d'occasion

Catégorie	Voitures d'occasion mise sur le marché	Durée de la garantie
A	depuis 2 ans ou moins maximum de 40 000 km	6 mois ou 10 000 km
B	depuis 3 ans ou moins maximum de 60 000 km	3 mois ou 5000 km
C	depuis 5 ans ou moins maximum de 80 000 km	1 mois ou 1700 km
D	toutes les autres automobiles d'occasion	aucune garantie légale particulière
Catégorie	Motocyclettes d'occasion mise sur le marché	Durée de la garantie
A	depuis 2 ans ou moins	2 mois
B	depuis plus de 2 ans, mais moins de 3 ans	1 mois
C	autres motocyclettes d'occasion	aucune garantie particulière

CONTRATS DE VENTE D'AUTOMOBILES ET DE MOTOCYCLETTES D'OCCASION

ÉTIQUETTE

La Loi oblige le commerçant qui vend une automobile ou une motocyclette d'occasion à apposer sur le véhicule une étiquette placée bien en vue et donnant les renseignements suivants : le prix, le kilométrage, l'année de fabrication, le numéro de série, la marque, le modèle, les cylindrées du moteur et les réparations déjà faites, la garantie et tous les autres renseignements utiles au consommateur, tels le nom et le numéro de téléphone du dernier propriétaire. L'odomètre du véhicule doit indiquer le kilométrage réel parcouru.

> *Exemple* : Monique achète une automobile d'occasion de marque Mazda d'Automobiles Idéales inc. avec un kilométrage de 35 000 km. Le vendeur doit lui donner une garantie de six mois ou 10 000 km.

GARANTIE

Aux termes de la Loi, les voitures et les motocyclettes d'occasion vendues par un commerçant sont maintenant garanties selon les normes suivantes :

En vertu de la Loi, la garantie légale ou conventionnelle dont bénéficie le consommateur qui achète une voiture neuve ou d'occasion demeure valide pour tout consommateur subséquent ; en d'autres mots, que vous soyez le deuxième ou le troisième propriétaire du véhicule, le commerçant ou le manufacturier doit respecter la garantie du véhicule, si elle est toujours valide.

> *Exemple* : Monique achète une auto neuve de Versailles Ford et obtient une garantie conventionnelle de Ford Canada de trois ans ou 60 000 km. Deux ans plus tard, elle revend le véhicule à Robert ;

l'odomètre indique 47 000 km. Robert bénéficie du solde de la garantie de Ford Canada en tant que consommateur acquéreur subséquent du véhicule.

CONTRATS DE RÉPARATIONS D'AUTOMOBILES ET DE MOTOCYCLETTES

Les dispositions de la Loi concernant les réparations de véhicules s'appliquent tout aussi bien aux automobiles et aux motocyclettes d'occasion qu'à celles qui ont été achetées neuves. Avant d'effectuer une réparation sur une automobile ou une motocyclette, le garagiste doit fournir au consommateur une évaluation écrite.

L'article 168 L.P.C. ajoute à ce sujet :

« Le consommateur ne peut se libérer de cette obligation sans une renonciation écrite en entier par le consommateur et signée par ce dernier. »

L'évaluation n'est pas requise lorsque la réparation doit être effectuée sans frais par le consommateur.

Exemple : Si elle est couverte par la garantie du manufacturier.

Le commerçant ne peut exiger de frais pour faire une évaluation, à moins d'en avoir fait connaître le montant au consommateur avant cette évaluation.

S'il s'agit d'une automobile, le consommateur bénéficie d'une garantie minimale de trois mois ou de 5000 kilomètres sur les travaux effectués sur son véhicule ; s'il s'agit d'une motocyclette, il bénéficie d'une garantie de un mois, sans limite de kilométrage. Afin d'assurer le respect de ces dispositions, la Loi exige que tout commerçant affiche dans son établissement le texte écrit des droits du consommateur.

RECOURS

À compter du jour où il découvre une défectuosité que le commerçant refuse de corriger selon les modalités de la garantie offerte au moment de l'achat, ou fournie à la suite d'une réparation, le consommateur a, contre le commerçant, un recours qu'il doit exercer dans les trois mois devant les tribunaux de droit commun.

Exemple : Monique fait réparer la transmission de son automobile au Garage Laval Mazda. Ce dernier doit lui fournir une évaluation écrite du coût des travaux avant de procéder à ceux-ci, et lui donner une garantie minimale de trois mois ou 5000 kilomètres sur les travaux effectués.

CONTRATS DE RÉPARATION D'APPAREILS MÉNAGERS

DÉFINITION

La Loi vise, sous ce titre, les réparations de plus de 50 $ de cuisinières, réfrigérateurs, congélateurs, lave-vaisselle, machines à laver, sécheuses, téléviseurs et appareils vidéo.

ÉVALUATION

Le réparateur de ces appareils doit fournir au consommateur une évaluation écrite du coût de la réparation.

GARANTIE

La réparation d'un appareil ménager est garantie pour trois mois ; cette garantie comprend les pièces et la main-d'œuvre.

RECOURS

Le consommateur peut intenter une action contre le réparateur d'appareils ménagers devant un tribunal de droit commun s'il refuse d'honorer la garantie.

> *Exemple* : Jean-Pierre fait réparer son réfrigérateur par Services Champfleury. Si la réparation coûte plus que 50 $, le réparateur doit lui fournir une évaluation écrite du coût des réparations et lui donner une garantie de trois mois.

CONTRATS DE LOUAGE DE SERVICES À EXÉCUTION SUCCESSIVE

Ce type de contrat est la plupart du temps offert par des entreprises qui échelonnent leurs services sur plusieurs semaines ou plusieurs mois en contrepartie de sommes d'argent. Ces contrats peuvent revêtir les trois formes suivantes : les **contrats principaux**, les **contrats avec les studios de santé** et les **contrats accessoires**.

CONTRATS PRINCIPAUX

Contrats principaux : Contrats visant à procurer au consommateur un enseignement ou un entraînement susceptible d'améliorer ses qualités physiques ou intellectuelles ; ils visent également à aider une personne à nouer et à entretenir des relations personnelles ou sociales.

Aux termes de l'article 189 de la Loi, les *contrats principaux* visent à procurer au consommateur un enseignement ou un entraînement susceptible d'améliorer ses qualités physiques ou intellectuelles ; ils visent également à aider une personne à nouer et à entretenir des relations personnelles ou sociales. Les cours offerts par les collèges, les commissions scolaires et les universités ne sont pas visés par ces dispositions. Les écoles de langues, de danse et les agences de rencontre offrent le plus souvent ce genre de contrat.

Le commerçant n'a pas le droit d'exiger un acompte du consommateur tant que ce dernier n'a pas commencé à utiliser ses services. Si le consommateur veut mettre fin à son contrat, il peut le faire en retournant à l'entreprise la formule d'annulation jointe à son contrat. Dans ce cas, s'il n'a pas encore utilisé les services de l'entreprise, il n'a aucuns frais à payer. Toutefois, dans le cas où le consommateur aurait utilisé les services de l'entreprise pendant un certain laps de temps, il devrait payer des frais d'annulation calculés de la façon suivante : 50 $ ou 10 % du prix des services non encore rendus, selon la moins élevée des deux sommes.

> *Exemple* : Monique s'inscrit à des cours d'espagnol à l'Institut provincial des langues au coût de 300 $ pour 10 semaines, à raison d'un soir par semaine. Si après le 5e cours elle décide de mettre fin à son contrat, elle devra payer une pénalité correspondant à la moins élevée des sommes suivantes : 50 $ ou 10 % de 150 $, c'est-à-dire 10 % de la valeur des services non rendus, soit 15 $.

CONTRATS AVEC LES STUDIOS DE SANTÉ

Les articles 197 à 205 de la *Loi sur la protection du consommateur* traitent de façon particulière des contrats conclus entre un consommateur et un commerçant qui exploite un studio de santé.

Aux termes de la Loi, un studio de santé est :

« [...] un établissement qui fournit des biens ou des services destinés à aider une personne à améliorer sa condition physique par un changement dans son poids, le contrôle de son poids, un traitement, un régime ou de l'exercice. » (Art. 198 L.P.C.).

Les clubs de conditionnement physique, studios de danse aérobique ou centre de musculation répondent à cette définition.

Un contrat avec un studio de santé ne peut avoir une durée de plus d'un an.

Tableau 11.4 Conditions de résiliation d'un contrat de louage de services à exécution successive

		Le commerçant n'a pas commencé à exécuter son obligation principale	Le commerçant a commencé à exécuter son obligation principale
Le consommateur peut résilier	un contrat autre qu'avec un studio de santé	À tout moment, sans frais ni pénalité.	À tout moment, mais le commerçant peut exiger le prix des services effectivement fournis et la moins élevée des sommes suivantes : 50 $ ou au plus 10 % du prix des services non fournis.
	un contrat avec un studio de santé.	À tout moment, sans frais ni pénalité.	Dans un délai égal à 1/10 de la durée du contrat, à compter du moment où le commerçant a commencé à l'exécuter, mais le commerçant ne peut exiger plus de 1/10 du prix total prévu au contrat.

Source : *Protégez-vous*, février 1984, p. 57.

Comme dans le contrat précédent, le commerçant qui dirige un studio de santé n'a pas le droit d'exiger d'acompte du consommateur et il ne peut, non plus, obliger ce dernier à payer le coût total de ses services en un seul versement ; le paiement devra donc se faire en au moins deux versements égaux.

Pour ce qui est de la résiliation de ce type de contrat, la Loi prévoit deux hypothèses. D'une part, si le consommateur n'a pas encore utilisé les services du studio de santé, il peut résilier son contrat sans frais ni pénalité ; d'autre part, s'il a commencé à utiliser les services du studio, il peut mettre fin au contrat dans un délai égal à 1/10 de la durée du contrat en payant 10 % du prix total des services. Dans ce cas, le commerçant doit rembourser au consommateur la somme d'argent déjà versée dans les 10 jours de la résiliation.

> *Exemple* : Monique s'inscrit chez Nautilus au coût de 360 $ par année. Ses activités professionnelles l'empêchent d'y aller régulièrement. Après trois mois, elle décide d'annuler son contrat. Il est trop tard ; elle devra payer le plein montant, car plus de 1/10 de la durée du contrat est écoulée.

Le tableau 11.4 résume ces délais ainsi que les pénalités que peuvent réclamer les commerçants.

CONTRATS ACCESSOIRES

La *Loi sur la protection du consommateur* définit le contrat accessoire comme celui qui est conclu entre un commerçant et un consommateur à l'occasion d'un contrat principal de louage de services à exécution successive.

> *Exemple* : Dans un cours de langue, le contrat accessoire est celui que le consommateur passe relativement à l'achat de matériel pédagogique, tels un magnétophone, des cassettes, des livres, etc.

La Loi interdit au commerçant de subordonner la conclusion d'un contrat principal à celle d'un contrat accessoire. Comme on peut le constater, cette disposition de la Loi vise à prévenir les abus en évitant que le commerçant n'oblige le consommateur à se procurer des articles chez lui (achat de matériel).

Contrat à distance : Contrat conclu entre un commerçant et un consommateur qui ne sont en présence l'un de l'autre ni au moment de l'offre ni à celui de l'acceptation.

Vente par correspondance : Terme couramment employé pour désigner les contrats à distance.

CONTRATS À DISTANCE

Les *contrats à distance* sont des contrats conclus entre un commerçant et un consommateur qui ne sont en présence l'un de l'autre ni au moment de l'offre ni à celui de l'acceptation. On désigne communément ces contrats par le vocable *vente par correspondance*.

Certains journaux ou revues regorgent d'annonces invitant le consommateur à passer des contrats à distance. Ainsi, on offre en vente des plants géants de tomates, des fraisiers mirobolants, des amulettes miraculeuses, etc.

En vertu de l'article 21 de la Loi, un **contrat à distance** est réputé conclu à l'adresse du consommateur ; cet article a pour but de rendre plus facile le recours éventuel du consommateur en cas de litige avec le commerçant. En effet, le consommateur pourra toujours poursuivre un commerçant devant le tribunal du district de sa résidence.

Dans un contrat à distance, un commerçant ne peut exiger du consommateur le paiement total ou partiel du bien avant sa livraison. Il faut remarquer que les dispositions de la Loi touchant les contrats à distance ne s'appliquent pas aux contrats d'abonnement à un journal, à une revue ou à un magazine.

COMPTES EN FIDUCIE

La *Loi sur la protection du consommateur* oblige les commerçants qui reçoivent de l'argent des consommateurs à déposer cet argent dans un compte en fiducie ou en fidéicommis tant que le bien n'a pas été remis au consommateur ou que la période durant laquelle le consommateur peut annuler unilatéralement son contrat n'est pas écoulée.

C'est le cas notamment des ventes par un vendeur itinérant ou par des agences de voyage.

RÉSUMÉ

- La *Loi sur la protection du consommateur* s'applique à tout contrat conclu entre un consommateur et un commerçant dans le cours de son commerce et ayant pour objet un bien ou un service.

- Elle est administrée par l'Office de la protection du consommateur.

- Le *Code civil du Québec* prévoit lui aussi certaines dispositions visant à protéger le consommateur.

- En plus de la garantie légale prévue au *Code civil*, la *Loi sur la protection du consommateur* ajoute certaines garanties additionnelles.

- Ce sont la garantie de bon fonctionnement et la garantie contre les défauts cachés qui accroissent la responsabilité des manufacturiers et commerçants.

- La Loi réglemente également la publicité et les pratiques interdites de commerce notamment en ce qui concerne la publicité trompeuse.

- Les principaux contrats visés par la *Loi sur la protection du consommateur* sont les contrats conclus avec un vendeur itinérant, les contrats de crédit (prêt d'argent, crédit variable, vente à terme et à tempérament), les contrats de louage à long terme de biens, les contrats relatifs à la vente d'automobiles et de motocyclettes d'occasion et à leur réparation, les contrats de réparation d'appareils domestiques ; les contrats de louage de services à exécution successive (enseignement, relations personnelles, studio de santé), et les contrats à distance.

RÉSEAU DE CONCEPTS

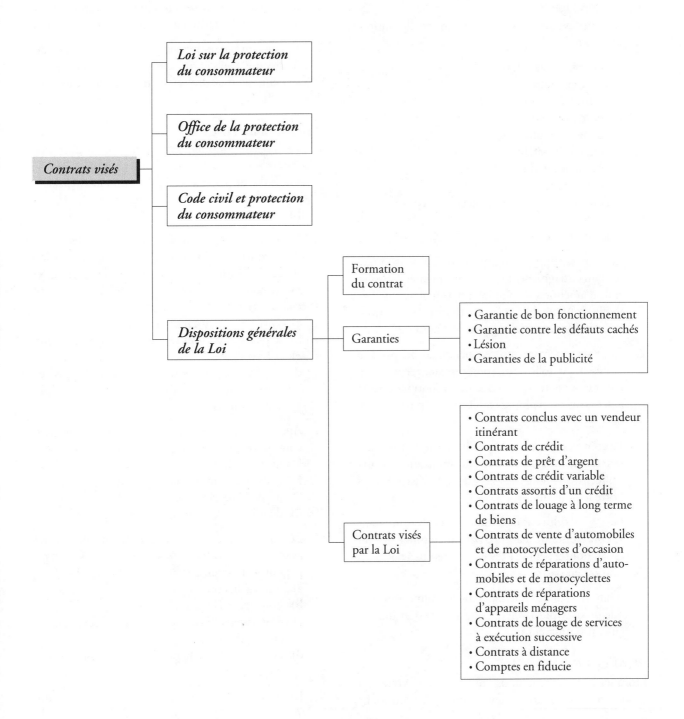

EXERCICES

ASSOCIATIONS

Associez un des termes ci-dessous à l'une des définitions qui suivent :

- vente à commission
- vente en consignation
- contrat de crédit variable
- vente pyramidale
- vendeur à commission
- vendeur itinérant
- évaluation écrite
- vente à l'essai
- contrat de louage de services à exécution successive
- agent de crédit

1. Les contrats qui visent à procurer au consommateur un enseignement ou un entraînement susceptible d'améliorer ses qualités physiques ou intellectuelles, ou à établir et à développer des relations personnelles et sociales portent le nom de ___ .

2. Tout commerçant qui, en personne ou par son représentant, sollicite un consommateur en vue d'un contrat de vente ou qui conclut un contrat de vente ailleurs qu'à son propre établissement porte le nom de ___ .

3. Le contrat de vente en vertu duquel le consommateur reçoit une ristourne ou une diminution de prix s'il recrute de nouveaux acheteurs ou distributeurs porte le nom de ___ .

4. Le ___ est celui en vertu duquel un consommateur se voit consentir d'avance par un commerçant un crédit dont il peut se prévaloir de temps à autre, en tout ou en partie.

5. Avant d'effectuer une réparation sur une automobile ou une motocyclette, le garagiste doit fournir au consommateur une ___ .

VRAI OU FAUX

Indiquez si les affirmations suivantes sont vraies ou fausses. Si l'affirmation est fausse, précisez pourquoi.

1. Le consommateur bénéficie d'une garantie minimale de deux mois ou 3000 km pour toutes les réparations effectuées sur son automobile.

2. Le consommateur qui a omis de poster sa carte de garantie jointe à l'objet acheté perd son droit à la garantie du commerçant ou du manufacturier.

3. Tout vendeur itinérant doit détenir un permis émis par l'Office de la protection du consommateur.

4. Le consommateur peut annuler un contrat conclu avec un vendeur itinérant dans un délai de 15 jours.

5. Le consommateur incapable de faire face à ses paiements mensuels et qui a effectué 25 % de ses versements peut s'adresser au tribunal pour les faire modifier.

CHOIX MULTIPLES

1. La durée du contrat intervenu entre un consommateur et un centre de conditionnement physique ou un studio de danse aérobique ne doit pas dépasser :
   a) six mois.   c) deux ans.
   b) cinq ans.   d) un an.

2. Le consommateur qui veut demander la résiliation d'un contrat de location de services à exécution successive autre qu'avec un studio de santé, après que le commerçant a commencé à lui faire bénéficier de ses services, doit payer :
   a) 1/10 du prix total des services.
   b) le prix des services rendus jusqu'à ce moment.
   c) 50 $.
   d) le prix des services rendus, plus la plus petite somme entre 50 $, ou 10 % de la valeur des services rendus.

3. Aucun agent de recouvrement de créances ne peut communiquer verbalement avec un débiteur avant :
   a) un délai de 10 jours.
   b) d'avoir obtenu la permission du tribunal.
   c) un délai de cinq jours.
   d) de lui avoir envoyé un avis écrit.

4. Le consommateur qui veut mettre fin à un contrat avec une école offrant des cours d'anglais ou d'espagnol peut le faire après un mois et :
   a) n'a aucuns frais à payer.
   b) doit payer 100 $ de frais fixes.
   c) doit payer 50 $ ou 10 % du prix des services non encore rendus.
   d) doit payer 15 % du prix des services non encore rendus.

5. Dans une vente à tempérament, le commerçant qui veut reprendre possession du bien meuble vendu en cas de défaut du consommateur :
   a) peut le faire automatiquement par suite de défaut.
   b) doit envoyer un avis écrit de 10 jours au consommateur.
   c) doit envoyer un avis écrit de 30 jours au consommateur.
   d) ne peut reprendre le bien, car il y a eu transfert de propriété.

CAS PRATIQUES

1. Nicolas, qui travaille comme directeur de production pour une entreprise manufacturière de la région de Québec, possède une carte de crédit au magasin La Baie, en vertu d'un contrat en bonne et due forme. Le 14 mars, il se rend chez La Baie, achète un nouvel ameublement de salon au prix de 1500 $ et le fait porter à son compte.

   Il effectue ses paiements mensuels minimums jusqu'au mois de septembre. Bien qu'il ait reçu ses états de compte mensuels, il néglige de faire ses paiements mensuels pour octobre, novembre et décembre à cause de difficultés financières.

   Il vient de recevoir un avis, conformément à la *Loi sur la protection du consommateur*, par lequel La Baie lui indique son intention de reprendre possession de l'ameublement de salon.
   a) La Baie a-t-elle le droit de reprendre possession du mobilier ? Justifiez votre réponse.
   b) Votre réponse aurait-elle été la même si Nicolas n'avait pas porté l'achat à son compte, mais avait acheté l'ameublement en vertu d'un contrat de vente à tempérament et avait déjà payé 800 $ sur ses meubles ? Justifiez votre réponse.
   c) Dans les deux cas précédents, est-ce que Nicolas pourrait s'opposer à la reprise de possession ? Expliquez.

2. Francine achète l'automobile d'occasion de son voisin Serge, au prix de 3000 $; l'odomètre du véhicule indique 55 000 km. Deux mois après avoir pris possession du véhicule, elle constate que la transmission est fichue. Son garagiste lui indique que l'embrayage est aussi à remplacer. Furieuse, Francine décide de poursuivre Serge. Dans son action, elle allègue d'abord des défauts cachés du véhicule, puis la garantie prévue à la *Loi sur la protection du consommateur*, qui est de trois mois ou 5000 km.

   a) L'action de Francine est-elle bien fondée en ce qui concerne la garantie prévue par la *Loi sur la protection du consommateur* ? Justifiez votre réponse.
   b) Que pensez-vous de l'action basée sur les défauts cachés ?
   c) Serge dispose-t-il de moyens de défense à l'encontre de cette action ? Expliquez.

3. Le 8 septembre, Arthur, qui voulait faire une surprise à sa femme, achète un aspirateur électrique d'un représentant de la campagnie Electro Aspir ltée, après une visite de ce dernier à son domicile pour lui faire une démonstration des qualités de son produit. Le coût de l'aspirateur et des accessoires est de 695 $. Le 10 septembre, sa femme revient d'une visite chez sa mère à Trois-Rivières et lui montre le cadeau que sa mère lui a donné ; un nouvel aspirateur de marque Super-Vroum.

   Il vient vous consulter sept jours plus tard pour connaître ses droits, car il veut annuler le contrat et récupérer son argent. Peut-il le faire et, dans l'affirmative, de quelle manière doit-il s'y prendre ?

4. Denis, qui désire se mettre en forme et perdre quelques kilos, s'inscrit chez Nautilo, un centre de conditionnement physique. Il signe un contrat de 12 mois pour une somme de 360 $.

   Après exactement un mois, il vient vous consulter et vous indique qu'il n'a pas vraiment le temps de faire du conditionnement physique chez Nautilo, car son horaire est trop chargé. Il veut savoir s'il peut annuler son contrat et récupérer son argent et, dans l'affirmative, de quelle manière. Justifiez votre réponse.

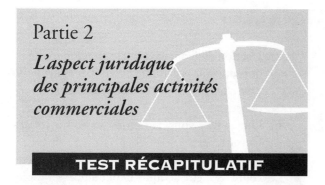

Partie 2
L'aspect juridique des principales activités commerciales

TEST RÉCAPITULATIF

Le but de cet examen est de vous permettre de procéder à une récapitulation des connaissances et compétences acquises dans les six chapitres constituant la Partie 2 du présent volume intitulée *L'aspect juridique des principales activités commerciales*.

Il vous permet de faire une autoévaluation de la matière étudiée jusqu'à maintenant.

L'examen a été élaboré à partir de la matière déjà vue et sur laquelle vous avez déjà répondu à des questions dans les chapitres précédents.

Afin d'en profiter au maximum, nous vous suggérons d'y répondre sans utiliser le volume.

VOCABULAIRE
Complétez les phrases suivantes :

1. Dans une vente de fonds de commerce, l'acheteur doit exiger du vendeur qu'il lui fournisse une ___ indiquant le nom et l'adresse de ses créanciers et la somme due à chacun.

2. Le consommateur possède un délai de ___ pour annuler tout contrat conclu avec un vendeur itinérant.

3. L' ___ correspond à la perte de salaire ou de revenu subie par la victime durant la période où elle a été totalement ou partiellement incapable de travailler.

4. On appelle ___ des événements ou une suite d'événements imprévisibles et échappant à tout contrôle humain, qui empêchent le débiteur d'exécuter son obligation.

5. La clause ___ du loyer a pour objet l'ajustement et l'augmentation du loyer selon l'indice du coût de la vie.

VRAI OU FAUX
Indiquez si les affirmations suivantes sont vraies ou fausses. Si l'affirmation est fausse, précisez pourquoi.

1. Dans une vente d'entreprise, l'acheteur a le droit d'exiger du vendeur une déclaration assermentée de tous ses créanciers avec la nature de chaque créance et le montant dû à chacun de ses créanciers.

2. Dans un contrat intervenu pour les services ou l'exploitation d'une entreprise, la solidarité n'a pas besoin d'être stipulée, car elle est présumée entre les débiteurs.

3. L'action en responsabilité civile pour des dommages matériels doit être intentée dans un délai de un an et celle pour dommages corporels dans un délai de deux ans.

4. Si le locataire qui a reçu un avis d'augmentation de loyer ne répond pas par écrit à son propriétaire dans le mois qui suit la réception de l'avis de celui-ci, il est présumé avoir accepté le contenu de l'avis.

5. Le propriétaire d'une maison peut désigner son créancier hypothécaire comme bénéficiaire du produit d'une police d'assurance-incendie.

CHOIX MULTIPLES

1. La somme qu'un assuré peut recouvrer après l'annulation de certains contrats d'assurance, et qui représente habituellement le montant maximal que l'assuré peut emprunter sur sa police s'appelle :
   a) dividende.
   b) ristourne.
   c) valeur de rachat.
   d) compte à payer.

2. La clause en vertu de laquelle le locataire supporte en tout ou en partie l'augmentation des dépenses pour les années subséquentes de son bail est une :
   a) clause de loyer proportionnel.
   b) clause de renouvellement du bail.
   c) clause d'indexation.
   d) clause escalatoire.

3. Emmanuelle achète une automobile d'occasion du garage Bolides d'occasion inc. ; l'odomètre indique 58 597 km. Le garage devra lui donner une garantie de :
   a) un mois ou 1700 km.
   b) six mois ou 10 000 km.
   c) trois mois ou 5000 km.
   d) aucune garantie.

4. Lorsque la victime d'un dommage a consenti librement et en toute connaissance de cause à un risque qui pouvait entraîner des conséquences graves, on parle :
   a) de faute d'un tiers.
   b) de cas de force majeure.
   c) de limitation de responsabilité.
   d) d'acceptation du risque.

5. Nancy vend une automobile d'occasion à Pierre. Qui devra payer la taxe de vente ?
   a) Nancy.
   b) Pierre devra payer les frais d'enregistrement et Nancy la taxe de vente.
   c) Pierre.
   d) le ministère des Transports.

CAS PRATIQUES

Le vendredi 11 novembre, Michel Hébert, spécialiste en informatique, a fait une offre d'achat conditionnelle à André Laverdure pour l'achat de l'entreprise de vente d'ordinateurs et de services informatiques que ce dernier exploite à Place Longueuil, sous le nom d'Ordinateurs Méga Octets inc.

L'offre d'achat est de 215 000 $, plus la valeur de l'inventaire qui sera fait la veille de la signature de l'acte de vente. Il a remis un dépôt de 5000 $ avec l'offre. Cette offre est conditionnelle à la négociation par Michel Hébert d'un nouveau bail de cinq ans avec possibilité de renouvellement avec Place Longueuil, dans un délai de 10 jours de l'acceptation de l'offre. L'offre est valable pour une semaine, soit jusqu'à 18 h, le vendredi 18 novembre.

André Laverdure lui a indiqué qu'il examinerait l'offre durant la fin de semaine et qu'il lui donnerait sa réponse avant l'expiration du délai.

Durant la fin de semaine, le voisin de Michel lui indique que son beau-frère Daniel Séguin possède plusieurs commerces, notamment un commerce d'ordinateurs qu'il exploite aux Galeries d'Anjou sous le nom d'Ordinateurs d'Anjou ltée et dont il veut se départir.

Michel rencontre Daniel Séguin qui lui indique qu'il serait prêt à lui vendre son commerce pour la somme de 125 000 $, plus la valeur de l'inventaire en magasin. Il possède un bail de 10 ans avec les Galeries d'Anjou avec possibilité de renouvellement de cinq ans pour un loyer mensuel inférieur de 300 $ au loyer payé par André Laverdure et sa compagnie, à Place Longueuil. Daniel indique à Michel que son commerce compte plusieurs créanciers :

• Ville d'Anjou	7 500 $
• Les Galeries d'Anjou	15 000 $
• Pièces d'ordinateurs PSI inc.	35 000 $
• Autres fournisseurs, environ	12 500 $

Michel Hébert veut vous consulter. Il vous indique que l'achat du deuxième commerce l'intéresse beaucoup et il vous montre une offre de vente que lui a remise Daniel Séguin, déjà signée par ce dernier et sur laquelle il ne manque que la signature de Michel Hébert pour indiquer son acceptation.

a) Il veut savoir s'il peut annuler sa première offre d'achat. Expliquez.

b) Advenant qu'André Laverdure accepte l'offre de Michel, indiquez un moyen par lequel Michel Hébert pourra éviter de procéder à l'achat du commerce Ordinateurs Méga Octets inc.

c) Advenant qu'André Laverdure refuse l'offre et que Michel accepte celle de Daniel Séguin, expliquez les étapes que devront suivre Michel Hébert et Daniel Séguin pour en arriver à la signature du contrat d'achat.

d) Indiquez, chiffres à l'appui, de quelle façon le prix de vente sera payé.

Le 17 avril, cinq mois après avoir acheté le commerce de Daniel, Michel vient vous consulter, car un client a été sérieusement blessé à la tête lorsqu'un ordinateur est tombé d'une étagère qui s'est effondrée.

e) Il vient de recevoir une mise en demeure lui réclamant 100 000 $ et il veut savoir s'il est responsable. Il vous indique que l'étagère s'est effondrée toute seule et que, de toute façon, c'est un de ses employés qui avait fait l'étalage. Expliquez-lui ses droits et ses obligations.

f) Il en profite pour vous parler de deux problèmes personnels. Il avait retenu les services d'un entrepreneur en rénovation, Réno-action inc., pour ajouter une fenêtre-serre à sa maison au coût de 16 000 $. Il y a une semaine, il s'est aperçu que de l'eau s'est infiltrée par la fenêtre-serre, ce qui a complètement endommagé son nouveau tapis. Il veut connaître ses recours.

g) Par ailleurs, il vous indique qu'il a oublié d'envoyer un avis d'augmentation de loyer à Yves Provost, un de ses locataires dont le bail de un an se termine le 30 juin prochain. Il veut savoir s'il peut remédier à cet oubli et augmenter le loyer de 75 $ par mois. Motivez votre réponse.

h) Raymond est venu le voir avec un ordinateur acheté de Michel Durocher, un client qui avait lui-même acheté cet ordinateur de Ordinateur Anjou ltée, avec une garantie d'un an sur les pièces et la main-d'oeuvre. Il prétend qu'il reste un mois à la garantie et que l'ordinateur ne fonctionne pas correctement ; il exige le respect de la garantie. Raymond est-il bien fondé dans ses prétentions ? Expliquez.

CHAPITRE 12

L'EXPLOITATION D'UNE ENTREPRISE NON INCORPORÉE

OBJECTIFS ET ÉLÉMENTS DE COMPÉTENCES

1 Expliquer les principes établis par la *Loi sur la publicité légale des entreprises* quant au choix et à l'utilisation du nom d'une entreprise.

2 Rédiger la déclaration d'immatriculation d'une entreprise individuelle et celle d'une société.

3 Différencier la société en nom collectif, la société en commandite et la société en participation.

4 Expliquer les formalités de mise sur pied de l'entreprise individuelle et d'une société en nom collectif.

5 Expliquer les obligations des associés quant au partage des pertes et des dettes de la société.

6 Connaître les sanctions résultant d'une infraction à la *Loi sur la publicité légale des entreprises*.

7 Être en mesure de rédiger les documents nécessaires à la mise sur pied d'une entreprise individuelle et d'une société en nom collectif.

Qui n'a pas un jour caressé le rêve de posséder sa propre entreprise ? La réalisation d'un tel désir n'est toutefois pas à la portée de tout le monde et les gens qui s'y risquent se doivent de connaître les principales formes juridiques que peut revêtir une entreprise ainsi que les conséquences qui peuvent découler d'un choix plutôt que d'un autre. De cette manière, les futurs gestionnaires mettront de leur côté le maximum de chances de réussite et sauront opter pour la meilleure forme d'entreprise, compte tenu du genre d'activités qu'ils entendent exercer.

Dans les trois prochains chapitres, nous étudierons donc les différents types d'entreprises qui existent au Québec, les formalités nécessaires à leur mise sur pied, leur fonctionnement interne, leur mode d'extinction de même que les lois ou règlements qui les régissent.

L'EXPLOITATION D'UNE ENTREPRISE

DÉFINITION

Exploitation d'une entreprise : Exercice, par une ou plusieurs personnes, d'une activité économique organisée, qu'elle soit ou non à caractère commercial, consistant dans la production ou la réalisation de biens, leur administration ou leur aliénation, ou dans la prestation de services.

Le *Code civil du Québec* définit de façon précise en quoi consiste l'*exploitation d'une entreprise* à l'article 1525 (2).

L'exploitation d'une entreprise constitue l'exercice, par une ou plusieurs personnes, d'une activité économique organisée, qu'elle soit ou non à caractère commercial, consistant dans la production ou la réalisation de biens, leur administration ou leur aliénation, ou dans la prestation de services.

Cette définition recouvre l'ensemble des commerces et entreprises de production de services et de détail avec lesquels le consommateur fait affaires dans le cadre de ses activités économiques tels les :

- dépanneurs ;
- clubs vidéo ;
- marchés d'alimentation ;
- concessionnaires d'automobiles ;
- coiffeurs ;
- boutiques de vêtements ;
- cliniques médicales, dentistes, comptables, avocats, etc. ;
- manufacturiers de meubles.

La définition recouvre également certaines autres activités, entre autres :

- l'exploitation et l'administration d'immeubles ;
- les services de consultants ;
- les activités d'associations et de corporations sans but lucratif.

Le *Code civil* et certaines lois à caractère particulier régissent l'exploitation de ces différents types d'entreprises ; ces lois les plus importantes sont :

- la *Loi sur les compagnies du Québec* ;
- la *Loi régissant les sociétés par actions du régime fédéral* ;
- la *Loi sur les coopératives* ;
- la *Loi sur la publicité légale des entreprises individuelles, des sociétés et des personnes morales.*

Ces lois reconnaissent cinq grandes formes d'organisation juridique d'une entreprise :

- l'entreprise individuelle exploitée par une personne physique ;
- la société ;
- l'association ;
- la compagnie ;
- la coopérative.

Elles établissent également une distinction importante entre la **personne physique** qui exploite une entreprise et la **personne morale** qui exploite une entreprise.

Nous avons déjà établi la distinction entre une personne physique et une personne morale au chapitre 3.

Dans le cadre de l'exploitation d'une entreprise, il est important de bien comprendre comment, de façon pratique, cette distinction s'applique.

Alors qu'une personne physique est essentiellement un **être humain,** la personne morale peut revêtir plusieurs formes, selon la loi qui lui a donné naissance. C'est pourquoi, lorsqu'on parle d'une personne morale, on parle d'une entreprise incorporée selon telle ou telle loi :

- une compagnie incorporée soit en vertu de la *Loi sur les compagnies du Québec* ou la *Loi sur les sociétés par actions du régime fédéral* ;
- une coopérative incorporée en vertu de la *Loi sur les coopératives* ;
- une corporation sans but lucratif incorporée en vertu de la Partie 3 de la *Loi sur les compagnies du Québec* ou de la Partie 2 de la *Loi sur les sociétés par actions* ;
- une compagnie incorporée en vertu d'une loi étrangère.

CHOIX D'UNE FORME D'ENTREPRISE

Toute personne qui désire exploiter une entreprise doit se poser deux questions importantes avant d'arrêter son choix.

FAIRE AFFAIRES SEUL OU AVEC D'AUTRES ?

La personne physique qui exploite une entreprise peut choisir de le faire seule. Deux possibilités s'offrent alors à elle :

- l'entreprise individuelle ;
- la compagnie à actionnaire et administrateur unique.

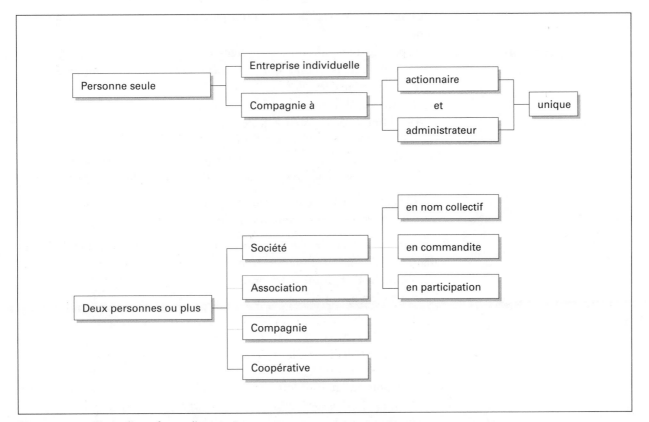

Figure 12.1 Choix d'une forme d'entreprise

La première forme d'entreprise n'est pas incorporée, alors que la deuxième constitue une personne morale incorporée.

La personne physique peut choisir d'exploiter son entreprise avec d'autres personnes. Ses possibilités sont alors plus nombreuses :

- la société en nom collectif ;
- la société en commandite ;
- la société en participation ;
- l'association ;
- la compagnie ;
- la coopérative.

Dans ce cas, les quatre premières formes ne constituent pas une personne morale, alors que les deux dernières sont des personnes morales.

Selon le choix de la forme d'entreprise, son propriétaire portera un nom différent.

- Entreprise individuelle : propriétaire ;
- société : associé ;
- association : membre ;
- compagnie : actionnaire ;
- coopérative : membre ou sociétaire.

Notre étude se fera en deux tranches : d'abord l'entreprise non incorporée, puis l'entreprise incorporée.

Les entreprises non-incorporées regroupent les entreprises individuelles, les sociétés (en nom collectif, en commandite, en participation) et les associations. Dans les entreprises incorporées on retrouve les compagnies et les coopératives.

QUELLE FORME JURIDIQUE CHOISIR ?

Comme nous le verrons dans ces trois chapitres, cinq éléments auront une incidence importante sur le choix de la forme juridique choisie par les gens d'affaires, ce sont :

- la personnalité juridique de l'entreprise ;
- le nombre de personnes qui participent aux décisions importantes et les relations entre elles ;
- la responsabilité quant aux dettes de l'entreprise ;
- la continuité de l'existence de l'entreprise ;
- la fiscalité propre à la forme d'entreprise.

Afin de bien illustrer les choix qui s'offrent aux gens d'affaires et aux personnes qui désirent se lancer en affaires, nous suivrons l'exemple d'un futur entrepreneur.

Exemple : Jean-François Archambault désire exploiter une entreprise d'hôtellerie et de restauration dans les Laurentides.

Pour ce faire, il devra franchir plusieurs étapes et prendre plusieurs décisions d'affaires avant d'ouvrir ses portes. Nous nous attarderons ici à celles touchant la forme juridique de sa future entreprise :

- choix d'un nom ;
- constitution ;
- immatriculation ;
- obtention de permis.

Quelle que soit la forme juridique d'entreprise choisie par Jean-François, ce dernier sera soumis à une loi entrée en vigueur le 1er janvier 1994, en même temps que le *Code civil du Québec* ; il s'agit de la *Loi sur la publicité légale des entreprises individuelles, des sociétés et des personnes morales.*

LOI SUR LA PUBLICITÉ LÉGALE DES ENTREPRISES INDIVIDUELLES, DES SOCIÉTÉS ET DES PERSONNES MORALES (L.Q. 1993, CHAP. 48)

Cette loi s'applique à toute personne physique ou morale, société ou groupement qui exploite une entreprise au Québec. Pour éviter d'avoir à répéter au long le nom de la loi, nous utiliserons le nom *Loi sur la publicité légale des entreprises* ou son abréviation, L.P.L.E.

Comme son nom l'indique, cette loi vise à réglementer la publicité légale des entreprises faisant affaires au Québec et ce, quelle que soit leur forme juridique. Elle prévoit l'obligation pour toute personne physique exploitant une entreprise individuelle, de même que pour toute société, tout groupement, ou toute compagnie ou personne morale, de déposer une **déclaration d'immatriculation** auprès de l'Inspecteur général des institutions financières au Québec.

Les articles 1 et 2 de la Loi indiquent les entreprises qui y sont assujetties :
1. l'entreprise individuelle ;
2. la société en nom collectif ou en commandite constituée au Québec ou à l'étranger qui exerce une activité au Québec ;
3. la personne morale (compagnie) constituée au Québec ou à l'étranger qui y a son domicile ou y exploite une activité.

La personne physique exploitant seule une entreprise individuelle sous son propre nom, la société en participation et l'association ne sont pas soumises à l'obligation de l'immatriculation.

> *Exemple* : Auberge Jean-François Archambault.

Un **Registre des entreprises individuelles, des sociétés et des personnes morales** a de plus été créé.

Le mode d'immatriculation et les formulaires utilisés, ainsi que les renseignements qu'on y trouve, diffèrent selon le type d'entreprise. Cependant, toutes les entreprises existantes au moment de l'entrée en vigueur de la *Loi sur la publicité légale des entreprises individuelles, des sociétés et des personnes morales,* et toutes les entreprises formées après le 1er janvier 1994, y sont soumises.

En plus de l'**immatriculation** obligatoire des entreprises faisant affaires au Québec, la Loi énonce les conditions à respecter dans le **choix** et l'**utilisation d'un nom** ou d'une dénomination sociale par une entreprise.

CHOIX D'UN NOM

La personne qui exploite une entreprise au Québec doit choisir le nom sous lequel elle fera affaires.

La *Loi sur la publicité légale des entreprises* réglemente de façon très stricte le choix et l'utilisation d'un nom ou d'une dénomination sociale par une personne physique ou morale, une société ou un groupement au Québec.

> *Exemple* : Si Jean-François Archambault choisit de se lancer en affaires comme entreprise individuelle, société ou compagnie, il devra respecter les dispositions de l'article 13 de la L.P.L.E.

« **Art. 13 L.P.L.E.** L'assujetti ne peut déclarer ni utiliser au Québec un nom qui :
1. n'est pas conforme aux dispositions de la *Charte de la langue française* (L.R.Q., chap. C-11) ;
2. comprend une expression que la Loi ou les règlements réservent à autrui ou dont ils lui interdisent l'usage ;

3. comprend une expression qui évoque une idée immorale, obscène ou scandaleuse ;

4. indique incorrectement sa forme juridique ou omet de l'indiquer lorsque la Loi le requiert, notamment les normes relatives à la composition des noms déterminées par règlement ;

5. laisse faussement croire qu'il est un groupement sans but lucratif ;

6. laisse faussement croire qu'il est une autorité publique mentionnée au règlement ou qu'il est lié à celle-ci ;

7. laisse faussement croire qu'il est lié à une autre personne, à une autre société ou à un autre groupement, compte tenu notamment des critères déterminés par règlement ;

8. **prête à confusion avec un nom utilisé par une autre personne, une autre société ou un autre groupement au Québec, compte tenu notamment des critères déterminés par règlement ;**

9. **est de toute autre manière de nature à induire les tiers en erreur.**

De plus, le *Règlement d'application de la Loi sur la publicité légale des entreprises* (R.A.L.P.L.E.) ajoute un certain nombre d'éléments additionnels :

- Ce peut être son propre nom, le nom d'une autre personne (avec son accord) ou encore un nom créé de toutes pièces.
- Le nom doit être descriptif et distinctif afin de bien désigner le genre d'entreprise et de permettre de la distinguer des autres appartenant au même secteur d'activité.
- Le nom choisi ne doit pas être le nom ou la désignation d'une entreprise déjà existante.
- Il ne doit pas être déjà immatriculé ni présenter des ressemblances qui pourraient prêter à confusion avec un autre nom. La Loi prévoit la possibilité de faire annuler une telle immatriculation par la Cour supérieure.
- De plus, le nom choisi doit être conforme aux exigences de la *Charte de la langue française*, c'est-à-dire qu'il doit être en français.

Le greffier de la Cour supérieure et l'Inspecteur général des institutions financières vérifient si le nom proposé respecte les six premiers alinéas de l'article 13 et peuvent refuser l'immatriculation d'une entreprise qui y contrevient. Par ailleurs, pour les alinéas 7, 8 et 9, c'est l'assujetti ou son conseiller juridique qui doivent s'assurer que le nom choisi n'y contrevient pas.

À cette fin, il sera important de vérifier le Registre des entreprises.

> *Exemple* : Jean-François pourra le faire lui-même en se rendant au Palais de Justice de son district judiciaire ou au Bureau de l'Inspecteur général des institutions financières.
>
> Jean-François ne pourra pas utiliser le nom d'une entreprise déjà existante ou portant à confusion avec le nom d'une entreprise déjà existante, tels les noms suivants :
>
> - Château Bonne Entente ;
> - Hôtel Chanteclerc ;
> - Hôtel Chante-Claire ;
> - Hôtel de la Montagne.

La personne ou l'entreprise qui a procédé en premier à l'immatriculation d'un nom ou d'une dénomination sociale a priorité quant à son utilisation et peut empêcher une autre personne ou entreprise d'utiliser son nom.

Dans un tel cas, l'intéressé s'adresse à l'Inspecteur général qui doit statuer par écrit et aviser le contrevenant de changer de nom sous peine d'annulation et de poursuite en dommages-intérêts, le cas échéant.

Figure 12.2 La dénomination sociale choisie ne doit pas présenter avec un autre nom des ressemblances qui pourraient porter à confusion.

Exemple : Supposons que Jean-François achète une entreprise déjà existante de Marie-Claude Raymond, Auberge Mariclau. Voici les possibilités qui s'offrent à lui quant au choix du nom de sa nouvelle entreprise.

Il peut faire affaires sous son propre nom : Hôtellerie Jean-François Archambault.

Il peut créer un nom de toute pièce : Auberge Bon Repos, Relaxhôtel.

Il peut aussi utiliser le même nom que Marie-Claude Raymond utilisait. Mais dans un tel cas, il devra ajouter un élément distinctif, telle l'année de l'acquisition de l'entreprise : Auberge Mariclau (1995).

Finalement, l'article 1 du *Règlement d'application de la Loi sur la publicité légale des entreprises*, l'article 123.22 de la *Loi sur les compagnies du Québec* (L.C.Q.) et l'article 10 de la *Loi sur les sociétés par actions* (L.S.A.) imposent l'obligation d'utiliser certains mots ou certaines abréviations dans le nom de l'entreprise de façon à indiquer aux personnes faisant affaires avec l'entreprise la forme juridique choisie.

ENTREPRISE INDIVIDUELLE ET SOCIÉTÉ

« **Art.1 R.A.L.P.L.E.** La personne physique qui exploite une entreprise individuelle au Québec ne peut ajouter à la suite de son nom un mot ou une phrase indiquant une pluralité de membres. »

La société en nom collectif indique correctement sa forme juridique si elle utilise dans son nom les mots « société en nom collectif » ou si elle utilise, à la fin de son nom, le sigle « S.E.N.C. ».

La société en commandite indique correctement sa forme juridique si elle utilise dans son nom les mots « société en commandite » ou si elle utilise, à la fin de son nom, le sigle « S.E.C. ».

Exemple: Si Jean-François choisit l'entreprise individuelle, il ne pourrait pas par exemple appeler son entreprise : **Hôtel-Restaurant les associés.**

S'il choisit la société en nom collectif, il devra ajouter les mots sociétés en nom collectif ou son abréviation S.E.N.C. à la fin de son nom : **Auberge l'Oasis (S.E.N.C.).**

COMPAGNIE PROVINCIALE

« **Art. 123.22 L.C.Q.** [**Entreprise à responsabilité limitée**] La dénomination sociale de la compagnie qui ne comprend pas l'expression « compagnie » ou « corporation » doit comporter, à la fin, l'expression « inc. » ou « ltée » afin d'indiquer qu'elle est une entreprise à responsabilité limitée. »

COMPAGNIE FÉDÉRALE

« **Art. 10 (1) L.S.A.** [**Dénomination sociale**] Les mots ou expressions « limitée », « Limited », « incorporée », « Incorporated », « Société par actions de régime fédéral », « Société commerciale canadienne » ou « Corporation », ou les abréviations « ltée », « Ltd. », « inc. », « S.A.R.F. », « S.C.C. » ou « Corp. » doivent faire partie, autrement que dans un sens figuratif ou descriptif, de la dénomination sociale de toute société ; la société peut aussi bien utiliser le mot, l'expression ou l'abréviation et être légalement désignée de cette façon. »

Exemple: Si Jean-François Archambault choisit la compagnie, il ajoutera fort probablement l'expression « limitée » ou « incorporée » ou leur abréviation à la fin du nom choisi : **Auberge l'Oasis inc.**

DÉCLARATION D'IMMATRICULATION

Toute entreprise assujettie à la *Loi sur la publicité légale des entreprises* doit déposer une **Déclaration d'immatriculation** :

- auprès du greffier de la Cour supérieure, pour les personnes physiques exploitant une entreprise individuelle ou une société ;
- auprès de l'Inspecteur général des institutions financières du Québec, pour les compagnies.

Cette déclaration d'immatriculation doit être déposée auprès d'eux au plus tard *60 jours* après la date du début des activités de l'entreprise. Toutes les déclarations d'immatriculation sont déposées dans le **Registre des entreprises individuelles, des sociétés et des personnes morales,** qui est tenu par l'Inspecteur général des institutions financières. Le greffier de la Cour supérieure lui transmet une copie des déclarations des entreprises individuelles et des sociétés qu'il reçoit.

Exemple : Ainsi, si Jean-François choisit l'entreprise individuelle, il devra s'adresser au greffier de la Cour supérieure qui lui fournira le formulaire d'immatriculation intitulé « Personne physique exploitant une entreprise individuelle ».

Une fois que Jean-François aura rempli le formulaire, il le déposera auprès du greffier de la Cour supérieure et acquittera les frais d'immatriculation.

S'il avait choisi la compagnie comme forme juridique de son entreprise, c'est auprès de l'Inspecteur général des institutions financières qu'il aurait déposé sa déclaration.

DÉCLARATION ANNUELLE

Par la suite, chaque année, toute entreprise immatriculée doit déposer une **déclaration annuelle** auprès de l'Inspecteur général des institutions financières du

Québec afin qu'on puisse tenir à jour l'information contenue dans le Registre des entreprises.

DÉCLARATION MODIFICATIVE

Si l'assujetti constate que sa déclaration est incomplète ou qu'elle contient un renseignement inexact, il doit le corriger en produisant une **déclaration modificative** auprès de l'Inspecteur général des institutions financières. Ce serait le cas d'un changement de siège social ou d'actionnaires d'une entreprise, par exemple.

DÉCLARATION DE RADIATION

Lorsque l'obligation de l'immatriculation ne s'impose plus, par exemple lorsque l'assujetti vend, transfère ou liquide son entreprise, il doit produire sans délai une **déclaration de radiation**.

> *Exemple* : Jean-François vend son auberge à Sylvie le 24 septembre 1995. Cette dernière décide de continuer à utiliser le nom **Auberge l'Oasis** afin de profiter de la clientèle et de l'achalandage qui y sont rattachés.
>
> Jean-François doit déposer une déclaration de radiation indiquant qu'il a cessé d'utiliser le nom Auberge l'Oasis à compter du 24 septembre 1995. Le but de cette déclaration est de dégager Jean-François de toute responsabilité relativement à toutes les dettes futures de l'entreprise contractée par Sylvie à compter du 24 septembre 1995.
>
> Quant à Sylvie, elle doit déposer une nouvelle déclaration d'immatriculation indiquant qu'elle exploite maintenant une entreprise sous le nom **Auberge l'Oasis** depuis le 24 septembre 1995.

Une pratique non obligatoire en vertu de la L.P.L.E. consiste à ajouter l'année d'acquisition après le nom de l'entreprise pour éviter la confusion.

Tant que Jean-François n'aura pas déposé sa déclaration de radiation, il sera responsable des dettes contractées après la vente de son commerce.

RADIATION D'OFFICE

La radiation d'office intervient lorsque l'Inspecteur général constate qu'une entreprise est en défaut. L'article 50 de la L.P.L.E. stipule :

« **Art. 50 L.P.L.E.** L'Inspecteur général peut radier d'office l'immatriculation de l'assujetti qui est en défaut de déposer deux déclarations annuelles consécutives ou qui ne se conforme pas à une demande qui lui a été faite en vertu de l'article 38, en déposant un arrêté à cet effet au registre. Il transmet une copie de cet arrêté à l'assujetti. »

La radiation de l'immatriculation d'une personne morale constituée au Québec entraîne sa dissolution.

« **Art. 54 L.P.L.E.** L'Inspecteur général peut, sur demande et aux conditions qu'il détermine, révoquer la radiation d'office qu'il a effectuée en vertu de l'article 50. »

La demande de révocation doit être accompagnée des droits prescrits par règlement.

PUBLICITÉ LÉGALE DES ENTREPRISES

Le but du Registre des entreprises est de permettre à toute personne et en particulier aux créanciers et à ceux qui font affaires avec une entreprise de connaître le nom des véritables propriétaires de l'entreprise.

Exemple: Dans le cas de Jean-François et de son entreprise, le nom du ou des véritables propriétaires de l'Auberge l'Oasis n'est pas évident pour une tierce personne.

L'article 74 stipule :

« **Art. 74 L.P.L.E.** Toute personne peut consulter le Registre. La consultation se fait aux bureaux des greffiers de la Cour supérieure ou de l'Inspecteur général aux heures d'ouverture.

La consultation est gratuite lorsqu'elle porte sur l'index des documents, sur l'état de l'information ou sur l'index des noms. Elle est sujette aux droits prescrits par règlement lorsqu'elle porte sur les documents déposés. »

Le Registre étant informatisé, tout intéressé peut avoir accès aux ordinateurs qui s'y trouvent.

Exemple : Prosan inc., qui vend des produits sanitaires à l'Auberge Oasis et qui désire avoir plus d'information sur cette compagnie, pourra consulter le Registre des entreprises pour connaître la forme juridique de cette entreprise et le nom de son ou de ses propriétaires, après quoi elle pourra obtenir une enquête de crédit au sujet de Jean-François pour connaître sa solvabilité.

LES RECOURS

ACTION CIVILE

« **Art. 100 L.P.L.E.** L'instruction d'une demande présentée par un assujetti non immatriculé, devant un tribunal ou un organisme exerçant des fonctions judiciaires ou quasi judiciaires, peut être suspendue jusqu'à ce que cet assujetti s'immatricule, lorsqu'un intéressé le requiert avant l'audition. »

Toutefois, cette suspension ne peut être accordée si la demande présentée par une personne physique ne concerne pas l'activité en raison de laquelle elle est assujettie.

Exemple: Prosan inc. poursuit l'Auberge l'Oasis pour une facture de 3000 $. Jean-François, qui constate que Prosan inc. n'a pas déposé sa déclaration d'immatriculation, peut faire suspendre la demande jusqu'à ce que Prosan inc. s'immatricule.

RECOURS PÉNAUX

La L.P.L.E. prévoit une série d'infractions aux articles 101 à 106. Parmi les plus importantes, notons le défaut de s'immatriculer ou de produire une déclaration annuelle ou modificative ou encore une fausse déclaration. Les articles 107 et 109 prévoient des sanctions sévères à ce sujet.

« **Art. 107 L.P.L.E.** La personne qui commet une infraction visée à l'un des articles 101 à 106 est passible d'une amende d'au moins 200 $ et d'au plus 2000 $.

En cas de récidive, les amendes sont portées au double. »

« **Art. 109 L.P.L.E.** Tout administrateur, dirigeant ou fondé de pouvoir d'un assujetti qui a ordonné, autorisé ou conseillé la perpétration d'une infraction visée à l'un des articles 101, 102 ou 106, ou qui y a consenti ou autrement participé, commet une infraction et est passible d'une amende d'au moins 200 $ et d'au plus 2000 $.

En cas de récidive, les amendes sont portées au double ».

L'ENTREPRISE INDIVIDUELLE

DÉFINITION

L'*entreprise individuelle* est l'organisation commerciale la plus répandue chez nous. Elle représente près de la moitié des entreprises et elle consiste en une personne physique qui exploite seule une entreprise. Elle est composée d'un seul propriétaire qui dirige toutes les activités de l'entreprise, tant en ce qui concerne la capitalisation et la direction des activités commerciales que la responsabilité. L'entreprise lui appartient en propre ; il n'a pas d'associé et ne partage donc ni les profits ni les pertes de son commerce : lui seul est responsable de son entreprise.

Selon les dimensions de l'affaire, le propriétaire peut engager des employés et, à l'occasion, un directeur pour l'aider à administrer son commerce. Contrairement à une société par actions (compagnie), la Loi ne reconnaît pas de personnalité morale à l'entreprise individuelle. Cette dernière n'a pas d'existence propre ni de patrimoine distinct et elle se confond avec son propriétaire.

Les petites entreprises à caractère local et les personnes qui se lancent en affaires pour la première fois et qui disposent d'un capital limité choisissent souvent cette forme juridique.

> **Entreprise individuelle :** Elle consiste en une personne physique qui exploite seule une entreprise. Elle est composée d'un seul propriétaire qui dirige toutes les activités de l'entreprise, tant en ce qui concerne la capitalisation et la direction des activités commerciales que la responsabilité. L'entreprise lui appartient en propre ; il n'a pas d'associé et ne partage donc ni les profits ni les pertes de son commerce : lui seul est responsable de son entreprise.

CONSTITUTION

L'entreprise individuelle n'est régie par aucune loi particulière. Les principes généraux du *Code civil du Québec* concernant la capacité légale de contracter, les obligations, les contrats et la responsabilité réglementent ses activités.

Un mineur peut fonder une telle entreprise sans le consentement de ses parents ou de son tuteur. Dans ce cas, la loi autorise le mineur à accomplir tous les actes nécessaires aux fins de son commerce, mais le tient également responsable de ses actes. Ainsi, l'article 156 du *Code civil* stipule que « le mineur âgé de 14 ans est réputé majeur pour tous les actes relatifs à son emploi ou à l'exercice de son art ou de sa profession ». En conséquence, le mineur ne peut invoquer le principe de la lésion et doit respecter les obligations qu'il a contractées en raison de son commerce, de son art ou de sa profession.

Par ailleurs, toute personne mariée peut exercer un commerce sans obtenir préalablement le consentement de son conjoint.

OBTENTION DE PERMIS

Quelle que soit la forme juridique choisie, l'entreprise doit de plus se conformer à d'autres lois ou règlements propres au genre de commerce exploité ainsi qu'aux exigences concernant les rapports et sommes d'argent que l'entreprise doit remettre aux différents ministères et organismes provinciaux et fédéraux :

- ministère du Revenu du Québec et Revenu Canada ;
- déductions à la source ;
- impôt à payer ;
- taxe sur les produits et services (TPS) ;
- taxe de vente du Québec (TVQ).

Le propriétaire d'une entreprise qui engage des employés doit inscrire son entreprise auprès des ministères du Revenu fédéral et provincial afin d'obtenir un numéro d'employeur. Tous les mois, il doit ensuite faire parvenir aux deux ministères les déductions à la source de ses employés (impôt sur le revenu, assurance-chômage, assurance-maladie, régime des rentes du Québec).

Ainsi le commerçant ou le fabricant qui vend des produits ou des services doit obtenir, sous forme d'un numéro d'enregistrement, une licence de mandataire de taxe de vente fédérale et provinciale. Une fois ces taxes prélevées, il doit en faire la remise au ministère du Revenu intéressé.

Les activités commerciales régies par des lois d'application spéciale sont très nombreuses et leur nombre va en s'accroissant.

> *Exemple* : Le vendeur itinérant et le vendeur de voitures d'occasion doivent détenir un permis en vertu de la *Loi sur la protection du consommateur*.

> *Exemple* : Le courtier en immeubles et le courtier en valeurs mobilières doivent détenir respectivement des permis en vertu de la *Loi du courtage immobilier* et de la *Loi sur les valeurs mobilières*, les voituriers, camionneurs et transporteurs doivent détenir un permis en vertu de la *Loi sur les transports*, etc.

Mentionnons que, pour enregistrer des droits d'auteur, une marque de commerce ou un brevet d'invention, il faut se soumettre à une législation fédérale particulière. Avant de fonder une entreprise, il apparaît donc essentiel de se renseigner auprès des organismes compétents et de faire appel à des spécialistes en la matière (conseillers juridiques, comptables, etc.).

L'entreprise doit aussi soumettre certains rapports et faire des remises à divers organismes telles :
- la Commission des normes du travail ;
- la Commission de la santé et de la sécurité du travail ;
- la Commission de l'emploi et de l'immigration.

Pour obtenir un permis d'exploitation de commerce sur le territoire d'une municipalité, le commerçant doit également tenir compte des règlements qui y sont en vigueur. Le coût du permis peut varier selon la nature du commerce. Le commerçant doit, par exemple, respecter les lois et règlements relatifs aux heures d'ouverture et de fermeture des établissements commerciaux ainsi que les règlements de zonage de la municipalité. Une ville pourra refuser d'émettre un permis de construction à un entrepreneur qui voudrait construire une usine ou une manufacture dans une zone résidentielle, ou encore refuser d'approuver des plans d'aménagement ne répondant pas aux normes de la municipalité.

> *Exemple* : Jean-François, qui a choisi d'établir l'Auberge l'Oasis dans la municipalité de Saint-Sauveur-des-Monts, devra vérifier la réglementation municipale de Saint-Sauveur, et se conformer à toutes les lois touchant l'hôtellerie et la restauration ainsi qu'aux lois d'application générale à toutes les formes d'entreprises.

IMMATRICULATION

Comme nous l'avons vu précédemment, la seule autre obligation de Jean-François Archambault sera de déposer une déclaration d'immatriculation auprès du greffier de la Cour supérieure dans chacun des districts judiciaires où il a un établissement commercial pour exploiter son entreprise. Il doit aussi s'assurer que le nom choisi, l'**Auberge l'Oasis,** ne contrevient pas aux dispositions de la *Loi sur la publicité légale des entreprises* et qu'il ne prête pas à confusion avec le nom d'une entreprise déjà existante. La figure 12.3, page 313, illustre sa déclaration.

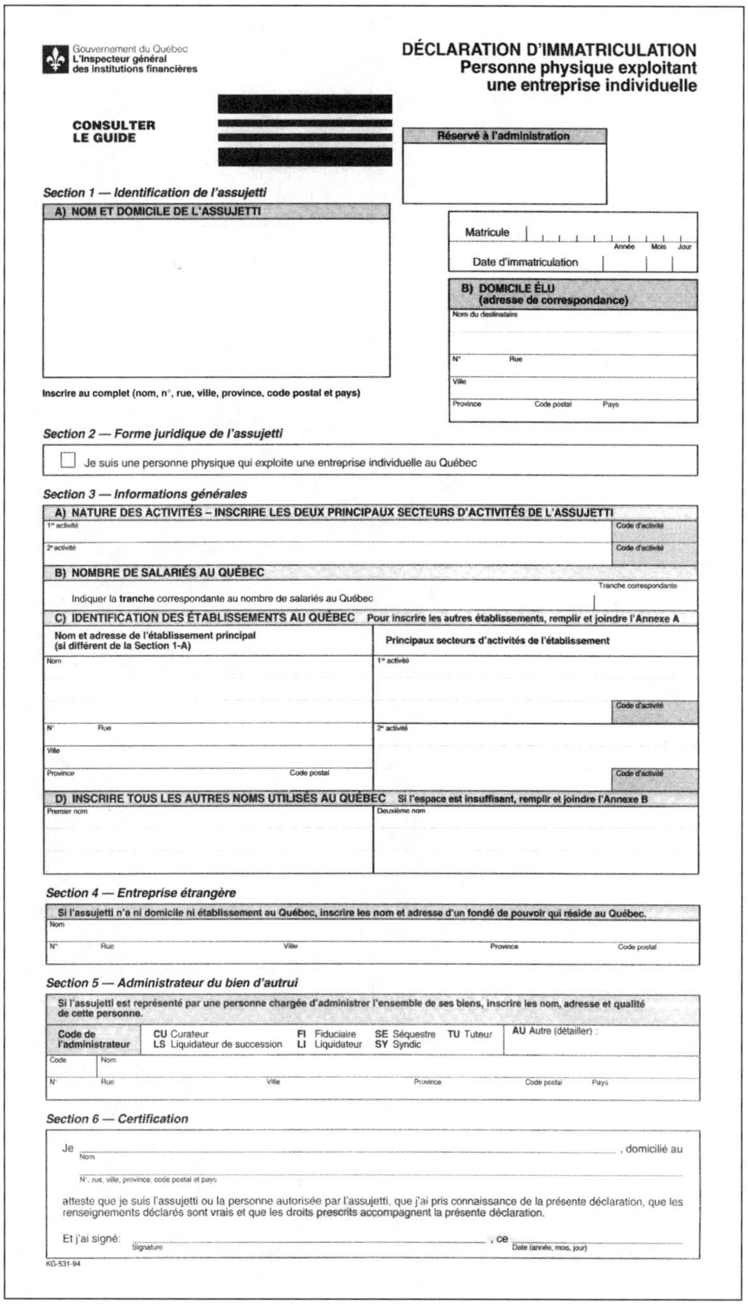

Gouvernement du Québec
L'Inspecteur général
des institutions financières

DÉCLARATION D'IMMATRICULATION
Personne physique exploitant une entreprise individuelle

CONSULTER LE GUIDE

Réservé à l'administration

Section 1 — Identification de l'assujetti

A) NOM ET DOMICILE DE L'ASSUJETTI

Inscrire au complet (nom, n°, rue, ville, province, code postal et pays)

Matricule

Date d'immatriculation — Année Mois Jour

B) DOMICILE ÉLU (adresse de correspondance)

Nom du destinataire

N° Rue

Ville

Province Code postal Pays

Section 2 — Forme juridique de l'assujetti

☐ Je suis une personne physique qui exploite une entreprise individuelle au Québec

Section 3 — Informations générales

A) NATURE DES ACTIVITÉS – INSCRIRE LES DEUX PRINCIPAUX SECTEURS D'ACTIVITÉS DE L'ASSUJETTI

1re activité — Code d'activité

2e activité — Code d'activité

B) NOMBRE DE SALARIÉS AU QUÉBEC

Indiquer la **tranche** correspondante au nombre de salariés au Québec — Tranche correspondante

C) IDENTIFICATION DES ÉTABLISSEMENTS AU QUÉBEC — Pour inscrire les autres établissements, remplir et joindre l'Annexe A

Nom et adresse de l'établissement principal (si différent de la Section 1-A)

Nom

N° Rue

Ville

Province Code postal

Principaux secteurs d'activités de l'établissement

1re activité — Code d'activité

2e activité — Code d'activité

D) INSCRIRE TOUS LES AUTRES NOMS UTILISÉS AU QUÉBEC — Si l'espace est insuffisant, remplir et joindre l'Annexe B

Premier nom

Deuxième nom

Section 4 — Entreprise étrangère

Si l'assujetti n'a ni domicile ni établissement au Québec, inscrire les nom et adresse d'un fondé de pouvoir qui réside au Québec.

Nom

N° Rue Ville Province Code postal

Section 5 — Administrateur du bien d'autrui

Si l'assujetti est représenté par une personne chargée d'administrer l'ensemble de ses biens, inscrire les nom, adresse et qualité de cette personne.

Code de l'administrateur: **CU** Curateur, **LS** Liquidateur de succession, **FI** Fiduciaire, **LI** Liquidateur, **SE** Séquestre, **SY** Syndic, **TU** Tuteur, **AU** Autre (détailler) :

Code Nom

N° Rue Ville Province Code postal Pays

Section 6 — Certification

Je ______ (Nom), domicilié au ______ (N°, rue, ville, province, code postal et pays)

atteste que je suis l'assujetti ou la personne autorisée par l'assujetti, que j'ai pris connaissance de la présente déclaration, que les renseignements déclarés sont vrais et que les droits prescrits accompagnent la présente déclaration.

Et j'ai signé: ______ (Signature), ce ______ (Date (année, mois, jour))

KG-531-94

Figure 12.3 Déclaration d'immatriculation pour une personne physique exploitant une entreprise individuelle

EXTINCTION DE L'ENTREPRISE

L'entreprise individuelle prend fin automatiquement par le décès, la faillite et l'ouverture d'un régime de protection à l'égard de l'entrepreneur individuel. De plus, lorsque le propriétaire d'une entreprise individuelle décide de mettre fin à ses activités et de liquider son commerce, il doit déposer une déclaration de radiation à cet effet au Bureau de l'Inspecteur général des institutions financières (voir figure 12.4, page 314). Cette formalité est particulièrement importante dans le cas de la vente d'un commerce. Sans une telle déclaration, le vendeur peut être tenu responsable des dettes du commerce dont il s'est défait.

Gouvernement du Québec
L'Inspecteur général des institutions financières

DÉCLARATION DE RADIATION

Personne physique exploitant une entreprise individuelle
Loi sur la publicité légale des entreprises individuelles, des sociétés et des personnes morales (1993, ch. 48)

1 Nom de l'assujetti

1.1 Matricule de l'assujetti

2 Domicile de l'assujetti

3 Motif de radiation

☐ L'assujetti est décédé le ______

☐ L'obligation d'immatriculation ne s'imposant plus, l'assujetti déclare vouloir radier son inscription au registre des entreprises individuelles, des sociétés et des personnes morales.

☐ La personne physique s'est immatriculée volontairement.

4 Certification

Je ______ (Nom)

domicilié au ______

atteste que je suis ☐ l'assujetti
☐ le liquidateur de succession
☐ une personne autorisée

que j'ai pris connaissance de la présente déclaration et que les renseignements déclarés sont vrais.

Et j'ai signé ______ (Signature), ce ______ (Date (année, mois, jour))

Réservé à l'administration

C-611-94

Figure 12.4 Déclaration de radiation

AVANTAGES

FACILITÉ DE MISE SUR PIED

L'entreprise individuelle n'implique, pour sa mise sur pied, que très peu de formalités juridiques, hormis le dépôt de la déclaration d'immatriculation.

COÛT PEU ÉLEVÉ

Le coût de l'immatriculation de la déclaration est minime, quoiqu'il faille y ajouter celui des permis requis pour l'exercice du commerce et, s'il y a lieu, les honoraires d'un spécialiste en la matière.

SIMPLICITÉ D'ADMINISTRATION

Le propriétaire décide seul de l'administration de son entreprise. Il n'a donc pas à tenir compte de l'avis d'associés ou des membres d'un conseil d'administration.

Il a finalement l'entière liberté d'action quant à la liquidation de son entreprise ou quant à la cessation de ses affaires.

AUCUN PARTAGE DES PROFITS

N'ayant pas d'associés, le propriétaire individuel n'a pas à verser de dividendes ni à partager ses profits. Il ne paie que les salaires de ses employés, le cas échéant.

ASPECT FISCAL

L'aspect fiscal de ce type d'entreprise présente certains avantages. Ainsi si l'entreprise connaît un déficit, l'entrepreneur peut déduire les pertes d'entreprise de ses autres revenus personnels, car le fisc associe l'entreprise individuelle à son propriétaire.

RECOURS À LA COUR DU QUÉBEC, DIVISION DES PETITES CRÉANCES

Lorsqu'il intente des actions devant les tribunaux, le propriétaire individuel peut le faire devant la division des petites créances de la Cour du Québec pour les montants n'excédant pas 3000 $.

INCONVÉNIENTS

RESPONSABILITÉ PERSONNELLE ET ILLIMITÉE

Le propriétaire individuel est responsable sur l'ensemble de ses biens personnels des dettes et engagements de son entreprise, et cette responsabilité est illimitée. Si l'actif de l'entreprise est insuffisant pour payer ses créanciers, sa maison, ses meubles, son automobile, l'argent de son compte bancaire personnel, etc. pourront être saisis. La faillite du commerce signifie aussi la faillite personnelle du propriétaire.

RESPONSABILITÉ CIVILE

À titre d'employeur, le propriétaire individuel est personnellement responsable des dommages causés par ses employés dans l'exercice de leurs fonctions (art. 1463 C.c.Q.). Pour se protéger, il aura intérêt à se munir d'assurances suffisantes pour parer à toute éventualité.

> *Exemple* : Jean-François connaît des difficultés financières dans son entreprise et est poursuivi par les créanciers de l'Auberge l'Oasis. Si les biens de l'entreprise sont insuffisants pour payer les dettes de l'entreprise, les créanciers pourront saisir les biens personnels de Jean-François pour se faire payer, et ce dernier pourra ainsi être acculé à la faillite personnelle. Ses biens personnels ne sont pas protégés contre les créanciers de l'entreprise.
>
> De la même façon, il sera responsable personnellement pour les dommages causés par ses employés.

RESPONSABILITÉ ET IMMATRICULATION

La personne dont le nom figure sur la déclaration d'immatriculation est responsable des dettes de l'entreprise individuelle. La loi prévoit le dépôt d'une déclaration de radiation pour tout changement dans l'exploitation du commerce ou pour tout arrêt des activités commerciales, vente ou transfert du commerce à une autre personne. Le propriétaire est responsable à l'endroit des créanciers du commerce jusqu'à ce que cette nouvelle déclaration soit immatriculée.

INVESTISSEMENT LIMITÉ

Le propriétaire individuel ne dispose souvent que de ses économies personnelles pour financer son entreprise. Il contracte parfois un emprunt personnel dans un établissement financier ; dans bien des cas, cet emprunt prendra la forme d'une marge de crédit proportionnelle aux garanties personnelles que l'emprunteur aura à offrir. Les ressources du propriétaire de ce genre d'entreprise sont donc fort limitées et l'accès de celui-ci au marché des capitaux reste aléatoire.

EXTINCTION DE L'ENTREPRISE

Le décès du propriétaire entraîne automatiquement la dissolution de l'entreprise individuelle. L'actif fait partie de la succession du défunt et est divisé entre ses héritiers, qui choisissent souvent de ne pas continuer le commerce. En cas de décès, il y a risque de perdre la clientèle avant que soit réglée la succession. La maladie prolongée du propriétaire a souvent les mêmes conséquences, surtout si aucune personne compétente ne peut assurer la relève.

ASPECT FISCAL

Les revenus provenant de l'entreprise s'ajoutent aux autres revenus personnels du propriétaire individuel, augmentant ainsi son fardeau fiscal. Dès que l'entreprise réalise des profits importants, elle a avantage à se constituer en compagnie, car le taux d'imposition des compagnies est beaucoup plus avantageux que celui des particuliers.

PROBLÈMES FINANCIERS PERSONNELS

Les difficultés financières personnelles du propriétaire ont des conséquences directes sur l'entreprise, qu'elles risquent même de mettre en péril étant donné que les biens du propriétaire et sa stabilité financière sont garants des obligations de l'entreprise.

En conclusion, même si chaque cas est particulier et mérite d'être examiné à fond, il n'en demeure pas moins que l'entreprise individuelle n'est pas celle qui offre le plus de sécurité au commerçant, compte tenu de la responsabilité personnelle et illimitée de son propriétaire. Les gens d'affaires exploitant cette forme d'entreprise devraient songer sérieusement à réviser leur choix et à se tourner vers l'incorporation s'ils veulent donner de l'ampleur à leur entreprise et en assurer la stabilité, d'autant plus que les lois fédérale et provinciale régissant les compagnies permettent maintenant la création de compagnies à actionnaire et administrateur unique.

LA SOCIÉTÉ

La société est le deuxième type d'organisation juridique d'une entreprise non incorporée. C'est le *Code civil* qui forme la base de la législation québécoise en la matière.

DÉFINITION

> **Contrat de société :** Contrat par lequel les parties conviennent, dans un esprit de collaboration, d'exercer une activité, incluant celle d'exploiter une entreprise, d'y contribuer par la mise en commun de biens, de connaissances ou d'activités et de partager entre elles les bénéfices pécuniaires qui en résultent.

Le *contrat de société* est celui par lequel les parties conviennent, dans un esprit de collaboration, d'exercer une activité, incluant celle d'exploiter une entreprise, d'y contribuer par la mise en commun de biens, de connaissances ou d'activités et de partager entre elles les bénéfices pécuniaires qui en résultent.

La société présente une **personnalité morale incomplète**. En effet :
- elle est distincte des associés qui la composent ;
- elle possède un patrimoine propre ;

- elle a la capacité de s'engager et de s'obliger quant à ses biens propres ;
- elle peut signer des contrats et payer ses dettes à même son actif ;
- elle possède un nom et un siège social ;
- elle peut intenter des actions en justice et être elle-même poursuivie ;
- les associés possèdent des parts sociales et non pas les biens de la société.

Cependant, et c'est là la raison pour laquelle elle ne possède pas la pleine personnalité morale, si les biens de la société sont insuffisants pour payer ses dettes, les créanciers de la société peuvent poursuivre personnellement les associés qui peuvent être tenus de les payer à même leurs biens personnels.

ÉLÉMENTS ESSENTIELS DE LA SOCIÉTÉ

Les éléments essentiels du contrat de société sont :

- un contrat ;
- une mise en commun de biens ;
- le partage des bénéfices.

UN CONTRAT

La société repose donc sur un contrat, une convention, une entente entre deux ou plusieurs personnes ; c'est là un premier élément qui distingue la société de l'entreprise individuelle dans laquelle on ne retrouvait qu'un seul propriétaire.

Cette entente peut être verbale ou écrite. Le *Code civil* et la jurisprudence reconnaissent la validité du contrat verbal, mais compte tenu des difficultés de preuve, d'interprétation et d'application que l'on peut retrouver dans un contrat de société, il est fortement recommandé aux associés de choisir un contrat écrit qui devra mentionner clairement les droits et obligations de chacun d'eux. Cette convention s'avérera des plus utiles pour trancher un litige éventuel entre les associés.

À défaut d'un contrat explicite, les faits doivent démontrer clairement l'intention des futurs associés de former une société. Le *Code civil* parle d'un « **esprit de collaboration** ».

UN APPORT OU UNE MISE DE FONDS

L'article 2186 C.c.Q. stipule qu'il est de l'essence du contrat de société que chacun des associés y contribue par une mise en commun de biens.

L'apport des associés peut être inégal, mais il entre dans le patrimoine de la société et il n'appartient plus à l'associé qui l'a fourni.

> *Exemple* : Monique, Sylvie et Nicolas forment une société ayant pour objet l'exploitation d'une pâtisserie connue sous le nom « Au Croissant Doré ». Monique fournit l'immeuble destiné à abriter le commerce de même que les meubles, fours et ustensiles nécessaires à ce genre de commerce ; la valeur totale de ces biens est fixée à 75 000 $. Sylvie verse une contribution de 45 000 $ en argent. Nicolas, qui n'a ni biens ni argent, mais qui est un excellent cuisinier et maître pâtissier, apporte ses connaissances et son expérience professionnelle, de même qu'une certaine clientèle qui lui est propre. La valeur de son apport est évaluée à 30 000 $. Ainsi, l'immeuble et les biens fournis par Monique à la société Au Croissant Doré ne lui appartiennent plus, mais deviennent la propriété de l'entreprise. S'il y a dissolution, ils ne lui reviendront pas, mais ils seront divisés entre les associés, selon les modalités du partage à intervenir.

De plus, l'associé qui fournit un bien à la société doit donner à cette dernière une garantie contre les défauts cachés de ce bien et une garantie contre l'éviction, c'est-à-dire contre les troubles de fait et de droit relatifs à ce bien.

> *Exemple* : Monique devra garantir la société contre tout vice caché de la maison (le toit qui coule, par exemple) et contre l'éviction, c'est-à-dire, par exemple, contre quelqu'un qui se prétendrait propriétaire de la maison et en réclamerait la possession. Tout comme le vendeur d'un bien, l'associé qui fournit un bien doit donner ces garanties et il est passible d'une poursuite en dommages-intérêts s'il ne peut offrir à la société de telles garanties.

L'article 2198 C.c.Q. énonce que chaque associé est débiteur envers la société de tout ce qu'il a promis d'y apporter, ce qui comprend aussi bien les choses corporelles (meubles et immeubles) que les choses incorporelles (créances ou autres biens). De plus, toute somme d'argent qu'un associé s'est engagé à fournir porte intérêt à compter de la date où elle aurait dû être versée. La société peut poursuivre celui qui a omis ou négligé d'apporter les biens promis.

Par ailleurs, l'action intentée par la société contre l'associé récalcitrant n'empêche pas l'action des autres associés en dommages-intérêts contre ce dernier. Les associés peuvent demander la dissolution de la société en alléguant que l'une des parties n'a pas exécuté ses obligations.

PARTICIPATION AUX BÉNÉFICES ET AUX PERTES

Le troisième élément essentiel à la formation de la société est la participation des associés aux bénéfices de la société. La résultante logique de la participation aux bénéfices est l'obligation de partager les pertes de la société. En principe, un associé a le droit de recevoir sa part des bénéfices comme le stipule le contrat de société, et il peut exiger de la société le remboursement des frais qu'il a engagés pour elle. Les articles 2202 et 2203 du *Code civil* établissent les principes de base quant au partage des bénéfices et des pertes de la société :

« **Art. 2202 C.c.Q.** La part de chaque associé dans l'actif, dans les bénéfices et dans la contribution aux pertes est égale si elle n'est pas déterminée par le contrat.

Si le contrat ne détermine que la part de chacun dans l'actif, dans les bénéfices ou dans la contribution aux pertes, cette détermination est présumée faite pour les trois cas. »

En pratique, la part d'un associé porte le nom de « **part sociale** » et est représentée en pourcentage (%).

> *Exemple* : Dans leur contrat de société, Monique, Sylvie et Nicolas ont prévu la clause de partage suivante :
>
> | | Bénéfices | Pertes |
> |----------|-----------|--------|
> | Monique | 45 % | 45 % |
> | Sylvie | 30 % | 30 % |
> | Nicolas | 25 % | 25 % |

Il est important de souligner qu'un associé peut céder ou vendre sa part dans la société conformément au contrat de société ou aux dispositions du *Code civil*, le cas échéant. Ainsi, la plupart des contrats de société contiennent une clause prévoyant le rachat de la part d'un associé qui se retire ou qui meurt.

« **Art. 2203 C.c.Q.** La stipulation qui exclut un associé de la participation aux bénéfices de la société est sans effet.

Celle qui dispense l'associé de l'obligation de partager les pertes est inopposable aux tiers. »

Exemple : Au moment de la signature de leur contrat de société, MM. Lachance et Lalumière ont réussi à convaincre leur associé, M. Beignet, qu'ils se partageront les bénéfices de la société, alors que lui ne retirera qu'un salaire ; toutefois, les associés se partageront les pertes en parts égales.

Si les associés exploitent leur entreprise, on considérera la clause comme n'ayant jamais été écrite et M. Beignet aura droit à une part égale des profits.

En vertu du contrat de société, on ne peut exclure un associé du partage des profits. On peut cependant l'exclure du partage des dettes ou encore limiter sa responsabilité à un certain pourcentage (45 %, 30 %, 25 %). Cette clause d'exclusion est valide et opposable aux associés entre eux, quoique nulle et inopposable aux tiers, c'est-à-dire à ceux qui font affaires avec la société (les fournisseurs, les banques, etc.).

RESPONSABILITÉ DES DETTES   L'article 2221 mentionne que les associés d'une société qui exploitent une entreprise sont solidairement responsables des dettes ou obligations contractées au nom de la société.

« **Art. 2221 C.c.Q.** À l'égard des tiers, les associés sont tenus conjointement des obligations de la société ; mais il en sont tenus solidairement si les obligations ont été contractées pour le service ou l'exploitation d'une entreprise de la société.

Les créanciers ne peuvent poursuivre le paiement contre un associé qu'après avoir, au préalable, discuté les biens de la société ; même alors, les biens de l'associé ne sont affectés au paiement des créanciers de la société qu'après paiement de ses propres créanciers. »

Exemple : Si un fournisseur poursuit la société du Croissant Doré pour une somme de 10 000 $ et si celle-ci ne peut le payer, il pourra forcer tous les associés ou un seul d'entre eux à payer la dette de la société. Celui qui doit payer une telle somme a alors le droit de se faire rembourser par ses coassociés. La clause qui limite leur responsabilité quant aux pertes et aux dettes de la société est valide entre les associés seulement, mais n'est pas opposable aux créanciers de la société.

Figure 12.5   Contrairement au partage des profits, on peut exclure l'un des associés du partage des dettes.

En pratique, cela veut dire que Nicolas ne pourra pas proposer de ne payer que 25 % des 10 000 $, puisque la clause n'est valide qu'entre les associés et non opposable aux fournisseurs. Il devra payer le plein montant de 10 000 $ au fournisseur, mais pourra se faire rembourser 4500 $ par Monique (45 %) et 3000 $ par Sylvie (30 %).

Nous vous référons au chapitre 6 sur les obligations solidaires pour plus d'information à ce sujet

ADMINISTRATION DE LA SOCIÉTÉ   En principe, chacun des associés participe à l'administration de la société, signe des contrats et prend des engagements en son nom. Les associés sont à la fois les mandants et les mandataires les uns des autres pour ce qui est des affaires de la société.

« **Art. 2219 C.c.Q.** À l'égard des tiers de bonne foi, chaque associé est mandataire de la société et lie celle-ci pour tout acte conclu au nom de la société dans le cours de ses activités.

Toute stipulation contraire est inopposable aux tiers de bonne foi.

Art. 2220 C.c.Q. L'obligation contractée par un associé en son nom propre lie la société lorsqu'elle s'inscrit dans le cours des activités de celle-ci ou a pour objet des biens dont cette dernière a l'usage.

Le tiers peut, toutefois, cumuler les moyens opposables à l'associé et à la société, et faire valoir qu'il n'aurait pas contracté s'il avait su que l'associé agissait pour le compte de la société ».

Exemple: Dans un contrat de société entre quatre avocats, Mc Richard, Mc Cliche, M^c L'Heureux et Mc Gaudreault, il n'y a pas de clause spéciale relativement à l'administration de la société. Un jour, Mc Richard décide de s'acheter un voilier de 45 000 $ et il signe un contrat sur le papier de la société. Le vendeur sait qu'il s'agit d'un achat personnel, mais il a préparé le contrat au nom de la société. Mc Richard le signe sans prévenir ses associés. Après en avoir effectué les 10 premiers versements et après avoir signé un contrat de rénovation des bureaux de la société pour la somme de 35 000 $, il quitte le pays sans laisser d'adresse.

L'achat du voilier n'est pas compris dans le cours normal des activités de la société et n'a pas été fait dans l'intérêt de celle-ci. Il s'agit donc d'un achat personnel. De plus, le vendeur n'était pas de bonne foi en rédigeant le contrat sur le papier de la société, puisqu'il s'agissait d'un achat personnel. La société et les autres associés ne seront donc pas responsables de cet achat.

En ce qui concerne les travaux de rénovation des bureaux de la société, il s'agit d'un acte fait au nom de la société, dans son intérêt et avec un tiers de bonne foi. La société et ses membres en seront alors responsables et devront payer les 35 000 $.

Pour simplifier les choses, il vaut mieux stipuler, à l'occasion de la signature du contrat de société, que les décisions seront prises à un certain pourcentage de vote des associés.

Exemple: Le contrat entre Monique, Sylvie et Nicolas prévoit que les décisions se prendront par le vote à 75 % des associés ; Monique avec sa part de 45 % et Sylvie avec sa part de 30 % disposent ensemble de 75 % des parts lors du vote.

Si les associés n'ajoutent aucune clause spéciale au contrat de société quant à l'administration, les articles 2215 et 2216 C.c.Q. y suppléeront.

« **Art. 2215 C.c.Q.** À défaut de stipulation sur le mode de gestion, les associés sont réputés s'être donné réciproquement le pouvoir de gérer les affaires de la société.

Tout acte accompli par un associé concernant les activités communes oblige les autres associés, sauf le droit de ces derniers, ensemble ou séparément, de s'opposer à l'acte avant que celui-ci ne soit accompli.

De plus, chaque associé peut contraindre ses coassociés aux dépenses nécessaires à la conservation des biens mis en commun, mais un associé ne peut changer l'état de ces biens sans le consentement des autres, si avantageux que soit le changement.

Art. 2216 C.c.Q. Tout associé a le droit de participer aux décisions collectives et le contrat de société ne peut empêcher l'exercice de ce droit.

À moins de stipulation contraire dans le contrat, ces décisions se prennent à la majorité des voix des associés, sans égard à la valeur de l'intérêt de ceux-ci dans la société, mais celles qui ont trait à la modification du contrat de société se prennent à l'unanimité ».

Dans les contrats de société, il serait opportun de prévoir les modalités d'administration, comme la signature des contrats et des chèques de la société, et la prise des décisions importantes, car on voit facilement les conséquences du mandat réciproque entre les associés.

TYPES DE SOCIÉTÉ

Le *Code civil* établit trois formes de société :
- la société en nom collectif (art. 2198 à 2235 C.c.Q.) ;
- la société en commandite (art. 2236 à 2249 C.c.Q.) ;
- la société en participation (art. 2250 à 2266 C.c.Q.).

Le Code ajoute aussi l'association, pour prévoir le cas de nombreux regroupements de personnes œuvrant dans le secteur social, culturel, sportif ou philanthropique.

LA SOCIÉTÉ EN NOM COLLECTIF

La **société en nom collectif** est une forme d'entreprise commerciale qu'on exploite pour en retirer des bénéfices et les partager entre associés. Environ 12 % des entreprises québécoises ont choisi d'exploiter leur commerce sous cette forme juridique. C'est la forme de société la plus utilisée et c'est elle qui fait l'objet de notre étude la plus détaillée.

LA SOCIÉTÉ EN COMMANDITE

La **société en commandite**, connue à l'extérieur du Québec sous le nom de *limited partnership*, est une forme d'entreprise commerciale qu'on exploite aussi pour en retirer des bénéfices et les partager entre les associés. Ce type de société se compose de deux catégories d'associés : les **commandités** (gérants) et les **commanditaires**.

Les *commandités* sont les associés qui mettent l'entreprise sur pied, la dirigent, l'administrent et y travaillent.

Les *commanditaires* sont les bailleurs de fonds, c'est-à-dire ceux qui investissent dans l'entreprise des capitaux ou des biens, sans prendre une part active à son administration.

La société en commandite possède soit une dénomination sociale (par exemple : Société en commandite Groupe d'Or), soit une raison sociale formée du nom de tous les commandités ou de certains d'entre eux seulement (par exemple : Dugré, Dupont et Dupuis, société en commandite ou SEC). Notons que, dans un cas comme dans l'autre, le nom de cette forme d'entreprise juridique doit toujours comporter la mention « société en commandite » ou son abréviation. De plus, si un **commanditaire** désire que son nom figure dans la dénomination ou

Commandités : Associés qui mettent l'entreprise sur pied, la dirigent, l'administrent et y travaillent.

Commanditaires : Personnes qui investissent dans l'entreprise des capitaux ou des biens, sans prendre une part active à son administration (art. 2186 (2) C.c.Q.).

raison sociale de l'entreprise, son statut de commanditaire doit y être clairement énoncé, sinon il s'expose aux mêmes obligations et responsabilités que le commandité.

Contrairement aux membres d'une société en nom collectif et aux commandités, les commanditaires ne sont pas personnellement ni solidairement responsables de toutes les dettes et engagements de la société, mais seulement jusqu'à concurrence de leurs mises de fonds.

La société en commandite est souvent utilisée pour le financement d'entreprises évoluant dans des secteurs faisant l'objet d'intéressantes déductions fiscales, tels l'exploitation minière ou pétrolière, les sports professionnels, la production et la distribution de films, etc.

Finalement, le deuxième alinéa de l'article 2246 C.c.Q. prévoit une règle d'ordre public à laquelle on ne peut déroger par une clause du contrat de société en commandite, selon laquelle toute clause qui oblige un associé commanditaire à cautionner ou à assumer les dettes de la société au-delà de son apport est nulle. Cette disposition est destinée à protéger de nombreux investisseurs qui se font souvent prendre par des promesses de profits mirobolants et qui signent ces contrats sans même les lire ni les comprendre.

LA SOCIÉTÉ EN PARTICIPATION

Ce nouveau type de société regroupe l'ensemble des sociétés peu organisées ou de fait qui ne sont pas déclarées.

La loi ne lui impose pas l'obligation de publier une déclaration d'immatriculation comme les deux autres types de société. C'est souvent l'attitude des associés qui détermine si elle existe vraiment. Ceux-ci choisissent entre eux leur mode de fonctionnement.

Dans cette société, l'apport des associés demeure leur propriété, car cette société ne dispose pas d'un patrimoine distinct comme la société en nom collectif.

En conséquence, l'associé contracte en son nom personnel et il est donc seul responsable de ses obligations envers les tiers.

Les articles 2253 à 2255 C.c.Q. disposent de la responsabilité des associés vis-à-vis des tiers.

« **Art. 2253 C.c.Q.** Chaque associé contracte en son nom personnel et est seul obligé à l'égard des tiers.

Toutefois, lorsque les associés agissent en qualité d'associés à la connaissance des tiers, chaque associé est tenu à l'égard de ceux-ci des obligations résultant des actes accomplis en cette qualité par l'un des autres associés.

Art. 2254 C.c.Q. Les associés ne sont pas tenus solidairement des dettes contractées dans l'exercice de leur activité, à moins que celles-ci n'aient été contractées pour le service ou l'exploitation d'une entreprise commune ; ils sont tenus envers le créancier, chacun pour une part égale, encore que leurs parts dans la société soient inégales.

Art. 2255 C.c.Q. Toute stipulation qui limite l'étendue de l'obligation des associés envers les tiers est inopposable à ces derniers.

Le contrat de société en participation prend fin conformément aux dispositions de l'article 2258 C.c.Q.

Art. 2258 C.c.Q. Le contrat de société, outre sa résiliation du consentement de tous les associés, prend fin par l'arrivée du terme ou l'avènement de la condition apposée au contrat, par l'accomplissement de l'objet du contrat ou par l'impossibilité d'accomplir cet objet.

Il prend fin aussi par le décès ou la faillite de l'un des associés, par l'ouverture à son égard d'un régime de protection ou par un jugement ordonnant la saisie de sa part ».

Dans le cas de décès d'un associé, on peut prévoir que la société continuera. Finalement, dans le cas d'une telle société à durée indéterminée, la loi prévoit qu'un associé pourra y mettre fin sur simple avis dans un délai raisonnable.

Exemple : On retrouve ce type de société lorsque des conjoints de fait décident d'établir entre eux leurs conventions financières ou lorsque deux ou plusieurs personnes achètent un immeuble en copropriété indivise.

L'ASSOCIATION

Contrat d'association :
Contrat par lequel les parties conviennent de poursuivre un but commun autre que la réalisation de bénéfices pécuniaires à partager entre les membres de l'association (art. 2186 (2) C.c.Q.).

L'article 2186 (2) C.c.Q. définit le *contrat d'association* comme celui par lequel les parties conviennent de poursuivre un but commun autre que la réalisation de bénéfices pécuniaires à partager entre les membres de l'association.

C'est le cas de nombreux regroupements de personnes œuvrant dans le secteur social, culturel, sportif ou philanthropique.

Exemples : Club Optimiste, clubs de l'âge d'or, regroupement de propriétaires.

Ce sont les articles 2267 à 2279 C.c.Q. qui régissent ses activités.

CONSTITUTION D'UNE SOCIÉTÉ

Comme l'entreprise individuelle, la société requiert très peu de formalités. Les futurs associés doivent :

- se choisir un nom ;
- déposer une déclaration d'immatriculation auprès du greffier de la Cour supérieure du district où la société exploite son entreprise ;
- s'entendre sur les modalités de leur contrat de société ;
- obtenir les permis nécessaires à l'exploitation de leur entreprise.

CHOIX D'UN NOM

Comme l'entreprise individuelle, la société doit se choisir un nom. Les principes déjà étudiés à propos de la *Loi sur la publicité légale de l'entreprise* s'appliquent à la société.

L'une des particularités du nom de certaines sociétés de personnes exerçant une profession libérale est l'utilisation du nom de un ou de plusieurs associés dans le nom de la société.

- Raymond Chabot Martin Paré (S.E.N.C.)
- Archambault, Cliche et Associés (S.E.N.C.)

Finalement, les associés dans une société en nom collectif ou en commandite doivent indiquer le type de société qu'ils ont choisi soit dans le nom de la société, soit à la fin du nom par les lettres S.E.N.C. pour la société en nom collectif ou par les lettres S.E.C. pour la société en commandite.

Exemple : Monique, Nicolas et Sylvie ont choisi le nom **Au Croissant Doré (S.E.N.C.)**.

IMMATRICULATION

Toute société en nom collectif ou en commandite ainsi que tout groupement doivent produire leur déclaration d'immatriculation au plus tard 60 jours après le début de leurs activités au bureau du greffier de la Cour supérieure de chacun des districts judiciaires où ils possèdent un établissement.

L'article 2189 C.c.Q. stipule que l'omission de remplir cette obligation de déposer une déclaration d'immatriculation ne rend pas la société nulle, mais

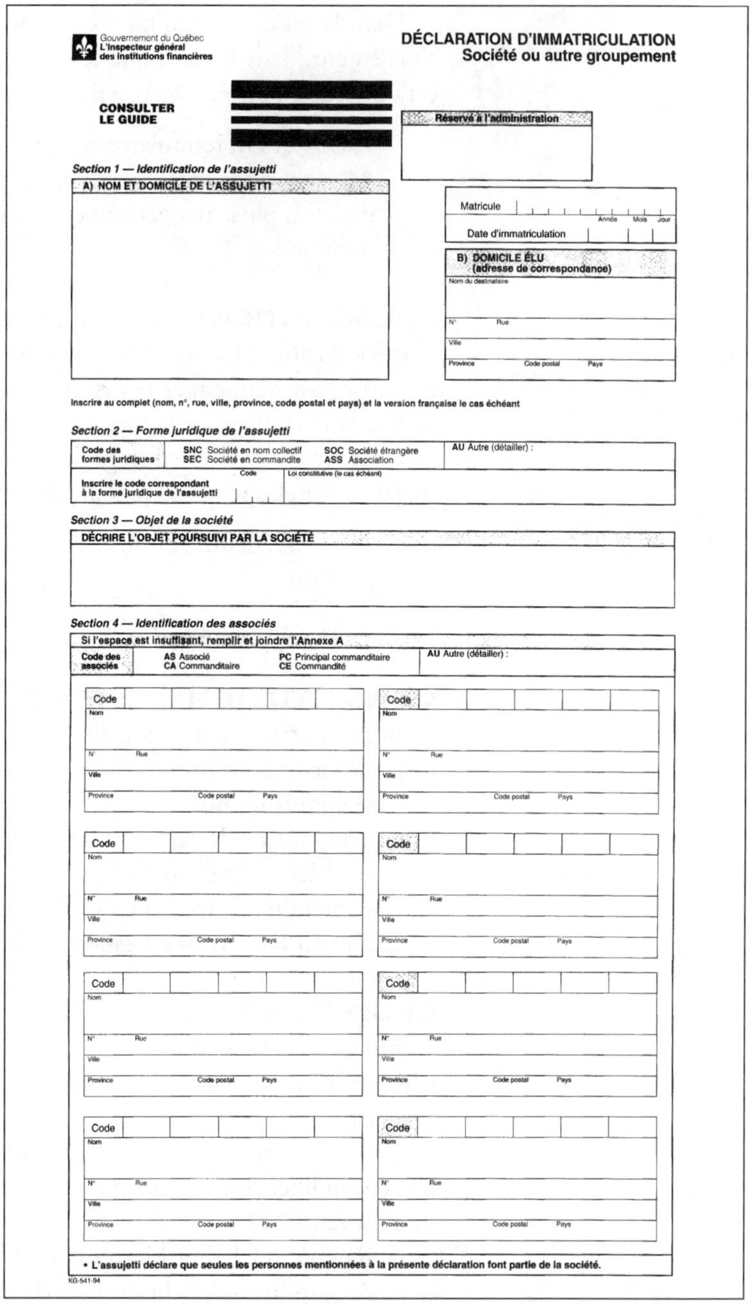
Gouvernement du Québec
L'Inspecteur général des institutions financières

DÉCLARATION D'IMMATRICULATION
Société ou autre groupement

CONSULTER LE GUIDE

Réservé à l'administration

Section 1 — Identification de l'assujetti

A) NOM ET DOMICILE DE L'ASSUJETTI

Matricule

Année Mois Jour

Date d'immatriculation

B) DOMICILE ÉLU (adresse de correspondance)

Nom du destinataire

N° Rue

Ville

Province Code postal Pays

Inscrire au complet (nom, n°, rue, ville, province, code postal et pays) et la version française le cas échéant

Section 2 — Forme juridique de l'assujetti

Code des formes juridiques	SNC Société en nom collectif SEC Société en commandite	SOC Société étrangère ASS Association	AU Autre (détailler) :
Inscrire le code correspondant à la forme juridique de l'assujetti	Code	Loi constitutive (le cas échéant)	

Section 3 — Objet de la société

DÉCRIRE L'OBJET POURSUIVI PAR LA SOCIÉTÉ

Section 4 — Identification des associés

Si l'espace est insuffisant, remplir et joindre l'Annexe A

Code des associés	AS Associé CA Commanditaire	PC Principal commanditaire CE Commandité	AU Autre (détailler) :

Code
Nom
N° Rue
Ville
Province Code postal Pays

• L'assujetti déclare que seules les personnes mentionnées à la présente déclaration font partie de la société.

KG-541-94

Figure 12.6 Déclaration d'immatriculation pour une société ou un autre groupement

qu'on la considère alors comme une société en participation. Par conséquent, seules les sociétés en nom collectif et les sociétés en commandite sont soumises à l'obligation de produire une déclaration.

Comme pour l'entreprise individuelle, lorsqu'un associé décède ou vend sa part, il est important de déposer une déclaration modificative pour éviter que celui qui s'est retiré continue d'être tenu personnellement responsable des dettes de la société.

> *Exemple* : Monique, Sylvie et Nicolas déposeront la déclaration d'immatriculation prévue à la figure 12.6 auprès du greffier de la Cour supérieure du district de Laval.

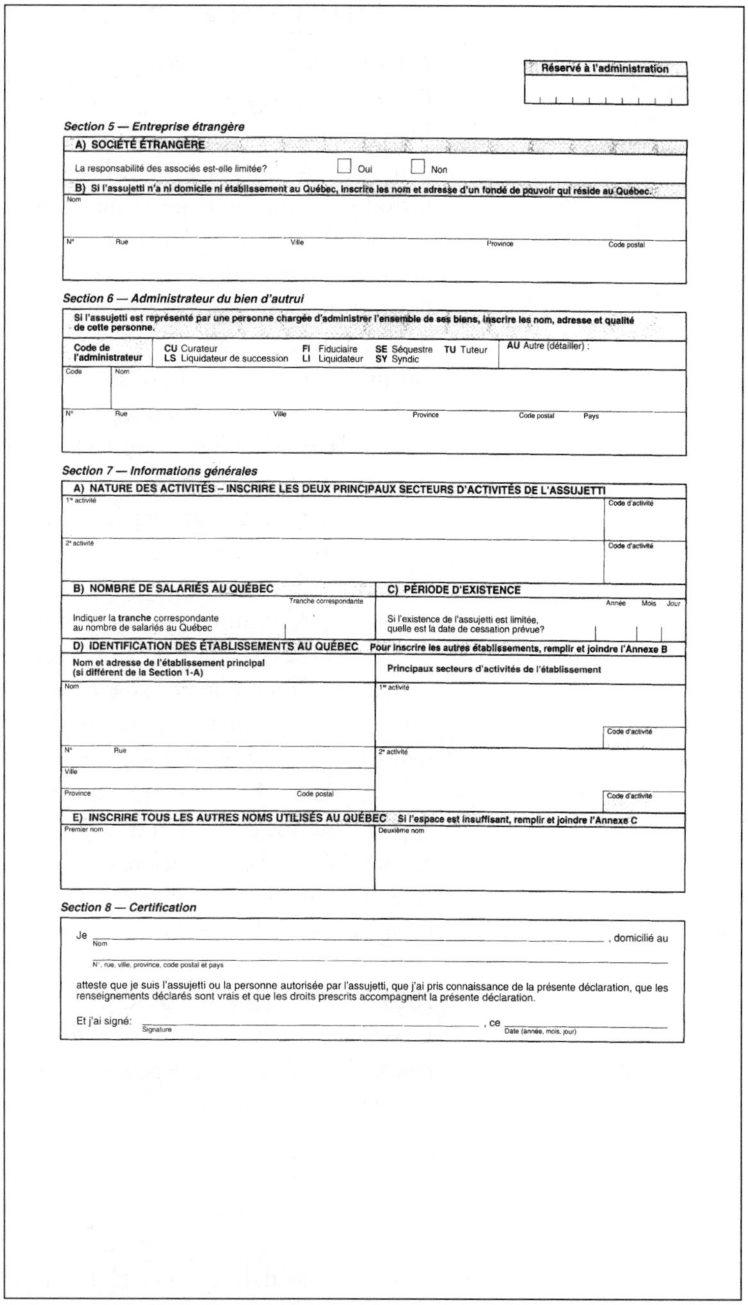

Réservé à l'administration

Section 5 — Entreprise étrangère

A) SOCIÉTÉ ÉTRANGÈRE

La responsabilité des associés est-elle limitée? ☐ Oui ☐ Non

B) Si l'assujetti n'a ni domicile ni établissement au Québec, inscrire les nom et adresse d'un fondé de pouvoir qui réside au Québec.

Nom

N° | Rue | Ville | Province | Code postal

Section 6 — Administrateur du bien d'autrui

Si l'assujetti est représenté par une personne chargée d'administrer l'ensemble de ses biens, inscrire les nom, adresse et qualité de cette personne.

Code de l'administrateur — **CU** Curateur, **LS** Liquidateur de succession, **FI** Fiduciaire, **LI** Liquidateur, **SE** Séquestre, **SY** Syndic, **TU** Tuteur, **AU** Autre (détailler) :

Code | Nom

N° | Rue | Ville | Province | Code postal | Pays

Section 7 — Informations générales

A) NATURE DES ACTIVITÉS – INSCRIRE LES DEUX PRINCIPAUX SECTEURS D'ACTIVITÉS DE L'ASSUJETTI

1re activité — Code d'activité

2e activité — Code d'activité

B) NOMBRE DE SALARIÉS AU QUÉBEC

Indiquer la **tranche** correspondante au nombre de salariés au Québec — Tranche correspondante

C) PÉRIODE D'EXISTENCE

Si l'existence de l'assujetti est limitée, quelle est la date de cessation prévue? — Année Mois Jour

D) IDENTIFICATION DES ÉTABLISSEMENTS AU QUÉBEC **Pour inscrire les autres établissements, remplir et joindre l'Annexe B**

Nom et adresse de l'établissement principal (si différent de la Section 1-A)

Nom

N° | Rue

Ville

Province | Code postal

Principaux secteurs d'activités de l'établissement

1re activité — Code d'activité

2e activité — Code d'activité

E) INSCRIRE TOUS LES AUTRES NOMS UTILISÉS AU QUÉBEC **Si l'espace est insuffisant, remplir et joindre l'Annexe C**

Premier nom | Deuxième nom

Section 8 — Certification

Je ______________________ (Nom), domicilié au ______________________ (N°, rue, ville, province, code postal et pays)

atteste que je suis l'assujetti ou la personne autorisée par l'assujetti, que j'ai pris connaissance de la présente déclaration, que les renseignements déclarés sont vrais et que les droits prescrits accompagnent la présente déclaration.

Et j'ai signé: ______________________ (Signature), ce ______________________ (Date (année, mois, jour))

Figure 12.6 Déclaration d'immatriculation pour une société ou un autre groupement (suite)

MODALITÉS DU CONTRAT DE SOCIÉTÉ

Le contenu du contrat de société fera l'objet de discussions et de négociations entre les associés. À défaut de stipulations précises dans le contrat de société, les dispositions du *Code civil du Québec* y suppléeront.

Dans notre exemple, Monique, Sylvie et Nicolas ont négocié le contrat de société qui est reproduit en annexe au présent chapitre.

OBTENTION DE PERMIS

Les règles dont nous avons déjà fait état précédemment à l'occasion de l'étude de l'entreprise individuelle s'appliquent aussi à la société.

EXTINCTION ET DISSOLUTION DE LA SOCIÉTÉ

PERTE DE LA QUALITÉ D'ASSOCIÉ

Contrairement à l'entreprise individuelle, le décès d'un associé, sa faillite ou l'ouverture d'un régime de protection à son égard ne mettent pas fin à la société. Afin de protéger et d'assurer l'existence de la société, le *Code civil du Québec* a introduit la notion de **perte de la qualité d'associé** à l'article 2226 :

« **Art. 2226 C.c.Q.** Outre qu'il cesse d'être membre de la société par la cession de sa part ou par son rachat, un associé cesse également de l'être par son décès, par l'ouverture à son égard d'un régime de protection, par sa faillite ou par l'exercice de son droit de retrait ; il cesse aussi de l'être par sa volonté, par son expulsion ou par un jugement autorisant son retrait ou ordonnant la saisie de sa part. »

Par ailleurs, l'associé qui cesse d'être membre de la société autrement que par suite de la cession ou de la saisie de sa part a droit d'obtenir la valeur de sa part au moment où il cesse d'être associé. Les autres associés sont tenus au paiement de sa part à lui ou à ses héritiers dès que la valeur en est établie avec intérêt à compter du moment où il a cessé d'être associé.

À défaut de stipulation au contrat de société ou d'accord entre les associés, cette valeur sera déterminée par un expert désigné par le tribunal.

L'article 2210 C.c.Q. prévoit précisément qu'un associé peut céder sa part dans la société soit à un autre associé, soit à la société elle-même. Il s'agit d'un droit nouveau qui permet à la société de racheter la part d'un associé de la même manière qu'une compagnie peut racheter les actions d'un actionnaire.

Par ailleurs, le Code prévoit que tout associé peut, dans les 60 jours où il apprend qu'une personne étrangère à la société a acquis à titre onéreux la part d'un associé, l'écarter de la société en remboursant à cette personne le prix de la part et les frais qu'elle a acquittés. Ce droit ne peut être exercé que dans l'année qui suit l'acquisition de la part.

RETRAIT D'UN ASSOCIÉ

L'associé d'une société dont la durée n'est pas fixe ou dont le contrat de société réserve le droit de retrait peut se retirer de la société en donnant de bonne foi et à un moment ne pouvant causer préjudice à la société un avis de son retrait de la société.

Il faut donc s'assurer que le retrait inopportun d'un associé ne cause pas de dommages à la société.

Dans le cas d'une société dont la durée est fixe, l'associé ne peut se retirer qu'avec l'accord de la majorité des autres associés à moins d'une clause spéciale à cet effet dans le contrat de société.

EXPULSION D'UN ASSOCIÉ

L'article 2229 prévoit que la majorité des associés peuvent expulser un autre associé.

« **Art. 2229 C.c.Q.** Les associés peuvent, à la majorité, convenir de l'expulsion d'un associé qui manque à ses obligations ou nuit à l'exercice des activités de la société.

Dans les mêmes circonstances, un associé peut demander au tribunal l'autorisation de se retirer de la société ; il est fait droit à cette demande, à moins que le tribunal ne juge plus approprié d'ordonner l'expulsion de l'associé fautif. »

DISSOLUTION DE LA SOCIÉTÉ

Outre les causes de dissolution prévues au *Code civil du Québec* pour tous les contrats, la société peut être dissoute pour les causes suivantes :

- l'accomplissement de son objet ou l'expiration du terme ;
- l'impossibilité de l'accomplir ;
- le consentement de tous les associés ;
- par le tribunal pour une cause légitime ;
- la faillite de la société.

EXPIRATION DU TERME

C'est le cas des sociétés formées pour une durée limitée, par exemple pour six mois, un an, deux ans ou cinq ans. À l'expiration de ce terme, elles prennent automatiquement fin. Par ailleurs, la loi permet de stipuler une clause de reconduction tacite à l'expiration du terme si les associés ne donnent pas un préavis à l'effet contraire.

OBJET IMPOSSIBLE OU ILLÉGAL

Il y a objet impossible ou illégal lorsqu'une loi déclare que l'activité commerciale de la société est considérée comme illégale ; il pourrait s'agir, par exemple, d'une loi édictant que la fabrication, la vente et la distribution du tabac sous toutes ses formes est illégale.

CONSENTEMENT DE TOUS LES ASSOCIÉS

La société peut prendre fin lorsque tous les associés décident d'y mettre fin d'un commun accord.

Finalement, le *Code civil du Québec* prévoit le cas de l'associé qui, à la suite du décès ou du retrait des autres associés, se retrouve seul avec toutes les parts sociales entre les mains. L'article 2232 C.c.Q. prévoit qu'une telle situation n'entraîne pas la dissolution de la société pourvu que dans les 120 jours ou moins un autre associé se joigne à la société.

CONSÉQUENCES DE LA DISSOLUTION

La dissolution de la société entraîne sa liquidation. La **liquidation** peut être faite **à l'amiable** entre les associés si les circonstances s'y prêtent ; il peut aussi y avoir **liquidation forcée**.

LIQUIDATION À L'AMIABLE   Dans le cas d'une liquidation à l'amiable, on nomme habituellement un associé pour agir comme liquidateur. Ce dernier dresse la liste des biens et des dettes de la société, liquide ces biens en les vendant, paie les différents créanciers de la société et, s'il reste de l'argent, il le partagera entre les associés selon les modalités du contrat de société. On peut aussi procéder selon les dispositions des articles 2264 à 2266 C.c.Q.

LIQUIDATION FORCÉE   On procède par liquidation forcée lorsque les associés n'arrivent pas à s'entendre. Cette méthode est plus complexe et plus onéreuse pour la société et, en conséquence, elle est souvent désastreuse pour les associés. Une demande est alors adressée au tribunal par l'un des associés par voie de requête en liquidation et en désignation d'un liquidateur. Un avis de cette requête est expédié aux autres associés.

L'article 2262 C.c.Q. traite des effets de la liquidation et stipule que les pouvoirs et le mandat des associés d'agir pour la société cessent par la dissolution de la société.

Ensuite, on paie les divers créanciers de la société. Les associés se partagent alors le solde restant du produit de la liquidation, selon les modalités de leur contrat de société ou celles du *Code civil*.

Il est important pour les associés de déposer une déclaration de radiation de société, car ce n'est qu'à partir de la date du dépôt de cette déclaration qu'ils cesseront d'être responsables des dettes de la société ; mais ils restent responsables des dettes contractées avant cette date, quand ils étaient encore associés.

AVANTAGES

FACILITÉ DE MISE SUR PIED   Comme l'entreprise individuelle, la société ne requiert, pour sa mise sur pied, que très peu de formalités juridiques, si ce n'est la conclusion d'un contrat entre les associés et l'immatriculation d'une déclaration au bureau du greffier.

COÛT PEU ÉLEVÉ   Le coût de l'immatriculation de la déclaration est minime bien qu'il faille y ajouter celui des permis requis pour l'exercice du commerce et, s'il y a lieu, les honoraires de spécialistes en la matière.

CAPACITÉ FINANCIÈRE ACCRUE   La société offre une plus grande capacité financière puisqu'elle permet la mise en commun du capital de chacun des associés. En outre, sa capacité d'emprunt est plus grande que celle d'une entreprise individuelle. En effet, les établissements financiers hésitent moins à prêter aux associés, étant donné que chacun d'eux assume une responsabilité solidaire de toutes les obligations de la société. L'apport éventuel d'un nouvel associé peut représenter également une source de fonds additionnelle.

COMPLÉMENTARITÉ DES ASSOCIÉS   Un des éléments essentiels à la formation d'un contrat de société est la mise en commun des talents, souvent complémentaires, de plusieurs personnes. Si chacun des associés avait fondé une entreprise individuelle, il aurait été privé de la compétence des autres ; la société permet, au contraire, de combiner les compétences particulières de chacun.

ASPECT FISCAL   Sur le plan fiscal, contrairement à la société par actions (compagnie), la loi ne reconnaît pas à la société une existence distincte. Il est donc possible pour un associé de déduire les pertes de la société de ses propres revenus.

INCONVÉNIENTS

RESPONSABILITÉ PERSONNELLE SOLIDAIRE ET ILLIMITÉE   Dans la société, pour l'exploitation d'une entreprise, chacun des associés est responsable sur ses biens personnels des dettes et engagements de l'entreprise, et cette responsabilité est solidaire et illimitée. Il est aussi responsable des actes des autres associés dans le cours normal des affaires de la société. Ainsi un seul associé pourrait être poursuivi par les créanciers et être forcé de payer le montant total des dettes de l'entreprise.

CONFLITS PERSONNELS   Un contrat de société soulève souvent des controverses et peut donner lieu à des divergences d'opinion entre les associés quant à son interprétation et quant à la conduite des affaires de l'entreprise. Il est donc essentiel de rédiger un contrat clair et précis.

MANQUE DE CONTINUITÉ   Si un associé n'est plus en mesure ou n'est plus intéressé à participer à la société en raison, par exemple, de difficultés financières qu'il éprouve, la continuité de l'entreprise s'en trouve alors menacée et, dans bien des cas, il peut se retirer de la société ; cela risque d'entraîner des démarches complexes et coûteuses.

ASPECT FISCAL   Les associés doivent ajouter à leurs revenus personnels les revenus qu'ils retirent de la société, ce qui risque d'augmenter considérablement leur fardeau fiscal. Ajoutons que la planification fiscale et successorale des membres d'une société est beaucoup plus complexe que celle des actionnaires d'une compagnie.

RÉSUMÉ

- La *Loi sur la publicité légale des entreprises individuelles, des sociétés et des personnes morales* oblige toutes les entreprises à déposer une déclaration d'immatriculation auprès de l'Inspecteur général des institutions financières, et elle réglemente de façon stricte le choix et l'utilisation d'un nom pour les entreprises.

- La L.P.L.E. prévoit des sanctions sévères.

- L'entreprise individuelle consiste en une personne physique qui exploite seule une entreprise et qui est personnellement responsable des dettes de cette dernière. Elle n'est régie par aucune loi particulière.

- L'entreprise individuelle prend fin automatiquement par le décès, la faillite et l'ouverture d'un régime de protection à l'égard de l'entrepreneur individuel.

- La société est un contrat par lequel les parties conviennent, dans un esprit de collaboration, d'exercer une activité, incluant celle d'exploiter une entreprise, d'y contribuer par la mise en commun de biens, de connaissances ou d'activités et de partager entre elles les bénéfices pécuniaires qui en résultent.

- Les trois types de sociétés sont la société en nom collectif, la société en commandite et la société en participation.

- La plus utilisée pour l'exploitation d'une entreprise est la société en nom collectif.

- Le décès, la faillite ou l'ouverture d'un régime de protection à l'égard d'un associé n'entraînent pas la dissolution de la société, mais plutôt la perte de la qualité d'associé.

RÉSEAU DE CONCEPTS

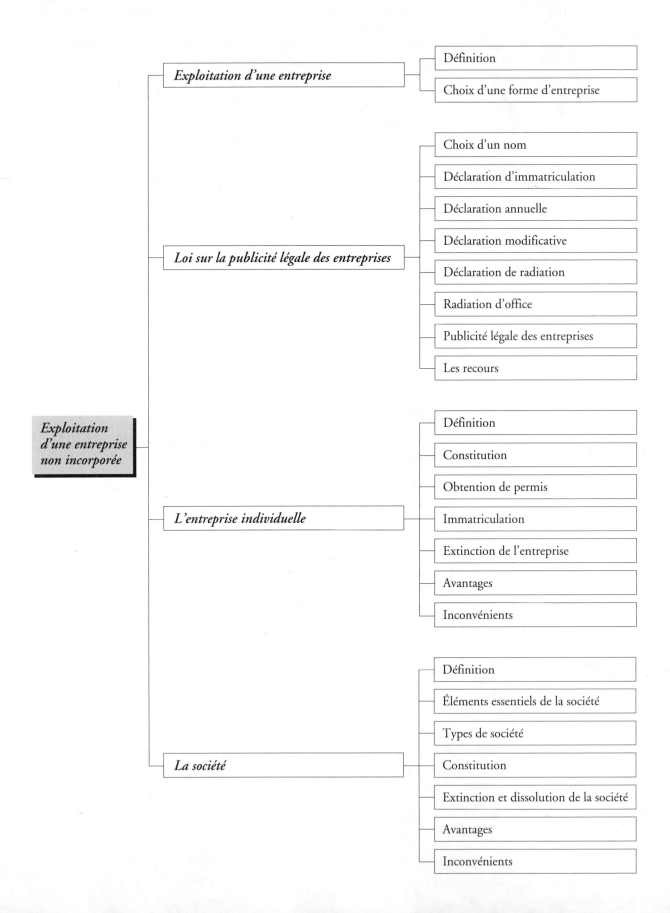

EXERCICES

ASSOCIATIONS

Associez un des termes ci-dessous à l'une des définitions qui suivent :

- *Loi sur les renseignements sur les entreprises*
- association
- déclaration de radiation
- *Loi de l'Inspecteur général des institutions financières*
- société en commandite
- déclaration modificative
- société en nom collectif
- société nominale
- entreprise individuelle
- déclaration d'immatriculation
- société en participation
- *Loi sur la publicité légale des entreprises*

1. Le propriétaire individuel qui commence ses activités doit publier une ___10___ . *P312.*

2. L'associé qui vend ou transfère sa part dans la société, ou cesse d'en faire partie, demeure responsable des dettes de la société, même s'il n'en fait plus partie, tant qu'il n'a pas fait publier une ___5___ . *B24*

3. L'immatriculation d'une société ou d'une entreprise individuelle doit être faite conformément à la ___12___ . *308*

4. L'___9___ est celle qui est composée d'un seul propriétaire qui dirige toutes les activités de l'entreprise, tant en ce qui concerne la capitalisation et la direction des activités que la responsabilité.

5. La société dans laquelle chaque associé demeure propriétaire des biens constituant son apport dans la société et contracte en son nom personnel et est seul obligé à l'égard des tiers est la ___11___ . *322* *2252·2253*

VRAI OU FAUX

Indiquez si les affirmations suivantes sont vraies ou fausses. Si l'affirmation est fausse précisez pourquoi.

1. Dans la société nominale et dans la société en participation, les associés se partagent également les profits et les dépenses.

2. Toute clause, dans un contrat de société, qui exclut un des associés de la participation aux pertes de la société est nulle quant aux tiers seulement, mais opposable entre les associés. *318 - 2203*

3. L'entrepreneur individuel qui vend son commerce doit enregistrer une déclaration de dissolution. *JB*

4. Les principes énoncés dans le *Code civil du Québec* relativement à l'administration d'une société sont supplétifs.

5. L'entrepreneur individuel ne peut nommer de gérant pour administrer son commerce. *P311 Directeur.*

CHOIX MULTIPLES

1. Dans le cas de la liquidation forcée de la société :
   a) celle-ci se fait à l'amiable.
   b) c'est l'Inspecteur général des institutions financières qui la fait.
   c) c'est le greffier qui la fait.
   d) le tribunal nomme un liquidateur.

2. En cas de faillite de l'entreprise individuelle, l'entrepreneur :
   a) est responsable jusqu'à concurrence de sa mise de fonds dans son entreprise.
   b) est responsable seulement pour l'actif de son commerce.
   c) est responsable personnellement de tous ses biens propres si l'actif du commerce est insuffisant.
   d) aucune des réponses précédentes.

3. La société qui comprend deux sortes d'associés s'appelle :
   a) la société en nom collectif.
   b) la société nominale.
   c) la société anonyme.
   d) la société en commandite.

4. La faillite d'un des associés, son décès ou l'ouverture d'un régime de protection à son égard entraîne :
   a) la dissolution de la société.
   b) la liquidation de la société.
   c) la perte de sa qualité d'associé.
   d) la fin de la société et le partage des biens.

5. Au moment de la signature de leur contrat de société, deux des trois associés ont réussi à convaincre le troisième que les deux premiers partageront également entre eux les bénéfices de la société et que les trois associés partageront également entre eux les pertes. Cette clause est-elle valide ?
   a) Oui, car les trois associés ont signé le contrat.
   b) Oui, car ils sont tous les trois majeurs.
   c) Non, cette clause est illégale, car tous les associés doivent partager les profits.
   d) aucune des réponses précédentes.

CAS PRATIQUES

1. Vous désirez vous lancer en affaires, en société avec des amis. Le but de votre société est l'acquisition et l'administration d'immeubles de toutes sortes. Vous êtes cinq associés, vos apports dans la société sont inégaux de même que le partage des profits et des pertes.

   À partir de l'exemple de contrat de société reproduit en Annexe 2, page 537, rédigez votre contrat de société en l'adaptant en conséquence.

   Advenant le retrait d'un associé, vous voulez que sa part lui soit versée sur cinq ans ; advenant le décès d'un associé, vous voulez que la société ou les associés payent la part du défunt en prenant une hypothèque sur les immeubles de la société ; advenant le retrait d'un associé, vous ne voulez pas qu'il sollicite les autres associés ou locataires de la société ou qu'il acquière des immeubles locatifs dans un rayon de 15 km des immeubles de la société et vous voulez prévoir une pénalité en conséquence.

2. Le 24 septembre 1995, Rose Lafleur vend à Jacinthe Latulippe une boutique de fleurs qu'elle exploite à Trois-Rivières, sous le nom de La Boîte fleurie. Le contrat est signé en bonne et due forme le 24 septembre 1995, date à laquelle Jacinthe prend possession du commerce et commence à l'exploiter. Cette dernière effectue pour 45 000 $ d'achats auprès de divers fournisseurs. Au nombre de ces fournisseurs, on retrouve la compagnie Belle Fleur inc., à qui Jacinthe doit 25 000 $ pour de la marchandise achetée le 11 octobre 1995. Cette dernière a également retenu les services de Robert Lapoutre pour effectuer des rénovations à son local. Il s'agit d'un contrat forfaitaire pour la somme de 17 500 $; les travaux sont effectués entre le 27 septembre 1995 et le 11 décembre de la même année.

   En raison de son inexpérience dans ce genre d'activités, Jacinthe se voit dans l'obligation de fermer les portes de sa boutique de fleurs, neuf mois seulement après son ouverture. Elle a accumulé des dettes s'élevant à au-delà de 100 000 $. Par ailleurs, Rose Lafleur a omis de faire enregistrer une déclaration de radiation de son commerce au moment de la vente, mais elle remédie à son oubli le 1er novembre 1995. Belle Fleur inc. et Robert Lapoutre n'ayant pas réussi à se faire rembourser les sommes que leur devait Jacinthe, devenue insolva-

ble dans l'intervalle, ils intentent des actions contre Rose Lafleur. Cette dernière vient vous consulter et vous apporte les brefs d'assignation qu'un huissier vient de lui signifier. Elle vous demande si elle est vraiment responsable des sommes d'argent qu'on lui réclame. Expliquez-lui la situation.

3. Pierre Laroche, Pierre Caillou et Pierre Lapierre ont fondé une société pour exploiter une carrière sous le nom de Carrière des trois Pierre ; la société fait faillite. Le syndic et les créanciers saisissent alors les biens de la société, mais aussi les biens personnels des trois hommes, car l'actif de la société est insuffisant pour payer tous les créanciers. Pierre Lapierre vient vous voir et veut connaître ses droits.

   a) Le syndic et les créanciers ont-ils le droit de procéder de cette façon ?

   b) Pierre Lapierre vous explique que, en vertu du contrat de société, il n'est responsable d'aucune des dettes de la société, mais que les deux autres associés sont responsables de 50 % des dettes chacun. Il veut savoir si le contrat est valide et s'il peut l'opposer aux créanciers.

   c) Dans le cas où il serait obligé de payer les dettes de la société à même ses biens personnels, quels seraient ses recours ?

4. Michèle, Diane et Sophie exploitent en société un commerce d'importation de vêtements pour dames sous la dénomination sociale d'Importations du Nouvel Âge. Le contrat de société stipule que seule Diane aura le pouvoir d'administrer l'entreprise.

   À l'insu des deux autres, Sophie, en voyage à Hong Kong, achète à crédit en son nom propre 250 robes de Sam Lee, manufacturier qui ignore l'existence de la société. Toujours à l'insu des deux autres, Sophie revend lesdites robes à Louise au nom de la société qui, en vertu de son contrat constitutif, exclut Sophie de l'administration des affaires de la société. Louise paie le prix de vente avant livraison.

   Michèle vous consulte et vous pose les questions suivantes.

   a) La société est-elle obligée de payer Sam Lee ?

   b) La société est-elle obligée de livrer les robes achetées par Louise ou le contrat peut-il être annulé ?

   c) Sophie peut-elle se faire rembourser les dépenses engagées pendant son voyage à Hong Kong ?

CHAPITRE 13

L'EXPLOITATION D'UNE ENTREPRISE INCORPORÉE : LA COMPAGNIE ET LA COOPÉRATIVE

OBJECTIFS ET ÉLÉMENTS DE COMPÉTENCES

1 Définir la compagnie et la coopérative et connaître les principaux attributs de la personne morale.

2 Maîtriser le vocabulaire propre à la compagnie et à la coopérative.

3 Constituer une compagnie en vertu de la Partie 1A de la *Loi sur les compagnies du Québec* et en vertu de la *Loi régissant les sociétés par actions du régime fédéral*.

4 Distinguer les différentes catégories d'actions constituant le capital-actions autorisé d'une compagnie.

5 Connaître les avantages et inconvénients de la compagnie.

6 Constituer une coopérative en vertu de la *Loi sur les coopératives*.

7 Connaître le fonctionnement d'une coopérative.

L'ENTREPRISE INCORPORÉE OU PERSONNE MORALE

Au chapitre précédent, nous avons examiné les règles d'exploitation d'une entreprise non incorporée. Celles-ci reposent sur la personne physique qui exploite, seule, une entreprise individuelle ou qui exploite, avec d'autres personnes physiques, une société.

Lorsqu'on parle d'une entreprise incorporée, on entend par là une entreprise qui est constituée en vertu d'une loi particulière qui lui donne naissance. On parle alors d'une **personne morale**. Nous vous reportons aux dispositions du chapitre 3 sur les personnes à ce sujet.

Les personnes morales qui feront l'objet du présent chapitre sont les personnes morales de droit privé que l'on rencontre le plus fréquemment dans le domaine des affaires, soit la **compagnie** et la **coopérative**. Ce sont les dispositions de leurs lois constitutives qui les régissent :

- *Loi sur les compagnies du Québec (L.C.Q.)* ;
- *Loi régissant les sociétés par actions du régime fédéral* (L.S.A.) ;
- *Loi sur les coopératives.*

Les dispositions du *Code civil du Québec* viennent les compléter lorsque celles de leurs lois constitutives sont incomplètes. Ce sera le cas par exemple de la question des inhabiletés et des conflits d'intérêts des administrateurs d'une compagnie, où les dispositions du *Code civil* viennent compléter celles de la *Loi sur les compagnies du Québec* et même y suppléer.

La compagnie porte plusieurs noms en droit corporatif :

- compagnie ;
- corporation ;
- société par actions ;
- société.

Le *Code civil du Québec* quant à lui n'emploie aucun de ces termes pour désigner la compagnie ; il utilise le terme « personne morale ».

Afin d'éviter toute ambiguïté dans le présent chapitre, nous utiliserons exclusivement le nom « **compagnie** » et ce, même si la loi fédérale parle de sociétés par actions et de sociétés, et le *Code civil*, de personne morale.

LA COMPAGNIE

DÉFINITION

> **Compagnie :** Personne morale de droit public ou de droit privé.

La *compagnie* est une personne morale de droit public ou de droit privé.

La **compagnie** dispose de tous les attributs de la personnalité juridique définis aux articles 301 et suivants du *Code civil*.

L'article 301 C.c.Q. énonce que les personne morales ont la pleine jouissance de leurs droits civils et l'article 123.29 de la *Loi sur les compagnies du Québec* ajoute :

« La compagnie a la pleine jouissance de ses droits civils au Québec et hors du Québec, sauf quant à ce qui est propre à la personne humaine et sous réserve des lois applicables en l'espèce. »

ATTRIBUTS DE LA PERSONNE MORALE

On peut notamment déduire de ces articles que les personnes morales sont distinctes de leurs membres, qu'elles possèdent un patrimoine propre et que la responsabilité de leurs membres est limitée à leur mise de fonds.

La figure 13.1 résume les attributs de la personne morale.

VOCABULAIRE PROPRE À LA COMPAGNIE

Avant d'avancer plus loin dans l'étude de la compagnie, nous croyons important de définir 12 concepts importants propres à la compagnie.

ACTION Émise par une compagnie, elle correspond à la somme d'argent investie par une personne dans l'entreprise et représente son titre de propriété dans la

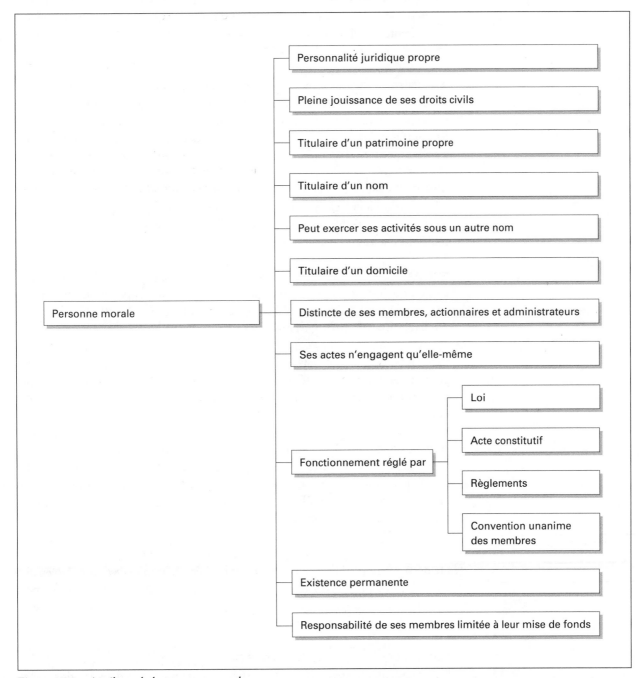

Figure 13.1 Attributs de la personne morale

compagnie et par le fait même ses droits dans celle-ci. Nous verrons qu'une compagnie peut avoir plusieurs catégories d'actions (ordinaires, privilégiées, catégorie A, B, C, D, etc.).

ACTIONNAIRE Ce terme désigne une personne qui détient une ou plusieurs actions d'une compagnie.

CAPITAL-ACTIONS Représente le nombre ou le montant maximum d'actions qu'une compagnie peut émettre pour se financer. Il est formé de la totalité des actions de toutes les catégories d'une compagnie. Le capital-actions est défini dans le certificat de constitution ou acte constitutif de la compagnie.

CERTIFICAT DE CONSTITUTION Ce document, aussi appelé acte constitutif, est en quelque sorte l'acte de naissance de la compagnie ; il est émis par l'autorité compétente provinciale ou fédérale, selon le cas, qui lui donne son existence légale.

ADMINISTRATEUR On désigne ainsi la ou les personnes qui sont élues par les actionnaires pour agir à titre de mandataires de la compagnie, pour la représenter dans ses activités et pour voir à son administration. Les administrateurs signent les contrats au nom de la compagnie. Les titres les plus fréquents qui leur sont attribués sont ceux de président, vice-président, secrétaire et trésorier.

SIÈGE SOCIAL Est l'endroit où la compagnie a son principal bureau d'affaires. C'est son domicile légal, l'endroit où sont conservés les livres et les registres prévus par la loi. C'est là que les tiers peuvent la joindre et lui signifier des procédures judiciaires, le cas échéant.

FONDATEUR Il s'agit de la ou des personnes qui signent les documents d'incorporation ou constitutifs d'une compagnie. Les fondateurs sont généralement en fonction jusqu'à l'assemblée d'organisation de la compagnie. Il suffit d'un seul fondateur pour former une compagnie.

CONTRÔLE DE LA COMPAGNIE C'est le fait pour un actionnaire ou un groupe d'actionnaires de détenir 50 % + 1 des actions votantes de la compagnie et ainsi de pouvoir élire les administrateurs de la compagnie à l'assemblée annuelle des actionnaires.

DIVIDENDES Désignent la part des profits d'une compagnie qui est versée aux actionnaires selon la catégorie d'actions qu'ils détiennent. Il est important de savoir que pour payer un dividende, une compagnie doit faire des profits ou disposer de profits accumulés des années antérieures ; autrement les administrateurs engagent leur responsabilité personnelle.

RESPONSABILITÉ LIMITÉE C'est un principe en vertu duquel la responsabilité des actionnaires d'une compagnie est limitée à leur mise de fonds. Advenant la faillite de la compagnie, tout ce qu'un actionnaire risque de perdre, c'est l'argent qu'il a investi en achetant ses actions. Les créanciers de la compagnie ne peuvent saisir ses biens personnels à moins d'exception.

LOI SUR LES COMPAGNIES DU QUÉBEC Il s'agit de la loi en vertu de laquelle le gouvernement provincial peut constituer des compagnies dans des domaines de sa compétence exclusive. Lorsque nous ferons référence à cette loi, nous utiliserons l'abréviation **L.C.Q.** C'est l'Inspecteur général des institutions financières qui est chargé de l'administration de cette loi.

LOI RÉGISSANT LES SOCIÉTÉS PAR ACTIONS DU RÉGIME FÉDÉRAL
Désigne la loi en vertu de laquelle le gouvernement fédéral peut constituer des compagnies dans des domaines de sa compétence exclusive. Lorsque nous ferons référence à cette loi, nous utiliserons l'abréviation **L.S.A.** C'est le Directeur, Direction des corporations, qui est chargé de l'administration de cette loi.

LOI SUR LES VALEURS MOBILIÈRES   Il s'agit de la loi provinciale qui a créé la Commission des valeurs mobilières du Québec (C.V.M.Q.), organisme de contrôle auquel sont soumises toutes les compagnies lorsqu'elles émettent des actions, à l'exception des compagnies privées appelées aussi sociétés fermées en vertu de cette loi.

TYPES DE COMPAGNIES
Avant d'aller plus loin, nous croyons qu'il est aussi important de distinguer les divers types de compagnies.

COMPAGNIE À BUT LUCRATIF   Comme son nom l'indique, l'objectif principal de ce type de compagnie est de réaliser des profits qui seront par la suite soit réinvestis dans l'entreprise, soit distribués aux actionnaires. Ces compagnies possèdent un capital-actions et leurs propriétaires portent le nom d'actionnaires. Les compagnies qui exploitent une entreprise sont en général des compagnies à but lucratif.

COMPAGNIE SANS BUT LUCRATIF   Ce type de compagnie n'a pas pour objet la recherche de profits pour ses membres. Ces compagnies sont généralement à caractère religieux, culturel social ou philanthropique (par exemples : Association des résidents de Champfleury, Union des écrivaines et écrivains québécois, Fondation des maladies du cœur). Elles ne possèdent pas de capital-actions et l'on qualifie de membres plutôt que d'actionnaires les personnes qui la composent.

COMPAGNIE DE LA COURONNE OU SOCIÉTÉ D'ÉTAT   Il s'agit de compagnies formées et possédées soit par le gouvernement fédéral ou provincial, généralement constituées par des lois spéciales et non en vertu des lois générales applicables aux compagnies (par exemples : Hydro-Québec, Radio-Québec, Radio-Canada, Pétro-Canada, Via Rail).

COMPAGNIE ÉTRANGÈRE   Il s'agit d'une compagnie qui n'a pas été constituée en vertu des lois fédérale ou provinciale applicables aux compagnies, mais plutôt par une loi d'un autre pays ou d'une autre province. Ces compagnies sont soumises à la *Loi sur la publicité légale des entreprises* et doivent s'immatriculer au Québec. De plus, si elles n'ont aucun domicile ou établissement au Québec, elles doivent désigner un fondé de pouvoir qui y réside et indiquer ses coordonnées dans la déclaration d'immatriculation.

COMPAGNIE PRIVÉE OU SOCIÉTÉ FERMÉE   Ce type de compagnie est défini à l'article 5 de la *Loi sur les valeurs mobilières* comme étant une société ou compagnie dont les documents constitutifs prévoient ce qui suit :
  - restriction à la libre disposition des actions ;
  - interdiction de l'appel public à l'épargne ;

- nombre d'actionnaires limité à 50, déduction faite de ceux qui sont ou ont été salariés de la compagnie ou d'une filiale.

De telles restrictions visent à assurer un meilleur contrôle des actions par les actionnaires de la compagnie. Ainsi, un actionnaire ne peut disposer de ses actions en les vendant à une personne qui ne répond pas aux exigences des autres actionnaires de la compagnie. Il doit alors les conserver ou les vendre aux autres actionnaires selon le cas.

> *Exemple de clause* : Tout transfert d'actions doit être autorisé par un vote correspondant à au moins 75 % de la valeur des actions détenues dans la compagnie.

Une compagnie privée ne peut être cotée en bourse, car l'appel public à l'épargne lui est défendu. Par ailleurs, les émissions d'actions des compagnies privées ou sociétés fermées ne sont pas soumises au contrôle de la Commission des valeurs mobilières comme dans le cas des compagnies publiques.

La plupart des compagnies exploitant une entreprise au Québec sont de cette catégorie et doivent par conséquent ajouter ces restrictions et dispositions spéciales dans leurs documents constitutifs, comme nous le verrons plus loin.

COMPAGNIE PUBLIQUE   Si les documents constitutifs d'une compagnie ne comportent pas les trois dispositions précitées, cette dernière est automatiquement considérée comme une compagnie publique. Toute émission, vente ou transfert d'actions est alors soumis au contrôle de la Commission des valeurs mobilières du Québec. Les compagnies de ce type peuvent émettre des actions au public en général, mais doivent émettre un prospectus à cette fin qui doit recevoir le visa de la Commission. Ces compagnies peuvent aussi être cotées en Bourse. En général, les transactions des titres de ces compagnies sont effectuées par l'intermédiaire de **courtiers en valeurs mobilières** et d'organismes chargés d'assurer le fonctionnement du marché des titres telle la Bourse de Montréal.

Une société fermée ou compagnie privée peut acquérir le statut de compagnie publique en tout temps. Cela a été notamment le cas des Boutiques de vêtements San Francisco, du mont Saint-Sauveur et de Bombardier. Dans ces trois cas, l'émission d'actions à la Bourse a permis à ces compagnies de recueillir plusieurs millions de dollars pour investir dans leurs activités commerciales.

LOIS CONSTITUTIVES

Au Québec, toute personne qui désire constituer une compagnie peut le faire en vertu :
- de la *Loi sur les compagnies du Québec* (L.C.Q.) ou
- de la *Loi régissant les sociétés par actions du régime fédéral* (L.S.A.).

Il est important de préciser que ces deux lois permettent d'incorporer une compagnie avec un actionnaire et administrateur unique.

Jusqu'en 1990, la loi québécoise offrait la possibilité de constituer une compagnie sous deux régimes juridiques différents décrits respectivement dans la Partie 1 et la Partie 1A de la Loi.

La Partie 1 de la L.C.Q. est un régime qui remonte loin et qui avait cours avant février 1980. La principale caractéristique du type de compagnie en question était l'obligation d'avoir en tout temps trois requérants pour la mettre sur pied et celle d'avoir trois actionnaires et administrateurs. L'Inspecteur général des institutions financières émettait alors des **lettres patentes** et accordait une **charte** qui confirmait l'existence légale de l'entreprise. De nos jours, il existe encore de nombreuses compagnies québécoises incorporées avant février 1980 qui sont régies par la

Gouvernement du Québec
**L'Inspecteur général
des institutions financières**

Formulaire 7
STATUTS DE CONTINUATION
Loi sur les compagnies, L.R.Q., c. C-38
Partie 1A

1 Dénomination sociale

2 District judiciaire du Québec où la compagnie établit son siège social

3 Nombre précis ou nombres minimal et maximal des administrateurs

4 Date d'entrée en vigueur si postérieure à celle du dépôt

5 Description du capital-actions

6 Restrictions sur le transfert des actions, le cas échéant

7 Limites imposées à son activité, le cas échéant

8 Autres dispositions

9 Dénomination sociale (ou numéro matricule) antérieure à la continuation, si différente de celle mentionnée à la case 1

Si l'espace est insuffisant, joindre une annexe en deux (2) exemplaires

Signature de
l'administrateur autorisé _____

Réservé à l'administration   C-217 (Rev.12-93)

Figure 13.2   Formulaire 7 Statuts de continuation en vertu de la L.C.Q. – Partie 1A

Partie 1 de la L.C.Q. L'Inspecteur général des institutions financières a cessé d'accorder des lettres patentes en vertu de la Partie 1 depuis 1990.

Le 31 janvier 1980, le législateur québécois a modifié la L.C.Q. Il y a ajouté la Partie 1A. Les compagnies constituées en vertu de la Partie 1 de la Loi, et qui sont régies par des lettres patentes, peuvent demander à l'Inspecteur général des institutions financières de continuer leur existence selon la Partie 1A afin de profiter des avantages de ce nouveau régime.

Si elles décident de le faire, ces compagnies n'ont qu'à déposer des documents appelés **statuts de continuation** (voir figure 13.2), dépôt qui doit être autorisé par un règlement décrété par les administrateurs et ratifié par les deux tiers, en valeur, des actions représentées par les actionnaires présents à une assemblée générale spéciale convoquée à cette fin. Rappelons que les droits, obligations et actes de la compagnie ainsi que ceux des actionnaires ne sont aucunement affectés par la procédure de continuation selon la Partie 1A de la Loi.

Les dispositions de la L.S.A. et de la Partie 1A de la L.C.Q. de même que le contenu des divers formulaires d'incorporation sont très similaires.

CONTRATS PRÉCONSTITUTIFS

Il arrive fréquemment que les fondateurs d'une compagnie en voie de formation, mais dont le certificat de constitution ou les lettres patentes n'ont pas encore été émis, passent des contrats au nom de la compagnie. Si une offre alléchante se présente à eux, ils achètent, par exemple, un fonds de commerce, de l'actif ou de l'équipement et ce, avant même que la compagnie ait une existence légale. On désigne ces transactions par l'expression **contrat préconstitutif**.

Si cet achat est fait au nom personnel des fondateurs, il est évident qu'ils en assument l'entière responsabilité ; par ailleurs, une telle transaction entraîne le paiement de la taxe de vente à deux reprises : la première fois, au moment de l'achat, et la seconde fois, au moment de la revente du bien à la compagnie alors constituée. Cette solution ne s'avère donc pas idéale.

Il est préférable pour les fondateurs de rédiger le contrat d'achat « au nom de la compagnie à être constituée ». Les articles 123.7 et 123.8 de la Partie 1A de la L.C.Q. et l'article 14 de la L.S.A. permettent la conclusion de contrats préconstitutifs et stipulent qu'une compagnie est liée par tout acte fait dans son intérêt avant sa constitution, si elle le ratifie dans les 90 jours qui suivent dans le cas d'une compagnie provinciale, et dans un délai raisonnable dans le cas d'une société fédérale. Les articles 319 et 320 du *Code civil* reprennent ce principe.

Ces articles précisent également que la personne qui conclut ce contrat engage aussi sa responsabilité personnelle. La meilleure façon d'éviter d'être ainsi personnellement lié serait d'ajouter au contrat préconstitutif une clause qui exclurait ou limiterait cette responsabilité. Il appartient donc au tiers qui contracte avec les fondateurs d'une compagnie non encore constituée de bien réfléchir avant de signer un tel contrat préconstitutif, s'il veut préserver ses recours éventuels. La ratification par la compagnie libère le fondateur.

Les contrats préconstitutifs les plus fréquents sont :
- la signature d'un bail ;
- l'achat ou l'offre d'achat d'un immeuble ou d'une entreprise.

DEUX CHOIX IMPORTANTS

Avant de constituer une entreprise en société par actions, on doit répondre à deux questions : est-il préférable, d'une part, de former sa compagnie en vertu de la loi fédérale ou de la loi provinciale et, d'autre part, cette compagnie, une fois constituée, revêtira-t-elle la forme d'une compagnie publique ou privée ?

COMPAGNIE FÉDÉRALE OU COMPAGNIE PROVINCIALE ?

Pour déterminer si une compagnie doit être fondée selon les dispositions de la L.S.A. ou selon celles de la Partie 1A de la L.C.Q., il faut prendre en considération plusieurs éléments. Parmi ceux-ci, l'étendue territoriale des activités de l'entreprise revêt une importance primordiale. En effet, on choisira habituellement l'*incorporation* provinciale lorsque l'entreprise a une vocation purement locale ou restreinte au Québec (dépanneur, restaurant, commerce de vente au détail, etc.). Si, par ailleurs, l'entreprise entend exercer des activités commerciales dans plusieurs provinces et à l'étranger (transport, import-export, etc.) ou si les fondateurs croient qu'à plus ou moins brève échéance leur entreprise devrait prendre une expansion considérable, alors ils opteront pour l'*incorporation* fédérale.

En outre, les dispositions de la L.S.A. et celles de la L.C.Q. n'étant pas exactement les mêmes, il arrive que certaines d'entre elles constituent le facteur déterminant de ce choix.

La décision de fonder une compagnie selon la loi fédérale ou selon la loi provinciale repose donc sur plusieurs facteurs et dépend des objectifs que se sont fixés ces fondateurs. Pour avoir un aperçu plus complet des différences entre les dispositions de la loi fédérale et celles de la loi provinciale, reportez-vous au « Tableau comparatif des différentes formes d'entreprises », à la page 374.

COMPAGNIE PRIVÉE (SOCIÉTÉ FERMÉE) OU COMPAGNIE PUBLIQUE ?

Pour déterminer si une entreprise doit prendre la forme d'une compagnie publique ou privée, il convient encore une fois d'examiner les objectifs des fondateurs. Nous vous reportons aux définitions de ces deux types d'entreprises données ci-dessus. Notons que dans la majorité des cas la compagnie sera une compagnie privée ou société fermée et qu'il sera alors important de bien répéter les trois dispositions nécessaires à cette fin dans les documents constitutifs :

- restriction à la libre disposition des actions ;
- interdiction de l'appel public à l'épargne ;
- nombre d'actionnaires limité à 50, déduction faite de ceux qui sont ou ont été salariés de la société ou d'une filiale.

CONSTITUTION DE LA COMPAGNIE

Afin de bien illustrer les diverses étapes suivies par les fondateurs pour constituer leur compagnie, nous suivrons le cas suivant :

> *Exemple* : Raymond Durocher, Michel Hébert, Gilbert Cadieux et Élie Salem décident d'exploiter une entreprise récréative offrant divers services, tels un golf intérieur, des terrains de tennis et de raquetball, une salle de conditionnement physique et de musculation, etc., à Québec. Ils seront les seuls actionnaires et administrateurs de la compagnie pour l'instant. Ils ont trouvé un local désaffecté situé au 5592, rue Dalhousie à Québec, G1R 4M9.

CHOIX D'UN NOM

La compagnie est une personne morale et, comme telle, elle a un nom. L'article 305 du *Code civil* confirme cette affirmation :

« **Art. 305 C.c.Q.** Les personnes morales ont un nom qui leur est donné au moment de leur constitution ; elles exercent leurs droits et exécutent leurs obligations sous ce nom.

Ce nom doit être conforme à la loi et inclure, lorsque la loi le requiert, une mention indiquant clairement la forme juridique qu'elles empruntent. »

Le nom que possède une compagnie s'appelle une **dénomination sociale** et il est choisi par ses fondateurs, qui doivent respecter certaines exigences de la loi que nous avons examinées au chapitre précédent et auxquelles nous vous reportons.

Les normes fixées par le gouvernement fédéral et celui du Québec quant au choix de la dénomination sociale sont sensiblement les mêmes. Elles se résument à ce qui suit.

La dénomination sociale doit être descriptive et distinctive afin de bien désigner le genre d'entreprise et de permettre de la distinguer des autres évoluant dans le même secteur d'activité. Au provincial, le règlement énonce que la dénomination sociale doit comporter trois parties :

- un élément générique (par exemple : Club sportif) ;
- un élément spécifique (par exemple : du Vieux Québec) ;
- un élément légal (par exemple : *inc.* ou *ltée*).

Le nom choisi ne doit pas être le nom ou la désignation d'une autre entreprise, société ou association déjà existante et il ne doit pas être déjà enregistré ou présenter des ressemblances qui pourraient prêter à équivoque avec un autre nom. Par ailleurs, rien n'empêche les fondateurs d'utiliser une dénomination sociale déjà existante s'ils ont obtenu la permission de ceux qui l'ont enregistrée les premiers. Un tel consentement est habituellement donné lorsqu'une compagnie désire vendre des franchises ou ouvrir des divisions ; on ajoute alors souvent le nom d'une ville à la suite de la dénomination sociale de la compagnie. Lorsqu'on achète l'actif d'une société déjà existante, on peut obtenir l'autorisation d'utiliser son nom en y ajoutant l'année de la formation de la nouvelle compagnie (par exemple : Dépanneur du coin (1995) ltée).

COMPAGNIE NUMÉRIQUE   Les fondateurs qui n'ont pas arrêté leur choix sur une dénomination sociale en particulier, mais qui veulent constituer leur compagnie le plus rapidement possible, peuvent se faire attribuer, sur demande, par l'Inspecteur général ou le Directeur général un **numéro matricule** (par exemple : 4400-5500 Québec ltée ou 2468011 Canada inc.). Toutefois, l'Inspecteur général ou le Directeur général peut ordonner à la compagnie qui a reçu un numéro matricule de le remplacer par une dénomination sociale, et ce dans les 60 jours qui suivent la signification d'une ordonnance à cet effet. En pratique, l'Inspecteur général n'exerce pas ce droit.

Exemple : Raymond, Michel, Gilbert et Élie ont choisi le nom Club Sportif du Vieux Québec inc.

RÉSERVATION DE NOM   Afin d'éviter tout délai dans l'émission du certificat de constitution de leur nouvelle compagnie et pour ne pas utiliser une dénomination sociale déjà choisie par un concurrent, les fondateurs doivent recourir à une procédure que l'on appelle la réservation de nom (voir exemple *Formulaire 3, Demande de réservation de dénomination sociale*, figure 13.3). Au fédéral, la réservation de nom se fait obligatoirement par l'entremise d'entreprises spécialisées telles Marque d'Or ou Corpo-Services inc. qui ont directement accès à l'ordinateur du gouvernement ; pour ce faire, on doit débourser environ 80 $ pour chaque nom faisant l'objet d'une vérification. Au provincial, il n'est pas nécessaire de faire appel à une entreprise spécialisée, ainsi Raymond, Michel, Gilbert et Élie peuvent remplir eux-mêmes le formulaire 3.

Au fédéral comme au provincial, si une dénomination sociale est disponible, on émet un avis de réservation pour une période de 90 jours au cours desquels personne n'est autorisée à se servir de cette dénomination.

Une compagnie provinciale ou fédérale peut faire affaires sous une dénomination sociale autre que celle indiquée dans ses documents constitutifs. Elle peut, par exemple, enregistrer plusieurs noms pour les divisions qu'elle compte établir. Dans ce cas, la loi provinciale l'oblige à mentionner clairement sur ses contrats, factures et effets de commerce sa véritable dénomination sociale. Il est à noter que, au fédéral, l'article 10 (6) de la L.S.A. n'impose pas une telle obligation. La dénomination sociale d'une compagnie doit toujours faire l'objet du dépôt d'une déclaration d'immatriculation qui vaut pour tous les districts judiciaires du Québec.

Figure 13.3   Formulaire 3 Demande de réservation de dénomination sociale en vertu de la L.C.Q.

FONDATEURS

La Partie 1A de la L.C.Q. et la L.S.A. désignent du nom de **fondateur** toute personne ou tout groupe de personnes qui décide d'attribuer à une entreprise le statut de compagnie. Une compagnie peut être constituée par une seule personne.

Exemple : Dans le cas de Raymond, Michel, Gilbert et Élie, seul Raymond signera les documents constitutifs.

Les conditions requises pour mettre sur pied une compagnie sont les suivantes :
- être une personne physique âgée d'au moins 18 ans ;
- ne pas être un majeur en tutelle ou en curatelle ;
- ne pas être un failli non libéré ;
- ne pas être une corporation en liquidation.

Ajoutons qu'une personne morale (une autre compagnie, par exemple) peut agir comme fondateur.

DOCUMENTS CONSTITUTIFS

Une fois la demande de réservation de dénomination sociale faite, les fondateurs d'une compagnie doivent remplir les **statuts de constitution** (provincial) (voir figure 13.4) qu'ils peuvent se procurer au Bureau de l'Inspecteur général des institutions financières, pour le Québec, ou les **statuts constitutifs** (fédéral) (voir figure 13.8, page 354) qu'ils se procurent auprès du **Directeur, Direction des corporations**, désigné par le ministre de la Consommation et des Corporations, pour le Canada.

STATUTS DE CONSTITUTION ET STATUTS CONSTITUTIFS

En vertu de l'article 123.12 de la L.C.Q. et de l'article 6 (1) de la L.S.A., les statuts indiquent :

- la dénomination sociale de la compagnie ;
- le district judiciaire où elle établit son siège social au Québec ou au Canada, selon le cas (Québec, par exemple) ;
- la description du capital-actions (limites imposées au capital-actions ou les catégories d'actions, le cas échéant) ;
- les restrictions imposées au transfert des actions, s'il y a lieu ;
- le nombre précis ou les nombres minimal et maximal de ses administrateurs ;
- les limites imposées à ses activités, le cas échéant ;
- toute autre disposition que la loi autorise à insérer dans les règlements d'une compagnie ;
- la désignation (nom, adresse et profession) et la signature des fondateurs.

Afin de bien comprendre la façon de remplir ces formulaires, nous reprendrons chacune des neuf rubriques mentionnées dans le formulaire 1, soit les Statuts de constitution, de la Partie 1A de la L.C.Q.

COMMENT REMPLIR LES FORMULAIRES DE CONSTITUTION

RUBRIQUE 1 : DÉNOMINATION SOCIALE

On y indique le nom réservé.

Exemple : Club Sportif du Vieux Québec inc.

RUBRIQUE 2 : DISTRICT JUDICIAIRE DU SIÈGE SOCIAL

Le **siège social** d'une compagnie est l'endroit où elle a son principal bureau d'affaires ; c'est son domicile légal.

En ce qui concerne les compagnies provinciales, leur siège social doit être situé dans un district judiciaire du Québec ; quant aux compagnies fédérales, il doit être au Canada. Une compagnie peut procéder en tout temps à un changement de siège social à l'intérieur de ces limites et à certaines conditions que nous verrons plus loin.

Exemple : Dans la rubrique à cette fin on indique « Québec ».

RUBRIQUE 3 : NOMBRE D'ADMINISTRATEURS

Il n'est pas nécessaire pour les compagnies constituées en vertu de la partie 1A de la L.C.Q. et de la L.S.A. de déterminer un nombre fixe d'administrateurs.

Dans les documents constitutifs de la compagnie, on peut indiquer soit un nombre précis d'administrateurs (1, 2, 3, 5, 7, 10), soit un minimum et un maximum (un minimum de 1 et un maximum de 11). Cette dernière solution semble la meilleure, car elle laisse davantage de liberté et tient compte d'éventuels

Gouvernement du Québec
L'Inspecteur général
des institutions financières

Formulaire 1
STATUTS DE CONSTITUTION
Loi sur les compagnies, L.R.Q., c. C-38
Partie 1A

1 Dénomination sociale		
2 District judiciaire du Québec où la compagnie établit son siège social	3 Nombre précis ou nombres minimal et maximal des administrateurs	4 Date d'entrée en vigueur si postérieure à celle du dépôt
5 Description du capital-actions		
6 Restrictions sur le transfert des actions, le cas échéant		
7 Limites imposées à son activité, le cas échéant		
8 Autres dispositions		
9 Fondateurs		
Nom et prénom	Adresse incluant le code postal (s'il s'agit d'une corporation, indiquer le siège social et la loi constitutive)	Signature de chaque fondateur (s'il s'agit d'une corporation, signature de la personne autorisée)

Si l'espace est insuffisant, joindre une annexe en deux (2) exemplaires

Réservé à l'administration   C-211 (Rev.12-93)

Figure 13.4 Formulaire 1 Statuts de constitution en vertu de la L.C.Q.

changements au sein de la compagnie. Rappelons qu'une compagnie peut n'avoir qu'un seul administrateur ; cela simplifie de beaucoup les procédures de fonctionnement.

Exemple : Dans la rubrique à cette fin on indique : « un minimum de 1 et un maximum de 7 ».

RUBRIQUE 4 : DATE D'ENTRÉE EN VIGUEUR
D'une façon générale, cette rubrique n'est pas utilisée.

Exemple : On indique S/O pour « sans objet ».

RUBRIQUE 5 : DESCRIPTION DU CAPITAL-ACTIONS
De toutes les rubriques contenues dans les formulaires de constitution d'une compagnie, la description du capital-actions est la plus importante et celle à

laquelle les fondateurs de la compagnie doivent s'attarder le plus longtemps pour les raisons suivantes.

1. Les actions qui le composent constituent une source importante de financement pour la compagnie.

2. Les actions constituent le titre de propriété des actionnaires dans la compagnie. Il est donc important pour eux d'en bien connaître les composantes.

3. La détention de 50 % + 1 des actions avec droit de vote assure à un actionnaire ou à un groupe d'actionnaires le contrôle de la compagnie.

4. Les actionnaires élisent les administrateurs à l'assemblée annuelle.

5. Les droits, privilèges et restrictions rattachés aux différentes catégories d'actions ne sont pas égaux et peuvent être forts différents.

6. Un investisseur mal avisé peut facilement se faire jouer un mauvais tour en investissant 100 000 $ dans une entreprise et en recevant en contrepartie des actions de catégorie « C », par exemple, sans savoir qu'il s'agit d'actions :
   - sans droit de vote ;
   - non participantes ;
   - ne donnant pas droit d'assister aux assemblées régulières.

7. Finalement, à moins d'exception, un actionnaire qui achète des actions dans une compagnie ne peut forcer la compagnie à lui rembourser la valeur de ses actions ni à lui verser un dividende.

C'est pourquoi la compréhension du capital-actions est très importante pour les fondateurs d'une compagnie, les gens d'affaires et tout investisseur potentiel dans une entreprise incorporée.

Tableau 13.1   Exemple d'une clause type de capital-actions autorisé

Actions ordinaires : actions de catégorie A	Actions privilégiées : actions de catégorie B
Les détenteurs de ces actions sans valeur nominale (ou au pair) auront droit :	Les détenteurs de ces actions :
a) de voter à toutes les assemblées d'actionnaires (sauf à celles de certaines catégories d'actionnaires) ;	a) auront droit à un dividende annuel prioritaire, déterminé par le conseil d'administration ;
b) de recevoir des biens de la société, une fois que les détenteurs d'actions privilégiées auront été remboursés, au moment de la dissolution ;	b) auront droit à un dividende annuel prioritaire fixe, non cumulatif et préférentiel de 12 % l'an sur le montant payé pour les actions, ou aux deux à la fois ;
c) de recevoir un dividende, après les détenteurs d'actions privilégiées.	c) auront droit à un montant égal à 100 % du capital versé sur lesdites actions (majoré des dividendes déclarés sur celles-ci et restés impayés), mais à rien d'autre, au moment de la dissolution ou de la liquidation de la compagnie, avant toute distribution de l'actif aux détenteurs des autres actions, et avant les détenteurs d'actions ordinaires ;
	d) n'auront pas le droit de voter aux assemblées des actionnaires ;
	e) verront leurs actions privilégiées être rachetables au gré de la société, à un prix égal au montant payé pour lesdites actions, plus les dividendes déclarés et non payés.

Le capital-actions autorisé se divise en unités de mise de fonds appelées « actions de la compagnie ».

Les personnes intéressées à investir dans une société par actions vont y placer une mise de fonds en achetant des actions qui leur conféreront le titre d'**actionnaires** de l'entreprise.

L'argent ou le capital ainsi placé dans la compagnie ne constitue pas une avance de fonds ou un prêt, mais un investissement de capital. L'actionnaire, sauf dans certains cas et selon des modalités bien définies par la loi, ne peut forcer la compagnie à lui rembourser la valeur de son investissement ou de ses actions.

À cet égard, le financement de la compagnie au moyen du capital-actions fait partie de son mode de *financement à long terme*. Lorsqu'on examine les états financiers d'une compagnie, c'est sous la rubrique « avoir des actionnaires » que l'on retrouve la valeur des fonds investis dans la compagnie par les actionnaires.

Le tableau 13.1 illustre un exemple de capital-actions simple qui pourrait s'appliquer à une compagnie constituée en vertu soit de la Partie 1A de la *Loi sur les compagnies de la province de Québec* (L.C.Q.), soit de la *Loi sur les sociétés par actions* (L.S.A.).

La figure 13.5 résume les différents types et catégories d'actions.

CATÉGORIES D'ACTIONS   La *Loi sur les compagnies du Québec*, tout comme la *Loi régissant les sociétés par actions*, prévoit la possibilité de créer différentes catégories d'actions.

En général, nous sommes habitués aux termes **actions ordinaires** et **actions privilégiées**. Les modifications apportées aux lois sur les compagnies favorisent l'utilisation de l'expression « actions de classe ou de catégorie « A », « B », « C »... » pour désigner plusieurs catégories d'actions auxquelles se rattachent des privilèges ou des restrictions particulières.

Afin de susciter l'intérêt des investisseurs, les lois fédérale et provinciale sur les compagnies permettent donc d'assortir l'une ou l'autre de ces catégories d'actions de toutes sortes de restrictions, de modalités, d'avantages et de privilèges. Mais cette façon de désigner les actions ne permet pas vraiment de bien distinguer les catégories d'actions les unes des autres, sinon par une lecture attentive du contenu du certificat de constitution de la compagnie et de ses annexes, souvent volumineuses.

Pour simplifier, nous allons nous en tenir aux notions d'actions ordinaires et d'actions privilégiées afin de définir de façon générale la nature et le rôle des différentes catégories d'actions.

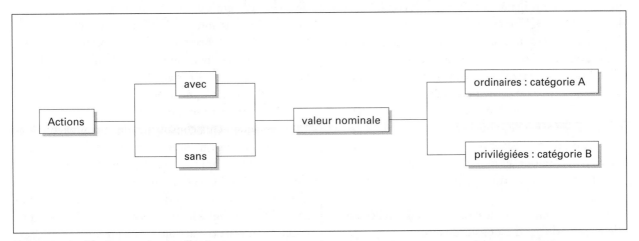

Figure 13.5   Types et catégories d'actions

Avant de procéder à l'étude individuelle de chacune de ces catégories d'actions, il est important de préciser les quatre droits fondamentaux rattachés à ces catégories d'actions qui permettent de les distinguer. Ce sont :

- le droit de vote ;
- le droit de participer à l'augmentation de valeur de la compagnie ;
- le droit de recevoir un dividende ;
- le droit de partager le reliquat des biens à la suite de la liquidation ou la dissolution de la compagnie.

Le tableau 13.2 illustre et distingue les actions ordinaires et les actions privilégiées.

Finalement, les fondateurs devront déterminer si les actions de leur compagnie seront des actions avec ou sans valeur nominale.

Action avec valeur nominale (ou valeur au pair) : Action dont la valeur est fixée à l'avance dans les lettres patentes ou dans le certificat de constitution de la compagnie.

ACTIONS AVEC VALEUR NOMINALE (OU VALEUR AU PAIR)   Une *action avec valeur nominale (ou valeur au pair)* est une action dont la valeur est fixée à l'avance dans les lettres patentes ou dans le certificat de constitution de la compagnie.

La notion de valeur nominale ne s'applique qu'aux compagnies québécoises puisque toutes les actions des compagnies fédérales sont sans valeur nominale.

Exemple : Une compagnie dispose d'un capital-actions autorisé de 40 000 $ composé de 10 000 actions ordinaires d'une valeur nominale de 1 $ chacune ainsi que 30 000 actions privilégiées d'une valeur nominale de 1 $ chacune.

En multipliant le nombre d'actions autorisé par la valeur nominale, on obtient donc le capital autorisé de la compagnie.

En pratique, la notion d'actions avec valeur nominale n'est presque plus utilisée.

Action sans valeur nominale (ou sans valeur au pair) : Action dont la valeur pécuniaire n'est pas précisée. Cette action ne représente qu'une unité du capital-actions.

ACTIONS SANS VALEUR NOMINALE (OU SANS VALEUR AU PAIR)   Lorsque la valeur pécuniaire n'est pas précisée, on parle d'*actions sans valeur nominale (ou sans valeur au pair)* ; l'action ne représente alors qu'une unité du capital-actions.

Tableau 13.2 Définitions et distinctions des actions ordinaires et des actions privilégiées

Actions ordinaires ou de catégorie « A »	Actions privilégiées ou de catégorie « B »
Principes de base Lorsqu'une société décide de n'émettre qu'une seule catégorie d'actions, ces dernières sont désignées sous le nom d'actions ordinaires ou d'actions de classe « A » ou de catégorie « A ». L'action ordinaire constitue une fraction de propriété de la compagnie. Elle ne comporte aucun avantage ni privilège particulier et, contrairement à l'obligation, elle n'offre pas de garantie. Le détenteur de l'action ordinaire participe à la direction de l'entreprise en élisant les membres du conseil d'administration à l'assemblée générale annuelle. Le capital-actions autorisé d'une compagnie doit toujours comporter au moins une catégorie d'actions avec droit de vote et participantes. Il s'agit des actions ordinaires. Une compagnie ne peut avoir d'actions privilégiées si elle ne possède pas d'actions ordinaires.	**Principes de base** Afin de satisfaire les désirs des investisseurs, le capital-actions d'une compagnie est habituellement formé d'une deuxième catégorie d'actions qui porte le nom d'actions privilégiées. L'action privilégiée est une action qui confère à son détenteur certains avantages particuliers quant au paiement des dividendes, au remboursement du capital investi ou, dans certains cas, quant au contrôle de l'administration. Cette catégorie d'actions est aussi assujettie à des restrictions particulières. Si les documents constitutifs de la compagnie prévoient plus d'une catégorie d'actions, on doit y spécifier tous les droits, avantages, privilèges et restrictions rattachés à chacune de ces catégories, de façon à bien les distinguer ; sinon, les différentes catégories d'actions comporteront toutes les mêmes droits, avantages et privilèges, soit ceux des actions ordinaires.

Tableau 13.2   Définitions et distinctions des actions ordinaires et des actions privilégiées (suite)

Actions ordinaires ou de catégorie « A »	Actions privilégiées ou de catégorie « B »

Caractéristiques
 	
• *Avec droit de vote* : Cette action accorde à son détenteur le droit d'assister et de voter à toutes les assemblées d'actionnaires ; il peut donc voter pour l'élection des administrateurs.
 	
• *Action participante* : Cette action permet de profiter de l'augmentation de la valeur de la compagnie.
 	
    Exemple : L'action payée 100 $ peut après cinq ans en valoir 1000 $.
 	
Si la valeur de la compagnie baisse, celle de l'action ordinaire baissera aussi.
 	
• *Dividende* : Son détenteur participe aussi aux profits annuels de la compagnie en recevant des dividendes généralement après les détenteurs d'actions privilégiées.
 	
• *Remboursement* : En cas de liquidation ou de dissolution de la compagnie, les détenteurs d'actions ordinaires sont remboursés en dernier lieu, après les détenteurs d'actions privilégiées et les créanciers de la compagnie. Ils se partagent le résidu des actifs de la compagnie.
	Caractéristiques
	
	• *Sans droit de vote* : En général l'action privilégiée est une action de laquelle on a retiré le droit de vote. De plus, son détenteur n'a pas le droit d'assister aux assemblées des actionnaires de la compagnie, à l'exception des assemblées d'actionnaires réservées à sa catégorie.
	
	    Le détenteur de ce type d'action ne participe donc pas à l'élection des administrateurs de la compagnie. Exceptionnellement, on retrouve des actions privilégiées avec droit de vote, dans le cas de planification fiscale, par exemple.
	
	• *Non participantes* : En général, l'action privilégiée ne donne pas le droit de participer à l'augmentation de valeur de la compagnie.
	
	    Exemple : L'action payée 100 $ au moment où s'est lancée en affaires la compagnie vaudra encore 100 $ dix ans plus tard même si la compagnie a quadruplé son chiffre d'affaires. Dans un tel cas, la valeur des actions privilégiées demeure toujours la même.
	
	On peut aussi prévoir des actions privilégiées participantes comme les actions ordinaires.
	
	• *Dividende prioritaire* : Les droits et privilèges liés aux actions privilégiées confèrent à leurs détenteurs le droit de recevoir des dividendes prioritaires et de participer ainsi aux profits annuels de la compagnie avant les détenteurs d'actions ordinaires. C'est souvent cette caractéristique qui incite les investisseurs à acheter cette catégorie d'action.
	
	• *Remboursement prioritaire* : En cas de liquidation ou de dissolution de la compagnie, les détenteurs d'actions privilégiées sont remboursés prioritairement de leur investissement, avant les détenteurs d'actions ordinaires.
	
	• *Autres privilèges* : La L.C.Q. et la L.S.A. prévoient la possibilité d'ajouter d'autres droits et privilèges aux actions privilégiées tels :
	   • le versement d'un dividende cumulatif ;
	   • le droit de conversion des actions privilégiées en actions ordinaires selon certaines circonstances ;
	   • le droit de forcer la compagnie à racheter les actions.

Le tableau 13.1, page 346, illustre des actions sans valeur nominale. Dans un tel cas, le capital autorisé ne fait état d'aucune valeur pécuniaire, mais seulement d'un nombre maximal d'actions que la compagnie peut émettre.

Dans le cas de l'émission d'actions sans valeur nominale, c'est au conseil d'administration de la compagnie qu'il appartiendra d'en déterminer le prix. On parle alors généralement de **valeur marchande des actions**.

Une fois cette valeur pécuniaire fixée, l'action suit les fluctuations de l'actif de la compagnie et reflète la conjoncture économique. Dans le cas d'une compagnie québécoise constituée en vertu de la Partie 1A, l'article 123.38 de la *Loi sur les compagnies du Québec* stipule que la compagnie possède un capital-actions illimité et que ses actions sont sans valeur nominale à moins de dispositions contraires dans ses statuts. D'une façon générale, l'action prend la forme d'un document écrit que la compagnie remet à l'actionnaire.

On peut conclure que les fondateurs auraient avantage à consulter un spécialiste tel un avocat, un notaire ou un comptable au moment de la rédaction de la description du capital-actions autorisé de leur compagnie.

À l'Annexe 3, page 541, nous avons reproduit un exemple plus complexe de capital-actions autorisé.

RUBRIQUE 6 : RESTRICTIONS SUR LE TRANSFERT DES ACTIONS

Pour qu'une compagnie devienne une compagnie privée ou une société fermée au sens de la *Loi sur les valeurs mobilières du Québec*, les fondateurs doivent prévoir dans les documents constitutifs des restrictions à la libre cession des actions de la compagnie.

> *Exemple* : Tout transfert d'actions doit être approuvé par un vote représentant 75 % de la valeur des actions détenues par les actionnaires de la compagnie. À l'Annexe 4, page 545, nous avons reproduit un exemple plus complexe de restrictions applicables au transfert des actions d'une compagnie.

RUBRIQUE 7 : LIMITES IMPOSÉES À SES ACTIVITÉS

Les compagnies constituées selon la Partie 1A de la L.C.Q. et la L.S.A. peuvent exercer tout genre d'activités commerciales licite sans qu'il soit nécessaire de les spécifier dans les documents constitutifs ; de plus, la loi considère qu'une compagnie par actions possède les mêmes pouvoirs qu'une personne physique. Il n'y a donc pas de limites imposées aux activités d'une compagnie.

> *Exemple* : On indique S/O pour « sans objet ».

RUBRIQUE 8 : AUTRES DISPOSITIONS

Finalement, si les fondateurs désirent mettre sur pied une compagnie privée ou une société fermée, ils devront ajouter les clauses suivantes à la rubrique « Autres dispositions » contenue dans les documents constitutifs :
- l'appel public à l'épargne est interdit ;
- le nombre des actionnaires ne devra pas excéder 50, déduction faite de ceux qui sont ou ont été salariés de la société ou d'une filiale.

En outre, il serait opportun de prévoir à cette rubrique certains pouvoirs spéciaux de nature à permettre à la compagnie, sur simple résolution des administrateurs, d'acquérir des actions d'autres compagnies, de contracter des emprunts et d'hypothéquer ou de mettre en gage ses biens présents ou futurs, pour assurer le paiement des actions, obligations ou bons qu'elle émettra à l'avenir, conformément à l'article 27 de la *Loi sur les pouvoirs spéciaux des corporations*.

À l'Annexe 5, page 546, nous avons reproduit un exemple de ces autres dispositions.

RUBRIQUE 9 : FONDATEURS

Comme la L.C.Q. et la L.S.A. permettent à une seule personne de former une compagnie, il n'est pas nécessaire que tous les fondateurs signent les statuts.

Exemple : Seul Raymond Durocher signera à titre de fondateur.

Au Québec, pour déposer les statuts de constitution d'une compagnie, il faut faire parvenir à l'Inspecteur général des institutions financières un chèque de 356 $ établi à l'ordre du ministre des Finances ; au fédéral, un chèque de 500 $ établi à l'ordre du Receveur général du Canada doit être expédié au Directeur, Direction des corporations, à Ottawa. Ces montants sont révisés régulièrement à la hausse.

LES AUTRES FORMULAIRES

Le fondateur doit joindre deux autres formulaires aux statuts de constitution.

AU PROVINCIAL

- Le Formulaire 2, **Avis relatif à l'adresse du siège social**, signé par le fondateur et indiquant l'adresse précise du siège social de la compagnie (voir figure 13.6, page 352).
- Le Formulaire 4, **Avis relatif à la composition du Conseil d'administration**, signé par le fondateur et indiquant, en plus de l'adresse du siège social, le nom, le ou les prénoms et l'adresse résidentielle complète de tous les administrateurs de la compagnie (voir figure 13.7, page 353).

AU FÉDÉRAL

- La Formule 3, **Avis du lieu du siège social**, signée par le fondateur et indiquant l'adresse précise du siège social (voir figure 13.9, page 355).
- La Formule 6, **Avis des administrateurs**, signée par le fondateur et indiquant le nom, l'adresse résidentielle, l'occupation et la citoyenneté des administrateurs de la compagnie (voir figure 13.10, page 356).

CERTIFICAT DE CONSTITUTION

Au Québec, lorsqu'il reçoit les statuts de constitution, l'Inspecteur général enregistre la date du dépôt et il émet, en double exemplaire, un **certificat de constitution** auquel il annexe les statuts et les autres documents. Il en expédie ensuite un exemplaire à la compagnie. Puis, il fait publier un avis de la délivrance du certificat dans la *Gazette officielle du Québec*.

Au fédéral, lorsqu'il reçoit les statuts constitutifs, le Directeur enregistre la date du dépôt et il émet, en double exemplaire, un certificat de constitution auquel il annexe les statuts et les autres documents. Il en expédie ensuite l'original à la compagnie. Puis, il fait publier un avis de délivrance du certificat dans la *Gazette du Canada*. Dans les deux cas, le certificat de constitution représente « l'acte de naissance » ou la « charte » de la compagnie et il confirme son existence légale. La nouvelle compagnie peut, dès lors, exercer ses pouvoirs.

Par la suite, la compagnie provinciale ou fédérale pourra en tout temps modifier ses statuts et son certificat de constitution.

Exemple : Pour changer son nom ou modifier son capital-actions autorisé, la compagnie doit remplir des statuts de modification et les envoyer à l'autorité compétente, qui émettra alors un **certificat de modification**.

Gouvernement du Québec
L'Inspecteur général des institutions financières

Formulaire 2
AVIS RELATIF À L'ADRESSE DU SIÈGE SOCIAL
Loi sur les compagnies, L.R.Q., c. C-38
Partie 1A

1 Dénomination sociale

2 Avis est donné par les présentes que l'adresse du siège social de la compagnie, dans les limites du district judiciaire indiqué dans les statuts, est la suivante:

N° Nom de la rue

Municipalité

Province Code postal

La compagnie

(signature) Fonction du signataire

Réservé à l'administration

C-212 (Rev. 12-93)

Figure 13.6 Formulaire 2 Avis relatif à l'adresse du siège social en vertu de la L.C.Q.

IMMATRICULATION

Comme nous l'avons vu précédemment, la *Loi sur la publicité légale des entreprises, des sociétés et des personnes morales* s'applique également aux compagnies faisant affaires au Québec et leur impose l'obligation de s'immatriculer.

D'une façon générale, les compagnies incorporées en vertu de la L.C.Q. sont automatiquement immatriculées au *Registre des entreprises individuelles, des sociétés et des personnes morales*, au moment du dépôt de leur acte constitutif par l'autorité compétente. Elles n'ont donc pas à produire de déclaration d'immatriculation.

Par ailleurs, pour se conformer à la Loi, ces compagnies doivent transmettre à l'Inspecteur général des institutions financières, dans les 60 jours de leur

Figure 13.7 Formulaire 4 Avis relatif à la composition du conseil d'administration en vertu de la L.C.Q.

constitution, une déclaration initiale en un exemplaire sur le formulaire prévu à cette fin.

Quant à la compagnie incorporée en vertu de la L.S.A., elle doit pour sa part produire sa déclaration d'immatriculation au plus tard dans les 60 jours de sa constitution.

Par la suite, toute compagnie doit chaque année mettre à jour les renseignements contenus dans sa déclaration en produisant une déclaration annuelle entre le 1er août et le 31 octobre. Elle pourra également en cours d'année produire une déclaration modificative, comme l'entreprise individuelle et la société, si des changements surviennent au niveau de ses actionnaires, administrateurs, de son siège social, de son nom, etc.

I+I Industry Canada Industrie Canada	FORM 1	FORMULE 1

Canada Business   Loi régissant les sociétés
Corporations Act   par actions de régime fédéral

ARTICLES OF INCORPORATION
(SECTION 6)

STATUTS CONSTITUTIFS
(ARTICLE 6)

1 — Name of corporation

Dénomination de la société

2 — The place in Canada where the registered office is to be situated

Lieu au Canada où doit être situé le siège social

3 — The classes and any maximum number of shares that the
corporation is authorized to issue

Catégories et tout nombre maximal d'actions que la société
est autorisée à émettre

4 — Restrictions, if any, on share transfers

Restrictions sur le transfert des actions, s'il y a lieu

5 — Number (or minimum and maximum number) of directors

Nombre (ou nombre minimal et maximal) d'administrateurs

6 — Restrictions, if any, on business the corporation may carry on

Limites imposées à l'activité commerciale de la société, s'il y a lieu

7 — Other provisions, if any

Autres dispositions, s'il y a lieu

8 — Incorporators — Fondateurs

Name(s) — Nom(s)	Address (include postal code) Adresse (inclure le code postal)	Signature

FOR DEPARTMENTAL USE ONLY — À L'USAGE DU MINISTÈRE SEULEMENT
Corporation No. — N° de la société

Filed — Déposée

7530-21-936-1385 (01-93) 46

Figure 13.8   Formule 1   Statuts constitutifs en vertu de la L.S.A.

ORGANISATION

ASSEMBLÉES

Après avoir reçu son certificat de constitution, la compagnie procède à son organisation par la convocation d'assemblées. La première assemblée convoquée est celle des administrateurs provisoires de la compagnie. Ces derniers, nommés au moment de la constitution, acceptent et ratifient le certificat de constitution, les règlements généraux de la compagnie et les règlements bancaires. Ils approuvent également le sceau, la formule de certificat d'actions ainsi que les livres et les registres de la compagnie.

Étant donné que les administrateurs provisoires d'une compagnie mise sur pied en vertu de la Partie 1A de la L.C.Q. ou de la L.S.A. ne détiennent aucune action dans l'entreprise au moment de sa constitution, il faut prévoir, à cette

Industry Canada — Industrie Canada

Canada Business Corporations Act — Loi régissant les sociétés par actions de régime fédéral

FORM 3
NOTICE OF REGISTERED OFFICE OR NOTICE OF CHANGE OF REGISTERED OFFICE
(SECTION 19)

FORMULE 3
AVIS DE DÉSIGNATION OU DE CHANGEMENT DU SIÈGE SOCIAL
(ARTICLE 19)

1 — Name of corporation - Dénomination de la société

2 — Corporation No. — N° de la société

3 — Place in Canada where the registered office is situated — Lieu au Canada où est situé le siège social

4 — Address of registered office — Adresse du siège social

CAUTION: Address of registered office must be within place specified in articles, otherwise an amendment is required (Form 4) in addition to this form
AVIS : L'adresse du siège social doit se situer à l'intérieur des limites du lieu indiqué dans les statuts. Sinon, une modification est requise (formule 4)

5 — Effective date of change — Date d'entrée en vigueur du changement

6 — Previous address of registered office — Adresse précédente du siège social

ate	Signature	Title - Titre

30-21-936-1386 (09-93)

Filed - Déposée

Figure 13.9 Formule 3 Avis de désignation ou de changement de siège social en vertu de la L.S.A.

première assemblée, une émission de titres en faveur des personnes désireuses de devenir actionnaires de la compagnie.

La deuxième assemblée est celle des actionnaires. Au cours de cette réunion, les premiers actionnaires de la compagnie, qui en sont souvent les fondateurs, approuvent et ratifient le certificat de constitution, mais cette fois, à titre d'actionnaires de la société. Ils ratifient et approuvent de la même manière ses règlements généraux et bancaires, ainsi que la nomination d'un vérificateur ou expert-comptable. Enfin, on nomme les administrateurs permanents. S'il y a lieu, les administrateurs se réunissent en assemblée pour élire les membres du bureau de direction ou dirigeants de la compagnie (président, vice-président, secrétaire et trésorier), le plus souvent choisis parmi eux.

Industry and Science Canada — Industrie et Sciences Canada

Canada Business Corporations Act — Loi régissant les sociétés par actions de régime fédéral

FORM 6
NOTICE OF DIRECTORS
OR NOTICE OF CHANGE
OF DIRECTORS
(SECTIONS 106 and 113)

FORMULE 6
LISTE DES ADMINISTRATEURS
OU AVIS DE CHANGEMENT
DES ADMINISTRATEURS
(ARTICLES 106 et 113)

1 — Name of corporation — Dénomination de la société	2 — Corporation No. — N° de la société

3 — The following persons became directors of this corporation — Les personnes suivantes sont devenues administrateurs de la présente société

Name Nom	Effective date Date d'entrée en vigueur :	Residential address — Adresse domiciliaire	Occupation	Resident Canadian — Y/N Résident canadien — O/N

4 — The following persons ceased to be directors of this corporation — Les personnes suivantes ont cessé d'être administrateurs de la présente société

Name Nom	Effective date Date d'entrée en vigueur :	Residential address — Adresse domiciliaire

5 — The directors of this corporation now are — Les administrateurs de la présente société sont maintenant

Name — Nom	Residential address — Adresse domiciliaire	Occupation	Resident Canadian — Y/N Résident canadien — O/N

Date	Signature	Title — Titre

7530-21-936-1388 (01-93) 46

Field — Déposée

Figure 13.10 Formule 6 Liste des administrateurs ou avis de changement des administrateurs en vertu de la L.S.A.

Exemple : Raymond, Michel, Gilbert et Élie devront, après avoir reçu leur certificat de constitution, procéder à la tenue des assemblées d'organisation au cours desquelles ils procéderont notamment à l'émission des actions suivantes :

- 250 actions de catégorie « A » à Raymond Durocher ;
- 250 actions de catégorie « A » à Michel Hébert ;
- 250 actions de catégorie « A » à Gilbert Cadieux ;
- 250 actions de catégorie « A » à Élie Salem.

De plus, ils éliront les administrateurs de la compagnie :

- président : Raymond Durocher ;
- vice-président : Élie Salem ;

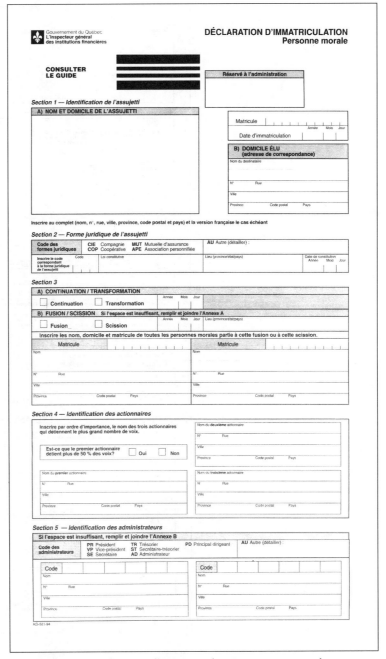

Figure 13.11 Déclaration d'immatriculation, personne morale

- trésorier : Michel Hébert ;
- secrétaire : Gilbert Cadieux.

Finalement, ils nommeront Jacques Vincelette expert-comptable de la compagnie.

LIVRES ET REGISTRES DE LA COMPAGNIE

Les articles 123.11 de la L.C.Q. et 20.1 de la L.S.A. obligent toute compagnie à conserver à son siège social un livre contenant :

- le *registre des statuts et règlements* dans lequel on insère les statuts, les règlements, toute convention unanime des actionnaires, le dernier avis de l'adresse du siège social, de même que les déclarations prévues par la Loi ;
- le *registre des procès-verbaux des actionnaires* qui contient les comptes rendus des assemblées des actionnaires et les résolutions signées à cette occasion ;

Figure 13.11   Déclaration d'immatriculation, personne morale (suite)

- le *registre des administrateurs* dans lequel on insère le nom et le prénom, la dates du début et de la fin du mandat des administrateurs ;
- le *registre des actions ou des valeurs mobilières* qui précise, en ordre alphabétique, le nom et l'adresse des actionnaires, le nombre d'actions détenues par ces personnes, la date et les détails de l'émission et du transfert de ces actions, de même que le montant dû sur chaque action, s'il y a lieu ;
- le *registre des procès-verbaux des administrateurs et du bureau de direction,* qui contient les comptes rendus des assemblées du conseil d'administration et les résolutions signées à cette occasion ;
- le *registre comptable* où sont inscrits les recettes, les déboursés et les matières auxquelles ils se rapportent, les opérations financières, de même que les créances et les obligations de la compagnie.

En général, les administrateurs se procurent un « livre de la compagnie » ou registre des procès-verbaux imprimé d'avance et qu'ils remplissent. Il est important de noter que les actionnaires et administrateurs de la compagnie ont accès aux différents registres visés pour leur titre.

AVANTAGES

RESPONSABILITÉ LIMITÉE

La compagnie possède une personnalité juridique et une existence propre ; elle dispose également d'un patrimoine qui est, lui aussi, distinct de celui de ses membres, de ses actionnaires ou de ses administrateurs. Les actionnaires et les administrateurs d'une compagnie n'ont, par rapport aux dettes, qu'une responsabilité limitée à leur mise de fonds.

En principe, dans le cas de la faillite de la compagnie ou de sa liquidation, si l'actif est insuffisant pour payer les créanciers et les fournisseurs, ceux-ci ne pourront pas poursuivre les actionnaires ni les administrateurs de la compagnie sur leurs biens personnels.

> *Exemple* : Jacques est créancier de la compagnie ABC ltée qui lui doit 15 000 $. Johanne est actionnaire de cette compagnie. Si ABC ltée déclare faillite et si l'actif est insuffisant pour payer Jacques, ce dernier ne peut poursuivre Johanne pour la forcer à rembourser les dettes de la société.

En pratique, et surtout dans les compagnies qui débutent en affaires, le principe de la responsabilité limitée des actionnaires est battu en brèche. En effet, en raison du besoin pressant de capitaux qu'éprouve souvent une nouvelle compagnie, les actionnaires sont dans bien des cas appelés à fournir une garantie ou un cautionnement personnel à même leurs biens. Cette garantie ne s'applique habituellement qu'à l'égard de l'établissement prêteur et non à l'ensemble des créanciers de la compagnie.

PERMANENCE

La compagnie continue d'exister malgré le décès, le retrait ou la faillite de l'un de ses actionnaires ou de l'un de ses administrateurs. En fait, elle continue d'exister légalement même si tous les actionnaires décèdent.

> *Exemple*: Robert est actionnaire majoritaire de la compagnie XYZ inc. Il détient 75 % des actions ordinaires et occupe les postes de président et de directeur général ; il meurt subitement dans un accident de la route. Malgré la disparition de Robert, la compagnie continue ses activités parce qu'elle jouit d'une existence distincte de celle de ses membres. Les actions de Robert sont alors transférées à ses héritiers. Pour les divers fournisseurs de cette entreprise, la permanence de la compagnie constitue un élément important.

FINANCEMENT VARIÉ

En plus des mêmes moyens de financement que l'entreprise individuelle et que la société de personnes, la compagnie dispose de modes de financement qui lui sont propres. Ainsi la compagnie peut assurer son financement par l'émission de titres : *actions* ou *obligations*. Lorsqu'une compagnie choisit de lancer un appel public à l'épargne par une souscription d'actions, elle s'assure des capitaux en répartissant le fardeau financier entre plusieurs personnes. Par ailleurs, à l'instar des gouvernements fédéral, provincial et des municipalités, la compagnie peut assurer son financement par l'émission d'obligations.

ASPECT FISCAL

Les avantages fiscaux inhérents à une société par actions sont importants et suffisent souvent à convaincre une personne de choisir cette forme juridique d'entreprise. Un des principaux avantages est que le taux d'imposition de la compagnie est de beaucoup inférieur à celui des particuliers.

En effet, le propriétaire individuel doit payer l'impôt selon une échelle progressive, c'est-à-dire que plus ses revenus augmentent, plus son taux ou son pourcentage d'imposition augmente. Le tableau 13.3, page 361, illustre cette progression.

L'échelle d'imposition des sociétés par actions varie selon leur activité. Par exemple, une petite compagnie canadienne exploitée activement doit prévoir un taux d'impôt combiné de 18,59 % (12,84 % au fédéral et 5,75 % au provincial) sur tous ses revenus, jusqu'à concurrence de 200 000 $ de revenus imposables. Pour tout revenu imposable excédant ce montant, le taux combiné passe à 31,74 % (22,84 % au fédéral et 8,90 % au provincial). En comparaison, le taux d'imposition d'un particulier dépasse 37 % dès que ses revenus sont supérieurs à 14 000 $. Un autre avantage fiscal intéressant est la possibilité pour un actionnaire de reporter le paiement de son impôt, étant donné que les revenus ne deviennent imposables qu'à partir du moment où la compagnie verse ses bénéfices par le paiement de dividendes. Le propriétaire individuel ou l'associé d'une société de personnes doit pour sa part payer son impôt chaque année, même s'il réinvestit ses bénéfices dans l'entreprise. Dans certains cas, un actionnaire aurait donc intérêt à recevoir des dividendes plutôt qu'un salaire.

Différentes possibilités s'offrent également à l'actionnaire d'une entreprise quant à la répartition de son avoir qui lui permet d'établir une planification fiscale.

Exemple: Avec une justification adéquate, la loi permet à la compagnie de verser un salaire à l'épouse de l'actionnaire et, le cas échéant, à ses enfants, ce qui permet à ce dernier de fractionner ses revenus.

Figure 13.12   La compagnie peut payer des salaires à l'épouse et aux enfants d'un actionnaire majoritaire et lui permettre ainsi de fractionner son revenu.

Tableau 13.3 Taux d'imposition des particuliers pour 1994

Revenu imposable	Impôt provincial	Impôt fédéral
7000 $ et moins	17 %	16 %
7000 $ et plus	17 %	1120 $ plus 19 % sur les 7000 $ suivants
14 000 $ et plus	17 %	2450 $ plus 21 % sur les 9000 $ suivants
23 000 $ à 29 590 $	17 %	4340 $ plus 23 % sur les 6590 $ suivants
29 590 $ à 50 000 $	5030 $ plus 26 % sur les 20 410 $ suivants	4340 sur les premiers 23 000 $, plus 23 % sur les 27 000 $ suivants
50 000 $ à 59 180 $	5030 $ sur les premiers 29 590 $, plus 26 % sur les 29 590 $ suivants	10 550 $ plus 24 % sur le reste
59 180 $ et plus	12 724 $ plus 29 % sur le reste	10 550 $ sur les premiers 50 000 $, plus 24 % sur le reste
Exemple : Individu avec des revenus imposables de 100 000 $	12 724 $ sur les premiers 59 180 $, plus 29 % sur 40 820 $ = 11 820 $, soit au total 24 562 $	10 550 $ plus 24 % sur 50 000 $ = 12 000 $ soit au total 22 550 $

Impôt total fédéral et provincial, sans les déductions personnelles : 47 112 $

Ce tableau a été fourni par Baril, Payette & Associés, comptables agréés.

RECOURS À LA COUR DES PETITES CRÉANCES

Depuis le 1er septembre 1993, toute compagnie de cinq employés et moins peut intenter une action devant la Cour des petites créances.

INCONVÉNIENTS

FRAIS DE CONSTITUTION PLUS ÉLEVÉS ET ADMINISTRATION COMPLEXE

La constitution d'une entreprise en compagnie entraîne pour ses fondateurs des frais relativement élevés, car ces derniers doivent, la plupart du temps, recourir aux services de professionnels pour les conseiller tant sur le plan juridique que sur le plan financier. L'administration d'une compagnie est plus complexe et plus coûteuse que celle de toute autre forme juridique d'entreprise puisque, par exemple, la loi constitutive qui la régit l'oblige à se soumettre à des formalités, telles la tenue d'assemblées des actionnaires et des administrateurs, la rédaction et la conservation des procès-verbaux, etc.

Ajoutons à ces frais courants d'administration d'une compagnie ceux qu'exigent les différentes instances gouvernementales quant à la production de divers documents et rapports annuels.

IMPOSSIBILITÉ DE RECOURIR À LA COUR DES PETITES CRÉANCES

La compagnie de plus de cinq employés ne peut intenter d'action devant la Cour des petites créances, même si le montant en litige est de 3000 $ ou moins.

LA COOPÉRATIVE

L'étude des formes juridiques des entreprises ne serait pas complète sans que nous parlions de la *coopérative*. Contrairement à l'entreprise individuelle, à la société et à la compagnie, les personnes qui choisissent ce type d'entreprise ne recherchent pas leur profit personnel.

Coopérative : Personne morale regroupant des personnes qui ont des besoins économiques et sociaux communs et qui, en vue de les satisfaire, s'associent pour exploiter une entreprise conformément aux règles d'action coopérative.

DÉFINITION

La coopérative est avant tout une association de personnes qui désirent se procurer mutuellement divers services.

À l'instar de la compagnie, la coopérative est une personne morale distincte de ses membres. Elle possède donc tous les pouvoirs et toutes les caractéristiques d'une personne morale au sens du *Code civil*, et la responsabilité de ses membres se limite à leur mise de fonds.

VOCABULAIRE PROPRE À LA COOPÉRATIVE

Comme la compagnie, la coopérative possède un vocabulaire qui lui est propre.

LOI SUR LES COOPÉRATIVES (L.R.Q.c.C-67.2 modifiée) C'est la loi en vertu de laquelle la majorité des coopératives québécoises sont constituées à l'exception des coopératives de crédit. La Loi autorise la formation d'une coopérative à des fins éducatives, scientifiques, artistiques, sportives, récréatives et économiques.

CAPITAL SOCIAL C'est l'équivalent du capital-actions d'une compagnie. Il est composé de parts sociales et de parts privilégiées émises par la coopérative.

PART SOCIALE Une coopérative n'émet pas d'actions mais des parts. Chaque membre d'une coopérative doit détenir une part sociale pour en être membre. C'est l'équivalent d'une action ordinaire dans une compagnie.

MEMBRE Une coopérative n'a pas d'actionnaires ; elle a des membres qui en sont les propriétaires-usagers. Le membre peut aussi porter le nom de sociétaire.

TROP-PERÇUS Les profits et excédents réalisés par une coopérative portent le nom de trop-perçus.

RISTOURNE La coopérative ne verse pas de dividendes à des membres ; le trop-perçu qu'elle leur distribue porte le nom de ristourne.

TYPES DE COOPÉRATIVES

La *Loi sur les coopératives* prévoit six types de coopératives :

1. Les **coopératives agricoles**, dont l'objet principal est lié à l'agriculture ou aux domaines connexes : production, transformation, entreposage, mise en marché, manutention et transport de produits connexes à cette activité. La plupart des villages ou municipalités rurales du Québec possèdent une coopérative de ce genre.
2. Les **coopératives de pêcheurs**, lesquelles regroupent des personnes exerçant ce métier ou ayant des activités connexes à l'industrie de la pêche (la plus connue de ces associations est sûrement celle des Pêcheurs unis du Québec).

3. Les **coopératives de consommateurs**, qui ont pour activité principale l'organisation de services ou la distribution de marchandises à l'usage personnel de ses membres ou usagers, lesquels sont, dans la plupart des cas, des consommateurs. Les plus connues parmi ces coopératives portent le nom de magasin Co-op, et font partie de la Fédération des magasins Co-op. Le but d'une telle fédération est d'éliminer certains intermédiaires. Les coopératives établies à l'intérieur des collèges et des universités appartiennent aussi à cette catégorie.

4. Les **coopératives d'habitation**, qui ont pour but principal de faciliter l'accès à la propriété ou à l'usage d'une maison ou d'un logement ; à cette fin, elles reçoivent de leurs membres des avances qui servent d'acompte sur le coût de leur terrain et de leur maison et qui permettent de leur accorder des ouvertures de crédit ou des prêts hypothécaires. C'est le cas des Co-op Habitat affiliées à la Fédération Co-op Habitat du Québec.

5. Les **coopératives ouvrières de production ou de travail**, où les membres sont aussi les travailleurs des entreprises qu'elles exploitent.

6. Finalement, les **coopératives de crédit**, qui sont constituées en vertu de la *Loi des caisses d'épargne et de crédit*. Elles regroupent divers genres de coopératives, comme les caisses populaires Desjardins, les caisses d'économie et les caisses d'entraide économique.

LOI CONSTITUTIVE

C'est la *Loi sur les coopératives* qui régit toutes les coopératives existant au Québec. Le concept de la coopérative est fondé sur ce que l'article 4 de la Loi appelle, les règles d'action coopérative qui sont les suivantes :

1. L'adhésion d'un membre à la coopérative est subordonnée à l'utilisation des services offerts par la coopérative et à la possibilité pour la coopérative de les lui fournir.

2. Le membre n'a droit qu'à une seule voix, quel que soit le nombre de parts sociales qu'il détient, et il ne peut voter par procuration.

3. Le paiement d'un intérêt sur le capital social doit être limité.

4. La constitution d'une réserve est obligatoire ; elle ne peut être partagée entre les membres, même en cas de liquidation.

5. Il doit y avoir affectation des trop-perçus ou excédents à la réserve, et l'attribution de ristournes aux membres s'effectue au prorata des opérations effectuées entre chacun d'eux et la coopérative.

6. On doit promouvoir la coopération entre les membres et la coopérative, et entre les coopératives.

7. On doit informer les membres, les dirigeants et les employés sur les affaires de la coopérative.

CARACTÉRISTIQUES DE LA COOPÉRATIVE

PROPRIÉTAIRES-USAGERS

Les membres de la coopérative ont le droit de bénéficier des services offerts par la coopérative. Ils sont des **propriétaires-usagers**, car ce sont les membres de la coopérative qui possèdent les services en question et s'en servent. La *Loi sur les coopératives* défend formellement à un membre d'une coopérative d'obtenir des biens ou des services de cette dernière pour les revendre dans l'espoir d'en retirer un profit. Toutefois, la coopérative peut transiger avec d'autres personnes que ses membres-usagers ; les non-membres ne sont cependant pas éligibles au titre d'administrateurs lorsque l'association coopérative a, par règlement spécial, statué en ce sens.

MEMBRES

Pour être membre d'une coopérative il faut :

- être en mesure de participer à l'atteinte des buts de la coopérative ;
- faire une demande d'admission ;
- souscrire et payer le nombre de parts sociales requises ;
- respecter les règlements de la coopérative ;
- être admis par le conseil d'administration ;
- être âgé d'au moins 16 ans, sauf pour une caisse populaire, où un mineur de moins de 16 ans peut être membre en autant qu'il puisse signer.

DÉNOMINATION SOCIALE

Le nom de la coopérative ne doit pas être celui d'une autre coopérative, société ou compagnie, ni prêter à confusion avec aucun autre nom. De plus, il doit comprendre l'un des mots ou expressions suivants : coopératif, coopérative, coopération ou coop. Selon les buts de la coopérative, on ajoute au nom choisi les mots « de pêcheurs », « de consommateurs », « d'habitation », etc. Le nom ne doit pas contenir les mots « syndicat », « syndicat coopératif », « société » ou « société coopérative ».

PART SOCIALE

Contrairement à la compagnie, la coopérative ne possède pas de capital-actions autorisé ; elle dispose d'un capital social composé des parts privilégiées et de parts sociales qu'elle a émises. Ce capital est variable. Les parts privilégiées ne peuvent conférer à leur titulaire le droit d'être convoqué à une assemblée générale, ni d'assister ou de voter à une telle assemblée, ni d'être éligible à une fonction au sein de la coopérative.

Les parts sociales sont nominatives, c'est-à-dire émises au nom de leur détenteur, et ne sont pas transférables, à moins de dispositions particulières dans les règlements.

Chaque membre doit détenir le nombre minimal de **parts sociales** prévu par règlement. On les appelle parts sociales de qualification. Le prix de la part sociale est de 10 $, sauf pour une coopérative de pêcheurs, où sa valeur est de 50 $, et pour une coopérative étudiante ou d'économie familiale, où la coopérative peut établir son prix entre 2 $ et 10 $ par règlement. En cas de retrait, de décès, de démission, d'exclusion d'un membre, la coopérative remboursera à ce membre, à ses héritiers ou à ses représentants les sommes versées en paiement de ses parts sociales, car celles-ci ne prennent pas de valeur.

TROP-PERÇU

Les trop-perçus sont les excédents ou le surplus réalisés par la coopérative au cours d'une année. Les trop-perçus sont habituellement répartis entre les membres, non pas en fonction du nombre de parts sociales détenues par chacun, mais plutôt proportionnellement à l'utilisation des services de la coopérative par le membre (comme consommateur, producteur ou travailleur). Au moins 20 % du trop-perçu doit être versé à la **réserve générale** de la coopérative. Il s'agit d'une autre caractéristique importante qui distingue la coopérative de la compagnie.

L'argent versé aux membres ne porte pas le nom de dividende, comme dans la compagnie, mais celui de **ristourne**. Les membres, réunis en assemblée générale annuelle, décident du paiement des ristournes ; le taux des ristournes peut varier selon la quantité, la qualité ou la valeur des marchandises, des produits ou des services qui ont fait l'objet des opérations. Une coopérative ne peut payer d'intérêts sur la part sociale, et, contrairement à l'action ordinaire, la part sociale ne prend pas de valeur.

Figure 13.13   Les membres d'une coopérative en sont à la fois les propriétaires et les usagers.

CONSTITUTION ET FONCTIONNEMENT

STATUTS

Les personnes qui désirent former une association coopérative doivent avoir un intérêt commun à titre de futurs usagers de la coopérative.

Les fondateurs doivent signer, en double exemplaire, les statuts de constitution, la requête et l'avis les accompagnant. Cette déclaration doit être signée par au moins 12 personnes (25 personnes dans le cas d'une coopérative agricole). Pour plus d'informations, voir figures 13.2 et 13.3, pages 339 et 343). Les statuts sont adressés au ministre de l'Industrie, du Commerce et de la Technologie ou au Directeur des coopératives, qui pourra autoriser la formation de la coopérative, sur paiement des honoraires prescrits qui étaient de 135 $ au 1er avril 1995. Le cas échéant, un avis de la création de la nouvelle coopérative est publié dans la *Gazette officielle du Québec*.

ASSEMBLÉES DES MEMBRES

Les membres de la coopérative peuvent se réunir à deux occasions, soit à l'assemblée annuelle des membres, soit à une assemblée spéciale.

AVIS DE CONVOCATION   À moins de stipulation contraire dans les règlements, l'avis de convocation doit être expédié au moins cinq jours avant la date fixée pour l'assemblée.

QUORUM   La Loi stipule que le quorum de toute assemblée générale des membres est constitué des membres présents à l'assemblée, mais elle ne précise pas le nombre requis pour que l'assemblée soit valide. Les règlements de la coopérative peuvent combler cette lacune. Par ailleurs, la Loi ajoute que, si un règlement stipule un quorum, celui-ci cesse de s'appliquer après la convocation de deux assemblées successives où il n'y a pas eu quorum.

VOTE   Le vote par procuration est interdit, mais on permet à un membre de se faire représenter par son conjoint, sauf si le conjoint est lui-même membre. En cas d'égalité des voix, le président possède un vote prépondérant. Dans le cas de l'élection d'un administrateur, c'est le président d'élection qui a une voix prépondérante. Un membre n'a droit qu'à une seule voix, quel que soit le nombre de parts sociales dont il est titulaire.

Gouvernement du Québec
Ministère de l'Industrie, du Commerce et de la Technologie
Direction des coopératives

Formule 1
LOI SUR LES COOPÉRATIVES

STATUTS DE CONSTITUTION D'UNE COOPÉRATIVE

1. Dénomination sociale

2. District judiciaire du Québec où la coopérative établit son siège social

3. Objet

4. Indiquer, le cas échéant, si la coopérative choisit d'être régie par le chapitre 1 du titre II de la loi

5. Territoire ou groupe de recrutement des membres (sauf dans le cas d'une coopérative régie par le chapitre 1 du titre II de la loi)

6. Autres dispositions

RÉSERVÉ AU MINISTÈRE

Constitution

(date) (signature)

Numéro de dossier: ____________

Enregistrement

Figure 13.14 A Formule 1 Statuts de constitution d'une coopérative

Enfin, une coopérative qui a plus de 100 membres ou qui a des membres dans plus d'un district judiciaire peut, par règlement, autoriser ses membres à se faire représenter aux assemblées.

Habituellement, les décisions sont prises à la majorité des votes exprimés par les membres présents, sauf lorsque la loi précise une majorité des deux tiers des votes.

CONSEIL D'ADMINISTRATION

COMPOSITION Le conseil d'administration se compose d'un minimum de 5 et d'un maximum de 15 administrateurs, sauf dans une coopérative de travailleurs où le minimum est de trois choisis parmi les membres de la coopérative.

7. Fondateurs: Lire attentivement les instructions avant de compléter cette case			
7.1 Personnes physiques			
PRÉNOM ET NOM	ADRESSE INCLUANT LE CODE POSTAL	PROFESSION	SIGNATURE

7.2 Sociétés

Dénomination sociale:
Adresse:
Signature de la personne autorisée:

PRÉNOM ET NOM DE SES MEMBRES	ADRESSE INCLUANT LE CODE POSTAL	PROFESSION

7.3 Corporations

DÉNOMINATION SOCIALE	ADRESSE INCLUANT LE CODE POSTAL	LOI CONSTITUTIVE	SIGNATURE DE LA PERSONNE AUTORISÉE

Figure 13.14 B   Formule 1 Statuts de constitution d'une coopérative

Les administrateurs sont élus par un vote majoritaire des membres à l'assemblée annuelle. Peut être administrateur tout membre de la coopérative ou tout représentant d'une coopérative ou d'une société qui en est membre. Le quorum est fixé à la majorité des administrateurs.

La Loi précise qu'une coopérative qui compte moins de 25 membres n'est pas tenue d'élire un conseil d'administration si 90 % de ses membres en décide ainsi par écrit par le biais d'une convention des membres. On nomme alors un président, un vice-président et un secrétaire seulement.

MANDAT   Le mandat des administrateurs est habituellement de un an, mais les règlements peuvent préciser qu'il sera d'un maximum de trois ans.

Gouvernement du Québec
Ministère de l'Industrie, du Commerce
et de la Technologie
Direction des coopératives

Formule
LOI SUR LES COOPÉRATIVE

REQUÊTE ET AVIS DEVANT ACCOMPAGNER LES STATUTS DE CONSTITUTION D'UNE COOPÉRATIVE

Nous, soussignés, fondateurs de la coopérative ______________________
(dénomination sociale)

____

demandons au ministre la constitution de cette coopérative, et nous donnons avis:

1° que la personne désignée pour agir comme secrétaire provisoire est:

____
(prenom et nom)

____
(adresse incluant le code postal)

____
(code regional et numéros de téléphone — bureau et residence)

2° que le mode et le délai de convocation de l'assemblée d'organisation sont les suivants:

mode: ______________________

délai: __________ (nombre de jour(s) entre l'avis de convocation et la tenue de l'assemblée)

3° que l'adresse du siège social de la coopérative dont la constitution est demandée est

____
(adresse complete)

____

Signature: ______________________
(fondateur signataire des statuts)

Date: ______________ Signature: ______________________
(fondateur)

Nom et adresse de la personne ou de l'organisme qui a complété les présents documents, si différents du secrétaire provisoire.

____
(nom)

____
(adresse et numero de telephone)

Figure 13.15 Formule 2 Requête et avis devant accompagner les statuts de constitution d'une coopérative

Dans les limites du règlement, le conseil administre les affaires de la coopérative et, en son nom, il exerce les pouvoirs qui lui sont délégués par l'assemblée générale des membres ; il doit notamment remplir les obligations que la Loi lui impose et favoriser les activités de la coopérative entre les membres et avec d'autres organismes coopératifs, engager un directeur général ou un gérant et le convoquer aux réunions du conseil.

Un administrateur qui a un intérêt dans une entreprise mettant en conflit son intérêt personnel et celui de la coopérative doit, sous peine de déchéance de sa charge, divulguer son intérêt et s'abstenir de voter sur toute mesure touchant l'entreprise dans laquelle il a un intérêt.

Les administrateurs ne sont pas personnellement responsables des obligations de la coopérative.

REGISTRE DE LA COOPÉRATIVE

Comme la compagnie, la coopérative doit tenir un registre de la coopérative ou « Livre de la coopérative » qui contient son certificat de constitution, ses règlements, la liste des membres et des administrateurs ainsi que les procès-verbaux des assemblées des membres et des administrateurs.

De plus, tout comme une compagnie, une coopérative doit s'immatriculer à titre de personne morale.

DISSOLUTION ET LIQUIDATION

La **dissolution** ou la **liquidation volontaire** de la coopérative est décidée à une assemblée générale, dûment convoquée à cette fin, par un vote des trois quarts des membres présents ou représentés. On désigne ensuite par un vote majoritaire un ou trois liquidateurs des affaires de la coopérative ; ceux-ci ont la possession immédiate des biens de la coopérative. Cette dernière n'existe et ne fait ensuite d'opérations que dans le but de liquider ses affaires.

D'autre part, l'Inspecteur général peut décréter la **dissolution forcée** d'une coopérative en défaut. Avant de procéder à la dissolution, l'Inspecteur doit envoyer un avis du défaut reproché à la coopérative, laquelle pourra remédier à cet état de choses dans les 60 jours. Advenant la liquidation de la coopérative, il n'y a aucune distribution ou division de l'actif entre les membres. Cependant, après avoir réglé les dettes et les comptes, on remboursera aux membres la valeur de leurs parts sociales.

Le produit de la liquidation, y compris le solde de la réserve générale, sera transféré à une autre coopérative ou à une fédération désignée par le ministre de l'Industrie, du Commerce et de la Technologie.

DISTINCTIONS ENTRE LA COOPÉRATIVE ET LA COMPAGNIE

Le tableau 13.4 illustre les distinctions entre une coopérative et une compagnie.

Tableau 13.4 Comparaison entre la coopérative et la compagnie

La coopérative	La compagnie
1. La part sociale Pour être membre d'une coopérative, on achète une ou plusieurs parts sociales.	**1. L'action** Pour être actionnaire d'une compagnie, on doit acheter une ou plusieurs actions.
2. Le membre C'est le nom de celui qui est détenteur d'une part sociale de la coopérative. Le nombre minimum de membres est de 12.	**2. L'actionnaire** C'est le nom de celui qui détient une action dans la compagnie. Cette dernière doit compter au minimum un actionnaire.
3. Un membre, un vote Le membre d'une coopérative n'a droit qu'à un vote, quel que soit le nombre de parts sociales qu'il détient.	**3. Une action, un vote** L'actionnaire possède autant de votes qu'il détient d'actions assorties du droit de vote.
4. Vote par procuration Interdit, sauf pour les coopératives dont le nombre de membres est supérieur à 100 ou dont les membres résident dans plus d'un district judiciaire.	**4. Vote par procuration** Le vote par procuration est permis.

Tableau 13.4   Comparaison entre la coopérative et la compagnie (suite)

La coopérative	La compagnie
5. La part sociale Elle est rattachée à la personne du membre : à son décès, elle est remboursée.	**5. L'action** Elle peut être établie au porteur : au décès de l'actionnaire, elle est transmise à ses héritiers.
6. Conseil d'administration Le nombre minimum d'administrateurs est de 5 et le maximum est de 15.	**6. Conseil d'administration** Le conseil doit comprendre au minimum un administrateur. Un seul administrateur suffit et il n'y a pas de maximum.
7. La part sociale Elle ne prend pas de valeur.	**7. L'action ordinaire** Elle peut augmenter de valeur avec le développement de la compagnie.
8. Les excédents Ils portent le nom de trop-perçus et sont distribués aux membres sous la forme de ristournes au prorata des opérations du membre avec la coopérative.	**8. Les excédents** Ils portent le nom de profits et ils sont distribués aux actionnaires selon le type d'actions détenues, au gré des administrateurs, sous la forme de dividendes, lesquels ne sont pas limités sauf s'il existe des dispositions contraires.
9. Liquidation S'il y a des excédents, les membres n'ont droit qu'aux sommes versées pour leurs parts sociales. Tout excédent additionnel est envoyé à une autre coopérative ou à une fédération.	**9. Liquidation** S'il y a des excédents, les détenteurs d'actions ordinaires et privilégiées participent au partage de l'actif selon les restrictions, les privilèges et les droits rattachés à leurs actions respectives.

RÉSUMÉ

- Lorsqu'on parle d'une entreprise incorporée, on entend par là une entreprise constituée en vertu d'une loi particulière qui lui donne naissance. On parle alors d'une personne morale. Les deux plus importantes sont la compagnie et la coopérative.

- Chacune d'entre elles possède un vocabulaire qui lui est propre.

- La compagnie peut être constituée soit en vertu de la *Loi sur les compagnies du Québec* (L.C.Q.), soit en vertu de la *Loi sur les sociétés par actions du régime fédéral* (L.S.A.).

- Les principales étapes dans la constitution d'une compagnie sont le choix de la loi constitutive (fédérale ou provinciale), la détermination de son type : compagnie fermée (privée) ou publique, le choix d'un nom, l'envoi des formulaires appropriés dûment remplis à l'Inspecteur général des institutions financières pour une compagnie provinciale ou au Directeur général pour une compagnie fédérale, l'obtention du certificat de constitution de la compagnie et, finalement, son organisation juridique.

- L'élément le plus important dans la préparation des statuts de constitution est la détermination du capital-actions de la compagnie.

- Une compagnie peut être composée d'un seul actionnaire et administrateur.

- La coopérative est une personne morale regroupant des personnes qui ont des besoins économiques et sociaux communs et qui, en vue de les satisfaire, s'associent pour exploiter une entreprise conformément aux règles d'action coopérative. Elle est régie par la *Loi sur les coopératives.*

- Les membres de la coopérative en sont les propriétaires-usagers ; ils détiennent des parts sociales dans la coopérative.

- Il faut au moins 12 personnes pour signer les statuts de constitution d'une coopérative. Ces derniers sont envoyés au ministre de l'Industrie, du Commerce et de la Technologie, qui autorise sa formation.

- Le conseil d'administration d'une coopérative se compose d'un minimum de cinq administrateurs.

- La dissolution de la coopérative peut être soit volontaire ou forcée.

RÉSEAU DE CONCEPTS

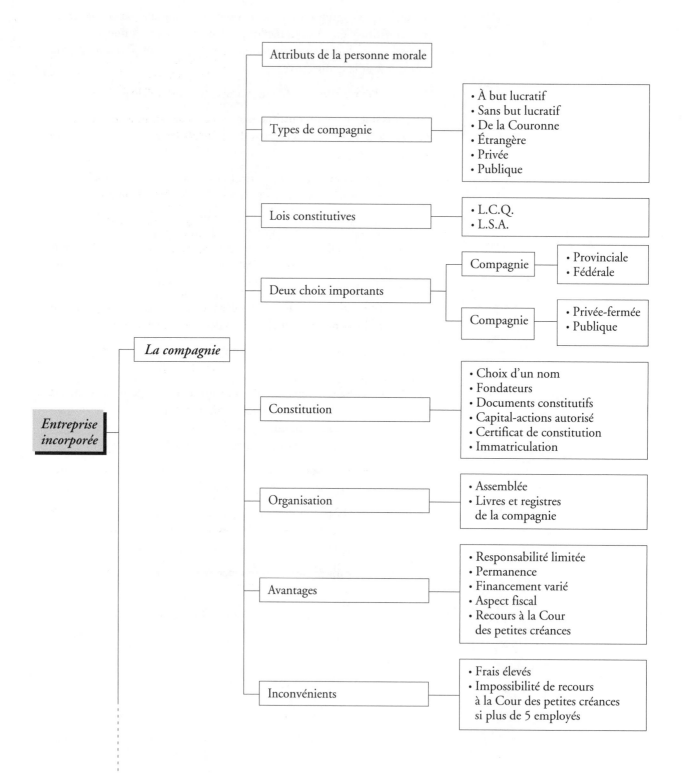

RÉSEAU DE CONCEPTS (SUITE)

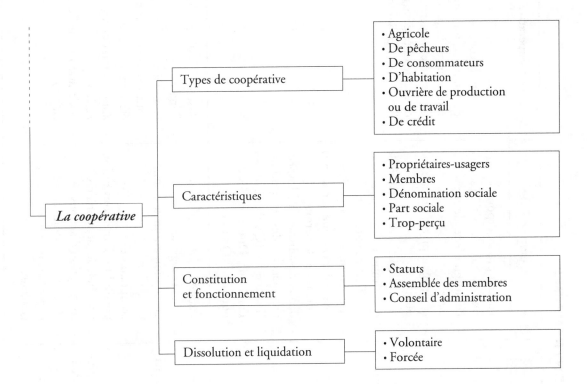

TABLEAU COMPARATIF DES DIFFÉRENTES FORMES D'ENTREPRISES

	Entreprise individuelle	Société	Compagnie	Coopérative
Constitution	• nom ou dénomination sociale • déclaration d'immatriculation • une seule personne • obtention de permis • demande d'immatriculation déposée auprès du greffier de la Cour supérieure	• contrat • nom ou dénomination sociale • déclaration d'immatriculation au moins deux personnes (associés) • obtention de permis • demande d'immatriculation déposée auprès du greffier de la Cour supérieure	• contrat pré-incorporatif • nom ou dénomination sociale • compagnie fédérale ou provinciale • compagnie privée (fermée) ou publique • statuts constitutifs ou statuts de constitution • certificat de constitution • déclaration d'immatriculation • une seule personne (fondateur) • obtention de permis • demande adressée à l'Inspecteur général des institutions financières (Québec) ou au Directeur, Direction des corporations (Ottawa)	• nom ou dénomination sociale • statuts de constitution • déclaration d'immatriculation • minimum de 12 personnes pour fonder une coopérative • demande adressée au ministre de l'Industrie, du Commerce et de la Technologie
Organisation	• formalités de mise sur pied • comptabilité • déclaration annuelle d'immatriculation	• formalités de mise sur pied • comptabilité • déclaration annuelle d'immatriculation • prévision de l'apport de chaque associé • prévision du partage des profits et des pertes (dettes) de la société	• assemblées d'organisation • livres et registres • déclaration annuelle d'immatriculation • comptabilité • possibilité d'une convention unanime des actionnaires • souscription d'actions • élections des administrateurs • approbation des règlements généraux	• Assemblées d'organisation • livres et registres • comptabilité • souscription de parts sociales • élection des administrateurs • approbation des règlements généraux • déclaration annuelle d'immatriculation

TABLEAU COMPARATIF DES DIFFÉRENTES FORMES D'ENTREPRISES (SUITE)

	Entreprise individuelle	Société	Compagnie	Coopérative
Dissolution	• décès du propriétaire • faillite • bon vouloir du propriétaire	• expiration du terme • perte des biens • consommation de l'affaire • faillite • décision du tribunal • volonté des associés • objet impossible ou illégal	• décision volontaire des actionnaires • retard ou omission dans la production des déclarations • jugement des tribunaux • décision du gouvernement • faillite	• décision volontaire des membres • retard ou omission dans la production des déclarations • jugement des tribunaux • décision du gouvernement • faillite
Avantages	• facilité de mise sur pied • coût peu élevé • simplicité d'administration et rapidité des décisions • aucun partage des profits • aspect fiscal • recours à la Division des petites créances	• facilité de mise sur pied • coût peu élevé • capacité financière accrue • complémentarité des associés • aspect fiscal • recours à la Division des petites créances	• personne morale • personnalité propre distincte de ses membres • responsabilité limitée des actionnaires • pouvoir d'ester en justice • permanence • financement varié • administration spécialisée • aspect fiscal • possibilité de recours à la Division des petites créances si cinq employés ou moins	• personne morale • personnalité propre distincte de ses membres • responsabilité limitée des membres • pouvoir d'ester en justice • permanence • administration spécialisée

TABLEAU COMPARATIF DES DIFFÉRENTES FORMES D'ENTREPRISES (SUITE)

	Entreprise individuelle	Société	Compagnie	Coopérative
Inconvénients	• responsabilité personnelle et illimitée • responsabilité civile • responsabilité et immatriculation • investissement limité • extinction de l'entreprise • aspect fiscal • problèmes financiers personnels	• responsabilité solidaire illimitée • conflits interpersonnels • manque de continuité • aspect fiscal	• frais de constitution élevés • administration complexe • impossibilité de recours à la Division des petites créances si plus de cinq employés • aspect fiscal	• administration plus complexe • impossibilité de recours à la Division des petites créances • pas de partage des profits entre ses membres; sans ristourne, le cas échéant • en cas de dissolution, solde transféré à une autre coopérative ou à une fédération désignée par le Ministre
Type de compagnie		• en nom collectif • en commandite • en participation • par actions • association	• étrangère • sans but lucratif • d'État • fédérale • provinciale • publique • privée (fermée)	• agricole • de pêcheurs • de consommateurs • d'habitation • ouvrière, de production ou de travail • de crédit

EXERCICES

ASSOCIATIONS

Associez un des termes ci-dessous à l'une des définitions qui suivent :

- dividende
- coopérative
- compagnie publique
- fondateurs
- trop-perçus
- compagnie sans but lucratif
- actionnaires
- ristourne
- compagnie fermée (privée)
- intérêts
- administrateurs

1. Une compagnie qui ne possède aucun capital-actions et dont l'objet n'est pas la recherche de profits pour ses membres est une _6_ .

2. Les profits et excédents réalisés par une coopérative portent le nom de _5_ .

3. La _9_ est celle dont les documents d'incorporation restreignent le droit de transférer ses actions, interdisent l'appel public à l'épargne pour la souscription de ses valeurs mobilières et limitent à 50 le nombre de ses actionnaires.

4. La _2_ est une association de personnes qui désirent se procurer mutuellement divers services pour satisfaire leurs besoins économiques et sociaux.

5. Les personnes qui demandent l'incorporation d'une compagnie en vertu de la Partie 1A de la L.C.Q. ou en vertu de la L.S.A. portent le nom de _4_ .

VRAI OU FAUX

Indiquez si les affirmations suivantes sont vraies ou fausses. Si l'affirmation est fausse, précisez pourquoi.

1. La coopérative étant une personne morale, elle possède, comme la compagnie, un capital-actions.

2. Dans les compagnies publiques, les transferts d'actions sont soumis à des restrictions, telle l'approbation du conseil d'administration.

3. Les statuts de constitution d'une compagnie établis en vertu de la Partie 1A de la L.C.Q. doivent être adressés au greffier de la Cour Supérieure du district dans lequel la compagnie doit faire des affaires.

4. La demande de formation d'une compagnie qui est faite en vertu de la Partie 1A de la L.C.Q. porte le nom de statuts constitutifs alors que celle qui est faite en vertu de la L.S.A. se nomme statuts de constitution.

5. Une compagnie doit obligatoirement posséder des actions privilégiées et sans droit de vote dans son capital-actions autorisé.

CHOIX MULTIPLES

1. La demande de constitution d'une coopérative est adressée :
   a) à l'Inspecteur général des institutions financières.
   b) au greffier de la Cour Supérieure.
   c) au ministre de l'Industrie, du Commerce et de la Technologie.
   d) au ministre des Affaires coopératives.

2. Pour être administrateur d'une compagnie formée en vertu de la L.S.A. ou de la Partie 1A de la L.C.Q. :
   a) il faut détenir au moins une action privilégiée.
   b) il faut détenir au moins une action ordinaire.
   c) il faut détenir un permis spécial de détenteur de valeurs mobilières.
   d) il n'est pas nécessaire d'être actionnaire de la compagnie.

3. Quelle sorte de responsabilité assument les actionnaires de la compagnie quant à leur mise de fonds ?
   a) illimitée.
   b) solidaire et personnelle.
   c) limitée à leur mise de fonds.
   d) aucune des réponses précédentes.

4. Le trop-perçu d'une coopérative que l'on verse à ses membres porte le nom :
   a) d'intérêt.
   b) de dividende.
   c) de part sociale.
   d) de ristourne.

5. Le document officiel qui donne l'existence légale à une compagnie incorporée en vertu de la Partie 1A de la L.C.Q. ou de la L.S.A. porte le nom de :
   a) certificat d'immatriculation.
   b) lettres patentes.
   c) déclaration de dénomination sociale.
   d) certificat de constitution.

CAS PRATIQUES

1. Raymond est président de la compagnie Les carrières Durocher inc., société formée en vertu de la Partie 1 de la *Loi sur les compagnies du Québec*. Il vous explique que, au moment de former cette compagnie, son père et un de ses frères étaient les deux autres requérants. Depuis, son père s'est retiré des affaires et ne travaille plus, et son frère est déménagé en France, où il est employé par une multinationale. Raymond s'occupe donc seul de l'entreprise, quoique son père et son frère demeurent quand même actionnaires et administrateurs de la compagnie, détenant chacun une action de qualification pour répondre aux exigences de la Loi. Il vous explique qu'il trouve cet arrangement un peu désuet. Sa femme Lucie et sa fille Annie lui ont offert de remplacer son père et son frère, mais il vous indique qu'il aimerait, si possible, être le seul participant à l'entreprise. De plus, il désire apporter des changements au capital-actions de la compagnie pour créer deux nouvelles catégories d'actions privilégiées de manière à attirer des investisseurs. Il souhaite aussi élargir le champ d'activité de la compagnie de manière à pouvoir exploiter un centre de ski. Finalement, il veut s'assurer que la compagnie soit une société fermée au sens de la *Loi sur les valeurs mobilières du Québec*.

   Quels conseils lui donneriez-vous? Expliquez votre réponse et remplissez, s'il y a lieu, les formulaires nécessaires.

2. Vous avez décidé avec deux de vos amis de former une compagnie pour exploiter un commerce de vente, d'achat et d'échange d'articles de sport neufs et usagés.

   Vous êtes tombés d'accord sur le nom de « Sportbec inc. ». Le siège social de votre commerce sera situé au 5757 de la rue Saint-Denis à Montréal, H2Y 1Z2. Il se pourrait qu'un certain nombre de vos connaissances veuillent participer à votre entreprise, soit à titre d'actionnaires ou d'administrateurs.

   Par ailleurs, vous désirez que les trois principaux intéressés puissent s'assurer qu'aucun d'entre eux ne vendra ses actions à une personne qui ne serait pas acceptée par les autres actionnaires.

   À l'aide des formulaires figurant au présent chapitre, veuillez procéder à l'incorporation de votre compagnie.

3. Christiane Letendre, Michel Ladouceur, Dominique Lafleur, Richard Lemieux et Jean-François Dupré, étudiants au cégep, viennent vous parler de leur projet de fonder une coopérative étudiante. Le but de cette coopérative serait de permettre aux étudiants de se procurer des volumes, des disques et des fournitures scolaires à des prix plus abordables, et de permettre à un certain nombre d'entre eux de participer à une expérience coopérative en milieu étudiant.

   Aucun d'eux ne possède de notions de droit de l'entreprise, ni de droit des affaires, et ils ignorent tout de la mise sur pied et du fonctionnement d'une coopérative. Ils vous demandent si vous êtes intéressé à vous joindre à eux.

   a) Expliquez-leur ce qu'est une coopérative et quels sont les principes de base qui la caractérisent.

   b) Vous avez pris la décision de vous joindre à eux ; rédigez les principaux documents nécessaires à la mise sur pied de votre coopérative.

4. À l'assemblée annuelle de la Coopérative de consommateurs du Bas-du-Fleuve, Richard Lesourd, un des membres de cette coopérative qui désire absolument en devenir administrateur, conteste une décision du président de l'assemblée selon laquelle il n'a droit qu'à un vote sur tous les points à l'ordre du jour, y compris l'élection des administrateurs.

   Lesourd ne veut rien entendre et conteste cette décision en disant que, lorsqu'il est devenu membre de la coopérative, il y a six mois, il s'est porté acquéreur de trois parts sociales et qu'il a donc droit à trois votes. À titre de conseiller de la coopérative, veuillez informer l'assemblée sur cette situation.

   Par la suite, lorsque le vote est pris pour l'élection des administrateurs, six d'entre eux sont élus avec la majorité suffisante, mais il y a égalité des votes entre Richard Lesourd et Dominique Lavertu. De plus, le conseil d'administration a passé une résolution pour que le mandat des administrateurs soit fixé à quatre ans. Veuillez informer l'assemblée sur ces deux cas et expliquez la situation.

CHAPITRE 14

LE FONCTIONNEMENT DE LA COMPAGNIE

OBJECTIFS ET ÉLÉMENTS DE COMPÉTENCES

1 Connaître les principaux modes d'acquisition d'une action.

2 Être en mesure d'exercer les droits fondamentaux se rattachant aux actions d'une compagnie.

3 Pouvoir convoquer une assemblée d'actionnaires ou d'administrateurs d'une compagnie.

4 Distinguer les administrateurs provisoires des administrateurs permanents.

5 Connaître les conditions d'éligibilité au poste d'administrateur d'une compagnie.

6 Connaître les responsabilités particulières des administrateurs.

7 Distinguer la dissolution forcée de la dissolution volontaire d'une compagnie.

Dans le présent chapitre, nous examinerons de plus près le fonctionnement de la compagnie.

Celle-ci fonctionne sur deux plans : celui des actionnaires et celui des administrateurs. Les actionnaires sont en fait les propriétaires de la compagnie, leurs actions représentant leurs titres de propriété de cette dernière. Comme nous l'avons vu au chapitre précédent, les diverses catégories d'actions n'accordent pas des droits similaires à tous les actionnaires d'une même compagnie.

Les administrateurs quant à eux sont élus par les actionnaires détenant des actions avec droit de vote, soit à l'assemblée d'organisation d'une nouvelle compagnie, soit à l'assemblée annuelle de la compagnie, comme nous le verrons plus loin. Ce sont eux qui sont chargés de l'administration des affaires courantes de la compagnie. Ils agissent en quelque sorte comme les mandataires ~~des actionnaires~~ de la compagnie. *12383*

LES ACTIONNAIRES

Les actionnaires sont les ~~propriétaires~~ de la compagnie.

ACQUISITION D'ACTIONS

On devient généralement actionnaire d'une compagnie de la façon suivante :
- par la souscription d'actions ;
- par le transfert d'actions.

SOUSCRIPTION D'ACTIONS

Un individu ou une compagnie peut offrir à une autre compagnie d'acheter ses actions en suivant la procédure prévue par la loi. Dans le cas d'une compagnie publique, l'émission des actions est soumise à l'approbation de la **Commission des valeurs mobilières du Québec** et ses actions sont cotées en Bourse. Les actions sont alors vendues par l'intermédiaire d'un courtier en valeurs mobilières dûment enregistré auprès de la Commission.

La société publique ne peut refuser les souscriptions d'actions ni les offres d'achat d'actions de qui que ce soit.

Dans une compagnie privée ou société fermée, le transfert, la vente, l'offre de vente et la distribution des actions et autres valeurs mobilières au public sont assujettis à des restrictions. Ainsi, toute souscription ou offre d'achat d'actions, de même que tout transfert d'actions de la compagnie privée, est soumise à l'approbation des administrateurs, qui peuvent l'accepter ou la refuser (habituellement par un vote majoritaire des administrateurs).

Il peut également exister des ententes ou conventions entre les actionnaires quant à l'émission de nouvelles actions ou quant au transfert d'actions. Ces ententes sont généralement appelées **conventions entre les actionnaires** ou **conventions unanimes des actionnaires**. Lorsque les administrateurs acceptent une souscription ou un transfert, cette acceptation prend la forme d'une résolution du conseil d'administration de la compagnie ; on inscrit alors le nom de l'actionnaire dans le registre des actionnaires et dans le registre des valeurs mobilières. L'actionnaire peut payer ses actions soit en totalité, soit par versements.

Il est important de savoir qu'on peut acquérir des actions autrement que par le versement d'une somme d'argent. En effet, par résolution, les administrateurs d'une compagnie peuvent décider d'émettre des actions en contrepartie de biens ou de services. La valeur de ces biens ou services devra être clairement stipulée dans la résolution.

Exemple : La compagnie ABC ltée peut émettre au nom de son avocat, Jean-Guy Poitras, 1000 actions ordinaires d'une valeur marchande de 1 $ chacune, en contrepartie de services juridiques de même valeur rendus à la compagnie.

TRANSFERT D'ACTIONS

Le transfert d'actions peut résulter :

- d'une vente d'actions entre deux personnes ;
- d'une donation ;
- d'une succession ;
- de l'application de la loi.

En général, le transfert d'actions a lieu lorsqu'un actionnaire de la compagnie vend, donne ou aliène des actions déjà en circulation à une autre personne (morale ou physique) ; le transfert met en présence les parties suivantes : l'actionnaire qui vend ses actions (le cédant), celui qui offre de les acheter (le cessionnaire) et, finalement, la compagnie.

Le contrat a lieu entre le cédant et le cessionnaire, mais le transfert d'actions n'est valide qu'au moment où il est inscrit dans le registre des transferts de la compagnie et dans le registre des valeurs mobilières. Aussi longtemps que le transfert intervenu entre le cédant et le cessionnaire n'est pas inscrit dans le registre, l'acquéreur ne possède pas de titre valable, et le vendeur demeure toujours actionnaire aux yeux de la compagnie.

Au dos des certificats d'actions, on retrouve une formule type suivant laquelle le cédant vend, donne ou transfère ses actions au cessionnaire. Il est très important pour le cessionnaire de faire signer cette formule par le cédant, qui, en quelque sorte, endosse le certificat d'action en sa faveur.

S'il s'agit d'une compagnie privée (société fermée), le cessionnaire doit s'assurer que toutes les étapes lui permettant de devenir actionnaire ont été suivies, car il existe certaines restrictions relatives au transfert d'actions.

Exemple : Les documents constitutifs d'une compagnie privée peuvent contenir la clause suivante :

« Aucune action du capital-actions de la compagnie ne pourra être transférée sans le consentement de la majorité des administrateurs et des actionnaires de la compagnie. »

Une telle clause restreint le droit d'un actionnaire de vendre ses actions à une autre personne.

Certaines dispositions de la loi présument temporairement le transfert d'actions entre les mains de syndics de faillite, fiduciaires, liquidateurs de succession ; ces transferts sont toujours assujettis aux restrictions contenues dans les documents constitutifs de la compagnie et ne sont que temporaires. Nous parlons alors de transmission d'actions.

CERTIFICAT D'ACTIONS

Le titre de propriété d'un actionnaire est représenté par son certificat d'action. Celui-ci peut prendre plusieurs formes. Généralement, la compagnie utilise des formulaires de certificats d'actions déjà imprimés.

Exemple : Le certificat d'actions suivant (voir figure 14.1, page 382) représente les 250 actions ordinaires de catégorie « A » de Raymond Durocher dans la compagnie Club sportif du Vieux Québec inc.

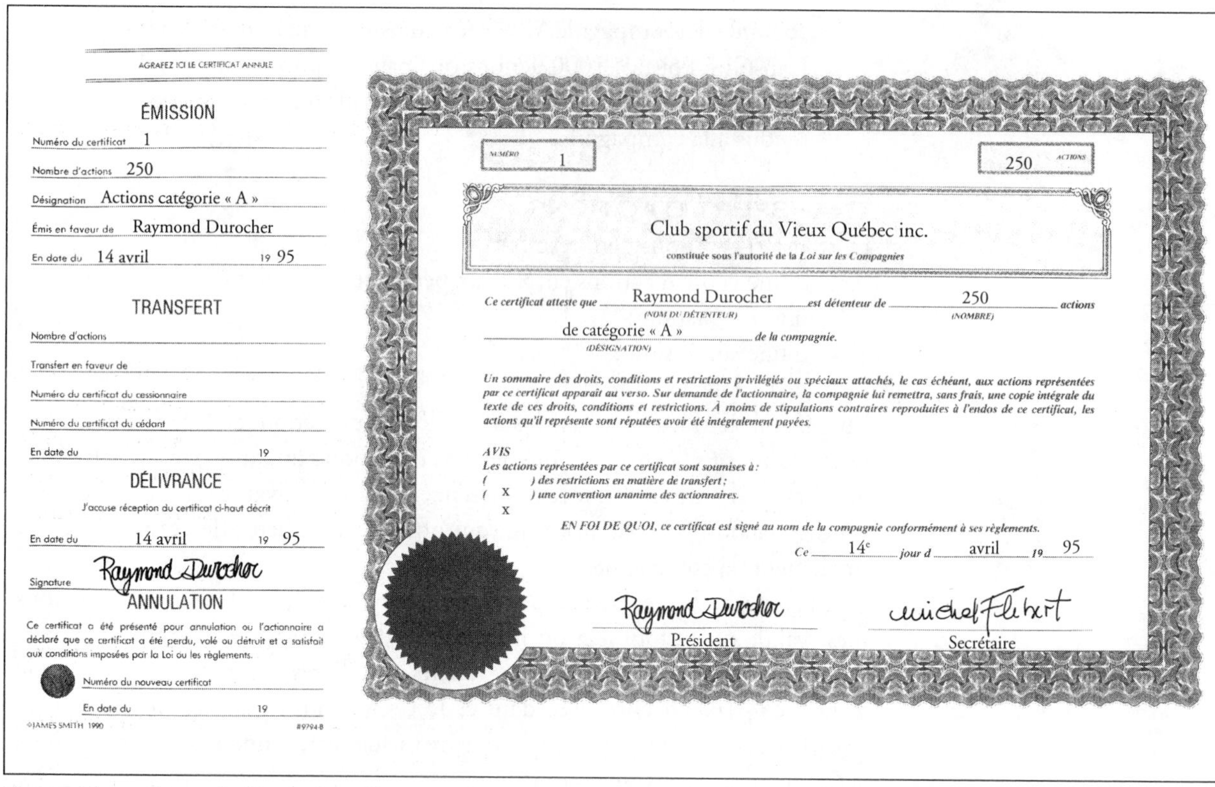

AGRAFEZ ICI LE CERTIFICAT ANNULÉ

ÉMISSION

Numéro du certificat 1

Nombre d'actions 250

Désignation Actions catégorie « A »

Émis en faveur de Raymond Durocher

En date du 14 avril 19 95

TRANSFERT

Nombre d'actions

Transfert en faveur de

Numéro du certificat du cessionnaire

Numéro du certificat du cédant

En date du 19

DÉLIVRANCE

J'accuse réception du certificat ci-haut décrit

En date du 14 avril 19 95

Signature Raymond Durocher

ANNULATION

Ce certificat a été présenté pour annulation ou l'actionnaire a déclaré que ce certificat a été perdu, volé ou détruit et a satisfait aux conditions imposées par la Loi ou les règlements.

Numéro du nouveau certificat

En date du 19

©JAMES SMITH 1990 #97948

NUMÉRO 1 — 250 ACTIONS

Club sportif du Vieux Québec inc.

constituée sous l'autorité de la *Loi sur les Compagnies*

Ce certificat atteste que Raymond Durocher (NOM DU DÉTENTEUR) *est détenteur de* 250 (NOMBRE) *actions* de catégorie « A » (DÉSIGNATION) *de la compagnie.*

Un sommaire des droits, conditions et restrictions privilégiés ou spéciaux attachés, le cas échéant, aux actions représentées par ce certificat apparaît au verso. Sur demande de l'actionnaire, la compagnie lui remettra, sans frais, une copie intégrale du texte de ces droits, conditions et restrictions. À moins de stipulations contraires reproduites à l'endos de ce certificat, les actions qu'il représente sont réputées avoir été intégralement payées.

AVIS
Les actions représentées par ce certificat sont soumises à :
(   ) des restrictions en matière de transfert ;
(X) une convention unanime des actionnaires.
X

EN FOI DE QUOI, ce certificat est signé au nom de la compagnie conformément à ses règlements.

Ce 14ᵉ *jour d'* avril *19* 95

Raymond Durocher — Président

Michel Flibert — Secrétaire

Figure 14.1 Exemple de certificat d'actions

LES DROITS DES ACTIONNAIRES

Le fait pour une personne de détenir une action dans une compagnie lui confère certains droits. Ces droits, privilèges et restrictions sont les mêmes pour les détenteurs de toutes les catégories d'actions, à moins de dispositions précises dans les lettres patentes ou dans le certificat de constitution de la compagnie. Pour déterminer les droits des actionnaires au sein d'une compagnie, il faut donc examiner ces documents.

Ainsi comme nous l'avons indiqué précédemment d'une façon générale, les détenteurs d'actions ordinaires ou de catégorie « A » ont le droit d'assister et de voter à toutes les assemblées d'actionnaires, alors que les détenteurs d'actions privilégiées ou de catégorie « B » n'ont pas le droit d'assister ni de voter aux assemblées d'actionnaires. Ces derniers ne reçoivent même pas d'avis de convocation aux assemblées d'actionnaires, sauf exception.

DROITS FONDAMENTAUX DES ACTIONNAIRES

Les droits fondamentaux des actionnaires sont les suivants :

- droit de recevoir l'avis de convocation des assemblées d'actionnaires ;
- droit de voter aux assemblées selon la catégorie d'actions détenues ;
- droit d'élire les administrateurs à l'assemblée annuelle de la compagnie et de les révoquer, le cas échéant ;
- droit de recevoir un dividende ;
- droit de ratifier et de modifier les règlements de la compagnie ;
- droit de participer à l'augmentation de valeur de la compagnie selon la catégorie d'actions détenues ;
- droit de nommer et de révoquer les vérificateurs ou les experts-comptables de la compagnie et d'obtenir copie des états financiers ;
- droit de demander la convocation d'une assemblée des actionnaires ;
- droit de signer une convention unanime des actionnaires ;

[annotation: votant] · droit de se prononcer sur certaines questions importantes tels :
- le nom de la compagnie ;
- le siège social ;
- les modifications apportées au capital-actions et au certificat de constitution de la compagnie ;
- les emprunts ;
- le nombre d'administrateurs ; *[annotation: → quote change reglement → si hous statut app 2/3]*
- la vente de la compagnie ; *[annotation: grenadine]*
- la fusion de la compagnie ;
- la liquidation de la compagnie ; *[annotation: Loi Liquidation cie au 2/3 art 3]*

[annotation: approb au 2/3 actionnaire votant]

[annotation: 123.111]
- droit de consulter les registres de la compagnie et d'en obtenir des copies ainsi qu'un exemplaire des états financiers annuels de la compagnie ;
- droit de demander la liquidation de la compagnie dans certains cas où les actionnaires majoritaires et les administrateurs agissent de façon abusive ;
- droit de partager le reliquat des biens à la suite de liquidation ou de dissolution de la compagnie.

DROIT DE DISSIDENCE *[annotation: federal]*

De plus, la L.S.A. prévoit la possibilité pour les actionnaires minoritaires d'exercer leur **droit de dissidence** dans certains cas.

L'exercice de ce droit est prévu à l'article 190 de la Loi et s'applique pour des cas particuliers où l'actionnaire s'oppose à :
- toute modification des statuts relative aux dispositions limitant l'émission ou le transfert d'actions de la catégorie d'actions qu'il détient ;
- toute modification des statuts relative aux activités commerciales de la compagnie ;
- toute fusion de la compagnie avec une autre compagnie ; la prorogation de la compagnie en vertu d'une loi ;
- la vente, la location, l'échange de la totalité ou de la quasi-totalité des biens de la compagnie ;
- la continuation de la compagnie en vertu des lois d'une autre juridiction.

L'actionnaire dissident doit expédier un avis écrit à la compagnie avant ou pendant l'assemblée où sera étudiée la question ; il peut également demander à la compagnie de lui payer la valeur marchande de ses actions, fixée, la veille de la date de la résolution à cet effet.

DROIT AUX DIVIDENDES

Le certificat d'actions accorde à son détenteur le droit de partager les profits de la compagnie. Au moment du paiement d'un dividende par les administrateurs, la part de profits qui lui revient est proportionnelle à sa mise de fonds. Ce dividende peut être fixe, prioritaire, cumulatif ou non, laissé à la discrétion des administrateurs, etc.

Rappelons que les administrateurs ne sont jamais obligés de déclarer un dividende et que le fait de détenir des actions assorties d'un dividende de 20 %, par exemple, n'assure en aucune façon leur détenteur d'un rendement annuel de 20 % de son investissement.

[annotation: 123.70 123.71]
Les administrateurs doivent s'abstenir de déclarer un dividende qui entame le capital de la compagnie ou qui la rend insolvable, car ce faisant, ils engagent leur responsabilité personnelle comme nous le verrons plus loin. De plus, même si la compagnie a réalisé des profits, le conseil d'administration peut choisir de les réinvestir dans l'entreprise. Les actionnaires ne peuvent obliger les administrateurs à leur verser un dividende.

DROIT DANS UNE CONVENTION UNANIME DES ACTIONNAIRES

La **convention unanime des actionnaires** est un contrat qui intervient entre tous les actionnaires d'une compagnie régie par la loi fédérale ou par la Partie 1A de la L.C.Q.

Cette convention permet aux actionnaires d'une compagnie constituée en vertu de la Partie 1A de la L.C.Q. ou de la L.S.A. de restreindre les pouvoirs accordés aux administrateurs de la compagnie par la Loi et de s'approprier ces mêmes pouvoirs pour les exercer eux-mêmes. Comme son nom l'indique, cette convention doit être signée par tous les actionnaires de la compagnie.

Ce type de convention est très utilisé au sein des compagnies privées et des petites entreprises, de même que dans les compagnies qui comptent des administrateurs non actionnaires de la compagnie. Elle a pour effet de décharger les administrateurs des obligations et des responsabilités que la loi leur impose, et ce sont alors les actionnaires eux-mêmes qui les assument.

Il arrive souvent que les actionnaires d'une compagnie signent entre eux une convention qui vise à prévoir et à déterminer leur façon d'agir dans certaines circonstances.

Exemples :
- les actionnaires conviennent de s'élire mutuellement administrateurs de la compagnie ;
- toute décision importante requerra le vote unanime ou de 75 % des actionnaires (signature de contrat, achat d'équipement ou d'immeuble, hypothèque, emprunt, etc.) ;
- signature des documents bancaires ;
- droit de préemption, c'est-à-dire que les actionnaires qui désirent se retirer de la compagnie devront au préalable offrir leurs actions aux autres actionnaires de la compagnie à une valeur établie selon cette convention ;
- au décès d'un actionnaire, les autres actionnaires de la compagnie auront un droit de préférence pour acheter les actions à ses héritiers, qui devront les leur céder à une valeur établie par la convention ; des assurances-vie prises par les actionnaires servent à couvrir le coût de cette transaction.

Finalement, signalons que tout certificat d'actions d'une compagnie où il existe une convention unanime des actionnaires doit en porter la mention pour être opposable aux tiers, en cas de transfert, par exemple.

RESPONSABILITÉ DES ACTIONNAIRES

La responsabilité de l'actionnaire est limitée à sa mise de fonds. Ce dernier n'engage aucune responsabilité à l'égard des créanciers de la compagnie, à moins que ses actions ne soient pas entièrement payées ou qu'il n'ait donné des garanties personnelles, tel un cautionnement.

LES ASSEMBLÉES DES ACTIONNAIRES

L'article 311 du *Code civil du Québec* énonce : « Les personnes morales agissent par leurs organes, tels le conseil d'administration et l'assemblée des membres. »

DISPOSITIONS GÉNÉRALES

Les assemblées d'actionnaires d'une compagnie constituée en vertu de la L.C.Q. doivent avoir lieu au Québec, sauf si l'on obtient l'assentiment de tous les actionnaires, auquel cas elles peuvent avoir lieu à l'extérieur du Québec. La L.S.A. stipule que les assemblées d'actionnaires doivent avoir lieu au Canada, mais elles peuvent avoir lieu à l'extérieur du pays si tous les actionnaires y consentent. Ce sont généralement les administrateurs de la compagnie qui convoquent ces assemblées.

Aux assemblées d'actionnaires ou d'administrateurs, les décisions se prennent au moyen de **résolutions** ou de **règlements.**

- Les *résolutions* expriment les décisions votées au cours d'une assemblée d'actionnaires ou d'une réunion du conseil d'administration d'une compagnie.
- Les *règlements généraux* déterminent le mode de fonctionnement de la société, tandis que d'autres règlements sont requis pour apporter certains changements à la société.

Ce sont généralement le président et le secrétaire de la compagnie qui s'occupent de convoquer ces assemblées. Le président est responsable du déroulement de celles-ci et le secrétaire en tient les procès-verbaux ou comptes rendus.

Les points importants concernant toute assemblée des actionnaires sont :

- l'avis de convocation ;
- le quorum ;
- le vote ;
- le procès-verbal.

AVIS DE CONVOCATION

D'une façon générale, tout actionnaire détenant des actions comportant le droit de vote ou dont la loi requiert le vote sur les questions à l'ordre du jour doit être convoqué à l'assemblée.

Les personnes qui ont le droit d'assister à une assemblée d'une compagnie fédérale ou provinciale peuvent renoncer à l'avis de convocation. Leur présence à cette assemblée équivaut à une telle renonciation, sauf s'ils sont là pour s'opposer aux délibérations d'une assemblée qui n'est pas régulièrement convoquée.

L'avis doit indiquer le jour, le lieu et l'heure de l'assemblée ainsi que les questions qui y seront traitées.

À défaut d'autres dispositions prévues dans l'acte constitutif ou dans les règlements de la compagnie, l'avis de l'endroit, de la date et de l'heure d'une assemblée générale, y compris des assemblées annuelles et spéciales ou extraordinaires, doit être expédié par courrier recommandé à chaque actionnaire à sa dernière adresse connue :

- pour une **compagnie provinciale**, au moins 10 jours avant la date de l'assemblée ;
- pour une **compagnie fédérale**, entre le 21e et le 50e jour avant la date de l'assemblée.

La L.C.Q. prévoit qu'un actionnaire ou un groupe d'actionnaires représentant 10 % des actionnaires peut demander la convocation d'une assemblée spéciale des actionnaires et au besoin la convoquer lui-même. La L.S.A. fixe à 5 % le nombre des actionnaires requis à cette fin.

Les petites compagnies n'adressent, bien souvent, aucun avis de convocation aux actionnaires ; il suffit que les personnes présentes à l'assemblée signent une renonciation pour rendre cette assemblée valide (voir figure 14.2, page 386).

QUORUM

Quorum : Nombre minimal de personnes présentes nécessaire pour qu'une assemblée soit valide et que l'on puisse passer au vote.

Le *quorum* est le nombre minimal de personnes présentes nécessaire pour qu'une assemblée soit valide et que l'on puisse passer au vote.

Pour les compagnies comprenant de nombreux actionnaires, un quorum peu élevé (par exemple 30 % ou moins des actionnaires) est souhaitable, alors que pour les compagnies comprenant un nombre restreint d'actionnaires, le quorum peut être plus élevé (par exemple 51 %).

RENONCIATION À L'AVIS DE CONVOCATION

Nous, soussignés, renonçons par les présentes à l'avis de convocation à
l'assemblée spéciale de la compagnie ABC ltée qui aura lieu à Montréal,
le 17 août 1995, à 10 heures, consentons à ce que cette assemblée soit tenue
et acceptons d'avance toutes les questions à l'ordre du jour qui seront discutées
au cours de cette assemblée, ou à tout ajournement.

_____   _____
Johanne Triggs   Blanche L'Espérance

_____   _____
Philippe Parizeau   Paul Archambault

_____   _____
Donat Parizeau   Roger Archambault

_____   _____
Marc-André Roy   Yvan Saint-Pierre

_____   _____
Gilberte Delorme   Aimé Dugas

_____   _____
Jean P. Dégé   Marcel Rochon

Figure 14.2   Exemple de renonciation à l'avis de convocation

COMPAGNIE PROVINCIALE   La *Loi sur les compagnies du Québec* ne fixe aucun
quorum, mais il est recommandé de le fixer dans l'acte constitutif et surtout dans
les règlements de la compagnie.

COMPAGNIE FÉDÉRALE   La L.S.A. prévoit qu'il y a quorum lorsque les détenteurs d'actions représentant plus de 50 % des voix sont présents ou représentés
par fondés de pouvoir. La Loi prévoit que les règlements de la compagnie peuvent
fixer un quorum différent. S'il n'y a pas quorum, les actionnaires ne peuvent
commencer l'assemblée.

VOTE

DISPOSITIONS COMMUNES   L'actionnaire se voit attribuer un nombre de
votes égal au nombre d'actions assorties du droit de vote qu'il détient. Le droit de

vote rattaché aux actions est assujetti aux restrictions, droits et privilèges stipulés dans l'acte constitutif. En général, on respecte le principe suivant : **une action égale un vote**. Ainsi, le vote de la personne qui possède 100 actions ordinaires assorties du droit de vote représente 100 voix ; par ailleurs, la personne qui détient un certain nombre d'actions privilégiées ne comportant pas le droit de vote ne peut pas voter aux assemblées des actionnaires (sauf dans certains cas).

Ainsi, l'actionnaire ou le groupe d'actionnaire qui détient 50 % + 1 des actions de la compagnie en détient le contrôle. Il pourra donc à l'assemblée annuelle, élire tous les administrateurs de son choix, y compris lui-même. C'est ce qu'on appelle le *contrôle absolu* de la compagnie. Les statuts de constitution peuvent aussi prévoir une catégorie d'actions donnant plusieurs droits de vote à son détenteur (par exemple : dix votes par action). En général, le vote se prend à la majorité des voix, sauf pour les décisions importantes.

Le vote peut se prendre à main levée, à voix ouverte, c'est-à-dire que chacun présente oralement le nombre d'actions qu'il détient, ou par scrutin secret. Les règlements généraux de la compagnie précisent généralement la forme adoptée, à défaut de quoi il appartient au président de décider. Tout actionnaire ou fondé de pouvoir peut demander le vote par scrutin secret.

En cas d'égalité de vote entre les actionnaires et, à moins de dispositions contraires dans les règlements de la compagnie, le président de l'assemblée possède un vote prépondérant qui lui permet de briser l'égalité.

VOTE PAR PROCURATION   L'actionnaire qui a le droit d'assister et de voter à une assemblée, mais qui ne peut être présent, peut voter par procuration. Une *procuration* est un écrit par lequel un actionnaire confie à une personne de son choix, qu'on appelle fondé de pouvoir, le mandat de voter en son nom, et suivant ses recommandations, à une assemblée générale, annuelle, spéciale ou extraordinaire de la compagnie.

Une procuration peut être manuscrite, dactylographiée ou imprimée (voir figure 14.4, page 388). Un fondé de pouvoir n'est pas nécessairement un actionnaire de la compagnie. La procuration doit être datée et contenir la nomination et le nom du fondé de pouvoir. Elle est valable pour une assemblée précise ou son ajournement. L'actionnaire peut révoquer en tout temps une procuration, à la condition d'en aviser la compagnie.

> **Procuration** : Écrit par lequel un actionnaire confie à une personne de son choix, qu'on appelle fondé de pouvoir, le mandat de voter en son nom, et suivant ses recommandations, à une assemblée générale, annuelle, spéciale ou extraordinaire de la compagnie.

Figure 14.3   Même un actionnaire peut faire valoir ses droits.

PROCURATION

Je, soussigné, Richard L'Absent, constitue par les présentes Mme Blanche
Desjardins mon fondé de pouvoir et mandataire, et l'autorise à voter pour et
en mon nom à l'assemblée spéciale des actionnaires de la compagnie ABC ltée
qui doit avoir lieu le 22 août 1995 à Laval, au siège social de la compagnie,
à 10 h 00, et à tout ajournement de cette assemblée. La présente procuration
et autorisation vaut pour toutes les actions de la compagnie enregistrées
en mon nom, soit 1000 actions ordinaires.

EN FOI DE QUOI, j'ai signé à Montréal, ce 17 juillet 1995.

_____

Richard L'Absent

Figure 14.4   Exemple de procuration

COMPAGNIE PROVINCIALE   Une procuration peut être donnée pour toutes
les assemblées visées par la période spécifiée sur la procuration. Le fondé de
pouvoir ne peut voter à main levée. Cela signifie que l'on doit procéder au vote
par scrutin secret lorsqu'une personne se présente à l'assemblée munie d'une
procuration.

COMPAGNIE FÉDÉRALE   La loi prévoit que les administrateurs doivent
expédier un formulaire de procuration avec l'avis de convocation. Les sociétés qui
comptent plus de 15 actionnaires sont soumises à une réglementation très stricte
en ce qui concerne la sollicitation de procuration, tandis que celles qui comptent
moins de 15 actionnaires ne sont pas visées par cette disposition.

RÉSOLUTIONS SIGNÉES ET CONFÉRENCES TÉLÉPHONIQUES

L'article 123.96 de la L.C.Q. et les articles 2.1 et 142 de la L.S.A. prévoient que la résolution écrite et signée par tous les actionnaires de la compagnie ayant le droit de vote a la même valeur que si elle avait été adoptée à une assemblée dûment convoquée. Un exemplaire d'une telle résolution doit être conservé dans le registre des procès-verbaux de la compagnie. Ces dispositions sont valables pour les compagnies régies par la Partie 1A de la L.C.Q. et pour les compagnies fédérales.

La L.S.A. et la Partie 1A de la L.C.Q. accordent aux compagnies privées (sociétés fermées) la possibilité de tenir des assemblées d'actionnaires sous forme de *conférence téléphonique* si les documents constitutifs ou les règlements le permettent, ou si tous les actionnaires y consentent. La seule difficulté de ce genre d'assemblée est l'impossibilité de procéder au vote par scrutin secret. Une demande en ce sens de la part d'un actionnaire met donc fin à l'assemblée.

PROCÈS-VERBAL

En général, c'est le secrétaire de la compagnie qui rédige le compte rendu ou le **procès-verbal** d'une assemblée. La figure 14.5, page 390, donne un exemple d'un tel procès-verbal, qui doit être contresigné par le président de l'assemblée ou de la compagnie selon les cas.

Une copie du procès-verbal de toutes les assemblées doit être conservée dans le registre des procès-verbaux de la compagnie.

TYPES D'ASSEMBLÉES

Il existe deux types d'assemblées d'actionnaires :
- l'assemblée annuelle ;
- l'assemblée spéciale ou extraordinaire.

ASSEMBLÉE ANNUELLE   Les dispositions de l'article 98.1 de la L.C.Q. et de l'article 133 (a) de la L.S.A. obligent les compagnies à tenir une **assemblée annuelle**. Cette assemblée réunit tous les détenteurs d'actions assorties d'un droit de vote. À cette assemblée annuelle des actionnaires, les administrateurs de la compagnie rendent compte de leur administration pour l'année qui vient de s'écouler. De plus, ils soumettent à l'approbation des actionnaires les sujets suivants :

1. le bilan et les états financiers de la compagnie pour l'exercice terminé ;
2. le rapport des vérificateurs ou des experts-comptables de la compagnie, selon le cas ;
3. les règlements de la compagnie ;
4. la nomination du vérificateur ou de l'expert-comptable des comptes de la compagnie ;
5. l'élection des administrateurs.

L'expert-comptable ou le vérificateur est habituellement un comptable qui ne possède aucun intérêt dans la compagnie. Il ne peut être ni administrateur ni dirigeant de la compagnie. Le vérificateur a accès à tous les registres et documents et doit préparer les rapports financiers de la société.

Les actionnaires peuvent, par vote unanime, nommer un expert-comptable au lieu d'un vérificateur ; le mandat de l'expert-comptable dure jusqu'à l'assemblée annuelle suivante.

La L.S.A. prévoit que les compagnies privées (sociétés fermées) dont les revenus bruts ne dépassent pas 10 millions de dollars, ou dont l'actif ne dépasse pas 5 millions de dollars peuvent, par résolution, décider de nommer un expert-comptable plutôt qu'un vérificateur. Cette disposition permet de réduire les coûts de vérification des comptes.

PROCÈS-VERBAL

Assemblée spéciale des actionnaires de la compagnie ABC ltée, tenue à Laval au 5214, avenue du Parc, siège social de la compagnie, le 17 août 1995 à 10 heures.
Sont présents :

Mme Gilberte Delorme
Mme Johanne Triggs
M. Roger Archambault
M. Aimé Dugas
M. Philippe Parizeau
M. Yvan Saint-Pierre

Mme Blanche L'Espérance
M. Paul Archambault
M. Jean P. Dégé
M. Donat Parizeau
M. Marcel Rochon

Est présent par procuration : M. Richard L'Absent représenté par Mme Blanche Desjardins,
Le quorum des actionnaires étant atteint, l'assemblée est déclarée régulièrement constituée.

1. **Élection des président et secrétaire de l'assemblée**
Il est proposé par M. Donat Parizeau, appuyé par Mme Johanne Triggs, que M. Jean P. Dégé agisse à titre de président de l'assemblée et que M. Marcel Rochon agisse à titre de secrétaire. La proposition est **adoptée à l'unanimité.**

2. **Convocation**
Le secrétaire donne lecture de la renonciation à l'avis de convocation à la présente assemblée et le président lui donne instruction d'en joindre une copie au procès-verbal de l'assemblée.

3. **Adoption de l'ordre du jour**
Il est proposé par Mme Blanche Desjardins, appuyée par M. Paul Archambault, que le projet d'ordre du jour de la présente assemblée soit adopté. La proposition est **adoptée à l'unanimité.**

4. **Adoption du procès-verbal**
Après lecture du procès-verbal de la dernière assemblée des actionnaires de la compagnie, il est proposé par M. Roger Archambault, appuyé par Mme Gilberte Delorme, que le procès-verbal de l'assemblée des actionnaires tenue le 14 mars 1995 soit adopté et qu'il soit consigné au registre des procès-verbaux de la compagnie. La proposition est **adoptée à l'unanimité.**

5. **Changement de nom**
Il est proposé par M. Marcel Rochon, appuyé par M. Philippe Parizeau, que le règlement n° 1995-1, adopté par les administrateurs à l'assemblée tenue le 27 juillet 1995 et voulant que le nom de la compagnie soit changé pour celui de Sogesdad inc., soit approuvé et ratifié intégralement. La proposition est **adoptée à l'unanimité.**

6. **Changement du nombre des administrateurs**
Il est proposé par Mme Blanche L'Espérance, appuyée par Mme Johanne Triggs, que le règlement n° 1995-2, adopté par les administrateurs à une assemblée tenue le 27 juillet 1995 et changeant le nombre des administrateurs de la compagnie, fixé à 5 au départ, pour l'établir désormais à un minimum de 5 et à un maximum de 11 administrateurs, soit approuvé et ratifié intégralement. La proposition est **adoptée à l'unanimité.** Il est de plus ordonné au président de signer tous les documents nécessaires pour modifier en conséquence le certificat de constitution de la compagnie.

7. **Dissolution de l'assemblée**
L'ordre du jour étant épuisé, l'assemblée est levée.

PROCÈS-VERBAL approuvé au cours d'une assemblée tenue le _____ .

_____   _____
Secrétaire   Président

Figure 14.5 Exemple de procès-verbal d'une assemblée spéciale d'actionnaires

Généralement, l'assemblée annuelle a lieu à la date et à l'endroit déterminés dans l'acte constitutif ou dans les règlements de la compagnie. À défaut de telles dispositions, elle doit avoir lieu chaque année :

. pour la **compagnie provinciale** :
le 4e mercredi de janvier ;

. pour la **compagnie fédérale** :
au plus tard dans les 18 mois suivant la création de la compagnie et ensuite dans les 15 mois après l'assemblée annuelle précédente.

Il est important de souligner que l'actionnaire ou le groupe d'actionnaires qui détient 50 % + 1 des voix, des actions avec droit de vote peut élire les administrateurs de son choix à l'assemblée annuelle de la compagnie, car ceux-ci sont élus par le vote majoritaire des actionnaires. Il détient alors le **contrôle de la compagnie**.

ASSEMBLÉE SPÉCIALE OU EXTRAORDINAIRE Certaines décisions des administrateurs requièrent l'approbation des actionnaires. Ces décisions sont prises au moyen de règlements ou de résolutions spéciales. En principe, les affaires courantes de la compagnie ne requièrent pas la convocation d'une assemblée spéciale. Ainsi les articles 91 (3) de la L.C.Q. et 103 (1) de la L.S.A. stipulent que les administrateurs de la compagnie peuvent établir, modifier ou révoquer des résolutions ou des règlements généraux concernant les affaires commerciales et internes de la compagnie. Ces articles prévoient également que ces résolutions ou ces règlements généraux sont valides jusqu'à l'assemblée annuelle suivante, au cours de laquelle ils doivent être ratifiés par les actionnaires. À défaut d'une telle ratification, ils cessent d'être en vigueur.

Par ailleurs, les lois fédérale et provinciale prévoient un certain nombre de cas où des décisions importantes doivent être soumises à l'approbation immédiate et à la ratification des actionnaires. On convoque à cette fin une **assemblée spéciale**. La L.C.Q. utilise l'expression assemblée spéciale alors que la L.S.A. parle plutôt d'**assemblée extraordinaire**.

Dans la majorité des cas, c'est par un vote correspondant aux deux tiers de la valeur des actions détenues par les actionnaires présents que l'on doit ratifier les décisions des administrateurs à une assemblée spéciale. Ces dispositions sont aussi soumises à toute convention unanime des actionnaires établissant un pourcentage plus élevé (75 %, par exemple) pour la ratification des décisions.

CAS NÉCESSITANT UNE ASSEMBLÉE SPÉCIALE OU EXTRAORDINAIRE Les administrateurs doivent convoquer une assemblée spéciale dans les cas suivants :
- changement de dénomination sociale ;
- changement de siège social ;
- changement du nombre d'administrateurs ;
- changement apporté au certificat de constitution ;
- changement apporté au capital-actions autorisé ;
- diminution des activités de la compagnie ;
- emprunt, hypothèque ;
- changement apporté aux règlements généraux ;
- fusion avec une autre compagnie ;
- création d'un comité de direction (comité exécutif) ;
- achat d'actions d'autres compagnies ;
- liquidation et dissolution volontaire ;
- décision de ne pas nommer de vérificateur ;
- vente de l'actif d'une compagnie fédérale.

LES ADMINISTRATEURS

Les affaires courantes de la compagnie sont gérées par les **administrateurs, officiers, directeurs** ou **dirigeants** de la compagnie.

« La personne morale est représentée par ses dirigeants, qui l'obligent dans la mesure des pouvoirs que la loi, l'acte constitutif ou les règlements leur confèrent. (art. 312 C.c.Q.). »

« Les affaires de la compagnie sont administrées par un conseil d'administration composé d'un ou de plusieurs administrateurs. Toutefois, les affaires d'une compagnie qui a réalisé une distribution publique de ses valeurs mobilières sont administrées par un conseil d'administration composé d'au moins trois administrateurs (art. 123.72 L.C.Q.). »

« Sous réserve de toute convention unanime des actionnaires, les administrateurs gèrent les affaires tant commerciales qu'internes de la société (art. 102 (1) L.S.A.). »

Généralement, la rémunération des administrateurs est fixée par le conseil d'administration. On distingue deux sortes d'administrateurs, les **administrateurs provisoires** et les **administrateurs permanents**.

ADMINISTRATEURS PROVISOIRES

Les administrateurs provisoires de la compagnie sont les personnes mentionnées dans l'avis relatif à la constitution du conseil d'administration qui accompagne les statuts de constitution. Il peut s'agir de personnes différentes du ou des fondateurs. Leur mandat débute à la date mentionnée sur le certificat de constitution et se termine à l'assemblée d'organisation de la compagnie, à l'occasion de laquelle les administrateurs permanents sont nommés.

ADMINISTRATEURS PERMANENTS

ÉLIGIBILITÉ

Peut être administrateur toute **personne physique**, sauf :
- une personne âgée de moins de 18 ans ;
- un majeur en tutelle ou en curatelle ;
- une personne déclarée incapable par un tribunal d'une autre province ou d'un autre pays ;
- un failli non libéré.

À l'exception des anciennes compagnies constituées en vertu de la Partie 1 de la L.C.Q. où il faut être actionnaire pour être administrateur d'une compagnie et sauf disposition contraire dans le Certificat de constitution de la compagnie, il n'est pas nécessaire d'être actionnaire d'une compagnie pour en être administrateur.

La Loi permet la nomination d'un seul administrateur dans le cas des compagnies privées ; dans le cas des compagnies publiques, la Loi fixe à trois le nombre minimal des administrateurs. La Loi permet de déterminer le nombre d'administrateurs soit par un nombre précis, soit par un minimum et un maximum.

Il est important de préciser que la L.S.A. exige que la majorité des membres du conseil d'administration d'une compagnie fédérale soit des résidents canadiens.

ÉLECTION ET MANDAT

Nous avons vu précédemment que les administrateurs de la compagnie étaient élus à l'assemblée annuelle, par scrutin secret, par le vote majoritaire des actionnaires votants. Ils sont habituellement élus pour un an, mais leur mandat peut se prolonger jusqu'à deux ans pour les compagnies provinciales ; pour les compagnies fédérales, ce mandat ne peut se prolonger au-delà de la troisième assemblée annuelle qui suit l'assemblée au cours de laquelle ils ont été élus. Cependant, soulignons que les administrateurs peuvent être réélus pour plusieurs mandats.

S'il subsiste des postes vacants au sein du conseil d'administration, les administrateurs peuvent les pourvoir en y nommant des personnes éligibles, pour autant qu'il y ait quorum. Signalons que le mandat des administrateurs ne prend pas fin automatiquement et que ces derniers demeurent en poste jusqu'à ce que leurs remplaçants soient nommés.

Les compagnies constituées en vertu de la Partie 1A de la L.C.Q. et celles constituées en vertu de la L.S.A. doivent aviser l'Inspecteur général ou le Directeur du service des corporations, selon le cas, de tous les changements qui surviennent au sein du conseil d'administration.

DÉMISSION ET DESTITUTION

Par ailleurs, rien n'empêche l'administrateur d'une compagnie provinciale ou fédérale de démissionner de son poste, en tout temps. D'une façon générale, l'administrateur expédie à la compagnie une lettre de démission et celle-ci prend effet à compter de la date mentionnée dans la lettre. La démission est effective indépendamment de l'acceptation du conseil d'administration. L'administrateur démissionnaire cesse d'occuper ses fonctions même si aucun remplaçant n'est nommé. À moins de dispositions contraires dans l'acte constitutif (art. 123.77 L.C.Q. et 109 (1) L.S.A.), les actionnaires d'une compagnie constituée en vertu de la Partie 1A ou de la L.S.A. peuvent destituer les administrateurs d'une compagnie au moyen d'une résolution à la majorité absolue. Le motif de destitution doit être sérieux.

OFFICIERS - DIRIGEANTS

Le conseil d'administration peut déléguer certains de ses pouvoirs à des **officiers** (selon la L.C.Q.) ou des **dirigeants** (selon la L.S.A.) qui voient aux affaires courantes de la compagnie. Il n'est pas nécessaire d'être administrateur de la compagnie pour y remplir le rôle de dirigeant. À moins de dispositions contraires précisées dans l'acte constitutif ou dans les règlements, les administrateurs élisent ou nomment les dirigeants et déterminent leur responsabilité. De la même façon, ils peuvent les destituer. Généralement, leur mandat est de un an, mais il peut être prolongé.

Les postes de dirigeants les plus courants au sein d'une entreprise sont les suivants : président, vice-président, secrétaire, trésorier, directeur général, directeur, etc. Les dirigeants répondent de leurs actes devant le conseil d'administration et doivent agir au mieux de leurs connaissances. Par ailleurs, différentes lois pénales les tiennent responsables au même titre que les administrateurs de la compagnie, en cas de défaut.

COMITÉ DE DIRECTION

Le conseil d'administration peut également déléguer certains de ses pouvoirs à un comité de direction[1] qui s'occupera des affaires courantes de la compagnie. Ce comité doit en outre rendre compte de sa gestion au conseil d'administration. La L.S.A. parle plutôt d'un comité du conseil d'administration.

RESPONSABILITÉ DES ADMINISTRATEURS

En principe, les administrateurs agissent à titre de mandataires de la compagnie et à ce titre, ils n'engagent pas de responsabilité personnelle quant à l'administration de la compagnie. Dans l'exercice de leurs fonctions, ils doivent agir avec intégrité et bonne foi, avec soin, diligence et compétence, en servant de leur mieux les intérêts de la compagnie, comme le ferait en pareilles circonstances une personne raisonnable. On n'exige pas d'eux qu'ils possèdent des qualités de gestionnaire hors pair. Ainsi, s'ils administrent raisonnablement bien les affaires de la compagnie, s'ils respectent les obligations que la loi leur impose, les statuts et les règlements de la société, de même que les conventions unanimes des actionnaires, et s'ils sont honnêtes et de bonne foi, en principe, les administrateurs n'engagent aucune responsabilité personnelle.

---

1. L'expression comité exécutif est souvent employée bien qu'il s'agisse d'un anglicisme.

Par ailleurs, la responsabilité des administrateurs diminue dans la mesure où les actionnaires l'assument en vertu d'une convention unanime. D'une façon générale, ils ne doivent jamais se placer dans une position de conflit d'intérêts au regard des affaires de la compagnie. L'administrateur présent à une assemblée du conseil d'administration est présumé avoir accepté toutes les résolutions adoptées, sauf si sa dissidence est consignée dans le registre des procès-verbaux.

Dans tous les cas, lorsqu'il a déjà approuvé une décision, l'administrateur ne peut se rétracter et faire valoir sa dissidence.

ADMINISTRATEUR ABSENT

L'administrateur qui était absent à une assemblée convoquée en vertu de la Partie 1 de la L.C.Q. est présumé avoir acquiescé aux décisions prises. S'il veut éviter toute responsabilité personnelle, il doit faire inscrire sa dissidence dans le registre des procès-verbaux dans les 24 heures à compter du moment où il prend connaissance de la résolution qu'il désapprouve. Il fait ensuite publier un avis de son opposition, dans les huit jours, dans un journal de la localité du siège social de la compagnie.

L'administrateur d'une compagnie régie par la Partie 1A de la L.C.Q. qui était absent à une assemblée est présumé ne pas avoir acquiescé à cette décision. Quant à l'administrateur d'une compagnie fédérale qui était absent à une assemblée, il est présumé avoir acquiescé aux décisions prises à moins que, dans les sept jours suivant la date où il a eu connaissance des décisions, sa dissidence n'ait été consignée au registre des procès-verbaux, n'ait été remise ou n'ait fait l'objet d'un avis écrit, expédié par courrier recommandé.

La loi fédérale et la loi provinciale prévoient que les administrateurs sont dégagés de toute responsabilité s'ils prouvent qu'ils ont agi de bonne foi en suivant l'opinion d'un expert, tel le comptable ou l'avocat de la compagnie. La loi prévoit, par ailleurs, un certain nombre de cas où les administrateurs peuvent engager leur responsabilité personnelle et solidaire. Nous résumerons ici les situations les plus fréquentes.

Figure 14.6 Agir avec prudence, diligence et honnêteté

RESPONSABILITÉS PARTICULIÈRES DES ADMINISTRATEURS

Les principales responsabilités des administrateurs sont :

- les salaires des employés ;
- le transfert d'actions ;
- le paiement de dividendes ;
- les prêts aux actionnaires ;
- le rachat d'actions de la compagnie ;
- les livres de la compagnie ;
- la dissolution de la compagnie ;
- la production de rapports ;
- les questions fiscales ;
- les questions pénales ;
- les conflits d'intérêts et transactions d'initiés.

SALAIRES DES EMPLOYÉS Les administrateurs de la compagnie sont solidairement responsables envers les employés, jusqu'à concurrence de six mois de salaire, pour les services rendus pendant leur administration respective (art. 96 (1) L.C.Q. et 119 de la L.S.A.). Le terme « salaire » comprend les commissions, les vacances et les avantages sociaux. L'administrateur qui est obligé de payer la totalité des salaires dus peut récupérer des autres administrateurs la part qu'il a versée en leur nom. En principe, cette responsabilité se limite à des sommes d'argent peu élevées, étant donné que l'on congédie les employés dès que les affaires de la compagnie commencent à décliner.

TRANSFERTS D'ACTIONS Dans le cas des sociétés constituées en vertu de la L.C.Q., nul transfert d'actions dont le paiement n'a pas été fait entièrement à la compagnie ne peut s'effectuer sans le consentement des administrateurs. Si les administrateurs consentent à un tel transfert d'actions à une personne insolvable, ils engagent leur responsabilité conjointe et solidaire envers les créanciers de la compagnie (art. 72 L.C.Q.). La L.S.A. ne prévoit pas une telle responsabilité, car toutes les actions d'une compagnie fédérale doivent être entièrement payées avant d'être émises.

PAIEMENT DE DIVIDENDES Les administrateurs d'une compagnie ne peuvent émettre un dividende qui entame le capital de la compagnie ou qui la rend insolvable. Les administrateurs qui consentent au paiement d'un tel dividende engagent leur responsabilité personnelle et solidaire, à moins qu'ils n'aient fait enregistrer leur opposition ou leur dissidence conformément aux dispositions de la loi comme l'illustre le tableau 14.1, page 396.

PRÊTS AUX ACTIONNAIRES La Loi interdit à une compagnie constituée en vertu de la Partie 1 de la L.C.Q. de faire un prêt à ses actionnaires. En ce qui concerne la société constituée en vertu de la Partie 1A de la L.C.Q., la loi défend à la compagnie de faire des prêts à ses actionnaires, ou de cautionner la dette d'un actionnaire, mais elle prévoit certaines exceptions à cette règle.

Quant aux compagnies fédérales, les prêts aux actionnaires sont défendus, sauf ceux consentis pour l'achat d'une résidence ou d'actions de la compagnie. En pratique, les administrateurs ne sont responsables que dans les cas où un prêt rend une compagnie insolvable. Les administrateurs qui, malgré une situation d'insolvabilité, prêtent l'argent d'une société à un actionnaire, engagent une responsabilité personnelle et solidaire, jusqu'à concurrence du montant prêté et de l'intérêt.

Tableau 14.1   Tableau comparatif de la responsabilité des administrateurs quant au paiement de dividendes qui entament le capital ou qui rendent la compagnie insolvable

En vertu de la partie 1A de la L.C.Q.	En vertu de la L.S.A.
Les administrateurs doivent, avant de déclarer un dividende, faire le test de solvabilité prévu par la Loi. Si, malgré ce test, ils émettent un tel dividende, ils sont aussi solidairement responsables, mais seulement des sommes ainsi payées et qui n'ont pas pu être recouvrées. Ils ne sont donc pas responsables de la totalité des dettes de la compagnie (art. 123.70 et 123.71 L.C.Q.).	Les administrateurs doivent, avant de déclarer un dividende, faire le test de solvabilité prévu par la Loi. Les administrateurs qui, malgré ce test, ont voté un dividende qui entame le capital ou qui rend la compagnie insolvable sont solidairement et personnellement responsables. Ils devront restituer à la compagnie les sommes en cause non encore recouvrées. Ils peuvent demander au tribunal une ordonnance forçant les bénéficiaires ayant reçu ces sommes à les remettre à la compagnie.
Exemption L'administrateur qui était présent à l'assemblée au cours de laquelle a été voté le dividende et qui a fait enregistrer son opposition dans le livre des procès-verbaux n'engage aucune responsabilité. L'administrateur d'une compagnie québécoise soumise à la Partie 1A qui était absent à l'assemblée est présumé ne pas avoir approuvé la résolution qui y a été adoptée (art. 123.86 L.C.Q.).	**Exemption** L'administrateur qui était **présent à l'assemblée** au cours de laquelle a été voté le dividende et qui a fait enregistrer sa dissidence au livre des procès-verbaux, ou qui a envoyé un avis écrit en ce sens au secrétaire de la compagnie avant l'assemblée ou après l'ajournement de l'assemblée, n'engage aucune responsabilité. L'administrateur qui était **absent à l'assemblée** et qui a, dans les sept jours suivants, fait consigner sa dissidence au livre des procès-verbaux ou qui a envoyé un avis écrit en ce sens au siège social de la compagnie, par courrier recommandé, n'engage aucune responsabilité. Avant de déclarer un dividende, les administrateurs devront donc s'assurer de la solvabilité de la compagnie. Pour ce faire, la L.C.Q., de même que la L.S.A., prévoit certains tests de solvabilité que les administrateurs devront respecter. Ils devront aussi consulter les experts-comptables et vérificateurs de la compagnie.

RACHAT D'ACTIONS PAR LA COMPAGNIE   Les administrateurs d'une compagnie régie par la Partie 1A de la L.C.Q. ou par la L.S.A. peuvent généralement voter le rachat des actions entièrement payées que la société a émises, à moins qu'il ne soit démontré que ce rachat d'actions rend la compagnie insolvable. Dans cette éventualité, les administrateurs engagent leur responsabilité solidaire quant aux sommes versées et non recouvrées par la société. Ce principe s'applique aussi dans le cas du rachat des actions d'un actionnaire dissident.

LIVRES DE LA COMPAGNIE   Les administrateurs et dirigeants d'une compagnie qui refusent ou négligent de faire les entrées nécessaires dans les registres ou qui refusent l'examen de ces registres à ceux à qui la loi le permet ou y font de fausses entrées engagent leur responsabilité personnelle.

DISSOLUTION DE LA COMPAGNIE   Dans le cas de la dissolution volontaire d'une compagnie constituée en vertu de la L.C.Q., les administrateurs doivent payer les dettes à même l'actif de la compagnie, ou obtenir que ses créanciers consentent à la dissolution. Sinon, ils risquent d'être tenus personnellement et solidairement responsables du paiement de ces dettes envers tout créancier qui n'a pas donné son consentement. La loi fédérale ne contient pas de telles dispositions.

PRODUCTION DE RAPPORTS   Certaines lois particulières imposent aux administrateurs de la compagnie l'obligation de produire des rapports aux gouvernements provincial et fédéral. À défaut de produire ces rapports, les administrateurs engagent leur responsabilité personnelle et sont même passibles d'amendes.

- *Loi sur la publicité légale des entreprises*
- *Loi sur les normes du travail*
- *Loi sur l'assurance-chômage*
- *Loi sur la santé et la sécurité du travail*
- *Loi sur les accidents du travail et les maladies professionnelles*

QUESTIONS FISCALES   L'article 227.1 de la *Loi sur l'impôt sur le revenu du Canada* tient les administrateurs d'une compagnie personnellement et solidairement responsables du versement de l'impôt fédéral retenu à la source sur le salaire de ses employés. Cette responsabilité s'étend non seulement aux arriérés d'impôt, mais aussi aux intérêts dus et aux pénalités encourues par la compagnie. Ce recours se prescrit par deux ans après la cessation des fonctions des administrateurs.

L'administrateur peut se libérer de sa responsabilité si le ministère du Revenu a pris action contre la compagnie et a réussi à recouvrer les sommes d'argent qui lui étaient dues, et si la compagnie n'a pas entrepris de procédures de liquidation, de dissolution, n'a pas fait cession de biens ou n'a pas déclaré faillite. Tout administrateur peut également se décharger de sa responsabilité en prouvant qu'il a agi comme toute personne raisonnable l'aurait fait dans les mêmes circonstances.

QUESTIONS PÉNALES   On retrouve dans la majorité des lois des dispositions à caractère pénal qui engagent la responsabilité personnelle des administrateurs et des dirigeants lorsque la compagnie contrevient à ces lois. Ainsi, l'administrateur qui consent à commettre une infraction ou qui y participe au même titre que la compagnie peut voir sa responsabilité pénale retenue. Pour être dégagé de sa responsabilité, il devra prouver qu'il a agi raisonnablement et de bonne foi, compte tenu des circonstances. Cette preuve s'avère souvent difficile à établir.

> *Exemple* : La *Loi sur la protection de l'environnement* tient les administrateurs d'une compagnie personnellement responsables en cas de pollution causée par la compagnie à leur connaissance.

CONFLIT D'INTÉRÊTS ET TRANSACTIONS D'INITIÉS   Tout administrateur ou dirigeant d'une compagnie qui possède des intérêts dans un contrat important conclu par la compagnie doit donner un avis écrit de ce fait, ou faire en sorte de consigner ce renseignement dans le registre des procès-verbaux. À défaut de se conformer à ces exigences, la compagnie ou un actionnaire peut demander l'annulation de ce contrat par le tribunal. Un administrateur placé dans une telle situation de conflit d'intérêts n'a pas droit de vote à l'assemblée où ce contrat est à l'ordre du jour.

La loi fédérale prévoit des dispositions spéciales relativement aux **transactions d'initiés**, c'est-à-dire aux affaires de nature à soulever des conflits d'intérêts entre les actionnaires, les administrateurs et la compagnie. La loi réglemente les transactions de ces personnes tant en ce qui concerne les valeurs mobilières de la compagnie qu'en ce qui concerne les contrats que ces personnes peuvent être amenées à signer avec cette dernière.

Voici deux exemples de situations de conflits d'intérêts :

Exemple : Robert, administrateur de la compagnie ABC ltée, a appris que la compagnie fusionnerait avec la compagnie XYZ inc.. Il sait pertinemment qu'une telle transaction fera sûrement doubler la valeur des actions de la compagnie d'ici un mois. Il achète donc 10 000 actions de la compagnie qui, effectivement, doublent de valeur.

Exemple : Claude est l'actionnaire principal de la compagnie ABC ltée et détient des actions dans la société Dubois ltée. Il a eu vent que cette dernière voulait agrandir son usine et faire des rénovations de l'ordre de deux millions de dollars. Comme il est aussi administrateur de la compagnie ABC ltée, il fait en sorte que cette compagnie obtienne le contrat pour effectuer les travaux de construction et de rénovation.

Dans chacun de ces cas, il y a conflit d'intérêts et la loi prévoit que ces personnes, appelées des « initiés » parce qu'elles détiennent, en raison de leur poste d'actionnaire ou d'administrateur, des renseignements privilégiés, doivent déclarer leurs intérêts dans ces transactions.

La L.C.Q. est silencieuse au sujet des conflits d'intérêts. Néanmoins, le *Code civil de la province de Québec* vient combler les lacunes de la L.C.Q. à ce sujet.

Nous reproduisons à la figure 14.7 les articles 321 à 326 du *Code civil du Québec.*

ASSEMBLÉES DES ADMINISTRATEURS

DISPOSITIONS GÉNÉRALES

Les administrateurs sont les mandataires de la compagnie. Ils en dirigent les affaires de façon collégiale et leurs décisions sont prises au moyen de résolutions et de règlements. Ils sont autorisés à conclure et à signer, au nom de la compagnie, les contrats et les documents permis par la loi, suivant les dispositions de l'acte constitutif et celles des règlements et de toute convention entre les actionnaires. Les administrateurs peuvent voter d'autres règlements tels que :

- la répartition des actions et les appels de versements ;
- la confiscation des actions ;
- la déclaration et le paiement de dividendes ;
- la rétribution des administrateurs ;
- la nomination des agents et des dirigeants de la compagnie ;
- la date, le lieu et la convocation des assemblées annuelles ;
- la conduite des affaires de la compagnie sur tous les autres rapports.

Ces règlements sont valides jusqu'à leur ratification par les actionnaires réunis en assemblée générale ou à l'assemblée annuelle suivante.

Les points importants concernant les assemblées des administrateurs sont :

- l'avis de convocation ;
- le quorum ;
- le vote ;
- le procès-verbal.

AVIS DE CONVOCATION

Les modalités de l'avis de convocation aux assemblées d'administrateurs sont habituellement mentionnées dans les règlements de la compagnie. La loi prévoit

DES OBLIGATIONS DES ADMINISTRATEURS ET DE LEURS INHABILITÉS

Art. 321 C.c.Q. L'administrateur est considéré comme mandataire de la personne morale. Il doit, dans l'exercice de ses fonctions, respecter les obligations que la loi, l'acte constitutif et les règlements lui imposent et agir dans les limites des pouvoirs qui lui sont conférés.

Art. 322 C.c.Q. L'administrateur doit agir avec prudence et diligence. Il doit aussi agir avec honnêteté et loyauté dans l'intérêt de la personne morale.

Art. 323 C.c.Q. L'administrateur ne peut confondre les biens de la personne morale avec les siens ; il ne peut utiliser, à son profit ou au profit d'un tiers, les biens de la personne morale ou l'information qu'il obtient en raison de ses fonctions, à moins qu'il ne soit autorisé à le faire par les membres de la personne morale.

Art. 324 C.c.Q. L'administrateur doit éviter de se placer dans une situation de conflit entre son intérêt personnel et ses obligations d'administrateur.

Il doit dénoncer à la personne morale tout intérêt qu'il a dans une entreprise ou une association susceptible de le placer en situation de conflit d'intérêts, ainsi que les droits qu'il peut faire valoir contre elle, en indiquant, le cas échéant, leur nature et leur valeur. Cette dénonciation d'intérêt est consignée au procès-verbal des délibérations du conseil d'administration ou à ce qui en tient lieu.

Art. 325 C.c.Q. Tout administrateur peut, même dans l'exercice de ses fonctions, acquérir, directement ou indirectement, des droits dans les biens qu'il administre ou contracter avec la personne morale.

Il doit signaler aussitôt le fait à la personne morale, en indiquant la nature et la valeur des droits qu'il acquiert, et demander que le fait soit consigné au procès-verbal des délibérations du conseil d'administration ou à ce qui en tient lieu. Il doit, sauf nécessité, s'abstenir de délibérer et de voter sur la question. La présente règle ne s'applique pas, toutefois, aux questions qui concernent la rémunération de l'administrateur ou ses conditions de travail.

Art. 326 C.c.Q. Lorsque l'administrateur de la personne morale omet de dénoncer correctement et sans délai une acquisition ou un contrat, le tribunal, à la demande de la personne morale ou d'un membre, peut, entre autres mesures, annuler l'acte ou ordonner à l'administrateur de rendre compte et de remettre à la personne morale le profit réalisé ou l'avantage reçu.

L'action doit être intentée dans l'année qui suit la connaissance de l'acquisition ou du contrat.

Figure 14.7 Articles 321 à 326 du *Code civil du Québec*

que tout administrateur peut renoncer par écrit à l'avis de convocation d'une assemblée du conseil d'administration, et que sa seule présence équivaut à une renonciation de l'avis de convocation, à moins qu'il n'y soit présent pour s'opposer à la tenue de l'assemblée en invoquant l'irrégularité de la convocation.

QUORUM

Ce sont les règlements de la compagnie qui fixent le quorum. Généralement, il est constitué de la majorité des administrateurs. À défaut de stipulations dans les règlements, la jurisprudence a retenu la règle de la majorité. Dans le cas des compagnies n'ayant qu'un seul administrateur, celui-ci forme le quorum. Pour les compagnies constituées en vertu de la L.S.A., la majorité des administrateurs présents doit être composée de résidents canadiens.

VOTE

Les décisions se prennent par vote à la majorité absolue. Au conseil d'administration, chaque administrateur a droit à un vote, quel que soit le nombre d'actions comportant le droit de vote qu'il détient. Le président ne possède aucun vote prépondérant en cas d'égalité des voix, à moins que ceci ne soit prévu dans les règlements de la compagnie.

Les administrateurs doivent être personnellement présents à l'assemblée, car la loi ne leur permet pas de voter par procuration, comme dans le cas des actionnaires. Ces assemblées peuvent se tenir par téléphone (conférence téléphonique) si tous les administrateurs sont d'accord. Les résolutions écrites et signées par tous les administrateurs ayant le droit de voter aux assemblées du conseil ont la même valeur que si elles avaient été adoptées à ces assemblées.

PROCÈS-VERBAL

En général, comme pour les assemblées d'actionnaires, c'est le secrétaire de la compagnie qui prend note du compte rendu ou procès-verbal des assemblées. Un exemplaire de celui-ci doit être conservé dans le registre des procès-verbaux de la compagnie.

LA DISSOLUTION ET LA LIQUIDATION DE LA COMPAGNIE

Une compagnie cesse d'exister soit par la décision des actionnaires qui conviennent d'une **dissolution volontaire**, soit par **dissolution forcée** à la suite d'un jugement des tribunaux, d'une décision du gouvernement ou d'une faillite.

DISSOLUTION VOLONTAIRE

COMPAGNIE PROVINCIALE   La compagnie québécoise peut demander sa liquidation volontaire en vertu soit du *Code civil* ou de la L.C.Q. par requête adressée à l'Inspecteur général des institutions financières, en mentionnant qu'elle n'a plus de dettes ni d'obligations, qu'elle s'est départie de ses biens et qu'elle a divisé son actif proportionnellement entre ses actionnaires, ou encore que le paiement de ses dettes est garanti ou que les créanciers de la compagnie ont consenti à la liquidation. Un avis de sa demande de dissolution doit être publié dans la *Gazette officielle du Québec* et dans un journal de la localité la plus proche de son siège social.

Elle peut aussi le faire en vertu de la *Loi sur la liquidation des compagnies*.

Il est important de noter que les administrateurs demeurent personnellement et solidairement responsables des dettes non payées de la compagnie envers les créanciers qui n'ont pas consenti à la dissolution.

COMPAGNIE FÉDÉRALE   La dissolution peut être demandée par les fondateurs s'ils le décident à l'unanimité et si la société n'a pas encore émis d'actions. Généralement, la dissolution est demandée par les actionnaires ou les administrateurs par une résolution spéciale qui doit être entérinée par les détenteurs de chaque catégorie d'actions. Dans les deux cas, des statuts de dissolution sont expédiés au Directeur. On donne alors un avis aux créanciers que la compagnie a cessé d'exister et qu'elle est dissoute à la date indiquée par le Ministère.

DISSOLUTION FORCÉE

COMPAGNIE PROVINCIALE   L'Inspecteur général des institutions financières peut révoquer et annuler l'acte constitutif de toute compagnie québécoise qui a omis de s'immatriculer ou de déposer, pendant deux ans, sa déclaration annuelle d'immatriculation prévue en vertu de la *Loi sur la publicité légale des entreprises*. La Loi prévoit que toute personne intéressée, créancier, actionnaire ou administrateur, peut demander la révocation de cette décision à l'Inspecteur général. Dans un tel cas, la compagnie reprend son existence, comme si elle n'avait jamais cessé d'exister.

Un actionnaire de la compagnie peut également s'adresser aux tribunaux pour obtenir la dissolution de la compagnie s'il a totalement perdu confiance en les administrateurs, s'il les soupçonne de fraude ou s'il y a impasse.

Le tribunal peut aussi intervenir pour ordonner la liquidation forcée d'une compagnie si elle ou ses administrateurs ont commis des irrégularités ou une fraude.

COMPAGNIE FÉDÉRALE   Le Directeur général peut demander la dissolution forcée de la compagnie si elle n'a pas commencé ses activités trois ans après la date de l'émission du certificat de constitution. Il peut également le faire si la compagnie n'a pas exploité son entreprise pendant trois ans, ou encore, si elle a omis de produire son rapport annuel et de payer les droits exigibles. Le Directeur expédie alors un avis de défaut et, finalement, émet un certificat de dissolution. Cette dissolution peut également être demandée sur présentation d'une requête au tribunal.

RÉSUMÉ

- La compagnie fonctionne sur deux plans : celui des actionnaires et celui des administrateurs.

- On devient actionnaire d'une compagnie soit par la souscription d'actions, soit par le transfert d'actions. Le titre de propriété d'un actionnaire est représenté par son certificat d'actions.

- Les actions confèrent aux actionnaires de nombreux droits quant aux affaires de la compagnie, notamment de recevoir les avis de convocation des assemblées d'actionnaires, d'y voter, d'élire les administrateurs de la compagnie à l'assemblée annuelle et de recevoir des dividendes.

- La responsabilité des actionnaires est limitée à leur mise de fonds.

- Il y a deux types d'assemblées d'actionnaires : l'assemblée annuelle et l'assemblée spéciale ou extraordinaire.

- Les affaires courantes de la compagnie sont gérées par les administrateurs de la compagnie, lesquels sont nommés par les actionnaires à l'assemblée annuelle.

- Dans l'exercice de leurs fonctions, ils doivent agir avec intégrité et bonne foi, avec diligence et compétence.

- La loi indique certaines responsabilités particulières quant aux salaires des employés, aux transferts d'actions, aux paiements de dividendes, en matière fiscale et pénale ainsi qu'en matière de conflits d'intérêts.

- La compagnie cesse d'exister soit par la décision des actionnaires qui conviennent d'une dissolution volontaire, soit par dissolution forcée.

RÉSEAU DE CONCEPTS

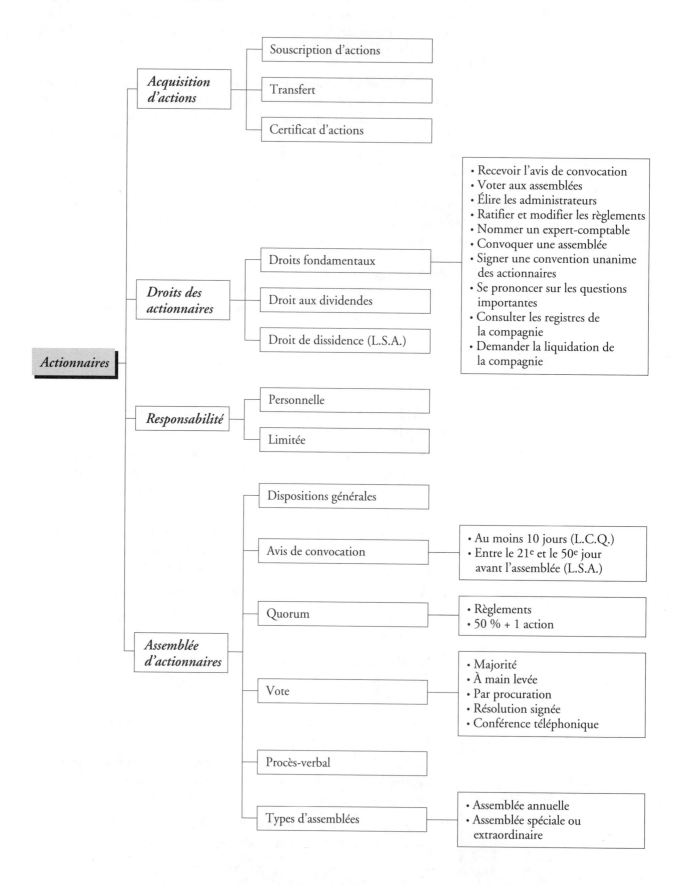

RÉSEAU DE CONCEPTS (SUITE)

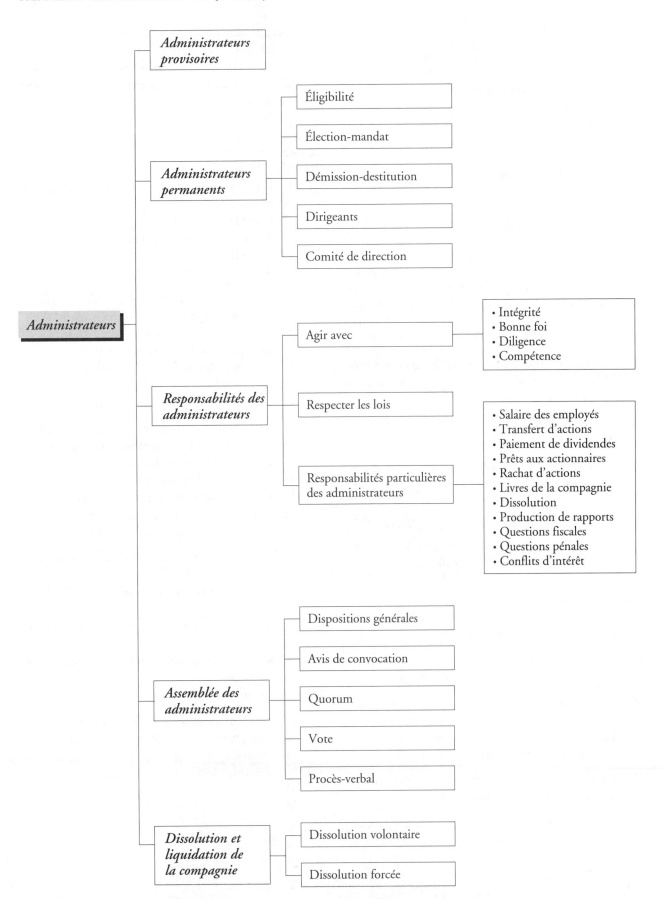

EXERCICES

ASSOCIATIONS

Associez un des termes ci-dessous à l'une des définitions qui suivent :

- certificat de constitution
- capital-actions autorisé
- certificat d'immatriculation
- ordinaires
- quorum
- avec valeur nominale
- privilégiées
- procuration
- sans valeur nominale
- avis de convocation

1. La __8__ est un écrit par lequel un actionnaire qui ne peut être présent à l'assemblée confie à une personne de son choix le mandat de voter en son nom, suivant ses recommandations à une assemblée des actionnaires de la compagnie.

2. Le __5__ est le nombre nécessaire de personnes présentes pour qu'une assemblée soit valide et que l'on puisse passer au vote.

3. Les actions d'une compagnie incorporée en vertu de la L.S.A. sont toutes des actions __6__ .

4. L'avis de la date, de l'endroit et de l'heure d'une assemblée générale des actionnaires porte le nom d' __10__ .

5. Le __2__ représente le nombre maximal ou la valeur maximale d'actions qu'une compagnie a le droit d'émettre pour assurer son financement.

VRAI OU FAUX

Indiquez si les affirmations suivantes sont vraies ou fausses. Si l'affirmation est fausse, précisez pourquoi.

1. Un failli non libéré d'une faillite ne peut accéder au conseil d'administration d'une compagnie.

2. L'avis de convocation d'une assemblée d'actionnaires d'une compagnie formée en vertu de la L.C.Q. doit être envoyé au moins 21 jours et au plus 50 jours avant la date de l'assemblée.

3. Les actionnaires peuvent forcer les administrateurs à voter un dividende chaque année.

4. Les administrateurs de la compagnie sont élus au cours d'une assemblée générale spéciale des actionnaires.

5. Les actionnaires d'une compagnie formée en vertu de la L.S.A. ou en vertu de la Partie 1A de la L.C.Q. peuvent s'approprier certains pouvoirs des administrateurs par le biais d'une convention unanime des actionnaires.

CHOIX MULTIPLES

1. Un actionnaire absent à une assemblée des actionnaires peut se faire remplacer par une autre personne au moyen :
   a) d'une lettre patente.
   b) d'une déclaration de dénomination sociale.
   c) d'une procuration.
   d) d'une résolution.

2. L'avis de convocation d'une assemblée des actionnaires d'une compagnie formée en vertu de la L.S.A. doit être envoyé par courrier recommandé :
   a) entre 21 et 50 jours avant l'assemblée.
   b) au moins 10 jours avant l'assemblée.
   c) au moins 5 jours avant l'assemblée.
   d) au plus 5 jours avant l'assemblée.

3. En cas de faillite de la compagnie, les administrateurs peuvent être tenus personnellement responsables de payer jusqu'à concurrence de :
   a) un mois de salaire dû aux employés.
   b) deux mois de salaire dû aux employés.
   c) trois mois de salaire dû aux employés.
   d) six mois de salaire dû aux employés.

4. Les administrateurs provisoires d'une compagnie sont en fonction :
   a) jusqu'à la première assemblée annuelle de la compagnie.
   b) jusqu'à la date de l'assemblée d'organisation de la compagnie.
   c) pour les deux premières années d'existence de la compagnie.
   d) aucune des réponses précédentes.

5. Dans une compagnie formée en vertu de la L.S.A., des actionnaires détenant au moins ____ des actions avec droit de vote peuvent convoquer une assemblée générale spéciale des actionnaires.
   a) 5 %
   b) 15 %
   c) 20 %
   d) 10 %

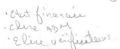

CAS PRATIQUES

1. Monique est administratrice de la compagnie S.O.S. ltée. Elle vous explique que la compagnie connaît des difficultés financières depuis quelque temps et que les autres administrateurs songent sérieusement à rencontrer un syndic de faillite pour que la compagnie fasse cession de ses biens. Monique, qui est également actionnaire de la compagnie, détient 5000 actions entièrement libérées. Les autres actions sont réparties également entre Denis Lavallée, Johanne Coleman, Serge Tellier et Francine Groulx, qui détiennent chacun 5000 actions. Ces actions sont entièrement payées, à l'exception de celles de Denis Lavallée qui doit encore 10 000 $.

Monique vous fait part de son inquiétude quant à la situation et de sa crainte d'être tenue personnellement responsable des dettes de la compagnie.

a) Expliquez-lui les dispositions de la loi concernant la responsabilité personnelle de l'actionnaire d'une compagnie.

b) Monique ajoute qu'elle craint d'être accusée de mauvaise gestion comme administratrice et d'être ainsi tenue personnellement responsable des dettes de l'entreprise. Expliquez-lui les règles régissant sa responsabilité générale, à titre d'administratrice de la compagnie.

c) Quelle est la responsabilité de Denis Lavallée à titre d'actionnaire ?

d) Monique engage-t-elle une responsabilité quant aux salaires des employés ? Expliquez votre réponse.

e) La compagnie n'ayant pas fait ses remises mensuelles d'impôt aux ministères concernés, Monique désire savoir si elle est personnellement responsable de leur versement. Expliquez-lui votre réponse.

2. Jean-François vient vous consulter et il vous révèle qu'il détient 1000 actions ordinaires de la compagnie Systèmes informatiques intégrés inc., société constituée en vertu de la Partie 1A de la L.C.Q. Il détient ces actions depuis deux ans, mais il ignore tout des affaires de cette compagnie. Il vient de recevoir un avis de convocation à l'assemblée annuelle qui aura lieu le 24 septembre au siège social de la compagnie.

a) En quoi consiste cette assemblée ?

b) Peut-il voter à cette assemblée ? Expliquez-lui pourquoi.

c) En cas d'absence, peut-il se faire remplacer ? Dans l'affirmative, rédigez le document nécessaire à cette fin.

d) Peut-il interroger le président sur les affaires de la compagnie ? Expliquez votre réponse.

e) A-t-il le droit de poser sa candidature à un poste d'administrateur ? Expliquez votre réponse.

f) La loi l'autorise-t-il à soumettre la candidature de son ami, Louis-Philippe, au poste d'administrateur, alors qu'il ne détient aucune action dans la compagnie ? Justifiez votre réponse.

3. Nicolas est administrateur de la compagnie Les Investissements Sara-Porte ltée, compagnie québécoise. Il vient vous consulter et vous explique que le conseil d'administration de cette compagnie se compose de trois membres : Jean Laruse, Robert Letarte et lui-même. Chacun a investi 100 000 $ dans la compagnie.

Depuis deux ans, Laruse veut obliger la compagnie à lui verser un dividende, ce que Nicolas a pu empêcher jusqu'à présent, étant donné que Letarte vote toujours comme lui au conseil d'administration.

Profitant des vacances de Nicolas, Laruse a convoqué une réunion du conseil d'administration au cours de laquelle il y avait quorum (soit deux personnes), puisque Laruse et Letarte étaient présents. Après avoir réussi à convaincre Letarte, Laruse et ce dernier ont voté un dividende de 10 $ par action. Nicolas vous explique que ce dividende entame le capital de la compagnie et risque de la rendre insolvable.

a) Quelles seront les conséquences de ce vote ?

b) Que peut faire Nicolas pour ne pas engager de responsabilité personnelle dans cette affaire :

   i) s'il s'agit d'une compagnie régie par la Partie 1 de la L.C.Q. ?

   ii) s'il s'agit d'une compagnie régie par la Partie 1A de la L.C.Q. ?

   iii) s'il s'agit d'une compagnie régie par la L.S.A. ?

c) Letarte peut-il modifier sa décision ? Expliquez votre réponse.

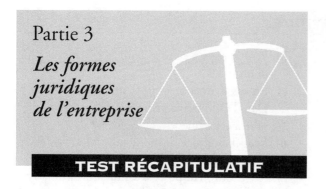

Partie 3
Les formes juridiques de l'entreprise

TEST RÉCAPITULATIF

Le but de cet examen est de vous permettre de procéder à une récapitulation des connaissances et compétences acquises dans les cinq chapitres constituant la Partie 3 du présent volume intitulée : *Les formes juridiques de l'entreprise.*

VOCABULAIRE

Complétez les énoncés suivants.

1. Le ___ d'une compagnie représente le nombre maximal ou la valeur maximale d'actions que la compagnie peut émettre pour assurer son financement.

2. La quote-part des profits réalisés par la compagnie et versée par les administrateurs aux actionnaires porte le nom de ___ .

3. Le ___ confirme l'existence légale de la compagnie incorporée en vertu de la Partie 1A de la L.C.Q. ou en vertu de la L.S.A. et lui accorde le droit d'exercer ses pouvoirs.

4. Les contrats signés par les fondateurs, au nom de la compagnie, avant l'émission du certificat de constitution ou de lettres patentes qui lui donnent son existence légale portent le nom de ___ .

5. Tout administrateur ou dirigeant d'une compagnie qui possède des intérêts dans un contrat important conclu par la compagnie se trouve en position de ___ et doit donner un avis écrit à la compagnie à cet effet.

VRAI OU FAUX

Indiquez si les affirmations suivantes sont vraies ou fausses. Si l'affirmation est fausse, précisez pourquoi.

1. Le principe de la responsabilité limitée implique que la compagnie n'est titulaire d'aucun droit et n'assume aucune obligation.

2. Le capital-actions de toute compagnie doit comporter au moins une catégorie d'actions qui

accorde aux détenteurs de ces actions le droit de voter et d'assister aux assemblées des actionnaires.

3. La compagnie publique ne peut refuser à qui que ce soit les souscriptions d'actions ou les offres d'achat de ses actions.

4. Le domicile d'une compagnie est son siège social.

5. Au cours de l'assemblée d'organisation de la compagnie, on procède à l'élection des administrateurs provisoires de la compagnie.

CHOIX MULTIPLES

1. Un dividende sera versé aux actionnaires d'une compagnie :
   a) si les actionnaires le réclament.
   b) s'il est mentionné sur les certificats d'actions.
   c) si les administrateurs votent une résolution accordant un dividende.
   d) aucune des réponses précédentes.

2. Celui qui détient un certificat d'actions privilégiées de la compagnie porte le nom de :
   a) créancier.
   b) obligataire.
   c) actionnaire.
   d) débiteur.

3. La demande d'incorporation en vertu de la Partie 1A de la L.C.Q. est adressée :
   a) au ministre des Institutions financières et Coopératives.
   b) au greffier de la Cour supérieure.
   c) au juge en chef de la Cour suprême.
   d) à l'Inspecteur général des institutions financières.

4. L'organisme qui réglemente les émissions et les transferts d'actions des compagnies publiques au Québec s'appelle :
   a) le Bureau de l'Inspecteur général des institutions financières.
   b) la Commission des normes du travail.
   c) le ministère des Institutions financières.
   d) la Commission des valeurs mobilières.

5. Le contrôle absolu d'une compagnie consiste à détenir :
   a) 50 % des actions avec droit de vote émises.
   b) 50 % plus 1 des actions avec droit de vote émises.
   c) 66 2/3 % des actions avec droit de vote émises.
   d) entre 25 % et 40 % des actions avec droit de vote émises.

CAS PRATIQUE

Lyne Pominville vient vous consulter. Elle vient de terminer son baccalauréat en traduction à l'université et désire mettre sur pied une entreprise de secrétariat et de traduction avec son amie Sylvie Parizeau. Elles ne disposent pas de beaucoup d'argent et, pour l'instant, il n'est pas question pour Lyne de former une entreprise incorporée.

Sylvie peut aménager un bureau dans l'une des pièces de sa maison située au 975, Chemin Val-Royal à Québec, G1R 2Y5. Elle dispose d'un photocopieur et d'un ordinateur 486 IBM.

Lyne possède deux bureaux de travail avec deux chaises, un ordinateur 486 IBM et un vieux classeur. Les deux associées évaluent à environ 5000 $ la valeur respective de leurs biens. Elles entendent se partager également les profits et les dettes de leur entreprise. Après discussion, elles ont choisi le nom « Le Trait-d'union » pour désigner leur entreprise.

1. Indiquez-leur quel type d'entreprise correspond le mieux à leur situation.

2. Rédigez les grandes lignes de leur association.

3. Indiquez-leur les documents nécessaires pour lancer leur entreprise et remplissez les documents nécessaires à cette fin à partir des documents figurant dans votre volume.

   Après quelque temps, Lyne informe Sylvie que Renée Duclos, une autre traductrice, veut se joindre à leur entreprise en pleine expansion. Renée Duclos possède un local situé au 9090, rue du Vieux Port, à Québec, G1R 3Z4. Sa participation dans la société consisterait à consentir un bail de trois ans à la société pour la somme de 1 $ par année.

Les trois s'entendent et Renée se joint à la société.

Lyne, Sylvie et Renée reviennent vous consulter, car elles désirent maintenant former une compagnie sous le nom de Le Trait-d'union inc.

4. Remplissez les documents nécessaires à cette fin à partir des documents figurant dans votre volume.

5. Cinq ans plus tard, la compagnie a prospéré et a atteint un chiffre d'affaires de 500 000 $ par année avec cinq employés. Les associées reviennent vous consulter. Elles désirent poursuivre la compagnie Couvertures nationales ltée qui doit 2750 $ à leur compagnie, et désirent savoir devant quel tribunal intenter leur action. Avisez-les en conséquence.

6. Deux ans plus tard, Sylvie vient vous consulter. Elle vous informe que les affaires de la compagnie vont mal, mais que, malgré ce fait, Lyne et Renée ont convoqué pendant son absence une assemblée des administrateurs au cours de laquelle, on a voté un dividende qui entame le capital de la compagnie et la rend insolvable.

   Sylvie veut savoir quelle est sa responsabilité en tant qu'administratrice de la compagnie et ce qu'elle doit faire, le cas échéant, pour éviter cette responsabilité.

7. Elle voudrait aussi connaître sa responsabilité en tant qu'actionnaire de la compagnie. Elle vous explique qu'elle détient 5000 actions ordinaires et 10 000 actions privilégiées payées 1 $ chacune, et veut savoir ce qu'il adviendra si la compagnie fait faillite.

CHAPITRE **15**

Partie 4
*L'entreprise face
à ses créanciers
et à ses employés*

FINANCEMENT DES ENTREPRISES : LE PRÊT, LE PAIEMENT ET LES EFFETS DE COMMERCE

OBJECTIFS ET ÉLÉMENTS DE COMPÉTENCES

1 Connaître les principaux modes de financement qui s'offrent à l'entreprise en général et à la compagnie en particulier.

2 Distinguer les différents types de prêts entre eux.

3 Comprendre le fonctionnement de la marge de crédit ou crédit rotatif.

4 Savoir de quelle façon on procède à l'imputation des paiements partiels d'une dette.

5 Établir la destination entre la lettre de change, le chèque et le billet de consommation.

6 Énumérer les principales conditions nécessaires à la validité des différents effets de commerce.

7 Connaître les droits et les obligations du tireur, du tiré, du bénéficiaire, du souscripteur, de l'endosseur et du détenteur régulier.

Financement de l'entreprise : Fonction qui consiste à se procurer des fonds et à les utiliser de façon efficace et rationnelle.

FINANCEMENT DES ENTREPRISES

On peut définir le *financement de l'entreprise* comme la fonction qui consiste à se procurer des fonds et à les utiliser de façon efficace et rationnelle.

Le financement représente une préoccupation constante pour l'entreprise. Un financement approprié assure la solvabilité de l'entreprise et sa rentabilité. Le financement d'une entreprise dépend, avant tout, de la nature de celle-ci et des objectifs qu'elle vise.

L'investissement personnel des actionnaires ne suffit habituellement pas à amasser tous les fonds nécessaires au fonctionnement de l'entreprise. Cette dernière doit donc avoir recours à des sources extérieures de financement.

L'entreprise peut se procurer les fonds nécessaires à ses activités commerciales de diverses façons. En général, elle procède au moyen de ce que nous appellerons le **financement par voie d'emprunt**.

Le *financement par voie d'emprunt* consiste pour l'entreprise à contracter un emprunt d'un établissement financier (banque, société de fiducie, caisse populaire, ou auprès d'autres prêteurs). Ce type de financement est ouvert à toutes les formes d'entreprises.

Financement par voie d'emprunt : Financement qui consiste pour l'entreprise à contracter un emprunt d'un établissement financier (banque, société de fiducie, caisse populaire, ou auprès d'autres prêteurs). Ce type de financement est ouvert à toutes les formes d'entreprises.

L'entreprise peut aussi se financer sans avoir recours à l'emprunt.

C'est ce que nous appelons le **financement sans emprunt**.

FINANCEMENT SANS EMPRUNT

Il existe cinq sources de financement qui n'ont pas recours à l'emprunt. Ce sont :

- l'investissement personnel des propriétaires ;
- la vente en consignation ;
- le crédit commercial ;
- les bénéfices non répartis de l'entreprise ;
- le financement par le capital-actions.

INVESTISSEMENT OU MISE DE FONDS PERSONNELS DES PROPRIÉTAIRES

Cette source de financement est constituée des sommes d'argent ou encore des biens que les propriétaires de l'entreprise y injectent directement. Ainsi, dans les exemples que nous avons vus aux deux chapitres précédents :

- Jean-François puisait dans ses économies personnelles pour mettre sur pied son entreprise ;
- Monique, Sylvie et Nicolas apportaient soit des biens, de l'argent ou autre chose à titre d'apports dans la société ;
- Raymond, Gilbert, Michel et Élie investissaient quant à eux un montant d'argent à titre de mise de fonds dans leur compagnie en achetant des actions ou en prêtant de l'argent à la compagnie.

Dans les trois cas précités, il s'agit de l'investissement et de la mise de fonds personnels des propriétaires de l'entreprise.

VENTE EN CONSIGNATION

Il s'agit ici d'une pratique commerciale qui consiste pour le vendeur d'un bien (habituellement un fabricant ou un distributeur) à en laisser une certaine quantité en consignation chez un commerçant sans que ce dernier n'achète ou ne paie la valeur des marchandises laissées en consignation, lui évitant ainsi des investissements pour un inventaire de ces biens et lui permettant de conserver ses liquidités pour d'autres fins. Nous vous reportons au chapitre 8 sur la vente pour plus de détails concernant ce type de transaction.

CRÉDIT COMMERCIAL

Une source de financement intéressante pour l'entreprise est le **crédit commercial**. Ce mode de financement n'est pas consenti par un établissement financier, mais par les propres fournisseurs de l'entreprise.

En effet, aujourd'hui, la plupart des opérations commerciales se font à crédit. L'usage qui s'est développé au cours des années veut que les fournisseurs accordent des délais de paiement à leurs clients. Ces délais varient d'un domaine d'activité à l'autre.

Le délai de paiement est généralement indiqué sur la facture ou le bon de livraison, qui peut porter l'une ou l'autre des mentions suivantes :
- payable net 30 jours ;
- payable 60 jours ;
- 90 jours net ;
- 2 %, 10 jours, net 30 jours ou « 2/10, N/30 ».

Il s'agit, en fait, des modalités de crédit ou des délais de paiement accordés à l'entreprise pour acquitter ses factures. Ainsi, la mention « 2 %, 10 jours, net 30 jours » ou sa formulation habituelle figurant sur les factures (2/10, N/30) que l'on retrouve le plus souvent signifie que le fournisseur accorde une remise de 2 % au client qui acquitte la facture dans les 10 jours suivant la réception des marchandises.

> *Exemple* : L'entreprise qui acquitterait une telle facture de 10 000 $ excluant les taxes de vente (TPS et TVQ) dans les 10 jours suivant la réception ne paierait que 98 % du montant, soit 9800 $, bénéficiant ainsi d'une remise ou d'un escompte de 200 $. La mention net 30 jours signifie que, si le client ne se prévaut pas de la remise de 2 %, il devra acquitter le compte de 10 000 $ dans les 30 jours. Après cette date, un intérêt est ajouté pour tout paiement en retard (1 1/2 % par mois ou 19,56 % par an).

L'entreprise a tout intérêt à se prévaloir de ce type de crédit qui ne lui coûte rien pour ce qui est de l'intérêt pendant le nombre de jours indiqué, ni pour ce qui est des garanties, étant donné que les fournisseurs n'exigent habituellement aucune assurance ou autre garantie, contrairement aux établissements financiers. Le coût pour l'entreprise qui ne se prévaut pas du paiement dans les 10 jours est dans la perte de l'escompte de 2 %.

Par ailleurs, leurs fournisseurs accordent rarement de telles conditions de crédit à une entreprise qui débute ; il faudra souvent plusieurs mois à une nouvelle entreprise pour faire ses preuves de solvabilité et obtenir des délais de paiement de 30 jours, par exemple.

Même si ce type de financement fait rarement l'objet d'une convention écrite entre les parties, la pratique commerciale a instauré l'usage de l'**ouverture d'un compte auprès d'un fournisseur** (voir figure 15.1, page 412). En vertu de cette pratique, l'entreprise fournit des renseignements au fournisseur concernant ses affaires bancaires (nom de l'établissement financier, références, nom des principaux actionnaires et administrateurs, etc.) et, en contrepartie, le fournisseur consent, après vérifications, à l'ouverture d'un compte à l'entreprise, et lui accorde, par exemple, un délai de paiement de 30 jours.

Ces formules de demande d'ouverture de compte ne sont pas toujours claires, et plusieurs fournisseurs en profitent pour y ajouter une clause de cautionnement personnel et solidaire qu'ils font signer aux représentants de l'entreprise. Nous

ainsi que la présente intervention et déclarons garantir et cautionner personnellement et solidairement toutes et chacune des obligations du Client précité envers le Fournisseur, en faisant notre affaire personnelle et notamment relativement aux sommes dues ou qui pourraient devenir dues par le Client au Fournisseur à l'avenir et renonçons par les présentes aux bénéfices de discussion de division et de subrogation.

EN FOI DE QUOI, je, (nous) avons signé

à Laval, le_____

_____   _____
caution   caution

MATERIAUX YVAN DUBOIS LTEE
2485 Boulevard Industriel
Laval,
H7L 3X4
téléphone: (514) 625-4567
télécopieur: (514) 625-5678

ci-après appelé: " le Fournisseur "

OUVERTURE DE COMPTE

NOM DU CLIENT: _____
ADRESSE   : _____
TELEPHONE   : _____
nom de la personne en charge de la comptabilité:_____

REFERENCES BANCAIRES: _____
                      _____
                      _____

AUTRES REFERENCES DE
CREDIT   : _____
                      _____
                      _____

Par les présentes, le Fournisseur accorde au Client en considération des présentes, une ouverture de compte pour l'achat de matériaux.

MARGE DE CREDIT

Le Fournisseur accordera au Client une ouverture de compte avec une marge de crédit de _____$ qui pourra être modifiée à la hausse ou à la baisse par le Fournisseur de temps à autre à sa seule discrétion. La présente ouverture de compte ne constitue pas pour le Fournisseur, une obligation de vendre à crédit et il se réserve le droit de cesser de livrer des matériaux au Client, même si ils sont déjà commandés, si ce dernier ne respecte pas ses obligations.

MODALITES DE PAIEMENT

Le Client s'engage à respecter les modalités de paiement fixées de temps à autre par le Fournisseur, par écrit ou sur ses factures. Toute marchandise livrée au Client est payable dans les 30 jours de sa livraison. Toute somme due par le Client au Fournisseur après ces 30 jours portera intérêt au taux de _12_ pour cent l'an à compter de l'expiration de ces 30 jours.

INFORMATION DE CREDIT

Le Client accepte que le Fournisseur procède aux enquêtes normales de crédit à son sujet et autorise les personnes, institutions financières ou agences de crédit à divulguer les renseignements qu'elles possèdent à son sujet.

EN FOI DE QUOI, LES PARTIES ONT SIGNE A LAVAL, ce_____

Le Client _____ par_____
MATERIAUX YVAN DUBOIS LTEE: par_____

INTERVENTION ET CAUTIONNEMENT

Je, (nous), soussigné(s), associés, addministrateur ou actionnaires du Client ci-dessus mentionné, intervenons à la présente convention , en prenons connaissance, déclarons la comprendre

Figure 15.1   Formule d'ouverture de compte

vous reportons au chapitre 16 sur les garanties de paiement pour plus de détails sur le cautionnement personnel. En signant ces clauses de cautionnement personnel, ces personnes se trouvent à garantir personnellement toutes les obligations et le paiement de toutes les factures de leur entreprise. La prudence est donc de mise avant de signer de tels documents.

BÉNÉFICES NON RÉPARTIS DE L'ENTREPRISE

Il s'agit ici des profits réalisés par une entreprise et dont elle dispose. Si l'on regarde les états financiers et le bilan d'une entreprise, on retrouve ces **bénéfices non répartis** sous la rubrique « avoir des actionnaires ».

Exemple : Nous savons qu'une compagnie n'est jamais obligée de payer un dividende à ses actionnaires et ce, même si elle réalise des profits. La compagnie Sporbec inc. a réalisé des profits de 500 000 $ en 1995 et a payé un dividende de 100 000 $ à ses actionnaires. Ses bénéfices non répartis pour 1995 seront donc de 400 000 $.

Les administrateurs de la compagnie pourront choisir de réinvestir cette somme pour prendre de l'expansion ou pour acheter de nouveaux équipements. Il s'agit d'une source de financement intéressante pour une entreprise à même ses profits.

FINANCEMENT PAR LE CAPITAL-ACTIONS

Comme nous l'avons vu aux chapitres 13 et 14, la compagnie peut aussi se financer en émettant des actions à d'autres personnes qu'aux dirigeants et actionnaires principaux pour se financer. Mais la plupart du temps, malgré les avantages associés au **financement sans emprunt**, les circonstances sont telles que la majorité des entreprises doivent avoir recours au **financement par voie d'emprunt**.

FINANCEMENT PAR VOIE D'EMPRUNT : LE PRÊT

Le financement par voie d'emprunt signifie que l'entreprise contracte une dette auprès d'un prêteur. Lorsqu'on parle de financement d'une entreprise par voie d'emprunt, on touche directement à l'endettement de l'entreprise et, par conséquent, à sa capacité de rembourser ses emprunts. Aucun prêteur consciencieux ne consentira à prêter ni à avancer des fonds à une entreprise sans qu'elle ne lui fournisse des garanties à même son actif.

CONSIDÉRATIONS IMPORTANTES POUR UN FINANCEMENT

Les différents modes de financement de l'entreprise dépendent en général de quatre éléments :
- la composition de l'actif de l'entreprise ;
- la nature de ses activités commerciales ;
- la solvabilité de l'entreprise ;
- la durée de l'emprunt.

COMPOSITION DE L'ACTIF   La composition de l'actif possédé par l'entreprise et de ce qui est susceptible d'être cédé en garantie constitue l'élément primordial d'un financement. Il paraît donc essentiel, pour une entreprise, de dresser un inventaire complet de son actif et passif actuels ainsi qu'un bilan avant de choisir ses modes ou ses techniques de financement par voie d'emprunt.

Exemple : Une entreprise qui ne possède aucun actif tangible important tels un immeuble, des équipements ne peut songer à l'emprunt hypothécaire, ou une entreprise qui agit exclusivement comme intermédiaire (agent manufacturier, par exemple) sans garder d'inventaire de marchandises ni de matières premières ne peut offrir les mêmes garanties qu'une entreprise manufacturière.

NATURE DES ACTIVITÉS COMMERCIALES   Souvent, la nature même des activités commerciales d'une entreprise sera déterminante de son mode de financement.

Exemple : Les banques hésiteront à prêter aux entreprises liées à l'industrie du vêtement en raison des risques inhérents à ce secteur d'activité économique. Ces entreprises s'adresseront alors à d'autres sociétés de financement, comme une société d'affacturage, par exemple.

SOLVABILITÉ DE L'ENTREPRISE   Le financement par voie d'emprunt repose avant tout sur la solvabilité de l'entreprise. Que le financement provienne d'un établissement financier ou des fournisseurs, une entreprise est évaluée en fonction de critères bien établis, à savoir :

- la réputation ou le caractère de l'emprunteur et de ses dirigeants ;
- la somme d'argent empruntée ;
- les garanties que l'emprunteur peut offrir au prêteur ;
- la capacité de remboursement de l'emprunteur ;
- les modalités de l'emprunt.

DURÉE DE L'EMPRUNT   La durée de l'emprunt doit être également prise en considération, compte tenu des conséquences que ce facteur peut avoir sur le choix du mode de financement ; une entreprise pourra opter entre un financement à court, à moyen ou à long terme. C'est à partir de cette distinction que nous examinerons les divers modes de financement.

Le financement à court terme et à moyen terme (moins de cinq ans)   On entend par financement à court terme et à moyen terme un financement dont la période de remboursement varie de quelques jours à moins de cinq ans. Ce type de financement sert généralement à assurer le fonds de roulement de l'entreprise en mettant à sa disposition les sommes nécessaires au paiement de ses obligations courantes (la marge de crédit, par exemple).

Le coût de tels emprunts est généralement moins élevé que celui des emprunts à long terme.

Le financement à long terme (cinq ans et plus)   Lorsqu'une entreprise décide d'investir pour un achat important ou un agrandissement, elle choisit plutôt le financement à long terme parce qu'il est important de savoir que l'entreprise doit éviter d'utiliser ses sources de financement à court terme, comme sa marge de crédit, pour financer ses investissements, qu'il s'agisse de l'achat de terrains, de machinerie, d'équipement, d'une usine ou de rénovations. En effet, une utilisation non appropriée de sources de financement à court terme peut être néfaste pour une entreprise en lui causant de sérieux problèmes de liquidités, ce qui aura pour effet d'entraîner très souvent sa ruine financière. D'une façon générale, le coût des prêts à long terme est plus élevé en raison des risques plus grands courus par les prêteurs.

LE PRÊT

Le **prêt** figure parmi les contrats les plus susceptibles d'être signés par le citoyen ordinaire et, en particulier, par les gens d'affaires et les entreprises.

En effet, que ce soit pour l'acquisition d'une propriété immobilière, d'un véhicule automobile, d'un commerce ou d'une pièce de machinerie importante, nous ne disposons que très rarement des sommes nécessaires pour effectuer un achat important au comptant.

Nous devons alors emprunter le capital nécessaire, soit à un établissement financier, soit à un prêteur privé.

TYPES DE PRÊTS

Il existe deux espèces de prêts : le **prêt à usage** et le **prêt de consommation** que le *Code civil du Québec* appelle le **simple prêt**. Ce sont les articles 2312 à 2332 du *Code civil* qui régissent les prêts.

Prêt à usage : Contrat en vertu duquel une personne, appelée le **prêteur**, remet un bien à une autre personne, appelée l'**emprunteur**, pour qu'il s'en serve pendant un certain temps et qu'il le lui rende par la suite.

PRÊT À USAGE Le *prêt à usage* est le contrat en vertu duquel une personne, appelée le **prêteur**, remet un bien à une autre personne, appelée l'**emprunteur**, pour qu'il s'en serve pendant un certain temps et qu'il le lui rende par la suite.

À moins de dispositions contraires entre les parties, le prêt à usage est présumé fait à titre gratuit. Le prêt n'entraîne pas le transfert de la propriété du bien prêté et le prêteur en demeure donc propriétaire. Tout ce qui peut faire l'objet du contrat de louage peut faire l'objet du prêt à usage.

Il s'agit donc du prêt le plus courant en vertu duquel, par exemple, une personne emprunte la tondeuse de son voisin, l'automobile de son frère ou un simple tournevis.

Il est important de noter que, en pratique, le prêt à usage est plus fréquent dans le cas des prêts entre consommateurs que dans le cas de prêts entre des entreprises.

Nous ne nous attarderons donc pas à examiner ce type de prêt plus en détail.

Simple prêt ou prêt de consommation ou prêt d'argent : Contrat par lequel le prêteur remet à l'emprunteur une certaine somme d'argent ou une quantité de biens qui se consomment par l'usage, avec l'obligation pour l'emprunteur de lui en rendre autant, de même espèce et qualité, après un certain temps. À moins qu'il ne s'agisse d'un prêt d'argent, il est présumé fait à titre gratuit (art. 2315 et 2330 C.c.Q.).

SIMPLE PRÊT OU PRÊT DE CONSOMMATION OU PRÊT D'ARGENT Le *simple prêt* ou *prêt de consommation* ou *prêt d'argent* est le contrat par lequel le prêteur remet à l'emprunteur une certaine somme d'argent ou une quantité de biens qui se consomment par l'usage, avec l'obligation pour l'emprunteur de lui en rendre autant, de même espèce et qualité, après un certain temps. À moins qu'il ne s'agisse d'un prêt d'argent, il est présumé fait à titre gratuit (art. 2315 et 2330 C.c.Q.).

Par le prêt de consommation, l'emprunteur devient propriétaire du bien prêté et en assume les risques de perte, dès le moment de la remise du bien.

> *Exemple :* Robert manque de chlore pour sa piscine et son fournisseur habituel l'avise qu'il n'en recevra pas avant une semaine. Son voisin Daniel lui en prête cinq kilos. Dans un tel cas, l'obligation de Robert sera de remettre cinq kilos de chlore à Daniel lorsqu'il prendra livraison de sa commande.

S'il s'agit d'un **prêt d'argent**, il est évident que l'emprunteur doit rembourser la somme prêtée même s'il perd l'argent (au jeu, par exemple).

> *Exemple :* Si Robert perd les cinq kilos de chlore prêtés par Daniel, il devra quand même lui remettre cinq kilos de chlore.

Si le prêt porte sur une somme d'argent, l'emprunteur est tenu de remettre la somme nominale prêtée, nonobstant toute variation de valeur. Ce principe s'applique particulièrement dans les cas d'inflation ou de dévaluation de la monnaie.

> *Exemple :* Monique emprunte 10 000 $US pour acheter une roulotte aux États-Unis. Au moment de l'emprunt, le taux de change du dollar canadien est de 1,10 $CAN pour chaque dollar américain. Si, à la suite de la dévaluation du dollar canadien, le taux de change passe à 1,30 $CAN pour chaque dollar américain, au moment du remboursement de son prêt, Monique devra rembourser 10 000 $US quand même, soit le montant de son emprunt.

Obligations de l'emprunteur L'emprunteur est tenu de remettre, au moment convenu, la même somme d'argent plus l'intérêt, le cas échéant, ou les biens prêtés en même quantité et de la même qualité. Si les parties ne fixent pas de terme au prêt, le tribunal pourra intervenir pour le déterminer.

Obligations du prêteur Le prêteur est tenu aux mêmes obligations que le prêteur à usage en ce qui concerne les dommages causés à l'emprunteur par les vices du bien prêté.

LES INTÉRÊTS Dans le cas d'un **prêt d'argent**, la plupart des prêteurs exigent de l'emprunteur le paiement d'un intérêt sur la somme qui lui est avancée.

L'article 1565 C.c.Q. stipule que l'intérêt sur un prêt est celui convenu entre les parties (conventionnel) ou, à défaut d'entente, celui prévu par la loi (taux légal).

Le **taux d'intérêt conventionnel** peut être fixé par les parties dans le contrat de prêt ou dans toute autre convention intervenue entre elles, tel un document servant à l'ouverture d'un compte auprès d'un fournisseur. Ainsi, les établissements financiers prêtent à leurs meilleurs clients au taux préférentiel (*prime rate*) plus 0,5 ou 1 %.

Le taux est souvent établi en fonction du type de contrat et des garanties données au prêteur par l'emprunteur. C'est généralement le prêteur qui fixe ce taux. Si le taux d'intérêt n'est pas fixé dans le contrat, on appliquera alors le **taux d'intérêt légal**. C'est le gouvernement fédéral qui fixe le taux d'intérêt de l'argent en vertu de l'article 91 (19) de l'A.A.N.B. et de la *Loi sur l'intérêt* qui s'applique surtout au Canada.

Ainsi ce taux légal a été fixé à 5 % par année par le Parlement canadien en 1900. Ce taux n'a jamais changé depuis cette date.

Le taux d'intérêt est généralement fixé dans un contrat. D'ailleurs, comme nous l'avons vu lorsqu'il était question de l'application de la *Loi sur la protection du consommateur* au contrat de prêt, le commerçant doit toujours indiquer le taux d'intérêt applicable sous forme d'un pourcentage annuel.

La Loi oblige aussi le commerçant à indiquer le taux annuel d'intérêt (exemple : 12 % par année). S'il ne le fait ou s'il n'indique qu'un taux d'intérêt au jour, à la semaine ou au mois (exemple : 2 % par mois), c'est le taux d'intérêt légal de 5 % qui s'appliquera.

De plus, en vertu de la *Loi sur les petits prêts* (S.R.C., 1970, c. 5-11) et de la *Loi concernant l'intérêt* (L.R.C., 1985, c. I-18), le fait pour un créancier d'indiquer sur une facture ou un état de compte que le solde impayé porte intérêt au taux de 1 1/2 % ou 2 % par mois ne lui permet pas de réclamer les intérêts à un tel taux, à moins qu'il n'ait signé avec l'emprunteur ou avec son débiteur une convention ou une clause particulière en vertu de laquelle ce dernier s'engage à payer de l'intérêt à un tel taux.

> *Exemple*: Ce sera généralement le cas des documents d'ouverture de crédit signés par une entreprise qui ouvre un compte auprès d'un fournisseur.

Finalement, la quittance du capital d'un prêt qu'émet le prêteur en faveur de l'emprunteur fait présumer le paiement des intérêts, sauf disposition contraire. Le prêt d'argent porte intérêt à compter de la remise de la somme à l'emprunteur. En vertu de l'article 2332 du *Code civil du Québec*, le tribunal peut, dans les cas de prêt d'argent, intervenir pour prononcer la nullité du contrat, ordonner la réduction des obligations qui en découlent, ou encore réviser les modalités de leur exécution dans la mesure où il juge qu'il y a eu lésion à l'égard de l'une des parties.

> *Exemple*: Richard emprunte 10 000 $ de Jean qui exige un intérêt de 5 % par mois. Richard peut demander au tribunal d'intervenir, car un tel prêt pourrait être qualifié d'abusif.

PRÊT D'ARGENT À UNE ENTREPRISE

Dans les opérations commerciales entre commerçants ou entre une entreprise et un établissement financier, c'est le contrat qui est la loi entre les parties, et les gens d'affaires ont intérêt à bien lire et bien comprendre toute convention de prêt que leur soumettent les établissements financiers. Car, si en affaires l'argent est le « nerf de la guerre », il ne faut jamais oublier que les établissements financiers ne prêtent pas leur argent dans le seul but de plaire à l'emprunteur. Elles ne veulent pas perdre d'argent et exigent donc toutes sortes de garanties de ce dernier. Les gens d'affaires prudents font toujours examiner ces documents par leur comptable ou conseiller juridique avant de les signer. Au fil des ans, la pratique commerciale a contribué au développement de différents types de prêts et de garanties.

LA PRÉSENTATION D'UNE DEMANDE DE PRÊT Dans bien des cas, l'obtention ou le refus d'un prêt recherché par une entreprise repose sur la façon dont la demande est préparée et présentée.

Un dirigeant d'entreprise a intérêt à s'assurer que sa demande de prêt ou de subvention est bien préparée. Pour ce faire, il ne doit pas craindre d'avoir recours aux services de son comptable et de son avocat.

> *Exemple* : S'il planifie l'achat d'une pièce d'équipement, il lui est recommandé de faire une projection des économies que cette pièce peut permettre de réaliser de manière à faciliter, par le fait même, le remboursement de l'emprunt.

Dans le cas d'une nouvelle entreprise, il est recommandé de préparer un plan d'affaires accompagné des états financiers et de fournir un bilan *pro forma* des activités prévues pour les premières années d'exploitation. Un dossier de demande de prêt doit être clair et bien étoffé. Les gens d'affaires avertis maintiennent par la suite une bonne communication avec leur bailleur de fonds et le tiennent régulièrement au courant des activités commerciales de l'entreprise.

Le contrat de prêt ou d'emprunt peut être soit un emprunt garanti ou un emprunt non garanti.

L'EMPRUNT NON GARANTI On entend par l'expression **emprunt non garanti** un prêt en vertu duquel l'emprunteur ne cède aucun élément d'actif au prêteur en garantie de l'emprunt consenti. Les établissements financiers ne consentent pas ce genre de prêts à tous leurs clients. Seuls les clients les plus solvables et ceux qui « ont fait leurs preuves » bénéficient de ce traitement de faveur.

Figure 15.2 Les gens d'affaires avertis maintiennent une bonne communication avec leur banquier.

Ce genre de financement est toutefois assez rare, car les établissements financiers exigent habituellement des garanties lorsqu'ils consentent un prêt.

Il est important de souligner que le prêteur dans un tel cas est considéré comme un créancier ordinaire et non un créancier garanti. Cela signifie qu'en cas de faillite de l'emprunteur il sera payé après les créanciers garantis et après les créanciers privilégiés.

L'EMPRUNT GARANTI   L'article 2644 du *Code civil* stipule que les biens d'un débiteur sont affectés à l'exécution de ses obligations et constituent le gage commun de ses créanciers.

Cela implique que toute personne est obligée personnellement de remplir ses engagements sur tous ses biens meubles et immeubles et que, advenant un défaut de la part d'un débiteur de respecter ses obligations et d'acquitter ses dettes, ses créanciers saisiront ses biens meubles et immeubles pour se faire payer.

L'article 2645 (2) du *Code civil* stipule :

« Toutefois, le débiteur peut convenir avec son créancier qu'il ne sera tenu de remplir son engagement que sur les biens qu'ils désignent. »

Il s'agit là de la base de l'**emprunt garanti** qui consiste en un prêt d'argent en vertu duquel l'emprunteur et le prêteur ont désigné, ensemble, les biens sur lesquels l'emprunteur est tenu de remplir son engagement de remboursement.

> *Exemple* : Meubles Beaubois ltée emprunte 175 000 $ de la Caisse populaire Sainte-Rose de Laval et cède son usine en garantie de cet emprunt au moyen d'une hypothèque.

L'emprunteur qui consent un prêt ou un emprunt garanti devient un **créancier garanti** et à ce titre, il détient une clause de préférence qui lui permet d'être remboursé avant les créanciers ordinaires et privilégiés de l'emprunteur et ce, même en cas de faillite de ce dernier.

> *Exemple* : Si Meubles Beaubois ltée fait faillite et est incapable de rembourser la majorité de ses créanciers, y compris la Caisse populaire de Sainte-Rose de Laval, cette dernière pourra, à titre de créancier garanti, être payée avant les autres créanciers ordinaires et privilégiés de Meubles Beaubois ltée grâce à la garantie qu'elle détient sur l'usine.

Dans le cas d'un emprunt garanti, il est important de souligner que la garantie qui prend le plus souvent la forme d'une hypothèque est un **contrat accessoire au contrat principal**, c'est-à-dire le contrat de prêt ou d'emprunt.

Ainsi même si dans le langage populaire on parle plus souvent de « **son hypothèque** », on devrait plutôt parler de « **son prêt** ou **de son emprunt** », car le contrat principal est le contrat de prêt, et non l'hypothèque.

TECHNIQUES DE FINANCEMENT

Au cours des années, les établissements financiers et la pratique commerciale ont mis au point de nombreuses techniques de financement pour les entreprises.

Les plus importantes sont :

- l'emprunt à terme ;
- la marge de crédit ;
- le crédit-bail ;
- la vente à tempérament ;
- l'affacturage ;
- les subventions ;
- l'émission d'obligations.

L'EMPRUNT À TERME

Tout comme le consommateur, l'entreprise peut contracter un **emprunt à terme** auprès d'un établissement financier. Le remboursement peut s'échelonner sur 1, 3, 5, 10 ou 20 ans ou plus, selon les circonstances et les garanties offertes. Dans la majorité des cas, les prêts consentis par les établissements financiers seront garantis par une partie de l'actif que l'entreprise leur cède en garantie de l'emprunt. En effet, les établissements financiers exigent des garanties avant d'avancer des sommes d'argent importantes. Nous examinerons ces garanties plus en détail au chapitre 16.

Dans ce type de financement, la seule obligation de l'entreprise consiste à rembourser l'emprunt à échéance selon les modalités de son contrat.

> *Exemple* : Meubles Beaubois ltée s'engage à rembourser son emprunt de 175 000 $ pendant 20 ans à raison de 1725 $ par mois.

CLAUSE DE DÉCHÉANCE DU BÉNÉFICE DU TERME   Les prêts à terme sont remboursables sur une période de 1, 2, 3, 5 ou 10 ans, etc. Ils constituent donc des obligations à terme (voir au chapitre 6 les obligations et les contrats). Le débiteur dispose donc d'un délai pour rembourser son emprunt. Tant qu'il respecte ses engagements et fait ses remboursements aux dates convenues, le créancier ne peut exiger le remboursement du prêt avant l'échéance convenue. Par ailleurs, s'il ne fait pas ses paiements mensuels, il perd le bénéfice du terme que le créancier lui avait accordé et il doit donc rembourser le solde impayé immédiatement. Il y a alors déchéance du bénéfice du terme.

Prêt à un consommateur   La *Loi sur la protection du consommateur* prévoit la présence d'une clause de déchéance du bénéfice du terme dans les contrats de prêt entre un commerçant ou un établissement financier d'une part, et un consommateur d'autre part.

En vertu d'une telle clause, le commerçant ou l'établissement financier peut obliger le consommateur en défaut à respecter les modalités de remboursement de son prêt ou à rembourser le solde de son prêt avant échéance.

Les articles 105 à 110 L.P.C. obligent le commerçant à donner un avis écrit d'au moins 30 jours au consommateur avant d'exiger l'exécution de l'obligation, tel le remboursement intégral d'un prêt. Ils permettent au consommateur en difficulté de s'adresser au tribunal pour obtenir de l'aide. Il est important de noter que ces dispositions s'appliquent seulement aux contrats de prêt entre un commerçant ou un établissement financier et un consommateur.

Prêt commercial   Ces dispositions n'ont aucune application dans le cas d'un prêt commercial consenti à un débiteur dans le cadre de l'exploitation d'une entreprise où, si le débiteur est en défaut de paiement, le prêteur peut exiger le remboursement immédiat de son prêt. Le contrat d'un prêt commercial peut toutefois contenir une clause selon laquelle le prêteur doit aviser le débiteur par écrit qu'il désire être remboursé. Il sera donc sage en matière commerciale de rajouter une telle clause de préavis au contrat.

LA MARGE DE CRÉDIT

La **marge de crédit** ou **crédit rotatif** est un autre mode de financement auquel ont recours un très grand nombre d'entreprises. Il est fréquent d'entendre un commerçant dire qu'il dispose d'une marge de crédit de 25 000 $, 50 000 $, 200 000 $, etc. Cette marge de crédit représente une somme d'argent prédéterminée qu'un établissement prêteur met à la disposition d'une entreprise pendant un période de un an. À la fin de son exercice, l'entreprise doit fournir à l'établissement prêteur des états financiers détaillés.

L'établissement financier consent cette avance à une entreprise au moyen d'un prêt à demande, c'est-à-dire qu'il peut en exiger le plein remboursement en tout temps. Étant donné le risque que représente ce mode de financement pour l'établissement prêteur, ce dernier majorera son taux d'intérêt préférentiel de 1 % à 3 %, à titre de compensation.

Comme le taux d'intérêt préférentiel est soumis aux fluctuations du taux d'escompte de la Banque du Canada, le taux d'intérêt applicable à la marge de crédit varie proportionnellement.

Le mode de fonctionnement de la marge de crédit est sensiblement le même que celui de la carte de crédit émise au nom d'une personne par « Visa » ou « Master Card ».

> *Exemple* : Si une entreprise comme Transbec inc. (voir tableau 15.1) jouit d'une marge de crédit de 100 000 $, elle peut émettre des chèques jusqu'à concurrence de 100 000 $ de la même façon que le consommateur peut faire des achats avec sa carte de crédit jusqu'à concurrence du montant maximal autorisé. Ainsi l'entreprise pourra, grâce à sa marge de crédit, payer ses dépenses courantes, comme son loyer, les salaires de ses employés, ses achats de marchandises, les dépenses imputées à sa petite caisse, etc.
>
> Au fur et à mesure qu'un chèque est payé par la banque, il diminue d'autant le montant disponible de la marge de crédit. Généralement, l'entente avec la banque prévoit l'obligation pour l'entreprise de déposer dans son compte bancaire tous les chèques ou revenus qu'elle perçoit, de façon à diminuer sa dette et à rembourser les avances faites par l'établissement financier. Si l'entreprise émet des chèques durant le mois de mars pour un total de 57 000 $, sa marge de crédit disponible sera alors de 43 000 $. Si l'on suppose que, le même mois, l'entreprise dépose dans son compte bancaire des chèques pour un montant de 25 000 $, elle disposera de 68 000 $ dans sa marge de crédit.

On désigne cette opération financière par l'expression **crédit rotatif**.

L'entreprise ne paie pas d'intérêt sur le plein montant mis à sa disposition (100 000 $), mais seulement sur le montant qu'elle a réellement utilisé au cours du mois, au jour le jour.

Dans notre exemple, l'entreprise paierait des intérêts sur 32 000 $ pour le mois de mars, compte tenu des dépôts effectués et des chèques émis. En pratique, les établissements financiers exigent un intérêt quotidien sur le montant réellement utilisé durant le mois. Les marges de crédit consenties par les établissements financiers sont généralement garanties par le billet d'une hypothèque mobilière sur une universalité de créances que nous examinerons plus en détail au chapitre 16.

LE CRÉDIT-BAIL

Le *crédit-bail* est une technique de financement utilisée exclusivement à des fins commerciales, comme le prévoit l'article 1842 du *Code civil du Québec*.

L'entreprise peut avoir intérêt à se demander s'il est préférable pour elle d'acheter ou de louer son équipement, son outillage, sa machinerie. La location a comme avantage d'éviter une sortie ou une immobilisation importante de capital. Elle peut aussi lui éviter d'avoir à recourir à l'emprunt pour financer l'achat d'une pièce d'équipement. Pour répondre à ces divers besoins, l'usage commercial a établi une technique de financement qui ressemble à la fois au contrat de location et au contrat de vente conditionnelle.

Crédit-bail : Contrat par lequel une personne, le crédit-bailleur, met un meuble à la disposition d'une autre personne, le crédit-preneur, pendant une période déterminée et moyennant une contrepartie.
Le bien qui fait l'objet du crédit-bail est acquis d'un tiers par le crédit-bailleur, à la demande du crédit-preneur et conformément aux instructions de ce dernier (art. 1842 C.c.Q.).

Tableau 15.1   Exemple de fonctionnement de la marge de crédit

Établissement prêteur : Caisse Populaire Sainte-Rose de Laval
Emprunteur : Transbec inc.
Marge de crédit disponible : 100 000 $
Garanties données : hypothèque mobilière sur des créances et hypothèque mobilière sans dépossession

Chèques émis par Transbec Mois de mars 1995		Dépôts effectués par Transbec Mois de mars 1995	
Location de machinerie	13 000 $	Client n° 1	3 000 $
Loyer	5 500 $	Client n° 2	2 000 $
Salaires	12 500 $	Client n° 3	7 000 $
Téléphone	500 $	Client n° 4	1 500 $
Électricité	1 500 $	Client n° 5	11 500 $
Fournisseurs	23 000 $		
Assurances	1 000 $	Total	25 000 $
Total	57 000 $		

Montant réellement utilisé sur la marge de crédit en mars 1995	57 000 $
	− 25 000 $
	32 000 $

Le crédit-bail est essentiellement un bail de financement que l'on retrouve souvent avec une option d'achat. Ce type de financement peut s'avérer fort utile pour financer l'acquisition de biens ou de pièces d'équipement dans des secteurs où la technologie change continuellement, comme la bureautique ou l'informatique.

> *Exemple* : Le micro-ordinateur qu'on achète aujourd'hui et qui sera entièrement payé dans trois ou cinq ans sera probablement désuet à l'expiration du terme. Le crédit-bail pourrait permettre à l'entreprise de louer l'appareil avec la possibilité de l'acheter dans trois ou cinq ans moyennant le paiement d'un montant forfaitaire fixé d'avance dans le contrat. Si, à l'expiration du contrat, l'appareil est désuet, l'entreprise préférera louer un nouvel appareil pouvant être assorti d'une option d'achat semblable.

Ce type de financement est de plus en plus répandu dans le domaine commercial et est utilisé pour le financement de mobilier, d'équipement et de matériel roulant. Il est régi par les articles 1842 et ss C.c.Q. Le crédit-bail contribue à la conservation des liquidités de l'entreprise et est très accessible.

Par ailleurs, au point de vue fiscal, l'entreprise qui opte pour le crédit-bail peut déduire ses paiements de loyer mensuels alors que celle qui choisit d'acheter le bien ne peut réclamer que l'amortissement ou l'allocation du coût en capital de ce bien en raison de sa perte de valeur due à son usure normale.

L'entreprise a donc intérêt à bien calculer le coût net d'un achat d'équipement comparativement à un crédit-bail applicable à la même pièce d'équipement avant de fixer son choix sur l'un ou l'autre, compte tenu de l'incidence fiscale de l'une ou l'autre de ces possibilités.

En vertu des dispositions du *Code civil du Québec*, les droits de propriété du crédit-bailleur ne sont opposables aux tiers et aux autres créanciers que s'ils sont publiés dans le registre prévu à cette fin au **Bureau de la publicité des droits**. Il s'agit du **Registre des droits personnels et réels mobiliers**.

> *Exemple* : Si la compagnie Ordinateurs PSY inc. veut pouvoir récupérer les ordinateurs loués à la compagnie XYZ ltée, advenant le défaut de cette dernière de faire ses paiements mensuels, elle devra s'assurer de faire publier son droit de propriété sur les ordinateurs dans le Registre des droits personnels et réels mobiliers pour pouvoir opposer son droit aux autres créanciers de XYZ ltée.

LA VENTE À TEMPÉRAMENT

La *vente à tempérament* consiste dans un contrat de vente à terme en vertu duquel le vendeur ou le plus souvent une compagnie de crédit spécialisée se réserve la propriété du bien vendu jusqu'au paiement total du bien qui est vendu à crédit.

Nous vous reportons au chapitre 8 où ce type de vente a été étudié en détail.

En vertu du **contrat de vente à tempérament**, l'entreprise finance surtout l'achat d'équipement, d'outillage, de mobilier et de matériel roulant. Au lieu de payer comptant à l'achat, elle verse une somme pouvant varier entre 10 % et 30 % du prix de vente. Quant au solde, l'entreprise s'engage à le rembourser généralement par versements mensuels, égaux et consécutifs, en incluant un certain pourcentage pour les frais de crédit et les assurances.

C'est le vendeur du bien ou une compagnie de crédit spécialisée qui assure le financement de l'opération et qui reste propriétaire du bien jusqu'au paiement complet. En cas de non-paiement, le vendeur ou la compagnie de crédit peut reprendre le bien et conserver toutes les sommes déjà versées par l'acheteur.

De moins en moins de fabricants et de vendeurs utilisent ce genre de vente, préférant laisser à des compagnies de crédit spécialisées dans ce domaine, comme G.M.A.C., Roy Nat ltée ou I.A.C. ltée, le soin de financer ces opérations dont le remboursement peut s'échelonner sur plusieurs années.

> *Exemple* : Imprimerie du Nord ltée achète une presse cinq couleurs de la compagnie Colopresses inc. d'une valeur de 1,5 million de dollars. L'achat est financé par la compagnie de crédit spécialisée Roy Nat ltée qui achète la presse, paie Colopresses inc. et la revend à Imprimerie du Nord ltée en vertu d'un contrat de vente à tempérament dans lequel il est spécifié que Roy Nat inc. demeure propriétaire de la presse cinq couleurs tant qu'Imprimerie du Nord ltée n'aura pas effectué son dernier paiement mensuel dans 60 mois.

Comme pour le crédit-bail dans le cas d'un bien meuble vendu pour l'exploitation d'une entreprise, le *Code civil du Québec* stipule que le vendeur à tempérament doit publier son droit de propriété au Bureau de la publicité des droits dans le Registre des droits personnels et réels mobiliers pour l'opposer aux tiers et aux autres créanciers de l'acheteur. Le *Code civil* prévoit qu'un immeuble peut aussi être vendu en vertu d'un contrat de vente à tempérament.

En cas de défaut, de la part de l'acheteur, le vendeur peut :

- exiger le paiement immédiat des versements échus *ou*
- reprendre le bien *ou*
- exiger le paiement du solde impayé si le contrat contient une clause de déchéance de terme.

S'il choisit de reprendre le bien, il doit envoyer un avis à cet effet à l'acheteur. L'avis est de 20 jours pour un bien meuble et de 60 jours pour un bien immeuble. Les dispositions relatives à la prise en paiement prévues au chapitre des priorités et des hypothèques s'appliquent alors à la reprise du bien comme nous le verrons au chapitre suivant.

Vente à tempérament : Contrat de vente à terme en vertu duquel le vendeur ou le plus souvent une compagnie de crédit spécialisée se réserve la propriété du bien vendu jusqu'au paiement total du bien qui est vendu à crédit.

Affacturage : Comptes clients qui sont littéralement vendus à rabais à une compagnie d'affacturage; celle-ci avance, en quelque sorte, à une entreprise les fonds dont elle a besoin tout en lui épargnant les risques inhérents au recouvrement des comptes clients.

L'AFFACTURAGE (LE *FACTORING*)

Dans l'*affacturage,* les comptes clients sont littéralement vendus à rabais à une compagnie d'affacturage; celle-ci avance, en quelque sorte, à une entreprise les fonds dont elle a besoin tout en lui épargnant les risques inhérents au recouvrement des comptes clients.

Le contrat d'affacturage prévoit généralement que les comptes clients d'une entreprise deviennent la propriété de la compagnie d'affacturage moyennant le paiement par cette dernière d'une somme équivalente à la valeur des comptes clients. La compagnie d'affacturage déduit de cette somme un pourcentage destiné à couvrir les créances douteuses, les frais de financement et, enfin, une commission sur les ventes.

En résumé, l'affacturage fonctionne de la façon suivante :
- l'entreprise accepte des commandes pour la vente de ses produits ;
- ces commandes sont transmises à la compagnie d'affacturage, qui décide si elle les approuve ou non ;
- l'entreprise expédie les produits conformément aux commandes approuvées ;
- la compagnie d'affacturage paie immédiatement à l'entreprise la somme convenue dans le contrat en déduisant une commission sur la vente et le coût du financement qui dépasse de plusieurs points le taux d'intérêt bancaire. Compte tenu des risques plus élevés liés à l'affacturage, son coût peut être supérieur aux autres types de financement.

L'affacturage est surtout utilisé dans le domaine du textile et du vêtement ainsi que dans les entreprises saisonnières ; il constitue souvent le dernier recours pour une entreprise, lorsque les autres établissements financiers refusent de lui avancer des fonds. Cette technique de gestion financière permet à une entreprise d'être payée d'avance avant même l'échéance de ses comptes clients.

Exemple: La compagnie Tricots Québec inc. a des ventes annuelles de six millions de dollars. Elle dispose de comptes clients (comptes débiteurs) pour une valeur de 1,3 million de dollars. Elle désire obtenir un financement de la compagnie Affactur inc. en procédant par affacturage. Le tableau suivant illustre la partie de ses comptes clients qu'elle pourra financer.

(1) Ventes annuelles	6 000 000 $
(2) Comptes clients (comptes débiteurs)	1 300 000 $
(3) Réserves pour créances douteuses	156 000 $
(4) Comptes débiteurs admissibles (2) - (3)	1 144 000 $
(5) Avance totale (4) x 0,85	972 400 $
(6) Marge de crédit bancaire actuelle	600 000 $
(7) Avance nette (5)- (6)	372 400 $

(coût : 2,5 % au-dessus du taux préférentiel)

Source : *Les Affaires*, cahier spécial, 15 octobre 1983, p. S-26.

LES SUBVENTIONS

L'entreprise dispose de certaines autres sources de financement qui émanent des gouvernements. Elles prennent la forme de subventions ou de prêts aux entreprises.

Pour être admissible à ces programmes, l'entreprise doit répondre à des normes précises. Il existe toute une gamme de subventions, de programmes d'aide et de prêts gouvernementaux. Certaines municipalités accordent aussi des exemptions de taxes foncières ou locatives à une entreprise choisissant de s'établir sur leur territoire. Les gens d'affaires ont donc intérêt à se renseigner sur la nature de ces programmes.

Une entreprise a donc avantage à examiner de près ces diverses sources additionnelles de financement, car, bien souvent, elles ne lui coûtent rien et apportent des capitaux additionnels.

L'ÉMISSION D'OBLIGATIONS

À l'instar des gouvernements provinciaux et fédéral, des municipalités et des commissions scolaires, une compagnie peut émettre des obligations ou des obligations sans garantie, aussi appelées débentures, pour assurer son financement. Il est important de noter que ce type de financement est exclusif aux sociétés en commandite et aux entreprises incorporées.

L'OBLIGATION ET LA DÉBENTURE

L'**obligation** et la **débenture** sont des titres de créances négociables, créés par la compagnie en vertu d'un acte de fiducie ou d'un contrat de prêt garanti par une hypothèque ouverte.

L'*obligation* est une dette de l'entreprise (l'emprunteur) à l'égard d'un bailleur de fonds (le prêteur). L'entreprise s'engage à rembourser cette dette au prêteur à une date déterminée et à lui payer entre-temps un intérêt fixe. L'obligation comporte généralement des garanties précises (hypothèque ouverte) sur l'actif immobilisé de l'entreprise comme les terrains, les imeubles, l'équipement et la machinerie.

La *débenture* consiste plutôt dans une reconnaissance de dette, du même type qu'un billet. C'est l'ensemble des biens de l'entreprise qui en garantissent le remboursement. Comme l'obligation, la débenture comporte un intérêt fixe et doit être remboursée à une date déterminée.

L'émission d'obligations ou de débentures est une autre façon pour la compagnie d'emprunter et de se financer. L'opération relative à l'émission d'obligations s'effectue au moyen d'un acte de fiducie ou d'un prêt garanti par une hypothèque ouverte.

L'acte de fiducie prévoit la nomination d'un fiduciaire (la société de fiducie) qui est chargé de surveiller les intérêts des détenteurs des certificats d'obligations (c'est-à-dire les prêteurs) qu'on appelle les *obligataires*. Ces derniers ont tous les mêmes droits.

L'obligataire n'est pas nécessairement un actionnaire de la compagnie. S'il désire devenir actionnaire, il devra acheter des actions de la compagnie, car son certificat d'obligation ne lui donne pas, comme tel, le titre d'actionnaire, ni les privilèges rattachés à cette condition. Celui qui achète les certificats d'obligations d'une compagnie lui fait, en quelque sorte, un prêt pendant un certain temps et moyennant certaines conditions, dont la plus importante est le paiement d'un taux fixe d'intérêt mentionné sur le certificat d'obligation.

L'obligataire investit dans la compagnie dont il devient alors un créancier ; ainsi l'entreprise a des engagements à son égard dont les principaux sont, d'une part, le remboursement du capital prêté à l'expiration de la période stipulée sur le certificat et, d'autre part, le versement de l'intérêt stipulé sur le certificat aux dates qui y sont mentionnées.

Si la compagnie néglige ou omet de remplir ses engagements, l'obligataire pourra la poursuivre devant les tribunaux et l'obliger à lui verser l'intérêt stipulé, contrairement à l'actionnaire qui, lui, ne peut contraindre la compagnie à lui verser un dividende.

Obligation : Dette de l'entreprise (l'emprunteur) à l'égard d'un bailleur de fonds (le prêteur). L'entreprise s'engage à rembourser cette dette au prêteur à une date déterminée et à lui payer entre-temps un intérêt fixe.

Débenture : Reconnaissance de dette, du même type qu'un billet. C'est l'ensemble des biens de l'entreprise qui en garantissent le remboursement. Comme l'obligation, la débenture comporte un intérêt fixe et doit être remboursée à une date déterminée.

Obligataire : Personne qui achète un certificat d'obligation ou une débenture (autres titres d'emprunt).

En général, les obligataires sont des créanciers garantis de la compagnie, car le paiement des obligations est garanti sur des biens précis de la compagnie, une hypothèque ouverte sur l'universalité des biens meubles et immeubles, présents et futurs de l'entreprise, par exemple ; ils sont donc payés avant les actionnaires. Par ailleurs, le contrat permet au créancier ou au fiduciaire, au nom du créancier, de prendre possession de l'actif de l'entreprise et de l'administrer pour protéger les intérêts des détenteurs d'obligations, en cas de défaut de la part de l'entreprise.

Nous examinerons plus en détail le fonctionnement de l'hypothèque ouverte au chapitre 16 à la rubrique des garanties conventionnelles.

PAIEMENT DES OBLIGATIONS ET DES DETTES

Toute personne ou entreprise doit faire face à ses obligations et acquitter ses dettes. L'article 1553 du *Code civil* indique que le **paiement** constitue non seulement le versement d'une somme d'argent pour acquitter une obligation, mais aussi, l'exécution même de ce qui est l'objet de l'obligation. Que ce soit un emprunt que l'on doit rembourser ou encore un contrat que l'on doit honorer, le paiement des obligations est régi par le *Code civil du Québec*.

Tout paiement suppose donc une obligation ou une dette.

> *Exemple* : Resto Melo inc. a emprunté 5000 $ à Johane et s'est engagé à la rembourser dans six mois.

> *Exemple* : Diane s'est engagée à repeindre la maison de Robert durant ses vacances d'été.

Dans le cas de Resto Melo inc., le paiement consistera dans le versement d'une somme d'argent alors que, dans celui de Diane, il consistera dans l'exécution même de son engagement, c'est-à-dire repeindre la maison.

PAIEMENT D'UNE SOMME D'ARGENT

L'article 1564 du *Code civil du Québec* résume bien la pratique commerciale établie depuis de nombreuses années concernant la façon de payer une somme d'argent.

« **Art. 1564 C.c.Q.** Le débiteur d'une somme d'argent est libéré par la remise au créancier de la somme nominale prévue, en monnaie ayant cours légal lors du paiement.

Il est aussi libéré par la remise de la somme prévue au moyen d'un mandat postal, d'un chèque fait à l'ordre du créancier et certifié par un établissement financier exerçant son activité au Québec ou d'un autre effet de paiement offrant les mêmes garanties au créancier, ou, encore, si le créancier est en mesure de l'accepter, au moyen d'une carte de crédit ou d'un virement de fonds à un compte que détient le créancier dans un établissement financier. »

PRINCIPALES MODALITÉS DU PAIEMENT

Ce sont les articles 1553 à 1572 du *Code civil* qui régissent le paiement et ses modalités.

Le tableau 15.2 de la page suivante illustre les principales modalités du paiement.

Tableau 15.2   Principales modalités du paiement

Principes	Exemples	Résultante
1. Le créancier ne peut être contraint de recevoir autre chose que ce qui lui est dû, même si la chose offerte est d'une plus grande valeur (art. 1561 (1) C.c.Q.).	Denise doit 2000 $ à Ginette. N'ayant pas d'argent, Denise offre de la payer en lui remettant une bague à diamants de 2500 $.	Dans ce cas, Ginette ne peut être contrainte à accepter la bague en paiement de la dette.
2. Le créancier ne peut non plus être contraint de recevoir le paiement partiel de l'obligation ou de la dette (art. 1561 (2) C.c.Q.).	Claude doit 15 000 $ à André. Ne pouvant payer la dette en totalité, Claude offre à André de lui donner 15 chèques postdatés de 1000 $ chacun, payables le 1er jour des 15 mois suivants.	André n'est absolument pas obligé d'accepter les modalités de paiement offertes par Claude.
3. Sauf dans les cas prévus par la *Loi sur la protection du consommateur,* (voir chapitre 11), le tribunal ne peut ordonner qu'une dette immédiatement exigible soit payée par versements sans que le créancier y consente.	Le tribunal ne pourrait pas forcer André à accepter d'autres modalités de paiement que le remboursement intégral de la dette de 15 000 $.	C'est seulement lorsque le créancier accepte volontairement de modifier les modalités de remboursement et dans le cas de contrats visés par la *Loi sur la Protection du consommateur,* que celles-ci seront modifiées (exemple : vente à tempérament où le consommateur a payé la moitié du prix).
4. Les frais de paiement sont à la charge du débiteur (art. 1566 (1) C.c.Q.).	C'est le cas des frais d'administration qu'exigent les établissements financiers aux emprunteurs.	À moins de faire modifier ces règles par une clause du contrat, c'est le débiteur qui en est responsable.
5. Le paiement se fait au lieu désigné expressément ou implicitement par les parties. Si le lieu n'est pas indiqué dans le contrat, le paiement doit être fait au domicile du débiteur, à moins que ce qui est dû ne soit un bien individualisé. Dans ce cas, le paiement se fait au lieu où le bien se trouvait au moment où l'obligation est née (art. 1566 (2) C.c.Q.).	Dans le bail, il est habituellement indiqué que le loyer est payable le 1er jour de chaque mois au domicile du locateur.	Le lieu du paiement d'un bien meuble, s'il n'est pas indiqué au contrat, est généralement le magasin où l'on a acheté le bien en question.

EFFETS DE COMMERCE

Effets de commerce : Expression la plus couramment utilisée pour désigner les divers instruments de paiement d'une somme d'argent. Les **effets de commerce** sont des écrits qui portent le nom de chèque, lettre de change ou traite, billet, lettre et billet du consommateur.

L'expression « *effets de commerce* » est la plus couramment utilisée pour désigner les divers instruments de paiement d'une somme d'argent. Les effets de commerce sont des écrits qui portent le nom de chèque, lettre de change ou traite, billet, lettre et billet du consommateur.

Le but premier des effets de commerce est le paiement d'une dette ou d'une obligation, mais ils sont aussi utilisés, comme nous l'avons vu précédemment, pour l'obtention de prêts d'argent, de crédit à court terme et de garanties de paiement.

La loi traitant des lettres de change, des chèques et des billets à ordre est une loi fédérale connue sous le nom de *Loi sur les lettres de change*. Elle a pour but de faciliter les opérations impliquant la prestation d'une somme d'argent, leur paiement et les recours des parties. Il est important de préciser que le chèque et le billet sont beaucoup utilisés pour les opérations entre des entreprises et des consommateurs alors que la lettre de change est surtout utilisée pour des opérations commerciales dans le cadre de l'exploitation d'une entreprise.

CONDITIONS DE VALIDITÉ DES EFFETS DE COMMERCE

Le tableau 15.3, page 428, illustre les principales conditions de validité de tous les effets de commerce.

MODALITÉS DES EFFETS DE COMMERCE

Le chèque, la lettre de change et le billet sont payables à ordre ou au porteur.

À ORDRE

Le chèque, la lettre de change et le billet sont **payables à ordre**. (Par exemple, « Payez à l'ordre de Blanche L'Espérance, 300 $. »)

Figure 15.3   Il n'est pas nécessaire qu'un chèque soit rédigé sur les formules imprimées que fournissent les banques. Dans la mesure où il remplit les conditions stipulées par la loi, le chèque rédigé sur un bout de papier est valable et doit être accepté par la banque.

Tableau 15.3   Conditions de validité des effets de commerce

La forme	La contrepartie	Le contenu
Document écrit • Le chèque, la lettre de change et le billet doivent être écrits pour être valables. • Contrairement à la croyance populaire, il n'est pas nécessaire qu'ils soient rédigés sur les formules imprimées fournies par les établissements financiers. *Exemple*: Ils peuvent même être rédigés à la main sur une feuille de papier. **Somme d'argent précise** • Le chèque, la lettre de change et le billet doivent spécifier une somme d'argent précise. Exemple : 25 $, 100 $, 10 000 $. *Exemple*: Les mentions « Payez le solde encore impayé à mon compte » ou « La valeur de l'automobile de marque Honda achetée » ne sont donc pas valables. **Paiement inconditionnel** Le chèque, la lettre de change et le billet ne doivent contenir aucune condition, c'est-à-dire qu'on ne doit pas faire dépendre le paiement de la réalisation d'une condition. *Exemple*: Les mentions au dos d'un chèque : « Payable à la condition que le Canadien gagne la coupe Stanley » ou « Payez 1000 $ à Monique si je gagne la Super-Loto » rendent nuls les documents en tant qu'effets de commerce et ce, même si la condition se réalise plus tard.	Toute contrepartie suffisante pour la validité d'un contrat ou d'une dette ou obligation est valable pour constituer un chèque, une lettre de change ou un billet valide. Elle ne doit pas être contraire à l'ordre public ou être illégale. *Exemple* : • la valeur de marchandises vendues ; • la valeur de services rendus ; • une donation ; • le paiement du loyer. Le défaut de contrepartie n'est opposable qu'entre le tireur ou le souscripteur d'une part et le bénéficiaire d'autre part. Il ne peut être opposé à un détenteur subséquent, tel un détenteur régulier.	L'article 26 de la Loi précise qu'un chèque, une lettre de change ou un billet n'est pas invalide du seul fait qu'il ne précise pas : **la date** • Le détenteur d'un effet de commerce non daté peut y insérer la véritable date de son émission, et le chèque, la lettre de change et le billet sont payables en conséquence ; • si aucune date n'est indiquée sur une lettre de change ou un billet, ils sont payables à demande, comme le chèque ; • l'effet de commerce peut être **postdaté**, c'est-à-dire porter une date postérieure différente de la date où il a été émis ; *Exemple* : Le cas le plus fréquent est celui des **chèques postdatés** qui sont remis par un locataire à son locateur pour couvrir les 12 mois suivants de loyer. Chacun d'eux est payable à la date prévue et pas avant. Quant au chèque **antidaté**, c'est-à-dire portant une date antérieure à son émission, il est aussi valide. **l'objet** Il n'est pas nécessaire de préciser sur le chèque, la lettre de change ou le billet la valeur ou le bien donné en échange ; **le lieu d'émission et de paiement** Il n'est pas nécessaire de préciser sur l'effet de commerce le lieu de son émission ou celui de son paiement.

AU PORTEUR

Un effet de commerce est **payable au porteur** lorsque ceci est clairement stipulé. (Par exemple, « Payez au porteur 175 $. ») Il l'est aussi lorsque le dernier endossement est un endossement en blanc. (Par exemple, « Payez à Pierre Archambault 350 $. ») ; en endossement, Pierre Archambault (sans autre mention).

MOMENT DU PAIEMENT

Le chèque, la lettre de change et le billet sont payables sur demande ou à terme.

SUR DEMANDE

Le chèque est toujours **payable sur demande**. La lettre de change et le billet le sont s'ils portent la mention : « Payez sur demande ou sur présentation » ou s'ils n'indiquent aucune date de paiement.

À TERME

Seuls la lettre de change et le billet peuvent être **payables à terme**. Nous avons déjà défini le terme comme un événement ou une date futurs et certains. (Par exemple, « À la fin de la dernière partie pour la coupe Stanley, payez 500 $ à Georges Musy. ») La lettre de change payable à terme comporte un délai de grâce de trois jours.

TYPES D'EFFETS DE COMMERCE

Afin de faciliter la compréhension de cette loi et du fonctionnement des différents effets de commerce, nous débuterons avec l'étude de celui qui est le plus connu et le plus utilisé, tant par le consommateur que par le commerçant, dans les transactions quotidiennes : le chèque.

LE CHÈQUE

Le *chèque* est, depuis longtemps, l'effet de commerce le plus utilisé, et les gens préfèrent cette modalité de paiement qui leur évite de transporter sur eux des sommes considérables.

L'article 165 de la *Loi sur les lettres de change* définit le chèque comme « une lettre de change tirée sur une banque et payable à demande ». Le chèque est un ordre, sans condition, donné par écrit et signé par une personne appelée le **tireur**, à une autre personne appelée le **tiré**, qui est toujours une banque ou une caisse d'épargne, de payer sur demande une somme d'argent déterminée à une autre personne, le **bénéficiaire** (ou **preneur**); le chèque est libellé soit à son nom, soit au porteur.

> **Chèque :** Ordre, sans condition, donné par écrit et signé par une personne appelée le **tireur**, à une autre personne appelée le **tiré**, qui est toujours une banque ou une caisse d'épargne, de payer sur demande une somme d'argent déterminée à une autre personne, le **bénéficiaire** (ou **preneur**) ; le chèque est libellé soit à son nom, soit au porteur.

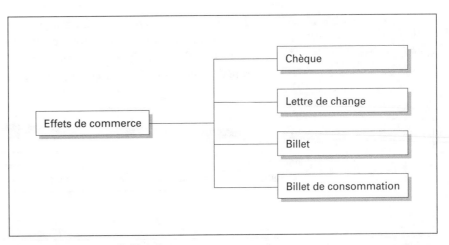

Figure 15.4 Types d'effets de commerce

L'article 2 de la Loi stipule que le mot **banque** signifie une banque, une caisse d'épargne ou une compagnie de fiducie constituée en corporation et faisant affaires au Canada.

DROITS ET OBLIGATIONS DES PARTIES

Tireur : Personne qui donne l'ordre de payer la somme d'argent mentionnée sur un chèque ou une lettre de change.

Le tireur   Le *tireur* est la personne qui donne l'ordre de payer la somme d'argent mentionnée sur un chèque ou une lettre de change.

Cette personne rédige le chèque et le signe. Le tireur doit signer lui-même, mais on permet qu'un mandataire signe le chèque à sa place. Les résolutions bancaires de compagnies autorisent une ou plusieurs personnes à signer les chèques, les lettres de change et même les billets au nom de la compagnie. Le tireur peut en tout temps, avant l'acceptation du chèque par sa banque, donner un **contre-ordre de paiement** du chèque. Dans le cas d'un tel arrêt de paiement, il doit pouvoir justifier sa démarche vis-à-vis du bénéficiaire ou du détenteur.

L'article 129 de la Loi énonce que le tireur d'une lettre de change ou d'un chèque :

- promet que, sur présentation régulière au tiré, la lettre de change ou le chèque sera accepté par ce dernier et payé par lui ;
- en cas de refus de la part du tiré, ou de tout endosseur, il s'engage à indemniser le détenteur ou tout endosseur qui aurait été forcé de l'acquitter si toutes les formalités requises à la suite d'un refus ont été remplies.

Le tireur garantit en quelque sorte au détenteur ou au bénéficiaire, que si le tiré ou un endosseur ne fait pas le paiement, il paiera à leur place le capital, les intérêts et les frais. Le tireur agit donc comme caution du tiré.

Tiré : Celui à qui le tireur donne l'ordre de payer la somme d'argent dans un chèque ou une lettre de change.

Le tiré   Dans le cas d'un chèque, le *tiré* est toujours une banque, une caisse d'épargne, une caisse populaire ou une compagnie de fiducie à qui le tireur donne l'ordre de payer la somme d'argent. La banque doit effectuer le paiement du chèque sur présentation, dans la mesure où la provision du compte bancaire du tireur est suffisante ; sinon, elle n'est pas obligée de payer la somme indiquée sur le chèque.

Par ailleurs, si elle refuse de payer même s'il y a suffisamment de provision, elle est passible d'une poursuite en dommages-intérêts de la part du tireur. Néanmoins, elle peut refuser de payer dans les cas suivants :

- lorsqu'elle reçoit un **contre-ordre de paiement** de son client ;
- lorsqu'elle est avisée de la mort ou de la faillite du tireur ;
- lorsqu'une saisie-arrêt est pratiquée sur le compte du tireur.

Bénéficiaire (ou preneur) : Personne en faveur de qui un chèque, une lettre de change ou un billet est émis.

Le bénéficiaire (ou preneur)   Le *bénéficiaire (ou preneur)* est la personne en faveur de qui un chèque, une lettre de change ou un billet est émis.

Le bénéficiaire doit être suffisamment identifié par son nom, son titre ou la fonction qu'il occupe, de façon à permettre au tiré de le payer.

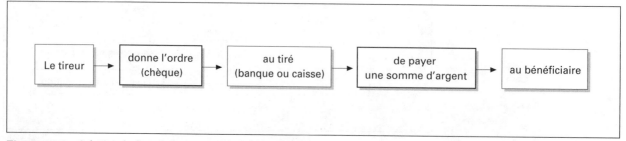

Figure 15.5   Schéma de fonctionnement du chèque

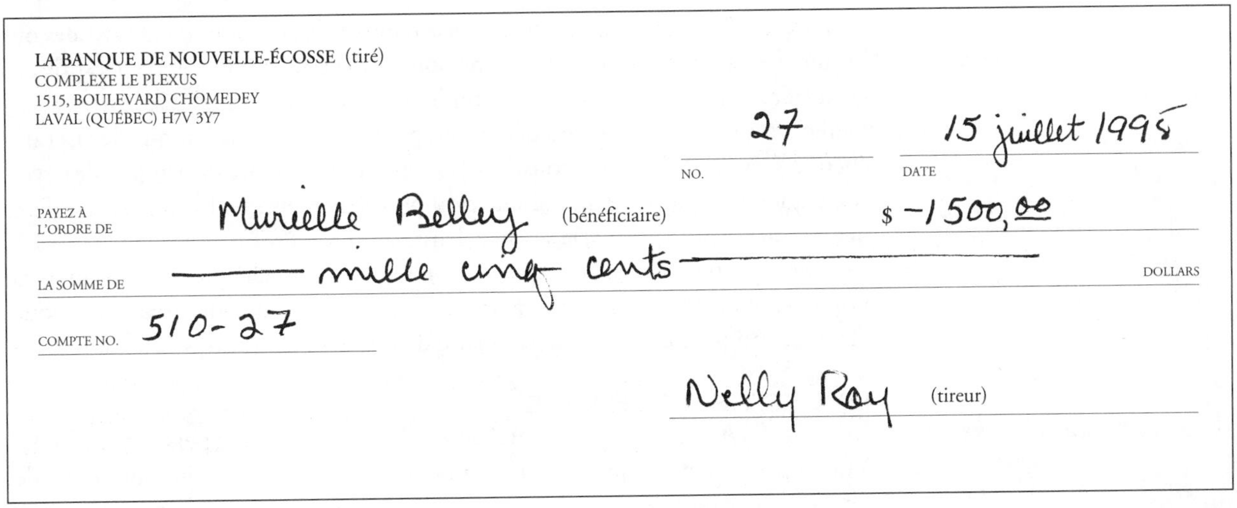

LA BANQUE DE NOUVELLE-ÉCOSSE (tiré)
COMPLEXE LE PLEXUS
1515, BOULEVARD CHOMEDEY
LAVAL (QUÉBEC) H7V 3Y7

NO. *27*   DATE *15 juillet 1995*

PAYEZ À
L'ORDRE DE   *Murielle Belley* (bénéficiaire) $ *–1 500,00*

LA SOMME DE ———— *mille cinq cents* ————————————   DOLLARS

COMPTE NO.   *510-27*

Nelly Roy (tireur)

Figure 15.6   Formule de chèque

Exemples :
« Payez à l'ordre de Michèle Martel. »
« Payez à l'ordre du ministère du Revenu du Québec. »
« Payez à l'ordre de la municipalité de Saint-Sauveur-des-Monts. »

Lorsque le chèque est payable au porteur, l'identification ne s'avère pas importante puisque c'est le détenteur de la lettre de change ou du chèque qui en reçoit le paiement.

Un chèque ou une lettre de change peut être payable à plus d'une personne, soit conjointement, soit à l'une d'elles, au choix des bénéficiaires.

Exemples :
« Payez à l'ordre de Ginette Parizeau et Joseph Bagdian, la somme de 1000 $. »
« Payez à l'ordre d'Aimée Desjardins ou de Claire Rochon, la somme de 5000 $. »

C'est, par exemple, le cas d'une compagnie d'assurances qui émet un chèque conjointement à votre nom et au nom du garagiste qui répare votre automobile. Dans un tel cas, les deux bénéficiaires doivent l'endosser pour qu'il puisse être encaissé.

Endosseur   Le bénéficiaire est toujours le premier endosseur d'un chèque. Dans certains cas, on retrouve des chèques portant la mention **paiement final et complet**. Souvent, le tireur d'un tel chèque doit au bénéficiaire plus que la somme qui y est indiquée. Il arrive quelquefois que le tireur inscrive volontairement une somme insuffisante et qu'il utilise cette mention pour se libérer de la totalité de sa dette.

Bien que la jurisprudence ne soit pas fixée d'une façon définitive sur le sujet, il est recommandé au bénéficiaire d'un tel chèque de ne pas l'encaisser directement. Ainsi la majeure partie de la jurisprudence énonce que le bénéficiaire doit carrément le retourner au tireur et exiger un autre chèque pour la somme due, à défaut de quoi, après l'encaissement du chèque, la dette totale sera effacée. En s'appuyant sur d'autres causes, on recommande de biffer la mention *paiement final*, d'aviser par écrit le tireur du refus de cette mention, d'attendre quelque temps pour lui permettre de réagir et d'encaisser ensuite le chèque. On doit donc être très prudent avant d'encaisser un tel chèque, et il est bon de consulter un avocat.

Très souvent, on utilise le **chèque visé** dans les transactions commerciales ou immobilières. Le but d'un tel effet de commerce est d'assurer et de garantir au créancier le paiement de la somme qui lui est due. Dans un tel cas, le tireur lui-même, ou tout bénéficiaire ou détenteur, peut demander à la banque de viser un chèque. Le visa d'un chèque constitue l'acceptation par le tiré (la banque) de payer le chèque au moment de sa présentation pour paiement. La banque garantit au bénéficiaire du chèque que la somme d'argent qui y est stipulée a été mise de côté spécialement pour le payer et que, sur présentation du chèque, l'argent lui sera immédiatement remis. Dans le cas de la mort ou de la faillite du tireur, la banque devra quand même payer le bénéficiaire d'après les dispositions de la loi.

LA LETTRE DE CHANGE

La *lettre de change* est un écrit signé de sa main par lequel une personne ordonne à une autre de payer, sans condition, une somme d'argent précise, sur demande ou à une échéance déterminée ou susceptible de l'être, soit à une troisième personne désignée - ou à son ordre -, soit au porteur.

L'article 16 de la *Loi sur les lettres de change* définit la **lettre de change**. Rappelons que celle-ci est surtout utilisée dans des opérations liées à l'exploitation d'une entreprise.

On emploie couramment l'expression **traite** ou **traite bancaire** pour désigner une lettre de change, où le tireur et le tiré sont la même personne (la banque).

Comme l'indique le schéma de fonctionnement de la lettre de change, voir figure 15.8, le détenteur ou le bénéficiaire d'une lettre de change peut la présenter au tiré pour acceptation. Si le tiré refuse, il n'est pas autrement lié par la lettre de change, et on ne peut le forcer à payer.

> **Lettre de change** : Écrit signé de sa main par lequel une personne ordonne à une autre de payer, sans condition, une somme d'argent précise, sur demande ou à une échéance déterminée ou susceptible de l'être, soit à une troisième personne désignée - ou à son ordre -, soit au porteur.

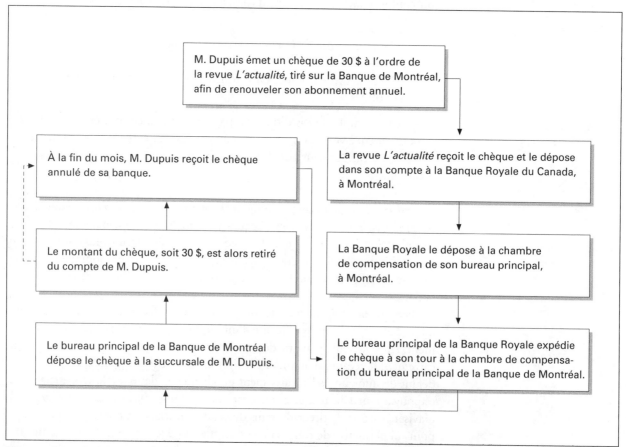

Figure 15.7   Le cheminement d'un chèque

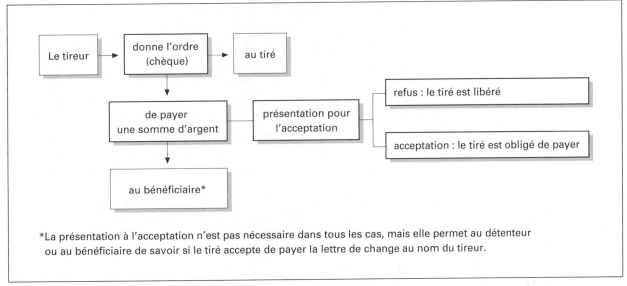

*La présentation à l'acceptation n'est pas nécessaire dans tous les cas, mais elle permet au détenteur ou au bénéficiaire de savoir si le tiré accepte de payer la lettre de change au nom du tireur.

Figure 15.8   Schéma de fonctionnement de la lettre de change

DROITS ET OBLIGATIONS DES PARTIES   Le tireur, le tiré et le bénéficiaire sont les parties présentes dans la lettre de change. Le tireur donne l'ordre au tiré (qui n'est pas nécessairement une banque ou une caisse, mais qui peut être une personne physique ou morale, comme une compagnie) de payer inconditionnellement une somme d'argent au bénéficiaire.

Le tireur   Le tireur est la personne qui donne l'ordre au tiré de payer la somme d'argent mentionnée sur la lettre de change ; son rôle est le même que pour le chèque.

Le tiré   Il est important de noter que la mention sur une lettre de change donnant l'ordre au tiré de payer, à la place du tireur, une somme d'argent au bénéficiaire n'oblige pas le tiré à payer cette somme d'argent. En effet, pour se faire payer par le tiré, le bénéficiaire de la lettre de change peut lui demander s'il accepte de payer selon les stipulations de la lettre de change.

Le tiré n'est pas obligé de payer. Il peut refuser et, dans un tel cas, il est libéré de toute obligation à l'égard du bénéficiaire. Mais s'il accepte, il devient alors accepteur de la lettre de change ; dans ce cas, il ne peut plus refuser de payer et il devient responsable du paiement. L'acceptation d'une lettre de change est indiquée au recto de la lettre par le tiré ou son représentant autorisé.

L'article 34 de la Loi définit l'*acceptation d'une lettre de change* comme étant la signification par le tiré de son assentiment à l'ordre du tireur. En d'autres mots, le tiré accepte de payer la somme mentionnée sur la lettre de change.

> **Acceptation d'une lettre de change :** Signification par le tiré de son assentiment à l'ordre du tireur. En d'autres mots, le tiré accepte de payer la somme mentionnée sur la lettre de change (art. 34 de la Loi).

Présentation pour l'acceptation   Seul le tiré ou son mandataire peut accepter une lettre de change. L'acceptation doit être faite par écrit, sur la lettre de change. La loi indique que la seule signature du tiré écrite sur la lettre de change est suffisante. Elle se fait en principe au recto de la lettre, en diagonale, en écrivant le mot « accepté » et en indiquant la date de la signature du tiré (voir figure 15.7, page 432).

Quand le tiré a donné son acceptation, il ne peut plus la retirer et refuser de payer. Le tiré qui a accepté la lettre de change s'appelle l'« **accepteur** » et, à ce titre, il s'engage à la payer suivant son acceptation en capital, intérêts et frais. L'acceptation est toutefois nécessaire :

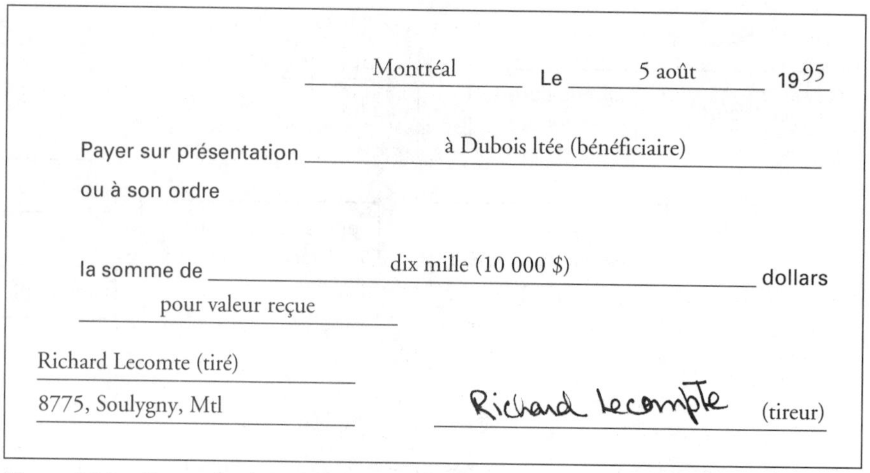

Montréal _____ Le _____ 5 août _____ 19 95

Payer sur présentation _____ à Dubois ltée (bénéficiaire) _____
ou à son ordre

la somme de _____ dix mille (10 000 $) _____ dollars
_____ pour valeur reçue _____

Richard Lecomte (tiré) _____
8775, Soulygny, Mtl _____   *Richard Lecompte*   (tireur)

Figure 15.9   Lettre de change rédigée et signée

- lorsque la lettre de change est payable ailleurs qu'à la résidence ou au siège social du tiré ;
- lorsque la lettre mentionne qu'elle doit être présentée pour l'acceptation ;
- lorsque la lettre est payable à vue ;
- lorsqu'il s'agit d'une lettre de change étrangère.

Le détenteur d'une lettre de change étrangère qui négligerait de présenter la lettre pour acceptation perdrait tous ses droits. Si la lettre de change n'est pas acceptée, le détenteur possède un recours immédiat contre le tireur et les endosseurs.

Le bénéficiaire (ou preneur)   Dans le cas de la lettre de change, le tiré doit habituellement une somme d'argent au tireur ou bien il lui a consenti une certaine avance de crédit, et c'est à même ces sommes d'argent que le tiré paie le bénéficiaire.

> *Exemple* : Jean Parizeau, à qui Richard Lecompte doit 10 000 $, achète des matériaux de construction chez Dubois ltée, pour une somme de 10 000 $; il rédige et signe la lettre de change illustrée à la figure 15.9.

Dans un tel cas, la dette de Richard à l'endroit de Jean, tout comme celle de Jean à l'endroit de Dubois ltée, sera effacée par le paiement que Richard fera à Dubois ltée.

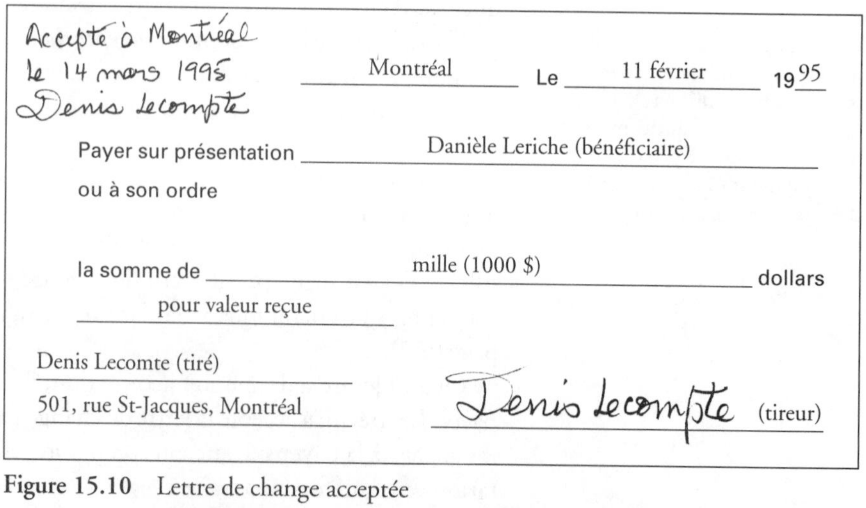

Accepté à Montréal
le 14 mars 1995
Denis Lecompte

Montréal _____ Le _____ 11 février _____ 19 95

Payer sur présentation _____ Danièle Leriche (bénéficiaire) _____
ou à son ordre

la somme de _____ mille (1000 $) _____ dollars
_____ pour valeur reçue _____

Denis Lecomte (tiré) _____
501, rue St-Jacques, Montréal _____   *Denis Lecompte*   (tireur)

Figure 15.10   Lettre de change acceptée

Endosseur : Celui qui appose sa signature au dos d'une lettre de change, d'un chèque ou d'un billet.

L'endosseur L'*endosseur* d'une lettre de change, d'un chèque ou d'un billet est celui qui y appose sa signature au dos. L'endosseur d'un effet de commerce cautionne en quelque sorte les obligations de ceux qui l'ont détenu avant lui ; si ces personnes n'honorent pas l'effet de commerce et ne le paient pas, le détenteur de l'effet de commerce peut poursuivre l'endosseur pour se faire payer. C'est l'article de la *Loi sur les lettres de change* qui énumère les obligations de l'endosseur.

LE BILLET

Billet : Promesse écrite signée par laquelle le souscripteur s'engage, sans condition, à payer, sur demande ou à une échéance déterminée ou susceptible de l'être, une somme d'argent précise à une personne désignée ou à son ordre, ou encore au porteur.

Le *billet* est une promesse écrite signée par laquelle le souscripteur s'engage, sans condition, à payer, sur demande ou à une échéance déterminée ou susceptible de l'être, une somme d'argent précise à une personne désignée ou à son ordre, ou encore au porteur (voir figure 15.11).

L'article 176 de la *Loi sur les lettres de change* définit le **billet** (voir figure 15.12).

DROITS ET OBLIGATIONS DES PARTIES Contrairement à la lettre de change et au chèque, le billet n'implique donc que deux parties : le souscripteur et le bénéficiaire.

Ainsi on reconnaît facilement le billet par sa formulation : « Je promets de payer 100 $... » ou « Je m'engage à payer 200 $... »

Le billet se distingue de la reconnaissance de dette en ce que cette dernière ne constitue pas un effet de commerce mais une obligation que le débiteur reconnaît envers son créancier, généralement en vertu d'un contrat.

Souscripteur : Personne qui s'engage à payer au bénéficiaire d'un billet une somme d'argent.

Souscripteur Le *souscripteur* est la personne qui s'engage à payer au bénéficiaire d'un billet une somme d'argent. Le souscripteur cumule les fonctions du tireur et du tiré ; il s'engage directement et personnellement envers le bénéficiaire.

Le bénéficiaire Le souscripteur promet de payer au bénéficiaire une certaine somme d'argent. Le billet doit désigner le bénéficiaire d'une façon adéquate, comme dans le cas du chèque et de la lettre de change.

L'endosseur Les dispositions de la loi concernant le chèque et la lettre de change s'appliquent également à l'endosseur d'un billet.

NÉGOCIATION D'UN EFFET DE COMMERCE

À moins de stipulations contraires sur le document qui les constitue, le chèque, la lettre de change et le billet sont négociables, c'est-à-dire qu'ils peuvent être cédés ou transférés.

L'article 20 de la *Loi sur les lettres de change* indique que, lorsqu'une lettre de change contient des mots qui en interdisent la cession ou qui indiquent l'intention de la rendre non cessible, elle est valable entre les parties intéressées (tireur, tiré, bénéficiaire), mais elle n'est pas négociable.

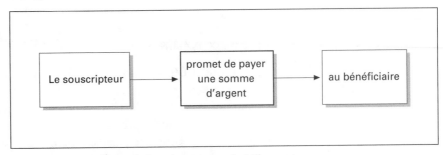

Figure 15.11 Schéma de fonctionnement du billet

Montréal _____ Le _____ 14 mars _____ 19 95

À _____ trois (3) mois de cette date, _____ je promets de payer

à l'ordre de _____ Claire Rochon (bénéficiaire) _____

la somme de _____ deux mille (2000 $) _____ dollars

pour valeur reçue.

Nelly Roy (souscripteur)

Figure 15.12   Billet

Exemple : Payez 100 $ à *Sylvie Archambault seulement*. On verra également la mention « non négociable » ou les mots « pour dépôt seulement au compte du bénéficiaire » ajoutés à la lettre de change. Les mêmes remarques s'appliquent au chèque et au billet.

L'article 166 de la Loi stipule que le chèque doit être présenté pour paiement « dans un délai raisonnable après son émission ». Les règles de compensation bancaire ont établi que la durée normale de validité d'un chèque est de six mois ; au-delà de cette période, les banques refusent de payer le chèque sur le compte de leurs clients. On considère alors que le chèque n'a pas été présenté dans un délai raisonnable par les voies de compensation normales. Le bénéficiaire doit alors en exiger un nouveau du tireur ou exercer son recours en recouvrement dudit chèque devant les tribunaux dans un délai de trois ans de son émission (art. 2925 C.c.Q.). Il est donc préférable d'encaisser les chèques le plus tôt possible.

Le premier endosseur d'une lettre de change, d'un chèque ou d'un billet est le premier bénéficiaire. Par la suite, l'endosseur peut négocier la lettre de change ou le chèque en l'endossant en faveur d'un nouveau détenteur et, habituellement, en obtenant en contrepartie de cet endossement des biens ou des services.

Exemple : Jean-Guy (le tireur) se rend chez A.B.C. ltée (le bénéficiaire) pour acheter une chaîne stéréophonique d'une valeur de 2000 $. Il signe un chèque de 2000 $ tiré sur la banque X... (le tiré) où il a un compte.

Le gérant d'A.B.C. ltée désire acheter de la marchandise et il se rend chez son fournisseur, Stéréo ltée, où il achète pour 2000 $ de matériel ; au lieu de payer comptant ou de faire un nouveau chèque, il endosse le chèque de Jean-Guy au nom d'A.B.C. ltée et il le remet à Stéréo ltée.

Le propriétaire de Stéréo ltée a besoin de compléter ses stocks et il se rend chez son distributeur, X.Y.Z. ltée, où il achète pour 2000 $ de marchandises ; il endosse à son tour le chèque de Jean-Guy et le remet à X.Y.Z. ltée.

Il y a donc eu négociation, c'est-à-dire transfert et cession d'un effet de commerce. Pour se faire payer, X.Y.Z. ltée déposera probablement le chèque dans son compte bancaire et, s'il y a suffisamment de provision, la Banque X... l'acquittera. Mais il se peut que la provision soit insuffisante (chèque sans provision) ou que Jean-Guy ait annulé le paiement parce que, par exemple, sa chaîne stéréophonique ne fonctionnait pas.

Dans un tel cas, si X.Y.Z. ltée remplit toutes les formalités requises par la loi, elle pourra s'adresser au tireur et aux endosseurs antérieurs pour se faire payer la somme de 2000 $, soit Jean-Guy, A.B.C. ltée et Stéréo ltée.

Si Stéréo ltée est obligée de payer à titre d'endosseur, elle pourra poursuivre à son tour le tireur et les endosseurs antérieurs pour se faire payer, c'est-à-dire A.B.C. ltée et Jean-Guy.

L'endosseur qui voudrait se dégager d'une telle responsabilité devrait, comme c'était le cas pour le tireur, inscrire au dos de la lettre de change ou du chèque les termes « sans recours » ou « sans recours contre moi pour plus de 500 $ ». Dans un tel cas, la négociabilité de l'effet de commerce serait fort probablement affectée.

L'endosseur qui est obligé de payer peut poursuivre le tireur et le tiré-accepteur ou le souscripteur, de même que les endosseurs antérieurs, pour se faire rembourser les sommes versées. L'endosseur peut donc, comme le tireur, exiger une preuve du refus de la lettre de change par le tiré au moment de la présentation à la banque. Comme pour le tiré, on en fera la preuve par le protêt.

DÉTENTEUR RÉGULIER

Détenteur régulier : Celui qui a en sa possession un effet de commerce (chèque, lettre de change ou billet) qui est parfaitement rédigé et qui n'a pas été préalablement refusé au moment de la présentation pour l'acceptation ou le paiement. Il doit donc être de bonne foi et avoir acquis l'effet de commerce contre sa valeur, c'est-à-dire qu'il doit avoir reçu une contrepartie. Il doit aussi l'avoir acquis avant qu'il ne soit en souffrance et sans avis de vice de titre.

Le *détenteur régulier* est celui qui a en sa possession un effet de commerce (chèque, lettre de change ou billet) qui est parfaitement rédigé et qui n'a pas été préalablement refusé au moment de la présentation pour l'acceptation ou le paiement. Il doit donc être de bonne foi et avoir acquis l'effet de commerce contre sa valeur, c'est-à-dire qu'il doit avoir reçu une contrepartie. Il doit aussi l'avoir acquis avant qu'il ne soit en souffrance et sans avis de vice de titre.

Tout détenteur d'un chèque, d'une lettre de change ou d'un billet est réputé détenteur régulier. C'est à celui qui conteste la validité du titre d'un détenteur régulier d'en faire la preuve.

Le détenteur régulier peut céder, transférer et négocier l'effet de commerce.

L'article 73 de la Loi énonce que les droits du détenteur d'une lettre de change sont les suivants :

- il peut intenter en son propre nom une action fondée sur sa lettre ;
- il possède la lettre de change libérée de tout vice de titre de propriété des parties qui le précèdent ainsi que des moyens de défense personnelle que pouvaient faire valoir les parties antérieures entre elles ;
- il peut exiger le paiement de toutes les parties liées par la lettre : le tireur, le tiré et les endosseurs antérieurs à lui.

Exemple : En tant que détenteur régulier, X.Y.Z. ltée pourrait poursuivre le tireur, Jean-Guy, et les endosseurs et détenteurs antérieurs, soit A.B.C. ltée et Stéréo ltée, sans que ces personnes puissent lui opposer des moyens de défense personnelle.

Jean-Guy ne pourra opposer au détenteur régulier, X.Y.Z. ltée, le moyen de défense personnelle dont il dispose à l'endroit d'A.B.C. ltée, à savoir que sa chaîne stéréophonique est défectueuse et que, pour cette raison, il a donné à sa banque un contre-ordre de paiement. Mais il pourra demander au détenteur de lui démontrer que toutes les formalités de paiement prévues par la loi ont été suivies. Il devra donc payer X.Y.Z. ltée, le détenteur régulier, puis poursuivre A.B.C. ltée pour faire annuler la vente et se faire rembourser les 2000 $.

LETTRES, CHÈQUES ET BILLETS DE CONSOMMATION

Le quatrième type d'effet de commerce existe depuis seulement une trentaine d'années.

Lettre, chèque ou billet de consommation : Lettre de change, chèque ou billet qui s'applique au consommateur pour ses achats de consommation.

Achat de consommation : Achat à terme de marchandises ou de services - ou tout accord à cet effet - effectué :

a) par un particulier dans un but autre que la revente ou l'usage professionnel ;

b) chez une personne faisant profession de vendre ou de fournir ces marchandises ou services.

Marchandise : Article qui peut faire l'objet d'échanges commerciaux à l'exception des immeubles.

Service : Mot qui désigne les réparations et les améliorations.

La *lettre*, le *chèque* ou le *billet de consommation* est essentiellement une lettre de change, un chèque ou un billet qui s'applique au consommateur pour ses achats de consommation.

DÉFINITION

L'article 188 de la Loi définit l'*achat de consommation*.

L'achat de consommation consiste en un achat à terme de *marchandises* ou de *services* - ou tout accord à cet effet - effectué :

a) par un particulier dans un but autre que la revente ou l'usage professionnel ;

b) chez une personne faisant profession de vendre ou de fournir ces marchandises ou services.

Le but de la lettre, du chèque et du billet de consommation est d'accorder une protection particulière aux consommateurs lorsqu'ils achètent à crédit des services ou des biens de consommation. Ainsi il arrive souvent que certains achats (cuisinière, réfrigérateur, mobilier de salon, etc.) soient faits à crédit ; le consommateur donne alors au commerçant une série de chèques postdatés, ou encore l'achat est accepté par une banque ou une société de financement.

> *Exemple* : Jean-François se marie et il achète chez Meubles du Québec ltée une cuisinière, un réfrigérateur, un mobilier de salon, de cuisine et de chambre à coucher pour la somme de 5000 $. Le commerçant offre des paiements échelonnés sur une période de 12 mois. Jean-François accepte et signe une série de chèques postdatés au verso desquels il inscrit les mots : « achat de consommation ».

Dans ce cas, Jean-François (le consommateur) signe un contrat avec le commerçant qui, quant à lui, cède ou transfère les chèques postdatés en les endossant, ou encore cède le contrat à la banque ou à une société de financement qui lui rembourse la valeur du contrat, moins certains frais. Les paiements sont ensuite faits à la banque ou à la société de financement qui sont alors considérés comme des détenteurs réguliers au sens de la *Loi sur les lettres de change*.

La principale caractéristique de la lettre, du chèque et du billet de consommation est de protéger le consommateur en abolissant les droits reconnus aux détenteurs réguliers et en permettant au consommateur de lui opposer tous ses moyens de défense personnels.

Dans notre exemple, la banque ou la société de financement peut poursuivre Jean-François pour se faire payer. Mais celui-ci peut lui opposer tous les moyens de défense personnelle dont il disposait à l'égard du vendeur, les Meubles du Québec ltée, bien que la banque ou la société de financement soient des détenteurs réguliers. Ainsi si la cuisinière ou le réfrigérateur ne fonctionne pas, il peut refuser de payer et faire valoir ce moyen de défense personnelle contre tout détenteur régulier.

CONDITIONS DE VALIDITÉ

Pour qu'une lettre, un chèque ou un billet soit considéré lettre, chèque ou billet de consommation, certaines conditions doivent être observées :

- l'achat pour lequel la lettre ou le billet est émis doit être un achat de consommation tel qu'il est défini précédemment ;
- l'achat doit être effectué par un particulier pour lui-même et non par un commerçant qui vend ou qui fournit des marchandises ou des services dans le cours normal de ses affaires ; cela exclut donc les opérations entre consommateurs ou entre commerçants ;
- l'achat doit être effectué à terme ; cela exclut donc l'achat fait au comptant ;

- dans le cas de la lettre de change et du chèque postdatés, ils doivent être postdatés au plus de 30 jours. Dans le cas du billet, qu'il soit payable à terme ou à demande, le consommateur est protégé ;
- au moment où il est signé par l'acheteur, toute lettre ou tout billet du consommateur doit porter, en évidence et d'une manière lisible, au recto, les mots « Achat de consommation ». À défaut d'une telle inscription, l'effet de commerce en question est nul.

La loi prévoit de lourdes pénalités pour quiconque transfère l'effet de commerce malgré la mention « Achat de consommation ».

RÉSUMÉ

- On définit le financement de l'entreprise comme la fonction qui consiste à se procurer des fonds et à les utiliser de façon efficace et rationnelle. L'entreprise peut se financer sans emprunt ou par voie d'emprunt.

- Les principaux modes de financement sans emprunt sont : l'investissement personnel des propriétaires, la vente en consignation, le crédit commercial, les bénéfices non répartis de l'entreprise et le financement par le capital-actions.

- Le financement par voie d'emprunt peut être à cours, à moyen ou à long terme ; il peut être garanti ou non garanti.

- Les principaux types de prêt sont le prêt à usage, le simple prêt ou prêt de consommation ou prêt d'argent et le prêt d'argent à une entreprise.

- Les plus importantes techniques de financement sont : l'emprunt à terme, la marge de crédit, le crédit-bail, la vente à tempérament, l'affacturage, la vente avec faculté de rachat, les subventions et l'émission d'obligations.

- Le paiement constitue non seulement le versement d'une somme d'argent pour acquitter une obligation, mais aussi l'exécution même de ce qui est l'objet de l'obligation.

- Les effets de commerce désignent les divers instruments de paiement d'une somme d'argent ; ils portent le nom de chèque, lettre de change ou traite, de billet et de lettre et billet de consommation.

RÉSEAU DE CONCEPTS

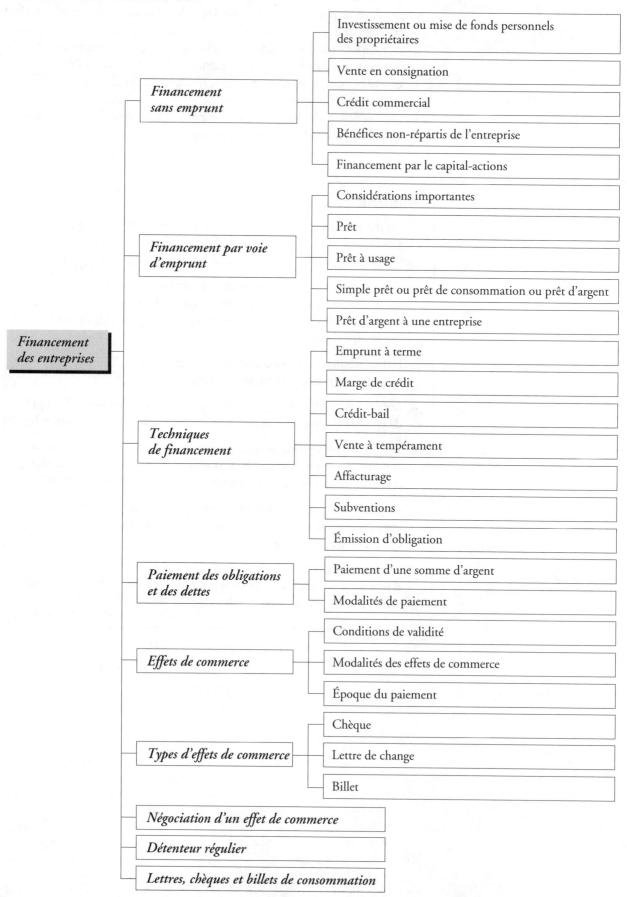

EXERCICES

ASSOCIATIONS

Associez un des termes ci-dessous à l'une des définitions qui suivent :

- actionnaire
- crédit-bail
- tireur
- crédit commercial
- endosseur
- vente à tempérament
- obligataire
- tiré
- marge de crédit
- bénéficiaire
- souscripteur
- affacturage

1. La personne qui achète un certificat d'obligation ou une débenture s'appelle un ___ .

2. On nomme ___ l'usage commercial qui s'est développé en cours des années et qui veut que les fournisseurs accordent des délais de paiement à leurs clients.

3. L' ___ d'une lettre de change, d'un chèque ou d'un billet est celui qui signe au dos du document ; il cautionne les obligations de ceux qui ont détenu l'effet de commerce avant lui.

4. La ___ représente une somme d'argent prédéterminée qu'un établissement prêteur met à la disposition d'une entreprise pendant une période de un an.

5. Le ___ est la personne qui s'engage à payer au bénéficiaire d'un billet une certaine somme d'argent.

VRAI OU FAUX

Indiquez si les affirmations suivantes sont vraies ou fausses. Si l'affirmation est fausse, précisez pourquoi.

1. Dans une lettre de change, le tiré est toujours une banque ou une caisse populaire.

2. La notion « 5 %/10 jours » signifie que le fournisseur accorde un rabais de 5 % à son client qui paie dans les 10 jours suivant la réception des marchandises.

3. Une compagnie peut assurer son financement en émettant des obligations.

4. Un effet de commerce est invalide s'il n'est pas daté.

5. Le billet comprend trois parties : le souscripteur, le bénéficiaire et l'endosseur.

CHOIX MULTIPLES

1. L'obtention d'une marge de crédit par une entreprise porte le nom de :
   a) crédit à la consommation.
   b) emprunt à terme.
   c) crédit variable.
   d) imputation de paiement.

2. Un effet de commerce est considéré comme nul quand :
   a) il est émis sans contrepartie.
   b) le tireur oublie d'indiquer la date.
   c) le tireur n'indique pas le montant dû à la fois en chiffres et en lettres.
   d) le tireur n'indique pas le lieu de l'émission ou de paiement.

3. Une obligation est :
   a) un titre de créance.
   b) un titre de propriété.
   c) un certificat d'action.
   d) un cautionnement.

4. Christiane signe un chèque, dont le tiré est la Banque du Québec, en faveur d'André ; André négocie la lettre auprès de Luc. À l'échéance, Luc présente la lettre à la banque, qui refuse de payer. Luc s'adresse à Christiane qui, elle aussi, refuse de payer. Christiane peut-elle agir de la sorte ?
   a) oui, parce qu'elle est le tireur de la lettre de change.
   b) oui, parce qu'elle ne connaît pas Luc.
   c) non, parce que le tireur doit toujours indemniser le détenteur régulier en cas de refus de paiement par le tiré.
   d) non, parce que le refus du tiré met fin à la lettre de change, qui est un ordre de payer.

5. Le contrat en vertu duquel une personne remet un bien à une autre personne pour qu'elle s'en serve pendant un certain temps et qu'elle le lui rende par la suite est un ___ .
   a) simple prêt
   b) prêt de consommation
   c) commodat
   d) prêt à usage

CAS PRATIQUES

1. Catherine et Jean-François veulent lancer une entreprise sous la dénomination sociale Dépanneur Tout Temps ltée. C'est leur première expérience en affaires et ils désirent obtenir des capitaux pour leur commerce. Ils viennent vous consulter et vous exposent les faits suivants :
    -   le fonds de roulement nécessaire pour leur commerce est d'environ 50 000 $;
    -   chacun d'eux peut investir 25 000 $ dans le commerce ;
    -   le coût de l'équipement nécessaire au fonctionnement de l'entreprise est d'environ 75 000 $;
    -   le commerce aura recours à une vingtaine de fournisseurs ;
    -   ils prévoient se procurer, entre autres, un four pour faire du pain, des gâteaux et des pâtisseries, car plusieurs restaurateurs des environs les ont assurés de leur clientèle. Ils ont estimé à 15 000 $ par mois les revenus provenant de ces ventes.

    a) Dans un premier temps, ils vous demandent s'ils peuvent bénéficier de certaines sources de financement qui les dispenseraient de fournir des garanties. Si vous répondez par l'affirmative, décrivez ces sources et expliquez-en le fonctionnement.

    b) Jean-François, pour sa part, vous déclare que, lorsqu'il fréquentait le collège en techniques administratives, il a lu que de nombreuses entreprises obtenaient une marge de crédit pour financer leurs activités. Ses souvenirs à ce sujet sont vagues, et il vous demande de lui expliquer le fonctionnement de la marge de crédit.

    c) Ils désirent savoir s'il existe d'autres techniques de financement auxquelles ils peuvent avoir recours.

2. Marcel Rochon vient vous consulter et vous rapporte les faits qui suivent. Il est contrôleur d'une grande société québécoise de micro-ordinateurs et la compagnie est sur le point de signer d'importants contrats avec l'entreprise américaine Microspace Computers Inc. La société obtiendrait ainsi la distribution exclusive au Québec des ordinateurs IMB de la firme américaine. Avant de passer le contrat et de recevoir une première commande, cette entreprise demande à la compagnie de déposer un chèque visé de un million de dollars.

    a) Marcel vous demande de lui expliquer le fonctionnement du chèque visé. Expliquez-le-lui.

    b) Il vous exhibe également une série de 10 chèques postdatés qu'un de ses clients lui a remis en paiement d'un compte. Il désire savoir si ces chèques sont valables et s'ils sont payables à terme ou à demande. Répondez-lui.

    c) Aimée Desjardins vous soumet le problème suivant : Elle a vendu son piano à queue à Michèle Martel pour la somme de 5500 $. Michèle a versé 500 $ comptant au moment de l'achat et, par la suite, chaque mois, pendant les six mois suivants, elle lui a versé un chèque de 500 $. Aujourd'hui, elle vient de recevoir un chèque de 1250 $ de Michèle. Au verso du chèque, cette dernière a ajouté les mots : « En paiement final et total du piano Baldwin ».

    Aimée veut savoir si elle peut encaisser le chèque, après avoir pris soin de rayer la mention qui figure au verso.

    Expliquez-lui les conséquences de l'encaissement d'un tel chèque et la façon de procéder, le cas échéant.

3. Le 1er juillet, Robert reçoit une lettre de mise en demeure de Réjean Hébert lui réclamant la somme de 3000 $ qu'il lui a prêtée et qui est devenue exigible le 1er septembre de l'année précédente. Il lui réclame en plus les intérêts au taux de 2 % par mois comme l'indique le contrat.

    Selon vous, Réjean Hébert pourra-t-il obtenir un jugement condamnant Robert à lui payer la somme de 3000 $ et les intérêts au taux de 2 % par mois ? Expliquez.

CHAPITRE 16

LES GARANTIES DE PAIEMENT ET L'INSOLVABILITÉ

LES GARANTIES DE PAIEMENT
Les garanties légales
Les garanties conventionnelles

L'INSOLVABILITÉ
Le dépôt volontaire
La faillite

RÉSUMÉ

RÉSEAU DE CONCEPTS

EXERCICES

CAS PRATIQUES

OBJECTIFS ET ÉLÉMENTS DE COMPÉTENCES

1 Distinguer une garantie légale d'une garantie conventionnelle.

2 Connaître les procédures relatives à une saisie-exécution de biens meubles et à une saisie-exécution d'immeubles.

3 Établir la partie saisissable du salaire d'un débiteur.

4 Connaître les dispositions du *Code civil du Québec* concernant les créances prioritaires et les hypothèques légales.

5 Connaître la procédure du dépôt volontaire et ses conséquences.

6 Établir la distinction entre la cession de biens et l'ordonnance de mise sous séquestre.

7 Expliquer la différence entre un créancier garanti, privilégié, ordinaire et différé.

LES GARANTIES DE PAIEMENT

Qu'arrive-t-il lorsque le débiteur refuse de payer, malgré les demandes répétées de son créancier ? Dans un tel cas, le créancier doit poursuivre son débiteur devant les tribunaux et obtenir un jugement le condamnant à payer.

Contrairement à un préjugé largement répandu, le créancier ne peut pas automatiquement saisir les biens de son débiteur simplement parce que ce dernier lui doit de l'argent.

Les cas de saisie avant jugement sont très rares et se font en général lorsque le créancier possède un titre de propriété ou une priorité ou une garantie sur les biens du débiteur (exemples : vente à tempérament, hypothèque ou priorité), ou lorsqu'il démontre au juge que sa créance est en péril à cause des agissements du débiteur.

Notons sur ce dernier point que les agissements du débiteur en cause doivent correspondre à certains critères exceptionnels et graves définis par une jurisprudence abondante de nos tribunaux. À titre d'exemple, la simple crainte subjective de ne pas être payé qu'entretiendrait un créancier à cause de la mauvaise situation financière de son débiteur ne donne pas en soi et à elle seule ouverture à la mesure draconienne que constitue la saisie avant jugement prévue aux articles 733 et ssq. du *Code de procédure civile*.

Nous avons vu au chapitre 2 le déroulement des procédures judiciaires civiles devant les tribunaux jusqu'à l'obtention du jugement.

Nous allons maintenant examiner comment se fait l'exécution d'un tel jugement contre les biens du débiteur.

À cette fin, nous reprendrons l'exemple de la compagnie Beaubois et de Jean Larivière déjà vu au chapitre 2.

> *Exemple* : À la suite du déroulement des procédures et de l'audition de la cause, le juge a condamné Jean Larivière à payer à Beaubois ltée la somme de 35 000 $ plus les intérêts et les frais.

Le créancier dispose de deux sortes de garanties possibles contre son débiteur, les **garanties légales** et les **garanties conventionnelles**.

LES GARANTIES LÉGALES

Les **garanties légales** sont celles qui sont prévues au Code et qui s'appliquent à tous les créanciers sans qu'il soit nécessaire de les mentionner dans un contrat. La figure 16.1 énumère celles-ci.

LE PATRIMOINE DU DÉBITEUR

L'article 2644 du *Code civil* énonce que les biens d'un débiteur sont affectés à l'exécution de ses obligations et constituent le gage commun de ses créanciers. L'article 2646 vient compléter cette disposition en stipulant ce qui suit :

« **Art. 2646 C.c.Q.** Les créanciers peuvent agir en justice pour faire saisir et vendre les biens de leur détenteur. [...]. »

Il ressort de ces articles que tous les biens appartenant à un débiteur servent de garanties de paiement à ses créanciers. Ceci revient à dire que, si un créancier obtient un jugement contre son débiteur, il pourra saisir tous ses biens meubles et immeubles, de même que son salaire, à l'exception de la partie insaisissable de ce dernier.

Exemple : Beaubois ltée a obtenu un jugement condamnant Jean Larivière à lui payer 35 000 $, plus les intérêts et les frais, et Jean Larivière refuse de payer. Beaubois ltée obtient alors l'émission d'un bref de saisie-exécution mobilière contre lui. L'huissier à qui est remis le bref doit se présenter chez le débiteur et, avant de pratiquer la saisie, doit lire au débiteur l'avis annexé au bref et lui demander s'il peut payer.

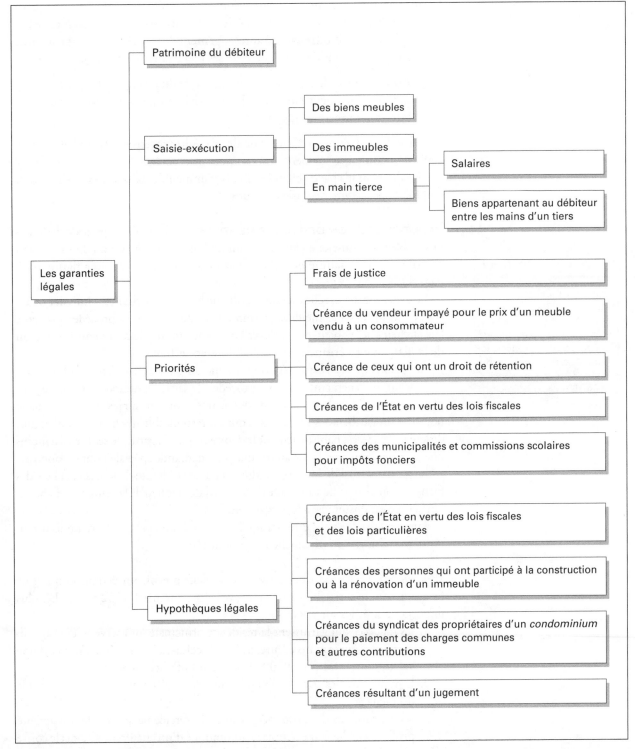

Figure 16.1 Types de garanties légales

Transaction : Contrat par lequel les parties préviennent une contestation à naître, terminent un procès ou règlent les difficultés qui surviennent lors de l'exécution d'un jugement, au moyen de concessions ou de réserves réciproques.

Avant d'avoir recours à la saisie ou même avant ou pendant les procédures judiciaires, les parties peuvent régler le litige hors cour. On parle alors d'un **règlement hors cour** ou d'une **transaction** au sens de l'article 2631 du *Code civil du Québec*.

La *transaction* est le contrat par lequel les parties préviennent une contestation à naître, terminent un procès ou règlent les difficultés qui surviennent lors de l'exécution d'un jugement, au moyen de concessions ou de réserves réciproques.

LES SAISIES-EXÉCUTIONS

Le créancier qui a obtenu un jugement contre son débiteur doit d'abord s'enquérir de tous les biens qu'il possède, afin d'éviter des frais de saisie inutiles. À cette fin, il peut procéder à l'**interrogatoire après jugement** de son débiteur pour connaître l'existence, la localisation et la valeur de ses biens (art. 543 C.p.c.).

> *Exemple* : Dans le cas de Beaubois, à la suite du jugement, l'avocat de Beaubois ltée peut envoyer à Jean Larivière une **assignation pour interrogatoire après jugement**.

En vertu de ce document, l'avocat de Beaubois ltée interrogera Jean Larivière en cour pour connaître ses biens et ses sources de revenus.

Si le débiteur n'a pas de biens meubles ou immeubles saisissables, et s'il est sans emploi, la procédure de saisie est inutile.

Bref de saisie-exécution : Ordre de la cour autorisant un huissier ou un shérif à saisir les biens meubles ou immeubles du débiteur, à procéder à la vente aux enchères de ces biens et à prélever à même le produit de cette vente le montant de la dette due au créancier en capital, intérêts et frais.

SAISIE-EXÉCUTION DES BIENS MEUBLES   Si le débiteur possède des biens saisissables, le créancier en faveur de qui un jugement a été rendu doit s'adresser au tribunal pour faire émettre un *bref de saisie-exécution* (voir figure 16.3, page 448).

Le bref de saisie-exécution est un ordre de la cour autorisant un **huissier** ou un **shérif** à saisir les biens meubles ou immeubles du débiteur, à procéder à la vente aux enchères de ces biens et à prélever à même le produit de cette vente le montant de la dette due au créancier en capital, intérêts et frais.

Rappelons que la saisie-exécution des meubles est exécutée par un huissier.

À défaut de paiement, l'huissier procède à la saisie en dressant, en trois exemplaires, un procès-verbal ou une liste des biens se trouvant sur les lieux. Il doit alors nommer un gardien des biens saisis, qui est responsable des biens jusqu'au jour de leur vente. C'est habituellement le débiteur qui a la garde de ses biens, à moins que le créancier n'ait adressé au tribunal une demande spéciale pour s'y opposer.

Le procès-verbal de l'huissier indique la date et l'heure de la saisie, la liste des biens, le nom du gardien ainsi que l'heure, la date et le lieu de la vente aux enchères. Une copie est ensuite laissée au gardien.

Aucune saisie ne peut être pratiquée avant 7 h ou après 20 h, ni un jour non juridique, comme un dimanche ou un jour férié.

Biens insaisissables   Le *Code de procédure civile* prévoit un certain nombre de biens qui sont insaisissables. On en trouve la liste aux articles 552 et 553. Les plus importants sont les suivants :

1. les meubles qui garnissent la résidence principale, qui servent à l'usage du ménage et qui sont nécessaires à la vie de celui-ci, jusqu'à concurrence d'une valeur marchande de 6000 $ établie par l'officier saisissant ;
2. la nourriture, les combustibles, le linge et les vêtements nécessaires à la vie du ménage ;
3. les instruments de travail nécessaires à l'exercice personnel de son activité professionnelle. Par exemple : l'automobile d'un chauffeur de taxi ; le coffre d'outils d'un menuisier.

Dans le cas des meubles et instruments de travail, ils sont néanmoins saisissables pour le prix de ces biens ou par un créancier hypothécaire détenant une hypothèque sur ceux-ci :

4. les papiers et portraits de famille, les médailles et autres décorations ;
5. les biens donnés ou légués sous condition d'insaisissabilité ;
6. les aliments accordés en justice, de même que les sommes données ou léguées à titre d'aliments ;
7. les prestations accordées au titre d'un régime complémentaire de retraite auquel cotise un employeur pour le compte de ses employés, les autres sommes déclarées insaisissables par une loi régissant ces régimes ainsi que les cotisations qui sont ou doivent être versées à ces régimes ;
8. les prestations périodiques d'invalidité au titre d'un contrat d'assurance contre la maladie ou les accidents ;
9. le remboursement pour frais engagés au titre d'un contrat contre la maladie ou les accidents ;
10. les biens d'une personne qui lui sont nécessaires pour pallier un handicap ;
11. est aussi insaisissable un immeuble servant de résidence principale au débiteur lorsque la créance est inférieure à 10 000 $, sauf dans les cas suivants :
    1a) il s'agit d'une créance garantie par une priorité ou une hypothèque légale ou conventionnelle sur cet immeuble ;
    2b) il s'agit d'une créance alimentaire ;
    3c) l'immeuble fait déjà l'objet d'une saisie valide.

L'huissier procédant à la saisie doit laisser entre les mains du débiteur des biens meubles d'une valeur marchande de 6000 $ et saisir les meubles en sus de cette valeur. En pratique, les biens saisis sont habituellement des objets de luxe, tels les magnétoscopes, chaînes stéréophoniques, appareils de photographie, etc.

Dans le cas d'une saisie-exécution de biens meubles, un **avis de vente** doit être publié dans les journaux ; les biens saisis ne peuvent être vendus moins de 10 jours après cette publication, qui indique la date, l'heure et le lieu de la vente aux enchères. À cette date, le gardien remet les biens à l'huissier qui procède à la vente

Figure 16.2 L'huissier doit laisser au défendeur des biens meubles meublants et des effets personnels insaisissables d'une valeur de 6000 $.

CANADA
PROVINCE DE QUÉBEC
District de Montréal
N° 500-05-000107-951

COUR   S U P E R I E U R E

AU NOM DU SOUVERAIN
BEAUBOIS LTEE, corporation dûment
constituée en vertu de la loi ayant
son siège social au 111 rue des Bou-
leaux, à Montréal.

Partie demanderesse

c.

JEAN LARIVIERE, homme d'affaires domicilié et résidant au 3 Chemin de
la Tourmente, à Sainte-Emilie.

Partie défenderesse

À tout shérif ou huissier de la Province de Québec, nous vous enjoignons à la réquisition de la partie demanderesse de prélever sur:

* [x] les biens meubles de la partie défenderesse

[ ] les immeubles de la partie défenderesse indiqués par la partie demanderesse

[ ] les biens meubles de

, tiers(ce) saisi(e)
vu le jugement rendu le _____ par cette cour, le(la) condamnant
comme débiteur(trice) personnel(le), au paiement de la créance de la partie demanderesse en capital, intérêts
et frais, sur son défaut de faire sa déclaration dans la présente cause.

les sommes suivantes:

Jugement	35 000 $	montant du jugement rendu le _____ 8 juin 1996 _____ en faveur de la partie demanderesse contre la partie défenderesse avec
Intérêts	4,900 $	intérêts au taux de __10__ % par an à compter du ___ 21 février 1995
Frais d'action	1 107 $	montant des frais d'action avec
Intérêts sur frais d'action	11 $	intérêts au taux légal à compter du _____ 8 juin
Frais accessoires	85 $	montant des frais accessoires du jugement, incluant ceux de la saisie-arrêt pratiquée entre les mains du(de la) tiers(ce) saisi(e) défaillant(e), avec
Intérêts sur frais accessoires	7 $	intérêts que de droit
Ce bref	126 $	coût du présent bref

et vos émoluments; à soustraire cependant le paiement partiel suivant: ___ nil ___ $, la partie saisissante étant
autorisée à exécuter pour les frais de son procureur en son nom [ ]

Archambault, Roy & Associés
Procureur

Après la vente, dans les délais prévus par la loi, vous devez nous faire rapport du présent bref et de toute procédure s'y
rattachant.

Nous avons signé à Montréal

le 17 juillet 1996

* Voir avis au verso

Jean Tremblay
Greffier

• SJ-277 (94-03)

Figure 16.3   Bref de saisie-exécution

aux enchères des biens. Tout acheteur doit payer comptant. Par la suite, s'il n'y a aucune opposition, l'huissier remet le produit de la vente au créancier si le produit est égal ou inférieur à la créance. S'il est supérieur, il remet le solde au débiteur. Le débiteur peut toujours éviter que ses biens ne soient vendus en payant à l'huissier, avant la vente, sa dette en capital, intérêts et frais.

Aussi longtemps que les biens sont sous saisie, le débiteur ne peut ni les vendre, ni les donner, ni en disposer autrement.

Il arrive qu'un débiteur ait plusieurs créanciers qui saisissent ses biens. Le fait d'être le premier à saisir les biens de son débiteur n'accorde aucune préférence particulière au créancier, car les autres saisies viennent se greffer à la sienne, et le produit de la vente aux enchères est divisé entre les créanciers au prorata de leurs créances ou selon l'ordre prévu par la loi.

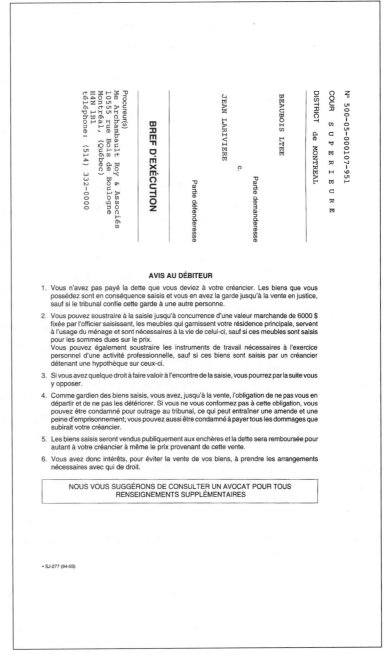

Figure 16.3   Bref de saisie-exécution (suite)

Les articles 2646 (2) et 2647 stipulent ce qui suit :

« **Art. 2646 (2) C.c.Q.** En cas de concours entre les créanciers, la distribution du prix se fait en proportion de leur créance, à moins qu'il n'y ait entre eux des causes légitimes de préférence.

Art. 2647 C.c.Q. Les causes légitimes de préférence sont les priorités et les hypothèques ».

Il est important de souligner que le fait de vendre les biens d'un débiteur ne libère pas ce dernier de sa dette si le produit de la vente ne rapporte pas assez d'argent pour la payer en entier.

LA SAISIE-EXÉCUTION DES IMMEUBLES   D'une façon générale, on procède d'abord à la saisie des meubles ; si la dette est considérable ou si les meubles sont insuffisants et que le débiteur possède des immeubles, on procède ensuite à la saisie de ses immeubles.

C'est le shérif qui procède à la saisie des immeubles.

Encore une fois, le créancier s'adresse au tribunal qui a rendu le jugement pour faire émettre un bref de saisie-exécution immobilière. Ce bref doit désigner le ou les immeubles visés selon leur description cadastrale inscrite au Bureau de la publicité des droits.

La procédure de saisie immobilière est plus longue et plus complexe que celle de la saisie mobilière. Ainsi une copie du bref d'exécution et un exemplaire du procès-verbal de saisie doivent être signifiés à l'officier du bureau de la publicité des droits de la division où l'immeuble est situé. Ce dernier doit inscrire ces procédures dans le registre foncier et en aviser tous les intéressés, c'est-à-dire les personnes possédant des droits sur un tel immeuble. Le shérif doit ensuite faire publier un avis de vente dans un journal, au moins 30 jours avant la date fixée pour la vente. L'immeuble est vendu au plus offrant et un certificat de vente, émis par le shérif, est publié, ce qui constitue le titre de propriété de l'acheteur. Le produit de la vente est ensuite distribué selon les dispositions de la loi.

LA SAISIE-ARRÊT OU EN MAIN TIERCE   Il arrive que certains biens saisissables ne soient pas en possession du débiteur. Il peut s'agir :

- de ses comptes bancaires personnels et de ses dépôts à terme ;
- de ses certificats d'obligations, qui peuvent être entre les mains d'une compagnie ou d'un établissement financier ;
- des commissions, traitements, salaires et gages qui lui sont dus ;
- des sommes qui lui sont dues par ses propres débiteurs ;
- de biens meubles entreposés chez de tierces personnes.

Dans un tel cas, on procède à l'émission d'un *bref de saisie-arrêt*, ou **saisie en main tierce**.

Le bref de saisie-arrêt est un ordre de la cour enjoignant aux personnes qui détiennent des biens appartenant au débiteur ou qui lui doivent de l'argent de déclarer au tribunal quels sont ces biens ou ces sommes d'argent et de faire en sorte qu'ils soient déclarés sous saisie.

Les personnes qui détiennent des biens appartenant au débiteur ou qui lui doivent de l'argent doivent rapporter ces biens ou tenir ces sommes à la disposition de la justice, sous peine de devenir personnellement responsables de ces sommes et de la dette du débiteur à l'endroit du créancier. La saisie-arrêt la plus fréquente est la saisie de salaire.

Saisie de traitements ou de salaires   Cette forme de saisie permet à un créancier de saisir les traitements ou salaires de son débiteur entre les mains de son employeur (art. 641 C.p.c.). Le créancier s'adresse au tribunal pour faire émettre le bref de saisie, et une copie est remise par l'huissier au débiteur et à son employeur pour leur signifier l'ordre de saisie.

Le bref ordonne à l'employeur de dire à la cour si le débiteur est bien à son service et, le cas échéant, de déclarer le salaire versé à ce dernier. L'employeur doit déposer au greffe de la cour la partie saisissable du salaire de son employé aussi longtemps que la dette n'aura pas été éteinte ou payée. Si l'employeur ne dépose pas cette somme, il risque de devenir personnellement responsable de la dette de son employé à l'endroit du créancier. L'employeur a donc intérêt à donner suite au bref de saisie-arrêt et ce, même si l'employé ne travaille plus pour lui, afin d'éviter de sérieux problèmes.

Bref de saisie-arrêt : Ordre de la cour enjoignant aux personnes qui détiennent des biens appartenant au débiteur ou qui lui doivent de l'argent de déclarer au tribunal quels sont ces biens ou ces sommes d'argent et de faire en sorte qu'ils soient déclarés sous saisie.

Le salaire d'un débiteur n'est pas totalement saisissable. En effet, le débiteur doit pouvoir subvenir à ses besoins et le *Code de procédure civile* établit la partie saisissable de son salaire de la façon suivante :

Calcul de la partie saisissable
- Dans le cas d'un individu qui a une ou deux personnes à sa charge, la loi prévoit une déduction de base de 180 $ par semaine, calculée sur son salaire brut ; un employé qui n'a aucune personne à sa charge a droit à une déduction de base de 120 $ par semaine.
- L'individu qui a plus de deux personnes à sa charge a droit à une déduction additionnelle de 30 $ par semaine, pour chaque personne supplémentaire.
- Une fois la somme déductible soustraite du salaire brut de l'employé, on calcule 30 % de la somme qui reste et l'on obtient la portion saisissable du salaire (voir figure 16.4).

En vertu de la *Loi modifiant le Code de procédure civile* (article 4, al. 3, par. 2), « Est considérée comme le conjoint du débiteur, la personne avec laquelle le débiteur est marié ou s'il n'est pas marié, la personne avec laquelle il vit maritalement depuis trois (3) ans ou depuis un (1) an si un enfant est issu de leur union. » L'**union de fait** est donc reconnue par le législateur en matière de saisie.

Exemple : Jean Larivière, père de famille, est marié et a à sa charge son épouse et ses cinq enfants ; il gagne 500 $ par semaine. Il travaille chez Décoration Boileau inc.

La partie saisissable de son salaire s'établit ainsi :

500 $	salaire brut
− 180 $	déduction pour les deux premières personnes à charge
320 $	
− 120 $	déduction additionnelle pour les personnes à charge à partir de la troisième personne (2ᵉ, 3ᵉ, 4ᵉ et 5ᵉ enfant : 4 × 30 $) = 120 $
200 $	la partie saisissable du salaire équivaut dont à 30 % de 200 $, c'est-à-dire 200 $ × 0,30 = 60 $ par semaine.

Exemple : Pierre n'a aucune personne à sa charge et gagne 300 $ par semaine.

300 $	salaire brut
− 120 $	déduction de la personne seule
180 $	la partie saisissable du salaire équivaut donc à 30 % de 180 $, c'est-à-dire 180 $ × 0,30 = 54 $ par semaine.

Décoration Boileau inc., l'employeur de Jean Larivière, devra déposer au greffe de la cour la somme de 60 $ par semaine, et celui de Pierre, 54 $ par semaine, soit la partie saisissable de leur salaire respectif.

Soulignons que les prestations d'assurance-chômage sont insaisissables, de même que les prestations périodiques d'invalidité ou de maladie.

Le créancier à qui Jean ou Pierre doit 35 000 $ devra nécessairement attendre un bon moment avant de récupérer la totalité de sa créance, étant donné qu'il ne touche que 60 $ ou 54 $ par semaine. Il paraît donc évident que la seule garantie légale du patrimoine du débiteur n'est pas suffisante dans la majorité des cas ; aussi est-il préférable de recourir à d'autres formes de garanties légales ou conventionnelles.

Figure 16.4   Le débiteur qui a une ou deux personnes à sa charge déduit 180 $ de son salaire brut. Il peut aussi déduire 30 $ supplémentaires pour chaque personne à partir de la troisième personne à sa charge.

LES PRIORITÉS

Le *Code civil du Québec* a modifié de façon substantielle tout le domaine des garanties légales et conventionnelles. Ainsi la notion de privilège a été remplacée par celle de **priorités** et d'**hypothèques légales**.

Nous avons vu précédemment que, à moins de posséder une cause légitime de préférence, lorsqu'il y a plusieurs créanciers saisissants, la distribution se fait en proportion de leur créance (au prorata).

L'article 2647 du *Code civil* stipule que les causes légitimes de préférence qui permettent à un créancier d'être payé avant les autres sont :

- les priorités ;
- les hypothèques.

L'article 2650 C.c.Q. définit la *créance prioritaire* comme celle d'un créancier auquel la loi accorde le droit d'être préféré aux autres créanciers, même hypothécaires, suivant la cause de sa créance.

« **Art. 2651 C.c.Q.** Les créances prioritaires sont les suivantes et, lorsqu'elles se rencontrent, elles sont, malgré toute convention contraire, colloquées (payées) dans cet ordre :

1. les frais de justice et toutes les dépenses faites dans l'intérêt commun ;
2. la créance du vendeur impayé pour le prix du meuble vendu à une personne physique qui n'exploite pas une entreprise ;
3. les créances de ceux qui ont un droit de rétention sur un meuble, pourvu que ce droit subsiste ;
4. les créances de l'État pour les sommes dues en vertu des lois fiscales ;
5. les créances des municipalités et des commissions scolaires pour les impôts fonciers sur les immeubles qui y sont assujettis. »

Le tableau 16.1 illustre les créances prioritaires et indique si elles s'appliquent aux meubles ou aux immeubles.

Le *droit de rétention* est une cause légitime de préférence que la loi accorde à certaines catégories de créanciers de pouvoir retenir certains biens de leur débiteur jusqu'à ce qu'ils soient remboursés.

ORDRE DE PAIEMENT DES CRÉANCES   Dans une faillite, les détenteurs de créances prioritaires sont considérés comme des créanciers garantis.

> **Créance prioritaire :** Créance à laquelle la loi accorde le droit d'être préférée aux autres créances, même hypothécaires, suivant la cause de la créance (art. 2650 C.c.Q.).

> **Droit de rétention :** Cause légitime de préférence que la loi accorde à certaines catégories de créanciers de pouvoir retenir certains biens de leur débiteur jusqu'à ce qu'ils soient remboursés.

Figure 16.5 L'hôtelier peut exercer son droit de rétention contre le client qui refuse de payer la note.

Tableau 16.1 Les créanciers prioritaires

Créance prioritaire	Exemple	Créance prioritaire exercée sur les meubles et les immeubles
1. Les frais de justice et intérêt commun.	Honoraires judiciaires des avocats de ceux qui ont poursuivi le débiteur.	Sur les meubles et les immeubles.
2. Le vendeur impayé pour le prix du meuble vendu à une personne physique qui n'exploite pas une entreprise.	Beaubois Ltée peut saisir et faire vendre aux enchères les meubles vendus et livrés à Jean Larivière.	Sur le meuble vendu seulement.
3. Les créances de ceux qui ont un droit de rétention sur un meuble.	• Ceux qui par leur travail ont transformé ou réparé un bien. *Exemple*: Le garagiste, le réparateur d'appareils (art. 974 C.c.Q.). • L'administrateur des biens d'autrui pour ses dépenses. *Exemple*: Le tuteur, le curateur (art. 1369 C.c.Q.). • Le transporteur pour le fret, frais de transport et entreposage (art. 2058 C.c.Q.). • Le mandataire pour les sommes dues en vertu de son mandat (art. 2185 C.c.Q.). • L'hôtelier pour le prix du logement (art. 2293 C.c.Q.). • L'emprunteur dans le cas d'un prêt à usage pour les dépenses nécessaires (art. 2324 C.c.Q.). • Ceux qui ont droit à des frais de garde et de gestion d'un bien perdu ou oublié (art. 946 C.c.Q.).	Sur le meuble visé par leur droit de rétention respectif.
4. Les créances de l'État pour les sommes dues en vertu des lois fiscales.	• Impôt sur le revenu. • TPS • TVQ	Sur les meubles. Rappelons que l'État dispose aussi d'une hypothèque légale sur les meubles et les immeubles pour les sommes dues en vertu des lois fiscales.
5. Les créances des municipalités et commissions scolaires pour les impôts fonciers sur les immeubles.	• 5000 $ de taxes scolaires dues à la Commission Scolaire des Mille-Îles. • 10 000 $ de taxes municipales dues à la ville de Québec.	Sur les immeubles visés par les taxes.

L'article 2657 C.c.Q. stipule que les créances prioritaires prennent rang avant les hypothèques mobilières ou immobilières, quelle que soit leur date. Elles sont payées selon leur ordre respectif.

Exemple: Paul Ladéroute est insolvable, mais ne veut pas faire cession de ses biens. Les créanciers suivants obtiennent un jugement contre lui :

- Meubles Beaubois ltée, à qui il doit encore 5250 $ sur l'achat d'un mobilier de salon ;
- Garage Auto Sports ltée, 750 $ pour des réparations sur son véhicule que le garage retient ;
- la ville de Montréal à qui il doit 2000 $ de taxes foncières pour un terrain dont il est propriétaire ;
- son ami Philippe qui lui a prêté 500 $;
- Master Large à qui il doit 1500 $ pour des achats divers ;
- Marcel Labroche à qui il doit 2000 $ en dommages-intérêts à la suite d'une bagarre ;
- les frais de justice qui s'élèvent à 2500 $.

Les biens de Paul Ladéroute sont vendus aux enchères et la vente rapporte 10 000 $. Les créanciers seront payés dans l'ordre suivant :

	Solde
1. Les frais de justice : 2500 $ (créance prioritaire de premier rang)	7500 $
2. Meubles Beaubois ltée : 5250 $ (créance prioritaire de deuxième rang) La vente des meubles a rapporté 2500 $. Le vendeur impayé sera donc remboursé en partie et il sera un créancier ordinaire pour le solde, soit 2750 $.	5000 $
3. La ville de Montréal : 2000 $ (créance prioritaire de quatrième rang)	3000 $

4. Le solde, soit 3000 $, sera divisé entre les créanciers ordinaires au prorata de leurs créances respectives :

Créancier	Dette	Prorata	Montant reçu
Meubles Beaubois ltée	2750 $	40,7 %	1221 $
M. Labroche	2000 $	29,7 %	891 $
Master Large	1500 $	22,2 %	666 $
Philippe	500 $	7,4 %	222 $
Total	6750 $	100 %	3000 $

Avant de terminer l'étude des priorités et des créances prioritaires, il est important de souligner que la priorité n'est qu'un accessoire à une dette déjà existante, et qu'elle sert à accorder au détenteur d'une telle créance une sûreté pour assurer le paiement d'une dette par préférence avant les autres créanciers du débiteur en raison de la nature de sa créance.

Par exemple : le vendeur d'un meuble impayé vendu à une personne qui n'exploite pas une entreprise.

Contrairement à l'hypothèque, la priorité ou la créance prioritaire n'exige pas la réalisation d'un acte ou d'une démarche particulière pour exister ; elle existe de plein droit selon les dispositions du *Code civil*.

Outre leur action personnelle et les mesures provisionnelles prévues au *Code de procédure civile,* telle la saisie avant jugement, les créanciers prioritaires peuvent, pour faire valoir et réaliser leur priorité, exercer les recours que la loi leur confère.

LES HYPOTHÈQUES

Avant de parler spécifiquement du dernier type de garanties légales, soit les hypothèques légales, il nous apparaît important d'expliciter les conditions et les modalités d'exercice communes à toutes les hypothèques.

Hypothèque : Droit réel sur un bien, meuble ou immeuble, affecté à l'exécution d'une obligation; elle confère au créancier le droit de suivre le bien en quelques mains qu'il soit, de le prendre en possession ou en paiement, de le vendre ou de le faire vendre et d'être alors préféré sur le produit de cette vente suivant le rang fixé dans le Code (art. 2660 C.c.Q.).

DÉFINITION   « **Art. 2660 C.c.Q.** L'*hypothèque* est un droit réel sur un bien, meuble ou immeuble, affecté à l'exécution d'une obligation; elle confère au créancier le droit de suivre le bien en quelques mains qu'il soit, de le prendre en possession ou en paiement, de le vendre ou de le faire vendre et d'être alors préféré sur le produit de cette vente suivant le rang fixé dans le Code.

Art. 2661 C.c.Q. L'hypothèque n'est qu'un accessoire et ne vaut qu'autant que l'obligation dont elle garantit l'exécution subsiste.

Art. 2663 C.c.Q. L'hypothèque doit être publiée, conformément au présent livre ou au livre de la publicité des droits, pour que les droits hypothécaires qu'elle confère soient opposables aux tiers ».

L'hypothèque est donc une garantie ou une sûreté donnée par un débiteur à son créancier pour garantir l'exécution d'une obligation.

L'hypothèque est un accessoire à une obligation principale. Ainsi nous avons vu au chapitre 15 sur le financement des entreprises que, la plupart du temps, l'hypothèque vient garantir le remboursement d'un prêt ou l'exécution d'une obligation. Le contrat principal est le prêt ; l'hypothèque en est l'accessoire.

OBJET DES HYPOTHÈQUES   L'hypothèque peut grever un ou plusieurs biens corporels ou incorporels, tels une maison ou des droits d'auteur, ou un ensemble de biens, tels des créances ou comptes clients. Elle s'étend également à tout ce qui s'unit au bien par accession.

L'hypothèque garantit le capital, les intérêts et les frais légitimement engagés pour les recouvrer et pour conserver le bien grevé.

L'article 2668 C.c.Q. stipule que l'hypothèque ne peut grever des biens insaisissables, ni les meubles du débiteur qui garnissent sa résidence principale qui servent à l'usage du ménage et qui sont nécessaires à la vie de celui-ci.

> *Exemple* : Monique pourra hypothéquer sa maison, mais ne pourra pas hypothéquer les meubles qui la garnissent et qui servent à l'usage du ménage. Par ailleurs, Jean-Pierre pourra hypothéquer l'immeuble abritant son entreprise ainsi que les biens meubles, le mobilier et l'équipement affectés à son entreprise.

ESPÈCES D'HYPOTHÈQUES   Les articles 2664 et 2665 C.c.Q. définissent les espèces d'hypothèques.

« **Art. 2664 C.c.Q.** L'hypothèque n'a lieu que dans les conditions et suivant les formes autorisées par la loi.

Elle est conventionnelle ou légale.

Art. 2665 C.c.Q. L'hypothèque est mobilière ou immobilière, selon qu'elle grève un meuble ou un immeuble, ou une universalité soit mobilière, soit immobilière.

L'hypothèque mobilière a lieu avec dépossession ou sans dépossession du meuble hypothéqué. Lorsqu'elle a lieu avec dépossession, elle est aussi appelée gage ».

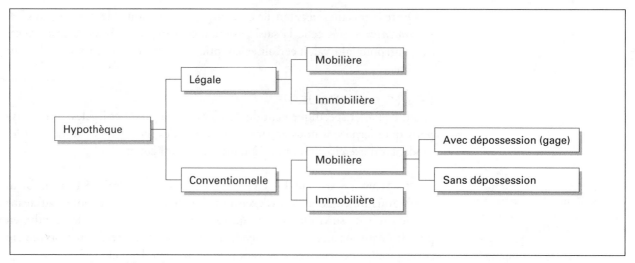

Figure 16.6   Espèces d'hypothèques

LES HYPOTHÈQUES LÉGALES

C'est l'article 2724 C.c.Q. qui définit les hypothèques légales :

« **Art. 2724 C.c.Q.** Les seules créances qui peuvent donner lieu à une hypothèque légale sont les suivantes :

1. les créances de l'État pour les sommes dues en vertu des lois fiscales, ainsi que certaines autres créances de l'État ou de personnes morales de droit public, spécialement prévues dans les lois particulières ;
2. les créances des personnes qui ont participé à la construction ou à la rénovation d'un immeuble ;
3. la créance du syndicat des copropriétaires pour le paiement des charges communes et des contributions au fonds de prévoyance ;
4. les créances qui résultent d'un jugement. »

Il est important de rappeler que les hypothèques légales portent à la fois sur les biens meubles et sur les biens immeubles du débiteur.

Les hypothèques légales jouent sensiblement le même rôle que les priorités. En effet, elles accordent à leur détenteur un droit de préférence sur le produit de la vente des biens de leur détenteur qui sont visés par l'hypothèque légale.

Contrairement aux priorités, elles obligent les créanciers à se conformer à des exigences précises pour pouvoir bénéficier de l'hypothèque légale et ainsi devenir un créancier garanti détenant une sûreté ou garantie de paiement sur le ou les biens grevés de l'hypothèque.

> *Exemple* : Les personnes qui ont participé à la construction ou à la rénovation d'un immeuble doivent publier un avis de leur hypothèque légale au registre foncier de la circonscription foncière dans laquelle se trouve l'immeuble visé dans les 30 jours qui suivent la fin des travaux sur l'immeuble. Puis, dans les six mois après la fin des travaux, elles doivent intenter une action devant le tribunal.
>
> Si elles omettent de respecter ces démarches, elles perdent la chance de devenir des créanciers garantis détenant une hypothèque légale. Elles ne sont considérées que comme créanciers ordinaires sans droit de préférence sur les autres créanciers de leur débiteur.
>
> Si, par ailleurs, elles respectent ces démarches, elles deviennent des créanciers garantis et auront préséance sur les créanciers ordinaires de leur débiteur au moment de la vente aux enchères de l'immeuble ainsi grevé de l'hypothèque légale.

HYPOTHÈQUES DE L'ÉTAT (ARTICLE 2725 C.C.Q.)   Les hypothèques légales de l'État et celles des personnes morales de droit public, telle Hydro-Québec s'appliquent sur les meubles et les immeubles.

HYPOTHÈQUES LÉGALES DE LA CONSTRUCTION (ARTICLES 2726 À 2728 C.C.Q.)   Elles s'appliquent aux personnes qui ont participé à la construction ou à la rénovation d'un immeuble :

- architecte ;
- ingénieur ;
- fournisseur de matériaux ;
- ouvrier ;
- entrepreneur ;
- sous-entrepreneur.

Elles ne s'appliquent que sur cet immeuble et uniquement pour la valeur des travaux, matériaux ou services fournis par le créancier (plus-value ajoutée à l'immeuble).

Les articles 2727 et 2728 C.c.Q. uniformisent leur fonctionnement et leur inscription.

« **Art. 2727 C.c.Q.** L'hypothèque légale en faveur des personnes qui ont participé à la construction ou à la rénovation d'un immeuble subsiste, quoiqu'elle n'ait pas été publiée, pendant les trente (30) jours qui suivent la fin des travaux.

Elle est conservée si, avant l'expiration de ce délai, il y a eu inscription d'un avis désignant l'immeuble grevé et indiquant le montant de la créance. Cet avis doit être signifié au propriétaire de l'immeuble.

Elle s'éteint six mois après la fin des travaux à moins que, pour conserver l'hypothèque, le créancier ne publie une action contre le propriétaire de l'immeuble ou qu'il n'inscrive un préavis d'exercice d'un droit hypothécaire.

Art. 2728 C.c.Q. L'hypothèque garantit la plus-value donnée à l'immeuble par les travaux, matériaux ou services fournis ou préparés pour ces travaux ; mais, lorsque ceux en faveur de qui elle existe n'ont pas eux-mêmes contracté avec le propriétaire, elle est limitée aux travaux, matériaux ou services qui suivent la dénonciation écrite du contrat au propriétaire. L'ouvrier n'est pas tenu de dénoncer son contrat ».

Le *Code civil* impose à l'ouvrier, au fournisseur de matériaux, au constructeur et à l'architecte des règles et des délais très stricts pour faire valoir leur hypothèque légale. À défaut d'observer ces délais, ils perdent leur hypothèque et la loi ne considère plus ces personnes comme des créanciers garantis, mais comme des créanciers ordinaires.

Dans leur cas, la **fin des travaux** ne signifie pas la date à laquelle l'ouvrier a terminé le travail, mais plutôt la date à laquelle l'immeuble est devenu prêt à l'usage auquel on le destinait.

Exemple : Un électricien termine les travaux de l'immeuble le 31 décembre 1995 et l'immeuble n'est prêt pour l'usage auquel on le destine que le 31 mars 1996. Le délai de 30 jours pour publier son avis d'hypothèque légale commence à courir à partir du 31 mars 1996 et non du 31 décembre 1995.

Celui qui fait affaire avec un entrepreneur général et non directement avec le propriétaire de l'immeuble doit aviser ce dernier du fait qu'il travaille pour l'entrepreneur s'il veut par la suite faire publier son avis d'hypothèque.

Le propriétaire de l'immeuble a le droit de retenir sur le prix du contrat de construction un montant suffisant pour payer l'ouvrier, le

MODÈLE APPROUVÉ DIRECTION GÉNÉRALE DE L'ENREGISTREMENT 1994-02-07	Modèle d'avis d'hypothèque légale suivant les articles 2724, 2726 et 2727 du C.c.Q.

Date et lieu

Le sept janvier mil neuf cent quatre-vingt-quatorze (1994), à Montréal, province de Québec.

Nature de l'avis

Avis d'hypothèque légale des personnes ayant participé à la construction ou à la rénovation d'un immeuble.

Désignation de la personne donnant l'avis

Mᵉ Pierre THERRIEN, avocat à Montréal, province de Québec.

Désignation de la créancière

La créancière est MATÉRIAUX LUMBER, compagnie constituée en vertu de la première partie de la Loi des compagnies du Québec, ayant son siège social au 101, rue St-Antoine, Montréal, Québec, H1W 3H1.

Montant de la créance

La créancière a préparé et fourni à ANDRÉ BÉLANGER CONSTRUCTION INC. des matériaux pour la construction de l'immeuble pour un montant de DIX MILLE DOLLARS (10 000,00$).

Désignation du bien

Le lot DIX (10) au cadastre officiel de la paroisse de Montréal, circonscription foncière de Montréal.

Adresse: 200, Première Avenue, en la ville de Montréal, province de Québec, H1W 1H1.

EN FOI DE QUOI, j'ai signé:

_____

Pierre Therrien, avocat

SJ-151 (82-03)

Figure 16.7   Exemple d'avis d'hypothèque légale de la construction

fournisseur de matériaux et le sous-entrepreneur, et ce tant que le constructeur ne lui a pas remis soit une quittance, soit une renonciation signée par eux et par laquelle ils confirment qu'ils ont été payés ou qu'ils renoncent à leur hypothèque légale en faveur d'un créancier hypothécaire ou du constructeur.

Nous reproduisons à la figure 16.7 un exemple d'avis d'hypothèque légale de la construction.

HYPOTHÈQUE DU SYNDICAT DES COPROPRIÉTAIRES (ARTICLE 2729 C.C.Q.)   Cette garantie légale s'applique sur la fraction du copropriétaire en défaut de payer sa quote-part des charges communes ou sa contribution au fonds de prévoyance.

HYPOTHÈQUE RÉSULTANT D'UN JUGEMENT (ARTICLE 2730 C.C.Q.)

Cette hypothèque porte aussi le nom d'hypothèque judiciaire et permet à tout créancier qui a obtenu un jugement contre son débiteur d'acquérir une hypothèque légale sur un bien meuble ou immeuble de son débiteur.

Une telle hypothèque légale n'exclut en aucune manière la saisie-exécution pure et simple par le créancier des biens de son débiteur contre lequel il a obtenu un jugement.

LES GARANTIES CONVENTIONNELLES

Les garanties légales n'accordent pas toujours les meilleures chances de paiement au créancier, d'autant plus qu'elles sont limitées à certaines catégories de créanciers. Tout créancier a donc intérêt à prévoir, dans un contrat, des clauses particulières lui assurant une protection additionnelle. Ce sont les **garanties conventionnelles**.

Les pratiques de commerce reconnaissent un certain nombre de garanties que l'on retrouve souvent dans les contrats. Les principales sont l'hypothèque, l'assurance-vie, la clause résolutoire, la réserve du droit de propriété, le cautionnement, la garantie donnée aux banques en vertu de l'article 427 de la *Loi sur les banques,* la cession générale de créances, etc.

En matière de garantie de paiement, il est important de noter que le créancier n'exercera sa garantie que dans le cas où son débiteur ne peut s'acquitter de ses obligations. Si le débiteur les respecte, le créancier n'exercera pas sa garantie, quelle qu'elle soit.

Rappelons que ces garanties conventionnelles accordent généralement au créancier la quasi-certitude d'être remboursé des sommes dues par son débiteur. Elles ne sont pas automatiques, comme les garanties légales, et ne s'appliquent pas dans les cas de responsabilité délictuelle ou quasi délictuelle. C'est en matière d'exploitation d'une entreprise et en matière contractuelle qu'on les retrouve.

L'HYPOTHÈQUE CONVENTIONNELLE

L'*hypothèque conventionnelle* est celle que les cocontractants ont volontairement ajoutée à titre de garantie accessoire à un contrat qui généralement est un contrat de prêt ou de financement ou encore pour garantir l'exécution d'une obligation.

Hypothèque conventionnelle : Hypothèque que les cocontractants ont volontairement ajoutée à titre de garantie accessoire à un contrat qui généralement est un contrat de prêt ou de financement ou encore pour garantir l'exécution d'une obligation.

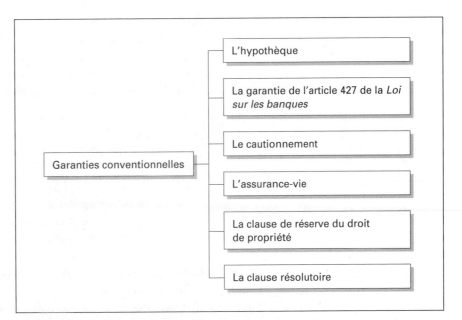

Figure 16.8   Principales garanties conventionnelles

Constituant de l'hypothèque : Personne qui donne un bien meuble ou immeuble en garantie.

LE CONSTITUANT DE L'HYPOTHÈQUE   On entend par *constituant de l'hypothèque*, la personne qui donne un bien meuble ou immeuble en garantie.

Un certain nombre de conditions régissent l'existence de l'hypothèque conventionnelle :

- Elle ne peut être consentie que par celui qui a la capacité d'aliéner les biens qu'il y soumet.

  Exemple : Denis ne peut hypothéquer l'usine qu'il loue pour exploiter son entreprise, car elle ne lui appartient pas.

- Elle peut être consentie par le débiteur de l'obligation qu'elle garantit ou par un tiers.

  Exemple : Robert achète une maison et l'hypothèque pour garantir le remboursement du prêt que la Banque Nationale lui a consenti pour l'achat de la maison. Si Robert n'hypothéquait pas sa maison, son père pourrait hypothéquer sa propre maison en faveur de la Banque Nationale pour garantir le remboursement du prêt de Robert auprès de celle-ci.

- Une personne physique qui n'exploite pas une entreprise ne peut consentir d'autres sortes d'hypothèques qu'une hypothèque conventionnelle immobilière et une hypothèque mobilière avec dépossession. Elle ne peut consentir une hypothèque mobilière sans dépossession.

  Exemple : André peut hypothéquer sa maison ; il peut hypothéquer des biens mobiliers, tels des certificats d'obligation ou d'actions en s'en dépossédant en faveur d'un établissement financier, par exemple. Mais il ne peut hypothéquer les meubles meublant sa résidence principale ou d'autres biens mobiliers sans dépossession.

- Le fiduciaire, la personne morale ou physique qui exploite une entreprise peuvent hypothéquer :
  - leurs biens meubles et immeubles, présents ou à venir, corporels ou incorporels ou une universalité de ces biens ;
  - les animaux, l'outillage, le matériel d'équipement professionnel, les créances, les comptes clients, les brevets, marques de commerce ou encore les biens meubles corporels qui font partie de l'actif de l'entreprise et qui sont détenus pour être vendus, loués ou traités dans le processus de fabrication ou de transformation d'un bien destiné à la vente, à la location ou à la prestation de services ;
  - les meubles représentés par un connaissement.

  Exemple : Sportbec ltée peut hypothéquer l'immeuble dont elle est propriétaire, qui abrite son magasin.

  Elle peut aussi hypothéquer :
  - ses meubles ;
  - son outillage et son équipement ;
  - ses comptes clients ;
  - les biens qu'elle détient en inventaire dans son magasin et ceux qu'elle utilise pour fabriquer d'autres biens (matières premières).

L'OBLIGATION GARANTIE PAR HYPOTHÈQUE   L'article 2687 C.c.Q. énonce que l'hypothèque peut être consentie pour garantir quelque obligation que ce soit. L'acte de l'hypothèque doit indiquer la somme déterminée pour laquelle elle est consentie.

PUBLICATION DE L'HYPOTHÈQUE   Le Code impose l'obligation de la publication du contrat d'hypothèque pour qu'il soit valide. Ainsi l'hypothèque doit être publiée au **Bureau de la publicité des droits**, c'est-à-dire inscrit au registre approprié par l'**officier de la publicité des droits**.

L'hypothèque immobilière est publiée au **Bureau de publicité des droits** dans le **Registre foncier**. Les hypothèques mobilières, quant à elles, doivent également être publiées dans le **Registre des droits personnels et réels mobiliers**.

En principe, chaque circonscription foncière est dotée d'un Bureau de la publicité des droits.

TYPES D'HYPOTHÈQUES CONVENTIONNELLES

L'HYPOTHÈQUE IMMOBILIÈRE   L'**hypothèque immobilière** doit, sous peine de nullité absolue, être constituée par acte notarié en minutes. De plus, l'acte doit clairement désigner de façon précise l'immeuble hypothéqué. Le *Code civil* considère l'hypothèque des loyers présents et à venir que produit un immeuble ainsi que celle des indemnités versées en vertu de contrats d'assurance couvrant ces loyers, comme une hypothèque immobilière.

> *Exemple* : Gilles hypothèque son immeuble de 12 logements en faveur de la Banque Scotia pour garantir le prêt nécessaire à l'achat de l'immeuble. Le contrat contient une clause en vertu de laquelle Gilles hypothèque également les loyers de ses 12 logements en faveur de la Banque Scotia. Ainsi advenant que Gilles cesse de faire ses paiements de remboursements mensuels à la banque, celle-ci pourra choisir de percevoir les loyers à sa place pour se rembourser.

L'HYPOTHÈQUE MOBILIÈRE   L'**hypothèque mobilière** peut être avec ou sans dépossession. Elle s'applique aux catégories de biens suivants :

- animaux ;
- outillage, matériel d'équipement professionnel ;
- créances et comptes clients ;
- brevets, marques de commerce ;
- inventaires de biens à vendre ;
- inventaires de matières premières.

Sans dépossession   L'**hypothèque mobilière sans dépossession** doit, sous peine de nullité absolue, être constituée par écrit, et l'acte constitutif doit contenir une description suffisante du bien qui en est l'objet ou, s'il s'agit d'une universalité de biens, l'indication de la nature de cette universalité (par exemple : l'universalité des ordinateurs de la compagnie Ordinotech inc.).

Rappelons que ce type d'hypothèque ne peut être consenti que dans le cadre de l'exploitation d'une entreprise et qu'elle constitue l'une des garanties les plus utilisées par les entreprises qui cèdent ainsi en garantie à un établissement financier leur outillage, équipement, mobilier, matériel roulant. La figure 16.9, page 462, reproduit un tel contrat.

L'hypothèque mobilière sans dépossession se caractérise principalement par le fait que le débiteur commerçant, comme Ordinotech inc., conserve la garde et la possession des biens hypothéqués.

> *Exemple* : Jacques Dupuis est un commerçant de matériaux de construction. Il possède trois camions entièrement payés et de l'outillage spécialisé pour les besoins de son commerce, le tout ayant une valeur

La caisse populaire
La caisse d'économie
Desjardins

HYPOTHÈQUE MOBILIÈRE OUVERTE (FLOTTANTE)
AFFECTANT UNE UNIVERSALITÉ DE BIENS (ENTREPRISES)

ENTRE:

Nom de la caisse

Adresse de la caisse

ici représentée par   , se déclarant dûment autorisé(e)
aux fins des présentes ;

ci-après appelée « LE PRÊTEUR »

ET:

Nom du constituant

Adresse du constituant

(s'il s'agit d'une corporation, ici représentée par   se déclarant

dûment autorisé[e][s] aux fins des présentes par une résolution de son conseil d'administration en date du   )

ci-après appelé(e)(s) « L'EMPRUNTEUR »

LES PARTIES DÉCLARENT CE QUI SUIT :

1.   Le prêteur et   Nom du signataire du ou des contrats de crédit

ont signé le ou les contrats suivants :

a)   un contrat de   de
(Prêt, ouverture de crédit, etc.
($) signé le

b)   un contrat de   de
(Prêt, ouverture de crédit, etc.
($) signé le

ci-après appelé(s) « le contrat de crédit ».

2.   Le prêteur et l'emprunteur ont convenu de garantir le contrat de crédit au moyen d'une hypothèque mobilière ouverte affectant une universalité de biens.

EN CONSÉQUENCE, LES PARTIES CONVIENNENT DE CE QUI SUIT :

3.   **HYPOTHÈQUE MOBILIÈRE**
Pour garantir le remboursement des sommes qu'il doit ou pourra devoir au prêteur en vertu du contrat de crédit et des présentes, en capital, intérêts, frais et accessoires, ainsi que l'accomplissement des obligations qui en découlent, l'emprunteur consent au prêteur une hypothèque mobilière ouverte, pour une somme égale au montant du contrat de crédit (ou au total des contrats de crédit s'il y en a plus d'un), sur les biens présents et futurs faisant partie de l'universalité ou des universalités ci-après décrites, ainsi que ceux acquis en remplacement, étant ci-après appelés « les biens » :

Description
(Indiquer l'adresse ou le lot de chaque établissement où l'emprunteur exploite son entreprise et, pour chaque établissement, indiquer la nature de l'universalité ou des universalités de biens hypothéqués)

Figure 16.9   Contrat type d'hypothèque mobilière sans dépossession

de 75 000 $. Il pourra obtenir un prêt de 35 000 $ et hypothéquer ses camions de même que son outillage spécialisé pour garantir ce prêt, tout en conservant la possession de ces biens.

Le contrat indique la localisation des biens hypothéqués, et énumère de façon claire et précise les biens visés ; ceux-ci sont identifiés, par exemple, par leur numéro de série.

Avec dépossession   L'**hypothèque mobilière avec dépossession** est constituée par la remise du bien ou du titre au créancier ou, si le bien est déjà entre ses mains, par le maintien de la détention du consentement du constituant, afin de garantir sa créance. La détention du bien doit être continue. Elle porte aussi le nom de gage.

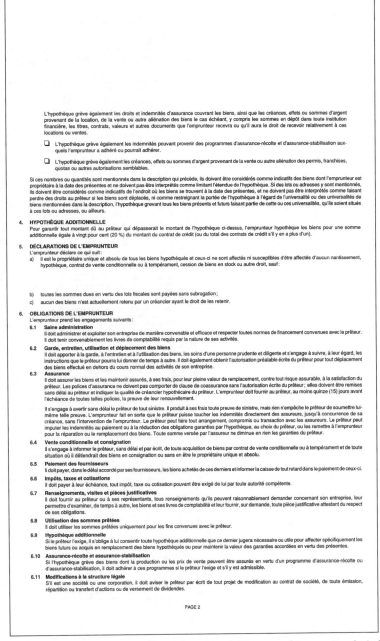

Figure 16.9 Contrat type d'hypothèque mobilière sans dépossession (suite)

Hypothèque mobilière avec dépossession ou gage :
Contrat par lequel une chose est mise entre les mains du créancier ou, étant déjà entre ses mains, est retenue par lui avec le consentement du propriétaire pour sûreté de la dette. Elle permet donc à un débiteur d'obtenir le financement désiré ou un prêt en donnant en garantie un bien meuble.

L'*hypothèque mobilière avec dépossession* ou *gage* est un contrat par lequel une chose est mise entre les mains du créancier ou, étant déjà entre ses mains, est retenue par lui avec le consentement du propriétaire pour sûreté de la dette. Elle permet donc à un débiteur d'obtenir le financement désiré ou un prêt en donnant en garantie un bien meuble.

Le propriétaire du bien donné en gage devra s'en déposséder et le remettre entre les mains de son créancier jusqu'à ce qu'il ait remboursé le prêt ou rempli les obligations stipulées au contrat.

La littérature française nous a donné de nombreux exemples de gage. L'image qui nous revient le plus souvent à l'esprit est celle du prêteur sur gages qui avance de l'argent sur la garantie de bijoux de famille ou d'œuvres d'art que le débiteur laisse entre ses mains aussi longtemps que le prêt n'est pas remboursé. Si le débiteur ne rembourse pas le prêt, le prêteur conserve les biens en question.

Figure 16.9 Contrat type d'hypothèque mobilière sans dépossession (suite)

Ce genre de prêt existe encore de nos jours. Les banques et autres établissements financiers prêtent à leurs clients en prenant en gage certains biens mobiliers ou valeurs mobilières, comme des certificats d'actions ou d'obligations.

Exemple : Denise emprunte 20 000 $ de la Caisse populaire Saint-André-Apôtre et donne un certificat de dépôt à terme de 15 000 $ à la caisse pour garantir le remboursement partiel de son emprunt.

Ces certificats sont remis entre les mains du prêteur qui les garde en sa possession jusqu'à ce que le prêt soit remboursé. Il les remet alors au client. En principe, le créancier ne peut se faire justice lui-même ; il doit préalablement obtenir un jugement contre le débiteur en défaut afin de saisir les biens, de les vendre et d'en disposer.

Quant au registre prévu pour publier ces hypothèques mobilières avec ou sans dépossession, il s'agit du **Registre des droits personnels et réels mobiliers**.

Figure 16.9 Contrat type d'hypothèque mobilière sans dépossession (suite)

L'HYPOTHÈQUE MOBILIÈRE SUR DES CRÉANCES Comme nous l'avons vu précédemment, seule une personne qui exploite une entreprise peut consentir ce type d'hypothèque sur ses créances et ses comptes clients (comptes débiteurs).

Cette hypothèque doit être inscrite et publiée au registre approprié, soit le Registre des droits personnels et réels mobiliers.

Ce type de garantie autrefois appelée **cession générale de créances** est l'une des garanties les plus utilisées par les entreprises. Nous en reproduisons un exemple à la figure 16.10, page 466.

L'hypothèque mobilière sur des créances peut être constituée avec ou sans dépossession. Cependant, le créancier ne peut faire valoir son hypothèque à l'encontre des tiers débiteurs des créances hypothéquées tant qu'elle ne leur est pas rendue opposable de la même façon qu'une cession de créance, c'est-à-dire conformément à l'article 1642 C.c.Q.

La caisse populaire
La caisse d'économie
Desjardins

HYPOTHÈQUE MOBILIÈRE :
UNIVERSALITÉ DE CRÉANCES (ENTREPRISES)

ENTRE :

Nom de la caisse

Adresse de la caisse

ici représentée par , se déclarant dûment autorisé(e)
aux fins des présentes

ci-après appelée « LE PRÊTEUR »

ET:

Nom du constituant

Adresse du constituant

(s'il s'agit d'une personne morale, ici représentée par se déclarant

dûment autorisé[e] aux fins des présentes par une résolution de son conseil d'administration en date du)

ci-après appelé(e)(s) « L'EMPRUNTEUR »

LES PARTIES CONVIENNENT DE CE QUI SUIT :

1. **HYPOTHÈQUE MOBILIÈRE**
Pour garantir le remboursement de toutes les sommes dues ou pouvant être dues au prêteur en vertu d'un contrat de Prêt, ouverture de crédit, etc.
de ($)
signé par le
(ci-après appelé « le contrat de crédit »), ainsi que l'accomplissement des obligations qui découlent du contrat de crédit et des présentes, l'emprunteur hypothèque en faveur du prêteur, pour une somme égale au montant du contrat de crédit, l'universalité de ses créances, présentes et à venir, découlant de quelque source que ce soit, (ci-après appelées « les créances »), incluant les intérêts et autres revenus provenant de celles-ci, les sûretés réelles ou personnelles garantissant ces créances et les sommes d'argent provenant de leur perception. L'hypothèque grève notamment les comptes clients, les contrats, les lettres de change, les valeurs mobilières et les dépôts au sens de la Loi sur l'assurance-dépôts.

Pour garantir tout montant dû au prêteur qui dépasserait le montant de l'hypothèque ci-dessus, l'emprunteur hypothèque les créances pour une somme additionnelle égale à vingt pour cent (20 %) du montant du contrat de crédit.

2. **DÉCLARATIONS DE L'EMPRUNTEUR**
L'emprunteur déclare ce qui suit :
a) il est le propriétaire unique et absolu de toutes les créances hypothéquées, que celles-ci ne sont affectées ou susceptibles d'être affectées d'aucune priorité, hypothèque, cession de créance(s) générale ou spécifique, cession de biens en stock ou autre droit, sauf :

b) toutes les sommes dues en vertu des lois fiscales sont payées sans subrogation.

3. **OBLIGATIONS DE L'EMPRUNTEUR**
L'emprunteur prend les engagements suivants :

3.1 **Saine administration**
Il doit administrer son entreprise de manière convenable et efficace, respecter toutes normes de financement convenues avec le prêteur et tenir convenablement les livres de comptabilité requis par la nature de ses activités.

3.2 **Titres de créance, livres de comptes et autres documents**
Il doit obtenir et conserver de bons et valables titres de créances, tenir convenablement les livres, factures et autres documents relatifs auxdites créances et suivre, à leur égard, les instructions que le prêteur pourra lui donner de temps à autre. Il s'engage à lui en fournir des copies sur demande.

3.3 **Hypothèques ou autres charges prioritaires**
Il doit maintenir les créances libres de toute hypothèque ou autre droit pouvant avoir priorité sur les droits du prêteur et lui remettre, sur demande et à ses frais, toute renonciation, cession de priorité, quittance ou mainlevée que ce dernier jugera nécessaire à cette fin.

3.4 **Taxes et impôts**
Il doit payer à échéance toutes sommes dues en vertu des lois fiscales.

3.5 **Renseignements, visites et pièces justificatives**
Il doit fournir au prêteur tous renseignements qu'il peut raisonnablement demander concernant son entreprise, lui permettre d'examiner, de temps à autre, ses biens et livres de comptabilité et lui fournir, sur demande, tout document attestant du respect de ses obligations.

3.6 **Utilisation des sommes prêtées**
Il doit utiliser les sommes prêtées, et celles provenant de la perception des créances, uniquement pour les fins convenues avec le prêteur.

3.7 **Vente des créances**
Il ne peut vendre ou aliéner autrement les créances ou l'une d'elles sans l'autorisation préalable écrite du prêteur.

3.8 **Frais**
Il doit payer les frais relatifs aux présentes, soit les honoraires professionnels le cas échéant, les frais de publication au bureau de la publicité des droits et tous autres débours engagés par le prêteur.

3.9 **Remise périodique des documents**
Il doit fournir au prêteur, sur demande ou selon la fréquence déterminée par le prêteur, les documents requis par ce dernier.

4. **PERCEPTION DES CRÉANCES**
Jusqu'à avis contraire de la part du prêteur, c'est l'emprunteur qui percevra les créances à titre de mandataire du prêteur. Il devra le faire avec diligence et compétence et s'engage à suivre, à cet égard, les instructions que pourra lui donner le prêteur, à l'informer sans délai de toute difficulté de perception et à utiliser les sommes perçues pour rembourser les sommes dues en vertu du contrat de crédit, conformément aux normes de financement convenues avec le prêteur.

Le prêteur pourra, en tout temps, signifier à l'emprunteur et aux débiteurs des créances, un avis selon lequel il percevra dorénavant les créances. L'emprunteur devra alors remettre au prêteur, sans délai, tous les titres de créances, livres de comptes, factures et autres documents que ce dernier jugera nécessaires ou utiles à la perception des créances, ainsi que toutes sommes d'argent ou effets de commerce qui pourraient lui avoir été remis antérieurement à la réception de cet avis ou qui pourraient lui être remis par la suite. Il devra également collaborer avec le prêteur à la perception des créances, signer avec diligence tout document nécessaire ou utile à cette fin et faire toute chose pouvant faciliter ou permettre la perception des créances.

CF-01255-341 94-01cc

Figure 16.10 Hypothèque ouverte

« **Art. 1642 C.c.Q.** La cession d'une universalité de créances, actuelles ou futures, est opposable aux débiteurs et aux tiers, par l'inscription de la cession au registre des droits personnels et réels mobiliers, pourvu cependant, quant aux débiteurs qui n'ont pas acquiescé à la cession, que les autres formalités prévues pour leur rendre la cession opposable aient été accomplies. »

Il s'agit d'une entente qui intervient entre l'entreprise et l'établissement prêteur, le plus souvent une banque ou une caisse populaire ; cette entente stipule que, en garantie du prêt ou de la marge de crédit que l'établissement financier lui accorde, l'entreprise lui cède tous ses comptes clients.

Ainsi contrairement à l'affacturage suivant lequel l'entreprise vend ses comptes clients à un tiers pour obtenir des sommes destinées au financement de ses activités commerciales, l'hypothèque sur des créances est un mode de financement

Le prêteur sera alors autorisé, de façon irrévocable, à endosser au nom de l'emprunteur, tous chèques ou autres effets de commerce émis en paiement des créances hypothéquées et à en recevoir le paiement, à prendre les mesures conservatoires et les procédures qu'il jugera appropriées pour obtenir paiement des créances, à faire avec les débiteurs des créances, leur syndic en cas de faillite ou tout autre représentant légal, tout règlement à l'amiable, compromis ou transaction qu'il jugera approprié et à donner quittance des sommes payées par les débiteurs. Le prêteur sera le seul à pouvoir exercer ces droits, mais il pourra autoriser l'emprunteur, par écrit, à les exercer, aux conditions qu'il pourra fixer.

5. **DÉFAUT**
L'emprunteur est en défaut dans les cas suivants : a) s'il n'observe pas l'une ou l'autre de ses obligations résultant des présentes ou du contrat de crédit ; b) si une déclaration faite aux présentes ou par la suite s'avère fausse ou trompeuse, ou s'il en est de même des documents fournis en relation avec les présentes ; c) s'il devient insolvable ou en faillite, ou s'il fait une proposition concordataire et que celle-ci est refusée ou annulée ; d) si une ou des créances font l'objet d'une saisie-arrêt ou de l'exercice d'un recours par un autre créancier, ou si un autre créancier exerce son droit de percevoir une ou des créances. En cas de défaut, toutes sommes dues au prêteur deviendront immédiatement exigibles. Le prêteur aura alors le droit, sous réserve de ses autres droits et recours : a) de remplir toute obligation non exécutée par l'emprunteur, toute somme déboursée à cette fin devenant immédiatement exigible de l'emprunteur, avec intérêt au taux alors en vigueur à l'égard du contrat de crédit ; b) de signifier à l'emprunteur et aux débiteurs des créances un avis selon lequel il percevra dorénavant les créances, conformément à l'article 4.

6. **AUTRES DROITS ET RECOURS**
Aucune stipulation des présentes n'a pour effet de porter atteinte aux autres droits et recours du prêteur permis par la loi, y compris le droit d'exercer, à l'égard des créances hypothéquées, les recours hypothécaires prévus aux articles 2748 à 2794 du Code civil.

7. **MANDATAIRE OU AGENT**
Le prêteur peut exercer ses droits et recours par l'entremise d'un mandataire ou d'un agent et déduire des sommes perçues la rémunération raisonnable versée au mandataire ou à l'agent.

8. **IMPUTATION DES SOMMES PERÇUES**
Après avoir déduit les frais et honoraires engagés pour percevoir les créances le cas échéant, le prêteur impute le reliquat des sommes perçues, quelle que soit leur provenance, sur les sommes dues en vertu du contrat de crédit, que celui-ci soit échu ou non.

9. **EXONÉRATION DE RESPONSABILITÉ**
Le prêteur n'encourra aucune responsabilité en raison du défaut ou du retard à se prévaloir de l'un ou l'autre de ses droits et recours, ni en raison de quelque acte ou omission commis de bonne foi par tout agent, mandataire ou employé du prêteur, et tel défaut ou retard ne devra pas être interprété comme une renonciation à l'exercice des droits et recours du prêteur.

10. **ÉLECTION DE DOMICILE**
L'emprunteur doit informer le prêteur de tout changement d'adresse. À défaut de ce faire, il est réputé avoir élu domicile au bureau du greffier de la Cour supérieure du district où est situé le siège social du prêteur.

11. **INDIVISIBILITÉ ET SOLIDARITÉ**
Les obligations de l'emprunteur sont indivisibles et peuvent être réclamées en totalité de chacun de ses héritiers, légataires ou autres ayants droit. Si le terme « emprunteur » désigne plus d'une personne, leurs obligations sont solidaires.

12. **CONJOINT MARIÉ SOUS LE RÉGIME DE LA COMMUNAUTÉ DE BIENS**

Aux présentes intervient   Nom

                                                                          Adresse

conjoint marié à l'emprunteur sous le régime de la communauté de biens, lequel ou laquelle déclare avoir pris connaissance des présentes et y consentir conformément à la loi.

13. **CESSION DE PRIORITÉ**

Aux présentes intervient   Nom

                                                                          Adresse

(s'il s'agit d'une personne morale, ici représentée par

dûment autorisé[e] par résolution de son conseil d'administration en date du   , dont copie est annexée aux présentes) ; ci-après appelé(e) « l'intervenant ».

L'intervenant est un créancier de l'emprunteur et il détient une hypothèque de rang antérieur à celle du prêteur sur les créances ou une partie de celles-ci en vertu ☐ d'un acte d'hypothèque mobilière ☐ d'un acte de vente, cette hypothèque ayant été ☐ inscrite au registre des droits personnels et réels mobiliers

le   sous le numéro   ☐ publiée par dépossession du ou des titres

le   . L'intervenant déclare avoir pris connaissance des présentes et cède, par les présentes, priorité de rang au prêteur relativement à l'hypothèque créée en vertu des présentes, et ce à l'égard des créances suivantes :

Description
(Décrire les créances ou les universalités de créances à l'égard desquelles le créancier cède priorité de rang à la caisse)

Si l'intervenant est le vendeur des créances, il renonce également à exercer, au préjudice du prêteur, ses droits d'annuler la vente et de revendiquer les créances, ou toute clause de réserve de propriété.

14. **AUTRES MENTIONS**

Signé à :   ce

          Nom de l'emprunteur   Nom du prêteur

Par :   Par :

          Nom de l'intervenant   Nom de l'intervenant

Par :   Par :

Figure 16.10 Hypothèque ouverte (suite)

par lequel l'entreprise cède et donne ses comptes clients en garantie à l'établissement financier. En général, celui-ci ne procède pas lui-même au recouvrement des comptes clients, il autorise l'entreprise à les percevoir.

Aussi longtemps que l'entreprise respecte son entente avec l'établissement financier, ou que la marge de crédit n'est pas réduite ou rappelée par ce dernier, les débiteurs ne font affaire qu'avec l'entreprise.

Généralement, l'établissement financier exige que l'entreprise lui soumette, tous les mois, une liste de ses comptes clients accompagnée des noms de ses divers débiteurs, des sommes dues par chacun, ainsi qu'une mention de la durée du terme accordé (30, 60, 90 ou 120 jours, par exemple).

Lorsqu'une marge de crédit est garantie par une hypothèque sur des créances, l'établissement financier prête en fonction de la valeur des comptes-clients. En général, la valeur de la marge de crédit se situe entre 60 % et 80 % de la valeur totale des comptes clients, moins les créances irrécupérables. Plus une entreprise possède de comptes clients importants, plus sa marge de crédit est élevée.

Si l'établissement financier exige le remboursement du prêt ou si l'entreprise ne fait pas ses remboursements, l'établissement financier peut à tout moment retirer l'autorisation de percevoir les créances qu'elle avait donnée à l'entreprise ; elle doit l'aviser, de même que tous les clients dont les créances ont été cédées, de ce **retrait d'autorisation**. Cet avis doit leur être signifié et inscrit au Registre des droits personnels et réels mobiliers.

Les articles 2745 à 2747 du *Code civil* s'appliquent alors.

À compter de la date de l'avis, les débiteurs devront payer directement à l'établissement financier les sommes qu'ils doivent à l'entreprise. Le prêteur devient en quelque sorte subrogé de l'entreprise pour le recouvrement de ses créances. Dans le cas où les débiteurs de l'entreprise ne rembourseraient pas directement l'établissement financier après publication de l'avis, ce dernier peut les obliger à le rembourser, même si les débiteurs ont déjà versé une somme d'argent à l'entreprise.

> *Exemple* : Plonibec inc. cède ses comptes clients totalisant un million de dollars à la Banque de Montréal et obtient une marge de crédit de 650 000 $. Tant que Plonibec respecte ses obligations envers la Banque de Montréal, c'est la compagnie qui percevra elle-même ses comptes clients. Advenant un défaut, la banque devra aviser Plonibec ainsi que tous ses clients du retrait d'autorisation et inscrira cet avis au Registre des droits personnels et réels mobiliers. À compter de cette date, les clients de Plonibec devront cesser de payer la compagnie et payer directement les sommes dues à la Banque de Montréal.

Hypothèque ouverte : Hypothèque dont certains des effets sont suspendus jusqu'au moment où, le débiteur ou le constituant ayant manqué à ses obligations, le créancier provoque la clôture de l'hypothèque en leur signifiant un avis dénonçant le défaut et la clôture de l'hypothèque.
Le caractère ouvert de l'hypothèque doit être expressément stipulé dans l'acte (art. 2715 C.c.Q.).

L'HYPOTHÈQUE OUVERTE   « **Art. 2715 C.c.Q.** L'*hypothèque ouverte* est celle dont certains des effets sont suspendus jusqu'au moment où, le débiteur ou le constituant ayant manqué à ses obligations, le créancier provoque la clôture de l'hypothèque en leur signifiant un avis dénonçant le défaut et la clôture de l'hypothèque. Le caractère ouvert de l'hypothèque doit être expressément stipulé dans l'acte.

L'hypothèque ouverte peut grever un ou des biens :

- mobiliers ;
- immobiliers ;
- présents et futurs ;
- ou une universalité de biens.

Elle fait l'objet de deux publications ou inscriptions aux registres appropriés selon qu'il s'agit de biens meubles ou immeubles. La première inscription se fait au moment de sa constitution et la seconde au moment de la clôture de l'hypothèque.

L'hypothèque est **ouverte** dans le sens que ses effets ou certains d'entre eux sont suspendus et ne s'appliquent pas jusqu'à ce que, à la suite d'un défaut, le créancier se décide à **fermer** l'hypothèque, c'est-à-dire à exercer les recours qu'il avait consenti à suspendre. Il le fait par l'inscription d'un **avis de clôture**. C'est l'inscription de ce document qui permet au créancier d'exercer ses droits. »

La figure 16.10, pages 466 et 467, reproduit une hypothèque ouverte sur une universalité de créances.

« **Art. 2721 C.c.Q.** Le créancier titulaire d'une hypothèque ouverte grevant une universalité de biens peut, à compter de l'inscription de l'avis de clôture, prendre possession des biens pour les administrer, par préférence à tout autre créancier qui n'aurait publié son hypothèque qu'après l'inscription de l'hypothèque ouverte. »

Ainsi, à compter de l'avis de clôture, les clients devront payer leurs créances à l'établissement financier directement.

Le législateur québécois a introduit la possibilité pour le débiteur de remédier au défaut qui avait provoqué la clôture de l'hypothèque ouverte. L'article 2723 en prévoit ainsi les conséquences.

« **Art. 2723 C.c.Q.** Lorsqu'il est remédié au défaut du débiteur, le créancier requiert l'officier d'inscription de radier l'avis de clôture.

Les effets de la clôture cessent à compter de cette radiation et les effets de l'hypothèque sont à nouveau suspendus. »

Cela implique que l'hypothèque ouverte se trouve à revivre, un peu de la même façon que le locataire qui remédie à son défaut de payer son loyer et empêche ainsi l'annulation de son bail.

> *Exemple* : Les Entreprises Canabec inc., qui a un chiffre d'affaires de deux milliards de dollars, désire refinancer ses activités. À cette fin, elle communique avec la Banque Royale du Canada, qui lui propose de procéder à ce refinancement au moyen d'un acte de prêt et d'une marge de crédit garantis par une hypothèque ouverte sur l'ensemble des biens meubles et immeubles présents et futurs de l'entreprise ainsi que sur l'universalité de ses créances et comptes clients.
>
> Tant que Canabec respecte ses obligations, elle continuera ses activités sans l'intervention de la banque. Mais, advenant des difficultés financières, la Banque Royale pourra inscrire un avis de clôture de l'hypothèque ouverte. Elle pourra alors prendre possession des biens de Canabec pour les administrer. Si, par la suite, Canabec remédie à son défaut, elle pourra exiger la radiation de l'avis de clôture et l'hypothèque redeviendra ouverte.

L'EXERCICE DES DROITS HYPOTHÉCAIRES

Outre l'action personnelle contre son débiteur pour lui réclamer le solde impayé, le créancier hypothécaire peut exercer ses droits hypothécaires.

PRÉAVIS D'EXERCICE Les articles 2757 et 2758 C.c.Q. obligent tout créancier qui entend exercer un droit hypothécaire à produire au Bureau de publicité des droits un **préavis d'exercice** :

- dénonçant le défaut du débiteur d'exécuter ses obligations et lui rappelant son droit d'y remédier ;
- indiquant le montant de la créance en capital et intérêts ainsi que la nature du droit hypothécaire ;
- sommant le débiteur de délaisser le bien avant l'expiration du délai.

Le délai est de 20 jours à compter de l'inscription du préavis s'il s'agit d'un bien meuble, de 60 jours s'il s'agit d'un bien immeuble ou de 10 jours lorsque l'intention du créancier est de prendre possession du bien.

> *Exemple* : Étant donné que Jacques ne fait pas ses remboursements hypothécaires mensuels sur sa maison, la Banque Nationale doit lui faire parvenir un préavis d'exercice de 60 jours l'avisant de son intention d'exercer ses droits hypothécaires. Ce préavis doit spécifier quel droit sera exercé.

Il est important de souligner que les créanciers hypothécaires ne peuvent exercer leurs droits avant l'expiration du délai imparti pour délaisser le bien.

PRIORITÉ DE RANG ENTRE LES HYPOTHÈQUES

Lorsqu'il y a plusieurs hypothèques sur un même immeuble ou sur un même bien meuble, la priorité de paiement dépend de la date de publication ou d'inscription ou de publication du registre approprié. On parle alors de première, de deuxième ou de troisième hypothèque.

> *Exemple* : Jean-Guy a accordé une hypothèque à la Banque du Québec le 1er septembre 1995 ; cette hypothèque a été publiée le 21 septembre de la même année. Le 3 septembre, Jean-Guy a accordé une autre hypothèque à la Fiducie de Laval et cette hypothèque a été publiée le 15 décembre 1995. Enfin, le 7 septembre 1995, Jean-Guy a accordé une troisième hypothèque à la Caisse populaire Sainte-Rose de Laval et cette dernière hypothèque a été publiée le 11 septembre 1995. Ces trois hypothèques ont été consenties sur le même immeuble situé sur la rue Esplanade. C'est la date de publication d'inscription de chacune des hypothèques qui détermine leur ordre de priorité :
>
> - 1re hypothèque :
>   Caisse populaire Sainte-Rose de Laval,
>   le 11 septembre 1995 ;
> - 2e hypothèque :
>   Banque du Québec
>   le 21 septembre 1995 ;
> - 3e hypothèque :
>   Fiducie de Laval,
>   le 15 décembre 1995.

S'il y a vente aux enchères, on paiera en priorité la créance du détenteur de la première hypothèque, et s'il ne reste plus d'argent, le détenteur de la deuxième hypothèque ne sera plus considéré comme un créancier garanti, mais comme un créancier ordinaire. La date d'inscription des hypothèques au registre approprié est donc primordiale.

Malgré une date antérieure de publication de son hypothèque, il est possible pour un créancier de céder sa priorité en faveur d'un créancier ayant publié son hypothèque après lui ; on parle alors de cession de priorité.

RECOURS HYPOTHÉCAIRES

Le débiteur qui reçoit l'avis d'exercice d'un recours hypothécaire peut soit remédier à son défaut ou procéder au délaissement volontaire en consentant, par écrit, à remettre le bien au créancier.

Dans les autres cas, le créancier hypothécaire pourra exercer l'un des quatre recours suivants :

1. **soit prendre possession du bien à des fins d'administration** (par exemple : prendre possession d'un immeuble à logements et en percevoir les loyers pour se payer) ;
2. **soit procéder à la prise en paiement du bien.** Ce recours ne pourra être exercé sans l'autorisation du tribunal, à moins que le débiteur ne délaisse volontairement le bien, si, au moment de l'inscription du préavis, le débiteur a déjà acquitté la moitié ou plus de l'obligation garantie par hypothèque. Il est à noter que la prise en paiement éteint l'obligation ;
3. **soit procéder lui-même à la vente du bien** s'il a obtenu le délaissement et s'il avait indiqué son intention de vendre dans le préavis ;
4. **soit procéder à la vente du bien sous contrôle de justice**, lorsque le tribunal en décide ainsi.

Le *Code civil du Québec* accorde également des droits importants aux autres créanciers hypothécaires, tels les créanciers de deuxième ou de troisième rang qui peuvent intervenir dans l'exercice des recours hypothécaires du créancier hypothécaire de premier rang pour protéger leurs créances, le cas échéant.

LA GARANTIE DE L'ARTICLE 427 DE LA *LOI SUR LES BANQUES*

La **garantie de l'article 427 de la *Loi sur les banques*** est l'une des garanties les plus fréquemment utilisées dans le domaine commercial. Aux termes de cet article, tout marchand en gros ou au détail de produits bruts ou finis peut se prévaloir de cette forme de garantie, y compris les fabricants et les manufacturiers, ainsi que les cultivateurs, les pêcheurs et les sylviculteurs. Cette disposition de la Loi vise à garantir le remboursement d'un prêt ou d'une avance de fonds consenti par une banque à une entreprise. Habituellement, ces prêts revêtent la forme d'une marge de crédit.

En garantie du prêt, l'entreprise cède à la banque les biens visés dans l'article 427, c'est-à-dire les matières premières de même que les marchandises ou produits finis ou fabriqués, ainsi que leur emballage. En d'autres mots, cette garantie repose tant sur la matière première servant à fabriquer le produit que sur le produit fini. Elle s'applique sur les biens présents et futurs de l'entreprise. La durée de la garantie de l'article 427 est généralement d'une année et elle se renouvelle d'année en année, selon les conditions du contrat intervenu entre la banque et l'entreprise. Pour que la garantie soit valide et opposable aux tiers, un avis doit être enregistré au bureau québécois de la Banque du Canada. Cet avis doit être renouvelé tous les trois ans, si la garantie subsiste.

Il est important de souligner que cette garantie ne peut être donnée qu'à une banque au sens de la *Loi sur les banques*. Ainsi les autres établissements financiers, caisses populaires et sociétés de fiducie ne peuvent pas faire de prêts en vertu de ce type de garantie.

Dans leur cas, le *Code civil* a prévu la garantie par une hypothèque mobilière sans dépossession telle que nous l'avons étudiée précédemment. Si l'entreprise ne respecte pas ses obligations, la banque qui l'a financée dispose d'un droit de propriété sur les biens donnés en garantie. Elle peut les saisir, les vendre et diminuer d'autant la créance de l'entreprise.

Le contrat intervenu entre la banque et l'entreprise autorise souvent la banque à prendre possession du commerce et à l'exploiter pour réaliser ses garanties. Ainsi il arrive qu'une banque prenne possession d'une entreprise en péril et continue de l'exploiter pendant un certain temps par l'intermédiaire d'agents ou de mandataires.

Lorsque la banque décide de recourir à cette méthode, le ou les propriétaires du commerce ainsi que ses administrateurs abandonnent tous leurs pouvoirs au profit de la banque.

Par ailleurs, la jurisprudence a prévu qu'avant d'exercer sa garantie la banque doit envoyer un avis raisonnable à l'entreprise pour éviter de lui causer préjudice.

LE CAUTIONNEMENT

« Art. 2333 C.c.Q. Le *cautionnement* est le contrat par lequel une personne, la caution, s'oblige envers le créancier, gratuitement ou contre rémunération, à exécuter l'obligation du débiteur si celui-ci n'y satisfait pas. »

Exemple : Nicolas et Dominique exploitent un restaurant de type snack-bar et désirent agrandir leur commerce. À cette fin, ils communiquent avec Fernand Vallée, directeur du service aux entreprises de

Cautionnement : Contrat par lequel une personne, la caution, s'oblige envers le créancier, gratuitement ou contre rémunération, à exécuter l'obligation du débiteur si celui-ci n'y satisfait pas.

**La caisse populaire
La caisse d'économie
Desjardins**

CAUTIONNEMENT GÉNÉRAL

Je, soussigné(e), _____ (s'il s'agit d'une corporation,

ici représentée par _____ se déclarant dûment autorisé[e] aux fins

des présentes par une résolution de son conseil d'administration, en date du _____), me porte caution envers

_____
Nom de la caisse

(ci-après appelée «la caisse») pour toutes dettes et obligations, présentes et futures que

_____ **(ci-après appelé(e) le «débiteur**

principal») lui doit ou pourra lui devoir de temps à autre, pourvu cependant que ma responsabilité soit limitée au paiement par moi d'une somme n'excédant pas

_____ dollars (_____ $) en capital et intérêts avec en

plus les frais et intérêts sur cette somme au même taux que celui exigible du débiteur principal, à compter de la demande de paiement qui me sera faite par la caisse.

Il est de plus convenu ce qui suit :

1. CAUTIONNEMENT SOLIDAIRE
Ce cautionnement me liera solidairement avec le débiteur principal et toute personne qui est ou deviendra responsable avec ou pour lui envers la caisse et, s'il est signé par plus d'une personne, il y aura en outre solidarité et renonciation au bénéfice de division entre chacune d'elles.

2. DEMANDE DE PAIEMENT
La caisse pourra, à défaut du paiement par le débiteur principal de la totalité ou d'une partie de toute dette due par lui, me réclamer par avis écrit le paiement immédiat du plein montant de la somme exigible du débiteur principal, sans être tenue de réaliser quelque garantie que ce soit.

3. CONVENTIONS SUPPLÉMENTAIRES
La caisse pourra, sans que le présent cautionnement soit pour autant diminué ou affecté, faire toute convention concernant les dettes et obligations du débiteur principal, notamment :

a) obtenir du débiteur principal, ou de toute autre personne, toute garantie quelconque, en donner mainlevée en tout ou en partie ou compléter celles déjà prises;

b) accorder au débiteur principal des renouvellements, des remises, des quittances;

c) faire avec le débiteur principal ou toute autre personne responsable avec ou pour lui, tout compromis, arrangement, ou concordat;

d) imputer toute somme reçue sur toute dette quelconque, même sur une créance qui ne serait pas exigible ou garantie.

4. VICE DE FORME ET IRRÉGULARITÉ
Le présent cautionnement restera valable nonobstant tout vice de forme ou toute irrégularité dans les transactions du débiteur principal ou ses représentants avec la caisse.

5. ÉTENDUE DU CAUTIONNEMENT
Le présent cautionnement sera continu et restera valable pour le tout, nonobstant le remboursement occasionnel, total ou partiel des dettes du débiteur principal et il me liera ainsi que ma succession aussi longtemps que je n'aurai pas donné à la caisse un avis écrit de vingt (20) jours exprimant mon désir de cesser le présent cautionnement. Cet avis n'aura d'effet et ne dégagera ma responsabilité que pour les dettes contractées par le débiteur principal après l'expiration du délai de vingt (20) jours ci-dessus prévu. Advenant que je décède avant de m'être prévalu de mon droit de révocation, le présent cautionnement cessera dès le moment où la caisse sera informée de mon décès par avis écrit et ma succession ne sera dégagée que pour les dettes contractées après réception de cet avis.

6. INTERPRÉTATION
Advenant qu'il y ait plus d'une caution, le texte est alors réputé être rédigé à la première personne du pluriel.

7. AUTRES GARANTIES
Le présent cautionnement ne se substitue pas mais s'ajoute à toute autre garantie que la caisse détient ou pourra détenir.

8. INDIVISIBILITÉ
Les obligations de la caution sont indivisibles et peuvent être réclamées en totalité de chacun des héritiers, légataires et ayants droit de la caution.

EN FOI DE QUOI, je signe à _____

le _____ 19 _____

_____
Signature des cautions

CF-01255-100 (GD-123-136)   Desjardins fait sa part pour l'environnement   94-01cc
                                              Ce papier contient des fibres recyclées

Figure 16.11   Cautionnement

la caisse populaire, qui leur indique que la caisse est prête à consentir un prêt de 25 000 $ à leur compagnie, mais qu'ils devront cautionner ce prêt.

Ainsi, advenant l'impossibilité pour la compagnie de rembourser le prêt ou advenant sa faillite, Nicolas et Dominique deviendront personnellement responsables de son remboursement auprès de la caisse populaire. En signant le cautionnement, ils se trouvent à renoncer au principe de la responsabilité limitée des actionnaires dans une compagnie.

La caution n'est tenue de remplir l'obligation du débiteur que si ce dernier n'y satisfait pas lui-même. On emploie communément les termes *endosseur* ou *cosignataire* pour désigner une caution. Le terme endosseur illustre bien le rôle de la caution. En effet, celle-ci endosse les obligations et les dettes du débiteur et, si le débiteur ne fait pas ses paiements ou n'assume pas ses obligations, l'endosseur en deviendra personnellement et solidairement responsable avec le débiteur principal. Le contrat de cautionnement permet au créancier de recourir à un ou à plusieurs débiteurs pour garantir le paiement de la dette ou l'exécution des obligations du débiteur principal.

Lorsqu'une compagnie signe un bail commercial ou contracte un emprunt, il n'est pas rare que le locateur ou le prêteur exige des principaux actionnaires qu'ils cautionnent les obligations de la société, se protégeant ainsi contre la faillite éventuelle de l'entreprise. En pratique, l'entrepreneur qui débute en affaires n'a souvent pas le choix ; l'établissement financier qui lui avance des fonds exige son cautionnement personnel.

Dans un contrat de construction assorti d'une clause pénale stipulant que la construction doit être terminée à une date précise, sans quoi l'entrepreneur devra payer une pénalité de 500 $ par jour de retard, il est préférable d'exiger le cautionnement personnel du président et (ou) des principaux dirigeants de l'entreprise pour garantir le paiement de la pénalité advenant le cas de la faillite de la compagnie. Il est prudent de prendre une assurance cautionnement en garantie des obligations du débiteur.

L'ASSURANCE-VIE

La plupart du temps, les prêteurs exigent qu'une police d'assurance soit contractée, à titre de garantie additionnelle, sur la vie de l'emprunteur, de ses associés, des principaux administrateurs et actionnaires majoritaires d'une société par actions pour répondre du paiement des dettes de l'entreprise. L'établissement prêteur exige que l'entreprise dépose en garantie une police d'assurance-vie, surtout si elle repose essentiellement sur les épaules d'une personne. Au décès de cette dernière, le produit de cette police d'assurance sert à rembourser les prêts de l'entreprise à l'établissement qui les a consentis.

Figure 16.12   Les institutions financières peuvent exiger de l'actionnaire principal ou du président de la compagnie à qui elles prêtent qu'il souscrive à une police d'assurance-vie.

LA CLAUSE DE RÉSERVE DU DROIT DE PROPRIÉTÉ

Nous avons examiné certains types de contrats de vente dans lesquels le vendeur réserve son droit de propriété même si le bien est vendu et transféré à un acheteur. Les deux plus fréquents sont :

- le **contrat de vente à tempérament**, où le vendeur demeure propriétaire du bien vendu tant que l'acheteur n'a pas payé le prix total du bien ;

- le **contrat de vente avec faculté de rachat**, où le vendeur peut décider de redevenir propriétaire du bien vendu en avisant l'acheteur de son intention et selon certaines conditions.

Ces deux types de vente constituent des garanties conventionnelles en faveur du vendeur.

Dans le cas de telles ventes effectuées dans le cours de l'exploitation d'une entreprise, les articles 1745 et 1750 du *Code civil* stipulent que la réserve du droit de propriété ou de la faculté de rachat d'un bien acquis pour le service ou l'exploitation d'une entreprise doit être publiée au registre approprié à cette fin au Bureau de la publicité des droits pour être opposable aux tiers.

Les articles 1749, 1751 et 1756 prévoient la façon dont ces recours s'exercent.

Nous vous reportons au chapitre 8 sur la vente pour plus de détails concernant ces deux types de vente.

LA CLAUSE RÉSOLUTOIRE

Aux chapitres 7 et 8, nous avons examiné les implications d'une clause ou d'une condition résolutoire ajoutée à une obligation.

Dans le cadre de l'**exploitation d'une entreprise**, de même qu'au moment de la vente d'un immeuble, les parties au contrat doivent ajouter une **clause résolutoire** au contrat dans le but de mieux garantir leurs droits et leurs obligations. La rédaction de ces clauses peut varier d'un contrat à l'autre, mais le but visé est le même : advenant l'inexécution de ses obligations par une des parties, l'autre se réserve le droit de demander la résolution du contrat et la remise en état des parties dans la situation existant avant la signature du contrat.

> *Exemple* : Daniel achète une entreprise de Francine pour 250 000 $ et constate que les garanties et les représentations que cette dernière lui avait faites sont inexactes. Il demande la résolution du contrat en vertu d'une clause à cet effet dans le contrat de vente d'entreprise. Il remettra l'entreprise à Francine et celle-ci lui remettra la somme de 250 000 $, et ils feront entre eux les ajustements nécessaires.

En matière de **vente d'immeuble**, l'article 1742 du *Code civil* stipule que, à défaut d'une clause particulière dans le contrat permettant de demander la résolution de la vente d'un immeuble, le vendeur ne peut demander la résolution de la vente en raison du défaut de l'acheteur d'exécuter une de ses obligations.

L'article 1743 impose au vendeur l'obligation d'envoyer un avis écrit de 60 jours à l'acheteur lui indiquant de remédier à son défaut et d'inscrire cet avis au Registre foncier avant de pouvoir procéder. Les dispositions concernant la prise en paiement des priorités et hypothèques s'y appliquent.

Le vendeur qui reprend le bien par suite de l'exercice d'une telle clause le reprend libre de toutes les charges dont l'acheteur a pu le grever après que le vendeur a inscrit ses droits.

L'INSOLVABILITÉ

Quiconque possède des recours contre un débiteur peut obtenir du tribunal un jugement condamnant celui-ci à lui payer une somme d'argent ou à remplir ses obligations. Mais, en pratique, que vaut un jugement condamnant un débiteur à payer une somme d'argent qu'il ne possède pas ?

Le créancier doit donc s'assurer que le débiteur est en mesure de le payer. De même, lorsqu'un homme ou une femme d'affaires conclut un contrat avec une autre personne, il ou elle doit s'assurer de la solvabilité de cette dernière.

Prenons le cas de l'homme ou de la femme d'affaires qui recourt aux services d'un entrepreneur pour la construction d'un immeuble à bureaux. Supposons que le contrat contienne une clause pénale en vertu de laquelle l'immeuble doit être terminé le 1er décembre 1995, à défaut de quoi l'entrepreneur s'engage à verser une pénalité de 10 000 $ par jour de retard. Si l'entrepreneur est en retard de 30 jours sur l'échéancier, il devra verser 300 000 $ au propriétaire. Mais si l'entrepreneur fait faillite ou n'a pas assez d'actif pour payer cette pénalité, qu'advient-il alors de la pénalité ?

La personne qui n'arrive plus à acquitter ses dettes ni à faire face à ses obligations financières dispose d'un certain nombre de moyens pour rétablir sa situation. Elle peut, par exemple, envisager un refinancement ou une consolidation de dettes, elle peut tenter de conclure une entente à l'amiable avec ses créanciers et elle peut également recourir à deux moyens légaux : le *dépôt volontaire* et la *faillite*. Ces deux solutions retiendront notre attention dans la dernière partie du présent chapitre.

LE DÉPÔT VOLONTAIRE

Nous avons déjà établi que le patrimoine d'un débiteur constitue le gage commun de ses créanciers et que ces derniers, lorsqu'ils ont obtenu un jugement contre un débiteur, peuvent procéder à la saisie de ses biens et d'une partie de son salaire.

Pour éviter cette situation pénible, toute personne endettée qui cherche à s'en sortir et qui réside au Québec peut se prévaloir des dispositions sur le dépôt volontaire (art. 652 à 659 C.p.c.). En vertu de ces dispositions, le débiteur, qui ne peut être qu'une personne physique, dépose volontairement la partie saisissable de son salaire au greffe de la Cour du Québec du district de sa résidence ou du lieu de son emploi.

INSCRIPTION

Le débiteur doit produire, au greffe de la Cour du Québec du district de son domicile ou de son lieu de travail, une déclaration sous serment conforme aux dispositions du *Code de procédure civile*. Cette déclaration doit énoncer :

a) son nom et son prénom ;
b) l'adresse de sa résidence ;
c) la désignation de son employeur ou, s'il est en chômage, celle de son dernier employeur ;
d) le montant de sa rémunération et la date à laquelle elle lui est versée ;
e) ses charges de famille (le nombre de personnes à sa charge) ;
f) une liste de ses créanciers et leur adresse, ainsi que la nature et le montant de chacune des dettes.

DÉPÔT

Le débiteur doit déposer régulièrement au greffe de la Cour la partie saisissable de sa rémunération, dans les cinq jours suivant son versement.

CALCUL DE LA PARTIE SAISISSABLE DU SALAIRE

Les dispositions que nous avons vues précédemment pour le calcul de la partie saisissable du salaire d'un débiteur s'appliquent au dépôt volontaire.

> *Exemple* : Dans le cas de Jean Larivière, ce dernier pourra choisir de déposer lui-même au greffe de la Cour du Québec la partie saisissable de son salaire (soit 60 $), sans attendre que Beaubois ou un autre de ses créanciers procède à la saisie de son salaire ou des meubles meublant sa résidence.

Le greffier de la Cour du Québec avise, par courrier recommandé ou certifié, et sans frais pour le débiteur, les créanciers mentionnés sur la liste fournie par le débiteur.

Tout créancier peut faire corriger le montant que lui doit le débiteur et produire une réclamation en conséquence.

EFFETS

PROTECTION CONTRE CERTAINES SAISIES   Le dépôt volontaire protège le débiteur :

- *contre les saisies de salaire* : ses créanciers ne peuvent pas saisir individuellement son salaire pour payer leurs créances respectives ;
- *contre les saisies des meubles meublant sa résidence* : aucun créancier ne peut saisir les meubles du débiteur qui se trouvent dans sa résidence, à l'exception des créanciers qui exerceraient un privilège ou un droit de rétention, comme un vendeur impayé ou un locateur ;
- *contre un congédiement arbitraire de la part de son employeur* pour le seul motif qu'il dépose volontairement la partie saisissable de son salaire.

Par ailleurs, les créanciers du débiteur peuvent saisir ses autres biens meubles (automobile, bicyclette, canot, par exemple) et ses immeubles, s'il en possède. Toutes les procédures de saisie des biens protégés intentées par un créancier doivent cesser dès la réception de l'avis du greffier, sous peine de poursuites en dommages-intérêts ; de plus, chaque créancier doit accorder, sur demande, la mainlevée de toute saisie ainsi pratiquée.

DISTRIBUTION AUX CRÉANCIERS

Les dépôts effectués par le débiteur chaque semaine, ou dans les cinq jours après réception du salaire, sont accumulés dans son compte pendant trois mois. Tous les trois mois, le greffier de la Cour préposé aux dépôts volontaires additionne les dépôts et répartit cette somme d'argent entre les différents créanciers du débiteur, au prorata de leurs créances respectives.

> *Exemple* : Philippe doit 10 000 $ répartis de la façon suivante :
> - Jeanne : 5000 $, soit 50 % de la dette ;
> - Pierre : 1000 $, soit 10 % de la dette ;
> - Marc : 2500 $, soit 25 % de la dette ;
> - André : 1500 $, soit 15 % de la dette.
>
> Il dépose la partie saisissable de son salaire, qui s'élève à 100 $ par semaine. Après trois mois, la somme accumulée totalise 1200 $, et les créanciers recevront un chèque de la Cour d'une somme de :
> - Jeanne : 600 $, soit 50 % de la partie saisissable ;
> - Pierre : 120 $, soit 10 % de la partie saisissable ;
> - Marc : 300 $, soit 25 % de la partie saisissable ;
> - André : 180 $, soit 15 % de la partie saisissable.

BÉNÉFICE DE LA PROTECTION

Aussi longtemps que le débiteur dépose, dans les délais légaux, la partie saisissable de son salaire au greffe de la Cour du Québec, il bénéficie de la protection de la loi, et ses créanciers ne peuvent saisir ni son salaire ni ses meubles meublants.

Dans les cinq jours qui suivent un changement d'adresse, d'emploi, ou une modification dans les conditions d'engagement du débiteur, ce dernier doit produire une nouvelle déclaration au greffe de la Cour du Québec, sous peine de perdre la protection de la loi. S'il cesse de travailler ou s'il recommence à travailler après une période de chômage, il doit également produire une telle déclaration.

En cessant de déposer la partie saisissable de son salaire, le débiteur perd le bénéfice de la protection que la loi lui accorde ; ses créanciers peuvent saisir ses meubles meublants ainsi que son salaire s'il ne dépose pas les arriérés au plus tard 10 jours après la requête d'un créancier.

Compte tenu des sommes souvent très minimes distribuées aux créanciers, il peut s'écouler plusieurs années avant que le débiteur ait acquitté complètement ses dettes.

Aussi, dans bien des cas, les personnes endettées et devenues insolvables préfèrent-elles recourir directement à la *Loi sur la faillite.*

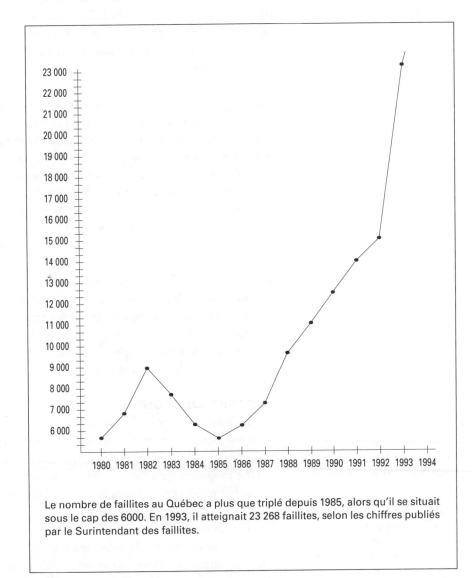

Le nombre de faillites au Québec a plus que triplé depuis 1985, alors qu'il se situait sous le cap des 6000. En 1993, il atteignait 23 268 faillites, selon les chiffres publiés par le Surintendant des faillites.

Figure 16.13 Les Québécois en faillite, 1980-1993

LA FAILLITE

La faillite d'un consommateur ou d'une entreprise canadienne est régie par une loi fédérale, la *Loi sur la faillite et l'insolvabilité* (L.R.C. (1992) c. 27).

Cette loi vise prioritairement trois objectifs :

- **Permettre à un plus grand nombre de consommateurs insolvables et d'entreprises en difficulté financière de réorganiser leurs finances sans avoir à déclarer faillite.**
- **Protéger l'ensemble des créanciers du débiteur insolvable.**
- **Libérer le débiteur insolvable de ses dettes et obligations financières antérieures à la faillite pour lui permettre de recommencer à neuf.**

INTERVENANTS

Il existe trois principaux intervenants dans une faillite.

- le surintendant des faillites ;
- le séquestre officiel ;
- le syndic.

SURINTENDANT DES FAILLITES   Le gouvernement fédéral exerce un contrôle sur l'administration des faillites par l'intermédiaire du **surintendant des faillites**. Ce dernier est à la tête de la Direction des faillites. Son rôle consiste à surveiller l'administration de tous les actifs auxquels s'applique la *Loi sur la faillite et l'insolvabilité*.

SÉQUESTRE OFFICIEL   Chaque province constitue un district de faillite, et chacun de ces districts est fractionné en divisions. Dans chacune de ces divisions, des fonctionnaires sont nommés pour administrer la *Loi sur la faillite et l'insolvabilité* ; on les appelle des **séquestres officiels**. Leur rôle consiste :

- à recevoir et à conserver les actes de cession de biens et à nommer les syndics ;
- à interroger les débiteurs sur leur conduite, sur les causes de leur faillite, de même que sur la destination des biens dont ils se sont départis ;
- à fixer le cautionnement qui doit être déposé par un syndic ;
- à présider la première assemblée des créanciers du failli.

SYNDIC   Le **syndic** est la personne clé dans les procédures de faillite et de propositions concordataires ou de consommateur. Il agit à un double titre : il est officier de justice et mandataire des créanciers et du failli. Pour obtenir une licence de syndic, on doit en faire la demande au surintendant des faillites qui, après examen de la demande et approbation du ministre de la Consommation et des Corporations, délivre cette licence.

LES PROPOSITIONS

Un des buts visés par la *Loi sur la faillite et l'insolvabilité* est de permettre aux consommateurs et aux entreprises de réorganiser leurs finances et d'éviter la faillite en faisant une *proposition* à leurs créanciers.

Une proposition est une faculté que la *Loi sur la faillite* offre à un débiteur insolvable, qui lui permet de faire une offre de règlement globale à ses créanciers et qui, si elle est acceptée, lui évitera la faillite. Par ailleurs, si elle est refusée, c'est la faillite automatique.

La *Loi sur la faillite et l'insolvabilité* prévoit deux types de proposition :

- les propositions concordataires ;
- les propositions de consommateur.

Proposition : Faculté que la *Loi sur la faillite* offre à un débiteur insolvable, qui lui permet de faire une offre de règlement globale à ses créanciers et qui, si elle est acceptée, lui évitera la faillite. Par ailleurs, si elle est refusée, c'est la faillite automatique.

PROPOSITIONS CONCORDATAIRES   La proposition concordataire est un instrument important pour faciliter les réorganisations commerciales d'entreprises en difficulté financière et pour épargner des entreprises et des emplois.

Le but visé par une réorganisation est donc le maintien de l'entreprise pour le mieux des intérêts des créanciers, des employés et, dans certains cas, de la collectivité.

> *Exemple* : Une ville minière sur la côte Nord du Québec où le seul employeur est la mine.

À cette fin, l'entreprise doit être viable et elle devra démontrer qu'elle pourra être rentable une fois qu'elle aura remédié à ses difficultés financières. Cela pourrait être le cas d'une entreprise en état d'insolvabilité à la suite de la faillite de son plus gros client, par exemple.

PROPOSITIONS DE CONSOMMATEUR   Ce sont les articles 66.11 à 66.40 de la Loi qui régissent ce type de proposition.

L'article 66.11 définit le *débiteur consommateur* comme une personne physique insolvable dont la somme des dettes, à l'exclusion de celles qui sont garanties par sa résidence principale, n'excède pas soixante-quinze mille (75 000 $) dollars ou tout autre montant prescrit.

> *Exemple* : Denis Lemay vient de perdre son poste de directeur d'usine à cause de la faillite de l'entreprise qui l'employait. Depuis neuf mois, il cherche un emploi sans succès. Depuis cette période, il a dépensé ses économies et a accumulé des dettes sur ses cartes de crédit. Incapable de rembourser son hypothèque et son prêt automobile et, sa marge de crédit s'accumulant, il songe à faire faillite. Les dispositions de la Loi lui permettent de faire une proposition de consommateur. Celle-ci s'apparente à la proposition concordataire pour une entreprise.

Débiteur consommateur : Personne physique insolvable dont la somme des dettes, à l'exclusion de celles qui sont garanties par sa résidence principale, n'excède pas soixante-quinze mille (75 000 $) dollars ou tout autre montant prescrit (art. 66.11 L.R.C.).

PROTECTION DE LA *LOI SUR LA FAILLITE*   La Loi prévoit que, avant de déposer une proposition, le débiteur peut déposer un **avis d'intention** auprès du séquestre officiel énonçant :

- son intention de faire une proposition ;
- le nom et l'adresse du syndic autorisé qui a accepté les fonctions de syndic dans le cadre de la proposition ;
- le nom de tous les créanciers ayant une réclamation s'élevant à au moins 250 $.

En envoyant cet avis d'intention, le débiteur insolvable demande « la protection de la *Loi sur la faillite* ».

Le dépôt de cet avis donne lieu à une ordonnance de suspension des procédures contre le débiteur à l'égard de ses créanciers ordinaires et garantis.

À compter de la date du dépôt de l'avis d'intention, le débiteur de l'entreprise en difficulté dispose de 30 jours pour élaborer sa proposition. Des prorogations additionnelles de délai, n'excédant pas 45 jours à la fois et ne dépassant pas 5 mois après l'expiration du premier délai de 30 jours, peuvent être demandées.

Le syndic désigné dans l'avis d'intention doit participer activement, à titre de conseiller, à la préparation et à la négociation de la proposition. Il doit convoquer une assemblée des créanciers dans les 21 jours qui suivent le dépôt de la proposition auprès du séquestre officiel. À cette fin, il doit faire parvenir à chacun des créanciers et au séquestre officiel, au moins 10 jours avant l'assemblée, les documents prescrits à l'article 51 de la Loi.

Tous les créanciers garantis et non garantis qui ont déposé une preuve de réclamation acceptée par le syndic ont droit de voter.

Les créanciers votent par catégorie selon celle à laquelle appartiennent leurs réclamations respectives. À cette fin, toutes les réclamations non garanties (créanciers ordinaires) forment une seule catégorie tandis que celles qui sont garanties sont déterminées selon la Loi (exemple : tous les créanciers hypothécaires du failli).

La proposition est réputée acceptée par les créanciers seulement si toutes les catégories de créanciers non garantis votent en faveur de son acceptation par une majorité en nombre et une majorité des 2/3 en valeur des créanciers non garantis présents ou représentés. Si elle est acceptée, le syndic doit s'adresser au tribunal pour en obtenir l'approbation.

Si la proposition est rejetée, la personne ou l'entreprise insolvable est alors réputée avoir fait une cession de ses biens soit le jour du dépôt de la proposition ou celui de l'avis d'intention.

Comme dans le cas de la proposition de consommateur, les créanciers peuvent assurer la surveillance des affaires du débiteur et nommer au plus cinq inspecteurs à la faillite.

Finalement, en cas de défaut d'exécution d'une disposition que renferme une proposition, le tribunal peut annuler la proposition. Le débiteur est alors réputé avoir fait une cession et le processus de faillite est alors enclenché.

TYPES DE FAILLITE

Il existe deux types de faillite :

- la *faillite volontaire* ou *cession de biens* (le débiteur choisit lui-même de déclarer faillite) ;
- la *faillite forcée* ou *ordonnance de mise sous séquestre* (un ou plusieurs créanciers du failli entament des procédures pour mettre le débiteur en faillite).

FAILLITE VOLONTAIRE OU CESSION DE BIENS   L'article 49 de la *Loi sur la faillite et l'insolvabilité* définit la **faillite volontaire**, ou **cession de biens**.

La *faillite volontaire* ou *cession de biens* : Une personne insolvable ou, si elle est décédée, son exécuteur testamentaire ou l'administrateur de sa succession, avec la permission du tribunal, peut décider de faire une cession de tous ses biens au bénéfice de ses créanciers en général.

Cette procédure est ouverte à tout débiteur insolvable qui a au moins 1000 $ de dettes et qui choisit de faire faillite. La cession de biens doit être accompagnée d'une déclaration sous serment indiquant :

- les biens du débiteur susceptibles d'être partagés entre ses créanciers ;
- le noms et l'adresse de tous ses créanciers ;
- les montants de leurs réclamations respectives ;
- la nature de chacune d'elles, que ces réclamations soient garanties, privilégiées ou non garanties.

La cession doit être présentée au séquestre officiel du district où réside le débiteur. Tant qu'elle n'a pas été déposée auprès du séquestre officiel, elle est inopérante. Si le séquestre officiel accepte la cession, il nomme un syndic ou entérine sa nomination. Le syndic est chargé d'administrer la faillite, de liquider les biens et d'en diviser le produit entre les créanciers. Il arrive parfois que le débiteur insolvable consulte d'abord un syndic de son choix. Ce dernier prépare alors les documents nécessaires à la cession de biens et convoque la première assemblée des créanciers, au cours de laquelle il est habituellement confirmé dans son rôle.

Faillite volontaire ou cession de biens : Une personne insolvable ou, si elle est décédée, son exécuteur testamentaire ou l'administrateur de sa succession, avec la permission du tribunal, peut décider de faire une cession de tous ses biens au bénéfice de ses créanciers en général.

FAILLITE FORCÉE OU ORDONNANCE DE MISE SOUS SÉQUESTRE

L'article 43 de la *Loi sur la faillite et l'insolvabilité* reconnaît le droit à un ou plusieurs créanciers du débiteur insolvable d'intenter contre ce dernier des procédures de mise en faillite ; c'est ce qu'on appelle la **faillite forcée**.

Requête (ou pétition) Dans un tel cas, une **requête de mise en faillite** est déposée devant le tribunal du district judiciaire où réside le débiteur, en vue d'obtenir une ordonnance de mise sous séquestre contre lui.

La requête doit mentionner que la dette ou les dettes du débiteur envers le ou les créanciers requérants s'élèvent à au moins 1000 $ et que le débiteur a commis un acte de faillite dans les six mois précédant le dépôt de la requête. Cette dernière doit être accompagnée d'une déclaration sous serment signée par le requérant ou par son représentant autorisé alléguant qu'il a une connaissance personnelle des faits qui y sont mentionnés et qu'ils sont véridiques.

Actes de faillite Aux termes de l'article 42 de la Loi, les principaux **actes de faillite** sont :

- la donation ou le transfert frauduleux par un débiteur de ses biens ou de quelque partie de ces derniers ;
- le paiement préférentiel d'un débiteur à l'un de ses créanciers dans les trois mois précédant la faillite ;
- le fait pour un débiteur de quitter le Canada ou sa résidence dans l'intention d'empêcher ou de retarder le paiement de ses créanciers ;
- le fait pour un débiteur de permettre qu'une procédure ou une exécution soit prise contre lui ou ses biens, telle une saisie non réglée 4 jours avant la date fixée pour la vente de ses biens ou 14 jours après saisie ;
- l'aveu par un débiteur de son insolvabilité au cours d'une réunion de ses créanciers ;
- le fait pour un débiteur de céder, cacher, enlever ou aliéner une partie de ses biens avec l'intention de frauder, ou encore d'empêcher ou de retarder le paiement de ses créanciers ou de l'un d'entre eux ;
- l'avis donné par un débiteur à ses créanciers qu'il a suspendu ou qu'il est sur le point de suspendre le paiement de ses dettes ;
- le fait pour un débiteur de ne pas donner suite à une proposition concordataire présentée en vertu de la Loi ;
- le fait pour un débiteur de cesser de remplir ses obligations au fur et à mesure de leur échéance.

Figure 16.14 Pour un débiteur, le fait de quitter le Canada ou sa résidence dans l'intention de retarder les paiements de ses créanciers constitue un acte de faillite.

Figure 16.15   Preuve de réclamation

Le tribunal saisi d'une requête de mise en faillite exigera la preuve des faits qui y sont allégués et, s'il juge la preuve suffisante, il pourra rendre une **ordonnance de séquestre**, c'est-à-dire un jugement déclarant le débiteur en faillite. Le tribunal doit ensuite nommer un syndic pour administrer les biens du failli en tenant compte le plus possible du désir des créanciers. Par ailleurs, si le tribunal n'estime pas satisfaisante la preuve des faits invoqués dans la requête, ou si le débiteur l'a convaincu de ses capacités et de son désir de régler ses dettes, il rejettera la requête.

DATE

D'une façon générale, la faillite est réputée commencer soit au moment du dépôt de la requête, soit au moment du jugement ordonnant la mise sous séquestre, soit au moment de la production d'une cession de biens auprès du séquestre officiel.

RAYMOND, CHABOT INC.

1200, boul. Saint-Martin Ouest
Bureau 200
Laval (Québec) H7S 2E4
Tél. (514) 382-9234
Télécopieur (514) 663-9850

Rayer ce qui est sans objet

5. **QUE**, au mieux de mes connaissances et croyances, le créancier et le débiteur **sont** ou **ne sont pas liés** au sens de la définition de l'article 4 de la Loi sur la faillite et l'insolvabilité.

Annexer un tableau distinct, s'il y a lieu.

6. **QUE** les sommes suivantes constituent les paiements et crédits reçus par le débiteur ou qui lui sont attribués au cours des trois mois (ou, si le créancier et le débiteur sont liés au sens de la définition donnée par l'article 4 de la Loi sur la faillite et l'insolvabilité au cours des douze mois) qui précèdent immédiatement la date de faillite. *(Donnez le détail des paiements et des crédits.)*

Daté à ______________________, ce ________ jour de ____________________ 19____.

______________________ Témoin

______________________ Signature (personne qui remplit le présent certificat)

NOTE : Si un affidavit est joint à la présente formule, il doit avoir été fait devant une personne autorisée à recevoir des affidavits.

AVERTISSEMENTS: Le syndic peut, en vertu du paragraphe 128(3) de la Loi sur la faillite et l'insolvabilité, racheter une garantie sur paiement au créancier garanti de la créance ou de la valeur de la garantie telle qu'elle a été fixée par le créancier garanti dans la preuve de garantie.

Le paragraphe 201(1) de la Loi sur la faillite et l'insolvabilité prévoit l'imposition de peines sévères en cas de présentation de réclamations, de preuves, de déclarations ou d'états de compte qui sont faux.

FORMULE DE PROCURATION GÉNÉRALE

(alinéas 51(1)(e) et 66.15(3)(b) et paragraphe 102(2))

Dans l'affaire de la faillite (*ou* de la proposition *ou* de la proposition de consommateur) de ____________________, failli (*ou* personne insolvable *ou* débiteur consommateur):

Je, ______________________ (nom du créancier), de ______________________ (nom de la ville), créancier dans l'affaire susmentionnée, nomme ______________________, de ______________________, mon fondé de pouvoir à tous égards dans l'affaire susmentionnée, sauf la réception de dividendes, celui-ci étant habilité à nommer un autre fondé de pouvoir à sa place (*ou* n'étant pas habilité à nommer un autre fondé de pouvoir à sa place).

Fait à ______________________, le ______________ 19___.

______________________ Témoin

______________________ Créancier individuel

Nom du créancier qui est une personne morale

______________________ Témoin

Par : ______________________ Nom et titre du signataire autorisé

Figure 16.15 Preuve de réclamation (suite)

Il est important d'établir la date exacte de la faillite, car elle sert à déterminer quels créanciers ont des réclamations prouvables et, en conséquence, quelles sont les réclamations qui entrent dans la faillite et dont le failli pourra éventuellement être libéré. La date de la faillite marque également le point de départ des délais prévus pour les recours en annulation ou en révision des actes antérieurs à la faillite.

EFFETS

Lorsqu'une ordonnance de séquestre est rendue ou qu'une cession de biens est produite auprès du séquestre officiel, le failli cesse d'administrer ses biens, et il ne peut les céder, les transférer ni autrement les aliéner. En un mot, il est dessaisi du pouvoir qu'il avait sur ses biens.

Les biens du failli sont immédiatement transmis à un fiduciaire nommé syndic et désigné dans l'ordonnance de séquestre ou dans la cession. Signalons que le salaire d'un failli n'est pas automatiquement intégré à la faillite. Il ne le sera que sur demande du syndic au tribunal, qui en déterminera les modalités, compte tenu des charges familiales et de la situation personnelle du failli.

Toute ordonnance de séquestre ou cession de biens a priorité sur les saisies, les saisies-arrêts, les jugements et autres procédures contre le failli ou contre ses biens. Sans l'autorisation du tribunal, aucun créancier n'a de recours contre le débiteur ou contre ses biens ni ne doit intenter ou continuer une action contre le failli. Dans un tel cas, le syndic avisera les créanciers de cesser immédiatement leurs procédures. Habituellement, on permet aux créanciers garantis d'exécuter leur garantie, mais seulement sur les biens du failli touchés par cette garantie.

LE SYNDIC

NOMINATION   Le choix du syndic est assujetti à l'approbation du séquestre officiel, qui peut choisir un autre syndic. De plus, à la première assemblée des créanciers, et par la suite à toute autre assemblée, les créanciers peuvent, par résolution spéciale, confirmer le syndic ou en nommer un autre.

La désignation officielle d'un syndic agissant en matière de faillite est : « Le syndic de l'actif de (nom du failli), failli ».

DEVOIRS ET POUVOIRS   Le rôle du syndic est de prendre possession des biens du failli, d'en dresser l'inventaire, de les administrer, de les liquider et de les vendre et, finalement, d'en distribuer le produit entre les différents créanciers du failli au prorata de leurs créances.

Le syndic exige du failli qu'il lui fournisse la liste complète de tous ses créanciers et de son actif réalisable. Il fait parvenir à chacun des créanciers un avis de convocation à la première assemblée des créanciers. Cet avis de convocation est accompagné d'une liste indiquant le nom et l'adresse de chaque créancier, le montant de la créance, ainsi que sa catégorie.

Le syndic joint également à cet avis de convocation une **preuve de réclamation** que tout créancier du failli doit remplir et lui retourner. Chaque créancier du failli doit prouver sa réclamation dans la faillite. S'il ne le peut, il n'a pas droit au partage dans la distribution éventuelle des biens du failli. La Loi spécifie qu'une réclamation doit être prouvée par la remise, au syndic, d'une preuve de la réclamation sous la forme prescrite. Le syndic examine chaque preuve de réclamation et décide s'il l'accepte ou la rejette, en tout ou en partie. Un créancier dont la réclamation est rejetée peut en appeler de la décision du syndic devant le tribunal. Un créancier n'a pas le droit de voter à une assemblée, à moins que sa preuve de réclamation n'ait été remise au syndic, qui doit l'avoir acceptée avant l'assemblée.

ADMINISTRATION DES BIENS DU FAILLI   Le syndic doit assurer les biens du failli s'ils ne le sont pas et, quand les intérêts de l'actif l'exigent, il peut prendre des mesures conservatoires et même disposer sommairement des biens susceptibles de se déprécier ou de s'avarier. Il peut également exercer le commerce du failli jusqu'au jour fixé pour la première assemblée des créanciers et, après cette assemblée, il peut continuer de l'administrer avec le consentement des inspecteurs à la faillite.

Avant la première assemblée des créanciers, le syndic a l'autorité nécessaire pour prendre les procédures judiciaires qui s'imposent en vue de recouvrer ou de protéger les biens du failli. Il doit vérifier le bilan du failli et peut intenter des procédures contre toute personne soupçonnée d'avoir commis une infraction à la *Loi sur la faillite et l'insolvabilité*.

L'argent provenant de l'actif est déposé dans un compte en fidéicommis, et le syndic ne peut en prélever aucune somme sans une permission écrite des inspecteurs ou une ordonnance du tribunal, sauf pour le paiement de dividendes et de charges se rapportant à l'administration de l'actif. Ces paiements doivent être faits par chèques tirés sur le compte en fidéicommis de l'actif.

Le syndic doit conserver les livres et registres de chaque actif de faillite qu'il administre. De plus, avec la permission des inspecteurs, il peut :

- vendre ou autrement aliéner, en tout ou en partie, les biens du failli ;
- louer les immeubles ;
- continuer le commerce du failli si cela est avantageux pour la liquidation de l'actif ;
- accepter des compromis ;
- retenir les services d'un avocat ;
- contracter des obligations, emprunter de l'argent, fournir des garanties et des hypothèques.

DISPOSITION ET PAIEMENT PRÉFÉRENTIEL   Finalement, le syndic peut demander au tribunal des instructions relativement à l'administration de l'actif du failli. Ainsi il peut procéder à l'annulation d'un transfert de biens ou du paiement d'une somme d'argent à un créancier, lorsque cette opération est entachée de préférence frauduleuse. En effet, dans les semaines ou dans les mois qui précèdent une faillite, il peut arriver qu'une personne ou une entreprise soit tentée de payer certains créanciers plutôt que d'autres. Ce geste brise alors l'égalité entre les créanciers non garantis et, par le fait même, va directement à l'encontre de la *Loi sur la faillite et l'insolvabilité*. Il constitue un **paiement préférentiel**. Ce dernier consiste donc en un transport de biens ou un transfert d'argent par le failli à l'un de ses créanciers, dans les trois mois précédant la faillite, en dehors du cours normal de ses affaires et au détriment de l'ensemble des créanciers.

Si la transaction a été faite avec une personne liée avec le failli, c'est-à-dire un membre de sa famille ou un associé du failli, le délai est de 12 mois. En cas de non-respect de ce délai, le syndic peut alors s'adresser à ce créancier pour l'obliger à rembourser l'argent ou à remettre le bien ainsi reçu.

> *Exemple* : Claude rembourse en priorité les 1000 $ qu'il doit à son ami Roland. Deux mois plus tard, il fait faillite. Le syndic de faillite pourra récupérer cette somme à titre de paiement préférentiel. Si Roland refuse de rembourser, le syndic s'adressera au tribunal pour l'obliger à le faire. S'il est établi à la satisfaction du tribunal que Claude a agi de bonne foi, sans vouloir accorder de préférence à Roland par rapport aux autres, le paiement ne sera pas annulé.

RÉMUNÉRATION   La rémunération du syndic est fixée par les créanciers par résolution ordinaire. À défaut d'une telle résolution, la rémunération du syndic ne doit pas dépasser 7,5 % du montant qui subsiste à la réalisation de l'actif du failli à moins d'une permission du tribunal.

LES CRÉANCIERS

La *Loi sur la faillite et l'insolvabilité* reconnaît plusieurs catégories de créanciers : les créanciers garantis, les créanciers privilégiés, les créanciers ordinaires ou non garantis, et les créanciers différés.

Les créanciers peuvent en tout temps remplacer le syndic, et celui-ci est tenu de suivre leurs directives pour autant qu'elle ne sont pas contraires à la Loi.

Par l'entremise des inspecteurs à la faillite, les créanciers contrôlent et surveillent l'administration du syndic. À la première assemblée des créanciers, ils doivent choisir parmi eux une ou plusieurs personnes susceptibles de servir le mieux leurs intérêts ; ces personnes portent le nom d'**inspecteurs**. Le nombre d'inspecteurs dépend du nombre de créanciers et ne doit pas dépasser cinq (art. 56 L.F.).

CRÉANCIERS GARANTIS   Parmi tous les créanciers du failli, les créanciers garantis sont payés en premier lieu. Habituellement, un créancier garanti qui veut exercer sa garantie doit donner un préavis écrit de 10 jours. En général, la faillite du débiteur ne les affecte pas ou très peu en raison des garanties qu'ils détiennent sur les biens du failli. Ces garanties prennent la forme d'hypothèques, de priorités sur ses meubles ou immeubles. Le créancier garanti doit aussi fournir au syndic une preuve de sa réclamation, qui doit préciser le genre de créance de même que la nature de sa garantie.

Il est très rare que le syndic s'oppose à la réclamation d'un tel créancier et, sur présentation d'une preuve suffisante, il lui permet de réaliser sa garantie. Si la vente du bien rapporte plus que ce qui lui est dû, tout excédent doit être remis au syndic.

> *Exemple*: Robert détient une hypothèque de 25 000 $ sur la résidence de Guy. Robert peut réaliser sa garantie pour se rembourser, mais si la vente de l'immeuble rapporte 30 000 $, il doit verser la différence de 5000 $ au syndic, car cette somme fait partie de l'actif du failli. Si l'immeuble avait été vendu 20 000 $, il serait devenu créancier ordinaire dans la faillite pour le solde de 5000 $.

Lorsqu'il y a plusieurs créanciers garantis, le paiement s'effectue selon l'ordre de priorité de leur garantie.

CRÉANCIERS PRIVILÉGIÉS   Il s'agit ici des **créanciers privilégiés** au sens de la *Loi sur la faillite*. Ils sont payés à même le produit de la vente de l'actif du failli, après les créanciers garantis.

L'article 136 de la Loi énumère les créances privilégiées selon leur ordre de priorité de paiement :
1. les frais de funérailles, si le failli est décédé ;
2. les frais et honoraires du syndic ;
3. les frais juridiques ;
4. les gages, salaires, commissions ou rémunérations de tout employé du failli, pour services rendus au cours des six mois précédant la faillite, jusqu'à concurrence de 2000 $ dans chaque cas ;
5. les taxes municipales dues au cours des deux années précédant la faillite ;
6. les loyers dus au locateur, pour les trois mois précédant la faillite et pour le loyer reçu d'avance pour une période de trois mois après la faillite, s'il y a droit en vertu du bail ; cependant, le montant total ainsi payable ne doit pas dépasser la somme réalisée par la vente des biens sur les lieux affectés par le bail ;
7. toute dette contractée par le failli en vertu de la *Loi sur les accidents du travail et les maladies professionnelles*, de la *Loi sur l'assurance-chômage* ou de la *Loi de l'impôt sur le revenu fédéral*.

La règle veut que l'on paie intégralement une catégorie de créanciers avant de passer à la suivante. S'il ne reste plus d'argent, les créanciers ne sont pas payés. En principe, le statut de créancier privilégié n'assure pas nécessairement le paiement de la créance.

CRÉANCIERS ORDINAIRES (OU NON GARANTIS OU CHIROGRAPHAIRES)

Les **créanciers ordinaires** ne détiennent aucune garantie sur les biens du failli. La majorité des créanciers d'une faillite commerciale appartiennent à cette catégorie. C'est le cas, par exemple, de la majorité des fournisseurs du failli, qui bénéficient de 30 jours pour récupérer et revendiquer leurs marchandises vendues au failli, mais qui généralement ne peuvent récupérer leurs biens si la faillite a lieu plus de 30 jours après la livraison de ceux-ci.

En général, dans une faillite, les créanciers ordinaires ne sont jamais payés en totalité et, souvent, ils ne reçoivent rien du tout. Lorsqu'il y a paiement de dividendes aux créanciers ordinaires, les paiements se font au prorata de leurs créances respectives, comme c'était le cas pour le dépôt volontaire.

CRÉANCIERS DIFFÉRÉS

Les **créanciers différés** sont des créanciers ordinaires qui ont des liens de parenté avec le failli. Ils ne sont payés qu'en dernier lieu, s'il reste de l'argent, lorsque tous les autres créanciers ont reçu leur quote-part.

> *Exemple* : Juliette est mariée sous le régime de la séparation de biens et elle détient un contrat de mariage selon lequel son conjoint s'engage à lui faire une donation entre vifs de 5000 $. Dans le cas où son mari fait faillite, elle peut présenter une réclamation au syndic et devient alors une créancière différée.

LIBÉRATION DU FAILLI

L'un des principaux buts de la *Loi sur la faillite et l'insolvabilité* est de libérer le débiteur malchanceux de ses dettes et de lui permettre de recommencer à neuf.

Le syndic adresse une demande de libération au tribunal lorsqu'il a terminé l'administration de la faillite et que les **dividendes** (quotes-parts des sommes provenant de la réalisation des biens d'un failli attribuées à chacun des créanciers) ont été répartis entre les créanciers.

Le particulier qui fait faillite pour la première fois est libéré automatiquement à l'expiration d'une période de neuf mois, si personne ne s'est opposé à sa libération.

Dans les autres cas, le syndic présente une requête en libération devant la Cour supérieure entre le troisième et le douzième mois après la date de la faillite. Si la demande n'est contestée par aucun créancier, le registraire a juridiction pour l'accorder, sinon elle doit être entendue par un juge. Le tribunal a alors discrétion pour rendre l'ordonnance qu'il juge opportune dans les circonstances. La décision de la Cour peut revêtir l'une des formes suivantes :

- *libération absolue* : s'il s'agit d'un débiteur honnête mais malchanceux ;
- *libération suspendue* : le tribunal peut suspendre la libération du débiteur pendant une période qu'il juge convenable ;
- *libération conditionnelle* : comme condition de sa libération, le tribunal peut exiger du failli qu'il accomplisse certains actes, paie certaines sommes d'argent ou se conforme à toute autre condition.

Dans le cas de la faillite d'une compagnie, la Loi stipule que celle-ci ne peut demander de libération, à moins d'avoir acquitté intégralement les réclamations de ses créanciers.

La libération n'est accordée par le tribunal qu'après l'étude du dossier du failli et du rapport du syndic, et après l'audition, s'il y a lieu, de tout créancier voulant s'y objecter.

EFFETS DE LA LIBÉRATION

L'article 178 stipule qu'une ordonnance de libération ne libère pas le failli :

- de toute amende imposée par un tribunal (infraction à une loi sur l'impôt) ;
- de toute dette pour pension alimentaire au conjoint ;
- de toute dette résultant de fraudes ou d'abus de confiance tandis qu'il agissait en qualité de fiduciaire ;
- de toute dette résultant de l'obtention de biens par détournement, fausses allégations, etc. ;
- du paiement d'un dividende payable à un créancier non révélé au syndic, à moins que ce créancier n'ait été au courant de la faillite.

Une ordonnance de libération libère le failli de toute autre réclamation prouvable en matière de faillite.

RÉSUMÉ

- Le créancier dispose de deux sortes de garanties possibles contre son débiteur : les garanties légales et les garanties conventionnelles.

- Les garanties légales sont celles qui sont prévues au Code et elles s'appliquent automatiquement.

- Les principales garanties légales sont : le patrimoine du débiteur, la saisie-exécution des meubles, des immeubles, de salaire et en main tierce, les priorités et les hypothèques légales.

- Les priorités comprennent : les frais de justice, la créance du vendeur impayée relativement à un meuble vendu à un consommateur, la créance de ceux qui ont un droit de rétention, les créances de l'État en vertu des lois fiscales et les créances des municipalités et commissions scolaires pour impôts fonciers.

- Les hypothèques légales comprennent : les créances de l'État en vertu des lois fiscales et des lois particulières, les créances des personnes qui ont participé à la construction ou à la rénovation d'un immeuble, les créances du syndicat des propriétaires d'un condominium pour le paiement des charges communes et les créances résultant d'un jugement.

- Les garanties conventionnelles sont des garanties additionnelles ajoutées à un contrat pour mieux protéger les créanciers.

- Les principales garanties conventionnelles sont : l'hypothèque mobilière ou immobilière, la garantie de l'article 427 de la *Loi sur les banques*, le cautionnement, l'assurance-vie, la clause de réserve du droit de propriété et la clause résolutoire.

- La personne qui fait face à l'insolvabilité peut recourir à deux moyens légaux : le dépôt volontaire, c'est-à-dire déposer elle-même volontairement la partie saisissable de son salaire, et la faillite.

- La faillite est régie par la *Loi sur la faillite et l'insolvabilité,* qui prévoit trois situations : la proposition aux créanciers, la faillite volontaire ou cession de biens, et la faillite forcée ou mise sous séquestre.

- Le syndic est le personnage clé de la faillite. Le but final de la faillite est la libération du failli.

RÉSEAU DE CONCEPTS

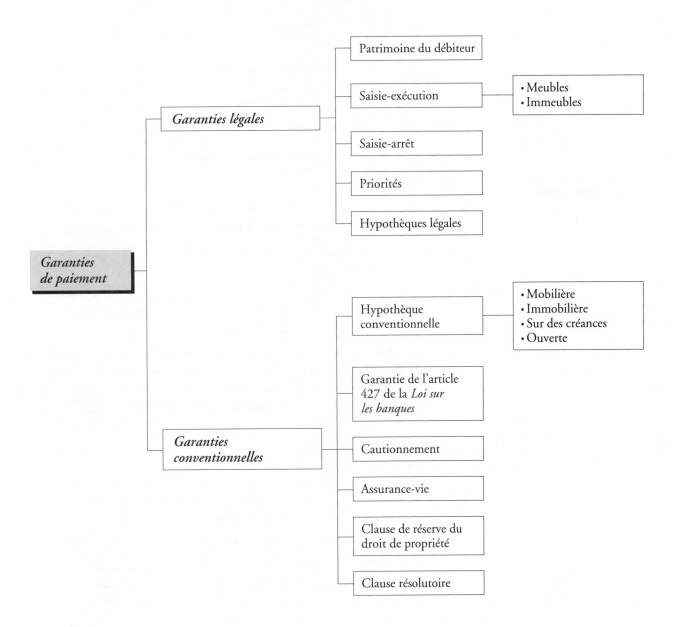

RÉSEAU DE CONCEPTS (SUITE)

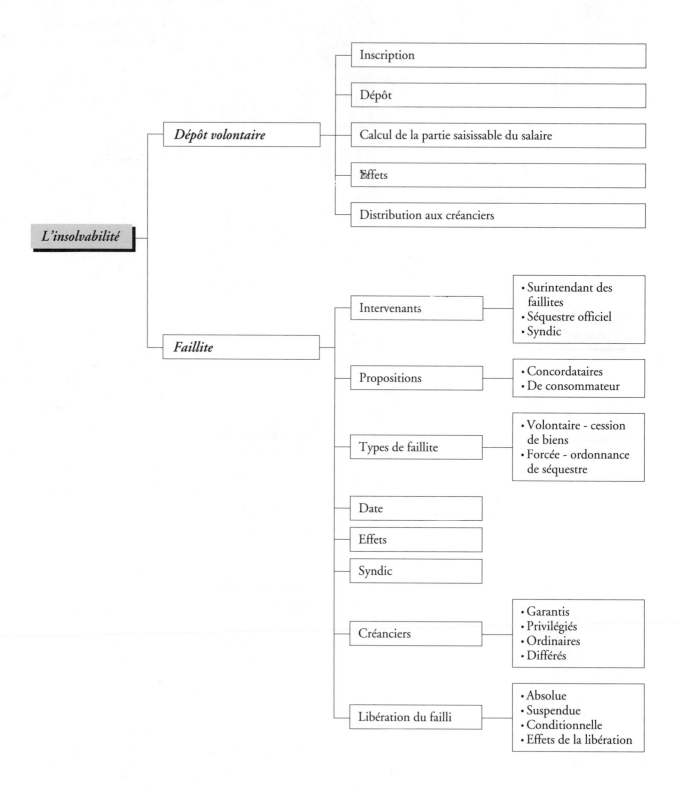

EXERCICES

ASSOCIATIONS

Associez un des termes ci-dessous à l'une des définitions qui suivent :

- assurance
- acte de fiducie
- garanties conventionnelles
- action
- preuve de réclamation
- nantissement commercial
- garanties légales
- cautionnement
- hypothèque légale
- hypothèque ouverte
- garantie de l'article 427 de la *Loi sur les banques*
- hypothèque mobilière sans dépossession

1. Le ___ est l'acte par lequel une personne s'engage à remplir l'obligation d'une autre personne au cas où celle-ci ne la remplirait pas.

2. Tout créancier qui veut être payé à même le produit de la faillite doit obligatoirement fournir au syndic une ___ .

3. Les ___ sont celles qui sont prévues au *Code civil* et qui s'appliquent à tous les créanciers sans qu'il soit nécessaire de les mentionner dans un contrat.

4. La ___ permet à tout marchand en gros ou au détail de produits bruts ou finis d'obtenir du financement en cédant en garantie à une banque ses matières premières et ses marchandises ou produits finis.

5. Le contrat en vertu duquel une entreprise cède en garantie d'un prêt, sans s'en départir, son outillage, sa machinerie et son équipement s'appelle une ___ .

VRAI OU FAUX

Indiquez si les affirmations suivantes sont vraies ou fausses. Si l'affirmation est fausse, précisez pourquoi.

1. Lorsqu'un établissement financier consent une marge de crédit à une entreprise et obtient en garantie une hypothèque mobilière sans dépossession sur des créances de cette dernière, elle doit publier cette hypothèque auprès de l'Inspecteur général des institutions financières.

2. Dans une faillite, les créanciers privilégiés sont payés au prorata de leurs créances respectives.

3. L'employeur qui reçoit un bref de saisie de salaire pour un ancien employé n'a pas à répondre à cette saisie.

4. Les municipalités et les commissions scolaires disposent d'une hypothèque légale sur les biens des citoyens pour les impôts fonciers impayés.

5. Le locateur est considéré comme créancier privilégié au sens de la *Loi sur la faillite et l'insolvabilité* pour trois mois de loyer dus avant la faillite.

CHOIX MULTIPLES

1. L'hypothèque légale en faveur des personnes qui ont participé à la construction ou à la rénovation d'un immeuble subsiste pendant les ___ qui suivent la fin des travaux.
   a) 10 jours
   b) 30 jours
   c) 3 mois
   d) 6 mois

2. Un consommateur qui possède des dettes n'excédant pas ___ peut faire une proposition à ses créanciers.
   a) 10 000 $
   b) 50 000 $
   c) 75 000 $
   d) 100 000 $

3. L'huissier exécutant une saisie mobilière doit laisser pour une valeur de ___ de meubles meublants et autres objets d'utilité courante au débiteur.
   a) 1500 $
   b) 2000 $
   c) 6000 $
   d) 4000 $

4. Emmanuelle a accepté trois hypothèques sur sa maison ; laquelle aura priorité sur les autres ?
   a) la première qu'elle a acceptée.
   b) la dernière qu'elle a acceptée.
   c) la dernière qu'elle a inscrite.
   d) la première qu'elle a inscrite.

5. Le créancier hypothécaire qui entend exercer un droit hypothécaire doit produire au Bureau de publicité des droits un préavis accompagné d'une preuve de signification à son débiteur. Ce préavis est de ___ lorsqu'il s'agit d'un bien immeuble.
   a) 5 jours
   b) 10 jours
   c) 20 jours
   d) 60 jours

CAS PRATIQUES

1. Serge Tellier est directeur des ventes et contrôleur de la société Tapis et Couvre-plancher S.T. inc. Il vous soumet les problèmes suivants :

   a) Il vient de recevoir une lettre de la Banque du Québec l'avisant que la banque allait réaliser sa garantie hypothécaire sur les créances d'un de ses fournisseurs, Manufacture Beautapis inc. La lettre adressée à tous les débiteurs de Beautapis prévient ces derniers qu'à l'avenir ils devront payer leurs comptes directement à la banque, et non à Beautapis. Le président de Beautapis, Louis Beauchamp, est un ami personnel de Serge Tellier, et ce dernier préférerait continuer de payer son fournisseur directement, sans se préoccuper de la lettre de la Banque. Que lui conseillez-vous ? Expliquez votre réponse.

   b) Son entreprise désire étendre ses activités à la fabrication de tapis. Le directeur de sa banque semble prêt à financer le projet, mais il exige des garanties additionnelles. Il lui a parlé de la garantie de l'article 427 de la *Loi sur les banques* ou d'une hypothèque ouverte. Il voudrait que vous lui expliquiez ces deux types de financement, ainsi que les garanties et les pouvoirs qu'ils confèrent au prêteur sur les affaires de son entreprise. Expliquez votre réponse.

2. Vous êtes le contrôleur financier de Maisons de bois XYZ ltée. Le président de la compagnie vous remet deux brefs de saisie-arrêt en main tierce qu'un huissier vient de lui signifier. Le premier concerne Jean-François, un des meilleurs employés de la compagnie, et indique qu'il doit 3500 $ à Jacques Latour à la suite d'un jugement rendu contre lui. Il ordonne à votre compagnie de déclarer la partie saisissable de son salaire et de la déposer à la cour. Jean-François est marié et père de deux enfants ; ses revenus s'élèvent à 375 $ par semaine.

   Le second bref concerne Sylvie, une ancienne employée de la compagnie, qui n'y travaille plus depuis plus de six mois. La somme réclamée est de 900 $, mais la compagnie ne doit plus rien à Sylvie.

   a) Le président vous demande de calculer la partie saisissable du salaire de Jean-François et de la déposer à la cour.

   b) En ce qui concerne Sylvie, il vous dit de ne pas vous en occuper puisqu'elle ne travaille plus pour la compagnie. Répondez à la requête du président et commentez cette situation.

3. Jocelyn Grenier, travailleur journalier, vous consulte le 19 décembre de l'année en cours. Il travaille comme plâtrier pour un entrepreneur général, Plâtre Moderne ltée. Son salaire brut est de 600 $ pour une semaine de cinq jours d'ouvrage et il n'a pas été payé depuis trois mois. Il craint que son employeur ne fasse faillite et vous demande s'il y a un moyen quelconque de protéger le salaire qui lui est dû. Il vous fournit les détails suivants :

   a) du 16 décembre au 11 octobre, soit quatre semaines de travail, il a réparé les murs du Cinéma Italien ;

   b) du 14 octobre au 22 novembre, soit six semaines de travail, il a posé du plâtre dans la nouvelle maison de M. Lachance ;

   c) du 25 novembre au 6 décembre, soit deux semaines de travail, il a réparé les murs de la maison du docteur Bistouri ;

   d) du 9 au 23 décembre, soit deux semaines de travail, il a travaillé au rajeunissement du salon funéraire de Lamarre et Lajoie inc.

   Dans chaque cas, les travaux se sont terminés par le travail de Jocelyn et son employeur a été payé.

   a) Expliquez à Jocelyn quels sont ses droits et la procédure qui sera utilisée pour les protéger.

   b) Si, dans chacun des cas précités, au lieu d'être journalier, Jocelyn avait été l'entrepreneur général, mais n'avait pas été payé par les différents clients, votre réponse aurait-elle été différente ? Justifiez votre réponse.

4. Alexandre Taillon est en faillite. Le syndic chargé d'administrer et de vendre ses biens a vendu tout ce qu'il a pu, et la vente a rapporté 14 500 $. Les créanciers d'Alexandre sont :

   - M. J. Lemay qui détient une hypothèque de 6000 $ sur un immeuble vendu 5000 $ par le syndic ;

   - Denis Lagarde, un employé, à qui il doit 2500 $ pour cinq semaines de salaire ;

   - Ville de Laval à qui il doit 3000 $ d'arriérés de taxes pour les trois dernières années, à raison de 1000 $ par année ;

   - Claude Lavoie, son comptable, à qui il doit 2000 $ d'honoraires ;

   - sa sœur Danièle à qui il doit 1500 $;

   - Jean Grandmaison, son locateur, à qui il doit quatre mois de loyer, c'est-à-dire 2400 $, à raison de 600 $ par mois ; la vente des meubles meublants a rapporté 1000 $.

a) Le syndic vous consulte et vous demande de préparer l'ordre de paiement de ses créanciers. Motivez votre réponse en indiquant dans quelle catégorie se classe chaque créancier.

b) Jean est un autre créancier d'Alexandre. Il a omis de produire une preuve de réclamation au syndic après avoir reçu un avis de faillite. Il vous consulte, car Alexandre lui doit 3000 $. Il veut savoir s'il peut intenter une action contre Alexandre qui vient d'obtenir sa libération. Justifiez votre réponse.

CHAPITRE **17**

LES RELATIONS DU TRAVAIL

OBJECTIFS ET ÉLÉMENTS DE COMPÉTENCES

1 Connaître la nature du contrat individuel de travail et le distinguer du contrat collectif de travail.

2 Expliquer le champ d'application de chacune des principales lois d'ordre public s'appliquant en matière de contrat de travail.

3 Distinguer le rôle de la Commission des normes du travail de celui de la Commission de la santé et de la sécurité du travail.

4 Déterminer la compétence du gouvernement fédéral et des provinces en matière de relations du travail.

5 Expliquer le principe du droit d'association et ses conséquences.

6 Définir l'accréditation et en connaître la procédure.

7 Définir les notions de grève, de lock-out, de piquetage et de grief, et les appliquer à des cas pratiques.

Au Québec, les relations individuelles et collectives de travail entre les citoyens sont régies, d'une part, par des dispositions générales contenues dans le *Code civil* et, d'autre part, par des dispositions particulières contenues dans le *Code du travail du Québec*, dans le *Code canadien du travail* et dans certaines lois relatives aux relations du travail (*Loi sur les normes du travail, Loi sur la santé et la sécurité du travail, Loi sur les accidents du travail et les maladies professionnelles, etc.*). Tout ce bloc de la législation constitue le **droit du travail**.

Originairement appelé « droit ouvrier », le droit du travail représente un domaine du droit qui ne cesse de se développer. Son champ d'application ne comprend plus seulement les ouvriers, mais presque tous les employés au Québec, y compris les fonctionnaires, les agriculteurs, les membres de professions libérales et les scientifiques qui travaillent à titre de salariés ainsi que leurs employeurs. Il est donc essentiel, pour tout employeur et pour tout salarié, syndiqué ou non, de connaître le fondement juridique des principales lois qui président à ses activités professionnelles. C'est l'objectif général du présent chapitre.

Le contrat de travail peut être soit un **contrat individuel de travail**, soit un **contrat collectif de travail**.

LE PARTAGE DES COMPÉTENCES LÉGISLATIVES

L'*Acte de l'Amérique du Nord britannique de 1867* n'est pas explicite en ce qui concerne le partage des compétences législatives en matière de relations du travail. Les articles 91 et 92 n'y font aucune allusion directe, ce qui a donné lieu à de nombreux conflits juridiques entre le gouvernement central et les provinces. Les tribunaux ont donc dû établir certaines règles quant au partage de la compétence législative en la matière entre le Parlement du Canada et les provinces.

COMPÉTENCE DES PROVINCES

La jurisprudence a reconnu la compétence des provinces en matière de relations collectives du travail, de même qu'en matière de relations individuelles. En effet, les tribunaux ont confirmé ce principe dans plusieurs arrêts dont les plus connus sont les suivants : *Toronto Electric Commissioners c. Snider et al., [1925] A.C. 396 et Agence Maritime inc. c. Conseil canadien des relations ouvrières et al., [1969] S.R.C. 851, p. 860.*

En résumé, ces arrêts établissent la compétence première des provinces pour réglementer les relations du travail en matière de propriété et de droits civils pour toutes les industries et entreprises situées sur leur territoire. Le Québec a utilisé cette compétence pour adopter, en 1964, une loi dont nous étudierons les grandes lignes et qui constitue le *Code du travail du Québec*.

COMPÉTENCE DU FÉDÉRAL

La compétence du gouvernement fédéral touche le domaine des relations du travail de deux façons.

POUVOIR DE LÉGIFÉRER

En vertu de l'article 91 et du paragraphe 10 de l'article 92 de l'A.A.N.B., la Cour suprême du Canada reconnaissait, dès 1890, le pouvoir implicite du gouvernement fédéral de légiférer en matière de relations du travail à l'égard des entreprises relevant de sa compétence. Parmi ces entreprises, on retrouve entre autres les chemins de fer, tel Via Rail, les entreprises de communication telles Bell Canada et Radio-Canada, les aéroports et les entreprises de transport interprovincial ou international, tel Air Canada, et tous les fonctionnaires fédéraux y compris ceux qui travaillent au Québec, ainsi que les employés de banque.

On peut donc poser comme principe que, dès qu'une activité de l'employeur relève de la compétence du gouvernement fédéral, toutes les relations du travail se rattachant à cette activité relèvent elles-mêmes de la législation fédérale. Ainsi, lorsqu'il s'agit d'une entreprise fédérale, les relations entre employeurs et employés sont régies par le *Code canadien du travail*.

EFFETS INCIDENTS DE CERTAINES LOIS

En adoptant diverses lois sous l'un ou l'autre domaine de sa compétence, le gouvernement fédéral est susceptible d'affecter les relations du travail d'une façon ou d'une autre.

Par exemple, on peut citer diverses dispositions du *Code criminel* qui peuvent s'appliquer en cas de conflits de travail :

a) liberté syndicale (art. 425) ;
b) réglementation du piquetage et de l'intimidation (art. 423) ;
c) sabotage (art. 52) ;
d) méfait (art. 430).

Le point commun qui relie tous les employeurs et leurs employés est le **contrat de travail**. Ce contrat peut être soit individuel ou collectif.

LOIS D'ORDRE PUBLIC

Le contrat individuel de travail et le contrat collectif de travail sont soumis aux dispositions de plusieurs lois d'ordre public dont les dispositions ont préséance sur celles du *Code civil* et sur celles du *Code du travail*.

Ces lois sont :

- la *Charte québécoise des droits et libertés de la personne* ;
- la *Charte canadienne des droits et libertés* ;
- la *Loi sur les normes du travail* ;
- la *Loi sur la santé et la sécurité du travail* ;
- la *Loi sur les accidents du travail et les maladies professionnelles.*

Aucun contrat de travail individuel ou collectif ni aucune entente entre un employeur, un employé ou un syndicat ne peut contrevenir à ces lois.

Il est donc important d'en résumer les principales dispositions, car un contrat de travail qui contrevient à des dispositions est nul.

CHARTES DES DROITS ET LIBERTÉS

Les articles 22 et 15 de la *Charte canadienne des droits et libertés* énoncent les droits fondamentaux des citoyens canadiens et défendent la **discrimination** envers toute personne, fondée sur la race, l'origine nationale ou ethnique, la couleur, la religion, le sexe, l'âge ou les déficiences mentales ou physiques.

Ces articles s'appliquent en matière de contrat de travail vis-à-vis de tout employeur.

Toutefois, la *Charte québécoise des droits et libertés de la personne* est beaucoup plus explicite à ce sujet et va plus loin en y ajoutant la notion de **harcèlement** (voir figure 17.1, page 498).

Art. 10.   Toute personne a droit à la reconnaissance et à l'exercice, en pleine égalité, des droits et libertés de la personne, sans distinction, exclusion ou préférence fondée sur la race, la couleur, le sexe, la grossesse, l'orientation sexuelle, l'état civil, l'âge, sauf dans la mesure prévue par la loi, la religion, les convictions politiques, la langue, le handicap ou l'utilisation d'un moyen pour pallier ce handicap.

Il y a discrimination lorsqu'une telle distinction, exclusion ou préférence a pour effet de détruire ou de compromettre ce droit.

Art. 10.1.   Nul ne doit harceler une personne en raison de l'un des motifs dans l'article 10.

Art. 16.   Nul ne peut exercer de discrimination dans l'embauche, l'apprentissage, la durée de la période de probation, la formation professionnelle, la promotion, la mutation, le déplacement, la mise à pied, la suspension, le renvoi et les conditions de travail d'une personne ainsi que dans l'établissement de catégories ou de classifications d'emploi.

Art. 20.   Une distinction, exclusion ou préférence fondée sur les aptitudes ou qualités requises par un emploi, ou justifiée par le caractère charitable, philanthropique, religieux, politique ou éducatif d'une institution sans but lucratif ou qui est vouée exclusivement au bien-être d'un groupe ethnique est réputée non discriminatoire.

De même dans les contrats d'assurance ou de rente, les régimes d'avantages sociaux, de retraite, de rente ou d'assurance ou dans les régimes universels de rente ou d'assurance, est réputée non discriminatoire une distinction, exclusion ou préférence fondée sur des facteurs de détermination de risque ou des données actuarielles fixées par règlement.

Figure 17.1   Articles pertinents de la *Charte québécoise des droits et libertés de la personne*

Tout employé qui s'estime victime de discrimination doit s'adresser à la Commission des droits de la personne pour obtenir justice. Il pourra alors obtenir une indemnité pour les dommages subis et même un dédommagement exemplaire, le cas échéant.

LOI SUR LES NORMES DU TRAVAIL

La *Loi sur les normes du travail* (L.R.Q. chapitre N-1.1) s'applique à tous les salariés syndiqués ou non du Québec, y compris les employés du gouvernement provincial quel que soit l'endroit où ils exécutent leur travail et à tout employeur dont la résidence, le domicile ou l'entreprise se trouve au Québec.

Elle a créé un organisme appelé la **Commission des normes du travail**, qui est chargé de voir à son application.

La *Loi sur les normes du travail* fixe les conditions et les normes minimales de travail pour tous les salariés travaillant au Québec. Les normes du travail sont fixées directement par la Loi pour la plupart des cas et par règlements pour les autres.

Les articles 1(10) et 1(12) de la *Loi sur les normes du travail* définissent les notions de « **salarié** » et de « **service continu** » :

« Art. 1(10) « **salarié** » : une personne qui travaille pour un employeur et qui a droit à un salaire ; ce mot comprend en outre le travailleur partie à un contrat en vertu duquel :

i.   il s'oblige envers une personne à exécuter un travail déterminé dans le cadre et selon les méthodes et les moyens que cette personne détermine ;

ii.   il s'oblige à fournir, pour l'exécution du contrat, le matériel, l'équipement, les matières premières ou la marchandise choisis par cette personne, et à les utiliser de la façon qu'elle indique ;

iii. il conserve, à titre de rémunération, le montant qui lui reste de la somme reçue conformément au contrat, après déduction des frais d'exécution de ce contrat. »

« Art. 1(12) « **service continu** » : la durée ininterrompue pendant laquelle le salarié est lié à l'employeur par un contrat de travail, même si l'exécution du travail a été interrompue sans qu'il y ait résiliation du contrat. »

La notion de salarié s'applique d'abord aux personnes régies par un contrat individuel de travail, mais aussi à celles qui sont régies par une convention collective de travail. Dans ce dernier cas, la Loi énonce qu'une convention collective de travail ne peut accorder des conditions de travail moindres que celles prévues dans la *Loi sur les normes du travail.*

La disposition d'un contrat de travail, d'une convention ou d'un décret qui déroge à une norme du travail est nulle de plein droit (art. 93).

LES NORMES DU TRAVAIL

La figure 17.2 illustre les principales normes du travail visées par la Loi.

LE SALAIRE MINIMUM ET LA SEMAINE NORMALE DE TRAVAIL Le **salaire minimum** est toujours fixé par le gouvernement au moyen de règlements. Il est important de souligner qu'un salarié ne peut jamais gagner moins que le salaire minimum.

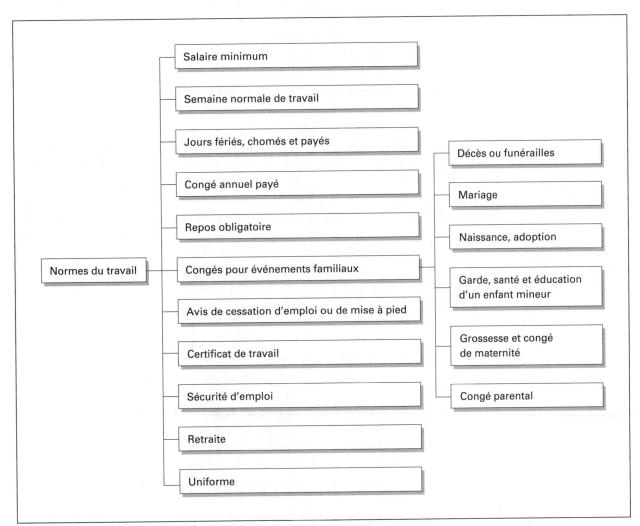

Figure 17.2 Principales normes du travail visées par la Loi

La **semaine normale de travail** est fixée à 44 heures, sauf dans les cas où elle est fixée de façon différente par règlement du gouvernement. Le travail en sus de la semaine normale de travail doit être rémunéré à taux majoré de 50 %, c'est-à-dire à 150 % du salaire horaire habituel du salarié.

Un employeur ne peut accorder un salaire inférieur à un salarié sous prétexte qu'il travaille moins d'heures par semaine que les autres salariés affectés aux mêmes tâches.

> *Exemple* : Jean-François, qui travaille 7 heures par semaine comme commis au dépanneur du coin, doit recevoir le même salaire horaire minimum que Catherine qui travaille elle aussi comme commis 22 heures par semaine.

Le salaire minimum des employés qui reçoivent un pourboire est inférieur à celui de ceux qui n'en gagnent pas. Au 1er janvier 1995, le salaire minimum était de 6 $ l'heure et celui d'un employé avec pourboire de 5,28 $ l'heure.

LES JOURS FÉRIÉS, CHÔMÉS ET PAYÉS   L'article 60 de la Loi prévoit durant l'année sept **jours fériés** et chômés qui doivent être payés :

- le 1er janvier ou jour de l'An ;
- le Vendredi saint ou le lundi de Pâques, au choix de l'employeur ;
- le lundi qui précède le 25 mai ou fête de la Reine ou fête de Dollard ;
- le 1er juillet ou fête du Canada ;
- le premier lundi de septembre ou fête du Travail ;
- le deuxième lundi d'octobre ou fête de l'Action de grâces ;
- le 25 décembre ou fête de Noël.

Il y a lieu de signaler que la *Loi sur la fête nationale* (L.R.Q., chapitre F-1.1) ajoute un huitième jour de congé chômé et payé, soit le 24 juin, jour de la fête nationale ou de la Saint-Jean-Baptiste.

Le salarié qui peut justifier 60 jours de service continu dans l'entreprise et qui ne s'est pas absenté de son travail sans autorisation ou sans motif valable la veille ou le lendemain du jour férié a droit de recevoir son salaire.

Lorsqu'un jour férié coïncide avec un jour ouvrable pour un salarié, l'employeur doit verser à ce dernier une indemnité égale à la moyenne de son salaire journalier des jours travaillés au cours de la période complète de paie précédant ce jour férié, sans tenir compte des heures supplémentaires.

De plus, l'employeur doit lui accorder un congé compensatoire d'une journée qui doit être pris dans les trois semaines précédant ou suivant le jour férié, si le salarié travaille cette journée.

LE CONGÉ ANNUEL PAYÉ   Un salarié acquiert progressivement le droit au *congé annuel durant* une période de 12 mois consécutifs, du 1er mai de l'année précédente au 30 avril de l'année en cours, sauf si une convention ou un décret fixe une autre date. Le tableau 17.1 illustre la durée du congé auquel le salarié a droit ainsi que l'indemnité ou paye de vacances qu'il reçoit.

Le congé annuel peut être fractionné en deux périodes si le salarié en fait la demande, si le congé est de plus d'une semaine et si l'employeur ne ferme pas son établissement pour la période des congés annuels (exemple : les deux semaines de juillet habituellement réservées pour le congé des travailleurs de l'industrie de la construction).

Il peut aussi être fractionné en plus de deux périodes à la demande du salarié, si l'employeur y consent.

Tableau 17.1   Durée du congé annuel payé et paye ou indemnité de vacances

Période de service continu	Durée du congé annuel payé	Paye de vacances
Moins de 1 an	1 jour ouvrable par mois de service jusqu'à concurrence de 2 semaines	4 % du salaire brut
1 an à 5 ans	2 semaines	4 % du salaire brut
5 ans et plus	3 semaines	6 % du salaire brut

L'article 73 de la Loi interdit strictement à l'employeur de remplacer les congés annuels visés par la Loi par une indemnité compensatrice. La seule exception est celle du salarié qui dispose de trois semaines de congé et qui demande à l'employeur de remplacer la troisième semaine par une indemnité compensatrice à la suite de la fermeture de l'établissement pour les deux semaines du congé annuel.

Le salarié a le droit de connaître la date de son congé annuel au moins quatre semaines à l'avance.

Le salarié qui a été absent pour cause de maladie, d'accident ou de congé de maternité doit recevoir une pleine indemnité de vacances. L'indemnité doit être versée avant le début de son congé.

LE REPOS OBLIGATOIRE   Le salarié a droit à un *repos hebdomadaire* d'une durée de 24 heures consécutives. L'employeur doit aussi accorder au salarié une période de 30 minutes sans salaire pour lui permettre de manger s'il travaille au-delà de 5 heures consécutives.

LES CONGÉS POUR ÉVÉNEMENTS FAMILIAUX   Tout employé peut profiter de ces congés après deux mois de service continu auprès de son employeur.

Afin de bien comprendre en quoi consistent ces congés, il est important de définir le **conjoint**.

L'article 1 (3) en donne la définition suivante : « Conjoint : l'homme et la femme :

a) qui sont mariés et cohabitent ;

b) qui vivent maritalement et sont les père et mère d'un même enfant ;

c) qui vivent maritalement depuis au moins un an. »

Ces congés touchent le décès, les funérailles, le mariage, la naissance, l'adoption, la garde, la santé et l'éducation d'un enfant mineur, la grossesse, les congés de maternité et le congé parental.

Le tableau 17.2 de la page suivante illustre ces congés.

AVIS DE CESSATION D'EMPLOI OU DE MISE À PIED   L'employeur qui désire mettre à pied un employé pour une période de six mois ou plus ou qui désire mettre fin à son contrat de travail doit lui donner un préavis écrit. Le tableau 17.3, page 504, illustre le délai de ce préavis.

Ces dispositions ne s'appliquent pas au salarié :

- qui a commis une faute grave (exemple : le salarié pris en flagrant délit de vol) ;

- dont la fin du contrat de travail ou la mise à pied résulte d'un cas de force majeure (exemple : l'incendie du commerce où il travaille) ;

Tableau 17.2   Congés pour événements familiaux

Nature du congé	Motif du congé	Durée	Payé	Non payé
Décès ou funérailles	de son conjoint	1 journée	x	
	de son enfant	1 journée	x	
	de l'enfant de son conjoint	1 journée	x	
	de son père ou de sa mère	1 journée	x	
	d'un frère ou d'une sœur	1 journée	x	
Décès ou funérailles	d'un gendre, bru	1 journée		x
	d'un de ses grands-parents	1 journée		x
	d'un de ses petits-enfants	1 journée		x
	du père, de la mère, d'un frère, d'une sœur de son conjoint	1 journée		x
Mariage	du salarié	1 journée	x	
Mariage	de son père ou sa mère	1 journée		x
	d'un frère ou d'une sœur	1 journée		x
	d'un de ses enfants	1 journée		x
	d'un enfant de son conjoint	1 journée		x
Naissance ou adoption	père ou mère de l'enfant	5 jours	2 premiers jours si le salarié compte 60 jours de service continu	3 ou 5 jours selon que le salarié compte ou non 60 jours de service continu
	père et mère adoptifs	5 jours		

Tableau 17.2 Congés pour événements familiaux (suite)

Nature du congé	Motif du congé	Durée	Payé	Non payé
Entretien de son enfant	garde, santé ou éducation de son enfant mineur	5 jours/année		x
Examen médical	lié à la grossesse	selon les besoins		x
Congé de maternité	naissance de son enfant	18 semaines continues		x
Congé parental	pour le père ou la mère d'un nouveau-né	34 semaines continues		x
	pour la personne qui adopte un enfant d'âge préscolaire	34 semaines continues		x

- dont le contrat d'une durée déterminée ou pour une entreprise déterminée expire (exemple : Monique est engagée pour six mois par Pluritech inc.) ;
- qui est cadre supérieur dans une entreprise.

Dans ce dernier cas, ce sont les dispositions du *Code civil du Québec* qui s'appliquent et les cadres licenciés peuvent s'adresser directement aux tribunaux pour être indemnisés.

Si le salarié ne reçoit pas de préavis, l'employeur doit lui verser une **indemnité compensatrice** égale au salaire qu'il aurait touché pour une période équivalente à celle du préavis. C'est une pratique courante chez les employeurs de verser à l'employé l'équivalent du salaire prévu ou délai-congé et de lui demander de quitter immédiatement.

Exemple : Garage Bel Auto inc. congédie Denise, l'une de ses mécaniciennes, et lui donne un préavis de deux semaines en lui versant son salaire des deux semaines suivantes.

Il est important de distinguer le **licenciement** qui est une mesure administrative (exemple : une diminution de personnel) du **congédiement** qui est une mesure disciplinaire.

CERTIFICAT DE TRAVAIL   À l'expiration du contrat de travail, un salarié peut exiger que son employeur lui délivre un **certificat de travail** faisant état *exclusivement* de la nature et de la durée de son emploi, du début et de la fin de l'exercice de ses fonctions ainsi que du nom et de l'adresse de l'employeur. Le certificat ne peut faire état de la qualité du travail ni de la conduite du salarié.

Exemple : Denise pourra exiger un certificat de travail de Garage Bel Auto inc. indiquant qu'elle a travaillé à cet endroit pendant 14 mois comme mécanicienne. Le certificat de travail ne peut contenir aucune mention quant à la qualité du travail de Denise.

Tableau 17.3 Préavis de licenciement ou de cessation d'emploi

Période de service continu	Délai du préavis	ou indemnité compensatoire
Moins de 3 mois	Aucun préavis	Aucune indemnité
3 mois à 1 an	1 semaine	1 semaine de salaire
1 an à 5 ans	2 semaines	2 semaines de salaire
5 ans à 10 ans	4 semaines	4 semaines de salaire
10 ans et plus	8 semaines	8 semaines de salaire

SÉCURITÉ D'EMPLOI Une certaine **sécurité d'emploi** est désormais offerte à l'employé qui compte au moins trois ans de service continu dans une même entreprise. En effet, il appartiendra à l'employeur de prouver qu'il a congédié l'employé pour une cause juste et suffisante. Cette procédure permet donc au salarié d'être éventuellement réintégré dans son emploi ou indemnisé en conséquence.

Le salarié congédié sans cause juste et suffisante doit déposer une plainte à la Commission des normes du travail dans les 45 jours suivant son congédiement, sauf s'il existe un autre recours prévu dans la Loi.

> *Exemple* : Si Denise avait travaillé pour Garage Bel Auto inc. depuis trois ans ou plus, elle aurait pu s'adresser à la Commission des normes du travail et demander :
> - soit la réintégration dans son emploi ;
> - soit une indemnité en argent ;
> - ou tout autre arrangement, compte tenu des circonstances.

RETRAITE L'article 84.1 de la *Loi sur les normes du travail* stipule qu'un salarié a le droit de rester au service de son employeur même s'il a atteint ou dépassé l'âge de la retraite et ce, nonobstant même une clause d'un contrat de travail ou d'une convention collective qui dirait le contraire.

L'UNIFORME L'article 85 de la Loi indique que, si l'employeur rend obligatoire le port d'un uniforme, il doit le fournir gratuitement au salarié qui est payé au salaire minimum. De plus, il ne peut exiger du salarié une somme d'argent pour l'achat, l'usage ou l'entretien d'un uniforme qui aurait pour effet que le salarié reçoive moins que le salaire minimum.

RECOURS DU SALARIÉ

Lorsqu'un employeur ne paie pas à un salarié le salaire ou les autres avantages qui lui sont dus, la Commission des normes du travail peut, pour le compte de ce salarié, réclamer à cet employeur les salaires et avantages impayés.

Un salarié qui estime avoir été lésé par son employeur peut porter plainte par écrit à la Commission. La Commission fait alors une enquête sans divulguer le nom du salarié. Elle peut à cette fin envoyer une mise en demeure à l'employeur et avoir accès à tous les livres et documents de ce dernier.

L'action civile intentée en vertu de la *Loi sur les normes du travail* se prescrit par un an à compter de chaque échéance, c'est-à-dire à compter de la date où chaque montant était dû au salarié. L'action visant à recouvrer un prélèvement se prescrit par cinq ans de son échéance (art. 117 L.N.T.).

Le recours exercé par la Commission au nom d'un salarié se fait devant les tribunaux civils ordinaires.

Dans tous les cas, le salarié peut poursuivre lui-même son employeur pour le plein montant, sans passer par la Commission. L'avantage de recourir à la Commission est que, souvent, l'employeur voudra régler sans passer par les tribunaux et éviter une enquête de la Commission pour laquelle elle aurait accès à ses livres.

Si l'employeur ne paie pas les sommes réclamées par la Commission au nom du salarié dans les 20 jours suivant l'envoi d'une mise en demeure par cette dernière, elle intente une action civile. L'article 114 de la Loi permet à la Commission, lorsqu'elle exerce un tel recours, de réclamer, en sus des sommes dues au salarié, une pénalité égale à 20 % de ces sommes. Ce montant appartient en entier à la Commission.

Il est important de souligner que la Loi (art. 113) permet à la Commission d'exercer ces mêmes recours contre les administrateurs d'une entreprise.

LA SANTÉ ET LA SÉCURITÉ DU TRAVAIL

En matière d'accidents du travail, le législateur québécois a mis sur pied un régime spécial de responsabilité civile. Ce régime est dérogatoire au droit commun, en ce sens qu'il enlève à l'employeur toute responsabilité en ce qui concerne les dommages subis par son employé au cours de son travail pour lui substituer un régime légal d'indemnisation.

Ce régime est établi par deux lois statutaires : la *Loi sur la santé et la sécurité du travail* (L.R.Q., c. S-2.1) et la *Loi sur les accidents du travail et les maladies professionnelles* (L.R.Q., c. A-3.001).

Il s'agit de deux lois d'ordre public auxquelles ni l'employeur ni le salarié ne peuvent déroger de quelque façon que ce soit.

Ces deux lois sont administrées par la *Commission de la santé et de la sécurité du travail*, mieux connue sous le nom de *CSST*.

Cette Commission a comme rôle premier la prévention des lésions professionnelles de toute nature. Elle constitue également un tribunal administratif qui reçoit les demandes d'indemnisation, les étudie et décide du montant des indemnités à verser aux victimes.

La Commission perçoit de chacun des employeurs une cotisation annuelle qui permet de financer ses services et les prestations qu'elle verse aux victimes d'accidents et de maladies liés au travail. Le travailleur n'a rien à débourser pour la protection dont il est assuré.

Toute personne qui se croit lésée par une décision d'un fonctionnaire de la CSST peut, dans les 30 jours suivant la notification de la décision, demander à un bureau de révision formé en vertu de la Loi de reconsidérer cette décision. Si la personne se croit également lésée par une décision du bureau de révision, elle peut interjeter appel devant la **Commission d'appel en matière de lésions professionnelles** dans les 60 jours suivant la notification d'une telle décision.

Ce tribunal administratif a été constitué pour accélérer le traitement des demandes des travailleurs accidentés.

LOI SUR LA SANTÉ ET LA SÉCURITÉ DU TRAVAIL

La *Loi sur la santé et la sécurité du travail* vise l'élimination à la source même des dangers pour la santé, la sécurité et l'intégrité physique des travailleurs.

La Loi impose des obligations tant aux travailleurs qu'à l'employeur.

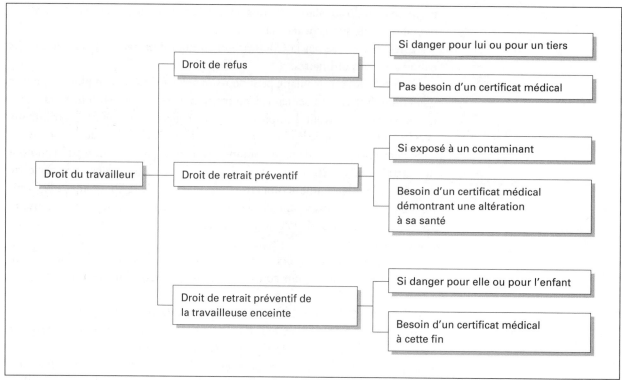

Tableau 17.3   Droits du travailleur

DROITS DES TRAVAILLEURS

Les principaux droits que la Loi reconnaît aux travailleurs sont :
- le **droit de refus de travailler** en raison de conditions dangereuses pour sa santé, sa sécurité ou son intégrité physique. Le travailleur peut exercer ce droit de refus s'il a de bonnes raisons de croire que le travail à exécuter est dangereux pour lui ou pour une autre personne. Il ne peut cependant s'en prévaloir si son refus met en danger une autre personne ou si les conditions sont normales pour ce genre de travail ;
- le **droit de retrait préventif** lorsqu'il est exposé à un contaminant ; s'il peut démontrer une altération de son état de santé à l'aide d'un certificat médical ;
- le **droit de retrait préventif de la travailleuse enceinte**, avec un certificat médical attestant d'un danger pour elle ou pour l'enfant à naître.

La Loi prévoit des pénalités importantes pour les infractions à ses dispositions. En plus des amendes qu'elle devra payer, une entreprise peut même être fermée pour une période indéterminée si un inspecteur en vient à la conclusion qu'il y a effectivement danger pour la santé et la sécurité des travailleurs.

La CSST envoie un inspecteur sur les lieux du travail pour constater la situation et prendre les mesures nécessaires.

> *Exemple* : Au début des années 1990, la CSST a obligé au moins deux casernes de pompiers de la ville de Montréal à fermer leurs portes pour effectuer des réparations à leurs systèmes de ventilation, car les moteurs des camions de pompiers qui fonctionnaient à l'intérieur des casernes émettaient des gaz nocifs pour les pompiers se trouvant au deuxième étage.

OBLIGATIONS DES TRAVAILLEURS

Conformément aux articles 49 et 50 de la Loi, les travailleurs doivent :
- prendre connaissance du programme de prévention ;

- prendre les mesures nécessaires pour protéger leur santé, leur sécurité ou leur intégrité physique ;
- veiller à ne pas mettre en danger la santé, la sécurité ni l'intégrité physique des autres personnes qui se trouvent sur les lieux de travail ou à proximité ;
- se soumettre aux examens de santé exigés pour l'application de la Loi et de ses règlements ;
- participer à l'identification et à l'élimination des risques d'accidents du travail et de maladies professionnelles sur les lieux de travail ;
- collaborer avec le comité de santé et de sécurité.

OBLIGATIONS DE L'EMPLOYEUR

L'article 51 de la Loi énonce les obligations de l'employeur, qui doit prendre les mesures nécessaires pour protéger la santé et assurer la sécurité et l'intégrité physique des travailleurs. À cette fin il doit notamment :

- s'assurer que ses établissements sont aménagés de façon sécuritaire (art. 51 (1) L.S.S.T.) ;
- désigner des responsables de la santé et la sécurité et faire connaître leur nom (art. 51 (2) L.S.S.T.) ;
- s'assurer que l'organisation du travail est sécuritaire ; en l'absence de réglementation précise, il faut se référer à ce qui constitue la prudence normale (art. 51 (3) L.S.S.T.) ;
- fournir des installations sanitaires, de l'eau potable, une aération et un chauffage convenables et faire en sorte que les repas soient consommés dans des conditions hygiéniques (art. 51 (4) L.S.S.T.) ;
- utiliser des méthodes et techniques visant à éliminer les risques pouvant affecter la santé et la sécurité (art. 51 (5) L.S.S.T.) ;
- prendre les mesures de sécurité contre l'incendie prescrites par règlement (art. 51 (6) L.S.S.T.) ;
- fournir du matériel sécuritaire en bon état (art. 51 (7) L.S.S.T.) ;
- s'assurer que l'émission d'un contaminant ou l'utilisation d'une matière dangereuse ne porte pas atteinte à la santé ou à la sécurité (art. 51 (8) L.S.S.T.) ;
- informer, former, entraîner et superviser adéquatement le travailleur afin qu'il ait l'habileté et les connaissances requises pour accomplir son travail de façon sécuritaire (art. 51 (9) L.S.S.T.) ;
- fournir aux travailleurs, à leurs représentants et au Comité de santé et de sécurité l'information provenant de la CSST, du département de santé communautaire et du médecin responsable (art. 51 (10) L.S.S.T.) ;
- fournir gratuitement au travailleur les moyens de protection individuels ou collectifs et s'assurer qu'il les utilise (art. 51 (11) L.S.S.T.) ;
- permettre au travailleur de se soumettre aux examens de santé exigés par la Loi et les règlements (art. 51 (12) L.S.S.T.) ;
- communiquer aux travailleurs et autres personnes intéressées la liste des matières dangereuses utilisées dans l'établissement et des contaminants qui peuvent y être émis (art. 51 (13) L.S.S.T.) ;
- collaborer avec le comité de santé et de sécurité, le comité de chantier et toute personne chargée de l'application de la Loi et des règlements (art. 51 (14) L.S.S.T.) ;
- mettre à la disposition du comité de santé et de sécurité les ressources nécessaires à l'accomplissement de leurs fonctions (art. 51 (15) L.S.S.T.).

L'employeur doit aussi tenir un registre des caractéristiques des postes de travail et transmettre à la CSST les plans de construction ou de modifications de ses établissements, de ses installations et de ses équipements lorsque les règlements l'exigent.

De plus, dans certains établissements visés par les règlements, l'employeur doit mettre sur pied un programme de prévention, au sens de la Loi, afin d'éliminer les dangers pour la santé, la sécurité et l'intégrité physique des travailleurs.

Il doit également aviser la CSST dans les plus brefs délais à la suite d'un accident de travail ou du décès d'un travailleur.

Finalement, l'employeur ne peut permettre l'utilisation, la manutention ou l'entreposage d'un produit dangereux sur les lieux de travail, à moins que ce produit ne soit pourvu des étiquettes et de la fiche signalétique requises par la Loi et les règlements, et que les travailleurs n'aient en main l'information nécessaire. À cette fin, l'employeur doit mettre sur pied un programme de formation et d'information.

La Loi fait référence au **Système d'information sur les matières dangereuses utilisées au travail** (S.I.M.D.U.T.). L'article 4 du règlement définit le **produit contrôlé** comme un produit, une substance ou une matière :

- inflammable et combustible ;
- carburante ;
- toxique et infectieuse ;
- corrosive ;
- dangereusement réactive ;
- sous forme de gaz comprimé.

LES INSPECTEURS

Les pouvoirs des inspecteurs nommés par la CSST pour voir au respect et à l'application de la Loi sont énoncés aux articles 177 à 193 de la Loi.

Il permet notamment à toute heure raisonnable du jour ou de la nuit de pénétrer dans un endroit où est exercé un travail par un salarié protégé par la Loi, de faire enquête en ayant accès à tous les livres et registres et de prendre toutes les mesures nécessaires pour protéger la santé, la sécurité et l'intégrité des salariés, y compris de donner de la formation dans une entreprise.

De plus, pendant une fermeture décrétée par un inspecteur de la CSST l'employeur doit continuer à rémunérer ses salariés.

LOI SUR LES ACCIDENTS DU TRAVAIL ET LES MALADIES PROFESSIONNELLES

Le but de cette loi est d'indemniser les travailleurs victimes d'accidents du travail ou de lésions professionnelles.

Pour qu'un travailleur blessé au cours de son travail soit indemnisé, il n'est pas nécessaire d'établir de responsabilité. La *Loi sur les accidents du travail et les maladies professionnelles* est une loi qui applique le principe de la responsabilité sans faute, c'est-à-dire que la victime d'un accident du travail sera indemnisée automatiquement même si elle est responsable de ses blessures.

> *Exemple* : Jean, un employé de la construction, se blesse en tombant du 2e étage à cause de sa propre négligence.

La Loi définit le travailleur de la façon suivante : « Une personne qui, en vertu d'un contrat de louage de service personnel ou d'apprentissage, exécute un travail moyennant rémunération pour un employeur, y compris :

i. un artisan qui exécute pour une personne exploitant une industrie un travail se rattachant à cette industrie (art. 9 L.A.T.M.P.) ;

ii. un étudiant qui, sur la responsabilité d'un établissement d'enseignement, effectue un stage non rémunéré dans une industrie (art. 10 L.A.T.M.P.) ;

iii. une personne qui effectue un travail non rémunéré dans une industrie, dans les cas et selon les modalités prévus par règlement » (art. 9 et 13 L.A.T.M.P.).

Cette définition exclut les personnes qui gardent des enfants, des handicapés ou des personnes âgées et qui ne résident pas avec ceux-ci, de même que les personnes qui pratiquent des sports comme principale source de revenus.

Il est important de noter que l'administrateur d'une compagnie n'est pas considéré comme un travailleur au sens de la Loi et ne bénéficie donc pas de la protection accordée par la *Loi sur les accidents du travail et les maladies professionnelles*, à moins qu'il n'en fasse la demande expresse et écrite à la **Commission de la santé et de la sécurité du travail (CSST)**.

LÉSION PROFESSIONNELLE

La **lésion professionnelle** comprend les aspects suivants :
- la blessure ou la maladie survenue par le fait ou à l'occasion d'un accident du travail ;
- la maladie professionnelle, soit celle qui est contractée par le fait ou à l'occasion du travail et qui est caractéristique de ce travail ou liée directement aux risques particuliers de ce travail, l'amiantose, par exemple ;
- la récidive, la rechute et l'aggravation des deux premières.

Les articles 28 et 29 de la *Loi sur les accidents du travail et les maladies professionnelles* créent une présomption de lésion ou de maladie professionnelle lorsque celle-ci survient :
- sur les lieux du travail ;
- pendant que le salarié exerçait son travail ; *et*
- dans le cas d'une maladie visée à l'Annexe 1 de la Loi s'il a exercé un travail correspondant à cette maladie, comme il est déterminé dans cette annexe.

LES INDEMNITÉS

Les articles 44 à 116 de la Loi mentionnent les différentes indemnités auxquelles a droit le travailleur ou, le cas échéant, ses héritiers. Ce sont :
- l'indemnité de remplacement de revenu ;
- l'indemnité pour dommages corporels ;
- l'indemnité de décès ;
- les indemnités diverses.

La plus importante est certes l'indemnité de remplacement de revenu.

INDEMNITÉ DE REMPLACEMENT DE REVENU Le salarié victime d'une lésion professionnelle doit en aviser son employeur ou son supérieur immédiat avant de quitter les lieux de travail ou le plus tôt possible par la suite.

L'employeur doit lui verser son salaire net pour la journée de l'accident. Pour les 14 jours suivant le début de son incapacité, il doit lui verser 90 % de son salaire net pour chaque jour où il aurait normalement travaillé s'il n'avait pas subi d'accident. À cette fin, l'employé doit remettre à l'employeur une attestation médicale sur le formulaire prescrit par la CSST. Ce formulaire est rempli par le médecin qui a traité le travailleur et indique son diagnostic.

L'employeur se fera par la suite rembourser par la CSST pour ces 14 premiers jours payés au travailleur. Si ce dernier ne peut toujours pas travailler après ces 14 jours, il doit déposer une réclamation à la CSST sur un formulaire prévu à cette fin.

Cette réclamation doit être faite dans les six mois suivant la lésion ou le décès ou, dans le cas d'une maladie professionnelle, dans les six mois qui suivent le moment où il est porté à la connaissance du travailleur, ou de ses héritiers, qu'il est atteint d'une telle maladie.

À partir du quinzième jour d'incapacité, l'indemnité de remplacement du revenu est versée directement par la CSST. Celle-ci est fixée à 90 % du revenu annuel net du travailleur.

En janvier 1995, le revenu maximum assurable était de 48 000 $. Ce montant est indexé selon les données de Statistique Canada. L'indemnité est versée tous les 15 jours jusqu'à la date de retour au travail.

Elle cesse :

- lorsque le travailleur peut retourner au travail ;
- à son décès ;
- lorsqu'il atteint l'âge de 68 ans.

INDEMNITÉ POUR DOMMAGES CORPORELS   L'article 83 de la *Loi sur les accidents du travail et les maladies professionnelles* énonce que le travailleur qui est victime d'une lésion et qui subit une atteinte permanente à son intégrité physique ou psychique a droit à une indemnité pour dommages corporels qui tient compte de son degré ou pourcentage d'incapacité (déficit anatomo-physiologique) et du préjudice esthétique qui en résulte, ainsi que des douleurs, inconvénients et perte de la jouissance de la vie.

Il s'agit d'un montant forfaitaire égal au pourcentage d'atteinte permanente à son intégrité physique. Ce montant varie entre 25 000 $ et 50 000 $ selon l'âge du travailleur.

INDEMNITÉS DE DÉCÈS

Indemnité forfaitaire au conjoint   Le conjoint d'un travailleur décédé à la suite d'un accident du travail ou d'une maladie professionnelle a le droit de recevoir une indemnité forfaitaire. Cette somme ne peut être inférieure à 50 000 $ (art. 100).

Indemnité de remplacement du revenu   Le conjoint a également droit à une indemnité de remplacement du revenu du travailleur décédé, que la Loi fixe à 55 % de l'indemnité de revenu à laquelle le travailleur décédé aurait eu droit au moment de son décès s'il avait été incapable de travailler (c'est-à-dire 55 % de 90 % de son salaire net). Cette indemnité est payable sous forme de rente mensuelle.

Indemnité payable aux enfants   Chacun des enfants mineurs du travailleur décédé a droit à une indemnité de 250 $ par mois jusqu'à sa majorité. De plus, chaque enfant du travailleur décédé qui fréquente à temps plein un établissement d'enseignement a droit à une indemnité forfaitaire de 9000 $ à la date de sa majorité. Il en est de même de l'enfant majeur âgé de moins de 25 ans qui fréquente un établissement d'enseignement à temps plein au moment du décès du travailleur.

La Loi prévoit également des indemnités forfaitaires majorées dans le cas des enfants invalides et pour les autres personnes à charge du travailleur décédé.

INDEMNITÉS DIVERSES   Ce sont notamment les indemnités suivantes :

- indemnité de 1000 $ au conjoint, payable au décès du travailleur ;
- le père et la mère d'un travailleur décédé sans aucune personne à charge reçoivent une indemnité de 3000 $ chacun ;
- la personne qui acquitte les frais funéraires peut se faire rembourser jusqu'à concurrence de 1500 $ sur présentation de pièces justificatives ;
- nettoyage et remplacement de vêtements endommagés au moment de l'accident.

LA RÉADAPTATION DU SALARIÉ

En plus de l'indemnité de remplacement de revenu, le travailleur a **droit à la réadaptation**. À cette fin, la CSST met en place, avec le travailleur visé, un programme de réadaptation individualisé.

Ce programme peut toucher à trois facettes, selon les besoins du travailleur visé :

- la **réadaptation physique** : ce programme peut comprendre les soins médicaux, médicaments et traitements de physiothérapie, prothèses ou orthèses et les soins jugés nécessaires, etc. ;

- la **réadaptation sociale** : ce programme peut comprendre les soins professionnels tels un psychologue, les moyens pour trouver au travailleur un véhicule ou une résidence adaptée à sa nouvelle situation, le remboursement de certains travaux que le travailleur ne peut plus faire ;

- la **réadaptation professionnelle** : ce programme vise la réintégration du travailleur dans son emploi ou dans un emploi équivalent ou, le cas échéant, dans un emploi convenable. À cette fin, il peut comprendre un programme de recyclage, de recherche d'emploi, de formation professionnelle, d'adaptation d'un poste de travail, etc.

Exemple : À la suite de son accident et de sa chute, Jean sera indemnisé pour la perte de son revenu pendant la période où il ne pourra travailler. Son salaire étant de 900 $, il recevra donc 90 % de cette somme, soit 810 $ par semaine.

Ayant perdu l'usage d'une de ses jambes, qui a dû être amputée, et ayant subi des blessures graves au dos, il a rencontré un représentant de la CSST, et un programme de réadaptation individualisé a été établi. Comme il se déplace maintenant à l'aide d'une prothèse, il ne pourra plus reprendre son emploi de menuisier.

Après 11 mois de réadaptation et après avoir subi un programme de formation professionnelle, on lui trouve un emploi d'inspecteur en bâtiment pour la ville de Québec au salaire de 500 $ par semaine. Dans un tel cas, la *Loi sur les accidents du travail et les maladies professionnelles* prévoit que le travailleur continue de bénéficier de l'indemnité de remplacement pour combler la différence entre le montant de son ancien salaire et celui auquel il a droit en vertu de son nouveau salaire.

Dans le cas de Jean, cela veut dire qu'il a droit à une indemnité additionnelle de 810 $ sur son salaire de 900 $ par semaine, moins 450 $, soit l'indemnité de 90 % de son nouveau salaire de 500 $, pour un total de 360 $. Il recevra donc son salaire de 500 $, plus une indemnité additionnelle de 360 $, ce qui portera l'indemnité totale à 860 $.

$$900 \text{ \$} \times 90 \text{ \%} = \quad 810 \text{ \$}$$
$$500 \text{ \$} \times 90 \text{ \%} = \quad \underline{-450 \text{ \$}}$$
$$360 \text{ \$}$$
$$500 \text{ \$} + 360 \text{ \$} = \quad 860 \text{ \$}$$

Le travailleur a droit de recevoir son indemnité de remplacement du revenu jusqu'à son décès ou lorsqu'il atteint l'âge le 68 ans, ou encore au moment où il réintègre son ancien emploi.

LE DROIT DE RETOUR AU TRAVAIL

La Loi prévoit finalement qu'un employé dispose d'un droit de retour à son ancien emploi dans un délai de 1 an s'il s'agit d'une entreprise de 20 employés ou moins et dans un délai de 2 ans, s'il s'agit d'une entreprise de plus de 20 employés. À défaut de son emploi, il peut réintégrer un **emploi équivalent** dans un autre établissement de son employeur. Le salarié incapable de réintégrer son ancien emploi ou un emploi équivalent a le droit de réintégrer un **emploi convenable,** compte tenu de ses compétences et de ses capacités. C'est le cas de Jean dans notre exemple.

La figure 17.4 illustre les droits d'un travailleur en vertu de la *Loi sur les accidents du travail et les maladies professionnelles.*

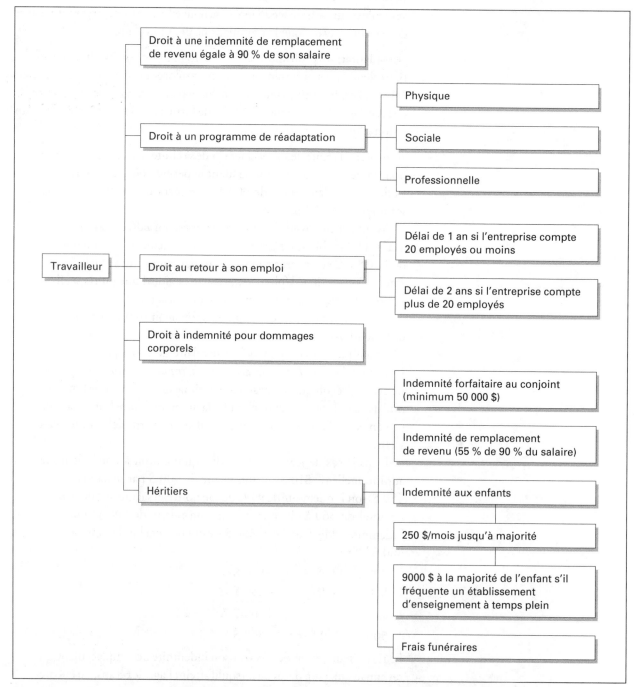

Figure 17.4   Droits d'un travailleur blessé dans un accident du travail ou victime d'une lésion professionnelle

Figure 17.5 L'employeur peut exiger de l'employé non syndiqué l'exécution de tout travail sous la seule réserve de l'ordre public et des lois.

 ## LE CONTRAT INDIVIDUEL DE TRAVAIL

Contrat de travail : Contrat par lequel une personne, le salarié, s'oblige, pour un temps limité et moyennant rémunération, à effectuer un travail sous la direction ou le contrôle d'une autre personne, l'employeur (art. 2085 C.c.Q.). Le contrat de travail est à durée déterminée ou indéterminée (art. 2086 C.c.Q.).

« **Art. 2085 C.c.Q.** Le *contrat de travail* est celui par lequel une personne, le salarié, s'oblige, pour un temps limité et moyennant rémunération, à effectuer un travail sous la direction ou le contrôle d'une autre personne, l'employeur.

Art. 2086 C.c.Q. Le contrat de travail est à durée déterminée ou indéterminée ».

CARACTÉRISTIQUES

En plus des éléments énumérés dans la définition du **contrat de travail**, certaines caractéristiques propres au contrat en général se retrouvent dans le contrat individuel de travail.

CONTRAT D'ADHÉSION

Le salarié qui est partie à un contrat individuel de travail accepte généralement l'ensemble des conditions fixées unilatéralement par l'employeur. Le plus souvent, il n'est pas question pour lui de négocier les conditions du contrat. Comme nous l'avons vu précédemment, certaines lois sociales protègent les salariés contre les abus grossiers en ce qui a trait, par exemple, au salaire minimum de même qu'à la santé et la sécurité au travail, au harcèlement sexuel et à la discrimination. De plus, le *Code civil* a introduit des dispositions concernant les clauses abusives dans un contrat d'adhésion comme nous l'avons vu au chapitre 7.

CONTRAT À EXÉCUTION SUCCESSIVE

Les parties échelonnent leurs prestations dans le temps. Une des conséquences de cette caractéristique est que le salarié qui cesse de fournir la prestation de travail pendant une brève période ne peut exiger de rémunération pour cette période. Par ailleurs, la Loi permet à la salariée de suspendre son travail en raison de grossesse et d'accouchement et de le reprendre à une date ultérieure.

LIEN DU SUBORDINATION

De plus, le salarié est assujetti à l'autorité et au contrôle de la personne qui l'embauche pour une période de temps plus ou moins longue.

Cette notion de subordination se traduit par l'assignation de tâches et de fonctions du salarié à son employé. En effet, l'employeur peut exiger de l'employé l'exécution de tout travail sous la seule réserve du respect de l'ordre public et des lois.

DISTINCTIONS AVEC LE CONTRAT D'ENTREPRISE

Il est important de distinguer le contrat individuel de travail du contrat d'entreprise ou de service qui a déjà fait l'objet de notre étude au chapitre 10. Le tableau 17.4 illustre les distinctions entre ces deux types de contrat.

OBLIGATIONS DU SALARIÉ

La figure 17.6 illustre les obligations du salarié.

L'article 2088 (2) C.c.Q. ajoute que : « Ces obligations survivent pendant un délai raisonnable après cessation du contrat et survivent en tout temps lorsque l'information réfère à la réputation et à la vie privée d'autrui. »

Ainsi un salarié ne peut utiliser des **renseignements confidentiels**, des listes de clients ou des formules secrètes appartenant à son employeur et dont il a pris connaissance dans le cadre de son travail.

OBLIGATIONS DE L'EMPLOYEUR

La figure 17.7 illustre les obligations de l'employeur.

L'article 2087 C.c.Q. énonce ce qui suit :

« L'employeur, outre qu'il est tenu de permettre l'exécution de la prestation de travail convenue et de payer la rémunération fixée, doit prendre les mesures appropriées à la nature du travail en vue de protéger la santé, la sécurité et la dignité du salarié. »

Tableau 17.4   Distinctions entre le contrat individuel de travail et le contrat d'entreprise

Type de contrat	Partie du contrat	Objet du contrat	Type de rémunération	Exemples
Contrat de travail individuel	Un employeur et un salarié	Effectuer un travail sous le contrôle ou la direction de l'employeur.	· Un salaire · L'employeur doit en plus effectuer les déductions et remises fiscales et autres sur le salaire payé.	Meubles Beaubois retient les services de Denis Vaillant comme vendeur au salaire de 450 $/semaine.
Contrat d'entreprise ou de service	Un entrepreneur ou prestataire de services et un client	Réaliser un ouvrage matériel ou intellectuel, ou fournir un service pour le client.	· Un prix · Le client n'a pas à effectuer de déductions ou de remises fiscales ou autres sur le prix payé. C'est la responsabilité de l'entrepreneur.	Meubles Beaubois engage les services d'Éric Lapointe pour faire l'entretien et le déneigement de son stationnement pour un prix de 5000 $.

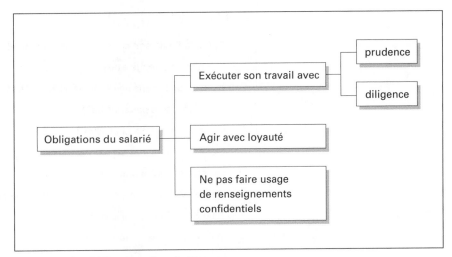

Figure 17.6 Obligations du salarié

La Loi oblige l'employeur à déduire du salaire de l'employé sa contribution à l'impôt sur le revenu, au régime d'assurance-chômage et au régime de rentes du Québec, mais il n'a pas le droit de prélever d'autres montants sans l'autorisation de l'employé.

CLAUSES DE NON-CONCURRENCE

Par ailleurs, on retrouve souvent des **clauses de non-concurrence** dans les contrats d'engagement que les employeurs font signer à leurs employés. Ces clauses stipulent que, pendant la durée de leur emploi, et même après la fin de leur contrat, ils ne pourront, en leur propre nom, directement ou indirectement, faire concurrence à l'employeur ni participer à quelque titre que ce soit à une entreprise qui lui ferait concurrence.

La légalité de ces clauses a été reconnue par la jurisprudence, mais celles-ci doivent être formulées par écrit et en termes explicites. De plus, la portée de ces clauses doit être limitée dans le temps, dans l'espace (territoire) et quant à la nature du travail. Les clauses peuvent protéger les intérêts légitimes de l'employeur sans toutefois porter atteinte à la capacité de gain du salarié.

De plus, l'article 2095 du *Code civil* ajoute que l'employeur ne peut se prévaloir d'une stipulation de non-concurrence s'il a résilié le contrat sans motif sérieux ou s'il a lui-même donné au salarié un tel motif de résiliation.

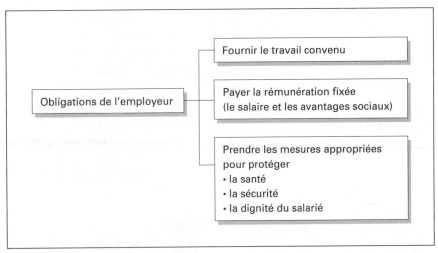

Figure 17.7 Obligations de l'employeur

> Après la fin de son contrat d'engagement, et pour une période de trois ans, l'employé s'engage à ne pas exercer un commerce semblable à celui de l'employeur, et ce dans un rayon de 50 kilomètres du lieu de l'emploi. Il s'engage également à ne pas solliciter les clients de l'employeur et à ne pas utiliser les secrets commerciaux et listes de prix de l'employeur pour lui-même directement, ni indirectement par l'entremise d'un membre de sa famille ou d'une société ou compagnie dont il serait actionnaire, administrateur ou associé. L'employé qui ne respecterait pas cette clause s'exposerait à une pénalité de 1000 $ par jour, pour chaque jour de contravention, à titre de dommages-intérêts liquidés et nonobstant tous les autres recours de l'employeur, telle l'injonction.

Figure 17.8 Exemple d'une clause de non-concurrence

RECOURS EN CAS D'INEXÉCUTION

Pour qu'il y ait exécution du contrat, l'employé doit fournir le travail exigé par l'employeur ; en contrepartie, l'employeur lui versera une rémunération équivalente. Que le contrat ait une durée déterminée ou non, la Loi prévoit certains recours contre la partie qui n'assumerait pas ses obligations.

Lorsqu'une des parties ne respecte pas ses obligations, il est possible pour l'autre de demander la résiliation du contrat. Dans un tel cas, la partie lésée pourra exiger des dommages-intérêts ou l'exécution forcée ou en nature, de l'obligation. Il est quasi impossible pour l'employeur d'exiger d'un employé qu'il exécute le travail qu'il se refuse à accomplir. En effet, un employeur ne peut forcer une personne à travailler pour son compte.

Le seul recours qu'il puisse exercer est une réclamation en dommages-intérêts, qui consiste en une compensation pécuniaire pour le préjudice subi. Il faut cependant préciser que de tels recours sont rarement accordés à l'employeur vu la grande difficulté à évaluer le dommage subi. Par ailleurs, dans les cas de clause de non-concurrence, de manque de loyauté ou d'utilisation d'informations confidentielles, l'employeur peut exercer un recours en injonction contre un ex-employé et le poursuivre en dommages.

L'employé dispose de nombreux recours. Ainsi, en cas de congédiement illégal, il peut demander l'exécution en nature, par exemple le paiement d'une indemnité. Cette solution est peu appliquée dans les petites entreprises, mais elle est utilisée dans les grandes entreprises.

Dans le cas d'un travailleur régi par la *Loi sur les normes du travail*, lorsque le salarié est engagé pour une période indéterminée, le meilleur recours est une réclamation en dommages-intérêts ou une réclamation de salaire *à l'intérieur du délai de prescription de un an (art. 115 L.N.T.).* Selon le cas, la demande sera faite soit à la Commission des normes du travail, soit devant les tribunaux civils ordinaires. Dans les autres cas, la prescription est de trois ans (art. 2925 C.c.Q.) et le recours doit être intenté directement par le travailleur devant les tribunaux civils.

EXTINCTION

Le décès du salarié met fin au contrat de travail. Celui de l'employeur peut aussi dans certaines circonstances y mettre fin (art. 2093 C.c.Q.). De plus, l'employeur ou l'employé peut pour un motif sérieux résilier unilatéralement et sans préavis le contrat de travail. Par exemple : un employeur constate que son employé le vole. Un employé craint pour sa santé.

Par ailleurs, l'article 2097 du *Code civil du Québec* stipule que l'aliénation de l'entreprise ou la modification de sa structure juridique par fusion ou autrement ne met pas fin au contrat de travail et que l'ayant cause ou l'acheteur de l'entreprise est lié par le contrat de travail en cours au moment de l'entreprise de la vente.

Il faut aussi tenir compte du fait que le contrat est à durée déterminée ou indéterminée.

CONTRAT À DURÉE DÉTERMINÉE

L'arrivée du terme met fin à ce type de contrat, à moins que les parties ne continuent à respecter le contrat initial, sans renégocier de contrat. Le contrat est alors reconduit par entente tacite, aux mêmes conditions. L'article 2090 du *Code civil* mentionne que le contrat est reconduit pour une période indéterminée lorsque, après l'échéance, le salarié continue d'effectuer son travail, sans opposition de la part de l'employeur au cours des cinq jours suivant la fin du contrat.

CONTRAT À DURÉE INDÉTERMINÉE

L'article 2091 stipule que chacune des parties à un contrat de travail à durée indéterminée peut y mettre fin en donnant à l'autre un **délai de congé** ou préavis raisonnable.

Comme nous l'avons vu précédemment, la *Loi sur les normes du travail* fixe les durées minimales de ce délai de congé. Une pratique courante des entreprises est de verser aux salariés l'équivalent du salaire du délai de congé à l'employé à titre d'indemnité et de le congédier. Le délai accordé ou l'indemnité versée au salarié ne seront pas les mêmes s'il s'agit d'un employé de bureau ou d'un cadre supérieur dans une entreprise. Dans certains cas, la jurisprudence a accordé une indemnité équivalente à 18 mois de salaire à un président ou un vice-président de compagnie congédié avec un délai de congé de seulement de deux semaines.

De plus, l'article 2092 du *Code civil* énonce que l'employé ne peut renoncer au droit de recevoir une indemnité suffisante.

« **Art. 2092 C.c.Q.** Le salarié ne peut renoncer au droit qu'il a d'obtenir une indemnité en réparation du préjudice qu'il subit, lorsque le délai de congé est insuffisant ou que la résiliation est faite de manière abusive. »

> *Exemple* : Les Productions Détour inc. donnent un délai de congé de une semaine à Johane, secrétaire à leur service depuis deux ans. En lui remettant un chèque à titre d'indemnité de délai congé ou d'indemnité de départ, la compagnie lui fait signer une lettre comme quoi elle se déclare satisfaite de cette indemnité et de la durée de son délai de congé.
>
> Cette pratique est illégale et la lettre est invalide, car l'article 2092 est d'ordre public de même que les dispositions de la *Loi sur les normes du travail* à cet effet.

Finalement, lorsque le contrat prend fin, l'employeur doit remettre à l'employé qui en fait la demande un **certificat de travail** faisant état uniquement de :

- la nature de l'emploi ;
- la durée de l'emploi ;
- l'identité de l'employeur et de l'employé.

LE CONTRAT COLLECTIF DE TRAVAIL

Même si la majorité des travailleurs québécois sont régis par un contrat individuel de travail, de nombreux travailleurs adhèrent à des associations accréditées que sont les *syndicats*. Dès lors, ils voient leurs conditions de travail établies dans un contrat écrit et négocié avec l'employeur par leurs représentants. Ce contrat porte le nom de **convention collective**.

Nous examinerons maintenant les règles de base qui président à la mise sur pied de ces associations de travailleurs et le mécanisme de négociation qui s'ensuit pour atteindre ensuite l'objectif final : la signature d'une convention collective.

Comme la majorité des travailleurs québécois syndiqués travaillent pour des entreprises qui tombent sous la compétence du gouvernement québécois, nous limiterons notre étude au *Code du travail du Québec.*

ORGANISMES RESPONSABLES

COMMISSAIRE GÉNÉRAL DU TRAVAIL

Le **commissaire général du travail** reçoit les requêtes et les dossiers qui lui sont adressés en vertu du *Code du travail* et les achemine aux agents d'accréditation ou aux commissaires du travail. Il a le pouvoir de délivrer les certificats des associations de salariés. Il est assisté dans ses fonctions par un commissaire général adjoint.

AGENT D'ACCRÉDITATION

L'**agent d'accréditation** examine les requêtes en accréditation des associations de salariés non encore accréditées dont l'a saisi le commissaire général du travail et, si les formalités sont respectées, il accrédite le syndicat requérant ou rejette la demande d'accréditation.

COMMISSAIRE DU TRAVAIL

Le travail du **commissaire** débute au moment de la réception du rapport de l'agent d'accréditation. Il confie à ce dernier la responsabilité des enquêtes et des recherches ayant pour objet de s'assurer du caractère représentatif d'une association. Il décide de plus d'entériner, de révoquer ou de réviser toute décision rendue antérieurement par l'agent d'accréditation. Il assume également un rôle quasi judiciaire de première instance en rendant des décisions concernant les congédiements, suspensions ou mutations de salariés présumés lésés à cause de leurs activités syndicales.

TRIBUNAL DU TRAVAIL (ART. 118 C.T.)

Cet organisme, composé d'un juge en chef et de juges de la Cour du Québec, possède une double juridiction : il agit à la fois comme tribunal de première instance et comme tribunal d'appel.

En première instance, il reçoit les plaintes concernant la discrétion des fonctionnaires, les mesures disciplinaires, et s'occupe de toute poursuite pénale intentée en vertu du *Code du travail.*

En appel, il reçoit les dossiers clos par la décision d'un commissaire ou par celle du commissaire général du travail. Le jugement rendu par ce tribunal est sans appel, sauf s'il s'agit d'une question de nature pénale.

DROIT D'ASSOCIATION ET D'ACCRÉDITATION

L'article 3 du *Code du travail du Québec* sanctionne le principe suivant :

« [...] Tout salarié a le droit d'appartenir à une association de salariés de son choix et de participer à la formation de cette association, à ses activités et à son administration. »

Le but d'une **association de salariés** est essentiellement la protection, la sauvegarde et le développement des intérêts économiques de ses membres. Mais si l'association désire négocier une convention collective avec l'employeur, elle doit devenir une « **association accréditée** ».

L'**accréditation** d'une association de salariés constitue la pierre angulaire du régime de négociation collective. En effet, une association de salariés qui désire en arriver à une entente avec un employeur doit franchir au préalable l'étape de l'**accréditation**, c'est-à-dire la reconnaissance juridique de sa représentativité.

Seule une **association** de salariés peut présenter une **requête en accréditation**.

DÉLAI D'ACCRÉDITATION

L'accréditation peut être demandée en tout temps, pour tout groupe de salariés qui n'est pas déjà représenté par une association accréditée. Toutefois, si l'association requérante s'est vu refuser l'accréditation par un commissaire du travail, elle ne peut présenter une nouvelle requête que trois mois après la date du rejet.

D'autre part, dans le cas de renouvellement d'accréditation, une association rivale ne peut faire de requête en accréditation pour remplacer l'association existante, sauf entre le 90e et le 60e jour précédant la date d'expiration d'une convention collective. C'est ce qu'on appelle la période de **maraudage**.

PROCÉDURE D'ACCRÉDITATION

En principe, l'association ayant tenu ses séances de recrutement et obtenu l'adhésion de la majorité absolue des salariés d'un employeur donné (50 % + 1) obtient son accréditation en adressant une requête en accréditation au Commissaire général du travail.

Un agent d'accréditation examine le caractère représentatif de l'association et, si toutes les formalités sont remplies, il accorde l'accréditation demandée.

S'il la refuse, le dossier est envoyé à un commissaire du travail qui le réexamine puis accorde ou refuse l'accréditation. En dernier ressort, l'association peut en appeler du refus au Tribunal du travail.

EFFETS DE L'ACCRÉDITATION

Une fois accréditée, l'association :

- représente tous les employés présents et futurs de l'entreprise ;
- peut négocier une convention collective ;
- peut à défaut d'entente, faire une grève légale.

De plus, l'employeur doit retenir les cotisations syndicales sur le salaire de ses employés.

UNITÉS DE NÉGOCIATION

L'association accréditée représente l'ensemble des employés d'un employeur donné, mais, en pratique, surtout dans les plus grandes entreprises, les salariés choisissent souvent de se séparer selon les intérêts et la formation ou les compétences des divers groupes de salariés de l'entreprise et de former plusieurs associations de salariés chez le même employeur.

Exemple : Dans une compagnie comme Canadair ou Bombardier, on retrouve un syndicat représentant les employés de bureau et un autre représentant les employés qui travaillent dans l'usine. On parle souvent alors du syndicat des cols blancs pour les premiers et du syndicat des cols bleus pour les seconds.

On parle alors d'**unités de négociation** représentant divers groupes de salariés de l'entreprise.

Exemple : Au Cégep de Bois-de-Boulogne, il y a trois syndicats ou unités de négociation représentant trois groupes qui ont des intérêts, des revendications et des conditions de travail différents :
- le Syndicat des enseignants et enseignantes du Cégep de Bois-de-Boulogne ;
- le Syndicat des professionnels du Cégep de Bois-de-Boulogne ;
- le Syndicat des employés de soutien du Cégep de Bois-de-Boulogne.

Chacun d'eux est une association accréditée.

EXCLUSIONS

D'une manière générale, tout salarié peut faire partie d'une association accréditée, à l'exception de ceux qui exercent une fonction de direction ou de gestion, des personnes qui exercent une autorité exclusive sur le personnel, et des personnes exclues de la catégorie des salariés par le même alinéa de l'article 1 du *Code du travail*. Ces personnes comprennent le personnel cadre ou de direction :
- les surintendants, contremaîtres, directeurs de services ou représentants de l'employeur ;
- les administrateurs d'une corporation, les fonctionnaires du gouvernement dont l'emploi revêt un caractère confidentiel ;
- les procureurs de la Couronne ;
- les membres de la Sûreté du Québec.

Certaines pratiques sont interdites en vertu des articles 15 à 20 du *Code du travail* ; elles touchent le congédiement, la suspension ou le déplacement du salarié par l'employeur en raison de ses activités syndicales. Ainsi un salarié victime d'une telle pratique peut déposer une plainte, par écrit, dans les 30 jours qui suivent son congédiement, sa suspension ou son déplacement ; il s'adresse au Commissaire général du travail qui désigne un commissaire du travail pour faire enquête et traiter la plainte (art. 16 C.T.).

NÉGOCIATION COLLECTIVE

Lorsqu'une association de salariés a reçu son accréditation et que l'on a déterminé l'unité de négociation, l'employeur et l'association entament le processus de négociation. Le syndicat accrédité représente tous les travailleurs de l'unité de négociation, y compris ceux qui n'en sont pas membres. Ces derniers doivent quand même payer leur cotisation syndicale. Ce processus débute par l'envoi, au moins huit jours avant la date de la rencontre, d'un avis par l'une des parties à l'autre ; cet avis doit préciser la date, l'heure et le lieu où ses représentants sont disposés à rencontrer l'autre partie en vue de la conclusion d'une convention collective.

Les parties ont le devoir de négocier avec *diligence et bonne foi*, c'est-à-dire qu'elles ne peuvent faire volontairement échec aux négociations (art. 53 C.T.). Après avoir reçu l'avis prescrit par la Loi, tout employeur qui contrevient à ses obligations à l'endroit d'une association de salariés dûment accréditée commet une infraction et est passible d'une amende variant de 100 $ à 1000 $ par jour.

Il s'établit donc un rapport de force entre l'employeur et le syndicat à partir duquel seront déterminées les conditions de travail des salariés.

Les négociations peuvent être courtes ou très longues selon les parties en cause.

LA CONCILIATION

Lorsque les parties qui négocient une convention ne peuvent concilier leurs intérêts respectifs et qu'elles semblent se diriger vers l'impasse, on se trouve en présence d'un **différend**.

Le *différend* se définit donc comme une mésentente relative à la négociation ou au renouvellement d'une convention collective.

Le *Code du travail* prévoit que, à toute phase des négociations, l'une ou l'autre des parties peut demander au ministre du Travail de désigner un **conciliateur** pour les aider à en venir à une entente (art. 54 C.T.). Le rôle essentiel du conciliateur est de tenter un rapprochement entre les parties en leur proposant de faire des concessions mutuelles ; le conciliateur ne décide pas des conditions d'une entente entre les parties, mais il essaie plutôt de les convaincre. Mentionnons que le ministre peut, en tout temps, nommer d'office un conciliateur. La conciliation n'est pas une étape obligatoire.

Différend : Mésentente relative à la négociation ou au renouvellement d'une convention collective.

LA MÉDIATION

Dans les conflits importants, si la conciliation échoue, le ministre du Travail peut désigner un **médiateur** qui recommande les conditions d'une entente après avoir étudié les positions de chacune des parties et qui fait rapport au ministre. La recommandation du médiateur ne lie cependant pas les parties, qui peuvent l'accepter librement ou la rejeter. Cette étape n'affecte en rien le droit des parties de recourir à la grève ou au lock-out.

Ces étapes franchies, si le différend persiste, les parties ont alors le choix entre l'*arbitrage*, la *grève* ou le *lock-out*.

L'ARBITRAGE D'UN DIFFÉREND

L'article 74 du *Code du travail* précise qu'« un différend est soumis à un arbitre sur demande écrite adressée au ministre par les parties ». On parle alors de l'arbitrage d'un différend. L'**arbitre** est toujours étranger au litige. Il peut être choisi par les parties ou, à défaut, par le ministre. De plus, le Code prévoit que chacune des parties nomme un **assesseur** pour assister l'arbitre et représenter la partie au cours de l'audition. La sentence arbitrale doit être rendue dans les 60 jours qui suivent sa nomination et doit être motivée. La sentence d'un arbitre tient lieu de convention collective et lie les parties pour tout au plus deux ans (art. 92 C.T.).

Il est important de noter que les deux parties, soit l'employeur et l'association accréditée, doivent être d'accord pour demander un tel arbitrage.

Par ailleurs, les articles 93.1 à 93.9 indiquent que, dans le cas d'une première convention collective, il y a **arbitrage obligatoire de la première** convention collective si la conciliation a été infructueuse.

Finalement, l'arbitrage est aussi obligatoire dans tout différend impliquant une municipalité et ses policiers ou ses pompiers, car ceux-ci ne jouissent pas du droit de grève.

GRÈVE ET LOCK-OUT

La **grève** est un arrêt de travail complet décidé par un groupe de salariés lorsque toutes les procédures de négociation ont échoué. Le **lock-out** est le refus de l'employeur de fournir du travail à ses employés dans le but de les forcer à régler le conflit le plus rapidement possible. Le droit à la grève ou au lock-out est acquis 90 jours après la réception par le ministre de l'avis de négociation ou, si aucun avis n'a été donné, 90 jours après la date d'expiration de la convention.

Aux termes de l'article 20.2 du *Code du travail* :

« Une grève ne peut être déclarée qu'après avoir été autorisée au scrutin secret par un vote majoritaire des membres de l'association accréditée qui sont compris dans l'unité de négociation et qui exercent leur droit de vote. »

Figure 17.9 La grève du zèle consiste à appliquer méticuleusement toutes les consignes de travail en vue de bloquer les activités d'une entreprise.

Exemple: L'association accréditée des employés de Meubles Beaubois ltée devra attendre une période de négociation de 90 jours avant d'avoir le droit de déclencher une grève légale. Si elle le faisait avant l'expiration de ce délai, la grève serait illégale et l'employeur pourrait congédier ses employés.

L'association doit informer ses membres au moins 48 heures avant la tenue du scrutin.

La partie qui déclare une grève ou un lock-out doit en aviser le ministre, par écrit, dans les 48 heures, en lui indiquant le nombre de salariés compris dans l'unité de négociation en question.

Soulignons qu'une personne conserve son statut de salarié même au cours d'une grève ou d'un lock-out ; cette personne demeure toujours au service de son employeur, et elle peut recouvrer son poste à la fin du conflit. L'employeur ne peut congédier ses employés qui font une grève légale.

BRISEURS DE GRÈVE Le *Code du travail* interdit à l'employeur, au cours d'une grève légale ou d'un lock-out légal ou illégal, d'utiliser les services de personnes pour remplir les fonctions des travailleurs en grève ou en lock-out, lorsque ces personnes ont été embauchées entre le jour où l'avis de négociation a été donné et la fin de la grève ou du lock-out. Le terme anglais de « scabs » est souvent utilisé dans les conflits de travail pour décrire ces personnes.

L'employeur ne peut non plus utiliser les services de travailleurs qui font partie de l'unité de négociation en grève ou en lock-out. La sanction prévue pour toute contravention à ces dispositions de la Loi est une amende maximale de 1000 $ par jour.

En dépit de cette loi, le Code permet à l'employeur d'utiliser les moyens nécessaires pour éviter la destruction ou une détérioration grave de ses biens meubles et immeubles. Ces moyens doivent viser uniquement la conservation des biens et non la continuation de la production de biens ou de services.

PIQUETAGE   Le **piquetage** est une des manifestations concrètes de la grève. Il se traduit par la présence de une ou plusieurs personnes, nommées **piquets**, généralement devant leur lieu de travail, afin de sensibiliser d'autres travailleurs au conflit de travail qui les oppose à leur employeur.

Dans la mesure où le piquetage respecte le droit de propriété de l'employeur et le droit à la liberté de travail des personnes qui ne sont pas impliquées dans le conflit, il peut être considéré comme légal. Le piquetage illégal serait celui qui viserait l'obstruction systématique de l'accès à des lieux, et qui ferait appel à la violence, aux menaces et à l'intimidation. L'employeur victime d'une telle forme de piquetage serait bien fondé de présenter une requête en injonction à la Cour supérieure pour y mettre fin.

CONVENTION COLLECTIVE

OBJET ET CONTENU

Convention collective : Entente écrite relative aux conditions de travail conclues entre une ou plusieurs associations accréditées et un ou plusieurs employeurs ou associations d'employeurs. La convention collective est l'aboutissement des négociations entre les parties.

Le *Code du travail* définit la ***convention collective*** comme « une entente écrite relative aux conditions de travail conclues entre une ou plusieurs associations accréditées et un ou plusieurs employeurs ou associations d'employeurs ». La convention collective est l'aboutissement des négociations entre les parties.

Seule l'association accréditée a le pouvoir de signer une convention collective avec l'employeur au nom des employés qu'elle représente.

Cette convention lie tous les salariés actuels et futurs visés par l'accréditation ; elle lie aussi l'employeur et son entreprise en dépit des transformations juridiques que cette dernière peut subir (vente, concession, fusion, etc.).

> *Exemple* : La convention collective négociée par les employés de Meubles Beaubois ltée s'applique non seulement à tous les employés actuels de cette compagnie, mais aussi à tout nouvel employé engagé par la suite.

L'article 72 du *Code du travail* prévoit qu'une convention collective ne prend effet qu'à compter de son dépôt au bureau du Commissaire général du travail et elle a alors un effet rétroactif à la date de sa signature ou à la date prévue de son entrée en vigueur.

La durée d'une convention collective est d'au moins un an et d'au plus trois ans ; si sa durée n'est pas précisée, elle est présumée être en vigueur pour un an (art. 65 et 66 C.T.).

Une convention collective peut contenir toute disposition établissant les conditions de travail des salariés, pourvu qu'elles ne soient pas contraires à l'ordre public ni prohibées par la loi. Habituellement, une convention collective comprend deux catégories de clauses : les **clauses** dites **à incidence pécuniaire** et les **clauses à caractère normatif**.

Les premières touchent les salaires : échelle, indexation, heures de travail, description d'emploi, etc. ; ces clauses traitent également des avantages sociaux : congés annuels payés, congés payés (de maladie, de maternité, de mortalité, de perfectionnement), assurances collectives (salaire, maladie, invalidité, vie), caisses de retraite, etc.

Les secondes ont trait aux relations entre le syndicat et l'employeur, et aux modalités d'application du régime syndical : prélèvement de la cotisation syndicale, sécurité d'emploi, critères d'embauche, licenciement des salariés, liberté d'action syndicale, mesures de santé et de sécurité au travail, règlement des griefs, etc.

Grief : Mésentente entre les parties relativement à l'interprétation et à l'application d'une clause particulière de la convention collective et ce, pendant la durée de ladite convention.

RÈGLEMENT DES GRIEFS

Pendant la durée de la convention collective, il arrive que les parties ne réussissent pas à s'entendre en ce qui concerne l'interprétation et l'application d'une clause particulière. Le *Code du travail* désigne ces mésententes du nom de *grief.*

Les griefs les plus fréquents portent surtout sur l'interprétation des clauses d'ancienneté, sur les heures de travail, sur la classification et sur les avantages sociaux ; les congédiements ou les suspensions d'employés pour cause injuste font également l'objet de griefs. La plupart des conventions collectives prévoient un mode d'arbitrage pour régler ces griefs ; sinon, le grief est déféré à un arbitre choisi par l'association accréditée et l'employeur ou, à défaut d'accord, nommé par le ministre (art. 100 C.T.). Dans les deux cas, on parle d'un **tribunal d'arbitrage** où les parties soumettent leurs positions respectives à l'arbitre, qui rend alors un jugement ou sentence arbitrale. La sentence arbitrale est *sans appel et lie les parties.*

Finalement, rappelons que, en vertu de l'article 45 du *Code du travail*, tout nouvel acquéreur d'une entreprise est lié par la convention collective existante.

RÉSUMÉ

- Au Québec, les relations du travail sont régies par les dispositions du *Code civil*, et par celles du *Code du travail* et de certaines lois relatives au travail, telles la *Loi sur les normes du travail* et la *Loi sur les accidents du travail et les maladies professionnelles.*

- La *Loi sur les normes du travail* a créé la Commission des normes du travail, et elle fixe les conditions et les normes minimales de travail pour tous les salariés travaillant au Québec.

- Les principales normes de travail concernent : le salaire minimum, les jours fériés, chômés et payés, les congés annuels payés, les congés pour événements familiaux (décès, funérailles, mariage, naissance, adoption, garde, santé et éducation d'un enfant mineur, grossesse, maternité, congé parental), les avis de cessation d'emploi ou de mise à pied, la sécurité d'emploi.

- La *Loi sur la santé et la sécurité du travail* et la *Loi sur les accidents du travail et les maladies professionnelles* sont administrées par la CSST.

- La première reconnaît deux droits aux travailleurs : le droit de refus de travailler en raison de conditions dangereuses pour leur santé, leur sécurité et leur intégrité physique ; le droit de retrait préventif s'ils sont exposés à un contaminant ou dans le cas d'une travailleuse enceinte.

- La *Loi sur les accidents du travail et les maladies professionnelles* vise à indemniser la perte des revenus des victimes d'accidents du travail ou de lésions professionnelles.

- Le contrat individuel de travail est soumis aux dispositions du *Code civil du Québec* et il se distingue du contrat d'entreprise.

- Le contrat collectif de travail est soumis aux dispositions du *Code du travail du Québec* en ce qui concerne la majorité des travailleurs québécois syndiqués.

- Le *Code du travail* prévoit la procédure d'accréditation et de négociation d'une convention collective.

RÉSEAU DE CONCEPTS

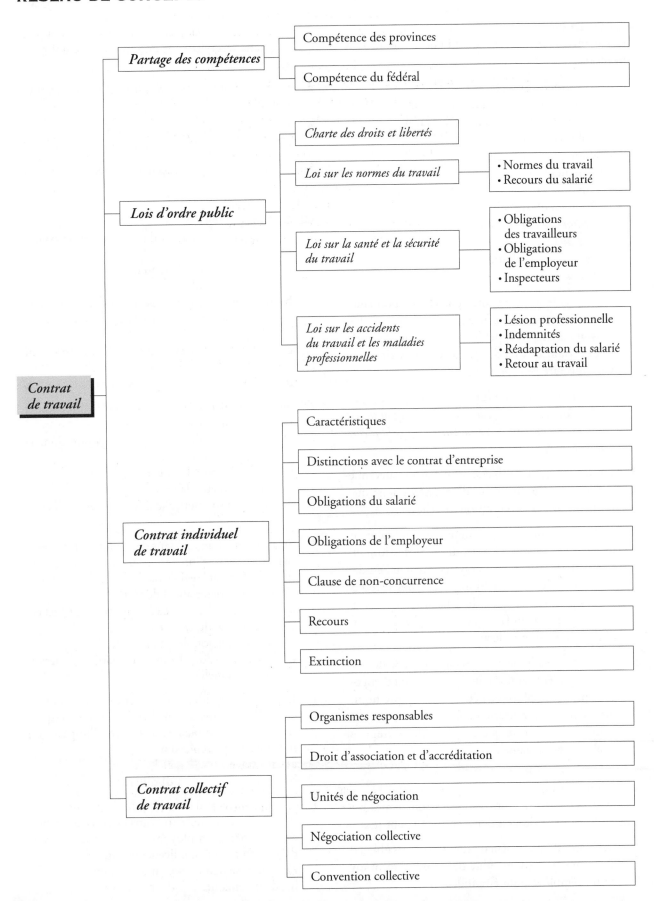

Contrat de travail

- **Partage des compétences**
  - Compétence des provinces
  - Compétence du fédéral

- **Lois d'ordre public**
  - *Charte des droits et libertés*
  - *Loi sur les normes du travail*
    - Normes du travail
    - Recours du salarié
  - *Loi sur la santé et la sécurité du travail*
    - Obligations des travailleurs
    - Obligations de l'employeur
    - Inspecteurs
  - *Loi sur les accidents du travail et les maladies professionnelles*
    - Lésion professionnelle
    - Indemnités
    - Réadaptation du salarié
    - Retour au travail

- **Contrat individuel de travail**
  - Caractéristiques
  - Distinctions avec le contrat d'entreprise
  - Obligations du salarié
  - Obligations de l'employeur
  - Clause de non-concurrence
  - Recours
  - Extinction

- **Contrat collectif de travail**
  - Organismes responsables
  - Droit d'association et d'accréditation
  - Unités de négociation
  - Négociation collective
  - Convention collective

EXERCICES

ASSOCIATIONS

Associez un des termes ci-dessous à l'une des définitions suivantes :

- accident du travail
- Commission des normes du travail
- Commission des accidents du travail
- Tribunal d'arbitrage
- lésion professionnelle
- accréditation
- non-concurrence
- Tribunal du travail
- *Commission de la santé et de la sécurité du travail*
- association de salariés
- défense

1. Le ___ entend les plaintes pour toute poursuite pénale intentée en vertu du *Code du travail*. De plus, il entend en appel les dossiers pour lesquels une décision a été rendue par un commissaire ou le Commissaire général du travail.

2. L'organisme chargé de voir à l'application de la *Loi sur la santé et la sécurité du travail* et de la *Loi sur les accidents du travail et les maladies professionnelles* s'appelle ___ .

3. On appelle ___ toute blessure ou maladie survenue par le fait ou à l'occasion d'un travail, ainsi que toute rechute ou aggravation de celles-ci.

4. Le Code définit une ___ comme un groupement de salariés constitué en syndicat professionnel, union, fraternité ou autre, et ayant pour buts l'étude, la sauvegarde et le développement des intérêts économiques, sociaux et éducatifs de ses membres, et particulièrement la négociation et l'application d'une convention collective.

5. La clause qui stipule que, pendant la durée de son emploi et même après la fin de son contrat d'engagement, un employé ne peut en son propre nom, directement ou indirectement, travailler ou participer à quelque titre que ce soit à une entreprise rivale s'appelle clause de ___ .

VRAI OU FAUX

Indiquez si les affirmations suivantes sont vraies ou fausses. Si l'affirmation est fausse, précisez pourquoi.

1. La victime d'un accident du travail n'est pas obligée de prouver la responsabilité de son employeur ou d'un coemployé pour être indemnisé.

2. L'indemnité de vacances du salarié comptant plus de 10 ans de service continu auprès d'un employeur est fixée à 10 %.

3. C'est le *Code du travail* qui fixe le salaire minimum.

4. L'aliénation ou la vente d'une entreprise met fin au contrat de travail et à la convention collective.

5. Seules les associations accréditées peuvent recourir à la grève.

CHOIX MULTIPLES

1. À la suite de la signature d'une convention collective :
   a) seuls les employés syndiqués sont régis par la convention collective.
   b) tous les employés présents et futurs de cette entreprise sont régis par la convention collective.
   c) seuls les employés actuels de l'entreprise sont régis par la convention collective.
   d) aucune des réponses précédentes.

2. Si les deux parties ne peuvent en venir à une entente à la suite d'un grief :
   a) il en résulte un arbitrage obligatoire dont la sentence est exécutoire.
   b) on devra procéder à la conciliation.
   c) on pourra faire la grève.
   d) on devra soumettre le grief au Conseil d'arbitrage.

3. Si la victime d'un accident de travail s'estime lésée par la décision d'un fonctionnaire de la CSST, décision qui a été révisée par le Bureau de révision, elle peut interjeter appel devant :
   a) la Régie de l'assurance automobile du Québec.
   b) le Tribunal du travail.
   c) la Commission des affaires sociales.
   d) la Commission d'appel en matière de lésion professionnelle.

4. Lorsque les parties qui négocient une convention collective ne peuvent concilier leurs intérêts respectifs et qu'elles semblent se diriger vers l'impasse, on se trouve en présence d'un :
   a) arbitrage.   c) lock-out.
   b) grief.   d) différend.

5. Dans un contrat de travail à durée indéterminée, un salarié qui compte trois ans de service continu chez le même employeur a droit à un préavis de ___ précédant son licenciement.
   a) quatre semaines   c) une semaine
   b) deux semaines   d) trois mois

CAS PRATIQUES

1. Daniel est contremaître à la compagnie Matériaux de construction du Québec inc. Il a la responsabilité immédiate de sept hommes, dont Roger Lamontagne. Un fournisseur de bois effectue une livraison de poutres chez Matériaux de construction du Québec inc. Par accident, Daniel et Roger sont atteints par une poutre échappée du camion. Daniel est blessé gravement et, après avoir reçu les premiers soins, il est transporté à l'hôpital, où l'on constate que sa jambe droite a été broyée par la poutre et doit être amputée. Il doit s'absenter de son travail pendant huit mois. Roger, moins chanceux, a été tué sur le coup. Il laisse dans le deuil son épouse Marie et deux enfants mineurs, Yves et Carole, âgés respectivement de 7 et 11 ans. Au moment de son décès, il gagnait un salaire net de 700 $ par semaine. Quant à Daniel, son salaire hebdomadaire net était de 900 $.

   a) Expliquez quelle loi protège Daniel et Roger.

   b) Quels types d'indemnités Daniel a-t-il le droit de recevoir ? Expliquez et calculez son indemnité de remplacement du revenu.

   c) Quels types d'indemnités recevront les héritiers d'Yves ? Expliquez et calculez leur indemnité.

   d) Votre réponse aurait-elle été la même si Daniel avait été administrateur et actionnaire de la compagnie Matériaux de construction du Québec inc. ? Justifiez votre réponse.

2. La convention collective des employés de soutien de l'Université de l'Avenir se termine le 1er mai 1992 et le syndicat, agent négociateur des salariés régis par un certificat d'accréditation émis le 10 février 1989 par le ministre du Travail et de la Main-d'œuvre, désire négocier avec l'employeur en vue du renouvellement de ladite convention.

   a) Le syndicat peut-il obliger l'employeur à négocier avec lui le renouvellement de la convention collective qui arrive à échéance ? Pourquoi ?

   b) En vertu du *Code du travail*, quelle procédure le syndicat doit-il suivre pour forcer l'employeur à négocier, le cas échéant ?

   c) Durant la période de négociation, les autorités de l'université, prévoyant un nombre record d'inscriptions d'étudiants pour la session d'été, désirent prolonger de cinq heures la durée de la semaine normale de travail de certains employés, à raison de une heure par jour, sans pour autant augmenter leur salaire habituel. En ont-elles le droit ? Justifiez votre réponse.

   d) Après avoir été dûment enjoint de négocier avec le syndicat, l'employeur ne se présente pas à quelques reprises à la table de négociation sous prétexte que les représentants syndicaux sont tous des « marxistes » avec qui il refuse de négocier. Est-il en droit d'agir ainsi ? Quelles peuvent être les conséquences de ses agissements ?

   e) Les négociations se poursuivent depuis plus d'un mois, et le syndicat n'espère plus qu'elles puissent se terminer dans un délai raisonnable. Que peut alors faire le syndicat à ce stade ? Expliquez en détail.

   f) Les négociations se trouvant toujours dans l'impasse, quels recours s'offrent finalement aux parties ?

3. Caroline est serveuse au restaurant Les Beaux Jeudis depuis le 17 juillet 1986. Elle travaille du lundi au vendredi de 11 h à 14 h et de 16 h à 20 h ; les jeudis et vendredis, elle travaille jusqu'à 21 h. Durant les mois de novembre et décembre, son employeur la fait travailler les samedis et dimanches, de 16 h à 23 h, pendant quatre fins de semaine, en raison des réceptions d'avant Noël. Son employeur ne lui a pas payé ses heures supplémentaires, ni les jours fériés auxquels elle avait droit, prétextant qu'il la paierait plus tard.

   De plus, elle désire prendre ses vacances bientôt et elle vous informe qu'elle est enceinte de quatre mois et qu'elle voudrait en profiter pour demander un congé de maternité.

   a) Calculez le salaire auquel elle aurait droit pour ces quatre semaines de novembre et décembre. Justifiez votre réponse.

   b) Elle désire savoir si elle peut bénéficier d'un congé de maternité. Justifiez votre réponse.

   c) Après un tel congé, pourra-t-elle demander un congé parental ? Expliquez-en le fonctionnement.

   d) Expliquez-lui sur quelle base son employeur est censé la payer pour les jours fériés.

4. Dans le cas pratique précédent, indiquez les congés parentaux liés à la grossesse de Caroline et à la naissance de Mathieu, leur enfant, qu'Yves, le conjoint de Caroline, pourra prendre. Expliquez.

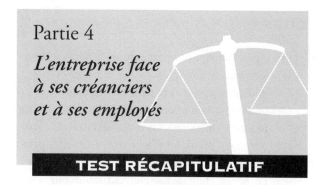

Partie 4
L'entreprise face à ses créanciers et à ses employés

TEST RÉCAPITULATIF

Le but de cet examen est de vous permettre de procéder à une récapitulation des connaissances et compétences acquises dans les chapitres constituant la Partie 4 du présent volume intitulée : L'entreprise face à ses créanciers et à ses employés.

VOCABULAIRE

Compléter les phrases suivantes.

1. L'huissier saisissant doit laisser au débiteur des meubles meublants ou autres objets d'utilité courante jusqu'à concurrence d'une valeur de ___ établie par l'officier saisissant.

2. Un travailleur qui a de bonnes raisons de croire que le travail à exécuter est dangereux pour sa santé, sa sécurité ou son intégrité physique ou celle d'une autre personne peut exercer le droit de ___ ou, dans le cas d'exposition à un contaminant, le droit de ___ .

3. Le chèque dont le but est d'assurer et de garantir le créancier du paiement par le tiré de la somme d'argent due porte le nom de ___ .

4. Lorsqu'il paie, le débiteur de plusieurs dettes a le droit d'indiquer quelle dette il entend acquitter. C'est ce qu'on appelle l' ___ .

5. C'est le ___ qui a pour travail de surveiller l'administration de toutes les faillites survenant au Canada.

VRAI OU FAUX
Indiquez si les affirmations suivantes sont vraies ou fausses. Si l'affirmation est fausse, précisez pourquoi.

1. Un employeur peut congédier des employés qui font une grève illégale.

2. Les caisses populaires peuvent consentir une garantie en vertu de l'article 427 de la *Loi sur les banques*.

3. Une banque qui veut forcer les débiteurs à la payer directement à la suite d'une hypothèque mobilière sans dépossession sur des créances doit publier un avis indiquant qu'elle exerce sa garantie.

4. Les employés du failli sont considérés comme des créanciers garantis.

5. Le locateur dispose d'une hypothèque légale sur les biens de son locataire pour le loyer impayé.

CHOIX MULTIPLES

1. La salariée enceinte a droit à un congé de maternité non rénuméré d'une durée maximale de ___ continues.
   a) 3 semaines
   b) 15 semaines
   c) 18 semaines
   d) 34 semaines

2. Un paiement effectué par le failli à l'un de ses créanciers dans les trois mois précédant sa faillite, en dehors du cours normal de ses affaires, s'appelle :
   a) un paiement partiel.
   b) un paiement préférentiel.
   c) un paiement contractuel.
   d) un paiement par anticipation.

3. Les créances de l'État pour les sommes dues en vertu des lois fiscales donnent lieu à :
   a) une hypothèque légale.
   b) un nantissement.
   c) un arbitrage.
   d) un cautionnement.

4. Un établissement financier qui accorde une marge de crédit garantie par une hypothèque mobilière sur ses créances (ancienne cession de créances) prête généralement l'équivalent de ___ de la valeur des comptes clients cédés.
   a) 25 %
   b) 50 %
   c) 40 %
   d) 60 %

5. Outre leur action personnelle, les créanciers hypothécaires peuvent, en cas de défaut du débiteur, exercer les droits hypothécaires suivants : prendre possession du bien grevé pour l'administrer, le faire vendre sous contrôle de justice, le vendre eux-mêmes ou :
   a) exercer la clause de dation en paiement.
   b) prendre le bien en paiement de leur créance.
   c) faire émettre un bref de saisie-exécution.
   d) aucune des réponses précédentes.

CAS PRATIQUE

Bernard vient d'hériter de 225 000 $ de son père. Son rêve a toujours été de posséder un restaurant gastronomique. Il a trouvé un local sur le boulevard Tachereau, à Brossard où se trouvait un restaurant qui a dû fermer ses portes. Il a pu acquérir l'immeuble pour la somme de 225 000 $, et le mobilier et les équipements pour 25 000 $.

Il compte faire des rénovations d'environ 50 000 $ à l'immeuble et acheter de nouveaux équipements, caisses enregistreuses et ordinateurs d'une valeur de 75 000 $.

- Il est déjà propriétaire d'une maison évaluée à 150 000 $ avec un solde d'hypothèque de 50 000 $.
- Il dispose d'économies personnelles d'environ 75 000 $.
- Il aura besoin d'un fonds de roulement d'environ 100 000 $.
- Comme il compte offrir des services de traiteurs et de réception, il devra aussi acheter une camionnette avec réchauds et réfrigérateurs au coût de 45 000 $.
- Il a déjà en mains des contrats pour des banquets et réceptions totalisant 150 000 $.

   a) Indiquez-lui certaines techniques de financement qui s'offrent à lui.
   b) Indiquez, pour chacune de ces techniques de financement, quels types de garantie les établissements financiers exigeront de lui.

Après six mois d'exploitation, Bernard vient vous consulter :

- Il vous explique que son chef cuisinier Alberto vient de se blesser gravement et a dû être amputé de trois doigts de la main droite, à la suite d'un accident du travail. Alberto menace de le poursuivre pour un million de dollars.
- Lucie, l'assistante d'Alberto, est enceinte de quatre mois et elle désire prendre un congé d'un an à compter de son cinquième mois de grossesse.
- Denis, son maître d'hôtel, l'a informé qu'il le quittait et exige deux semaines de vacances, car il n'a pris aucunes vacances depuis l'ouverture du restaurant.

   c) Est-ce que la poursuite du chef Alberto est bien fondée ? Expliquez.
   d) Expliquez-lui le congé de maternité auquel Lucie, l'assistante d'Alberto, a droit.
   e) Denis a-t-il réellement droit à deux semaines de vacances ? Dans la négative, précisez la durée des vacances auxquelles il a droit.

Après 13 mois d'exploitation, Bernard revient vous voir ; il est désespéré. Il prétend que le restaurant ne fonctionne pas bien. Au cours des neuf derniers mois, il a perdu plus de 125 000 $ qu'il a dû injecter dans le commerce parce que les recettes étaient insuffisantes pour couvrir les obligations du commerce. Il doit retarder le paiement de ses fournisseurs et de ses créanciers. Il vient de recevoir trois actions par ses fournisseurs totalisant 75 000 $ et une mise en demeure du directeur de sa banque l'avisant de l'intention de cette dernière d'exercer ses garanties.

   f) À partir des garanties mentionnées en réponse aux questions a et b ci-contre, expliquez quels types d'avis la banque a fait parvenir à Bernard et quels sont les délais d'exercice des recours de la banque.
   g) Que devra faire Bernard s'il désire faire faillite ? Expliquez les étapes menant à sa faillite volontaire.

ANNEXE 1

CHARTE CANADIENNE DES DROITS ET LIBERTÉS DE LA PERSONNE

Attendu que le Canada est fondé sur des principes qui reconnaissent la suprématie de Dieu et la primauté du droit :

Garantie des droits et libertés

1. La *Charte canadienne des droits et libertés* garantit les droits et libertés qui y sont énoncés. Ils ne peuvent être restreints que par une règle de droit, dans des limites qui soient raisonnables et dont la justification puisse se démontrer dans le cadre d'une société libre et démocratique.

Libertés fondamentales

2. Chacun a les libertés fondamentales suivantes : a) liberté de conscience et de religion ; b) liberté de pensée, de croyance, d'opinion et d'expression, y compris la liberté de la presse et des autres moyens de communication ; c) liberté de réunion pacifique ; d) liberté d'association.

Droits démocratiques

3. Tout citoyen canadien a le droit de vote et est éligible aux élections législatives fédérales ou provinciales.

4. (1) Le mandat maximal de la Chambre des communes et des assemblées législatives est de cinq ans à compter de la date fixée pour le retour des brefs relatifs aux élections générales correspondantes.

   (2) Le mandat de la Chambre des communes ou celui d'une assemblée législative peut être prolongé respectivement par le Parlement ou par la législature en question au-delà de cinq ans en cas de guerre, d'invasion ou d'insurrection, réelles ou appréhendées, pourvu que cette prolongation ne fasse pas l'objet d'une opposition exprimée par les voix de plus du tiers des députés de la Chambre des communes ou de l'Assemblée législative.

5. Le Parlement et les législatures tiennent une séance au moins une fois tous les douze mois.

Liberté de circulation et d'établissement

6. (1) Tout citoyen canadien a le droit de demeurer au Canada, d'y entrer ou d'en sortir.

   (2) Tout citoyen canadien et toute personne ayant le statut de résident permanent au Canada ont le droit : a) de se déplacer dans tout le pays et d'établir leur résidence dans toute province ; b) de gagner leur vie dans toute province.

   (3) Les droits mentionnés au paragraphe (2) sont subordonnés : a) aux lois et usages d'application générale en vigueur dans une province donnée, s'ils n'établissent entre les personnes aucune distinction fondée principalement sur la province de résidence antérieure ou actuelle ; b) aux lois prévoyant de justes conditions de résidence en vue de l'obtention des services sociaux publics.

   (4) Les paragraphes (2) et (3) n'ont pas pour objet d'interdire les lois, programmes ou activités destinés à améliorer, dans une province, la situation d'individus défavorisés socialement ou économiquement, si le taux d'emploi dans la province est inférieur à la moyenne nationale.

Garanties juridiques

7. Chacun a droit à la vie, à la liberté et à la sécurité de sa personne ; il ne peut être porté atteinte à ce droit qu'en conformité avec les principes de justice fondamentale.

8. Chacun a droit à la protection contre les fouilles, les perquisitions ou les saisies abusives.

9. Chacun a droit à la protection contre la détention ou l'emprisonnement arbitraires.

10. Chacun a le droit, en cas d'arrestation ou de détention : a) d'être informé dans les plus brefs délais des motifs de son arrestation ou de sa détention ; b) d'avoir recours sans délai à l'assistance d'un avocat et d'être informé de ce droit ; c) de faire contrôler, par *habeas corpus*, la légalité de sa détention et d'obtenir, le cas échéant, sa libération.

11. Tout inculpé a le droit : a) d'être informé sans délai anormal de l'infraction précise qu'on lui reproche ; b) d'être jugé dans un délai raisonnable ; c) de ne pas être contraint de témoigner contre lui-même dans toute poursuite intentée contre lui pour l'infraction qu'on lui reproche ; d) d'être présumé innocent tant qu'il n'est déclaré coupable, conformément à la loi, par un tribunal indépendant et impartial à l'issue d'un procès public et équitable ; e) de ne pas être privé sans juste cause d'une mise en liberté assortie d'un cautionnement raisonnable ; f) sauf s'il s'agit d'une infraction relevant de la justice militaire, de bénéficier d'un procès avec jury lorsque la peine maximale prévue pour l'infraction dont il est accusé est un emprisonnement de cinq ans ou une peine plus grave ; g) de ne pas être déclaré coupable en raison d'une action ou d'une omission qui, au moment où elle est survenue, ne constituait pas une infraction d'après le droit interne du Canada ou le droit international et n'avait pas de caractère criminel d'après les principes généraux de droit reconnus par l'ensemble des nations ; h) d'une part de ne pas être jugé de nouveau pour une infraction dont il a été définitivement déclaré coupable et puni ; i) de bénéficier de la peine la moins sévère, lorsque la peine qui sanctionne l'infraction dont il est déclaré coupable est modifiée entre le moment de la perpétration de l'infraction et celui de la sentence.

12. Chacun a droit à la protection contre tous traitements ou peines cruels et inusités.

13. Chacun a droit à ce qu'aucun témoignage incriminant qu'il donne ne soit utilisé pour l'incriminer dans d'autres procédures, sauf lors de poursuites pour parjure ou pour témoignages contradictoires.

14. La partie ou le témoin qui ne peuvent suivre les procédures, soit parce qu'ils ne comprennent pas ou ne parlent pas la langue employée, soit parce qu'ils sont atteints de surdité, ont droit à l'assistance d'un interprète.

Droits à l'égalité

15. (1) La loi ne fait acception de personne et s'applique également à tous, et tous ont droit à la même protection et au même bénéfice de la loi, indépendamment de toute discrimination, notamment des discriminations fondées sur la race, l'origine nationale ou ethnique, la couleur, la religion, le sexe, l'âge ou les déficiences mentales ou physiques. (2) Le paragraphe (1) n'a pas pour effet d'interdire les lois, programmes ou activités destinés à améliorer la situation d'individus ou de groupes défavorisés, notamment du fait de leur race, de leur origine nationale ou ethnique, de leur couleur, de leur religion, de leur sexe, de leur âge ou de leurs déficiences mentales ou physiques.

Langues officielles du Canada

16. (1) Le français et l'anglais sont les langues officielles du Canada ; ils ont un statut et des droits et privilèges égaux quant à leur usage dans les institutions du Parlement et du gouvernement du Canada. (2) Le français et l'anglais sont les langues officielles du Nouveau-Brunswick ; ils ont un statut et des droits et privilèges égaux quant à leur usage dans les institutions de la Législature et du gouvernement du Nouveau-Brunswick. (3) La présente charte ne limite pas le pouvoir du Parlement et des législatures de favoriser la progression vers l'égalité de statut ou d'usage du français et de l'anglais.

17. (1) Chacun a le droit d'employer le français ou l'anglais dans les débats et travaux du Parlement. (2) Chacun a le droit d'employer le français ou l'anglais dans les débats et travaux de la Législature du Nouveau-Brunswick.

18. (1) Les lois, les archives, les comptes rendus et les procès-verbaux du Parlement sont imprimés et publiés en français et en anglais, les deux versions des lois ayant également force de loi et celles des autres documents ayant même valeur. (2) Les lois, les archives, les comptes rendus et les procès-verbaux de la Législature du Nouveau-Brunswick sont imprimés et publiés en français et en anglais, les deux versions des lois ayant également force de loi et celles des autres documents ayant même valeur.

19. (1) Chacun a le droit d'employer le français ou l'anglais dans toutes les affaires dont sont saisis les tribunaux établis par le Parlement et dans tous les actes de procédure qui en découlent. (2) Chacun a le droit d'employer le français ou l'anglais dans toutes les affaires dont sont saisis les tribunaux du Nouveau-Brunswick et dans tous les actes de procédure qui en découlent.

20. (1) Le public a, au Canada, droit à l'emploi du français ou de l'anglais pour communiquer avec le siège ou l'administration centrale des institutions du Parlement ou du gouvernement du Canada, ou pour en recevoir les services ; il a le même droit à l'égard de tout autre bureau de ces institutions là ou, selon le cas : a) l'emploi du français ou de l'anglais fait l'objet d'une demande importante ; b) l'emploi du français et de l'anglais se justifie par la vocation du bureau. (2) Le public a, au Nouveau-Brunswick, droit à l'emploi du français ou de l'anglais pour communiquer avec tout bureau des institutions de la législature ou du gouvernement ou pour en recevoir les services.

21. Les articles 16 à 20 n'ont pas pour effet, en ce qui a trait à la langue française ou anglaise ou à ces deux langues, de porter atteinte aux droits, privilèges ou obligations qui existent ou sont maintenus aux termes d'une autre disposition de la Constitution du Canada.

22. Les articles 16 à 20 n'ont pas pour effet de porter atteinte aux droits et privilèges, antérieurs ou postérieurs à l'entrée en vigueur de la présente charte et découlant de la loi ou de la coutume, des langues autres que le français ou l'anglais.

Droits à l'instruction dans la langue de la minorité

23. (1) Les citoyens canadiens : a) dont la première langue apprise et encore comprise est celle de la minorité francophone ou anglophone de la province où ils résident, b) qui ont reçu leur instruction, au niveau primaire, en français ou en anglais au Canada et qui résident dans une province où la langue dans laquelle ils ont reçu cette instruction est celle de la minorité francophone ou anglophone de la province, ont, dans l'un ou l'autre cas, le droit d'y faire instruire leurs enfants, aux niveaux primaire et secondaire, dans cette langue. (2) Les citoyens canadiens dont un enfant a reçu ou reçoit son instruction, au niveau primaire ou secondaire, en français ou en anglais au Canada ont le droit de faire instruire tous leurs enfants, aux niveaux primaire et secondaire, dans la langue de cette instruction. (3) Le droit reconnu aux citoyens canadiens par les paragraphes (1) et (2) de faire instruire leurs enfants, aux niveaux primaire et secondaire, dans la langue de la minorité francophone ou anglophone d'une province : a) s'exerce partout dans la province où le nombre des enfants des citoyens qui ont ce droit est suffisant pour justifier à leur endroit la prestation, sur les fonds publics, de l'instruction dans la langue de la minorité ; b) comprend, lorsque le nombre de ces enfants le justifie, le droit de les faire instruire dans des établissements d'enseignement de la minorité linguistique financés sur les fonds publics.

Recours

24. (1) Toute personne, victime de violation ou de négation des droits ou libertés qui lui sont garantis par la présente charte, peut s'adresser à un tribunal compétent pour obtenir la réparation que le tribunal estime convenable

et juste eu égard aux circonstances. (2) Lorsque, dans une instance visée au paragraphe (1), le tribunal a conclu que des éléments de preuve ont été obtenus dans des conditions qui portent atteinte aux droits ou libertés garantis par la présente charte, ces éléments de preuve sont écartés s'il est établi, eu égard aux circonstances, que leur utilisation est susceptible de déconsidérer l'administration de la justice.

Dispositions générales

25. Le fait que la présente charte garantit certains droits et libertés ne porte pas atteinte aux droits ou libertés – ancestraux, issus de traités ou autres – des peuples autochtones du Canada, notamment : a) aux droits ou libertés reconnus par la Proclamation royale du 7 octobre 1763 ; b) aux droits ou libertés acquis par règlement de revendications territoriales.

26. Le fait que la présente charte garantit certains droits et libertés ne constitue pas une négation des autres droits ou libertés qui existent au Canada.

27. Toute interprétation de la présente charte doit concorder avec l'objectif de promouvoir le maintien et la valorisation du patrimoine multiculturel des Canadiens.

28. Indépendamment des autres dispositions de la présente charte, les droits et libertés qui y sont mentionnés sont garantis également aux personnes des deux sexes.

29. Les dispositions de la présente charte ne portent pas atteinte aux droits ou privilèges garantis en vertu de la Constitution du Canada concernant les écoles séparées et autres écoles confessionnelles.

30. Dans la présente charte, les dispositions qui visent les provinces, leur législature ou leur assemblée législative visent également le territoire du Yukon, les territoires du Nord-Ouest ou leurs autorités législatives compétentes.

31. La présente charte n'élargit pas les compétences législatives de quelque organisme ou autorité que ce soit.

Application de la charte

32. (1) La présente charte s'applique : a) au Parlement et au gouvernement du Canada, pour tous les domaines relevant du Parlement, y compris ceux qui concernent le territoire du Yukon et les territoires du Nord-Ouest ; b) à la législature et au gouvernement de chaque province, pour tous les domaines relevant de cette législature. (2) Par dérogation au paragraphe (1), l'article 15 n'a d'effet que trois ans après l'entrée en vigueur du présent article.

33. (1) Le Parlement ou la législature d'une province peut adopter une loi où il est expressément déclaré que celle-ci ou une de ses dispositions a effet indépendamment d'une disposition donnée de l'article 2 ou des articles 7 à 15 de la présente charte. (2) La loi ou la disposition qui fait l'objet d'une déclaration conforme au présent article et en vigueur a l'effet qu'elle aurait sauf la disposition en cause de la charte. (3) La déclaration visée au paragraphe (1) cesse d'avoir effet à la date qui y est précisée ou, au plus tard, cinq ans après son entrée en vigueur. (4) Le Parlement ou une législature peut adopter de nouveau une déclaration visée au paragraphe (1). (5) Le paragraphe (3) s'applique à toute déclaration adoptée sous le régime du paragraphe (4).

Titre

34. Titre de la présente partie : *Charte canadienne des droits et libertés.*

« Nous devons maintenant établir les principes de base, les valeurs et les croyances fondamentales qui nous unissent en tant que Canadiens, de sorte que par-delà nos loyautés régionales, nous partagions un style de vie et un système de valeurs qui nous rendent fiers de ce pays qui nous donne tant de liberté et une joie aussi immense. »
P.E. Trudeau, 1981.

CHARTE QUÉBÉCOISE DES DROITS ET LIBERTÉS DE LA PERSONNE

Considérant que tout être humain possède des droits et libertés intrinsèques, destinés à assurer sa protection et son épanouissement ;

Considérant que tous les êtres humains sont égaux en valeur et en dignité et ont droit à une égale protection de la loi ;

Considérant que le respect de la dignité de l'être humain et la reconnaissance des droits et libertés dont il est titulaire constituent le fondement de la justice et de la paix ;

Considérant que les droits et libertés de la personne humaine sont inséparables des droits et libertés d'autrui et du bien-être général ;

Considérant qu'il y a lieu d'affirmer solennellement dans une Charte les libertés et droits fondamentaux de la personne afin que ceux-ci soient garantis par la volonté collective et mieux protégés contre toute violation ;

À ces causes, Sa Majesté, de l'avis et du consentement de l'Assemblée nationale du Québec, décrète ce qui suit :

Libertés et droits fondamentaux

1. Tout être humain a droit à la vie, ainsi qu'à la sûreté, à l'intégrité et à la liberté de sa personne. Il possède également la personnalité juridique.

2. Tout être humain dont la vie est en péril a droit au secours. Toute personne doit porter secours à celui dont la vie est en péril, personnellement ou en obtenant du secours, en lui apportant l'aide physique nécessaire et immédiate, à moins d'un risque pour elle ou pour les tiers ou d'un autre motif raisonnable.

3. Toute personne est titulaire des libertés fondamentales telles la liberté de conscience, la liberté de religion, la liberté d'opinion, la liberté d'expression, la liberté de réunion pacifique et la liberté d'association.

4. Toute personne a droit à la sauvegarde de sa dignité, de son honneur et de sa réputation.

5. Toute personne a droit au respect de sa vie privée.

6. Toute personne a droit à la jouissance paisible et à la libre disposition de ses biens, sauf dans la mesure prévue par la loi.

7. La demeure est inviolable.

8. Nul ne peut pénétrer chez autrui ni y prendre quoi que ce soit sans son consentement exprès ou tacite.

9. Chacun a droit au respect du secret professionnel. Toute personne tenue par la loi au secret professionnel et tout prêtre ou autre ministre du culte ne peuvent, même en justice, divulguer les renseignements confidentiels qui leur ont été révélés en raison de leur état ou profession, à moins qu'ils n'y soient autorisés par celui qui leur a fait ces confidences ou par une disposition expresse de la loi. Le tribunal doit, d'office, assurer le respect du secret professionnel.

9.1 Les libertés et droits fondamentaux s'exercent dans le respect des valeurs démocratiques, de l'ordre public et du bien-être général des citoyens du Québec. La loi peut, à cet égard, en fixer la portée et en aménager l'exercice.

Droit à l'égalité

10. Toute personne a droit à la reconnaissance et à l'exercice, en pleine égalité, des droits et libertés de la personne, sans distinction, exclusion ou préférence fondée sur la race, la couleur, le sexe, la grossesse, l'orientation sexuelle, l'état civil, l'âge sauf dans la mesure prévue par la loi, la religion, les convictions politiques, la langue, l'origine ethnique ou nationale, la condition sociale, le handicap ou l'utilisation d'un moyen pour pallier à ce handicap. Il y a discrimination lorsqu'une telle distinction, exclusion ou préférence a pour effet de détruire ou de compromettre ce droit.

10.1 Nul ne doit harceler une personne en raison de l'un des motifs visés dans l'article 10.

11. Nul ne peut diffuser, publier ou exposer en public un avis, un symbole ou un signe comportant discrimination ni donner une autorisation à cet effet.

12. Nul ne peut, par discrimination, refuser de conclure un acte juridique ayant pour objet des biens ou des services ordinairement offerts au public.

13. Nul ne peut, dans un acte juridique, stipuler une clause comportant discrimination. Une telle clause est réputée sans effet.

14. L'interdiction visée dans les articles 12 et 13 ne s'applique pas au locateur d'une chambre située dans un local d'habitation, si le locateur ou sa famille réside dans le local, ne loue qu'une seule chambre et n'annonce pas celle-ci, en vue de la louer, par avis ou par tout autre moyen public de sollicitation.

15. Nul ne peut, par discrimination, empêcher autrui d'avoir accès aux moyens de transport ou aux lieux publics, tels les établissements commerciaux, hôtels, restaurants, théâtres, cinémas, parcs, terrains de camping et de caravaning, et d'y obtenir les biens et les services qui y sont disponibles.

16. Nul ne peut exercer de discrimination dans l'embauche, l'apprentissage, la durée de la période de probation, la formation professionnelle, la promotion, la mutation, le déplacement, la mise à pied, la suspension, le renvoi ou les conditions de travail d'une personne ainsi que dans l'établissement de catégories ou de classifications d'emploi.

17. Nul ne peut exercer de discrimination dans l'admission, la jouissance d'avantages, la suspension ou l'expulsion d'une personne d'une association d'employeurs ou de salariés ou de toute corporation professionnelle ou association de personnes exerçant une même occupation.

18. Un bureau de placement ne peut exercer de discrimination dans la réception, la classification ou le traitement d'une demande d'emploi ou dans un acte visant à soumettre une demande à un employeur éventuel.

18.1 Nul ne peut, dans un formulaire de demande d'emploi ou lors d'une entrevue relative à un emploi, requérir d'une personne des renseignements sur les motifs visés dans l'article 10 sauf si ces renseignements sont utiles à l'application de l'article 20 ou à l'application d'un programme d'accès à l'égalité existant au moment de la demande.

18.2 Nul ne peut congédier, refuser d'embaucher ou autrement pénaliser dans le cadre de son emploi une personne du seul fait qu'elle a été reconnue coupable ou s'est avouée coupable d'une infraction pénale ou criminelle, si cette infraction n'a aucun lien avec l'emploi ou si cette personne en a obtenu le pardon.

19. Tout employeur doit, sans discrimination, accorder un traitement ou un salaire égal aux membres de son personnel qui accomplissent un travail équivalent au même endroit. Il n'y a pas de discrimination si une différence de traitement ou de salaire est fondée sur l'expérience, l'ancienneté, la durée du service, l'évaluation au mérite, la quantité de production ou le temps supplémentaire, si ces critères sont communs à tous les membres du personnel.

20. Une distinction, exclusion ou préférence fondée sur les aptitudes ou qualités requises par un emploi, ou justifiée par le caractère charitable, philanthropique, religieux, politique ou éducatif d'une institution sans but lucratif ou qui est vouée exclusivement au bien-être d'un groupe ethnique est réputée non discriminatoire. De même, dans les contrats d'assurance ou de rente, les régimes d'avantages sociaux, de retraite, de rente ou d'assurance ou dans les régimes universels de rente ou d'assurance, est réputée non discriminatoire une distinction, exclusion ou préférence fondée sur

des facteurs de détermination de risque ou des données actuarielles fixés par règlement.

Droits politiques

21. Toute personne a droit d'adresser des pétitions à l'Assemblée nationale pour le redressement de griefs.

22. Toute personne légalement habilitée et qualifiée a droit de se porter candidat lors d'une élection et a droit d'y voter.

Droits judiciaires

23. Toute personne a droit, en pleine égalité, à une audition publique et impartiale de sa cause par un tribunal indépendant et qui ne soit pas préjugé, qu'il s'agisse de la détermination de ses droits et obligations ou du bien-fondé de toute accusation portée contre elle. Le tribunal peut toutefois ordonner le huis clos dans l'intérêt de la morale ou de l'ordre public. En outre, lorsqu'elles concernent des procédures en matière familiale, les audiences en première instance se tiennent à huis clos, à moins que le tribunal, à la demande d'une personne et s'il l'estime utile dans l'intérêt de la justice, n'en décide autrement.

24. Nul ne peut être privé de sa liberté ou de ses droits, sauf pour les motifs prévus par la loi et suivant la procédure prescrite.

24.1 Nul ne peut faire l'objet de saisies, perquisitions ou fouilles abusives.

25. Toute personne arrêtée ou détenue doit être traitée avec humanité et avec le respect dû à la personne humaine.

26. Toute personne détenue dans un établissement de détention a droit d'être soumise à un régime distinct approprié à son sexe, son âge et sa condition physique ou mentale.

27. Toute personne détenue dans un établissement de détention en attendant l'issue de son procès a droit d'être séparée, jusqu'au jugement final, des prisonniers qui purgent une peine.

28. Toute personne arrêtée ou détenue a droit d'être promptement informée, dans une langue qu'elle comprend, des motifs de son arrestation ou de sa détention.

28.1 Tout accusé a le droit d'être promptement informé de l'infraction particulière qu'on lui reproche.

29. Toute personne arrêtée ou détenue a droit, sans délai, d'en prévenir ses proches et de recourir à l'assistance d'un avocat. Elle doit être promptement informée de ces droits.

30. Toute personne arrêtée ou détenue doit être promptement conduite devant le tribunal compétent ou relâchée.

31. Nulle personne arrêtée ou détenue ne peut être privée, sans juste cause, du droit de recouvrer sa liberté sur engagement, avec ou sans dépôt ou caution, de comparaître devant le tribunal dans le délai fixé.

32. Toute personne privée de sa liberté a droit de recourir à l'*habeas corpus*.

32.1 Tout accusé a le droit d'être jugé dans un délai raisonnable.

33. Tout accusé est présumé innocent jusqu'à ce que la preuve de sa culpabilité ait été établie suivant la loi.

33.1 Nul accusé ne peut être contraint de témoigner contre lui-même lors de son procès.

34. Toute personne a droit de se faire représenter par un avocat ou d'en être assistée devant tout tribunal.

35. Tout accusé a droit à une défense pleine et entière et a le droit d'interroger et de contre-interroger les témoins.

36. Tout accusé a le droit d'être assisté gratuitement d'un interprète s'il ne comprend pas la langue employée à l'audience ou s'il est atteint de surdité.

37. Nul accusé ne peut être condamné pour une action ou une omission qui, au moment où elle a été commise, ne constituait pas une violation de la loi.

37.1 Une personne ne peut être jugée de nouveau pour une infraction dont elle a été acquittée ou dont elle a été déclarée coupable en vertu d'un jugement passé en force de chose jugée.

37.2 Un accusé a droit à la peine la moins sévère lorsque la peine prévue pour l'infraction a été modifiée entre la perpétration de l'infraction et le prononcé de la sentence.

38. Aucun témoignage devant un tribunal ne peut servir à incriminer son auteur, sauf le cas de poursuite pour parjure ou pour témoignages contradictoires.

Droits économiques et sociaux

39. Tout enfant a droit à la protection, à la sécurité et à l'attention que ses parents ou les personnes qui en tiennent lieu peuvent lui donner.

40. Toute personne a droit, dans la mesure et suivant les normes prévues par la loi, à l'instruction publique gratuite.

41. Les parents ou les personnes qui en tiennent lieu ont le droit d'exiger que, dans les établissements d'enseignement publics, leurs enfants reçoivent un enseignement religieux ou moral conforme à leurs convictions, dans le cadre des programmes prévus par la loi.

42. Les parents ou les personnes qui en tiennent lieu ont le droit de choisir pour leurs enfants des établissements d'enseignement privés, pourvu que ces établissements se conforment aux normes prescrites ou approuvées en vertu de la loi.

43. Les personnes appartenant à des minorités ethniques ont le droit de maintenir et de faire progresser leur propre vie culturelle avec les autres membres de leur groupe.

44. Toute personne a droit à l'information, dans la mesure prévue par la loi.

45. Toute personne dans le besoin a droit, pour elle et sa famille, à des mesures d'assistance financière et à des mesures sociales, prévues par la loi, susceptibles de lui assurer un niveau de vie décent.

46. Toute personne qui travaille a droit, conformément à la loi, à des conditions de travail justes et raisonnables qui respectent sa santé, sa sécurité et son intégrité physique.

47. Les époux ont, dans le mariage, les mêmes droits, obligations et responsabilités. Ils assurent ensemble la direction morale et matérielle de la famille et l'éducation de leurs enfants communs.

48. Toute personne âgée ou toute personne handicapée a droit d'être protégée contre toute forme d'exploitation. Toute personne a aussi droit à la protection et à la sécurité que doivent lui apporter sa famille ou les personnes qui en tiennent lieu.

Dispositions spéciales et interprétatives

49. Une atteinte illicite à un droit ou à une liberté reconnu par la présente Charte confère à la victime le droit d'obtenir la cessation de cette atteinte et la réparation du préjudice moral ou matériel qui en résulte.

En cas d'atteinte illicite et intentionnelle, le tribunal peut en outre condamner son auteur à des dommages exemplaires.

50. La Charte doit être interprétée de manière à ne pas supprimer ou restreindre la jouissance ou l'exercice d'un droit ou d'une liberté de la personne qui n'y est pas inscrit.

51. La Charte ne doit pas être interprétée de manière à augmenter, restreindre ou modifier la portée d'une disposition de la loi, sauf dans la mesure prévue dans l'article 52.

52. Aucune disposition d'une loi, même postérieure à la Charte, ne peut déroger aux articles 1 à 38, sauf dans la mesure prévue par ces articles, à moins que cette loi n'énonce expressément que cette disposition s'applique malgré la Charte.

53. Si un doute surgit dans l'interprétation d'une disposition de la loi, il est tranché dans le sens indiqué par la Charte.

54. La Charte lie la Couronne.

55. La Charte vise les matières qui sont de la compétence législative du Québec.

Les programmes d'accès à l'égalité

86.1 Un programme d'accès à l'égalité a pour objet de corriger la situation de personnes faisant partie de groupes victimes de discrimination dans l'emploi, ainsi que dans les secteurs de l'éducation ou de la santé et dans tout autre service ordinairement offert au public. Un tel programme est réputé non discriminatoire s'il est établi conformément à la Charte.

86.2 Tout programme d'accès à l'égalité doit être approuvé par la Commission à moins qu'il ne soit imposé par le tribunal. La Commission, lorsqu'elle est requise, doit prêter son assistance à l'élaboration d'un tel programme.

86.3 La Commission peut, après enquête, si elle constate une situation de discrimination prévue par l'article 86-1, recommander l'implantation, dans un délai qu'elle fixe, d'un programme d'accès à l'égalité.

La Commission peut, lorsque sa recommandation n'a pas été suivie, s'adresser au tribunal et, sur preuve d'une situation visée dans l'article 86-1, obtenir dans le délai fixé par le tribunal l'élaboration et l'implantation d'un programme. Le programme ainsi élaboré est déposé devant le tribunal qui peut, en conformité avec la Charte, y apporter les modifications qu'il juge adéquates.

86.4 La Commission surveille l'application des programmes d'accès à l'égalité. Elle peut effectuer des enquêtes et exiger des rapports.

86.5 Lorsque la Commission constate qu'un programme d'accès à l'égalité n'est pas implanté ou n'est pas observé, elle peut, s'il s'agit d'un programme qu'elle a approuvé, retirer son approbation ou, s'il s'agit d'un programme dont elle a recommandé l'implantation, s'adresser au tribunal conformément au deuxième alinéa de l'article 86-3.

86.6 Un programme visé dans l'article 86-3 peut être modifié, reporté ou annulé si des faits nouveaux le justifient. Lorsque la Commission et la personne requise d'implanter le programme s'entendent, l'accord modifiant, reportant ou annulant le programme d'accès à l'égalité est constaté par écrit.

En cas de désaccord, l'une ou l'autre peut s'adresser au tribunal afin qu'il décide si les faits nouveaux justifient la modification, le report ou l'annulation du programme.

Toute modification doit être établie en conformité avec la Charte.

86.7 Le gouvernement doit exiger de ses ministères et organismes l'implantation de programmes d'accès à l'égalité dans le délai qu'il fixe. Les articles 86-2 à 86-6 ne s'appliquent pas aux programmes visés dans le présent article. Ceux-ci doivent toutefois faire l'objet d'une consultation auprès de la Commission avant d'être implantés.

91. Le ministère de la Justice est chargé de l'application de la présente Charte.

La Commission des droits de la personne du Québec est fiduciaire de la Charte.

ANNEXE 2

EXEMPLE DE CONTRAT DE SOCIÉTÉ EN NOM COLLECTIF

Convention intervenue dans la ville et le district de Montréal, province de Québec, en date du 17 juillet 1995

entre : Sylvie Archambault, professeure, résidant et domiciliée au
795, Chemin du Moulin à Chambly.

et : Monique Parizeau, comptable, résidant et domiciliée au
841, rue de l'Église à Boucherville.

et : Nicolas Archambault, pâtissier, résidant et domicilié au
215, rue Viel à Montréal.

Les parties aux présentes étant désignées collectivement sous le nom « Les Associés ».

Attendu que les parties aux présentes désirent faire des affaires ensemble pour l'exploitation d'une pâtisserie à Montréal ;

Attendu qu'à cette fin les parties aux présentes ont convenu de se constituer en société ;

Attendu que les parties aux présentes désirent protéger leurs intérêts respectifs et croient qu'il est opportun et de leur intérêt mutuel que les modalités de cette société soient déterminées ;

En foi de quoi les parties ont convenu ce qui suit :

Préambule

1. Le préambule formera partie intégrante de la présente convention ;

Dénomination sociale

2. Les parties aux présentes feront des affaires ensemble en société, pour l'exploitation d'une pâtisserie et transigeront comme société dans l'exercice de ces affaires sous le nom et la dénomination sociale suivante : Au Croissant Doré (S.E.N.C.)

Adresse

3. Le bureau principal de la société sera situé au 10340, rue de l'Esplanade à Montréal, province de Québec, H2S 1B7 ;

Durée

4. La durée de la société sera d'une période indéterminée et sera censée avoir commencé le 17 juillet 1995, cette convention prenant effet à cette date rétroactivement quelle que soit la date de signature des présentes ;

Exercice financier

5. La présente société, dûment constituée en vertu des présentes, aura un exercice financier se terminant à la date choisie par ses experts-comptables ou à toute autre date pouvant être déterminée dans le plus grand intérêt de la société et de ses associés ;

Apports

6. Chaque partie aux présentes s'engage à consacrer et à apporter à la société, respectivement sont temps, son attention, son expérience de comptable, de pâtissier et d'administratrice, et ce, dans les limites de ses fonctions et/ou de ses obligations habituelles et s'engage à agir toujours dans les meilleurs intérêts de la société et à remplir ses fonctions dans ladite société avec fidélité, dévouement, loyauté et honnêteté et à se conformer aux décisions qui pourraient être prises par les parties aux présentes ;

Apports supplémentaires

7. En plus de ce qui est mentionné au paragraphe 6 des présentes, Monique Parizeau apporte son immeuble situé au 10340 rue de l'Esplanade à Montréal ainsi que les meubles, fours et ustensiles nécessaires à l'entreprise. Sylvie Archambault apporte en plus dans la société la somme de 45 000 $. Nicolas Archambault apporte en plus dans la société ses connaissances, son expérience de cuisinier et de maître pâtissier, sa clientèle, le tout étant évalué à 30 000 $;

Clause de non-concurrence

8. Particulièrement, il est expressément et spécifiquement entendu entre les parties que chacune des parties aux présentes fournit ses services à la société et s'engage à n'avantager aucune autre firme ou société pour les buts poursuivis par la présente société, et ce directement ou indirectement contre rémunération ou autrement, sans le consentement écrit des autres parties. Les parties s'engagent à ne discuter avec qui que ce soit des entreprises et des clients de la société, à ne pas divulguer les entreprises ni les buts poursuivis par la société et, en particulier, mais sans rien limiter de la généralité de ce qui précède, elles s'engagent également à ne profiter de son avantage au détriment de la société ou des parties à la présente société, des contrats et liens établis avec les clients de la société. Advenant qu'un des associés contrevienne à la présente clause, il devra payer à la société la somme de 1000 $ par jour où durerait une telle contravention et ce, à titre de dommages liquidés ;

Administration et décisions

9. Les parties reconnaissent à la présente convention la nécessité de s'entendre au sujet de l'administration et de la politique de la société et elles conviennent, par les présentes, que toutes décision ayant trait à l'administration et/ou à la politique de la société devra être prise par les associés et ce, dans le cours normal des affaires de la société, et que toute décision, pour être approuvée, devra l'être dans un pourcentage de 75 % de la valeur totale détenue par les associés ;

Avoirs de la société

10. Tous les avoirs de la société serviront les buts poursuivis par ladite société et ils deviendront automatiquement la propriété exclusive de la société à compter de la signature de la présente convention ;

Partage des bénéfices et pertes

11. Tous les bénéfices et toutes les pertes réalisés par la société durant son existence se diviseront de la façon suivante entre les parties aux présentes :

Monique Parizeau	45 % des profits et des pertes
Sylvie Archambault	35 % des profits et des pertes
Nicolas Archambault	25 % des profits et des pertes

Prélèvements

12. Au terme de chaque exercice financier, les profits nets seront divisés selon la présente entente et les pertes seront assumées par les associés pour l'exercice terminé, mais ce, après qu'une réserve aura été constituée selon le consentement de tous les associés et, s'il y a lieu, les associés conviendront ensemble du montant que chacun d'entre eux pourra retirer chaque mois jusqu'à concurrence de ce qui est requis pour l'exploitation de l'entreprise de la société. L'intérêt sur le capital des associés sera calculé selon les taux que la société paie à ses banquiers sur la moyenne mensuelle du capital ;

Perçu en trop

13. Advenant que les associés retirent des montants au cours d'un exercice financier, et si les associés retirent un montant qui excède le montant auquel ils ont droit dans les profits nets de la société pour cet exercice, ils devront rembourser immédiatement l'excédent à la société, et ce, sans demande ou mise en demeure, au terme dudit exercice, et tout solde impayé portera intérêt au taux d'intérêt moyen que la société devra payer à ses banquiers durant la période où ce solde est demeuré impayé ;

Signature de contrats et affaires bancaires

14. À moins que les associés en décident autrement, tout contrat, entente, acte, convention devront, pour lier la société, être signés par trois des associés ; cependant, tout billet, chèque, effet commercial, document bancaire et contrat pourront être signés par seulement l'un des associés et lieront la société si le montant global de la transaction concernant lesdits chèques, billets, effets commerciaux, documents bancaires et contrats n'excède pas 500 $; les documents concernant les emprunts, les avances de fonds et marges de crédit accordés et fait pour et au nom de la société devront, pour lier celle-ci et les autres associés, être signés obligatoirement par les trois associés ;

Achat-vente

15. Advenant le décès de l'un des associés au cours de la durée de la présente convention et en considération des présentes et des engagements mutuels des associés, les associés s'engagent et promettent pour eux-mêmes, leurs héritiers ou ayants droit que les associés survivants devront et s'obligeront à acheter selon leur pourcentage respectif dans la société l'intérêt de l'associé mourant dans ladite société au prix à être déterminé par les experts-comptables de la société selon les principes comptables reconnus.

 Il est convenu que les héritiers et représentants légaux de l'associé décédé devront signer, sur demande, toutes les formules de cession et autres documents requis pour donner plein effet à cette disposition, et que tous et chacun des associés survivants auront l'autorisation de signer tous les documents requis pour et au nom de la société afin de donner plein effet à cette disposition ;

16. En considération du paragraphe plus haut mentionné, les associés survivants s'engagent à acheter, et les exécuteurs testamentaires de l'associé décédé seront obligés de vendre, la part sociale de cet associé décédé à un prix équivalent à celui mentionné à la clause 15 ci-dessus ;

Paiement et assurance-vie

17. Le paiement de cette part sociale se fera par versements égaux et consécutifs, et échelonnés; sur une période de deux ans.

 Pour pourvoir au paiement de la part de tout associé décédé, les associés prennent sur leur vie respective des polices d'assurance-vie d'une valeur de 300 000 $ chacune, et advenant qu'une assurance-vie ait été prise sur la vie de l'un des associés et que ce dernier décède, le produit devra en être imputé sur réception du paiement du prix d'achat de sa part, jusqu'à concurrence de tel prix, le solde, le cas échéant, devant être acquitté par versements tels que prévus ci-dessus ;

Retrait d'un associé de son vivant

18. Tout associé pourra être expulsé par la décision des trois quarts en valeurs des associés de la société, qui devront lui donner un préavis de trois mois et lui rembourser sa part dans un délai de deux ans en capital et intérêts ;

19. Advenant qu'un associé désire se retirer de la société, il devra donner un préavis écrit de quatre mois à ses coassociés et leur offrir de leur vendre sa part au prix déterminé à cette époque par les experts-comptables de la société avant de pouvoir vendre sa part à quelqu'un d'autre. Ses coassociés auront un délai de quatre mois pour l'aviser par écrit de leur décision ; si aucun d'eux n'est intéressé, l'associé se retirant pourra disposer de sa part à sa guise ;

Arbitrage

20. Toute mésentente entre les associés relativement à l'application ou à l'interprétation de la présente convention devra être soumise à l'arbitrage selon les dispositions du *Code de procédure civile* de la province de Québec et la décision des arbitres sera obligatoire et finale, sans recours aux tribunaux.

En foi de quoi nous avons signé, ce 17ᵉ jour de juillet 1995

_____

Témoin   Monique Parizeau

_____

Témoin   Sylvie Archambault

_____

Témoin   Nicolas Archambault

ANNEXE 3

CAPITAL-ACTIONS

Le capital-actions illimité de la compagnie se compose de trois (3) catégories d'actions qui comportent les droits, privilèges, conditions et restrictions suivants:

A)   ACTIONS DE CATEGORIE ¨A¨: Le nombre des actions de la catégorie ¨A¨ est illimité; ces actions sont sans valeur nominale et comportent les droits, privilèges, conditions et restrictions suivants:

1)   <u>Dividende et participation</u>. Sous réserve des droits et privilèges conférés par les autres catégories d'actions, les actionnaires de la catégorie ¨A¨ ont droit de:

a)   participer aux biens, profits et surplus d'actif de la compagnie et, à cette fin, recevoir tout dividende déclaré par la compagnie; et

b)   partager le reliquat des biens lors de la liquidation de la compagnie.

2)   <u>Droit de vote</u>. Les actionnaires de la catégorie ¨A¨ ont droit de voter à toute assemblée des actionnaires de la compagnie, et chaque action de la catégorie ¨A¨ leur confère un (1) vote, sauf lors d'une assemblée où le droit de vote se limite aux actionnaires d'une autre catégorie.

B)   ACTIONS DE CATEGORIE ¨B¨: Le nombre des actions de la catégorie ¨B¨ est illimité; ces actions sont sans valeur nominale et comportent les droits, privilèges, conditions et restrictions suivants:

1)   <u>Dividende</u>. Lorsque la compagnie déclare un dividende, les actionnaires de la catégorie ¨B¨ ont droit de recevoir, jusqu'à concurrence du dividende déclaré, en priorité sur les actionnaires des catégories ¨A¨ et ¨C¨, à même les fonds applicables au versement de dividendes, un dividende annuel, non cumulatif au taux préférentiel des prêts commerciaux de l'institution financière de la compagnie à la date de la déclaration du dividende moins deux pour cent (2%), par année, sur le montant versé pour ces actions à la subdivision du compte de capital-actions émis et payé qui est afférente aux actions de la catégorie ¨B¨; il incombe aux administrateurs d'en déterminer le moment et les modalités de versement.

Source : *Marque d'Or.*

2) <u>Remboursement</u>. Si, pour tout motif, et notamment au cas de dissolution, de liquidation volontaire ou de liquidation forcée, il y a répartition des biens de la compagnie, les actionnaires de la catégorie "B" ont droit, en priorité sur les actionnaires des catégories "A" et "C", au remboursement du montant versé pour ces actions à la subdivision du compte de capital-actions émis et payé qui est afférente aux actions de la catégorie "B", auquel s'ajoute le montant des dividendes déclarés, mais non versés sur les actions de la catégorie "B".

3) <u>Participation additionnelle</u>. Les actions de la catégorie "B" ne confèrent aucun autre droit de participation aux profits ou aux surplus d'actif de la compagnie.

4) <u>Droit de vote</u>. Sous réserve des dispositions de la LOI SUR LES COMPAGNIES, les actionnaires de la catégorie "B" n'ont pas, à ce seul titre, droit de vote aux assemblées des actionnaires de la compagnie ni droit d'assister à celles-ci ou d'en recevoir l'avis de convocation.

5) <u>Droit de rachat</u>. Sous réserve des dispositions de l'article 123.54 de la LOI SUR LES COMPAGNIES, les actionnaires de la catégorie "B" ont, en tout temps et sur demande écrite, droit d'exiger le rachat par la compagnie de la totalité ou d'une partie de leurs actions, à un prix égal au montant versé pour ces actions à la subdivision du compte de capital-actions émis et payé qui est afférente aux actions de la catégorie "B", auquel s'ajoute, le cas échéant, le montant que verse la compagnie au titre des dividendes déclarés, mais non versés sur ces actions de la catégorie "B". La compagnie procède au rachat dès la réception de la demande de rachat, et dispose, à compter de cette date, d'un délai de trente (30) jours pour verser aux anciens actionnaires de la catégorie "B" le prix du rachat de leurs actions. Si les dispositions de l'article 123.54 de la LOI SUR LES COMPAGNIES ne lui permettent pas de respecter ce délai, la compagnie verse une première partie du prix de rachat à l'intérieur du délai de trente (30) jours, et verse tout solde impayé aussitôt qu'elle peut légalement le faire.

Les actions de la catégorie "B", ainsi rachetées à la demande d'un actionnaire, sont annulées à la date de leur rachat, et la compagnie réduit, conformément aux dispositions de l'article 123.51 de la LOI SUR LES COMPAGNIES, la subdivision de son compte de capital-actions émis et payé qui est afférente aux actions de la catégorie "B".

6) <u>Droit d'achat</u>. Sous réserve des dispositions de l'article 123.56 de la LOI SUR LES COMPAGNIES, la compagnie peut, lorsqu'elle le juge à propos et sans donner avis ni tenir compte des autres catégories d'actions, acheter de gré à gré et au meilleur prix possible, la totalité ou une partie des actions de la catégorie "B" en circulation.

Les actions de la catégorie "B" ainsi achetées sont automatiquement annulées à la date de leur achat, et la compagnie réduit, conformément aux dispositions de l'article 123.51 de la LOI SUR LES COMPAGNIES, la subdivision de son compte de capital-actions émis et payé qui est afférente aux actions de la catégorie "B".

/2

7) <u>Droit de veto</u>. Aucune conversion des actions de la catégorie ¨B¨, et aucune création d'actions de d'autres catégories sur le même rang ou prenant rang antérieurement aux actions de la catégorie ¨B¨ ne pourront être autorisées et les dispositions ci-dessus se rapportant aux actions de la catégorie ¨B¨ ne pourront être modifiées, ni non plus celles se rapportant aux actions de d'autres catégories, de manière à conférer à ces actions des droits ou privilèges égaux ou supérieurs à ceux attachés aux actions de la catégorie ¨B¨, à moins que cette création, conversion ou modification n'ait été approuvée par le vote d'au moins les 3/4 des actions de la catégorie ¨B¨ représentées par leurs détenteurs présents ou représentés à une assemblée spéciale ou générale spéciale convoquée à cette fin, en plus des autres formalités prévues par la LOI SUR LES COMPAGNIES.

C) <u>ACTIONS DE CATEGORIE ¨C¨</u>: Le nombre des actions de la catégorie ¨C¨ est illimité; ces actions sont sans valeur nominale et comportent les droits, privilèges, conditions et restrictions suivants:

1) <u>Dividende</u>. Lorsque la compagnie déclare un dividende, les actionnaires de la catégorie ¨C¨ ont droit de recevoir, jusqu'à concurrence du dividende déclaré, en priorité sur les actionnaires de la catégorie ¨A¨, mais subséquemment aux actionnaires de la catégorie ¨B¨, à même les fonds applicables au versement de dividendes, un dividende annuel, non cumulatif au taux préférentiel des prêts commerciaux de l'institution financière de la compagnie à la date de la déclaration du dividende moins deux pour cent (2%), par année, sur le montant versé pour ces actions à la subdivision du compte de capital-actions émis et payé qui est afférente aux actions de la catégorie ¨C¨; il incombe aux administrateurs d'en déterminer le moment et les modalités de versement.

2) <u>Remboursement</u>. Si, pour tout motif, et notamment au cas de dissolution, de liquidation volontaire ou de liquidation forcée, il y a répartition des biens de la compagnie, les actionnaires de la catégorie ¨C¨ ont droit, en priorité sur les actionnaires de la catégorie ¨A¨, mais subséquemment aux actionnaires de la catégorie ¨B¨, au remboursement du montant versé pour ces actions à la subdivision du compte de capital-actions émis et payé qui est afférente aux actions de la catégorie ¨C¨, auquel s'ajoute le montant des dividendes déclarés, mais non versés sur les actions de la catégorie ¨C¨.

3) <u>Participation additionnelle</u>. Les actions de la catégorie ¨C¨ ne confèrent aucun autre droit de participation aux profits ou aux surplus d'actif de la compagnie.

4) <u>Droit de vote</u>. Sous réserve des dispositions de la LOI SUR LES COMPAGNIES, les actionnaires de la catégorie ¨C¨ n'ont pas, à ce seul titre, droit de vote aux assemblées des actionnaires de la compagnie ni droit d'assister à celles-ci ou d'en recevoir l'avis de convocation.

5) <u>Droit de rachat unilatéral</u>. Sous réserve des dispositions de l'article 123.53 de la

LOI SUR LES COMPAGNIES, la compagnie peut, lorsqu'elle le juge à propos et sur avis écrit de trente (30) jours, racheter unilatéralement les actions de la catégorie "C" à un prix égal au montant versé pour ces actions à la subdivision du compte de capital-actions émis et payé qui est afférente aux actions de la catégorie "C", auquel s'ajoute le montant des dividendes déclarés, mais non versés sur ces actions. Si la compagnie procède à un rachat partiel, celui-ci s'effectue proportionnellement au nombre des actions de la catégorie "C" en circulation, sans tenir compte des fractions d'actions.

Les actions de la catégorie "C" ainsi rachetées sont annulées à la date de leur rachat, et la compagnie réduit, conformément aux dispositions de l'article 123.51 de la LOI SUR LES COMPAGNIES, la subdivision de son compte de capital-actions émis et payé qui est afférente aux actions de la catégorie "C".

6)   <u>Droit d'achat</u>. Sous réserve des dispositions de l'article 123.56 de la LOI SUR LES COMPAGNIES, la compagnie peut, lorsqu'elle le juge à propos et sans donner avis ni tenir compte des autres catégories d'actions, acheter de gré à gré et au meilleur prix possible, la totalité ou une partie des actions de la catégorie "C" en circulation.

Les actions de la catégorie "C" ainsi achetées sont automatiquement annulées à la date de leur achat, et la compagnie réduit, conformément aux dispositions de l'article 123.51 de la LOI SUR LES COMPAGNIES, la subdivision de son compte de capital-actions émis et payé qui est afférente aux actions de la catégorie "C".

7)   <u>Droit de veto</u>. Aucune conversion des actions de la catégorie "C", et aucune création d'actions de d'autres catégories sur le même rang ou prenant rang antérieurement aux actions de la catégorie "C" ne pourront être autorisées et les dispositions ci-dessus se rapportant aux actions de la catégorie "C" ne pourront être modifiées, ni non plus celles se rapportant aux actions de d'autres catégories, de manière à conférer à ces actions des droits ou privilèges égaux ou supérieurs à ceux attachés aux actions de la catégorie "C", à moins que cette création, conversion ou modification n'ait été approuvée par le vote d'au moins les 3/4 des actions de la catégorie "C" représentées par leurs détenteurs présents ou représentés à une assemblée spéciale ou générale spéciale convoquée à cette fin, en plus des autres formalités prévues par la LOI SUR LES COMPAGNIES.

ANNEXE 4

RESTRICTIONS SUR LA CESSION

DES ACTIONS

Aucune cession d'actions de la compagnie ne pourra s'effectuer sans le consentement des administrateurs, lequel devra être attesté par une résolution du conseil d'administration. Ce consentement peut toutefois être donné après que la cession ait été enregistrée dans le livre de la compagnie, auquel cas celui-ci sera valide et prendra effet rétroactivement à la date de l'enregistrement de la cession d'actions.

Source : *Marque d'Or.*

ANNEXE 5

AUTRES DISPOSITIONS

1. SOCIÉTÉ FERMÉE

La compagnie sera une «société fermée» selon la LOI SUR LES VALEURS MOBILIÈRES (L.R.Q., c. V-I, art. 5), et, à cette fin:

a) le nombre des actionnaires de la compagnie est limité à cinquante (50), déduction faite de ceux qui sont ou ont été salariés de la compagnie ou d'une filiale; deux (2) personnes ou plus qui détiennent en commun une ou plusieurs actions sont comptées comme un seul actionnaire.

b) tout appel public à l'épargne par la compagnie est interdit.

2. POUVOIR D'EMPRUNT

En plus des pouvoirs conférés par ses statuts et sans restreindre la portée des pouvoirs conférés aux administrateurs par l'article 77 de la LOI SUR LES COMPAGNIES, L.R.Q., c. C-38, les administrateurs peuvent, lorsqu'ils le jugent opportun et sans avoir à obtenir l'autorisation des actionnaires:

a) faire des emprunts de deniers sur le crédit de la compagnie;

b) émettre ou réémettre des obligations ou autres valeurs de la compagnie et les donner en garantie ou les vendre pour un prix et des sommes jugés convenables;

c) garantir au nom de la compagnie l'exécution d'une obligation à la charge d'une autre personne, sous réserve de l'établissement du fait que la compagnie peut ou pourra acquitter son passif à échéance et que la valeur comptable de son actif ne sera pas inférieure au total de son passif et de son compte de capital-actions émis et payé;

d) hypothéquer les immeubles et les meubles ou autrement frapper d'une charge quelconque les biens meubles de la compagnie; et

e) déléguer un ou plusieurs des pouvoirs susmentionnés à un administrateur, à un comité exécutif, à un comité du conseil d'administration ou à un officier de la compagnie.

Source : *Marque d'Or.*

GLOSSAIRE

Acceptation d'une lettre de change : Signification par le tiré de son assentiment à l'ordre du tireur. En d'autre mots, le tiré accepte de payer la somme mentionnée sur la lettre de change (art. 34 de la Loi).

Achat de consommation : Achat à terme de marchandises ou de services - ou tout accord à cet effet - effectué :
a) par un particulier dans un but autre que la revente ou l'usage professionnel ;
b) chez une personne faisant profession de vendre ou de fournir ces marchandises ou services.

Acompte sur le prix : Toute somme versée à l'occasion d'une promesse de vente, à moins que le contrat n'en dispose autrement.

Action : Émise par une compagnie, elle correspond à la somme d'argent investie par une personne dans l'entreprise et représente son titre de propriété dans la compagnie et par le fait même ses droits dans celle-ci. Une compagnie peut avoir plusieurs catégories d'actions (ordinaires, privilégiées, catégorie A, B, C, D, etc.).

Action avec valeur nominale (ou valeur au pair) : Action dont la valeur est fixée à l'avance dans les lettres patentes ou dans le certificat de constitution de la compagnie.

Action sans valeur nominale (ou sans valeur au pair) : Action dont la valeur pécuniaire n'est pas précisée. Cette action ne représente qu'une unité du capital-actions.

Actionnaire : Ce terme désigne une personne qui détient une ou plusieurs actions d'une compagnie.

Administrateur : On désigne ainsi la ou les personnes qui sont élues par les actionnaires pour agir à titre de mandataires de la compagnie, pour la représenter dans ses activités et pour voir à son administration. Les administrateurs signent les contrats au nom de la compagnie. Les titres les plus fréquents qui leur sont attribués sont ceux de président, vice-président, secrétaire et trésorier.

Affacturage : Comptes clients qui sont littéralement vendus à rabais à une compagnie d'affacturage; celle-ci avance, en quelque sorte, à une entreprise les fonds dont elle a besoin tout en lui épargnant les risques inhérents au recouvrement des comptes clients.

Arbitrage : Règlement d'un litige, à l'aide d'un arbitre ou d'un conflit entre nations par des juges de leur choix et sur la base du respect du droit.

Aveu : Reconnaissance d'un fait de nature à produire des conséquences juridiques contre son auteur.

Bail dans le cadre de l'exploitation d'une entreprise : Ensemble des baux signés par des commerçants entrepreneurs et gens d'affaires pour louer des biens ou les locaux dans lesquels ils exploitent leur entreprise. On retrouve dans cette catégorie les baux pour la location de bureaux et pour la location d'équipements, de locaux commerciaux et industriels.

Bénéficiaire (ou preneur) : Personne en faveur de qui un chèque, une lettre de change ou un billet est émis.

Biens corporels : Biens matériels, donc biens que l'on peut toucher, palper.

Biens incorporels : Biens immatériels et impalpables que l'on perçoit par l'esprit.

Billet : Promesse écrite signée par laquelle le souscripteur s'engage, sans condition, à payer, sur demande ou à une échéance déterminée ou susceptible de l'être, une somme d'argent précise à une personne désignée ou à son ordre, ou encore au porteur.

Bref d'assignation : Ordre de la Cour qui enjoint au défendeur de comparaître dans un délai de 10 jours devant un tribunal civil afin de prendre connaissance d'une action intentée contre lui et de présenter une défense, s'il y a lieu.

Bref de saisie-arrêt : Ordre de la cour enjoignant aux personnes qui détiennent des biens appartenant au débiteur ou qui lui doivent de l'argent de déclarer au tribunal quels sont ces biens ou ces sommes d'argent et de faire en sorte qu'ils soient déclarés sous saisie.

Bref de saisie-exécution : Ordre de la cour autorisant un huissier ou un shérif à saisir les biens meubles ou immeubles du débiteur, à procéder à la vente aux enchères de ces biens et à prélever à même le produit de cette vente le montant de la dette due au créancier en capital, intérêts et frais.

Capacité : Aptitude que possède un individu à être titulaire de droits et à les exercer seul. En matière contractuelle, la capacité est donc l'aptitude à faire seul et librement un contrat valable.

Capital social : C'est l'équivalent du capital-actions d'une compagnie. Il est composé de parts sociales et de parts privilégiées émises par la coopérative.

Capital-actions : Représente le nombre ou le montant maximum d'actions qu'une compagnie peut émettre pour se financer. Il est formé de la totalité des actions de toutes les catégories d'une compagnie. Le capital-actions est défini dans le certificat de constitution ou acte constitutif de la compagnie.

Casier judiciaire : Bilan des condamnations prononcées par les tribunaux contre un individu.

Cause : But poursuivi par le débiteur au moment où il s'engage envers le créancier. L'article 1410 C.c.Q. définit la cause du contrat comme la raison qui détermine chacune des parties à le conclure; il n'est pas nécessaire qu'elle soit exprimée.

Cautionnement : Contrat par lequel une personne, la caution, s'oblige envers le créancier, gratuitement ou contre rémunération, à exécuter l'obligation du débiteur si celui-ci n'y satisfait pas.

Certificat de constitution : Ce document, aussi appelé acte constitutif, est en quelque sorte l'acte de naissance de la compagnie; il est émis par l'autorité compétente provinciale ou fédérale, selon le cas, qui lui donne son existence légale.

Cession de bail : La cession de bail implique que le locateur et le locataire conviennent de résilier le bail existant pour l'avenir, et que le locateur signe un nouveau bail avec le nouveau locataire proposé, ou bien que le bail du locataire-cédant peut être assumé tel quel par le locataire-cessionnaire. Dans un tel cas de bail de logement, il y a novation par l'effet de la loi, et le locataire-cédant n'encoure aucune responsabilité concernant les dommages ou le non-paiement du loyer par le nouveau locataire.

Chèque : Ordre, sans condition, donné par écrit et signé par une personne appelée le tireur, à une autre personne appelée le tiré, qui est toujours une banque ou une caisse d'épargne, de payer sur demande une somme d'argent déterminée à une autre personne, le bénéficiaire (ou preneur) ; le chèque est libellé soit à son nom, soit au porteur.

Clause escalatoire : Clause relative à l'augmentation des dépenses d'exploitation des immeubles pour les années subséquentes à la première année du bail.

Clause pénale : La clause pénale est celle par laquelle les parties évaluent à l'avance les dommages-intérêts en stipulant que le débiteur se soumettra à une peine au cas où il n'exécuterait pas son obligation (art. 1622 C.c.Q.).

Code : Loi qui codifie les dispositions légales régissant un domaine particulier d'activités des citoyens, tel le Code civil qui est la pierre angulaire des relations des citoyens du Québec entre eux dans tous les domaines du droit civil.

Commanditaires : Personnes qui investissent dans l'entreprise des capitaux ou des biens, sans prendre une part active à son administration (art. 2186 (2) C.c.Q.).

Commandités : Associés qui mettent l'entreprise sur pied, la dirigent, l'administrent et y travaillent.

Commerçant : Personne physique ou morale qui exploite une entreprise dans le but de vendre ou louer des biens ou des services.

Compagnie : Personne morale de droit public ou de droit privé.

Connaissement : Écrit qui constate le contrat de transport de biens. Il est émis par le transporteur.

Consentement : Expression de la volonté des parties. Pour qu'il y ait contrat, il faut un accord de volontés, et le consentement est l'extériorisation de cet accord.

Constituant de l'hypothèque : Personne qui donne un bien meuble ou immeuble en garantie.

Constitution : Texte dans lequel est décrite la loi fondamentale qui définit la structure politique du pays, le mode selon lequel il élit ses gouvernants, le rôle des tribunaux, les garanties dont disposent les citoyens face aux abus de pouvoir des gouvernants, etc.

Contrat : Accord de volontés, par lequel une ou plusieurs personnes s'obligent envers une ou plusieurs autres à exécuter une prestation.

Contrat au pourcentage ou à prix majoré : Contrat qui prévoit que l'entrepreneur sera payé au moyen d'une commission calculée sur le coût réel du travail ou de la construction.

Contrat à distance : Contrat conclu entre un commerçant et un consommateur qui ne sont en présence l'un de l'autre ni au moment de l'offre ni à celui de l'acceptation.

Contrat à prix ferme ou à forfait : Contrat en vertu duquel l'entrepreneur ou le prestataire de services s'engage à exécuter les travaux pour un prix global fixé d'avance.

Contrat à prix unitaire ou à phases successives : Contrat à forfait ou à prix majoré où le prix est établi pour chacune des phases du projet ou de la construction.

Contrat d'association : Contrat par lequel les parties conviennent de poursuivre un but commun autre que la réalisation de bénéfices pécuniaires à partager entre les membres de l'association (art. 2186 (2) C.c.Q.).

Contrat d'assurance : Contrat par lequel l'assureur, moyennant une prime ou cotisation, s'oblige à verser au preneur ou à un tiers une prestation dans le cas où un risque couvert par l'assurance se réalise (art. 2389 C.c.Q.).

Contrat d'entreprise ou de service : Contrat par lequel une personne, selon le cas l'entrepreneur ou le prestataire de services, s'engage envers une autre personne, le client, à réaliser un ouvrage matériel ou intellectuel ou à fournir un service moyennant un prix que le client s'oblige à payer.

Contrat de consommation : Contrat qui est régi par les lois relatives à la protection du consommateur, par lequel l'une des parties, une personne physique, le consommateur, acquiert, loue, emprunte ou se procure de toute autre manière des biens ou des services auprès de l'autre partie, laquelle offre de tels biens ou services dans le cadre d'une entreprise qu'elle exploite (art. 1384 C.c.Q.).

Contrat de crédit variable : Contrat par lequel un crédit est consenti d'avance par un commerçant à un consommateur qui peut s'en prévaloir de temps à autre, en tout ou en partie, selon les modalités du contrat. Le contrat de crédit variable comprend notamment le contrat conclu pour l'utilisation de ce qui est communément appelé carte de crédit, compte de crédit, compte budgétaire, crédit rotatif, marge de crédit, ouverture de crédit et tout autre contrat de même nature (art. 118 L.P.C.).

Contrat de louage à long terme de biens : Contrat de louage qui prévoit une période de location de quatre mois ou plus. Le contrat de location de moins de quatre mois est quant à lui réputé à long terme s'il contient une clause de renouvellement ou de reconduction permettant de porter sa durée à quatre mois ou plus.

Contrat de société : Contrat par lequel les parties conviennent, dans un esprit de collaboration, d'exercer une activité, incluant celle d'exploiter une entreprise, d'y contribuer par la mise en commun de biens, de connaissances ou d'activités et de partager entre elles les bénéfices pécuniaires qui en résultent.

Contrat de transport : Contrat par lequel une personne, le transporteur, s'oblige à effectuer le déplacement d'une personne ou d'un bien moyennant un prix qu'une autre personne, le passager, l'expéditeur ou le destinataire du bien, s'engage à lui payer au temps convenu.

Contrat de travail : Contrat par lequel une personne, le salarié, s'oblige, pour un temps limité et moyennant rémunération, à effectuer un travail sous la direction ou le contrôle d'une autre personne, l'employeur (art. 2085). Le contrat de travail est à durée déterminée ou indéterminée (art. 2086).

Contrat innommé : Contrat qui n'est pas mentionné au Code civil et qui ne fait pas l'objet de ses dispositions.

Contrat nommé : Contrat défini dans le Code civil, dont le législateur québécois a codifié les principales caractéristiques ainsi que les droits et obligations des parties qui le signent.

Contrat sous seing privé : Contrat pour lequel la loi n'exige aucune formalité. Il peut être manuscrit, dactylographié ou imprimé selon une formule type; c'est notamment ce type de contrat que rédigent les avocats.

Contrats principaux : Contrats visant à procurer au consommateur un enseignement ou un entraînement susceptible d'améliorer ses qualités physiques ou intellectuelles ; ils visent également à aider une personne à nouer et à entretenir des relations personnelles ou sociales.

Contrôle de la compagnie : C'est le fait pour un actionnaire ou un groupe d'actionnaires de détenir 50 % + 1 des actions votantes de la compagnie et ainsi de pouvoir élire les administrateurs de la compagnie à l'assemblée annuelle des actionnaires.

Convention collective : Entente écrite relative aux conditions de travail conclues entre une ou plusieurs associations accréditées et un ou plusieurs employeurs ou associations d'employeurs. La convention collective est l'aboutissement des négociations entre les parties.

Coopérative : Personne morale regroupant des personnes qui ont des besoins économiques et sociaux communs et qui, en vue de les satisfaire, s'associent pour exploiter une entreprise conformément aux règles d'action coopérative.

Coopérative : Personne morale regroupant des personnes qui ont des besoins économiques et sociaux communs et qui, en vue de les satisfaire, s'associent pour exploiter une entreprise conformément aux règles d'action coopérative.

Copropriété divise : La propriété est dite divise lorsque le droit de propriété se répartit entre les copropriétaires par fractions comprenant chacune une partie privative matériellement divisée et une quote-part des parties communes.

Copropriété indivise : La propriété est dite indivise ou par indivision lorsque le droit de propriété ne s'accompagne pas d'une division matérielle du bien.

Cour d'appel : Tribunal devant lequel on se présente pour faire casser un jugement rendu par une cour de première instance.

Créance prioritaire : Créance à laquelle la loi accorde le droit d'être préférée aux autres créances, même hypothécaires, suivant la cause de la créance (art. 2650 C.c.Q.).

Créancier : Celui à qui l'on doit un bien ou une somme d'argent.

Crédit-bail : Contrat par lequel une personne, le crédit-bailleur, met un meuble à la disposition d'une autre personne, le crédit-preneur, pendant une période déterminée et moyennant une contrepartie. Le bien qui fait l'objet du crédit-bail est acquis d'un tiers par le crédit-bailleur, à la demande du crédit-preneur et conformément aux instructions de ce dernier (art. 1842 C.c.Q.).

Débenture : Reconnaissance de dette, du même type qu'un billet. C'est l'ensemble des biens de l'entreprise qui en garantissent le remboursement. Comme l'obligation, la débenture comporte un intérêt fixe et doit être remboursée à une date déterminée.

Débiteur : Celui qui doit un bien ou une somme d'argent.

Débiteur consommateur : Personne physique insolvable dont la somme des dettes, à l'exclusion de celles qui sont garanties par sa résidence principale, n'excède pas soixante-quinze mille 75 000 $ dollars ou tout autre montant prescrit (art. 6611 C.c.Q.).

Déclaration : Document écrit dans lequel le demandeur énonce, sous forme de paragraphes distincts, les motifs de son action contre le défendeur, conclut à la responsabilité de ce dernier et demande au tribunal de condamner le défendeur, par exemple, à lui payer une somme d'argent.

Défaut de sécurité d'un bien : Il y a défaut de sécurité du bien lorsque, compte tenu de toutes les circonstances, le bien n'offre pas la sécurité à laquelle on est normalement en droit de s'attendre, notamment en raison d'un vice de conception ou de fabrication du bien, d'une mauvaise conservation ou présentation du bien ou encore, de l'absence d'indications suffisantes quant aux risques et dangers qu'il comporte ou quant aux moyens de s'en prémunir.

Défense : Document écrit dans lequel le défendeur relate sa version des faits et les motifs pour lesquels, selon lui, l'action du demandeur est mal fondée en fait et en droit.

Délivrance : Mise en possession de l'acheteur de la chose vendue. Il peut s'agir de la possession physique de la chose elle-même ou du titre de propriété.

Détenteur régulier : Celui qui a en sa possession un effet de commerce (chèque, lettre de change ou billet) qui est parfaitement rédigé et qui n'a pas été préalablement refusé au moment de la présentation pour l'acceptation ou le paiement. Il doit donc être de bonne foi et avoir acquis l'effet de commerce contre sa valeur, c'est-à-dire qu'il doit avoir reçu une contrepartie. Il doit aussi l'avoir acquis avant qu'il ne soit en souffrance et sans avis de vice de titre.

Différend : Mésentente relative à la négociation ou au renouvellement d'une convention collective.

Dividendes : Désignent la part des profits d'une compagnie qui est versée aux actionnaires selon la catégorie d'actions qu'ils détiennent. Il est important de savoir que pour payer un dividende, une compagnie doit faire des profits ou disposer de profits accumulés des années antérieures ; autrement les administrateurs engagent leur responsabilité personnelle.

Dol ou fraude : Synonymes. Il s'agit d'une ruse, d'une tromperie ou d'un artifice qui a pour but de provoquer le consentement d'un contractant.

Domicile : Lieu du principal établissement d'une personne quant à l'exercice de ses droits civils.

Dommage corporel : Blessures subies par le demandeur et imputables à la faute du défendeur.

Dommage matériel : Dommage causé aux biens de l'individu.

Dommage moral : Douleurs, souffrances et inconvénients subis par la victime, tels la perte de jouissance de la vie, l'atteinte à la réputation à la suite d'injures et de paroles ou d'écrits diffamatoires, le préjudice esthétique.

Dommages additionnels : Le tribunal, quand il accorde des dommages-intérêts en réparation d'un préjudice corporel, peut, pour une période d'au plus trois ans, réserver au créancier le droit de demander des dommages-intérêts additionnels lorsqu'il n'est pas possible de déterminer avec une précision suffisante l'évolution de sa condition physique au moment du jugement (art. 1615 C.c.Q.).

Droit : Ensemble des règles et des normes établies par les autorités compétentes pour régir les relations des individus à l'intérieur de la société. Au sens subjectif, il désigne la faculté que possède tout citoyen de faire ou de ne pas faire tel ou tel acte.

Droit d'accession : Tout ce qui s'unit et s'incorpore à un bien appartient au propriétaire de ce bien.

Droit de rétention : Cause légitime de préférence que la loi accorde à certaines catégories de créanciers de pouvoir retenir certains biens de leur débiteur jusqu'à ce qu'ils soient remboursés.

Droit international privé : Branche du droit qui réglemente les relations entre les personnes quand ces relations comportent un élément étranger, de même que les échanges et relations entre des citoyens de pays différents.

Droit international public : Branche du droit qui réglemente les relations des États entre eux et leur organisation sur la scène internationale.

Droit national privé : Branche du droit qui réglemente les activités et les relations des citoyens d'un même État entre eux.

Droit national public : Branche du droit qui réglemente l'organisation de l'État et des institutions qui en dépendent ainsi que les rapports de l'État avec ses propres citoyens.

Droits extrapatrimoniaux : Ensemble des droits possédés par une personne physique, non appréciables en argent, qui lui sont conférés par la loi en raison de la place qu'occupe cette personne dans la société.

Droits patrimoniaux : Ensemble des droits, appréciables en argent, possédés par une personne physique ou morale et provenant de son activité économique.

Droits réels : Droits qu'une personne peut exercer directement par rapport à une chose ; ils sont peu nombreux.

Effets de commerce : Expression la plus couramment utilisée pour désigner les divers instruments de paiement d'une somme d'argent. Les effets de commerce sont des écrits qui portent le nom de chèque, lettre de change ou traite, billet, lettre et billet du consommateur.

Emphytéose : Sorte de bail par lequel le propriétaire d'un immeuble cède celui-ci pendant un certain temps à un autre, à condition qu'il n'en compromette pas l'existence et à charge d'y faire des améliorations (constructions, plantations, etc.) qui augmentent sa valeur.

Endosseur : Celui qui appose sa signature au dos d'une lettre de change, d'un chèque ou d'un billet.

Entreprise individuelle : Elle consiste en une personne physique qui exploite seule une entreprise. Elle est composée d'un seul propriétaire qui dirige toutes les activités de l'entreprise, tant en ce qui concerne la capitalisation et la direction des activités commerciales que la responsabilité. L'entreprise lui appartient en propre ; il n'a pas d'associé et ne partage donc ni les profits ni les pertes de son commerce : lui seul est responsable de son entreprise.

Ester en justice : Intenter des actions devant les tribunaux et se défendre lorsqu'on est l'objet de poursuites.

Exploitation d'une entreprise : Exercice par une ou plusieurs personnes d'une activité économique organisée, qu'elle soit ou non à caractère commercial, et consistant en la production ou la réalisation de biens, leur administration ou leur aliénation, ou en la prestation de services.

Faillite volontaire ou cession de biens : Une personne insolvable ou, si elle est décédée, son exécuteur testamentaire ou l'administrateur de sa succession, avec la permission du tribunal, peut décider de faire une cession de tous ses biens au bénéfice de ses créanciers en général.

Famille : Sur le plan juridique, la famille constitue l'ensemble des personnes unies par le mariage, ou par la filiation, ou par la parenté et l'alliance, résultant elles-mêmes du mariage et de la filiation.

Faute : Manquement à un devoir sur le plan légal, moral ou contractuel. De façon générale, la faute est une violation du devoir qui incombe à chaque individu de ne pas causer de tort à son semblable.

Filiation : Lien juridique qui unit un enfant à son père ou à sa mère ; elle résulte des liens du sang ou de l'acte ou du jugement d'adoption.

Financement de l'entreprise : Fonction qui consiste à se procurer des fonds et à les utiliser de façon efficace et rationnelle.

Financement par voie d'emprunt : Financement qui consiste pour l'entreprise à contracter un emprunt d'un établissement financier (banque, société de fiducie, caisse populaire, ou auprès d'autres prêteurs). Ce type de financement est ouvert à toutes les formes d'entreprises.

Fondateur : Il s'agit de la ou des personnes qui signent les documents d'incorporation ou constitutifs d'une compagnie. Les fondateurs sont généralement en fonction jusqu'à l'assemblée d'organisation de la compagnie. Il suffit d'un seul fondateur pour former une compagnie.

Force majeure : Événement imprévisible et irrésistible ; y est assimilée la cause étrangère qui représente ces mêmes caractères.

Frais de crédit : Somme que le consommateur doit payer pour bénéficier d'un montant déterminé de crédit pendant un certain temps.

Grief : Mésentente entre les parties relativement à l'interprétation et à l'application d'une clause particulière de la convention collective et ce, pendant la durée de ladite convention.

Hypothèque : Droit réel sur un bien, meuble ou immeuble, affecté à l'exécution d'une obligation; elle confère au créancier le droit de suivre le bien en quelques mains qu'il soit, de le prendre en possession ou en paiement, de le vendre ou de le faire vendre et d'être alors préféré sur le produit de cette vente suivant le rang fixé dans le Code (art. 2660 C.c.Q.).

Hypothèque conventionnelle : Hypothèque que les cocontractants ont volontairement ajoutée à titre de garantie accessoire à un contrat qui généralement est un contrat de prêt ou de financement ou encore pour garantir l'exécution d'une obligation.

Hypothèque mobilière avec dépossession ou gage : Contrat par lequel une chose est mise entre les mains du créancier ou, étant déjà entre ses mains, est retenue par lui avec le consentement du propriétaire pour sûreté de la dette. Elle permet donc à un débiteur d'obtenir le financement désiré ou un prêt en donnant en garantie un bien meuble.

Hypothèque ouverte : Hypothèque dont certains des effets sont suspendus jusqu'au moment où, le débiteur ou le constituant ayant manqué à ses obligations, le créancier provoque la clôture de l'hypothèque en leur signifiant un avis dénonçant le défaut et la clôture de l'hypothèque. Le caractère ouvert de l'hypothèque doit être expressément stipulé dans l'acte (art. 2715 C.c.Q.).

Immeubles par attache ou réunion : Meubles qui sont, à demeure, matériellement attachés ou réunis à l'immeuble, sans perdre leur individualité et sans y être incorporés, sont immeubles tant qu'ils y restent (art. 903 C.c.Q.).

Immeubles par nature : Sont immeubles les fonds de terre, les constructions et ouvrages à caractère permanent qui s'y trouvent et tout ce qui en fait partie intégrante. Le sont aussi les végétaux et les minéraux, tant qu'ils ne sont pas séparés ou extraits du fonds (art. 900 C.c.Q.).

Incapacité d'exercice : Inaptitude d'un individu à exercer seul un droit dont il est titulaire.

Incapacité de jouissance : Inaptitude d'un individu à acquérir un droit et à en jouir.

Injonction : En se basant sur l'article 751 du *Code de procédure civile*, on peut définir l'injonction comme une ordonnance de la Cour supérieure qui enjoint à une personne, ses représentants ou employés de ne pas faire ou de cesser de faire un acte déterminé, susceptible de causer un préjudice grave et irréparable à autrui.

Législation : Ensemble des lois, codes, règles et règlements adoptés par les autorités compétentes, soit nos corps législatifs, c'est-à-dire le Parlement du Canada (la Chambre des communes) et l'Assemblée nationale du Québec, de l'ensemble des décrets et arrêtés en conseil promulgués par le pouvoir exécutif et de tous les règlements émanant de nos institutions municipales, scolaires ou professionnelles.

Lettre de change : Écrit signé de sa main par lequel une personne ordonne à une autre de payer, sans condition, une somme d'argent précise, sur demande ou à une échéance déterminée ou susceptible de l'être, soit à une troisième personne désignée - ou à son ordre -, soit au porteur.

Lettre, chèque ou billet de consommation : Lettre de change, chèque ou billet qui s'applique au consommateur pour ses achats de consommation.

Liquidation de la succession *ab intestat* ou testamentaire : Il s'agit ici d'identifier les successibles et de les appeler à déterminer le contenu de la succession, à recouvrer les créances, à payer les dettes de la succession, qu'il s'agisse des dettes du défunt, des charges de la succession ou des dettes alimentaires, à payer les legs particuliers, à rendre des comptes et à faire la délivrance des biens.

Logement impropre à l'habitation : Logement dont l'état constitue une menace sérieuse pour la santé ou la sécurité de ses occupants ou du public en général, ou qui a été déclaré tel par le tribunal ou une autorité compétente (art. 1913 C.c.Q.).

Loi : Règle adoptée par un vote de la Chambre des communes ou de l'Assemblée nationale qui délimite les droits et les obligations des individus, groupements ou établissements dans l'un ou l'autre secteur de l'activité humaine, et qu'on peut faire appliquer en ayant recours à la justice.

Loi régissant les sociétés par actions du régime fédéral (L.S.A.) : Désigne la loi en vertu de laquelle le gouvernement fédéral peut constituer des compagnies dans des domaines de sa compétence exclusive. C'est le Directeur, Direction des corporations, qui est chargé de l'administration de cette loi.

Loi sur la protection du consommateur : Loi qui définit le consommateur comme une personne physique qui se procure un bien ou un service pour ses fins personnelles.

***Loi sur les compagnies du Québec* (L.C.Q.)** : Il s'agit de la loi en vertu de laquelle le gouvernement provincial peut constituer des compagnies dans des domaines de sa compétence exclusive. C'est l'Inspecteur général des institutions financières qui est chargé de l'administration de cette loi.

Loi sur les coopératives : C'est la loi en vertu de laquelle la majorité des coopératives québécoises sont constituées à l'exception des coopératives de crédit. La Loi autorise la formation d'une coopérative à des fins éducatives, scientifiques, artistiques, sportives, récréatives et économiques. (L.R.Q.c.C. - 67.2 modifiée)

Loi sur les valeurs mobilières : Il s'agit de la loi provinciale qui a créé la Commission des valeurs mobilières du Québec (C.V.M.Q.), organisme de contrôle auquel sont soumises toutes les compagnies lorsqu'elles émettent des actions, à l'exception des compagnies privées appelées aussi sociétés fermées en vertu de cette loi.

Louage : Contrat par lequel une personne, le locateur, s'engage envers une autre personne, le locataire, à lui procurer, moyennant un loyer, la jouissance d'un bien, meuble ou immeuble, pendant un certain temps. Le bail est à durée fixe ou indéterminée (art. 1851 C.c.Q.).

Loyer additionnel : Le loyer additionnel est habituellement formé des sommes additionnelles que le locataire s'engage à payer en vertu de son bail (exemples : taxes foncières, chauffage, électricité, frais communs d'entretien, de publicité et de réparation, pourcentage de ses revenus, etc.).

Loyer de base : Loyer initial que doit payer le locataire. C'est la même notion que celle que l'on retrouve dans le bail résidentiel.

Mandat : Mission qu'une personne, le mandant, confie à une autre personne, le mandataire, de la représenter dans l'accomplissement d'un acte juridique avec un tiers (par exemple, la négociation ou la signature d'un contrat). Dans un écrit, on le désigne souvent sous le nom de procuration (art. 2130 C.c.Q.). Le **mandat** peut aussi avoir pour objet les actes destinés à assurer, **en prévision de l'inaptitude du mandant** à prendre soin de lui-même ou à administrer ses biens, la protection de sa personne, l'administration, en tout ou en partie, de son patrimoine et, en général, son bien-être moral et matériel (art. 2131 C.c.Q.).

Mandat d'arrestation : Ordre de la cour qui enjoint aux policiers de trouver l'accusé, de le mettre en état d'arrestation et de l'amener devant le tribunal pour répondre à une accusation relative à une infraction ou à un acte criminel dont on le soupçonne.

Marchandise : Article qui peut faire l'objet d'échanges commerciaux à l'exception des immeubles.

Membre : Une coopérative n'a pas d'actionnaires ; elle a des membres qui en sont les propriétaires-usagers. Le membre peut aussi porter le nom de sociétaire.

Meubles par anticipation : Biens qui sont au départ des biens immeubles corporels, mais qui peuvent être considérés d'avance par les parties à un contrat comme des biens meubles.

Meubles par nature : Choses qui peuvent se transporter, soit qu'elles se meuvent par elles-mêmes, soit qu'il faille une force étrangère pour les déplacer (art. 905 C.c.Q.).

Meubles par qualification de la loi : Sont réputées meubles corporels les ondes ou l'énergie maîtrisées par l'être humain et mises à son service, quel que soit le caractère mobilier ou immobilier de leur source ; ainsi que les autres biens meubles ou immeubles que la loi n'a pas autrement qualifiés (art. 906 C.c.Q.).

Mise en demeure : Lettre que le créancier (ou son avocat) expédie à son débiteur, de préférence par courrier recommandé ou certifié, et qui le somme de régler sa dette dans un délai précis (10 jours, par exemple). Cette lettre informe aussi le débiteur que, à défaut de satisfaire à la demande, des procédures judiciaires seront intentées contre lui sans autre avis ni délai.

Obligataire : Personne qui achète un certificat d'obligation ou une débenture (autres titres d'emprunt).

Obligation : Dette de l'entreprise (l'emprunteur) à l'égard d'un bailleur de fonds (le prêteur). L'entreprise s'engage à rembourser cette dette au prêteur à une date déterminée et à lui payer entre-temps un intérêt fixe.

Obligation : Lien de droit qui contraint une personne (le débiteur) envers une autre (le créancier) de faire ou de ne pas faire quelque chose.

Obligation conditionnelle : Obligation qui dépend d'un événement futur et incertain, soit en suspendant sa naissance jusqu'à ce que l'événement arrive ou qu'il devienne certain qu'il n'arrivera pas (condition suspensive), soit en subordonnant son extinction au fait que l'événement arrive ou n'arrive pas (condition résolutoire).

Offre de contracter : Proposition qui comporte tous les éléments du contrat envisagé et qui indique la volonté de son auteur d'être lié en cas d'acceptation (art. 1386 C.c.Q.).

Ordre public : « Ensemble des dispositions légales édictées en vue d'assurer la protection matérielle et morale des personnes groupées en société, notamment en matière de statut familial, d'organisation politique, économique et sociale. » (BARRAINE, R. *Dictionnaire de droit*, Paris, Librairie générale de droit et de jurisprudence, 1967, p. 216.)

Part sociale : Une coopérative n'émet pas d'actions mais des parts. Chaque membre d'une coopérative doit détenir une part sociale pour en être membre. C'est l'équivalent d'une action ordinaire dans une compagnie.

Patrimoine : Ensemble des biens, des droits et des obligations d'une personne physique ou morale, appréciables en argent. Son actif moins son passif.

Péréquation : Répartition des paiements du fédéral aux provinces. Elle tient compte des inégalités régionales afin de promouvoir l'égalité des chances et de favoriser un équilibre dans le développement économique du Canada.

Personnalité juridique : Ce qui distingue chaque être humain de son voisin et qui fait que chaque personne est juridiquement différente, distincte et autonome par rapport aux autres personnes.

Possession : La détention de fait, par soi-même ou par l'intermédiaire d'une autre personne, d'un bien qui nous appartient ou qui appartient à une autre personne.

Pratique interdite : Une représentation constitue une pratique interdite lorsqu'elle va à l'encontre de la *Loi sur la protection du consommateur*.

Prescription acquisitive : Moyen d'acquérir le droit de propriété ou l'un de ses démembrements par la possession d'un bien par le simple écoulement du temps.

Présomption : Conséquence que la loi ou le tribunal tire d'un fait connu à un fait inconnu.

Prêt à usage : Contrat en vertu duquel une personne, appelée le prêteur, remet un bien à une autre personne, appelée l'emprunteur, pour qu'il s'en serve pendant un certain temps et qu'il le lui rende par la suite.

Prime : Prix de l'assurance ou montant que l'assuré doit verser à l'assureur en contrepartie du risque que ce dernier court à sa place.

Procuration : Écrit par lequel un actionnaire confie à une personne de son choix, qu'on appelle fondé de pouvoir, le mandat de voter en son nom, et suivant ses recommandations, à une assemblée générale, annuelle, spéciale ou extraordinaire de la compagnie.

Proposition : Faculté que la *Loi sur la faillite* offre à un débiteur insolvable, qui lui permet de faire une offre de règlement globale à ses créanciers et qui, si elle est acceptée, lui évitera la faillite. Par ailleurs, si elle est refusée, c'est la faillite automatique.

Propriété : Le législateur reconnaît à toute personne le droit d'acquérir des biens meubles et immeubles, d'en user, d'en jouir, d'en percevoir les fruits et les revenus et d'en disposer librement et complètement sous réserve des limites et des conditions d'exercice fixées par la loi (art. 947 C.c.Q.).

Propriété superficiaire : Celle des constructions, ouvrages ou plantations situés sur l'immeuble appartenant à une autre personne, le tréfoncier.

Quorum : Nombre minimal de personnes présentes nécessaire pour qu'une assemblée soit valide et que l'on puisse passer au vote.

Reconduction : Le locataire qui a droit au maintien dans les lieux a droit à la reconduction de plein droit du bail à durée fixe lorsque celui-ci prend fin. Le bail est, à son terme, reconduit aux mêmes conditions et pour la même durée ou, si la durée du bail excède 12 mois, pour une durée de 12 mois. Les parties peuvent cependant convenir d'un terme de reconduction différent (art. 1941 C.c.Q.).

Recours collectif : Procédure permettant à une personne de s'adresser à la Cour supérieure de juridiction civile pour faire valoir non seulement ses propres droits, mais aussi les droits d'autres individus ayant des réclamations qui se ressemblent suffisamment pour justifier leur regroupement dans une même action. La loi permet à cette personne d'agir de la sorte sans avoir à obtenir l'autorisation des autres personnes ayant subi un préjudice analogue.

Représentation : Affirmation, comportement ou omission d'un commerçant à l'égard d'un consommateur.

Responsabilité : Obligation qui incombe à toute personne d'assumer les conséquences de ses actes et d'en répondre devant les tribunaux criminels, pénaux ou civils, le cas échéant.

Responsabilité civile : Obligation que le *Code civil* impose à toute personne douée de raison de ne pas causer de préjudice à autrui et de réparer tout préjudice ou dommage résultant de son défaut de respecter les règles de conduite qui s'imposent ou les engagements qu'elle a contractés.

Responsabilité contractuelle : Toute personne est, lorsqu'elle manque à ses engagements, responsable du préjudice, corporel, moral ou matériel qu'elle cause à son cocontractant et tenue de réparer ce préjudice; ni elle ni le cocontractant ne peuvent alors se soustraire à l'application des règles du régime contractuel de responsabilité pour opter en faveur de règles qui leur seraient plus profitables.

Responsabilité criminelle : Implique qu'une personne a commis un acte criminel prévu au *Code criminel canadien.*

Responsabilité extracontractuelle : Toute personne douée de raison doit respecter les règles de conduite qui s'imposent de manière à ne pas causer préjudice à autrui, tout défaut entraînant l'obligation de réparer ce préjudice.

Responsabilité limitée : C'est un principe en vertu duquel la responsabilité des actionnaires d'une compagnie est limitée à leur mise de fonds. Advenant la faillite de la compagnie, tout ce qu'un actionnaire risque de perdre, c'est l'argent qu'il a investi en achetant ses actions. Les créanciers de la compagnie ne peuvent saisir ses biens personnels à moins d'exception.

Responsabilité pénale : Implique qu'une personne a commis une infraction à une loi pénale provinciale, fédérale ou à un règlement municipal. Ces lois et règlements prévoient des peines qui peuvent comprendre des amendes, l'emprisonnement, la perte de permis, des points d'inaptitude ou d'autres sentences.

Restitution des prestations : La restitution des prestations a lieu chaque fois qu'une personne est, en vertu de la loi, tenue de rendre à une autre des biens qu'elle a reçus sans droit ou par erreur, ou encore en vertu d'un acte juridique qui est subséquemment anéanti de façon rétroactive ou dont les obligations deviennent impossibles à exécuter en raison d'une force majeure (art. 1699 C.c.Q.).

Risque : Événement incertain qui ne dépend pas de la volonté des parties, plus particulièrement de la volonté de l'assuré, et non contraire à l'ordre public.

Ristourne : La coopérative ne verse pas de dividendes à des membres; le trop-perçu qu'elle leur distribue porte le nom de ristourne.

Service : Mot qui désigne les réparations et les améliorations.

Servitude : Charge établie sur un immeuble, appelé le fonds servant, pour l'usage et l'utilité d'un autre immeuble, appelé le fonds dominant, et qui appartient à des propriétaires différents.

Siège social : Est l'endroit où la compagnie a son principal bureau d'affaires. C'est son domicile légal, l'endroit où sont conservés les livres et les registres prévus par la loi. C'est là que les tiers peuvent la joindre et lui signifier des procédures judiciaires, le cas échéant.

Simple prêt ou prêt de consommation ou prêt d'argent : Contrat par lequel le prêteur remet à l'emprunteur une certaine somme d'argent ou une quantité de biens qui se consomment par l'usage, avec l'obligation pour l'emprunteur de lui en rendre autant, de même espèce et qualité, après un certain temps. À moins qu'il ne s'agisse d'un prêt d'argent, il est présumé fait à titre gratuit (art. 2315 et 2330 C.c.Q.).

Sommation : Ordre de la cour qui ordonne à l'accusé de comparaître à une date déterminée devant un tribunal pénal ou criminel pour répondre à une accusation.

Sous-location : La sous-location du bien loué implique que le bail principal subsiste entre le locateur et le locataire. Ce dernier signe un nouveau contrat de bail en vertu duquel il loue le bien loué à une autre personne appelée le sous-locataire. Les obligations du locataire envers le locateur subsistent jusqu'à la fin du bail principal, et le locataire est responsable des dommages causés au bien loué par le sous-locataire.

Souscripteur : Personne qui s'engage à payer au bénéficiaire d'un billet une somme d'argent.

Subpoena : Ordre de la cour, habituellement signifié par un huissier, qui enjoint à une personne de se présenter devant le tribunal pour témoigner dans une cause civile ou criminelle.

Succession *ab intestat* : Succession réglée par la loi seule dans le cas où une personne décède sans laisser de testament.

Témoignage : Déclaration par laquelle une personne relate les faits dont elle a eu personnellement connaissance ou par laquelle un expert donne son avis.

Terme : Événement futur et certain, selon l'article 1508 du *Code civil du Québec*.

Testament : Acte juridique unilatéral révocable établi dans l'une des formes prévues par la loi, par lequel le testateur dispose de tous ses biens ou d'une partie de ceux-ci, et qui n'a d'effet qu'à son décès.

Testament devant témoins : Forme de testament qui ne requiert pas de notaire ; il peut être écrit par le testateur ou par une autre personne, mais doit être signé ou reconnu par le testateur en présence de deux témoins majeurs qui y apposent également leur signature.

Testament notarié : Testament qui doit être signé par le testateur devant un notaire assisté d'un témoin, ou, en certains cas, de deux témoins qui ne sont pas des conjoints ni des héritiers et qui ne sont pas apparentés au notaire, ou encore devant deux notaires.

Testament olographe : Forme la plus simple et la plus connue de testament. C'est celui qui est écrit en entier et signé de la main du testateur, autrement que par un moyen technique. Il ne requiert ni notaire ni témoin.

Tireur : Personne qui donne l'ordre de payer la somme d'argent mentionnée sur un chèque ou une lettre de change.

Tiré : Celui à qui le tireur donne l'ordre de payer la somme d'argent dans un chèque ou une lettre de change.

Transaction : Contrat par lequel les parties préviennent une contestation à naître, terminent un procès ou règlent les difficultés qui surviennent lors de l'exécution d'un jugement, au moyen de concessions ou de réserves réciproques.

Tribunaux de première instance : Tribunaux civils, criminels ou pénaux devant lesquels on se présente, dans un premier temps, pour obtenir un jugement.

Trop-perçus : Les profits et excédents réalisés par une coopérative portent le nom de trop-perçus.

Usage : Le droit de se servir temporairement du bien d'autrui et d'en percevoir les fruits et les revenus, mais jusqu'à concurrence des besoins de l'usager et, le cas échéant, des personnes qui habitent avec lui ou qui sont à sa charge.

Usufruit : Le droit d'user et de jouir, pendant un certain temps, d'un bien dont un autre a la propriété, comme le propriétaire lui-même, mais à charge d'en conserver la substance et d'en respecter la destination.

Vendeur itinérant : Tout commerçant qui, en personne ou par son représentant, sollicite un consommateur en vue de passer un contrat de vente, ou qui passe effectivement un contrat de vente, ailleurs qu'à son établissement de commerce.

Vente : Contrat par lequel une personne (le vendeur) transfère la propriété d'un bien à une autre personne (l'acheteur) moyennant un prix en argent que cette dernière s'oblige à payer.

Vente aux enchères : Celle par laquelle un bien est offert en vente à plusieurs personnes par l'entremise d'un tiers, et est déclaré adjugé au plus offrant. Le syndic ou l'huissier procèdent à la vente des biens et il adjuge les biens au plus offrant.

Vente à l'essai : Vente en vertu de laquelle le vendeur permet à l'acheteur d'utiliser le bien pendant une certaine période avant de décider s'il veut en devenir propriétaire. Cette vente est présumée faite sous condition suspensive (art. 1475 et 1744 C.c.Q.).

Vente à tempérament : Vente à terme par laquelle le vendeur se réserve la propriété du bien jusqu'au paiement total du prix de vente. La réserve de propriété d'un bien acquis pour le service ou l'exploitation d'une entreprise n'est opposable aux tiers que si elle est publiée (art. 1745 C.c.Q.).

Vente à terme : Vente en vertu de laquelle le vendeur accorde à l'acheteur un terme ou un délai pour acquitter le prix de vente.

Vente en consignation : Contrat en vertu duquel une personne qu'on appelle le consignateur laisse des biens, des produits ou des marchandises entre les mains d'une autre personne, appelée le consignataire, afin que cette dernière tente de vendre ceux-ci. La propriété des produits et marchandises demeure au consignateur jusqu'à leur vente par le consignataire.

Vente par correspondance : Terme couramment employé pour désigner les contrats à distance.

Vice apparent : Vice qui peut être constaté par un acheteur sans avoir besoin de recourir à un expert.

Vice caché : Vice qui rend la chose impropre à l'usage auquel on la destine, ou qui diminue tellement son utilité que l'acquéreur ne l'aurait pas achetée, ou n'en aurait pas donné un prix si élevé, s'il l'avait connu.

BIBLIOGRAPHIE

BARRAINE, R. *Nouveau dictionnaire de droit et de sciences économiques,* Paris, Librairie générale de droit et de jurisprudence, 1974.

BAUDOIN, J.-L. *Les Obligations,* 5e édition, Montréal, Éditions Yvon Blais, 1993.

BEAUDOIN, J.-L. et Y. RENAUD. *Compagnies, corporations et sociétés commerciales,* Outremont, Judico inc., 1990-1991.

BOHÉMIER, A. et H. MASSUE MONAT. *Guide pratique en matière de faillite,* Montréal, Éditions Thémis, 1990.

BOONE, L.E., D.L. KURTZ, M. LESSARD et M.-A. ROY. *L'Entreprise d'aujourd'hui, structure et dynamique,* 2e édition, Montréal, Les Éditions HRW ltée, 1980.

BOUCHER, G. Lucien. *Droit du travail,* Montréal, Wilson & Lafleur ltée, 1990.

BRADET, Denis, Bernard CLICHE, Martin RACINE et France THIBAULT. *Accidents du travail et maladies professionnelles,* Collection Aide-Mémoire no 602, Montréal, Wilson & Lafleur ltée, 1989.

BRADET, Denis, Bernard CLICHE, Martin RACINE et France THIBAULT. *Santé et sécurité du travail,* Collection Aide-Mémoire no 601, Montréal, Wilson & Lafleur ltée, 1989.

GAUDET, Marjolaine. *Codes civils comparés et dispositions transitoires.* Montréal, Wilson & Lafleur ltée, 1993, 1042 pages.

GROFFIER, E. *Précis de droit international privé québécois,* 4e édition, Montréal, Éditions Yvon Blais et Wilson & Lafleur / Sorej, 1990.

LAPORTE, P. *Code du travail du Québec, Législation, jurisprudence et doctrine,* 4e édition, Collection Alter Ego, Montréal, Wilson & Lafleur ltée, 1990.

JOBIN, C. *Les relations de travail dans l'industrie de la construction, Lois, règlements et commentaires,* Montréal, Wilson & Lafleur ltée, 1990.

LEMAY, Denis. *Le Code civil du Québec en tableaux synoptiques,* Montréal, Wilson & Lafleur ltée, 1992, 162 pages.

MARTEL, M. *Formulaires des compagnies et des sociétés commerciales,* Montréal, Éditions Thélème et Wilson & Lafleur / Sorej, 1990.

MARTEL, M. et P. MARTEL. *La compagnie au Québec,* 3 tomes, Montréal, Éditions Thélème, 1990.

MOREL, A. *Code des droits et libertés,* 4e édition, Montréal, Éditions Thémis, 1991.

SÉNÉCAL, J.P. *Le partage du patrimoine familial,* 2e édition, Montréal, Wilson & Lafleur ltée, 1990.

SYLVAIN, F. *Dictionnaire de la comptabilité,* Toronto, Institut canadien des comptables agréés, 1977.

TANCELIN, Maurice et Danielle SHELTON. *Des institutions, branches et sources du droit,* Les Éditions Adage inc., Montréal, 1989, 298 pages.

VACHON, Patrice et Claudette BELLEMARRE. *La vente d'entreprises,* Montréal, Formation permanente du Barreau du Québec, 1994, 100 pages.

Le Code civil du Québec, Commentaires du ministre de la Justice (tome 1), Québec, Les Publications du Québec, 1993, 1144 pages.

Le Code civil du Québec, Commentaires du ministre de la Justice (tome 2), Québec, Les Publications du Québec, 1993, 2053 pages.

Textes réunis par le Barreau du Québec et la Chambre des notaires du Québec. *La réforme du Code civil. Personnes, successions, biens.* Québec, Les Presses de l'Université Laval, 1993, 812 pages.

Textes réunis par le Barreau du Québec et la Chambre des notaires du Québec. *La Réforme du Code civil. Priorités et hypothèques, preuve et prescription, publicité des droits, droit international privé, dispositions transitoires.* Québec, Les Presses de l'Université Laval, 1993, 1058 pages.

Textes réunis par le Barreau du Québec et la Chambre des notaires du Québec. *La réforme du Code civil. Obligations, contrats nommés.* Québec, Les Presses de l'Université Laval, 1993, 1177 pages.

INDEX